KB110647

김대중 대화록 ❷ 1988—1993

김대중 대화록 ❷ 1988—1993

정진백 엮음

도서출판 행동하는양심

차례

5·18광주민주화운동의 진상 규명을 위한 청문회 증언

대담 국회 5·18광주민주화운동 진상조사특별위원회

일시 1988년 11월 18일

위원장(이하 생략) 문동환 의석을 정리하여 주시기 바랍니다. 성원이 되었으므로 제7차 5·18광주민주화운동 진상조사특별위원회를 개의하겠습니다.

우리 인류는 일대 전환기에 직면하고 있습니다. 냉전의 시대에서 화해의 시대로, 대결의 시대에서 대화의 시대로 승화하고 있습니다. 이런 감격의 전기는 사람의 소중한 것을 아는, 전 세계를 통하여 자유롭고 정의로운 사회를 갈망하는, 수많은 국민들의 투쟁을 통해서 이룩된 것입니다. 이 봄바람은 우리 땅에도 불어와 우리에게 새 출발을 강요하고 있습니다.

그러나 불행히도 제5공화국의 잔재를 불식 못 해서 우리 앞에 펼쳐진 새 시대로 우리는 성큼 들어서지 못하고 있습니다. 우리 국민은 국회에 몸담고 있는 우리에게 어서 그 불행했던 과거를 청산하고 새 출발을 해 달라고 아우성치고 있습니다.

제5공화국 청산에는 여러 가지가 있겠습니다. 5공화국 때 급조된 악법들을 개폐하는 일, 정부 안에서 5공화국의 지도자들을 교체하는 일, 그 당시 저질러진 수없는 비리를 청산하는 일 등 끝없이 많습니다.

그러나 그중에서 가장 중요한 것은 5·18광주민주화운동의 발발 원인과 정부의 과잉 진압에 대한 진상을 밝히는 일입니다. 광주의 비극이 왜 그리고 누구로 말미암아 일어났는지, 그 참극의 진상은 어떤 것이었고 이에 대한 정부의 처리는 어떠했는지를 바르게 그리고 상세히 밝히는 일입니다. 이것이 국민들이 만족할 정도로 이룩되었을 때라야 정의로운 민주사회를 갈망했던 국민의 한이 풀릴 것입니다. 그리고 시시비비를 가려 올바른 심판이 내려질 때 제5공화국의 정체가 밝혀질 것이며 역사는 제 길을 타고 순조롭게 흘러갈 것입니다. 뿐만 아니라 나라의 정기는 바르게 치솟아서 민족은 활기차게 발전하게 될 것입니다.

그러나 만에 하나라도 우리가 자신을, 이 과거의 악한 고리에서 벗기지 못한다면 우리들은 스스로를 세계사의 흐름에서 또 다시 한 번 낙후하게 할 뿐만 아니라 우리 자손들에게 그 처절하고 부끄러웠던 역사를 되물려 주는 것이 될 것입니다.

우리는 이와 같은 우리에게 부과된 과업의 중요성을 감안하여 그동안 광주의 참상을 수록한 '비디오테이프'도 보았고 관계되는 서류도 찾아보았고 가능한 많은 증인들도 만나 보았습니다. 그렇게 해서 모은 자료를 가지고 여러 국민들이 바라보시는 앞에서 청문회를 가지게 되는 것입니다.

불행히도 전 대통령이었던 최규하 씨와 전두환 씨는 이 청문회의 소환에 응하지 않았습니다. 두 분은 다 광주에서 일어난 비극에 관계가 없다고 할 수가 없습니다. 그러한데도 본 청문회의 소환에 응하지 않은 것은 국민을 향한 이중의 배신이라고 생각하여 유감으로 느끼는 바입니다. 본 특위는 앞으로 규정에 따라서 그들에게 동행명령을 발부할 절차를 밟을 것입니다.(중략)

의사 일정 제1항 5·18광주민주화운동의 진상 규명을 위한 청문회를 개의하겠습니다.

오늘 청문회의 운영을 능률적으로 진행하기 위해 지난 5차 회의에서 결정된 사항을 요약해 말씀드리겠습니다. 증인에 대한 신문 순서는 교섭단체별로 순차적으로 하여 신문 시간은 아까 제가 개회사에서 말씀드린 것처럼 첫 번째 신문하는 분에게는 40분, 두 번째부터는 30분을 초과하지 않기로 했습니다. 위원님들께서는 이 약속을 가급적 지켜 주기를 부탁합니다. 그리고 증인 신문에 들어가기 전에 다시 한 번 여러분들에게 부탁을 드리겠습니다. 신문하실 때에는 증인에 대한 인격을 존중해 주시기를 부탁합니다.

오늘 증인 신문 순서는 지난번 회의에서 합의한 대로 최규하, 전두환, 김대중, 이희성 씨로 되어 있습니다. 최규하 증인은 다음과 같은 서신을 보내셨습니다. 배부해 드린 서신을 참고해 주시기를 바랍니다. 그리고 전두환 증인은 참석하지 못하겠다는 의사가 확인이 되었습니다. 따라서 첫 번째와 두 번째 증인이 출석하지 않는 것이 확실하기 때문에 다음 위원회 회의에서 이 문제는 결정하기로 하겠습니다.

먼저 김대중 평민당 총재의 증언을 듣도록 하겠습니다. 그러면 1980년 5월 광주민주화운동과 관련된 사항에 관하여 증언을 듣기로 하겠습니다. 증언을 듣기 전에 관련된 법률에 대해서 말씀드리겠습니다. 증인께서는 숙지하고 계시겠지만 국회에서의 증언 감정 등에 관한 법률에는 증인이 동법을 위반하면 처벌할 수 있다는 규정과 이 법에 의하지 아니하고는 증언 내용에 대하여 불이익 처분을 받지 않는다는 보호 규정도 있음을 알려드립니다.

그러면 증인 선서가 있겠습니다. 증인은 앞으로 나오셔서 선서해 주시기를 바랍니다.

증인(이하 생략) **김대중** (증인 선서)

문동환 그러면 첫 번째 신문으로 민주정의당의 심명보 위원 질문해 주시기를 바랍니다.

심명보 민주정의당의 심명보 위원입니다. 건국 이후 오늘날까지 우리의 정치사를 볼 때 오늘 증인석에 앉아 계시는 김대중 평민당 총재께서는 정치적 탄압을 받았거나 받았다고 주장하는 많은 정치 지도자 가운데 그 표본적인 정치인으로 알려져 왔습니다.

오늘 본 위원이 증언을 듣고자 하는 부분은 주로 10·26 이후 정치사회적인 혼란 기간 중 증인이 전개한 정치 활동의 총체적 내용과 광주의 불행했던 일들에 관한 몇 가지 사항입니다. 다만 오늘 본 위원에 배당된 시간이 40분이어서 1980년도 초 3, 4개월간에 일어났던 그 많은 일 가운데 특히 증인과 관련된 부분에서 진실을 얻어 낸다는 것은 시간의 제약상이나 또 물리적으로 매우 어려운 일로 생각됩니다.

따라서 본 위원의 질문은, 판단은 텔레비전을 시청하시는 국민에게 맡기고 가급적 긴 설명 형식의 답변을 구하기보다는 증인의 수고를 덜어 드린다는 뜻에서도 간결하고 명료한 답변을 기대한다는 말씀을 모두冒頭에 드려 둡니다.

박 대통령 시해 사건이 있은 지 어언 9년이 흘렀습니다. 증인께서는 그 10·26사건 이후 언제 복권이 되어 공식적인 정치 활동을 재개하셨습니까?

김대중 1980년 2월 29일 자로 복권이 됐습니다.

심명보 자유 민주주의 체제하의 정치는 의회의 테두리 속에서 정파 간의 대화와 타협을 통해 이룩해 나간다는 정당정치가 상식이요, 통념입니다. 직접 증인의 입을 통해 듣고 싶어서 극히 원초적인 질문을 해 봅니다. 증인께서는 의회정치 '이퀄' 정당정치라는 등식에 대해 정치인으로서 최고 가치를 두고 계십니까?

김대중 그렇습니다.

심명보 작년 대통령 선거 당시 노태우 후보께서는 보통 사람 시대의 기치를 들고 권위주의를 타파하겠다, 이런 말씀을 했는데 이제 권위주의가 여권에서 없어지니까 그 반대 현상으로 야권에서 신권위주의와 신독재주의가 나타나고 있다 하는 얘기를 들으신 적이 있습니까?

김대중 들어 본 일이 없습니다.

심명보 저의 질문을 증인이 복권되신 1980년 3월 이후로 다시 옮겨가 보겠습니다. 유신 당시의 신민당은 증인을 박 대통령의 대권에 도전할 수 있도록 야당의 대통령 후보로 선출해 준 정치 기반이었고 또 증인이 오늘날 정치 지도자로 건재하게 해 준 모태 역할에 일익을 담당했다고 보여집니다.

증인은 정치 활동을 재개한 뒤 1980년 4월 7일 무엇 때문에 신민당 입당을 포기, 결별을 선언하고 정치의 제도권 밖에서 소위 국민연합을 주축으로 한 재야인사들과 공동 전선을 형성하여 당시 과도내각 퇴진, 계엄 해제 등 정치 일정 단축을 주장했으며 그 당시 많은 뜻있는 국민들은 이러한 증인의 정치 활동을 바로 대권을 향한 노력으로 보았는데 잘못된 시각입니까?

김대중 그렇습니다.

심명보 증인께서는 1980년에 2월 29일…….

김대중 거기예요. 신민당이 그 당시 제가 생각하는 민주주의가 대단히 위태롭다고 이야기하고 신민당은 이대로 잘된다고 그러고, 저는 전두환 씨가 중앙정보부장 서리를 겸임한 것은 중대한 사태의 악화라고 했는데 신민당 측에서는 이것을 민주화에 지장이 없다고 그래서 제가 시국관의 차이 때문에 신민당 입당을 단념한다고 발표하고 민주화가 확정되면 그때 신민당 입당을 고려하겠다고 말한 것입니다.

심명보 알겠습니다. 증인께서는 1980년 2월 29일 복권 이후부터 증인의 정치적 소임인 민주회복국민운동을 위하여 민주 세력 교합이라는 명분으로 첫째 민주헌정동지회, 둘째 한국정치문화연구소, 셋째 민주연합청년동지회, 넷째 지식인협의회, 다섯째 한국민주제도연구소, 여섯째 한국정치범동지회 그리고 국민연합 등 많은 조직을 결성·개편·확대해 온 것이 사실입니까?

김대중 그중에는 저하고 관계있는 조직이 상당수 있습니다. 아닌 것도 한 두 개 있고요.

심명보 알겠습니다. 1980년 5월 사회적 혼란이 극했던 상황에서 이와 같은 많은 조직들이 증인의 집권을 포함한 정치 목적 달성을 위한 전위 조직이라 보았던 당시 세간의 인식을 어떻게 생각하십니까?

김대중 저는 1980년에 혼란이 극한 것은 일부 정치군인들이 정권을 잡기 위해서 계엄령을 해제하지 않고 민주화를 촉진시키지 않았기 때문에 그런 불안이 있었지 저와 같은 그런 평화적인 조직 활동이 불안을 가져왔다고는 생각지 않습니다.

심명보 1980년 4월 16일 증인의 발상과 지시로 각 분야에 걸쳐 특히 전문 성을 갖춘 인사들을 망라하여 고도의 정치를 연구하게 하는 한국민주제도연 구소를 설립·운영한 사실이 있습니까? 그리고 이 연구소를 증인의 장차 집권 에 대비해서 정책 산실로 활용하기 위한 것은 아니었습니까?

김대중 정책 연구를 위해서 그런 조직을 만들었지요.

심명보 집권에 대비한 것입니까?

김대중 물론 집권에 대비할 수 있지요.

심명보 이 한국민주제도연구소의 구성 인원을 보면……, 조사된 자료에 따라서 보면 이사장에 예춘호…… 경칭을 생략하겠습니다. 소장 이문영, 상 임이사에 증인 등 16명으로서 분과별로는 민족 사상 김관석 박형규, 역사 문 화 백낙청, 종교 교육 서남동·현영학, 언론 사회 송건호, 여성 문제 이효재, 민주 정치 장을병, 노동 문제 탁희준, 농업 정책 유인호, 경제 임재경, 보안 외교 양호민, 통일 문제 문익환, 도의 정치 안병무, 행정 이문영, 교육 한완상 등 제씨로 되어 있는데 틀림없으신지요? 그리고 이 연구소 임원은 소위 예비

내각 역할을 담당할 '섀도 캐비닛'(shadow cabinet) 성격으로 본다면 잘못된 시각입니까?

김대중 그것은 잘못된 것입니다. 단순한 연구 목적입니다.

심명보 1980년 5월 15일을 전후해서는 대규모 학생시위로 사회 혼란은 극한상황에 이르러 수도 서울의 치안과 질서는 부재로서 가히 무정부 상태라고 표현될 수 있을 것입니다. 이러한 와중에서 바로 이날 증인 자택에서 서명하고 다음 날인 5월 16일 문익환 씨가 언론사에 배포한 이른바 제2민주화촉진국민회의 선언문을 기억하실 것입니다.

본 선언문의 내용을 보면 과도내각 퇴진, 정치범 석방, 유정회 및 통일주체국민회의 해산 등 16일 자 국민회의 선언문에 대해 5월 19일까지 정부 입장을 밝히라는 일종의 최후통첩으로 보입니다. 16일 자 제2선언문을 보면 소위 민주화촉진국민투쟁대회 일자가 당초 5월 20일로 기재되어 있던 것을 증인이 시일을 이틀 늦추어 5월 22일로 수정한 흔적이 있습니다. 사실입니까?

김대중 그랬었다고 생각됩니다.

심명보 16일 자 제2선언문에 담긴 소위 국민투쟁 행동 강령은 극렬했던 학생시위 진압과도 연계된 기록이 있는데 그 행동 강령을 보면, "첫째, 민주 애국 시민은 민주화투쟁에 동참하는 의사 표시로 그 검은색 '리본'을 가슴에 단다. 둘째, 비상계엄은 무효이므로 우리의 국군은 비상계엄에 근거한 일체의 지시에 불복하라. 셋째, 전 국민은 집회와 시위를 통한 민주화투쟁을 과감히 전개하라. 넷째, 정당·사회단체·종교단체, 근로자·농민·학생·공무원·중소상인·민주 애국 시민들은 나흘 후인 5월 20일 정오에 서울에서는 장충단공원에, 지방에서는 각 시청 앞 광장에서 민주화추진국민대회를 개최한다"고 되어 있습니다. 과연 이와 같은 행동 강령하에 전개될 군중시위나 집회가 비상계엄하에서 특히, 서울의 경우 서울역 부근에서 시위대가 전복시킨 차량에 전경이 깔려 죽고 경찰 최루가스 차가 탈취, 방화되는 등의 상황에서 질서 있게 열릴 수 있겠으며 증인께서 주장하고 있는 합법적인 민주화촉진운동이 될 수 있다고 보셨습니까?

김대중 지금 이야기, 낭독하신 조항들은요, 처음에 그렇게 적어 가지고 왔는데 제가 군대에 대해서 그런 얘기 하는 것, 이것은 절대로 옳지 않다고 상당히 장시간 격론을 해 가지고 결국 계엄령 해제 그리고 정치 일정을 조속히 발표할 것 등 그 당시 일반적으로 주장한 것으로 바꾼 것입니다. 그렇기 때문에 지금 말씀한 그 내용은 당초 처음에 가지고 왔던 것이지 채택된 것은 아닙니다.

심명보 이것이 언론사에 전부 배포된 것입니다. 다음 넘어가겠습니다. 다 아시는 바와 같이 당시 수도 치안의 확보와 질서 유지는 계엄 당국의 권한과 책임하에 있다고 볼 수 있습니다. 이 같은 상황 인식을 가지신다면 5월 20일로 예정된 민주화촉진국민운동이 과연 계획대로 열렸다고 상정할 때 어떠한 비극적 사태가 일어났을 것이라고 생각합니까? 그리고 바로 이 같은 상황이 5·17 전국 일원에의 비상계엄 확대를 초래했고 소위 5·17사태를 가져왔다고 생각하지 않으십니까?

김대중 저는 그렇게 생각하지 않습니다. 제가 4월부터 5월에 걸쳐서 한신대학 그리고 명동 기독교여자청년회(YWCA), 동국대학, 이런 데서 옥내외의 집회를 가졌습니다. 그러나 한 번도 혼란이 일어난 일이 없습니다. 또 혼란이 일어나지 않도록 부탁을 했을 때 그대로 다 되었습니다. 제가 볼 때 혼란이 일어난 것은 일부 정치군인들이 집권하기 위해서 이것을 조성한 것입니다. 아까 남대문에서 자동차에 전경이 치여 죽었다고 하지만 그것도 그 후로 범인을 잡은 일이 없습니다. 제가 들은 정보에 의하면 조작한 것이라고 듣고 있습니다.

또한 저는 5월 13일 학생들이 시위를 했을 때 14일 『동아일보』에서 찾아와 가지고 저에 대해서 원고지 여덟 장을 써서 학생들이 시위를 자제하도록 써 주면 1면 '톱'으로 보도하겠다고 해서 제가 써 주었습니다. 그러나 계엄 당국에서 제가 시위를 자제하라는 그 평화를 호소한 그 호소문을 못 싣게 해 버렸습니다. 그래서 제가 15일, 할 수 없어서 기자회견에서 다시 호소하고 또 16일 김영삼 총재하고 공동으로, 말하자면 질서를 지키고 평화를 유지하도록 그렇게 호소를 했고, 그래서 한 것만은 아니겠지만 16일에 학생들은 시위를 일체 중단하고 정국의 추이를 주시하는, 이렇게 보아서 5·17은 그런 혼란을 구실로 한 전연 명분 없는 집권 야욕에서 나온 행동이었다고 이렇게 생각하고 있습니다.

심명보 당시 서울역 근처에 운집한 인파는 5만에서 10만으로 보는 견해가 있었습니다. 그 와중에서 어느 특정한 사람이 '버스'를 폭주시키고 전복시킨 그, 바로 그 사람을 잡는다는 것, 과연 용이한 상황인가 이것은 생각해 볼 문제라고 봅니다. 다음, 증인께서는 장기표·심재권 씨라는 사람을 아십니까?

김대중 예, 압니다.

심명보 또 증인께서는 1980년 5월 12일 하오 5시경으로 조사되었습니다만 북악파크호텔 521호실에서 문익환·예춘호·이문영·한승헌·이해동·이현배·장기표·심재권 씨 등 제씨와 만나 시국 전반에 관해서 논의한 일을 기억하실 것입니다.

김대중 예, 기억합니다.

심명보 증인께서는 그 자리에서 장기표·심재권 씨로부터 5월 11, 12일 이틀 서울대학교 학생회관에서 전국 26개 대학생 대표 45명이 회동한 사실과 이 학생 대표들이 앞으로 잠정적 교내 시위만을 한다, 휴교령을 발표할 시에는 단호히 투쟁을 전개한다, 계엄령 해제와 정치 일정의 명백한 발표를 요구한다고 결의한 내용을 보고받으셨으며 그리고 16일 다시 이화여자대학교에서 학생 대표들이 회합하여 새로운 투쟁 방법을 협의하기로 했으며 앞으로 학원시위가 확산될 전망이다라는 등의 보고를 받거나 들으신 기억이 있으십니까?

김대중 그대로 정확히 기억은 없지만 대개 그런 얘기를 들은 기억이 있는 것 같습니다.

심명보 그 자리에서 증인은 과도정부의 실권을 잡고 있는 유신 잔당들이 민주화에 역행, 계속 집권 음모를 하고 있는 것 같다, 민주화운동을 하자는 것은 반독재 민주 회복을 실현하는 데 그 목적이 있겠지만 궁극적으로는 우리 민주 인사들이 참여하는 민주정부를 수립하는 데 있다고 말하면서 이들 두 사람에게 서울대, 고려대, 연세대 등 명문 대학의 동정을 살펴보라고 말씀하신 적이 있습니까?

김대중 그런 기억은 없는데요.

심명보 제가 묻고자 하는 사항은 증인께서는 당시 직접 겪으셨거나 목격했거나 관련된 일인 반면에 오늘 이 텔레비전을 시청하시는 국민들은 거의 잊은 사실이기 때문에 국민의 기억을 되살리고 이해를 돕기 위해서 질문이 다소 길어질지 모르겠습니다. 양해해 주시기 바랍니다.

앞서 그 5월 12일 북악파크호텔 521호실 회동, 그 자리에서 또 장기표 씨가 그 나흘 전인 5월 8일 민주청년협의회 확대 간부회의에서 결의했던 학생 폭력 시위 계획을 보고했고 거기에 있던……, 위에 쭉 열거한 그 좌중의 인사들 간에는 많은 말이 오고 갔습니다마는 대충 간추리면 첫째, 지금 학생들의 반정부 '데모' 의식이 고조되고 있으므로 교문 밖으로 유도하여 시민들이 가세하면 사기 저하된 경찰은 무력화될 것이고 학생들은 경찰 저지선을 뚫을 것이다, 또 군이 출동된다 해도 4·19와 같이 발포하지는 못할 것이나 과격 저지 등으로 충돌이 불가피하게 되어 그 과정에서 필연적으로 사망자가 생기면 흥분한 시민들이 가세하게 되고 걷잡을 수 없는 사태에 빠질 것이다, 또 이 계제에 재야 세력의 대표인 김대중 선생에게 사태 수습을 맡기면 흥분된 군중은 김 선생을 따라 진정되고 사태는 용이하게 수습되리라고 본다, 또 이에 따라서 아까 말씀드린 전문성을 갖춘 인사들로 구성된 한국민주제도연구소가 주축이 되어 과도기적인 체제를 구성하여 행정 기능을 관리하게 되면 우리의 민주정부의 수립 목적이 달성되리라 보며 또 이를 위해 각 대학 학생회장단에 영향력 있는 복학생들을 규합시켜 학생시위를 교문 밖으로 유도하고 정치 문제를 '이슈'로 전환해서 현 과도내각이 퇴진할 때까지 계속 투쟁하도록 한다, 또 이 밖에 김대중 선생 주도하의 과도 체제의 구성 문제는 한국민주제도연구소 이문영 씨가 소장으로 계시는 그 연구소가 주축으로 해서 미리 연구해 두시는 것이 좋겠다는 등 많은 의견이 좌중에서 제시되었다는데 증인께서는 찬반 간에 반응을 표시하신 적이 있습니까?

김대중 그런 얘기가 나온 일이 없고요. 회의는 아까 말같이 지금 민주화가 굉장히 어려우니 민주화를 위한 국민운동을 전개하자, 그 조직을 만들자, 그것이 주 토의 사항이었습니다. 또 그것을 뒷받침한 것은 제가 여기 신문……, 그 당시 신문철을 베껴서 가지고 왔습니다마는 저는 그때 계속적으로 민주화가 대단히 어렵다, 일부 민주주의를 원치 않는 세력들이 무슨 일을 저지를는지 모른다, 따라서 학생이나 모든 국민은 질서를 지켜야 한다, 이렇게 말해서 신문에 거듭거듭 나 있고 또 심지어 북한에 대해서 만일 이런 시기를 틈타서 문제를 일으키면 우리는 북한하고 단호히 싸우겠다 해서 그것도 보도된 신문을 여기에 가지고 왔습니다. 저는 한신대나 기독교여자청년회(YWCA)나 거기서 연설할 때마다 지금 군 내의 일부 세력, 유신 잔재 이런 사람들이 민주주의를 가로막으려고 하니까 구실을 주지 않기 위해서 절대로 질서를 지켜야 한다, 다만 명분 없는 계엄령을 빨리 해제하고 정부는 정치 일정을 빨리 발표해서 이 정국을 안정시켜라, 민심을 수습해라, 여기에만 우리가 주장을 해야 한다, 모든 것은 평화적이고 비폭력적으로 해야 한다, 이렇게 주장해서 지금 저희 집에 그 '테이프'가 있습니다. 원하시면 언제든지 위원회에 제출해서 제가 그렇게 말한 녹음을 생생하니 들을 수가 있습니다. 그렇기 때문에 지금 질문하신 것은 전혀 사실과 다릅니다.

심명보 이상으로 5·17사태까지의 증인의 활동하신 부분에 대해서 제 순서를 마치겠습니다. 국민들이 판단하실 것으로 알고 시간 제약상 다음으로 넘어가겠습니다. 광주의 불행했던 일에 대해서 몇 가지 증인께 여쭈어보겠습니다.

광주의 민족적 비극을 말하기에 앞서 본 위원은 먼저 마음속으로 광주 시민 등 희생자 164명을 포함한 군경 희생자 등 총 193명의 명복을 빌고 부상자들의 조속한 쾌유와 사회생활 복귀를 기원합니다. 국회 광주특위를 계기로 여야가 합심해서 모두가 흡족해하는 명예로운 수습이 이루어지는 데 본 위원도 미력이나마 최선을 다할까 합니다.

증인께서는 작년 12월 대통령 선거 당시 후보로서 이른바 「광주의거 진상백서」를 발표하시는 가운데 사망자는 최소한 1000명이 넘는다고 주장하셨습니다. 이에 반해 정부가 줄기차게 꾸준히 밝힌 사망자 수는 현재 광주 시민 등 희생자 164명을 포함해서 군경 희생자를 합쳐 도합 193명인 것으로 본 위원은 알고 있습니다. 이와 같이 정부 발표와 엄청난 차이를 보이고 있으며 이러한 괴리 현상이 국민들에게는 불신과 의혹을 안겨 주어서 심지어 항간에는 한때 2000명 또는 3000명이라는 악성 유언비어가 나돌고 지금까지 완전히 진정되지 않고 있는 실정입니다. 제6공화국에 접어들어 정부는 민화위에서 건의한 광주민주화운동의 치유 대책의 일환으로 금년 5월 사망자들에 대한 추가 신고를 접수한 결과 사망자 10명, 행불 102명 그리고 부상자 뭐……,

다소 겹치겠습니다. 잠정 집계된 것으로 알고 있습니다. 증인께서는 이제 위 사망자 수를 믿게 되셨습니까, 아니면 사망자 수가 몇 명이라고 알고 계십니까? 밝혀 주시기 바랍니다.

김대중 광주에서 사망자는 가장 적은 숫자는 지금 정부가 말한 대로 164명이고 또 가장 많은 숫자는 광주 현장 기록한 분들의 2, 3000명입니다. 또 과거에 12대 국회에서 문정수 의원이 광주시의 인구 통계와 사망률, 사망 내용, 해서 한 2, 3000명이 된다고 한 일이 있습니다. 그래서 숫자 차이가 상당히 큽니다.

그런데 제가 그때 백서 발표할 때 1000명 정도라고 한 것은 제가 미국에 있을 때 글라이스틴 당시 주한 미국대사가 어디서 연설을 하면서 광주에서 사망자는 1000명은 넘지 않는다, 이렇게 말한 일이 있습니다. 그래서 대개 그 대사가 그렇게 말할 때는 상당한 근거가 있을 것이다 해서 제가 그 정도로 말씀한 것인데 지금 질문하신 심 위원 말씀과 같이 만일 수가 적다면 얼마나 좋겠습니까? 누가 광주에서 많이 죽었기를 바라겠습니까?

심명보 그런데 상식적으로 190명과 1000명은 한 5배입니다. 가장 존귀한 인간 생명이 이렇게 많이 없어졌을 때는 이것이 유족들이나 그 주변이 가만히 있을 리가 없고 이것이 상식적으로 도저히 납득이 되지 않습니다. 김 총재께서도 그러면 사망자 수에 대해서는 정부 발표에 어느 정도 근거가 있다고 보시는 것입니까? 그러면……

김대중 저는 근거가 있기를 바라고 있습니다.

심명보 좋습니다. 증인께서는 지난 11월 2일 서울의 도하 각 일간지 신문기자들과의 간담회에서, 그대로 제가 인용을 하면 "전두환 씨가 광주5·18 당시 발포 명령을 내린 최고 책임자라는 증거가 떠오르고 있다"고 매우 확신에 가까운 주장을 하셨습니다. 본격적인 특위 활동이 열려 진행 중인 이 자리에서 그 떠오른 증거를 국민에게 공개하실 용의는 없으십니까?

김대중 저는요, 먼저 말씀드리고 싶은 것은 대한민국에서 상식을 가진 사람치고 광주에서 대량 학살과 무력 행사가 전두환 씨 관여 없이 행해졌다고 생각하는 사람은 나는 단 1퍼센트도 되지 않는다고 생각합니다. 근 열흘 동안 광주에서 그런 엄청난 무력 행사와 그런 잔인한 학살 행위가 행해졌는데 당시의 실권자인 전두환 씨가 몰랐다는 것은 말이 안 됩니다.

동시에 최근에 저희 당에서 조사한 바에 의하면 당시 특전사령관이었던 정호용 장군이 수시로 광주를 왕래하고 이래 가지고 전두환 보안사령관과 밀접하게 연락하면서 왕래한 사실이 밝혀져 가고 있습니다.

동시에 광주에서는 505부대, 이것이 말하자면 보안사령부(현 기무사령부) 분소인 모양인데 이것이 그 당시에 광주에서의 모든 작전 행위라든가 탄압의, 말하자면 실질적인 지휘소였습니다.

거기에 대한 증인이 머지않아서, 말하자면 거기에 근무하던 사람이 머지않아서 이것을 밝힐 것입니다. 이런 등속으로 볼 때 그 기관은 물론 보안사령관인 전두환 씨의 직속 기관이고 또 거기의 간부가 서울을 자주 왕래하고 있었습니다. 이런 모든 점으로 보아서 저는 전두환 씨가 이 광주학살의 지령의 책임자다, 이러한 판단을 갖게 되었고 또 그렇게 해서 이런 정황이 최근 나타나기 시작함으로써 증거가 떠오르고 있다, 이렇게 말한 것입니다.

심명보 발포 명령자가 누구인가를 가려내는 것은 모두의 관심사이자 초미의 과제입니다. 오늘 이 자리에서 물증을 제시할 수 없는 모양인데 대충 말씀을 들어 보니까 그 당시 정황에 따른 추단에서 추리된 판단이 아닌가 보는데 이것이 어떤 명백한 사실과 기록 또 명령 지휘 계통에서 나온 그런 확신을 가지고 계십니까?

김대중 지금 증인도 일부에 있고 또 상황 증거로 봐서 당연히 그렇게 판단하고 그래서 제가 떠오른 것이라고 말한 것입니다.

심명보 알겠습니다. 그런데 증인께서는 작년 대통령 선거전 이래로 가끔 세인의 관심과 호기심을 끌기 위해서 증거가 있다는 소위 폭로성 발언을 가끔 하셨습니다. 그러나 1년이 되도록 지금까지 그 증거를 제시한 일이 한 번도 없습니다. 아직도 그 증거를 공개할 시기가 안 됐다고 보십니까?

김대중 무슨 문제에 대해서 말입니까?

심명보 그 당시의 증권시장이라든가 등등 기억은 다 안 납니다만 어떤 증거를 가지고 있다고 늘 신문에 보도된 것을 제가 봤습니다. 그러나 증거를 제시한 것은 기억이 없습니다.

김대중 저는 그런 부정확한 얘기를 한 일이 없습니다.

심명보 좋습니다. 다음은 야당 일각과 일부 운동권 학생 사이에서는 1980년 광주의 비극에 미국이 개입했다고 계속 주장하고 있습니다. 그리고 증인께서도 지난 11월 5일 대구 지역 정책 토론회에서 미국은 삼팔선을 그은 장본인이고 광주사태를 묵인했다고 주장한 바 있습니다. 광주사태를 묵인했다는 것이 구체적으로 무엇을 의미하는 것인지요?

김대중 저는요, 그 점에 대해서 미국 관계자들하고도 몇 번 얘기했습니다. 여러분들이 법적인 책임이 없다고 하는데 법적인 책임은 차치하고 한국군에 대해서 또 한국 정부에 대해서 또 그 당시 미국에 전면적으로 의존한 군사 지도자들에 대해서 막강한 영향력을 가지고 있었는데 한·미 합동 연합군의 사령관인 사람이 그 일부가 비록 그 연합군 사령관의 지휘를 이탈했다 하더라도 이런 문제에 대해서 이것을 그런 참혹한 학살을 저지하려는 어떠한 노력도 미국대사관이나 군 당국이 취하지 않았다는 것은 대단히 유감이다, 어떻게 해서 한국 국민이 그런 것을 이해할 수 있겠는가, 민주주의를 말하자면 최고의 간판으로 내세우고 또 당시 인권을 미국 외교 정책의 심장이라고 주장하던 카터 정부하에서 이런 일이 있다는 것은 한국 국민으로 볼 때는 하나의 배신 행위다, 내가 알기는 그 당시 광주 시민은 미국 측에 대해서 계엄군과 광주 시민 사이의 조정자 역할을 해 달라고 요청도 했는데 상관 안 했다는 말을 들었다, 뿐만 아니라 법적으로 볼 때는 광주에 내려간 부대들이 공수부대나 모든 부대가 당시 31사단 예하에 있었다고 하는데 31사단은 2군 예하에 있고 2군단은 미군 연합군 사령관의 예하에 있습니다. 그렇다면 이렇게 훑어 내려가다 보면 결국 광주에 있는 부대도 미군사령관의 예하에 있다는 법적인 논리가 성립이 되는데 어떻게 해서 이렇게 아무, 말하자면 노력을 안 했는가, 그래서 저는 무엇보다도 도의적으로 봐서 미국이 그 당시에 취한 방관적인 태도에 대해서는 매우 유감스럽게 생각하고 있습니다.

심명보 그간의 공식 발표에 의하면 우리나라의 공수부대는 한·미연합사의 통제 부대가 아니고 20사단은 사태 이전에 한국군에 귀속되었고 또 향토 사단인 31사단과 광주 지역 부대는 한국군 지도 체계 밑에 있다는 점이 밝혀진 바 있습니다. 이러한 해명에도 불구하고 미국이 묵인하였다는 또 다른 근거가 지금 말씀하신 그런 추단 또 이런 추리 외에 또 있습니까?

김대중 지금 말씀하신 대로요 31사단은 미군 예하에 있기 때문에 반드시 미군 예하에 없다고 볼 수 없습니다.

심명보 2군도 사실은 엄격히 따지면 연합사 예하는 아니라고 제가 알고 있습니다.

다음은 본 위원은 광주의 비극에 아픔을 같이하는 국민 중의 하나라고 스스로 생각하고 있습니다. 그러면서도 다른 일은 다 제쳐 놓더라도 엄청난 소용돌이의 와중에서 일부 과격 시위 군중에 의해 감행했던 공공시설 방화라든가 또 사상범이 수용되어 있는 교도소 습격이라든가 무기를 접수해서 소지했다 등과 같은 이러한 폭력 위험 행동은 과연 불가피했을까, 또 지금 단계에서 이를 간과할 수는 없는 것일까, 어떻게 합리화될 수 있을까를 사실은 곰곰이 생각해 본 적이 있습니다. 이 점에 관해서 증인께서는 어떠한 탁견을 가지고 계시는지 묻고 싶습니다.

김대중 이 광주 문제도 그렇습니다. 5월 16일 밤 야간 시위가 있었습니다. 그런데 이것은 그 당시의 경찰국장인 안병하 씨가 민화위에 와서 증언을 한 것을 보면 이 횃불 시위는 매우 질서정연하게 끝나서 그 당시 광주로서는 전연 군을 투입할 이유가 없었다, 이렇게 경찰국장이 증언하고 있습니다. 또 17일 역시 아무 일도 없었습니다. 그런데 18일부터 공수부대가 각 대학에 가서 학생들 등교를 막고 이미 17일에 들어와 있고 이래 가지고 군이 불필요하게 진주해 가지고 자극을 하고 또 사람들을 여기저기서 구타하고 이런 것이 광주 시민을 자극해서 일어났는데 공수부대는 아시다시피 전투에 있어서 적군에 투입해 가지고 공격을 하는 그런 부대지 후방에서 질서 유지를 위해서 훈련된 부대가 아닙니다. 그런데 공수부대를 보냈다는 자체가 벌써 무엇을 목적으로 하는가, 이것을 충분히 설명해 주고 있습니다. 그렇기 때문에 저는 이 광주에 있어서 시민들이 먼저 문제를 일으켰다, 학생들이 일으켰다, 이것은 전연 사실하고 다르다고 생각하고 있습니다.

심명보 이것은 말씀하면 또 논쟁이 될 것 같아서 제가 피하겠습니다. 또 그런 의도도 추호도 없습니다.

마지막입니다. 본 위원은 광주의 불행이 크게 증폭되게 된 가장 큰 원인은 시위 초기에 경직된 군의 과잉 진압과 시위 군중 간의 격렬한 충돌이라고 쉽게 추단할 수 있겠습니다. 증인께서는 역시 관훈클럽 초청 연설이나 국회 연설에서 맥락이 비슷한 사태 해결책으로 명백한 진상의 규명과 명예 회복, 유가족과 부상자들에 대한 물심양면의 보상 그리고 인도적 견지에서 또 정치적 혼란을 막는 견지에서 민주화를 제시하셨습니다. 지금도 그러한 소신에는 변함이 없으십니까?

김대중 그렇습니다.

심명보 본 위원의 질문을 마치면서 우리말에 장부 일언은 중천금이라는 말이 있습니다. 오늘날 국가 규모도 커졌고 오늘 제가 처음 김 총재를 상대로 증언을 듣고 보니까 역시 정치인의 한 말은 중억만금重億萬金이다 하는 이런 교훈을 스스로 느낍니다. 감사합니다.

문동환 그러면 다음으로 평화민주당의 신기하 위원 신문해 주십시오.

신기하 평화민주당 소속 신기하 위원입니다. 증인 신문에 들어가기 전에 한 말씀 드리고자 합니다. 본 위원이 소속하고 있는 평화민주당 소속 총재이지만 호칭은 증인이라고 부르겠습니다.

증인께서는 우리 민족사의 한 시대를 긋는 5·18민주화운동이 있은 지 만 8년 반이 되는 오늘 그 진상이 밝혀지지 않은 상황에서 온 국민에 대한 죄송스러움과 송구스러운 마음을 간직한 채 역사적 사실을 밝혀서 그 역사적 정통성을 찾고 광주 시민을 비롯한 관련 모든 국민의 명예를 회복해서 그야말로 진상을 밝혀야 한다는 역사적 소명감을 갖고 출발하고 있는 우리 광주특위의 조사 활동의 일환인 이 청문회의 첫 증인으로 나오셨기 때문에 정말 진지한 태도로 사실대로 답변하셔서 광주특위의 진상 규명 활동에 적극 협조하여 주시기를 부탁드리는 것입니다.

그러면 신문에 들어가겠습니다. 증인께서는 1980년 5월 17일 밤에 당시 계엄사령부 합동수사본부 요원들에게 강제로 연행되어 간 사실이 있으시지요?

김대중 그렇습니다.

신기하 연행되어서 조사를 받으셨던가요?

김대중 그날 저녁은 안 받고요, 아마 그다음 날부터 받은 것 같습니다.

신기하 그다음 날부터 조사를 받기 시작하셨다……. 당시 혐의 사실은 무엇이라고 하면서 조사하던가요?

김대중 대체로 저의 해방 이후 정치 경력 그리고 아까 심명보 위원께서 질문하신 내란음모 관계, 말하자면 정권 타도하고 조각을 하려고 했다 하는 그런 관계를 질문했습니다.

신기하 결국 공소가 제기되어서 유죄 판결을 선고받으신 것으로 아는데 언제 어떤 형을 선고받으셨던가요?

김대중 9월에요. 군법회의 1심에서 사형 선고를 받고 11월에 2심에서 사형 선고를 받고 1월에 이것이 확정되고 그랬습니다.

신기하 그 후에 결국 석방되셨는데 어떠한 경위로 감형이 되었으며 석방이 되셨는지 그리고 언제 석방이 되셨는지 말씀해 주십시오.

김대중 석방은 1월 23일 사형 선고가 되고 동시에 무기로 감형이 되고 그리고 그다음 해에 3·1절 때인가, 이것이 20년으로 감형이 되고 그리고 그 후로 1982년 12월, 그것도 23일인가에 한국에서 미국으로 가는 비행기 기내에서 형 집행정지로 석방이 되었습니다.

신기하 그러면 형 집행정지가 되지 않은 상태에서 교도소에서는 나오셨고…….

김대중 나와서 서울대학병원에 한 1주일 있다가 그래 가지고 비행기 안에서 집행정지가 됐습니다.

신기하 군법회의에서 당시 증인에게 사형 선고를 한 범죄 사실과 그 죄명은 무엇인지 간단하게 말씀해 주시겠습니까?

김대중 그 죄명은 제가 알기는 국가보안법 1조 1항 반국가단체의 수괴 그리고 내란 선동 기타인데 사형의 죄목은 국가보안법 1조 1항 그것으로 알고 있습니다.

신기하 증인은 5·18민주화운동 직전 전남대학교 학생 정동년 씨에게 학생

시위 자금을 주어서 내란을 음모하였다고 하는데 사실입니까?

김대중 전연 그런 일 없습니다.

신기하 증인은 정동년 씨를 만난 사실이 있으시지요, 지금까지.

김대중 정동년 씨를 만난 것은 1980년이 아니고 1985년 미국서 돌아와서, 2월에 돌아왔는데 아마 4월쯤 처음 정동년 씨를 보았습니다.

신기하 그러면 적어도 1980년 5월 17일 이전에는 정동년 씨를 만난 사실도 없고 더욱이 돈을 준 사실은 없다는 말인가요?

김대중 물론 없고 이름도 몰랐습니다

신기하 증인은 전 국회의원인 김상현 씨를 알고 계시지요?

김대중 예.

신기하 증인은 김상현 씨의 소개로 정동년 씨를 알고 전남대학교와 조선대학교 시위 자금으로 쓰라고 2회에 걸쳐서 도합 금 500만 원을 주었다는데 그것은 사실이 아닙니까?

김대중 전연 아닙니다.

신기하 증인에 대한 사법경찰관이 작성한 피의자 신문조서와 군검찰관이 작성한 피의자 신문조서에는 모두 자백한 것으로 되어 있던데 신문 과정에서 혹시 고문이라도 받으셨던가요?

김대중 육체적 고문을 하려고 옷까지 갈아입히고 상당히 폭언을 하고 그리고 이것은 반드시 이렇게 만들어야 한다, 아무리 부인해도 소용없다, 이렇게 했으나 고문까지는 못 했습니다.

그런데 잠을 안 재우고 계속 말하자면 며칠이고 질문을 하는 것, 이것은 사실 매 맞는 것보다 더 힘듭니다. 그런 데다가 또 정동년 씨나 김상현 씨가 지금 말씀하신 그런 내용을 이미 자백을 하고 있습니다. 그런데 거기 수사관 한 사람이 얘기하는데 당신이 이것을 부인하면 다른 건도 그렇습니다마는 결국 그 사람들이 고통만 더 본다, 이렇게 말하고 또 저도 심신 양면에 인간의 한계성이 왔고 그렇기 때문에 법정에 가서 진실을 말할 생각으로 했습니다.

제가 다른 건도 자백한 건이 있는데 사실이 아닌 것을…… 저의 그때 상황은 지금 말씀과 같이 참으로 심신이 견딜 수 없는 60일 동안 고초에서 그렇게 한 것이고 다만 제가 마지막까지 목숨을 걸고 자백을 거부한 것은 저를 용공으로 몰려고 한 것만은 목숨을 걸고 자백을 거부한 그런 길밖에 저는 그 당시 취할 수가 없었습니다.

신기하 예, 알았습니다. 증인은 군사법경찰관과 군검찰관으로부터 각 몇 회나 조서를 받았으며 진술서는 몇 번이나 썼던가요?

김대중 자세히 기억은 없으나 아마 정식 조서로 만든 것은 한 20회 가까이 될 것으로 보나 그 외 연필로 적으면서 물은 것은 수십 번입니다.

신기하 증인은 5·18민주화운동이 발생한 사실을 언제 어디서 처음으로 알았던가요?

김대중 제가 5월 17일 저녁에 잡혀갔는데 그게 한 50일 지나서…… 그때까지는 전혀 몰랐습니다. 한 50일 지나서 지금 저하고 같이 국회의원 하시는 이학봉 씨, 이분이 당시 보안사의 고위 간부인데 제가 들어가기 전에 알기는 그분이 방첩부장(대공처장)인지 뭔지 그런다고 말을 들었는데 여하튼 고위 간부인데 그분이 저를 찾아와 가지고 정보부 지하실에서 만났습니다. 만났는데 이분이 저보고 과거에 2월에 만났을 때 무슨 각서 쓰라고 했는데 제가 거부했는데 그때 그 각서를 썼어야 했다, 이 말을 하면서 이제 당신은 분명히 죽습니다……, 이 재판 같은 것은 요식행위입니다……, 표현이 요식행위라고 했습니다. 결국 당신 놔두고는 우리가 해 나갈 수가 없습니다, 그러니까 당신이 사는 유일한 길은 우리하고 협력하는 길입니다, 우리하고 협력하시오, 이런 말을 하면서 한참 말을 이리저리 돌리면서 하다가 대통령만 단념하시오,

대통령만 단념하면 우리하고 협력이 됩니다, 이렇게 말을 했습니다. 그런데 저도 죽고 사는 문제이기 때문에 답변을 잘 못 하고 가만히 있었습니다. 그랬더니 잘 생각해 보라고 모레 다시 오겠다고 이러면서 나갔어요. 나갔는데 한참 있으니까 거기에 정보부 직원이 신문을 한 뭉치 들고 와요. 그래 갖다주어서 그때 보니까 비로소 광주민중항쟁이 일어난 것을 알고 또 제가 그런 엄청난 누명을 쓰고 그래 가지고 그렇게 대대적으로 발표된 것을 알았습니다. 좀 솔직한 얘기가 어리석은 얘기지만 그때까지 너무도 조사 과정에서 죄 될 것이 없기 때문에 나가는 것이 아닌가 이렇게까지 생각하고 있었습니다. 그런데 그것을 보고 너무도 엄청나서 제가 잠시 반기절하다시피 해서 의사가 쫓아와서 '링거' 주사를 놓고 그렇게 했는데 그렇기 때문에 광주사건 주모자로 된 제가 한 50일 만에 이것을 안 것입니다.

신기하 증인께서는 중앙정보부에서 언제 육군교도소로 이송되셨는가요?

김대중 5월 17일 잡혀가고 나서 60일 돼서 교도소로 갔습니다.

신기하 그러면 육군교도소에 이감되기 전에 아까 말씀하신 이학봉 당시의 보안사령부 요원을 다시 만난 사실은 없으십니까?

김대중 그 후로 그분이 두 번 더 찾아왔습니다. 그런데 제가 말을 절약하려고 아까 안 했는데, 그래서 그날 신문 보고 그렇게 기절을 했는데 그날 저녁에 하루저녁을 제가 기도를 하고 잠을 안 자고 묵상을 했습니다. 그런데 제가 아무리 생각해도 목숨도 살아야겠지만 이렇게 광주서 많은 분들이 죽었는데 제가 이 사람들하고 타협할 수가 없다, 또 제가 우리 젊은이들의 초롱초롱한 눈빛을 생각하더라도 또 내 가족들의 명예를 생각하더라도 나는 타협할 수가 없겠다, 난 여기서 죽는 길밖에 없다, 그것이 내가 사는 길이다, 이렇게 결심을 했습니다. 그래서 그다음에 이학봉 씨가 두 번 찾아왔을 때 나도 광주 사람들하고 같이 죽기로, 나를 위해서 이분들이 석방을 요구하고 계엄령 해제하라고 이러다가 이렇게 많이 죽었는데 어떻게 당신들하고 협력하나, 나는 죽기로 작심했으니까 나한테 더 이상 말할 것 없다, 그렇게 해서 거절을 했습니다.

신기하 다음은 증인께서도 공판 과정에서는 광주에서의 학생시위 자금 교부 관계를 부인하셨던가요?

김대중 물론이지요. 공판에서는 다 부인했습니다.

신기하 증인께서는 군법에 의해서 재판을 받을 때 변호인 선임 기회도 부여받지 못해서 국선 변호인으로 재판을 받다가 우연히 법정에서 다른 피고인을 변호하러 온 변호사를 만나서 비로소 공선 변호를 받았다는데 사실입니까?

김대중 아무리 계엄령하라도 수사기관에 체포되는 즉시 변호사를 세울 수 있습니다. 그래 제가 중앙정보부에 갔을 때 바로 그날 저녁에 변호사를 세우게 해 달라 했습니다. 변호사 그러면 누구 세우겠냐, 제가 이름을 대 주었습니다. 그랬더니 나중에 정보부 직원이 와서 법에도 변호사를 세울 수 있게 되어 있습니다, 그러나 세우게 해 줄 수 없습니다, 이렇게 통보를 해서 못 했습니다. 또 육군교도소로 넘어가 가지고 검찰에서 조사를 받으면서 또 변호사 얘기를 했습니다. 그런데 검찰에서도 변호사의 도움을 받지 못한 것으로 지금 기억하고 있습니다. 나중에 재판으로 넘어갈 단계에서 제가 전연 과거에 일면식도 없고 신청한 일이 없는 박영호 변호사하고 김동생 변호사 이 두 분이 오서서 도장을 받아 갔습니다. 그분들이 나중에 수고를 많이 했습니다. 그리고 허경만 의원은 제가 신청한 것은 아니었습니다. 면회 요청해서 나가 보니까 허경만 의원이 있어 가지고 제가 변론하겠습니다, 이래서 아마 제가 서명해 주었을 것입니다. 그러니까 제가 요청한 것은 한 사람도 된 일이 없습니다.

신기하 증인께서는 대법원에서 재판이 확정될 때까지 사법경찰관 수사 과정, 군검찰관 수사 과정, 공판 과정별로 가족과 친지의 면회를 단 몇 번이나 하셨습니까?

김대중 가족 면회도 검찰 조사가 끝날 때까지는 전혀 안 되었습니다. 그리고 검찰 조사가 끝난 후로 판결에 들어가면서는 며칠에 한 번씩 면회가 되었습니다. 그리고 친지 면회는 일체 안 되었는데 나중에 조남기 목사라고 당시 기독교교회협의회(NCC) 인권위원장이 한 번 면회를 왔는데 그것은 정부하고 교섭을 해 가지고 공무를 가지고 면회 왔다고 그렇게 들었습니다.

신기하 군사법경찰관의 수사는 중앙정보부 지하실에서만 받으셨던가요?

김대중 예, 그렇습니다.

신기하 아까 중앙정보부 지하실에서 계신 기간은 60일간이라고 말씀하셨지요?

김대중 그렇습니다.

신기하 그동안에 거기서 겪으신 일들 중요한 것 한두 가지 말씀해 주실 수 있어요?

김대중 거기에서 있는 동안에 아까 정동년 문제 다룰 때 외에는 특별히 저한테 악하게 한 일은 없습니다. 그런데 제일 고통스러운 것은 아까도 말했지만 폐쇄된 지하실에서 60일 동안 한 번도 밖에 못 나가고 거기 있으니까 나중에는 곧 질식할 것 같고 좀 과장된 표현 같지만 미칠 것 같은 그런 심정도 때론 들었고 그리고 잠 안 재운 것도 못 견딜 일인데 같은 얘기를 몇십 번이고 되풀이하며 묻는 것, 그래 가지고 저번에 말한 것하고 조금 시간이 다르다든지 표현이 다르면 그것 가지고 또 추궁도 하고, 말하자면 듣기 거북한 일을 하는 것, 이것이 참으로 견딜 수 없는 어려움이었습니다.

신기하 옆방에서 고문받는 민주 인사들의 신음 소리 같은 것을 들으셨어요?

김대중 문이 방음 장치가 돼서 안에 있으면 안 들립니다. 그런데 직원들이 무시로 출입하니까 출입할 때 옆방에서 고문당할 때 비명 소리가 자꾸 들려 왔습니다. 물론 대부분이 저 때문에 들어온 분들이고 그래서 아까 말씀이 나왔지만 정동년 문제 자백할 때 고문한다 할 때에는 저도 그때는 같이 와서 저렇게 고문을 당하는데 나만 안 당할 수가 없다 그래서 저도 고문해 달라는 요청도 하고 그랬습니다.

신기하 증인께서는 5·18민주화운동 당시 계엄 당국의 발표에 의하면 시위를 선동하였는데 그것이 사실입니까?

김대중 그것은 전혀 거짓말입니다. 왜 그러냐 하면 저는 학생이나 모든 분들에 대해서 지금 민주주의를 안 하려고 하는 유신 잔재 세력, 일부 정치 세력의 음모가 진행되고 있으니 절대로 구실 주지 말아야 한다, 평화적으로 비폭력적으로 해야만 우리가 성공할 수 있다 그러면서 제가 자꾸 독려한 것은 그 당시 공화당과 신민당에 대해서 빨리 국회 열어 가지고 계엄령 해제해 달라는 것이었습니다. 그래서 말하자면 정치를 평상 상태에서, 계엄령 없는 상태에서 하자는 것이 제 주장이었습니다.

그리고 시위 문제는 아까도 말했지만 5월 13일 시위 나면서부터 제가 계속적으로 신문에 기고도 하려고 그랬고 기자회견도 했고 이렇게 해서 말하자면 자제를 호소했고 그래서 실제 또 학생들이 16일 밤에는 완전히 시위를 그만두었는데 그 당시에는 지금하고 달라서 저의 말도 학생들에게 다소 영향력이 있어서 16일 자제하는 데 약간의 도움도 되었을 것이다, 이렇게 생각하고 있습니다.

신기하 증인께서는 1979년 10월 26일 전 대통령 박정희 씨가 살해된 후 5·17 이전까지 몇 회나 대중연설을 하셨으며 그 연설 내용은 비슷한 것이었던 것인지, 또 어떤 정도였으며 청중들의 반응은 어떠했는지 간단히 말씀해 주십시오.

김대중 10월 26일 박정희 씨가 말하자면 살해되었는데 저는 2월 29일까지 사면복권이 안 되었기 때문에 전혀 정치 활동이나 연설을 못 했습니다. 그렇기 때문에 제가 활동한 것은 3월, 4월하고 5월하고 해서 2개월 반 됩니다. 그동안에 연설한 것은 기독교여자청년회(YWCA), 한신대학, 동국대학 그리고 정읍에 가서 동학 기념일, 대개 기억난 것이 이런 정도입니다.

그런데 각 연설에서 물론 그 당시니까 유신에 대해서 규탄을 하고 그리고 이제 민주화를 시키자, 그런데 이 민주화를 하는 과정에서 한편에서는 이 유신 잔재 세력이 민주화를 못 하게 하려고 그리고 한편에서는 북한이, 말하자면 남한의 혼란을 노릴 우려가 있으니 이 둘을 경계해야 한다, 그러기 위해서는 우리가 절대로 구실을 안 주어야 한다, 그러면서 심지어 제가 학생들한테 여러분이 아시다시피 내가 이렇게 희생당하고 이 정권하에, 말하자면 유신 정권의 고통을 받은 내가 여러분한테 이렇게 질서를 지키라면 그 뜻을 알지 않겠냐, 그러면 학생들이 열렬히 여기에 호응하고 수많은 10여만의 사람이 모였다가도 그야말로 돌 하나 안 던지고 유리창 하나 안 깨고 깨끗이 해산하는, 한 번도 제가 연설한 거기에서 어떤 혼란이 일어난 일이 없습니다.

그래서 저는 이 정부가 그 당시 전두환 군사 세력들이 그런 것을 구실로 해서 5·17비상계엄을 확대한 것은 전혀 거짓말이라고 생각하고 있습니다.

신기하 몇 번에 걸쳐서 하신 연설 중 그 연설 내용이 거의 다 비슷하셨다 하는 그런 말씀이신지요?

김대중 예, 거의 비슷했습니다.

신기하 증인께서는 1979년 10·26 이후 기자회견은 몇 회나 하셨으며 기자회견 내용은 주로 어떤 것인지 기억하십니까?

김대중 기자회견은 기자들이 매일 오니까 3월 1일부터는 수시로 했지요.

그런데 공식 기자회견은 아마 제가 청해서 한 것은 3-4회 넘지 않을 것으로 생각됩니다.

3월 이후 첫 번째 기자회견에서는 그 당시 저의 납치 문제가 상당히 부각되었는데 제가 저를 납치한 모든 범인들, 중앙정보부장 이후락 씨를 비롯해서 말단의 행동대원까지 다 용서하겠다, 다만 저는 진실만 밝히고자 하는 것이지 사람에 대해서는 용서하겠다, 그런 기자회견을 했고요. 또 저는 민주화가 대단히 지금 위태로우니 야당 내부에서도 당권을 잡는 데 주력하기보다는 민주화에 모두 주력해야 한다, 그런 방향의 기자회견을 몇 번 한 것으로 알고 있습니다.

신기하 증인께서는 10·26 이후에 신문 잡지 등에 많은 기고를 하신 것으로 전해지고 있는데 어떤 내용의 원고를 대개 투고하셨습니까?

김대중 신문 잡지도 아까 말같이 2월 29일까지는 전혀 불가능한 것이고 그 이후도 기자회견은 했지만 기고는 별로 한 기억이 없습니다. 그리고 오래되어서 잘 모르겠습니다.

신기하 본 위원에게 부여된 시간이 30분이기 때문에 간단간단하게 묻겠고 또 역시 증인께서도 간단하게 답변하여 주시기 바랍니다. 1979년 10월 26일 이후 정부의 정국에 대한 대처는 어떠하셨다고 생각하십니까?

김대중 정부가 첫째는 최규하 내각이, 최규하 씨가 나중에는 대통령이 되었는데 최규하 대통령, 신현확 국무총리 이분들이 4·19혁명 후의 허정 수반 같이 진지한 민주화의 성의가 없고 최규하 씨는 이리저리 흔들리고 신현확 씨는 오히려 민주화를 안 하려고 하는, 군부하고 결탁해서 이것을 저지하려는 그런 방향으로 움직였다고 보고 있습니다.

그리고 실권을 잡고 있던 전두환 씨와 그 세력들은 특히 12·12사태에서 실권 잡은 이후는 계획적으로 정권을 잡기 위해서, 찬탈하기 위해서 음모를 꾸며 갔다, 그래서 제가 경각심을 가지고 하루빨리 국회에서 계엄령 해제해서 말하자면 군부가 정치에 개입하지 못하도록 호랑이로부터 발톱을 빼는 일을 빨리해야 한다, 이렇게 사실 발을 동동 구르다시피 하면서 정치권에 주장을 했지만 그것이 잘 안 되었습니다.

그래서 10·26 이후에는 학생들도 5월 13일에 비로소 시위를 했는데 아무 필요성 없는, 명분 없는, 어떠한 혼란도 없는데 비상계엄령 확대 선포를 해 가지고 계엄령이 없는 요새에 비하면 그때는 참으로 정말로 조용하다는 말로밖에는 표현이 안 될 정도로 질서정연한 시대에 계엄령을 6개월 이상 7개월 동안이나 이렇게 해 가는, 그러니 학생들이 많이 참았다고 생각합니다. 오히려 이렇게 계엄령을 끌고 감으로써 사태를 더욱 혼란으로 끌고 간 것이 군부의 태도였다고 그렇게 생각합니다.

신기하 다음에 당시 1979년 10·26 이후 5·17까지의 학생운동 방향은 그야말로, 이 나라의 민주화를 바로 뿌리박아야 한다는 학생들의 학생운동이 건전했다는 말씀과 아울러서 증인께서는 거기에 관여된 바가 없다 하는 그런 말씀이시지요?

김대중 예, 학생운동이 아주 건전했다고 생각합니다. 어디서도 어떠한 과격한 주장이나 그런 것이 나온 일도 없고 또 폭력 행위도 거의 없었습니다. 다만 저는 학생들이 5월 13일 시위를 안 하고 그때 5월 20일 국회를 소집했는데 그때까지 기다린 것이 좋았었다, 그때도 그렇게 생각하고 지금도 그렇게 생각하고 있습니다.

사실 그 당시 전두환 세력은 5월 20일 국회를 소집해서 국회에서 계엄령 해제하려고 하고 또 야권에서도 5월 20일이나 22일에 국민대회를 해 가지고 계엄령 해제를 요구하려고 그리고 또 학생들도 16일에 시위를 자제하면서 앞으로 동향을 주시한다고 이렇게 나오고 또 언론계에서도 기자협회에서 5

월 20일까지 계엄령 해제 안 하면 우리는 이제는 검열을 거부하겠다, 이렇게 나와서 전두환 세력은 그 당시에 5월 20일까지 갔다가는 자기들이 도저히 정권을 잡을 희망이 없기 때문에, 벼랑에 몰렸기 때문에 폭력을 써 가지고 '쿠데타'를 시도하고 광주에서 그렇게 인명을 살상하면서 혼란을 조성했다고 그렇게 보고 있습니다.

신기하 국방부나 육군본부 및 예하 부대에서 우리 광주특위의 자료 제출 요구에 의하여 보내온 자료나 알려지고 있는 바에 의하면 1980년 5월 17일 밤에 공수특전여단 2개 대대가 외지에서 광주에 내려와서 전남대학교와 조선대학교에 포진을 하기 시작했습니다.

1980년 5월 17일 광주는 평온했습니다. 공수부대를 광주에 보낸 이유를 증인은 어떻게 생각하시는지 간단히 말씀해 주시기 바랍니다.

김대중 그것은 전남경찰국장도 얘기했지만 전혀 불필요한 군대 투입이었고 또 만일 군대를 투입한다면, 그러한 시위나 무질서를 수습하는 이런 훈련을 주로 예비사단이 받고 있는 것으로 아는데, 예비사단을 투입했어야지 가장 공격적인 공수부대를 투입했던 것 자체가 당시 전두환 세력의 마음속을 나타낸 것으로 투입 자체도 잘못했지만 또 투입한 부대의 성격으로 보아서 이것도 잘못된 것이다, 이렇게 생각합니다.

신기하 비슷한 질문이지만 비상계엄 확대에 대한 국무회의의 전격 결의, 증인 등 민주 인사 체포, 공수부대의 광주 이동 등이 모두 1980년 5월 17일 밤에 거의 비슷한 시각에 이루어졌는데 그 이유도 방금 답변하신 그런 내용과 같다고 생각하십니까?

김대중 물론 그때 군대들이 주동해 가지고 정권을 찬탈하려고 해 가지고 그렇게 자기들 권한 밖의 일을 정치에 개입해서 결의하고 심지어 또 국보위 만들어야 한다, 이런 아주 공공연한 불법 행위를 했습니다.

그런데 최규하 정권이 쉽게 그것을 불과 8, 9분 사이에 결의했는데 저는 최규하 씨가 참으로 그 박정희 씨가 죽은 덕택으로 그런 막중한 자리에 올라갔으면 그때 생명을 걸고 그런 군부의 의도에 저항했어야 한다고 생각하기 때문에 그 점에 대해서는 최규하 씨가 취한 행동에 대해서도 몹시 유감스럽게 생각하고 있습니다.

신기하 이미 제주도를 제외한 전국에 비상계엄이 선포되어 있어서 비상계엄 확대란 제주도 지역을 포함하는 것에 불과하고 당시 제주도 지역에서는 비상계엄을 확대할 아무런 질서 문란도 없었는데 비상계엄 확대 결의를 밤 9시 30분경 국무회의를 비상 소집해 가지고 2시간도…… 20분도 채 안 된 시간에 그런 결의를 할 이유라도 있었다고 생각하십니까?

김대중 전혀 없었다고 생각합니다.

신기하 본 위원이 증인에게 신문할 사항이 많이 준비되어 있습니다마는 본 위원에게 부여된 시간이 거의 다 되었습니다. 그러면 결론적으로 증인께서는 1980년 5월에 광주에서 일어났던 그런 불행한 상황과는 전연 관계가 없다는 말이지요?

김대중 전혀 관계가 없습니다.

신기하 이상입니다.

문동환 수고하셨습니다. 다음은 통일민주당의 김광일 위원 신문해 주십시오.

김광일 증인께서 지금 심명보 위원과 신기하 위원께서 물으신 내용 가운데에서 하나 확인하고 넘어가겠습니다. 증인께서는 비상계엄령이 5월 20일까지 해제될 수 있다고 생각했습니까?

김대중 제가 알고 있기로는 그때 국회에서 공화당이나 신민당이나 양측이 다 더 이상 계엄령을 지연시키는 것을 용납하지 않겠다, 이러한 결심을 가지고 국회를 소집했다고 생각하기 때문에 만일 소집되었으면 계엄령 해제 결의안이 통과되었다고 생각하고 있습니다.

김광일 그 당시 증인께서는 군부가 국회가 개회되도록 허용했을 것으로 생각했습니까?

김대중 저는 조금 순진하게 생각했는지 모르지만 국회 개회한 것을 그렇게 군사력으로 막을 줄은 몰랐습니다.

김광일 그리고 학생시위 자제 문제가 나왔는데 만약 그 당시에 5월 15일과 같은 극렬한 시위가 계속되지 않았고 학생들이 잠잠했다면 군부들이 5·17과 같은 조치를 안 했을 것으로 생각했습니까?

김대중 저는 그래도 했다고 생각을 합니다. 왜 그러느냐 하면 학생들이 5월 16일 시위를 중단했는데 5월 17일 일을 저지른 것을 보고…….

김광일 그때 전후 사정을 보면 만약 학생들이 시위를 안 하고 조용히 있다면 학생시위를 조장해서라도 명분을 삼았을 것으로 생각을 안 합니까?

김대중 저도 그렇게 생각을 하고 있습니다.

김광일 그다음에 증인께서는 중앙정보부에서 조사를 받으면서 쉽사리 풀어 줄 줄 알았다 하셨는데 증인은 그 당시에 군부의 동향이라든지 군부의 집권 진행 과정을 볼 때 증인을 비롯한 김영삼 씨, 김종필 씨 등 이른바 3김 씨를 제거하지 아니하고 그들의 목적을 달성할 수 없다고 생각하지 않았습니까?

김대중 물론 그 사람들이 그런 음모를 하고 있다고 생각을 했지요.

김광일 그다음 최규하 내각이 과도정부의 노릇을 하지 않고 군부와 결탁했다고 표현하셨는데 최규하 내각이 군부와 결탁을 했다고 생각하십니까? 아니면 사실상 집권하고 있던 일부 소수의 정치군인들에 의해서 강압적으로 조종을 받고 있다고는 생각하지 않았습니까?

김대중 최규하 대통령은 강압적으로 조종을 받고 있다고 생각을 했고 신현확 총리는 상당히 그들하고 협력했다고 생각을 하고 있습니다.

김광일 그러니까 최규하 내각한테는 그 당시에 민주화 일정을 순조롭게 진행할 수 있는 것을 기대할 수 없는 상황이 아니었습니까?

김대중 그렇게 약체인 것은 사실이지만 그래도 국민이 민주주의를 열망하고 또 당시에 국회 전 세력 공화당과 신민당이 그렇게 열망하고 추진했기 때문에 나는 최규하 대통령이 좀 더 확고한 태도를 취했으면 어렵지 않게 됐을 것으로 생각하고 있습니다.

김광일 당시나 지금으로나 우리 민족의 지도자로서 나라의 장래를 좌우할 수 있는 중요한 위치에 계시기 때문에 그 당시에 시국의 흐름을 어떻게 보셨느냐 하는 것은 중요하기 때문에 이렇게 한번 따져 물어보는 것입니다. 증인께서는 1972년의 유신 선포 후에 1973년에 도쿄에서 납치되어서 연금되었다가 1976년에 3·1구국선언 사건으로 징역 5년 형을 받고 1978년 말에 석방되고 1979년 12월 8일에 연금이 해제되고 1980년 2월 29일에 사면 복권될 때까지 8년 동안 정치 활동을 전혀 하지 못했지요?

김대중 그렇습니다.

김광일 증인은 그 8년 기간 동안에 주로 정당과는 맺지 못하고 재야인사나 국민연합 또는 민주청년협의회의 회장 등과 연대해서 민주화투쟁을 많이 해 온 것은 사실입니까?

김대중 그 8년…… 1973년에 납치되어서 돌아와 가지고요, 10·26까지. 약 그러니까 6년 동안 한 3년 가까이는 감옥에 있었고 한 3년 중에서 1년여 연금 하에 있었고 나머지 한 2년 동안은 재야인사들과 민주화운동을 했고 그랬습니다.

김광일 그렇지요. 그러니까 주로 재야 세력들과 민주화운동을 같이했기 때문에 6월 29일 복권이 되고 정치 활동이 사실상 허용된 후에도 그들과 더불어 접촉이 많았던 것이 아닙니까?

김대중 그렇습니다.

김광일 그렇겠지요. 1979년 10월 26일 박정희 대통령이 죽은 후에 긴급조치 9호가 해제되고 모든 국민들은 유신 철폐와 민주제도의 회복이 눈앞에 온 것으로 알고 또 그 구체적인 절차는 대통령직선제라는 개헌을 통해서 이루어진다고 모두 생각하고 있었던 것은 사실이지요.

김대중 예.

김광일 그리고 그와 같은 개헌은 금방 이루어질 것이라고 생각했고 왜냐하면 4·19혁명 때 3개월 만에 개헌도 하고 선거까지 다 했기 때문에 당연히 개헌에 의한 선거도 금방 있을 줄 알았고 또 정치 활동이 허용된 증인으로서는 다른 경쟁자들과 더불어 금방 또 대통령 경선에 나서고 또 동시에 당선될 것으로도 생각했습니까?

김대중 저는요, 그 당시 신민당에 대해서 간접적인 관계가 있기 때문에 그 권고를 신민당 책임자분들한테 많이 했는데요.

첫째는 개헌을 하지 말라는 것이었습니다. 개헌을 하지 말고 유신, 말하자면 쿠데타로 제3공화국 헌법이 중단되었으니까 제3공화국 헌법으로 바로 돌아가야 한다, 말하자면 회복하는 그런 법적 조치를 취해야 한다, 이래야 정통성의 맥이 이어지고 또 시간이 길게 안 걸리기 때문에 이 반민주 세력들이 말하자면 획책할 기간을 주지 않는다, 이것 하나를 강력하게 권유했고요. 또 신현확 내각을 국회에 인준할 때 야당도 같이 들어가서 그래 가지고 칼자루를 같이 쥐어야 한다, 이것도 권했고요. 그리고 무엇보다도 계엄령을 빨리 해제해야 한다, 계엄령 해제 않으면 이 군부 장악은 날로 날로 깊어 간다, 그런데 이것이 잘 받아들여지지 않았습니다. 그래서 저는 한쪽에는 최규하 대통령의 그 유약한 태도 그리고 군부의 착착 진행된 음모 과정 그리고 한쪽에서는 정치권의 이런 시간을 놓치는 여러 가지 지연적인 태도, 이런 걸로 해서 5월에 들어서면서 상당히 민주화의 전도에 대해서 우려와 말하자면 위기의식을 느껴서 그래서 지금은 정치 문제가 문제가 아니라, 말하자면 민주화를 하는 일이 중요하다, 그래서 재야 세력들과 협의하니까 다 찬성을 해서 마지막 시도로 그런 국민적인 운동을 하려고 노력을 해서 여기저기서 강연도 하고 그렇게 노력해 왔으나 결국 무위로 돌아갔습니다.

김광일 그 점에 대해서 나중에 조금 더 묻겠습니다마는 요는 그 당시에 증인의 생각은 어땠는지 몰라도 국민들이 생각한 것은 3김 씨 중의 한 분이 대통령이 될 것이다, 또 저분들이 공정한 경쟁을 할 것이다, 그렇게 알았다는 것은 사실입니까?

김대중 그렇습니다. 국민이 그렇게 알았습니다.

김광일 또 증인도 그런 기회가 있으면 그렇게 될 걸로 생각했던 것도 사실 아닙니까?

김대중 저도 그런 생각을 가졌습니다.

김광일 그런데 그런 입장에 계시면서 이 모든 국민이나 또는 증인이 생각하는 것과 같은 1980년의 이른바 서울의 봄에 대해서 증인은 정부가 소수의 실권을 잡은 정치군인들에 대해서 요지부동으로 움직이고 있기 때문에 그와 같은 목적 달성이 그들의 의사와 정면으로 배치되리라고는 생각 안 했습니까?

김대중 그러니까 저는 아까도 말씀했지만 국민의 민주주의에 대한 욕망과 의욕이 강하고 또 여야 정당이 다 민주주의를 바라고 이렇기 때문에 우리의 힘 가지고 또 견제할 수 있다, 또 그때에는 한국 정치에 큰 영향이 있는 카터 정부도 민주주의를 지지하는 입장이라고 우리가 보았기 때문에 우리는 말하자면 이 민주주의를 이번에 할 수도 있다, 그러나 아까 말한 것과 같이 자꾸 시간을 놓치고 전두환 씨가 중앙정보부장까지 겸임하고 이렇게 사태가 되어 가는 것을 보고 차츰 저도 절망적으로 생각하기 시작했습니다.

김광일 결국 5·17이라는 것은 서울의 봄, 1980년도 우리 국민들 모두의 가슴에 핀 희망의 꽃을 일부 정치군인들이 싹쓸이 방법으로 꺾어다가 자기네들 군복 주머니에 꽂아 버린 그런 파렴치한 정권 탈취 행위라고 보시지 않습니까?

김대중 전적으로 그렇게 보고 있습니다.

김광일 그렇게 보게 되는, 그리고 또 그 당시의 시국이 사실상은 증인이나 또는 우리 국민들이 낭만적으로 생각했던 바와는 달리 심각했다는 점을 몇 가지 따져서 물어보겠습니다.

1980년 5월 17일의 계엄 확대 조치는 1979년 10월 16일 부마항쟁 시의 시위 진압을 위해서 발령된 비상계엄, 10월 18일 자 부마 지역의 계엄령에서부터 출발해 가지고 두 번째 비상계엄을 키운 것이라는 사실을 알고 있습니까?

유신 군사독재에 항거해서 그것은 또 일반적인 것은 그랬고 또 직접적인 동기는 그 당시 야당인 신민당 총재 김영삼 씨에 대한 직무 정지 가처분이 법원에 의해서 내려지고 또 국회에서 10월 4일에 국회의원 자격마저 제명함으로써 그 출신 지역이고 또 지지 기반이 또 그에게 상당한 기대를 걸고 있던 부산 또는 경남 지역의 국민들이 격분해서 이 유신독재에 항거함으로써 일어났던 것이 부마항쟁이고 또 그것을 진압하기 위해서 부마 지역에 발령된 것이 첫 번째 비상계엄이었던 것 알고 계시죠? 그 비상계엄은 발령 8일 후인 10월 26일에 계엄 발령의 원인이 되었던 유신의 심장부라고 할 수 있는 박정희 대통령의 피살로 부산 지역에서 발령되었던 그 비상계엄은 필요성이 없어졌다고 보지 않습니까?

김대중 그렇습니다.

김광일 그렇지요? 그런데 10월 26일 박정희 대통령이 피살되자 비상계엄을 제주도를 제외한 전국 비상계엄으로 확대했거든요. 계엄사령관은 정승화 씨가 되고요. 그런데 10월 26일의 박정희 대통령의 죽음은 일종의 정치적 암살이기 때문에 암살범도 즉시 체포가 되었고 남은 것은 공정한 수사와 재판밖에 없었는데 그것을 이유로 해서 계엄을 전국적으로 확대할 무슨 이유가 있었다고 생각하십니까?

김대중 그것은 군대 내부에서 결국에 가서는 세력을 장악하려는 그런 데서 전두환 씨 세력, 이것이 12·12사태 후는 계엄의 해제를 방해했고 또 그 전에는 아마 정승화 씨, 이 사람들이 자기들이 정권을 장악하기 위해서 계엄의 유지가 필요해서, 그러니까 정작 10·26부터 12·12까지는 정승화 씨의 권력욕에 의해서 계엄이 확대 유지되었고 그 이후는 전두환 씨와 그 주변의 권력욕에 의해서 계엄이 유지되었지 현실적 필요성은 전연 없었다고 생각합니다.

김광일 예, 좋습니다. 그 당시 모든 국민들은 그와 같은 대통령의 죽음에 대해서 자중을 했고 또 유신 반대자들도 그 원인이 제거되었다는 점에 대해서 더 이상 시위를 하거나 소요를 일으킬 필요는 없었던 것은 사실이지요?

김대중 예, 전연 없지요.

김광일 그런데 그 10·26 당시의 계엄은 계엄공고 5호에 의해서 계엄사령부에 설치된 합동수사본부에다가 건국 이래 최대의 권력을 집중시킨 특별한 조치가 있었던 거 알고 계십니까?

김대중 예.

김광일 그 당시 중앙정보부, 보안사령부, 검찰청 그리고 치안본부의 모든 기관이 합동수사본부장의 지휘를 받게 되었고 그렇게 됨으로써 이 합동수사본부장인 전두환 씨는 전국의 모든 권력을 사실상 자기 마음대로 행사할 수 있었던 위치에 있었다는 것 알고 계십니까?

김대중 예, 그렇습니다. 계엄포고 5호에 의해서 그렇게 한 것은 계엄법에는 근거가 없는 걸로 알고 있습니다.

김광일 예, 좋습니다. 그러나 국민적 합의는 말이지요. 당연히 유신 철폐 그리고 또 민주화 달성 이런 해빙 '무드'였기 때문에 긴급조치 9호가 해제되고 구속자들이 석방이 되고 또 680명의 사면복권이 있었고 언론 자유가 다소 회생이 되고 또 학원 자유가 전반적으로 회복되는 등 이렇게 해서 조속한 민주주의가 이루어질 것으로 모두들 생각했던 건 사실이지요?

김대중 그렇습니다.

김광일 그런데 그러한 조속한 민주화 일정이 있을 것으로 생각을 했기 때문에 사실 다른 자료를 보면 계엄의 필요성도 없었기 때문에 이 계엄군들도 거의 다 원대 복귀한 사실을 알고 있습니까? 그것까지는 잘 모르시겠습니까?

김대중 잘 기억이 없습니다.

김광일 그래서 국회는 말이지요. 개헌 일정을 여야 합의에 의해서 11월 29일 개헌위원회를 구성하고 1월 16일에 개헌공청회를 여는 것을 시작으로 해서 5월 중순까지는 여야합의에 의한 대통령직선제 개헌안이 마련된 것을 알고 계시지요?

김대중 예, 압니다.

김광일 그리고 학원의 민주화 문제도 학원 자체의 민주화 내지는 학원 자본의 비리 요소를 캐기 위한 그런 시위는 있었을지언정 정치적인 시위는 5월에 이르기까지는 없었던 것으로 알고 있지요?

김대중 거의 없었습니다.

김광일 5·17조치를 하게 된 이유를 정부 또는 군부 측에서는 학생들의 시위로 사회가 혼란하고 정치인들의 무분별한 정쟁 또 그것으로 인한 경제 압

박, 북한의 오판, 안전 보장 위협 그런 것 때문에 5·17조치를 했다고 하지만 증인이나 또는 양식 있는 모든 국민들은 그것이 허위라는 사실을 모두 알고 있겠지요?

김대중 그렇습니다.

김광일 그다음 학생시위에 대해서 잠깐 말하자면 5월부터 비로소 정치시위로 변경된 것이고 5월에 나온 그 구호가 정부 주도의 개헌을 반대한다, 또 정치 일정을 단축하라, 유신 잔존 세력들은 민주의 공적이다, 이원집정부제 반대한다, 계엄령을 해제하라 하는 것 등이었던 것은 틀림없지요?

김대중 그렇습니다.

김광일 이 학생들의 구호가 나오게 된 것은 결국은 이 구호가 나와야 될 만한 상황을 군부 내지는 정부가 만들었기 때문이라고 생각지 않습니까?

김대중 물론 그렇습니다.

김광일 만약 그 원인만 제거되었더라면 학생들은 시위에 나설 아무런 이유가 없었겠지요?

김대중 아까도 말씀했지만 학생들이 너무도 오래 기다렸습니다. 그런데 정부가 민주화 일정도 발표하지 않고 계엄령 해제하려고 하지 않고 그리고 이원집정부제라는 음모를 꾸미기 시작한 것을 알고 학생들이 그렇게 하게 된 것입니다.

김광일 그런데 5월쯤에 들어와 가지고는 국민들이 모두 안개 정국 또는 불투명 정국이라고 해 가지고 과연 정부에게 민주화 의지가 있는가, 또 과연 세상이 어떻게 돌아가는가에 대해서 모두들 의심을 하고 걱정을 한 것은 사실이지요?

김대중 상당수 사람들이 걱정을 했지요.

김광일 그것은 결국 정부가 계엄 문제에 대해서 적극적이 아니었지요?

김대중 정부는 그 당시 정부 나름대로 개헌위원회를 만들었어요. 그것은 직선제 개헌이 아니고 이원제 개헌으로 해 가지고 국민의 의사하고는 관계없는 그런 개헌안을 만들려고 한 것입니다.

김광일 결국 그 당시에는 국회에서 만든 이 개헌안은 통대회의에서 통과되어야 되고 정부에서 대통령이 만든 안은 국민 발표에 바로 부칠 수 있는데 그 당시 모든 합의는 국회에서 만들어서 정부에다가 주면 정부가 바로 국민투표에 부친다는 것이 모든 사람들의 합의처럼 되어 있었는데, 정부가 국회에서 다 만들어 가는 개헌안을 두고 자기가 따로 개헌 연구반을 1월에 설치하고 3월에 정부 개헌심의위원회를 만들어서 68명의 위원을 위촉하고 5월이 되어서 개헌안을 정부에 넘기겠다고 할 무렵이 되었을 때에는, 그때야 비로소 정부에서는 5월 16일에 말하기를 이제 우리의 개헌 요강을 작성하는 소위를 만든다, 그러면서 국회에다가 국회의 개헌안 일정을 조금 늦추어 주시오, 이렇게 말한 일이 있었지요? 기억하고 있습니까?

김대중 예, 기억이 납니다.

김광일 국회 측에서는 정부에다가 정부에 무슨 안이 있으면 국회로 보내라, 그러면 우리가 최대한 반영하겠다, 그렇게 말했지만 정부에서는 아무것도 보낸 일이 없었지요.

김대중 없었습니다.

김광일 그리고 정치 일정에 대해서도 최규하 대통령은 대통령 취임사에서 하루빨리 개헌에 의하여 구성되는 정부에다가 정권을 평화적으로 이양한다고 말했는데 중간에 신현확 총리 등을 통해서 개헌 일정 그리고 다음 국회의원 선거는 내년 봄 내지는 여름에 치를 것이다 하는 식으로 연장하는 발표를 한 것이 사실입니까?

김대중 예, 했지요.

김광일 그렇기 때문에 모든 국민들은 이 정부에서 다른 생각이 있는 것이 아닌가, 그리고 대통령직선제가 아닌 이원집정부제라는 이상한 제도를 만들려고 하는 것이 아닌가, 그리고 힘이 없는 최규하 대통령 이하의 내각이 이것은 군부의 지배를 받아 가지고 되는 것이 아닌가, 이래서 모두들 그 진의를, 진상을 캐기 위해서 의심했던 것은 사실이 아닙니까?

김대중 그렇습니다.

김광일 그와 같이 되게 된 것은 결국 12·12에서 실질적으로 권력을 쟁취한 전두환 씨를 비롯한 일부 정치군인들이었다고 생각하지 않습니까?

김대중 전두환 씨를 비롯한 일부 군인이 주동을 한 것은 분명하고…… 그 사람들은 신현확 총리하고 밀접하게 연결이 되고 제가 그 당시 느끼기는 그 사람들이 이원집정제를 해 가지고 최규하 씨에 대해서 계속 대통령 자리를 보장해 준다는 이런 감언이설을 가지고 최규하 씨를 꾄 모양이 아니었느냐, 우리는 당시 그렇게 판단을 하고 있었습니다.

김광일 그때 육군참모총장이고 계엄사령관인 정승화 씨를 체포해서 형을 살리면서까지 권력을 잡은 핵심 세력들이 누구누구인지 다 아십니까?

김대중 그 당시 핵심 세력으로서는 전두환·노태우·정호용 그런 분들이지요?

김광일 소장이 세 분, 중장이 세 분, 이런 분들이 핵심이 된 것 같은데 소장으로서는 전두환 보안사령관 또 노태우 9사단 사단장, 박준병 20사단 사단장, 또 그보다 한 계급 높은 분들인데 나중에는 소장들보다 낮은 지위로 떨어진 중장급으로 황영시 1군단장, 유학성 군수차관보 또 차규헌 수도군단장 이런 분들이라는 것을 아십니까?

김대중 예.

김광일 그분들은 일단 권력을 잡았지만 국민들 앞에 부상할 명분이 없었기 때문에 그때까지 부상하지 않고 있었던 것이지요?

김대중 그렇습니다.

김광일 그 자세한 내막은 증인도 잘 모르셨지요?

김대중 잘 모릅니다.

김광일 그리고 그들은 그렇다고 해서 물러설 수 있었다고 생각합니까?

김대중 물러설 수 있었지요. 왜 그러냐 하면 물러서면 군 내에서 자기들의 위치는 안전하게 보장되는 것인데 이 사람들이 말하자면 터무니없는 정권 야욕을 가지고 달려들기 때문에 문제가 시끄러워진 거지요.

그런데 아까 말한 것과 같이 5월 20일에는 국회 소집이라든가 언론계에서 검열 더 이상 안 받겠다, 이런 시한이 자꾸 오고 하니까 5월 17일 마지막 단계에서 말하자면 문제를 일으킨 것입니다.

김광일 알겠습니다. 그런데 결국은 이미 돌이키지 못할 강을 건넌 군부 세력 몇 명으로서는 자기네들이 국민의 의사가 그렇다 하더라도 거기에 굴복하거나 그런 입장이 되지 못했고 언제인가는 기회를 잡아서 국민 앞에 전면 부상해야 할 필요를 느끼고 있다가 결국은 5월 20일을 넘길 수 없다는 긴박감 때문에 5월 17일에 이와 같은 일을 서둘렀다고 생각하지 않습니까?

김대중 그렇게 생각합니다.

김광일 그렇지요?

김대중 예, 그렇습니다.

김광일 그것은 왜냐하면 결국 국회가 계엄 해제를 건의하게 되면 계엄을 해제해야 되는데 국회 소집을 5월 12일 여야 총재들이 합의할 때 이미 20일 국회를 소집한다는 것이 되었고 또 사실상 5월 17일 국회 소집 공고가 나간 것은 사실이지요?

김대중 그렇습니다.

김광일 그렇기 때문에 결국 군부로서는 5월 20일을 넘겨 가지고는 도무지 자기네들 목적 달성이 어렵기 때문에 결국은 5월 17일이라는 날짜를 당겨서 만들었다고 생각하지 않습니까?

김대중 예, 그렇습니다.

김광일 그 증거의 하나로서는 중동에 외교차 나가 있던 대통령을 하루 일정을 앞당겨서 오도록 해 가지고 국무회의에서 그것을 통과시키게 했다는 점에서도 나타난다고 생각하지 않습니까?

김대중 나타나고 또 중동에 대통령을 보낸 것도 특별한 계획도 없는데 보내 놓고 그사이에 일을 꾸민 거지요.

김광일 이런 상황이라면 그 당시나 지금이나 우리 국민들이 모두 아쉽게 생각하는 것은 그 당시에 지도자이신 세 김 씨 또 내지는 반유신투쟁에 앞장서셨던 두 김 씨께서 이런 상황을 꿰뚫어 보고 어쨌든 군부에다가 어떤 명분을 주지 않기 위해서 단합된 모습을 보여 주었으면 좋았다, 이런 아쉬움들이 있습니다.

그런데 그때 두 분께서 한 분은 유일한 야당이라 할 수 있는 신민당의 총재로서 신민당을 지도하고 있었고 또 한 분께서는 주로 재야 세력과 규합해서 국민들에게 직접 호소하는 방법으로 이렇게 지도를 해 나가시고 있었는데 그 당시의 상황으로서 두 분이 합칠 수는 없었습니까?

김대중 그것이 아까도 말했는데 약간 시국관의 차이도 있었고요. 그리고 그때는 정치운동보다는 민주회복운동이 선결할 단계라고 판단해서 그 당시 신문도 제가 이번에 다시 보았습니다마는 민주화가 확정된 후에 다시 정당을 같이하는 문제를 토의하겠다, 이렇게 말한 일이 있습니다. 그리고 학생시위가 났을 때 김영삼 총재와 제가 같이 공동으로 기자회견을 해 가지고 정국 수습 6개 방안을 제시한 일이 있습니다. 우리는 결코 그 당시 무슨 싸움을 하거나 서로 비난하거나 그런 일이 없었습니다. 다만 지금 김 위원께서 질문하신 그런 정도로 철저히 하나로 되지 못했던 것은 대단히 지금도 미안하게 생각하고 또 유감으로 생각합니다. 그러나 그렇게 되었다고 하더라도 이 사람들이 가지고 있는 음모는 마찬가지입니다. 그래서 제가 변명하려는 것이 아니라 음모의 진상은 그런 문제하고는 큰 관계가 없었다, 이것도 얘기해 두고 싶습니다.

김광일 그 당시 해제해야 될 계엄을 계속하고 있었던 유일한 이유는 본 위원은 이렇게 생각하는데 어떠신지 모르겠습니다. 계엄을 계속해야 될 아무런 이유가 없었는데 계엄을 유지하고 있었던 유일한 이유는 언론 통제를 위한 것이었다, 언론 통제를 하기 위한 목적은 결국은 세 김 씨 간에 정치경쟁을 국민들한테 아주 더러운 정치투쟁으로 보이게 하고 또 학생시위 소요를 5월 13일부터 일반적으로 크게 보도함으로써 이 학생시위를 그냥 두면 나라가 혼란해서 망한다 하는 위기감을 국민들에게 주기 위해서 그 유일한 목적으로써 이 언론 통제를 하기 위해서 비상계엄이 계속되고 있었다고 생각하지 않습니까?

김대중 그 문제는 물론 그렇고요. 아까와 같이 계엄령 해제하면 자기들이 정권을 잡을 길이 도저히 없기 때문에 결국 계엄령을 유지한 것입니다.

김광일 좋습니다. 그러나 아무리 국민들한테 그런 식으로 비추어졌다 하더라도 만약에 그 무렵에 증인께서 야당을 통합하는 일에 좀 더 적극적이셨거나 그렇게 했더라면 그러한 탄압을 하는 군부에 대해서는 5·17조치가 있었다고 하더라도 즉 한 분으로 야권이 통일되어 있었더라면, 탄압을 했다 그러면 전국적으로 이 국민의 저항이 일어남으로써 그것을 저지할 수 있었지 않았냐 하는 아쉬움을 가지기 때문에 묻습니다.

그런데 4월 7일에 증인께서는 신민당에 입당할 의사는 전혀 없다, 그렇게 밝히신 것은 사실입니까?

김대중 예, 입당할 의사가 없다고 밝혔습니다.

김광일 그런데 그와 같은 비슷한 상황이 1987년 작년에 온 셈 아닙니까? 그때는 또 그 당시의 시국관의 차이 때문에 입당을 안 하시려고 했다 하셨는데 그 당시에 증인께서는 야당에 가입을 하셨지요?

김대중 예.

김광일 그런데 또 역시 국민들이 아쉽게 생각하는 것은 누가 잘못했다 잘했다 하는 것을 논하는 것은 절대로 아닙니다. 증인께서 또 군이 탈당을 하시면서 다른 당을 하나 더 만들어 이렇게 두 개의 정당으로 대통령 선거에 임하게 된 그 점은 그때와 지금하고 비교해서 어떻습니까?

김대중 좌우간 이유는 있습니다. 그러나 작년에 단일화 안 된 데 대해서는 대단히 국민한테 죄송하게 생각하고 있습니다.

김광일 그다음에 묻겠습니다. 증인께서는 작년 대통령 선거에 즈음해서 노태우 대통령 후보 또는 정부 여당 측에서 1980년의 봄에 두 김 씨를 찾아가서 또는 증인을 찾아가서 눈물로 정쟁을 자제해 달라고 호소했다, 그런데도 불구하고 그들은 들어주지 않았다, 그래서 그런 5·17의 조치가 불가피했다, 이런 말을 한 것을 들으셨지요? 과연 그런 일이 있었습니까?

김대중 전혀 없었습니다.

김광일 그러면 현재 대통령이 되고 있는 그분이 거짓말을 하고 있다고 생각하십니까?

김대중 여하튼 전혀 없었습니다. 거짓말입니다.

김광일 전반적으로 1980년도에 우리 정치 지도자들께서 너무 낙관론을 가지신 나머지 그런 일이 벌어진 것으로 생각이 됩니다마는 그다음에 증인이 체포 구속된 정확한 시간은 몇 시경이었습니까?

김대중 아마 밤 10시 조금 넘었을 것입니다.

김광일 그것은 17일입니까? 17일 밤 10시입니까?

김대중 예.

김광일 그러면 비상계엄 확대 발령은 18일 영시부터 효력을 갖도록 되었는데 그 두 시간 전에 체포된 것이 맞습니까?

김대중 예, 맞습니다.

김광일 또 그와 동시에 신민당 총재인 김영삼 씨는 가택 연금이 된 것을 알고 계십니까?

김대중 몰랐지요.

김광일 나중에 아셨지요?

김대중 예. 나중에······.

김광일 또 증인이 그와 같이 체포된 데 대해서 항의성명을 발표하고 계엄 해제령을 촉구한 사실도 알고 있습니까?

김대중 몰랐지요.

김광일 그다음 또 한 분의 김 씨인 김종필 씨는 증인과 거의 같은 시간에 체포되어서 약 두 달간 구금되어 있다가 재산 자진 헌납이라는, 200여억 원을 헌납하는 그런 형식으로 풀려난 것을 알고 계십니까?

김대중 그때는 몰랐지요.

김광일 그 모든 사실은 석방된 후에 알았습니까?

김대중 그렇습니다.

김광일 더 묻고 싶은 것이 많습니다마는 시간이 되었기 때문에 몇 가지만 묻고 마치겠습니다.

최근 민정당 모임에서 또는 민정당이 주최하는 어떤 모임에서 서울대학의 노재봉 교수가 광주항쟁은 김대중 씨의 정권 쟁취를 위한 외곽을 치는 노련한 정치 기술에서 비롯된 것이다, 이런 발표를 해 가지고 제법 시끄러워졌던 사실 알고 계시죠? 그 점에 대한 증인의 견해는 어떻습니까?

김대중 뭐 그분은 학자니까 학자가 자기 연구 입장에서 한 것이니까 저는 별로 개의하지 않습니다.

김광일 알았습니다. 마지막으로 한 가지만 묻겠습니다. 그 당시의 피해자로서 사형까지 받고 집행당할 뻔했던 입장에서 그 가해자라고 할 수 있는 최고 책임자에 대해서 증인께서는 지금 피해자로서 어떤 처리를 원하고 계시는지 솔직한 심경을 밝혀 주시면 좋겠습니다.

김대중 저는요, 그분들이 한 행동에 대해서는 굉장히 지금도 분노를 가지고 있습니다. 동시에 그 사람들을 참 어리석고 불쌍한 사람들로 생각합니다. 그래서 지금 죄에 대해서는 미워하고 사람에 대해서는 연민의 정을 가지고 있습니다. 그것이 저의 현재 심정입니다.

김광일 형사적인 처벌 문제에 대해서는 어떻게 생각하십니까?

김대중 저는 그 당시 2심 법정에서 최후진술을 할 때 1심은 모두 최후진술을 거부했어요. 그때 2심에서 최후진술 할 때 제가 이런 말을 했습니다.

저는 그때 죽을 줄 알았지요. 또 2심 끝나면 다시는 피고들끼리 같이 못 만나니까 제가 최후진술 하면서 오늘로써 여러분과 마지막 작별하는데 제가 여러분께 부탁이 하나 있습니다, 그것은 우리가 지금 당해 보면 이런 정치적 보복이라는 것이 얼마나 당하기 어렵고 얼마나 참담한가를 여러분이 잘 아십니다, 그러니 내가 죽더라도 나는 1980년대에는 반드시 우리 국민이 민주화를 한다고 믿는데 1980년대에는 민주화가 되었을 때 여러분이 내가 죽더라도 정치적 보복은 하지 말고 민주화만 철저히 해 달라, 그런 말을 한 일이 있습니다.

김광일 현재의 심경은 어떻습니까? 그때는 그렇고.

김대중 글쎄 그 말 하려고 합니다. 그때 심경이나 지금 심경이나 마찬가지입니다.

문동환 시간이 많이 지나갔기 때문에 핵심적인 것만 해 주세요.

김광일 이것 한마디만 하고 마치겠습니다.

문동환 마지막이 세 번째인데, 이것을 정말 마지막으로 해 주세요.

김광일 예. 윤보선 전직 대통령은 증인과 더불어 1976년도에 징역 5년을 받은 일이 있고 또 1979년 기독교여자청년회(YWCA) 위장 결혼 사건에서 징역 2년을 받은 바 있습니다. 전직 대통령이라고 해서 사법적 처벌을 해서는 전혀 안 된다고 생각합니까?

김대중 안 된다는 것이 아니고요. 저는 그런 개인적 심경을 가지고 있고 또 저희 당은 정치보복을 안 한다는 당의 정책을 가지고 있고 또 우리는 독재정권이 윤보선 선생이나 그런 분한테 한 것을 나쁘다고 하면서 우리가 그것을 따라 할 필요는 없다, 이렇게 생각하고 있습니다.

김광일 사후에 처벌은 안 하더라도 조사와 재판까지는 받아야 된다고 생각 안 합니까?

김대중 예.

문동환 이제는 그만큼 하시고 될 수 있는 대로 우리 질문은 입증 취지에서 될 수 있는 대로 벗어나지 않는 각도에서 해 주시기를 부탁드리면서 이번에는 신민주공화당의 김문원 위원 말씀해 주세요.

김문원 신민주공화당의 김문원입니다. 증인님 아시다시피 저는 경기도 의정부 출신입니다. 오늘 참 어려운 걸음을 하셨습니다. 광주사태의 주역으로 주목되는 최규하 전 대통령이나 또는 전두환 전 대통령이 나오지 않는 자리에서 이렇게 참 어려운 발걸음을 하셨습니다.

우선 그 두 분이 안 나온 사항에 대해서 증인께서는 뭐 느끼시는 점이 있습니까, 우선 말씀해 주시기 바랍니다.

김대중 저는 그 두 분이 꼭 나왔어야 한다고 생각합니다. 최규하 전 대통령은 그렇게 막중한 국민적 기대와 신임을 갖고 있으면서 그러한 결과를 가져온 데 대해서 국민에게 왜 그렇게 되었는지 소상하게 밝힐 아주 피할 수 없는 책임이 있습니다.

또 전두환 씨는 광주에서의 사건은 당시 대통령인 최규하, 국방부 장관 주영복, 참모총장 이희성 등의 지휘 계통에 있지 내게 없다, 이렇게 말한 일이 있는데 본인이 정말로 그렇게 생각한다면 오늘 여기 국민 앞에 나와서 자기 입장을 밝혀야 한다고 생각합니다. 따라서 두 분이 안 나온 것은 대단히 유감이라고 생각합니다.

김문원 저도 증인과 똑같은 생각을 가지고 있습니다.

증인께서는 워낙 해박하신 분이시기 때문에 제가 잠깐 질의를 하기 전에 저의 약간의 느낌을 말씀드리겠습니다마는 '아놀드 토인비'의 『역사의 연구』라는 책을 아마 읽으셨을 것입니다. 저도 읽었습니다. 거기 서문에 무슨 얘기가 나오느냐 하면 역사는 반복한다 하는 얘기가 나옵니다. 그런데 주체와 객체가 다를 뿐이지 역사는 어느 시대에 가면 또 같은 역사가 일어나는 것이 역사의 속성이다, 이런 얘기가 있습니다.

오늘 사실 증인을 앞에 놓고 제가 또 신문자로서 얘기를 하면서 참 역사는 반복한다 하는 것을 절감을 합니다. 예를 들어서 그 당시 1980년대에는 3김 씨, 김종필 총재와 김영삼 총재, 앉으신 증인 이 세 분이 총칼의 억압을 받고 구속을 당하고 연금을 당하고 했는데 근자에 와서는 이제 전두환 대통령이 그 행위를 저질렀던 진상은, 국민의 민심에 의해서 지금 꼼짝도 못 하고 있는 상황 속에 있습니다. 그래서 아! 참 역사의 반복성이라고 말씀한 '토인비'의 얘기가 참 맞는구나 하는 것을 저는 요사이 절감을 하고 있습니다.

제가 증인께 말씀드리고자 하는 것은 이 청문회라는 것은 미국에서도, 아시다시피 '히어링'입니다. 주로 증인의 말씀을 많이 듣고 또 그 당시의 상황,

역사관 그리고 증인이 가지고 있는 자기 나름대로의 소신, 그런 것을 많이 듣는 것이 일종의 청문회의 역할이고 그때그때 의문이 나는 것을 살짝살짝 물어보고 거기서 또 질의자가 판단하는 그러한 형태로 알고 있습니다. 그래서 저는 많은 기회를 증인께 드리면서 그러나 질문을 좀 가급적이면 많이 하는 방향에서 많이 듣기로 이렇게 결정을 하고 제가 질의를 하겠습니다.

질의에 들어가기 전에 이것은 증인께서도 아시다시피 이 자리는 국민 전체가 지켜보고 있고 또 한 말씀 한 말씀이 역사의 기록으로 남아서 먼 훗날 우리 후손들이 보고 읽고 느끼고 그리고 역사의 방향을 잡아 가는 그러한 중요한 자리이기 때문에 조금 아까 증인께서 여러 가지 말씀을 하셨습니다마는 몇 가지 좀 납득이 안 가는 것이 있어서 증인께서 좀 친절히 이 말씀을 대답해 주셨으면 좋겠습니다.

첫째는 아까 어느 분이 말씀하시기를 신민당 결별을 왜 했느냐고 물어보신 적이 있습니다. 그런데 그때 증인께서 말씀하시기를 그 당시에 시국관이 달랐다, 전두환 씨가 중앙정보부장이 된 사실을 가지고 나는 대단히 중대한 문제로 보았고 이것이 역사에 굉장한 오점을 남기는 일이기 때문에 사실 그것을 주창을 했습니다마는 신민당 측에서는 그것에 대해서 과히 그렇게 큰 반응을 안 보이고 그대로 민주화 개혁을 추진해 나가자는 그러한 의사 상충이 있어서 신민당을 결별했다 이런 말씀을 하셨습니다.

그런데 사실 인간의 어떤 사상이나 생각이라는 것이 일관되어야 한다고 저는 생각을 합니다. 저는 그렇습니다. 그래서 혹시나 잘못 착각을 하고 계시는가 해서 제가 한 말씀 여쭈어 보겠습니다마는 전두환 씨가 중앙정보부장에 취임한 것이 제가 알기로는 4월 14일입니다. 14일로 제가 기억을 합니다. 그런데 김대중 고문께서는 그 당시에 4월 7일 결별 선언을 하셨어요. 그래서 혹시 이 문제가 무슨 착각을 하고 계시지 않은가, 그 당시 시대 상황을 보시는데 이것이 기억이 좀 잘못되시지 않았나 생각을 하는데 이 문제를 우선 어떻게 생각을 하시는지 이것은 좀 바로잡고 나가야 될 것 같아서 제가 여쭈어 보는 것입니다.

김대중 그 당시 신민당과 저 사이에는 서로 직접 또는 여러 가지 대화가 있었습니다. 그런데 저는 계속 민주주의가 위태롭다고 그러고 이것은 언론에 난 얘기만 합니다. 신민당 측에서는 민주화는 제대로 되는 것인데 안 된다고 생각하는 것은 잘못이다라는 것이 또 공식적으로 언론에 보도가 되었습니다. 그러한 생각이 나중에 전두환 씨가 중앙정보부장이 되었을 때에도 그렇게 반응의 차이가 언론에 나왔습니다. 그래서 시국관이 신민당은…… 신민당이 잘못되었다는 것이 아닙니다.

신민당이나 상당수의 사람들은 이대로 민주주의가 된다고 보았고 저는 민주주의가 대단히 위태롭다고 보아서 그래서 민주화가 확정된 후로 신민당 입당 문제는 다시 협의하겠다, 이렇게 제가 얘기했습니다.

김문원 제가 말씀드리고자 하는 것은 그 주원인이 전두환 씨가 중앙정보부장에 취임을 했기 때문에…….

김대중 그것만이 주원인은 아닙니다.

김문원 그것은 주가 아니다, 이런 말씀이지요. 그러니까 그 당시에 착각을 좀 하신 것으로 저는 보겠습니다.

김대중 날짜가 다를는지도 모르겠습니다.

김문원 날짜가 다릅니다. 4월 14일하고 결별 선언은 그 전에 하셨으니까 이런 문제는 교정을 해 나가는 것이 좋습니다.

그다음에 아까 말하시는 것을 한마디 한마디 빼놓지 않고 가슴에 담았습니다. 그중에 이런 말씀을 하셨습니다. 그 당시 5·17조치 이전에 학생들이 다소 나의 말에 영향력을 대단히 받고 있었다, 이렇게 말씀을 하셨는데 지금은 어떻게 생각하십니까? 학생들이 증인의 영향을 많이 받고 있다고 생각하십니까?

김대중 그때보다는 훨씬 못하다······.

김문원 훨씬 못하다, 알겠습니다.

그다음에 제가 한 가지 묻고자 하는 것은 광주사태가 처음에 발발했을 때 그 당시 광주사태 발발을 50일 후에 들으셨다고 말씀하셨는데 그때 듣는 순간에 어떤 느낌을 가졌고 어떠한 일을 해야겠다, 이런 생각이나 순간적으로 느낀 결심이 있었으면 말씀해 주시면 좋겠습니다.

김대중 아까도 말했지마는 이학봉 씨가 시켜서 넣어 준 신문 보고 알았는데 그 발표를 보니까 계엄사령부 발표에 이런 문구가 있었습니다. 5월 18일 아침에 김대중 체포의 보도를 듣고 말하자면 폭도가 일어나 가지고 사건을 일으켜서 얼마 얼마의 사람이 죽었다, 이렇게 계엄사령부 발표가 있었습니다.

그래서 저는 그 당시 광주 시민들이 제 체포에 대해서 석방하라고 주장하다가 그렇게 죽었다는 것 그 자체가 벌써 다른 문제보다 너무도 충격이 와 가지고 제가 아까도 말씀했다시피 반기절하다시피 쓰러지니까 와서 링거 주사를 놓고 그렇게 했습니다.

김문원 그랬습니까? 알겠습니다. 지금 말씀이 상당히 감명적이었습니다.

일반 사람들의 상식으로는 이 문제를 짚고 넘어가야 될 것 같습니다. 무엇이냐 하면 우리 대한민국이 법치국가입니다. 법치국가인데 김대중 증인께서 사형까지 받으셨어요. 사형까지 받으셨다가 아까 말씀하신 대로 3월 1일 감형이 되었고 1982년 2월 23일에 또 감형이 되었고 그리고 한국에서 미국으로 가는 도중에 형 집행정지 처분을 받으셨다, 이러지 않으셨습니까?

그런데 문제는 이런 법치국가에서 도대체 우리가 상식적으로 생각할 수 없는 것이 사형 선고까지 받으셨던 분이 또 이렇게 되고 나는 이것을 무엇이라고 보냐 하면 5·17 세력이 법을 저희들 마음대로 주물러서 죽일 사람도 살리고 살릴 사람도 죽이고 하는 그런 무법한 행동을 함부로 저지르고 있었다고 그런 생각하는데 이런 문제에 대해서 어떻게 생각합니까?

김대중 그러니까 제가 그때 알고 있기로는 아까 이학봉 씨 말에도 나오지만 그들이 꼭 저를 죽이려고 했는데 너무 근거 없는 짓 같고 하기 때문에 국민은 물론 세계 여론이 참으로 물 끓듯이 비등했습니다.

각국 의회에서 사형 반대 결의도 하고 또 노동조합들이 만일 김대중을 사형에 처하면 한국 화물의 작업을 거부하겠다고도 하고 전 세계 종교단체가 움직이고 그래서 차마 못 죽이고 감형했다가 감옥에 있는 것도 계속 세계적으로 규탄을 하니까 할 수 없이 미국으로 보낸 것으로 그렇게 알고 있습니다.

김문원 결국은 5·17 세력의 무법적인 처사를 반증하는 것이다. 이렇게 말씀하실 수 있겠군요.

두 번째는 광주사태로 인한 불행했던 과거는 우리 민족이 철저히 원인 규명을 해야 되겠습니다. 이것은 무슨 일이 있어도 누가 피해자이고 누가 가해자이고 또 이 민족의 가슴에 총을 겨눈 사람이 누구냐 하는 것까지 다 밝혀내야 하는 입장에 있습니다마는 동시에 이 크나큰 상처를 어떻게 아물리느냐 하는 것도 상당히 저는 중요하다고 봅니다. 역사적인 의미로 대단히 중요하다고 봅니다.

그런데 이것이 상처를 아물려 나가는 데에 있어서 증인께서는 광주사태의 피해자로 자처를 하고 계십니다마는 증인 한 분으로서는 아물리는 작업이 대단히 어렵다고 저는 이렇게 봅니다.

결국은 세 김 씨 그리고 또 더한다면 노태우 정권이 이 네 분의 지도 역량과 정치적인 역량을 발휘해서 이런 문제의 상처를 아물려 나가야 되는데 이 상처를 아물리는 데 있어서 주도적인 역할을 할 용의가 있으시겠지요?

김대중 저는 그 문제에 있어서는 김 위원께서도 국회에서 제 연설을 들으셨지만 계속 성의 있는 노력을 하겠다는 것을 다짐해 왔습니다. 그런데 이 광주민중항쟁 문제는 천하를 갖고도 바꿀 수 없는 귀중한 인명을 권력이 함부로 살상한 그러한 반인간적인 행동이기 때문에 그 진상이 철저히 밝혀지고 다시는 이런 일이 없는 조치가 취해져야 그 한이 풀릴 수 있습니다.

그리고 또 광주 문제는 우리나라가 민주주의로 가는 맥을 절단한 그런 반민주적인 쿠데타이기 때문에 이것에 대한 철저한 청산과 척결이 있어 가지고 민주화의 길로 나가야 정통성이 다시 이어진다고 생각을 합니다. 이렇게 하는 것이 돌아가신 영령들의 뜻에 보답하고 그 죽음을 값있게 하는 일이라 생각합니다.

그래서 이 정치권이 전부 협력하고 특히 노태우 정권이 앞장서서 이런 길로 나갈 때 우리는 거기에 응분의 협력을 하겠다는 것을 계속 다짐해 왔습니다.

김문원 10·26 이후의 모든 사람들이 정국을 가리켜서 유행어처럼 안개 정국이라고 전부 그랬습니다. 그 당시의 솔직한 말씀입니다마는 세 김 씨께서는 대권을 향해서 열심히 뛰셨던 상황입니다. 그래서 그 당시 우리 국민들은 어떻게 생각을 했느냐 하면 이 세 김 씨가 페어플레이를 해서 빨리 민간 정부가 탄생되어야겠다는 소망이 전 민족적으로 퍼져 있었다고 저는 봅니다.

그런데 결국은 그 이후의 국민들께서는 심지어 세 김 씨의 대권 주자가 대권을 향해서 뛰는 것에 대해서 부정적인 측면도 가지고 계시는 분도 있다는 것을 아시고 계실 것입니다. 그런데 그 세 분의 대권 주자 중에서 가장 먼저 말하자면 대학에 들어가서서 대학에서 강연을 하신 분은 증인입니다. 제가 알기로는, 거기에서 제일 먼저 시국 강연도 하셨고 정치 강연도 하셨고 그런 것으로 알고 있습니다.

그래서 일부 군부 세력이 무엇이라고 그러느냐, 그러한 학생들을 선동하고 학생들에 대해 시국 강연을 해 가지고 결국은 우리가 총칼로 눌렀다, 이런 식으로 이야기를 하고 있습니다마는 일부 기자들은 이러한 것이 분명히 군부로부터 정권을 잡게 한 빌미를 준 것만은 분명하다, 이런 말씀들을 많이 합니다. 이것에 대해서 증인께서 어떻게 생각하시는지 설명을 해 주십시오.

김대중 저는 전혀 그렇게 생각하지 않습니다. 왜냐하면 대학교에서 강연한 것은 민주주의 하는 나라치고 당연히 있는 일이고 또 그 강연 내용이 무슨 파괴적 선동적이었던 것도 아니고 또 강연의 결과로 어떤 파괴 행위가 단 한 건도 일어난 일이 없습니다.

오히려 그 강연을 통해서 학생들이나 모든 사람들에게 자제와 질서 유지를 당부했지 그러한 혼란을 일으킨 일이 없기 때문에 군부에서 한 말은 전연 이치에 맞지 않는다고 나는 생각합니다.

김문원 그러니까 그 사태는 일부 정권욕에 찬 군인들이 조작해서 만들어 내서 정권을 잡는 그런 형태의 시국이 흘러가고 있었다 이렇게 말씀을 하신 것이지요?

김대중 그렇지요.

김문원 알고 있겠습니다마는 그런데 이것이 또 중요한 말씀입니다마는 5월 16일 밤부터 17일 새벽까지 55개 대학생들이 시위를 자제를 해야겠다, 군이 나오면 큰일 나니까 군에 빌미를 주어서는 안 되겠다 해 가지고 스스로 자제를 했습니다. 그런데 그다음에 군인들이, 아까도 증인께서 말씀하셨습니다마는 군인들이 캠퍼스에 들어가 일부 학생들을 잡아 끌어내고 이래 가지고 학생들을 흥분시키고 또 분노를 촉발시킨 그런 사례들이 곳곳에서 발견이 되고 있습니다. 이 문제에 대해서 이것을 역사적인 측면에서 보면 어떻게 이것이 상당히 중요한 순간이라고 생각합니다마는 군인들이 가서 끌어냄으로 해서 학생들이 흥분한다는 그런 상황을 어떻게 보고 계십니까?

김대중 저는 군인들이 아까 말같이 5월 20일 되면 도저히 이제는 자기들이 정권 잡을 찬스가 없기 때문에 서둘러서 여러 가지로 도발 행위를 했다고 생각하고 있습니다. 서울에서도 그랬고 광주에서도 그랬고, 그래 가지고 여기에서 혼란을 더 조성시키고, 그 증거의 하나로는 이것이 있습니다. 계엄사령부에서 언론에 대해서 예를 들면 그 당시 사북탄광 사건이라든가 또 학생들의 남대문 시위라든가 저런 것을 크게 보도하도록 자꾸 계엄 검열 당국에서 요구를 했습니다. 그래 가지고 사진까지 제공하면서 이것 크게 내라고, 그래서 혼란을 조성하는 방향으로 신문을 내게 하고 저같이 학생들에게 자제하라고 해서 『동아일보』의 요청에 의해서 써 준 원고 같은 것은 못 내게 해 버리고 또 제가 학생 자제하라는 것은 계속…… 말하자면 그 사람들이 눌렀습니다. 이것은 김종필 총재나 김영삼 총재께서도 마찬가지일 것입니다. 그러니까 이것으로 보더라도 그 사람들의 의도는 분명한 것입니다.

김문원 그러면 사전에 말하자면 모의를 해서 정권을 탈취하겠다는 그러한 계획이 서 있다는 이런 말씀으로 요약이 되는 것으로 알겠습니다.

김대중 그렇습니다.

김문원 좋습니다. 다음은 제가 좀 여러 가지 여쭤볼 말씀이 많습니다마는 시간이 없어서 몇 가지만 그냥 말씀드리겠습니다.

증인께서 사실은 민주화운동을 위해서 노력하신 것은 저도 인정을 합니다. 저도 존경을 합니다. 그동안 많은 협박과 고문과 그리고 참 말할 수 없는 고생을 해 가면서 국내에서 굉장한 민주화투쟁을 해 왔다는 것은 누구나가 다 인정을 하고 있고 본인도 그렇게 인정을 하고 있습니다마는, 한 가지 짚고 넘어가야 할 것은 일부 식자들 간에는 사람들 간에는 외국에서 그동안 다니면서 많은 강연도 하시고 정치 활동도 하신 것으로 제가 알고 있습니다마는 여러 가지 활동 상황이 불분명했던 점도 많다, 이렇게들 사실 얘기들을 하시는 분들이 많습니다. 그것은 아마 증인께서도 많이 들으셨으리라고 믿습니다. 심지어는 외국에서 민주화운동을 하는 것 이상으로 딴 일에 또 종사를 하셨다 뭐 이런 식의 얘기도 나오고 있습니다마는 이것이 분명 이 자리에서 그 문제에 대해서 클리어를 하셔야 할 그런 입장이라고 생각을 하는데, 이러한 문제에 대해서 어떤 시각을 가지고 계시는지 좀 말씀해 주시기 바랍니다.

김대중 그 '딴 일'이라는 것도 얘기하시지요. 딴 일이라는 것을 말씀하세요. 그래야 제가 다 얘기하니까…….

김문원 아니, 예를 들어서 민주화운동하고 그다음에 여러 가지 단체에…….

문동환 딴 일이 광주사건과 관련된 것인지를 설명해 주셔야 대답할 것입니다.

김문원 예, 광주사태와 관련된 것입니다. 알겠습니다. 예를 들어서 한민통(한국민주회복통일촉진국민회의) 같은 데 한민통의 회장으로 이렇게 추대를 받았다든지 이런 문제에 대해서 상당히 부정적인 시각을 가지고 있는 분도 계시는데 이런 문제에 대해서 좀 짚고 넘어가시는 것도 좋을 것 같습니다.

김대중 예, 그러지요. 여하간 그 문제에 대해서 얘기할 수 있는 기회를 만들어 주셔서 감사합니다. 저는 1972년 10월 17일 유신 선포 때 일본에 치료받으러 갔다가 거기서 만나 가지고 그 당시 국내는 계엄령 선포하고 완전히 독재체제하에 들어갔기 때문에 저라도 밖에서 민주화를 위해서 싸워야겠다, 중국의 쑨원 선생 같은 분을 생각하면서 그런 제자가 되는 셈 잡고 싸워야겠다, 이렇게 해서 망명 생활을 하면서 투쟁을 했습니다. 그런데 이 투쟁하는 과정에 여기저기서 강연도 하고 했습니다. 그런데 제가 미국서 한민통을 발기한 것은 사실입니다. 또 일본에 와서도 그것을 조직하려고 얘기하다가 발기는 미처 못 한 채 납치되어서 중단되었습니다. 그런데 제가 한민통을 발기하는

데 두 가지 원칙이 있었습니다. 하나는 대한민국 절대 지지, 둘째는 선민주 회복 후통일, 이 두 가지 원칙을 내세워서 그것을 확인시키고 일을 추진했습니다. 따라서 저는 항상 말하기를 우리는 독재정권을 반대하는 것이지 대한민국을 반대하는 것은 아니다, 미국서 한민통을 결성할 때 어떤 사람이 망명정부를 세우자고 해서 그것을 즉각 취소시켰습니다. 우리는 대한민국을 부인하는 것은 아니다, 대한민국이 있지 않으냐, 그리고 일부에서는 그때 그런 독재체제가 되니까 절망적으로 민주주의는 안 되어도 좋으니까 통일로 가자 이런 사람도 있어서 그것은 절대로 안 된다, 민주화해 가지고 남한의 민주 세력을 가지고 통일로 나가야 한다, 그리고 일본에 와서 이것을 만들려고 할 때는 거기에 하나 첨부해서 일본에 교포들이 아시다시피 조총련계 교포들하고 같이 뒤섞여 삽니다. 본국에서 1972년 7·4공동성명 이후로 남북이 왔다 갔다 하고 특히나 유신이 통일을 위한 것이다, 이렇게 박정희 씨가 거짓말을 했지만 그대로 믿고 조총련 사람들하고 국경일 행사 같은 것 같이 했습니다. 그래서 이것을 중지시키고 이런 원칙하에서 했기 때문에 제가 해외에서 한 행동은 대한민국 국가 이익에 위반된 일은 절대 한 일이 없습니다.

김문원 그러나 조총련계라는 것이 대체로 좌익이다 하는 얘기는 일반적인 상식이 아닙니까?

김대중 조총련은 좌익이지요. 그러니까 저는 조총련하고 선을 그었다 그 말입니다.

김문원 그래서 나중에 탈퇴를 하셨지요?

김대중 아니요. 나는 거기에 관계한 일이 없지요.

김문원 그러면 회장으로 추대되신 적이 있는데⋯⋯.

김대중 한민통은 조총련이 아닙니다.

김문원 재일 한민통⋯⋯.

김대중 한민통은 조총련이 아니고 또 조총련하고 아무 관계도 없습니다.

김문원 한민통은 조총련계가 아닙니까?

김대중 아니지요.

김문원 왜 아닙니까? 재일…….

김대중 제가 설명할게요.

김문원 예, 좀 자세하게 설명을 해 주십시오.

김대중 한민통은 제가 미국서 만들고 미국 본부를, 일본 가서 민단에, 우리나라 대한민국 민단에 도쿄단부, 합법적인 단부입니다. 단부 사람을 중심으로 해서 한민통을 만들려고 하다가 미처 만들지 못하고 제가 체포되어서 왔습니다.

김문원 그렇습니까? 그래서 저는 이 문제가 말하자면 일반적으로 좌익이라고 해서 오해가 일부 있었던 것만은 사실입니다. 그렇지 않습니까?

김대중 예, 오해가 있습니다.

김문원 또 한 가지 제가 말씀을 드리고자 하는 것은 망월동을 참배하신 날짜가 6월 29일 이후죠?

김대중 9월 8일입니다.

김문원 6·29선언 이후라고 저는 보고 있습니다마는…….

김대중 그렇습니다.

김문원 그때 한참 민주화 물결이 닥쳐 가지고 그 이후에도 망월동을 가신 것으로 알고 있습니다마는 저희들의 관습으로 습관적으로는 어떤 중요한 일을 성취하겠다든가 또한 어떠한 결심을 할 때는 사실 조상의 산소나 자기가 존경하는 분의 산소를 찾아가는 것이 관례로 되어 있습니다. 그런데 한 가지 일부 섭섭하게 생각하는 분들은 왜 망월동 묘지를 그 전에 한 번도 안 가시다가 그 당시에 갔느냐 하는, 이것은 전혀 오해 없이 들으시기를 바랍니다.

그러한 문제에 대해서 상당히 섭섭하게 생각하시는 분들도 계십니다. 이 문제에 대하여 과정 같은 것을 좀 설명해 주실 수 있겠습니까?

김대중 예, 귀국 후 1985년 2월에 귀국했는데 하루도 광주 가야겠다는 생각을 안 해 본 날이 없습니다. 그러나 아시다시피 제가 주로 연금하에 있었고 완전히 봉쇄 속에 있었습니다. 또 제가 잘못 가면 혹시나 혼란이 일어날까, 이런 것도 걱정을 했습니다. 그런데 6·29가 끝나고 나서 7월, 8월 양 달이 있었는데 제가 말하자면 그 두 달 동안은 여러 가지 서울에서의 상황 때문에 시간을 조금 늦췄습니다. 또 광주 상황이 조금 진정된 후로 가는 것이 질서 유지를 위해서 좋겠다 하는 그런 생각으로 조금 늦게 간 것입니다.

김문원 그렇습니까? 그러나 그 당시에 아무런 신체의 구속이나 연금 상태는 아니었던 것만은 사실이지요?

김대중 그렇습니다.

김문원 한 가지 더 묻겠습니다마는 공소 사실에 보면 이것은 아까도 여러분께서 물어보셨습니다마는 1980년 7월 4일 계엄사 수사 발표에 볼 것 같으면 5·17 이전까지 정동년 씨를 아까 1985년 처음 만나셨고 그때 처음 이름을 아셨다고 그랬습니다마는 거기에 정동년 씨 이름이 나오고 홍 모 씨의 이름이 나오고 있습니다. 정치자금을 500만 원을 주었다, 이런 공소 사실이 있습니다마는 아까 1985년도에 처음 만나셨고 그때 그 이름을 들었다 이렇게 말씀을 하셨습니다.

김대중 이름은 취조 과정에서 들었고 만난 것은 1985년에 만났습니다.

김문원 이 문제에 대해서 납득할 수 있는 해명을 해 주실 수 있겠습니까?

김대중 1980년 5월 17일에 잡혀가서 한 20일 동안 정동년 이야기가 없었습니다. 주로 무슨 제 주변의 조직들 이런 것을 중심으로 해서 내란 음모하지 않았느냐 그랬는데 어느 날 갑자기 정동년에 대해서 아느냐, 나는 모른다, 이름도 성도 모르는 사람이다 그랬더니 제가 거기에 돈 주지 않았느냐 그래 가지고 아까 말한 것과 같이 고문하겠다고 옷도 갈아입히고 굉장히 폭언 폭설을 하며 심한 고통을 주고 그랬습니다.

그래서 비로소 정동년이라는 사람을 들었는데 무엇 때문에 정동년이를 가지고 이러는가, 그래서 제발 사진이나 좀 보여 달라고, 그러면 내가 기억이 날는지도 모르니까 보여 달라고 해도 사진도 안 보여 주고 이래 가지고 정동년한테 돈 주었다, 김상현 씨가 와서 어떻게 했다, 이런 말할 때 제가 부인하면 이것은 이대로 하게 되어 있으니까 이렇게 한다 그리고 정동년 자술서, 김상현 씨 자술서 갖다 보이면서 그렇게 했던 것입니다.

김문원 광주사태가 발발한 원인 중에는 여러분들 많은 의견이 있겠습니다마는 지역감정에 관한 문제도 가끔 들먹여지고 있습니다. 사실 호남 쪽에서는 증인에 대해서 대단히 관심을 가지고 있고 또 지지도 있는 것으로 저는 알고 있습니다마는 사실 이 지역감정이 지금 상당히 문제가 되고 있습니다. 이 문제를 어떻게 해결해 나가느냐에 대한 증인 나름대로의 정치적 소신이 있으면 좀 밝혀 주십시오.

김대중 지역감정 문제를 물으셨는데 이것은 박정희 씨가 집권한 이후에 생겨났지 그 전에는 없었습니다.

김문원 근자에 와서 더욱 심해졌지요. 5·17 이후부터 더욱 이것이 심화된 것만은 사실인 것 아니겠습니까?

김대중 그것이 자꾸 에스컬레이트(escalate)되어 온 것이고…….

김문원 에스컬레이트화되어 왔지요.

김대중 그런데 지역감정은 왜 일어났느냐, 하나는 인사 문제에 있어서의 차별, 둘째는 지역 개발에서의 차별이기 때문에 이 두 가지를 먼저 해소하면서 나머지 전 국민적인 노력을 해야 한다고 생각합니다.

김문원 끝으로 하나 묻겠습니다. 발포 명령자가 누구냐 하는 것을 지금 분명히 밝힐 수 있겠습니까? 심증으로 온 것까지도 말씀해 주셨으면 좋겠습니다.

김대중 저는 아까 말한 대로 상황 증거라든가 또 제가 직접 기관에 있었던 사람한테 들은 말로라든가, 또 국민 일반의 확신이라든가, 모든 이유로 해서 저는 전두환 씨가 발포의 진실한 책임자라는 것은 해가 아침에 동쪽에서 뜨는 것과 마찬가지로 확실하다고 생각하고 있습니다.

김문원 그러면 발포 명령자는 전두환으로 분명히 생각하고 계신다, 이런 말씀을 분명히 하실 수 있다 이것입니다.

김대중 그렇습니다.

문동환 이제 시간이…… 그만큼 하시도록 합시다.

모두에서 말씀드린 바와 같이 오늘의 청문회는 5·18광주민주화운동 진상을 밝히고자 하는 청문회입니다. 구체적으로 이 문제의 조사에 필요한 신문에만 국한해 주셔야 효과적이겠습니다. 여러 가지 관심이 있는 것이 많으시겠지만 될 수 있는 대로 이 취지에 집중해서 물어 주시기를 다시 한번 부탁드립니다.

다음은 무소속인 박찬종 위원님께서 신문해 주십시오.

박찬종 박찬종 위원입니다. 어제 특위 위원으로 교체되어서 들어왔습니다. 이 청문회는 국민 앞에 우리 국조권 행사의 한 방법으로 공개 조사하는 형태가 됩니다. 그렇기 때문에 우리 특위가 기왕에 파악하고 수득한 과거 민화위의 광주항쟁 당시의 비디오테이프라든지 이런 것을 어떤 방법으로든지 간에 우선 공개해야 되는 것이 저는 옳다고 생각합니다. 그리고 집중적으로 피해자를 먼저 신문을 하고 그 이후 가해자 측이라고 할 수 있는 군과 정보 관련 인사들을 신문하는 것이 옳은 의사 일정이라고 저 개인은 그렇게 생각합니다. 이후 위원장께서 저의 이러한 생각을 의사 일정 조정에 반영할 기회를 주시기 바랍니다.

증인께 묻겠습니다. 증인께서는 1980년 봄 당시 우리 정국이 힘 내지는 권력의 진공 상태 부분이 상당히 있다 하는 이런 인식을 어느 정도 하셨습니까?

김대중 아까 말씀과 같이 민주화가 대단히 어렵게 되어 가고 있다고 걱정할 정도로 했지요.

박찬종 그 구체적인 것은 최규하 대통령이 곧 폐기될 운명에 있는 당시 유신헌법 절차에 따라서 다시 체육관에서 대통령으로 선출되고 그 임기가 전임 박 대통령의 잔여 임기가 되는 것인지 아니면 최 대통령 자신의 절대적 임기를 다 행사하는 것인지도 가장 불분명했고 이것이 정국의 진공 상태에 가장 큰 요인이었다고 생각합니다. 증인께서는 어떻게 생각하십니까?

김대중 저는 그때 국민적 일반 상식이나 합의는 이 국회에서 양당 간에 헌법개정안이 통과되면 그 부칙에 의해서 당연히 새로운 대통령 선거가 있기 때문에 최규하 씨의 임기는 오래갈 수가 없었다, 그래서 그 문제보다는 아까 말같이 최규하 씨의 우유부단한 태도, 신현확 씨를 중심으로 한 정부에서의 이원집정부제의 음모 그리고 군인들의 영구 집권에 대한 획책, 그런 데다가 계엄령 해제가 늦어진 이런 등속이 정치에 대한 불안 요인이었다고 생각하고 있습니다.

박찬종 10월 17일 부산·마산 지역 계엄이 선포되고 10월 26일 제주도를 뺀 준전국에 확대된 그 계엄은 제 생각으로는 12월 6일 최규하 씨가 통대 대의원회에서 대통령에 선출되고 12월 20일 정식으로 취임식을 가졌고 그 당시에는 이미 학원도 조용했을 뿐 아니라 전혀 계엄을 유지할 요소가 저는 없다고 생각합니다. 따라서 최 정부가 그러한, 무리한 출범이지요. 정치 도의상도 그렇고 도의적으로 그러한 무리한 출범이지만 그 출범으로써 다시 그 계엄은 이미 분명히 소멸하여야 할 절대적 상황이라고 생각하는데 증인, 동의하십니까?

김대중 예, 전적으로 동의합니다.

박찬종 그러면 1980년 봄에 와서 증인께서는 5·17, 더더욱 계엄을 확대 내지 강화하는 조치가 언제쯤 구체적으로 예상되셨습니까?

김대중 계엄 확대 강화는 제가 그것 자체를 예상했다는 것보다는 최규하 정권이 민주화 일정을 도무지 발표하지 않고, 언제까지 선거한다는 말을 하지를 않고 또 신현확 씨가 무슨 선거를 그다음 해에 한다느니 또 정부가 갑자기 헌법개정위원회를 만들어 가지고 유럽으로 조사를 보내고 이렇게 해서 국회에서 하고 있는 헌법개정안을 놔두고 무시하고 그렇게 하는 상태, 이런 등등을 정부가 하는 것을 보고 이 사람들이 말하자면 딴생각을 가지고 있다, 이렇게 생각을 했고 그리고 전두환 씨가 차츰 힘을 발휘하기 시작을 하고 합동수사본부라고 계엄법에 없는 기관을 가지고 그야말로 전권을 행사하는 그런 상황을 보고 우리가 상당히 위기의식을 느낀 것이지요.

박찬종 5월 5일 시국수습대책협의회를 증인께서 제안하셨고 그러셨지요? 5월 5일……

김대중 오래되어서 기억이 잘 없네요.

박찬종 이택돈 씨가 동교동 자택에서 기자들에게 발표한 시국수습대책협의회입니다. 그다음에 5월 15일 난국 수습을 위한 비상시국대책회의 소집을 제안하셨는데 여기에는 당시 총리, 계엄사령관, 그다음에 각 당의 총재, 각 대학의 총장 등 종교계 지도자들도 포함이 되어 있습니다. 이것을 성명하신 사실이 있지요? 제안하신 사실이 있지요?

이 5·15에 제안하신 비상대책회의, 이것은 증인께서 당시에 이미 아까 우리 동료 위원들이 쭉 질문에 나왔습니다마는 이미 이때는 결과론이지마는 일부 정치군인들이 확고한 의지와 시나리오를 가지고 권력 찬탈을 구체적으로 도모하고 있었을 때입니다. 결과적입니다마는 증인이 5월 15일 비상시국 대책회의를 제안하실 이 시점에 있어서는 군의 직접적 개입이 절박했다 하는 상황 인식을 하신 것입니까?

김대중 그런 위험을 느꼈기 때문에 마지막 타결의 시도로서 그런…….

박찬종 예, 좋습니다. 저 개인도 지나간 일이지마는 증인께서 제안한 이 안은 그 당시 안으로서는 대단히 훌륭한 안이었다고 생각됩니다. 문제는 이것이 제안에서 그치고 그 회의체가 성립되지 못하고 말았습니다. 증인께서는 이유가 어디에 있다고 생각하십니까?

김대중 그것은 주로 최규하 정부가 그런 것 할 생각이 없었기 때문에 그렇다고 생각합니다.

박찬종 그러면 나머지 여기 참석 멤버로 제안하신 계엄사령관, 또 증인과 잠재적 경쟁적 위치에 있었던 김영삼 총재, 또 김종필 총재, 통일사회당 대표, 김수환 추기경을 비롯한 각계 종교계 지도자, 또 국민연합 의장 윤보선 전 대통령, 함석헌 선생 그리고 서울대·고려대·연세대·이화여대 유수한 대학의 총장, 이분들의 동의는 받으셨습니까?

김대중 그게 5월 15일이지요?

박찬종 5월 15일입니다.

김대중 그렇게 발표해 가지고 접촉도 못 한 차에 5월 17일이 와 버린 것이지요.

박찬종 결국 이것은 증인께서 군의 정치 개입의 결정적 시기를 다소 소홀히 판단하셨다는 것을 지금 와서는 시인하십니까?

김대중 저는 거꾸로 생각하는데요. 그런 위험성이 절박하니까 마지막으로 모두 모여서, 그러면 군도 참가해서 같이 한번 얘기를 해 보자, 최후 시도지요.

박찬종 저의 논리는 이렇습니다. 군이라고 하는 것은 결국 물리적 폭력을 행사하는 집단이고 거기에 일부 정치군인들이 강력한 물리적 폭력을 가지고 제도권 내의 야권 정치인들을 위협하고 제압해 들어오는 것입니다. 강력한 물리력 앞에서 무방비 상태의 제도권 정치인이 할 수 있는 길을 저는 오로지 연약하지마는 연약한 모습대로 꼭 껴안고 단합하는 것만이 거기에 유일한 대응책이라고 생각합니다. 증인께서는 어떻게 생각하십니까?

김대중 그것 좋은 말이지요.

박찬종 따라서 제가 증인께 여쭈는 것은 5월 15일에 이러한 민간의 주요 인사들을 포함한 시국수습협의회, 이 제안이 좀 늦었다는 감이 있다고 저는 생각하고 있습니다. 동시에 늦게나마 증인께서 헌신적인 몸짓으로 이것을 주도해서 이것을 통합하려고 하는 노력이 결과론이지만 좀 소홀하거나 결여됐지 않느냐 하는 것이 제 눈에 비치는데, 증인께서 동의하십니까?

김대중 15일 그렇게 하고요. 16일 김영삼 총재하고 만나서 시국 수습에 대해서 둘이서 합의해 가지고 6개 항 발표해서 그런 노력을 시작한 거지요.

박찬종 전두환 장군이 주도한 정치군인 그룹이 증인을, 1980년 봄에 잠재적 대통령 경쟁 후보자에 있었던 여타 양 김 총재께서도 계시지만, 증인만을 유독 광주항쟁의 주동 인물로 왜곡 조작해서 가혹한 박해를 가했다고 생각하십니까? 왜 증인만을 그랬다고 생각하십니까? 가령 부산에서 조작하지 않고 대전에서 조작하지 않고 왜 김대중 총재를 광주에서의 주동 인물로 조작했다고 생각하십니까?

김대중 그것은 전두환 증인을 불러 가지고 물어보시는 것이 좋을 것 같은 데요.

박찬종 제 견해는 이렇습니다. 그 군부가 지역 분열주의를 더욱 자극 조장,

큰 흠을 내 가지고 그 새로운 군부의 집권 기반을 다른 지역에 둠으로써 그들이 권력을 찬탈했을 때 최소한의 지역적 기반을 확보하는 그런 악랄한 발상에서 증인을 호남 지역에 국한시켜서 그 주동 인물로 부상시키고 조작 왜곡했다고 하는 이러한 견해에 동의하는데 물론 나중에 전두환 씨 나오면 제가 물어보겠습니다마는 이런 견해에 대해서 증인은 어떻게 생각하십니까?

김대중 저도 동의합니다.

박찬종 그렇게 동의하시지요? 따라서 저는 증인께서는 당시 권력 찬탈을 기도했던 군부 그룹의 지역 분열주의의 피해자라고 생각합니다. 증인께서는 그런 점에서 피해자이십니다. 저는 정말 가슴이 아픕니다. 피해자이십니다. 따라서 그 피해자 상황이 아직도 제 소견에는 극복되고 있지 않다고 생각합니다. 증인께서는 동의하십니까?

김대중 그렇습니다.

박찬종 지난 대통령 선거 직전에 증인께서 관훈클럽에서도 말씀하셨고 또 최근에 수삼 차 기자회견을 통해서도 광주항쟁의 조작 주범들, 5공 비리의 관계자들을 정치보복은 안 하겠다, 죄는 미워하되 사람은 미워할 수 없다, 이렇게 말씀하셨는데 정치보복과 사법적 처리와의 관계를 증인께서는 명확히 이 자리에서 구분해 주시기 바랍니다.

김대중 그것은 참 어려운 질문인데요, 그런데 결국 저는 그렇게 생각을 합니다. 물론 현행법 가지고 법을 어겼을 때 이것을 처단하는 것은 반드시 정치보복이라고 할 수는 없습니다. 소급법 같은 것 만들어 가지고 한다면 그것은 반민주적인 정치보복이라고 할 수 있지요. 그러나 이 집권자들에 대한 문제는 일반적인 것하고는 다르다고 생각을 합니다. 결국에는 정권을 내놓고 나서 그 집권자가 법에 위배됐다고 해서 이것을 처벌하는 이런 관계가 되풀이돼 가면 정권의 순조로운 교체가 앞으로 어렵고 또 정치의 안정이 어려운 면이 있습니다.

그리고 정치인에 대한 보복은 그 사람이 악을 행하는 그 힘을 뺏은 것이 보복이지, 그러면 충분한 거지 반드시 육체적인 처벌까지 하는 것이 필요하냐 하는 생각을 저는 가지고 있습니다. 저는 그래서 아까도 말씀했지만 지금 무슨 정치적 이해타산을 하는 것이 아니라 법정에서 마지막으로 죽음의 길로 가면서 그 자리에서 제가 말한 심정을 여러분이 헤아려 주시기 바랍니다. 지금 제가 이런 말을 하니까 일부에서 왜 그렇게 미지근한 소리를 하느냐고 비판을 받고 있는데 저는 이것이 제가 믿는 기독교인으로서의 신앙, 양심 또 민주주의를 신봉하는 한 정치인으로서의 인도주의적 사고방식 그리고 나라의 장래의 안정을 걱정하는 그러한 여러 가지 배려에서 이런 말씀을 하고 있다는 것을 말씀드리겠습니다.

박찬종 정치보복이라고 하는 것은 예를 들면 지금 현재 연희동에 불행한 모습으로 있는 그 전두환 씨를 아무나 돌을 던진다든지 이렇게 해서 상처를 낸다든지 하는 이른바 사형私刑 린치를 가하지 않는다는 그 개념으로 저는 해석해야 된다고 생각합니다.

오늘의 젊은이들이 과도정부가 수립되고 대한민국 정부가 선 직후에 있었던 반민특위가 당시 정권에 의해서 물리적으로 해산된 이후에 일제 잔재가 정리되지 않음으로써 민족정기가 말살됐다고 하는 개탄과 거기에 운동 정신의 근거를 두고 있는 것, 우리 다 인정하는 바입니다. 따라서 증인께서 생각하는 그러한 처리 내용은 명명백백한 사법 절차에 따라서 그러한 정신이 구현되도록 할 필요가 있는 것이지 그 처리 자체를 생략하는 것이 정치보복을 안 하는 것이다라고 해석하는 것은 저는 잘못된 견해라고 생각합니다.

김대중 제가 지금 말씀한 것은 가령 전두환 씨가 부정 축재한 것, 이런 것을 사법적으로 조사하는 것을 반대하는 것은 아닙니다. 그러나 그런 것을 법적으로 다 조사하되 과거의 집권자를 감옥에 보내는 것이 꼭 필요하냐, 여기에 대해서 제가 그렇게 생각하고 있다는 것을 말씀드리는 것입니다.

박찬종 일부에서는 그 조사 자체도 원치 않는 것으로 오해를 불러일으키는 소지가 있는 것입니다.

김대중 오해가 있다면 다시 한번 말씀드리지만 엊그저께도 제가 말했는데 그런 부정의 진상에 대해서는 철저히 특별위원회뿐만 아니라 수사 당국에서 조사해야 한다, 이것을 강조하고 요새 검찰이 하는 것은 말하자면 눈가림을 하고 있다라고까지 이야기했기 때문에 오해 없기를 바랍니다.

박찬종 현재의 검찰이 그리고 현재의 수사기관의 구도로 보아서 눈 가리는 수사를 할 수밖에 없고 또 광주항쟁에 대한 정부 차원에서의 조사, 사실 국회의 위원회 차원의 이런 청문회 조사라든지 하는 것은 대단히 비효율적인 점이 있는 것입니다. 여기에는 이해가 상반되는 정파도 있고 비효율적인 것입니다.

그래서 바로 증인이 지금 말씀하신 그 대목은, 현재의 노태우 정부의 수사기관의 구도로서는 이와 같은 진상 파악이 저는 어렵다고 생각합니다. 증인께서 여기에 동의하십니까?

김대중 저도 그렇게 생각하고 있습니다.

박찬종 이것은 전두환 씨와 노태우 씨가 결국은 한 고리로 연결되어 있는 한 뿌리의 같은 정권이기 때문에 그렇다는 인식에 대해서 동의하십니까?

김대중 고리에 연결되어 있더라도 노태우 대통령이 자기는 제6공화국의 대통령이다, 6공화국과 5공화국은 다르다. 독재헌법을 민주헌법으로 바꾼 전연 새로운 공화국이다, 이러한 확실한 자각을 가지고 제5공화국에 대해서 분명히 단절하겠다, 이런 결심하에서 지금까지 해 왔다면 이런 광주 문제, 5공화국 비리 문제 그리고 구속자 석방 사면복권 문제가 해결되어서 지금 우리 국정이 상당히 명랑한 방향으로 가고 있을 것으로 생각하는데 그 점에 대한 노태우 대통령의 인식과 자세가 대단히 미흡한 것이 오늘날 이런 상황을 가져왔다고 생각합니다.

박찬종 저도 증인의 견해에 동감합니다. 지난 2월 25일 취임 이후 열 달이 됐습니다. 저는 선의로 노태우 정부가 그러한 것을 해내리라고 기대했습니다마는 그것은 원천적으로 불가능하다는 결론에 도달했습니다. 그것은 노태우 씨가 전두환 씨 고리에서, 우선 인적 물적 기반에서 헤어나지 못하고 있습니다.

따라서 우리 야권의 가장 중요한 정상의 지도자 중의 한 분이신 증인께서는 최근에 이 고리에서 노태우 대통령을 일응 끊어서 국민적 거국내각을 야 3당이 앞장서서 이루어 가지고 그 중립내각이 새로운 법무부 장관과 새로운 검찰총장과 새로운 수사기관의 장을 새로 임명해서, 그러니까 성격상 특별검사제가 도입되는 것입니다. 이렇게 해서 단시일 내에 이와 같은 비리를 중립적으로 정부 차원에서 조사하도록 하는 이러한 구상에 대하여 증인의 견해는 어떻습니까?

김대중 거국내각은 제가 재작년 10월, 그때는 직선제 개헌도 아직 안 됐지만 그때부터 이야기해서 작년 선거 때까지 말씀드렸던 것인데 그 거국내각이 지금 이 단계에 필요하냐 하는 문제에 대해서는 박 위원 말씀도 계시고 하니까 저도 신중히 생각해 보고 또 개인적으로 박 위원의 고견도 듣고 싶습니다.

박찬종 아까 우리 동료 위원께서 몇 가지 질문 중에 증인께서는 1980년대에는 이 나라에 반드시 민주화가 이룩된다, 이렇게 예견하시고 예언하셨습니다. 저도 잘 기억하고 있습니다. 이제 한 달 뒤면 1989년이 되고 1980년대는 1년 남짓 남았습니다. 증인께서는 아직도 1980년대의 민주화라고 하는 것이 1차적으로 군사정권의 실질적 종식, 군사문화의 정치로부터의 퇴장, 퇴조를 의미하는 것으로 제가 해석한다면 1980년대의 증인이 예언하신 것이 이루어질 수 있으리라고 생각하십니까?

김대중 그렇습니다. 지난 4월 총선거를 통해서 누구도 기대하지 않았던 여소야대를 만든 이 국민의 힘 그리고 올림픽을 그렇게 훌륭하게 성공시킨 국민의 힘 또 지금 이 나라에서는 대통령도 야당도 군부도 학생도 노동자도 누구도 국민의 뜻을 경시할 수 없는 오늘의 정치 현실을 봐서 이 위대한 국민이 그 힘을 가지고 반드시 1980년대 이제 민주주의로 들어가는 단계에 있다, 지금 이런 것도 그 과정에서의 진통이다, 저는 그렇게 생각합니다.

박찬종 증인의 말씀 잘 들었습니다. 제가 질문한 요지는 이렇습니다.

1980년 봄에도 우리 국민들이 과거를 청산하고 군사 문화를 거부한다는 명백한 의사 표시를 1980년 봄에 한 것입니다. 또 작년 12·16 대통령 선거를 앞두고 지난 4·26 국회의원 선거 과정을 통해서도 이 국민의 확고한 의사는 두 번, 세 번 증명이 되었다고 생각합니다. 그러면 자연적 시간으로 봐서 증인께서 이야기한 1980년대는 앞으로 1년 1개월이 남았습니다. 제가 보기에는 이 안에 순리에 따른 군사 문화의 종식은 어렵다고 봅니다. 1980년 봄, 1987년 가을, 이 두 번의 기회에 저희들은 이것이 실패한 것을 목도하고 있습니다. 그 실패한 가장 큰 원인에 대해서 저 자신은 책임을 느끼는 제도권 정치인의 한 사람입니다마는 이 점에 대한 증인의 감회가 어떠하신지 제가 묻고 싶습니다.

김대중 박 위원께서 묻는 말씀이 지도자로서 단일화를 못 한 데 대한 책임을 묻는 것으로 생각하는데 그것은 아까 말씀했고요. 저는 1980년대 국민하고 작년 국민하고는 다르다고 생각했습니다. 제가 작년 그것이 아마 5월이나 4월 말로 생각하는데 1980년에 저를 찾아왔던 미국 국회의원이 그때 당신만 민주주의가 이번에는 어렵다고 했는데 자기는 믿지 않았으나 그 후로 전두환 씨 쿠데타가 있었다, 그런데 이번에는 어떻게 생각하느냐 했을 때 제가 이번에는 된다고 그랬습니다. 왜 그러느냐 해서 1980년에도 국민이 민주주의를 열망한 것은 사실이지만 그때는 국민이 민주주의를 위해서 희생하겠다고 일어서겠다는 결심이 없었고 지금은 결심이 있기 때문에 전두환 씨가 4·14선언을 했지만 이번에는 반드시 민주주의가 된다, 이렇게 말한 일이 있는데 저는 작년 이후 지금까지 그런 신념을 한 번도 바꿔 본 적이 없습니다.

박찬종 아까 증인께서는 우리 동료 위원의 물음에 대한 답변을 하시는 가운데 1980년 봄에 이미 군은 확고한 의지와 각본으로 권력 찬탈을 기도하고 있었기 때문에 여하한 민간의 노력도 결국 결과론이지만 수포로 돌아갈 수밖에 없었다, 이런 취지의 말씀을 하신 것 같습니다.

그러면 거꾸로 5월 15일 시국수습회의 제안하신 것, 이것이 가령 극적으로 그것이 더 응고된 형태로 국민 앞에 실체로서 이것이 보여졌다면 광주사태 진행 중이나 그 이후에도 전 국민적인 무서운 저항 때문에 군이 결국은 권력 찬탈을 포기할 수도 있었지 않겠느냐, 물론 이것은 가정의 가정입니다마는 이러한 저의 질문에 대해서는 증인께서 어떤 소견으로 말씀하시겠습니까?

김대중 예, 그럴 수도 있었다고 생각합니다. 요컨대 이 민주주의는 결국 국민이 하는 것인데 그때는 우리 국민이 지금과 같이 그렇게 강하지 못했습니다. 민주주의에 대한 의욕은 마찬가지였지만 그것이 군대의 야망을 봉쇄 못한 것이었고 또 반면에 지금은 이번 국정감사에서도 나타나고 최근에 국방부 장관의 국회에서의 답변에서도 나타났지만 심지어 정치군인이라고 지목된 사람들까지도 과거를 반성하고 이제는 절대로 군은 정치에 개입 안 하겠다, 이러한 강력한 국민 앞에서 군이 어떻게 정치에 개입할 수 있겠느냐, 이런 말을 되풀이한 것으로 보아서 군도 크게 달라졌다고 그렇게 생각합니다.

박찬종 이제 마지막 질문이 되겠습니다. 많은 전문 학자들의 견해도 그러하고 군 측에서 광주사태, 우리 민중민주화운동 측에서 광주항쟁, 그 연원적 배경에는 지역 차등, 지역 분열주의 그것이 언제 어떻게 생성되었든지 간에 있었습니다. 또 이 광주항쟁을 통해서 이것은 광주 한 지역의 당시의 사건에서 머문 것이 아니라 광주이데올로기로 승화해서 이 나라에 문민정권을 하루빨리 세워야 하는 그 당위적 명제로 등장하게 되었습니다.

우리가 이렇게 볼 때 이 시대 책임 있는 정치인들은 이 배경을 이루고 있는 분열 그리고 광주이데올로기를 조속히 민주화의 결실이라는 문민정권 창출 쪽으로 이것을 전부 수렴하지 않으면 안 될 그런 절박한 시점에 있고 이것이 아직 혼돈 상태에 빠져 있기 때문에 증인께서도 이 증언대에 서신 것으로 생각합니다. 12·16 대통령 선거와 4·26 국회의원 선거를 통해서 그 배경을 이루는 분열은 더욱 심화되었다고 생각합니다. 또 이 시점에 있어서 5공 비리 문제를 가지고 온 나라가 들끓는데 역시 문민정권이 창출 안 된 혼돈 상태, 물론 증인께서는 희망적으로 말씀하고 계시지만 그러나 오늘의 이 상황은 대단히 절박합니다. 이런 양측에서 보아 가지고 정상의 야권 지도자이신 증인께서 마지막으로 이런 지역 분열주의 극복과 문민정권 창출이라는 이 움직일 수 없는 이 시기에 이 시대를 살아가는 정치인에게 주어진 가위 정언명령에 대해서 증인은 어떤 소신을 가지고 답변하시겠습니까?

김대중 그러니까 이 지역감정이 생긴 것은 아까도 말씀하시다시피 군사독재 정권이 자기네 정권 잡기 위해서 과거 자유당 치하에서, 민주주의를 위해서 가장 강하게 싸웠던 호남과 영남을 분열시킨 조치를 시작한 것입니다. 그 방법으로 인사 면에서 차별을 심각히 시키고 또 지역 개발에서 차별성을 하고 이래 가지고 한쪽에 우월감을 조장하고 한쪽에 열등감을 조장하는 이런 정책을 취해 온 것입니다. 이래서 결국 양쪽 국민 사이에 불행한 대립 관계가 상당히 격화되었습니다. 우리가 무엇보다도 앞으로 이것을 시정하려면 그러한 원인부터 제거해 나가야 한다 생각하고 또 그런 일을 할 수 있었던 것은 독재정권이니까 할 수 있었던 것입니다.

따라서 민주주의를 하게 되면 전 국민적인 자발적인 지지를 받아야 하기 때문에 민주주의를 하게 되면 지역감정은 자연히 소멸되게 되고 공정하게 되고, 인사 문제나 지역 발전도 공정하게 안 하면 자연히 전 국민적 지지를 받지 못하기 때문에 이러한 민주주의를 우리가 하는 것이 지역감정을 해결하는 가장 근본적인 방법이다, 이렇게 저는 생각하고 있습니다.

문동환 예, 고맙습니다. 시간이 다 되었기 때문에 오전 신문은 이것으로 끝마치겠습니다. 모두 진지하게 질문해 주셨고 성실하게 답변해 주신 것을 고맙게 생각합니다. 그렇지만 우리는 오늘 상기조차 하기 싫은 5·18광주민주화운동 진상을 극명하게 조사하여야 할 숭고한 책임을 지고 있는 그러한 청문회입니다.

오전 회의에서 보면 많은 신문이 주제를 벗어난 질문들이 많습니다. 정치적인 호기심 혹은 정치적인 논란을 하는 그런 것으로서 벗어나는 수가 많이 있었습니다. 오후에는 의제 외 발언을 삼가 주실 것을 다시 한번 당부드립니다.

각 교섭단체 간사께서는 원만히 회의가 진행되도록 각별한 협조가 있으시기를 바랍니다. 앞으로 너무 지나치시면 원활한 사회를 위해서 강력한 당부를 드릴 것을 미리 말씀드립니다.

문동환 시간이 지났고 정족 위원 수가 됐기에 회의를 속개하겠습니다.

우리 오전 회의에서 5·18광주민주화운동이 어떻게 시작돼서 문제가 되었느냐 하는 그 원인을 중심으로 신문을 했었습니다. 이것을 위해서 전 대통령 최규하 씨, 전두환 씨와 더불어 김대중 씨, 세 분을 증인으로 1차 중요하게 생각하고 신청했으나 전 대통령 두 분은 거절하시고 우리 김대중 증인을 중심으로 해서 그동안 얘기를 쭉 해 왔습니다. 이제 오후 다시 속개를 하는 마당에 다시 한번 여러분에게 부탁드립니다. 이제 오늘 예정된 사람으로서 이희성 전 계엄사령관 신문이 있게 됩니다. 거기에서 발발 당시의 구체적인 문제들이 많이 토의되고 시간이 많이 소요될 것 같습니다. 이것을 감안하시면서 여러분께서 질문해 주시기를 바랍니다.

될 수 있는 대로 우리가 조사해야 할 그 문제의 초점에서 벗어나지 않으시도록 그렇게 질문해 주시고 시간에 관한 것도 오늘 해야 할 것이 다 이룩될 수 있도록 시간 조정하시면서 협력해 주시기를 부탁드립니다. 그럼 민정당의 박희태 위원께서 신문해 주십시오.

박희태 증인께서는 특히 요즘 4당이 화합하는 안정된 정국을 이루는 데 많이 기여하고 계십니다. 앞으로도 계속 이렇게 하셔서 국민의 마음을 편안하게 해 주시기를 바라면서 저의 질문을 시작하겠습니다. 저는 특히 어떻게 하면 앞으로 우리 민족사에 다시는 광주 문제와 같은 비극적인 일이 일어나지 않을 수 있을까 하는 그런 재발 방지의 측면에서 증인께 질문을 하겠습니다.

우선 점심을 자셨기 때문에 좀 오전 질문을 정리하는 뜻으로 약간 좀 범위가 넓습니다마는 한 말씀 여쭈어보겠습니다. 10·26 이후에 증인께서는 사면 복권돼서 정치적 자유를 회복하셨습니다. 그러나 그때는 계엄하이고 이래서 정치적인 활동이 규제돼 있을 때입니다. 이러한 때 어떠한 방법으로 증인께서는 민주화를 이룩하실 수 있으리라고 생각하셨습니까?

김대중 10·26사태는 그냥 일어난 것이 아니고 박정희의 날로 가중된 독재에 항거해서 부산과 마산의 애국 시민들이 일어나서 10·26을 가져온 원인을 만들었기 때문에 저는 적어도 처음에는 이 정권에 관여한 사람들이 그런 박정희 정권 밑에서 쓰라린 체험을 했기 때문에 반성을 해서 국민의 뜻대로 민주화로 갈 것이다, 이렇게 기대를 했습니다.

또 일방에서는 만일을 생각해서 아까 말씀과 같이 공화당이나 당시 신민당이 내각에 참가해서 말하자면 키(key)를 같이 잡고 나가는 것이 좋겠다. 하루속히 계엄령을 해제해 가지고 군부들이 정치 개입하는 그러한 기간을 줄여야 한다, 이렇게 생각을 해서 헌법도 제3공화국 헌법으로 그대로 돌아가는 것이 정통성도 유지되고 시간도 안 걸린다, 그렇게 권고했으나 모든 것이 잘 안 돼 가는 과정에서 상당히 고민이 컸습니다.

박희태 증인께서는 사면 복권되신 이후에 굉장히 정력적인 활동을 많이 하셨습니다. 대학에도 몇 군데 찾아가서 학생들에게 직접 연설도 하셨고 또 서울뿐만 아니라 대전·경주·정읍 등 지방에도 가서 직접 군중을 상대로 연설도 하셨습니다. 이러한 모든 것이 당시 증인이 생각하시던 그런 민주화 운동의 일환이었습니다.

김대중 물론입니다.

박희태 아까 증인께서는 대학에 가서 연설을 했다 하더라도 전혀 선동을 한 일이 없고 또 학생들이 아주 평온했다고 이렇게 말씀을 하신 것으로 압니다.

그런데 증인이 동국대학에 가서 연설을 하셨을 때 그 학생들 중의 많은 사람들이 "학원을 유세장화하지 마라." 하는 이런 피켓을 들고 아주 격렬한 반대를 했습니다. 이로 인해 가지고 학생들 간에 각목으로 서로 다투는 그러한 소란이 일어났고 또 한국신학대학에 가서 연설을 하셨을 때는 거기에도 역시 유리창이 깨지고 하는 폭력 사태가 일어났습니다.

이러한 점에 비추어 볼 때 정치 지도자께서 직접 감수성이 예민한 학생들을 방문해서 연설하시는 것은 특히 당시와 같은 상황을 고려할 때 위험하다고 판단하시지 않았습니까?

김대중 동국대학 사건은 저도 지금 기억이 있는데요. 그것은 몇 사람들이 와서 그 사람들이 어떤 종교적인 입장에서 그렇게 얘기를 했는데 그것은 아주 순간적으로 불과 몇 분 사이에 끝나 버린 얘기고 한국신학대학에서는 제 기억에는 그런 충돌은 없었고요. 그래서 요새 우리가 흔히 보는 현상으로 하면 그때는 참으로 질서정연하게 모든 것이 원만히 됐습니다.

박희태 한국신학대학에서는 유리창이 깨져 나가고 뒷날 학생 중의 한 사람이 증인 댁에 방문해서 유리창값까지 받아 간 일이 있다는데?

김대중 그것은 지금 이 말씀하니까 기억이 나는데요. 그것은 사람들이 마구 몰려들어서 다 못 들어가고 밀고 당기고 해서 유리가 깨진 것이지 싸워서 깨진 것이 아닙니다.

박희태 그 당시에는 물론 시간의 진행에 따라서 학생들의 시위가 점점 격렬해졌습니다마는 마지막 5·17이 가까워 올 무렵에는 저도 생생히 기억을 합니다. 서울 시내가 온통 학생들로 뒤덮이다시피 이렇게 격렬한 시위가 있었고 또 뒤에는 야간 시위까지 있었습니다. 국민들이 모두 불안하게 생각했었습니다.

아까 증인께서는 학생들이 평화적으로 행동을 하도록 많이 자제를 당부했다고 그러는데 이렇게 말로써만 하실 것이 아니라 정말 자제를 원하신다면 학생들에게 정치 문제는 정치인인 내가 생명을 걸고라도 해결할 테니까 학생들은 학원으로 돌아가라, 이렇게 좀 강한 호소를 해 보신 적이 있습니까?

김대중 했지요. 학교에서 연설할 때도 했고 한데 아까 말씀과 같이 그런 것을 성명을 내고 해도 계엄사령부의 검열에서 그것을 보도 못 하게 하니 어떻게 합니까?

박희태 그러시다면 만일 직접 그런 보도 매체를 통해서 말씀하시기가 곤란했다면 시위하는 학생들 앞에 몸소 나서 가지고 몸으로 한번 막아 보고 학생들 그 시위대 앞에서 자제를 당부하는 연설이라도 해 보셨습니까?

김대중 그것은 제가 이런 위험성을 느꼈기 때문에 안 했지요. 그 당시 계엄사령부의 군인들은 뭐든지 저에게다가 뒤집어씌우려고 하는데 만일 제가 군중 앞에 나타났을 때 거기서 학생들이 환호나 하고, 군중 심리라는 것은 누구도 측량할 수 없지 않습니까? 그런 사태가 생기면 제가 또 선동했다고 할 것 같으니까 그렇게는 안 하고 신문을 통해서 성명을 내고 또 학생 지도자 측의 사람을 연락해 가지고 제발 지금 그런 때가 아니고 5월 20일 국회가 개회되니까 그때까지만 참아 달라, 국회에서 행하는 것을 보자, 그래서 다행히 5월 16일 밤에 학생들이 시위를 중단했지요.

박희태 증인께서는 아까 전남대 학생 복학생인 정동년에게 전혀 금품을 준 일이 없다고 그렇게 말씀을 하셨지요? 그런데 증인께서 5·17 이후에 조사를 받으실 때 육체적인 고통에 못 이겨서 허위의 자백을 하셨다 이렇게 말씀을 하셨습니다.

저도 증인의 말씀을 제가 존중을 합니다마는 그 당시 그 돈을 받았다는 정동년이라는 학생이 진술한 자필 진술서가 있습니다. 혹시 증인께서 기억이 어떠실까 생각해서 너무나 생생한 장면을 묘사했기 때문에 제가 한번 읽어 드리겠습니다. 혹시 기억나시는지 한번 들어 봐 주시기 바랍니다.

김대중 그러시지요.

박희태 증인 댁을 방문했던 날입니다.

"그날 19시 30분경 국회의원 하시던 김상현 씨와 같이 김상현 씨 연구소를 나와서 택시를 타고 김대중 씨 댁을 방문하였습니다. 응접실에는 3, 4명의 손님과 김대중 씨가 소파에 앉아 이야기를 하고 있다가 김상현 씨와 본인이 들어가니까 '응 이제 오는가.' 하고 김대중 씨가 김상현 씨에게 말하였습니다. 본인도 '전번 주에 찾아뵌 전남대 학생 복학생 정동년입니다.' 하고 인사를 드렸더니 악수를 하고 어깨를 두드려 주었습니다. 본인이 응접실에 서 있으려니까 김상현 씨와 김대중 씨가 안방으로 들어가 5분 후쯤 안방으로 본인을 들어오라고 하였습니다. 들어가니까 또 잠시 동안 두 분이서 귀엣말로 이야기를 하다가 김상현 씨가 안주머니에서 만 원권 100장 묶음 3개 300만 원을 저에게 주면서 학생회가 주최가 되어 활발히 할 수 있도록 자네가 책임지고 잘하라고 강조하였습니다. 우선 300만 원만 준비되었으니 이 돈만 가지고 가고 다음 주에 한 번 더 오면 그때 또 보자고 하여 제가 5월 12일 19시경 찾아뵙겠습니다 하고 인사를 드리고 김대중 씨 댁을 나왔습니다."

이렇게 되어 있습니다. 혹시 기억 안 나십니까?

김대중 없는 일이 기억날 리가 없지요. 그런데 그 문제에 대해서 제가 미국서 돌아와서 1985년에 정동년 씨한테 물어보았어요. 어떻게 된 거냐? 그것이 지금 박 위원 날짜가 5월 5일이지요?

박희태 예, 그렇습니다.

김대중 그래 정동년 씨한테 물어보았어요. 어떻게 된 거냐, 그랬더니 정동년 씨가 그해 4월인가 저희 집을 왔었대요. 그런데 제가 없으니까 방명록에다가 "전남대학 복학생 정동년" 이렇게 쓰고 갔답니다.

그런데 제가 체포될 때 방명록이 같이 압수되었어요. 그래 갖고 정동년이를 잡아서 고문을 하는데 말하자면 어떻게 하든지 한 2, 3일 버티다 못해서 나중에는 자기가 그냥 자복을 했대요. 제발 고문하지 말라고 시키는 대로 쓰겠다고 불러 주는 대로 쓰겠다고 그래서 그렇게 쓰게 되었답니다. 그래 가지고 결국 정동년 씨가 허위 자백을 하게 된 것입니다.

정동년 씨는 아마 곧 이다음에 여기에 증인으로 나오는데 일생에 제가 그때까지는 중앙정보부 잡혀가서 정동년이 말 들을 때까지는 이름도 얼굴도 모르는 사람입니다.

그리고 나중에 정동년 씨가 말하겠지만 그 사람이 촉망觸網 중에도 5월 5일로 날짜를 한 것은 그 5월 5일 자기 어머니하고 애들하고 같이 어린이날이기 때문에 중국집에 가서 식사를 했대요. 그러니까 알리바이가 그 5월 5일은 분명히 서니까 그래서 그날 했다, 그런 말도 들었습니다.

그러니까 이 문제는 이제 정동년 씨 신문하면 그것이 참으로 전혀 근거가 없는 것이라는 것을 여러분이 아시게 될 것입니다.

박희태 증인께서는 오전에 답변하시는 중에 5월 20일이 되면 계엄이 해제되지 않을 수 없다, 국회에서도 계엄 해제를 결의할 것이고 또 그때 학생들이 5월 20일까지 계엄 해제를 하지 않으면 전국에 걸쳐서 대대적인 시위를 하겠다, 또 일부 지식인들도 이에 합세했고 이래서 5월 30일 지나면 다시는 증인께서 말씀하시는 일부 군부 세력이 집권할 기회가 없을 것이다, 그렇게 해서 결국은 군부가 5·17이라는 이런 확대계엄을 단행했다, 이렇게 말씀하셨지요?

그런데 군부라는 것은 아시다시피 그냥 힘이 없는 그런 조직이 아닙니다. 더욱이나 계엄이라는 막중한 소임을 갖다가 완수하고 있는 국가 보위의 임무를 띠고 있습니다. 그런데 이런 계엄 당국을 이와 같은 조직 세력을 가지고 물리적으로 막다른 골목으로 몰아넣은 것이 5월 20일이라는 시점을 향해서 과연 올바른 민주투쟁의 방법이라고 말씀하실 수 있겠습니까?

김대중 그런데 군부는 무엇 때문에 있는가, 국민의 자유와 권리를 지키기 위해 있습니다. 이 나라 국시인 민주주의를 지키기 위해 있습니다. 그런데 군부가 이유 없이 계엄령을 선포한 것을 해제를 안 하려고 하니까 7개월을 기다려도 안 하니까 그때는 할 수 없이 법에 의해서 국민의 대표인 국회가 해제 결의한 것은 나는 당연하다고 생각합니다.

기다릴 만큼 기다려도 전두환 씨를 중심으로 한 군부 세력이 자기들의 정권 야욕 때문에 해제를 안 하니까 그때는 국민도 부득이 자기들의 자위적인 입장에서 시위나 집회의 정당한 권리를 행사할 것이고 또 국회는 국회대로 결의할 것이고 이런 것은 저는 조금도 잘못되었다고 생각하지 않고 또 저는 그 당시 정부 내나 군부 내에도 전두환 씨의 그런 정치 개입의 자세에 대해서 찬성하지 않는 사람들도 상당히 있었기 때문에 5월 20일 해제 결의하면 정부나 군부 내에서도 상당히 이것을 지지하는 세력이 있었을 것이다, 그렇게 믿고 있습니다.

박희태 결국은 그렇게 막다른 골목으로 몰아붙인 그 지도 노선 자체가 과연 합리적이었느냐 하는 그런 식의 질문을 해 본 것입니다. 그런데 이렇게 궁하게 몰리다 보면 그분들이 어떠한 반발로서 정치 일면에 군이 부상하는 이런 것을 오히려 촉진할 염려가 있었다고 생각하시지는 않았습니까?

김대중 그런데요, 군인의 책임은 나라를 지키는 것입니다. 나라 지키는 일을 못 하게 했다면 군인이 화를 낼 수가 있지만 정치 개입한 것 하지 말라는데 군인이 화를 낸다면 그 군인이 잘못된 것 아닙니까?

그리고 아까도 말씀했지만 궁지로 몬 것이 아니라 7개월이나 기다려 주었으면 충분히 기다려 준 것입니다.

박희태 제가 말씀드리는 것은 이러한 물리적인 힘으로써 서로 대항하는 그런 식이 아니라 다른 방도는 없었겠느냐, 이것을 묻고 있습니다.

김대중 아주 좋은 질문을 하셨는데요. 그래서 사실은 전두환 보안사령관의 실무자를 제가 한번 만나려고 무척 노력했습니다. 노력을 했는데 안 만나 주어요. 여러 루트를 통해서 사람을 만나자고 했는데 안 만나 주어요.

나는 그분하고 얘기해서 제 충정을 다해서 얘기해 보려고 그랬어요. 그런데 그것에 앞서서 제가 2월 중순쯤으로 생각되는데 당시 국회의원이었던 충북 옥천 출신 이용희 의원이 옥천서 올라왔어요. 와 가지고 전두환 보안사령관이 저를 좀 만나자고 한다, 그래 잘됐다고 나도 한번 만나고 싶은데 잘되었다 그래서 내가 호텔 뒤에 거기에 그분들이 쓰는 말로 안가 무슨 집이 있대요. 그래서 골목길로 들어가서 2층으로 올라갔어요. 갔더니 전두환 사령관은 안 나오고 권정달 씨하고 이학봉 씨 두 분이 나와 있어요. 당시 한 분은 정보처장이고 한 분은 대공처장이라고 그러데요.

그래 가지고 전 사령관 기다리니까 그분이 지금 무슨 급한 일이 있어서 못 나온다, 그래 제가 속으로는 불유쾌했습니다. 그러나 거기까지 갔는데 뭐 일어설 필요도 없고 해서 앉았더니 여러 가지 시국 얘기를 하다가 이학봉 씨가 종이를 한 장 끄집어내서 내놓는데 서약서라는 것을 이렇게 내놓아요.

그래 보니까 시국의 안정에 협력을 하고 무슨 그 사회불안을 일으키는 일을 하지 않는다, 이런 것으로 해서 서약한다고 이렇게 서약을 하면 사면복권을 해 주겠다, 그렇게 말을 하데요. 그래서 그 종이를 도로 이렇게 밀어내면서 그 앞에 좋은 말이 있었어요. 같이 협력해서 정국 안정하고 뭐 하자, 이런 좋은 말이 있어 가지고 그래, 정말로 당신들이 나하고 이렇게 나랏일을 같이 하자면 이런 것 내가 쓰고 싶다고 해도 쓰면 안 된다고, 내가 이런 것이나 쓰고 하겠냐고……, 나는 사면복권 안 되어도 좋으니까 이런 것 안 쓰겠습니다, 그리고 일어서서 나온 일이 있어요.

박희태 그것이 그러니까 증인께서 사면 복권되시기 전인 1980년 2월이지요?

김대중 그렇습니다.

박희태 그러면 사면 복권이 돼 가지고 완전히 정치적인 자유를 회복하신 뒤에 군부와 대화의 노력을 하신 적이 계십니까?

김대중 예, 했습니다.

박희태 몇 번쯤 누구를 통해서 하셨습니까?

김대중 여러 선을 통해서 했어요. 국방위원을 통해서도 부탁을 하고요. 국회의원 통해서도 부탁을 하고 또 다른 예비역 장군 통해서도 부탁을 하고 여러 사람 통해서 했어요.

박희태 그런데 한 번 만나 보셨습니까?

김대중 한 번도 안 만나 주었어요.

박희태 왜 못 만나셨습니까?

김대중 그분들이 저를 싫어하니까 못 만났지요.

박희태 왜 싫어했을까요?

김대중 그것은 잘 모르지요.

박희태 증인 혼자 힘으로 안 되시면 증인은 그때 야적 입장에서 있었으니까 그때 여당의 입장에 있던 김종필 총재라든지 이런 분하고 어떻게 합심해서 대화를 해 보시려고 하는 것을 했으면 어땠을까요?

김대중 그때 정치 상황은요, 지금은 조금 이해가 안 되시겠지만 저는 오랫동안 재야권에서 있어 가지고 재야분들하고 많이 어울려 있었고 유신 치하의 정치에 참가했던 분은 또 그대로 그쪽에 어울려서 김종필 총재는 그때 신민당하고 상대로 해서 헌법 개정을 추진하고 있는 입장이었고 그렇기 때문에 그분이 저하고 대화를 할 그런 처지는 아니었습니다.

박희태 국가가 이렇게 위험한 시기에 있고 민주 회복이 되느냐, 또다시 군사 통치의 연장이 되느냐 하는 이런 중대한 기로에 있습니다. 당시의 정치 지도자로서는 제 생각에는 만난을 무릅쓰고 정말 모든 어려움을 다 무릅쓰고 합심 협력해야 되지 않았나 하는 그런 아쉬움이 듭니다. 어떻게 생각하십니까?

김대중 예, 좋은 말씀입니다. 그래서요, 아까 박찬종 위원 질의에도 나왔지만 5월에 들어서면서 각계 지도자 회의를 제가 계속 제창을 했던 것입니다.

박희태 5월달은 좀 늦은 감이 안 있습니까?

김대중 예, 결과적으로 보면 늦었지요.

박희태 그러면 김종필 씨와는 당시에 전혀 만나신 적도 없습니까?

김대중 어디에서 그저 잠깐잠깐 지나는 자리에서 만나 가지고……

박희태 아니 어떠한 이러한 목적을 위해서 만난 일은 없고……

김대중 예, 만난 일 없습니다.

박희태 예. 아까 오전 신문을 통해서 말씀하셨습니다마는 신민당에서는 증인께서 입당을 안 하셨다고 그랬지요? 정말 아쉬운 장면입니다. 만일 그때 신민당에 들어가서 가지고 김영삼 총재와 합심해서 군부를 설득하고 정치적인 비중 있는 두 분이 정말 그 높은 의견을 가지고 군부 세력을 잘 타일렀다면 군부는 정치 전면에 나서는 일이 없었지 않았나 생각이 듭니다마는 어떻습니까?

김대중 그런데 그것은 제가, 같이 합심했으면 좋았을 것이다, 그 말은 동의하나 그렇게 하면 군부가 그러지는 않았을 것이다 하는 말은 동의하지 않습니다.

만일 군부가요, 그 후로 자꾸 선전한 대로 두 김 씨가 합치지 않았으니까 자기들이 개입했다 하면 그러면 두 김 씨 제거하고 다른 분 내세워서 민간인들 시키면 됐지 왜 전두환 씨가 꼭 대통령 되어야 합니까? 그러니까 그것은 구실입니다.

박희태 저는 두 김 씨뿐만 아니라 세 김 씨가 작년 대통령 선거 때도 마찬가지였습니다마는 세 분 김 씨께서 단합하지 못한 것을 우리 국민들이 못내 아쉬워했습니다. 저도 그중의 한 사람입니다마는 당시에도 세 김 씨가 정말 단합을 해 가지고 자기의 이해를 떠나서 또 자기의 정치적인 욕망을 버리고 정말 구국 대도의 입장에서 민족을 위해서 합쳐서 의연히 군부 세력에 대처를 했더라면 제 생각에는 감히 군이 정치 일선에 나서는 이러한 불행한 일은 없었지 않나 이렇게 생각을 합니다마는 증인의 의견은 어떻습니까?

김대중 아까도 말씀을 했는데 박 위원이 여당의 몸에 있으면서도 그런 충고를 해 주신 데 대해서 감사히 생각합니다.

박희태 아까 증인께서는 신민당에 입당하시지 않은 이유가 신민당과는 시국관의 차이 때문에 그렇다, 말하자면 신민당 김영삼 총재께서는 민주화가 될 것이다, 이렇게 낙관을 하셨는데 증인께서는 매우 어렵다, 이렇게 상당히 비관적으로 생각했기 때문에 시각의 차이 때문에 신민당에 입당을 하지 않았다, 이렇게 말씀하셨지요?

김대중 뭐 김영삼 총재라고 지적하지는 않았는데요.

박희태 아니 신민당에 안 들어가신 이유가 신민당의 입장하고 증인의 시국관하고 차이가 있어서 그랬다 이렇게 말씀하셨지요?

김대중 예, 그렇습니다. 그렇게 그 당시 발표되어 있습니다. 지금 제가 한 말이 아니라……

박희태 제가 이런 말씀 드리기는 안 됐습니다마는 혹시 그때 신민당에 입당 안 하신 이유가 더 큰 목적을 달성하는 데 신민당에 들어가면 장애가 되기 때문에 그렇다, 이렇게는 생각 안 하셨습니까?

김대중 그 당시 제가 국민한테 성명한 것이 신문에 나 있는데 또 나중에 그것이 사실로 입증이 되었는데 저는 그때 표현을 그렇게 했어요. 밥상이 차려져야 숟가락 싸움을 하지 밥상도 안 차렸는데 숟가락 싸움을 할 수는 없다, 지금 민주화가 될 가망이 확실치 않고 거의 위태로운데 대통령부터 하겠다면 뭐 하느냐, 그러니 신민당은 정치권에서 열심히 노력하고 또 우리는 시국을 걱정하는 입장에서 보니까 여하튼 우리는 우리대로 민주화촉진국민대회를 추진해서 그래 가지고 민주화를 해 놓고 그렇게 되면 가을쯤 되겠는데 그때 신민당 입당 여부를 결정하겠다, 이런 말이 제가 이 자리에서 지금 한 말이 아니라 신문에 다 나와 있습니다. 그대로……

박희태 예, 알겠습니다. 그런데 정말 민주화투쟁을 위해서 몸 바치신 것은 저도 상당히 알고 있습니다마는 분열해서 싸우는 것이 유리합니까? 단합해서 싸우는 것이 유리합니까?

김대중 그것은요, 그렇게 말씀하시지 말고요. 그 당시 만일 군부가 개입하지 않고 공정하게 3김 씨가 경쟁해서 국민이 지지하는 사람 중에 누구 하나가 대통령 됐다면 그것 나쁠 것 없지 않아요? 그 세 사람 각기 지지자가 있으니까 또 대통령 후보 셋 나온 것이 많은 것도 아닙니다.

문제는 군부가 명분 없이 정치욕에 사로잡혀 가지고 정치에 개입한 것이 나쁜 것이지, 정치인들이 국민이 지지하면 대통령 되겠다는 것이 비난받을 일이 아닙니다.

박희태 이 문제는 아무리 물어도 참 너무나 안타깝고 제 마음이 쓰라린 장면입니다.

시간 관계상 그것은 그만치 해 놓고 증인께서는 아까 5월 20일 국민대회 그때 이제…… 계엄을 해제하라, 정치 일정을 밝히라 하는 이러한 국민대회를 22일로 연기하셨다고 그랬습니다. 증인께서…… 20일로 되어 있는 것을 22일로 날짜를 증인께서 손수 연기했다 이렇게 말씀하셨는데 사실입니까?

김대중 아까 내가 그렇게 말한 것 같지가 않은데요. 그런데 저는 20일로 했다가 22일로 연기했는지 그 기억은 자세히 없는데요. 그런데 아마 22일로 그때 문익환 목사, 기타 몇 분이 와서 그 문안을 가지고 와서 했을 때 20일이 촉박하다 해서 22일로 했는지 잘 모르겠습니다. 그것은…….

박희태 날짜는 지금 자세히 어떻게…….

김대중 예, 기억이 없습니다.

박희태 그때 증인이 자필로써 분명히 20일로 되어 있는 것을 22일로 연기했다…….

김대중 예, 그랬을 수도 있습니다. 제가 부인한 것은 아닙니다.

박희태 그런데 그 연기하신 이유가 무엇입니까?

김대중 아마 날짜가 촉박해서 그랬는지 모르겠습니다. 또 20일 국회가 열리니까 혹은 20일 국회 결과 보고 하자 그래서 했는지도 모르지요.

박희태 증인께서 아까 오전에 말씀하시기를 5월 20일이면 이제 모든 것이 끝장난다, 군부는 더 이상 집권할 기회를 상실한다, 계엄령도 해제된다, 이렇게 하셨는데 5월 20일이 지난 5월 22일 국민대회를 개최한다는 것은 무슨 뜻입니까?

김대중 20일 개회하더라도 20일은 개원식하고 21일부터 토의하니까 며칠 걸릴 것 아닙니까? 계엄령 해제까지.

박희태 혹시 20일 개회하더라도 20일은 개원식하고 21일부터 토의하니까 며칠 걸릴 것이 끝나는 것을 예견하고 22일로부터 바로 행동을 하시려는 그런 계획은 없으셨습니까?

김대중 그런데 어떤 의미로 그렇게 물으시는지 모르지만 우리는 그 당시 군부의 거대한 세력 앞에서 맨주먹 가지고 그것에 도전할 힘이 없었습니다. 우리가 오직 바라는 것은 선거만을 바랐지 다른 것 바란 것 없습니다.

박희태 지난 그 비극적인 1980년대를 뒤돌아볼 때 증인께서는 당시에 전개하신 민주화투쟁 방법 또 세 김 씨가 단합하지 못하고 분열한 이것이 유사한 상황을 앞으로 또 맞는다면은 여기서 어떤 교훈적인 이야기를 할 수 있겠다, 이런 것이 있으면 좀 말씀해 주시면 감사하겠습니다.

문동환 죄송하지만 5·18 광주 민주주의에 관련된 질문을 해 주세요.

김대중 제가 그것은 관련은 없지만 물으시니까 답변을 하겠습니다. 다시 말씀해서 그 당시 5·17사태는 군인들의 정권 야욕에서 나온 것이지 3김 씨의 책임이 제1차적이 아닙니다. 그리고 3김 씨요, 그 당시 민주화를 해야겠다, 대통령직선제를 해야겠다, 모든 것을 선거를 통해서 해결해야겠다, 이런 점에 있어서 완전히 단합되어 있었고 같은 목적을 향해서 갔습니다. 매일 만나지는 않았지만 그 점에 있어서는 추호도 차이가 없었습니다.

박희태 목적은 같았는데 투쟁의 방법이 달랐다, 이런 말씀입니까?

김대중 그것은 어떤 분은 정당에서 싸우고 어떤 사람은 재야에서 싸우고 그랬지요.

박희태 감사합니다.

문동환 고맙습니다. 다음은 평민당의 이해찬 위원 질문해 주십시오.

이해찬 평민당의 이해찬 위원입니다. 앞에서 여러 위원들께서 좋은 신문을 하셨기 때문에 본 위원은 5·18광주민주화운동과 관련되는 사항 중에서 몇 가지 사실적인 것에 관해서만 신문을 하겠습니다.

실제로 5·18광주민주화운동 과정 속에서 김대중 증인이 차지하고 있는 위치는 한 부분이라고 본 위원은 생각을 합니다. 앞에서 다른 위원들이 말씀하신 것처럼 결국 12·12에서 5·17 계엄확대 조치까지 일련의 과정, 소수 정치 군부가 쿠데타를 해서 정권을 잡는 과정 그리고 그에 저항하거나 혹은 반대할 것으로 예상되는 민주 인사들을 탄압하는 과정에서 발생된 문제라고 본 위원은 현재까지의 자료 검토를 통해서 확인한 바 있습니다.

증인께서는 5월 17일 밤 10시에 연행이 됐다고 아까 답변을 하셨습니다. 그래서 첫 신문조서를 받기 시작한 것은 언제부터입니까?

김대중 정확히 기억은 없는데요. 그러나 신문은 그다음 날로부터 시작이 되었는데요. 아시다시피 신문을 할 때는 예비적으로 자꾸 묻다가 나중에 조서를 만들고 하니까 첫 조서를 며칠날 꾸몄는지 그것은 잘 기억이 없는데요.

이해찬 5월 17일 저녁에 연행이 되어서 5월 22일 계엄사 합동수사본부에서 중간 수사를 발표를 했습니다. 그 중간 수사 발표에 보면은 증인께서는 각 대학의 복학생에게 자금을 지원하거나 혹은 정치 선동을 기한 것으로 많이 나와 있습니다. 그중에서 하나씩 물어보겠습니다.

합동수사 발표문에 보면 1980년 3월에 서울대학교 총학생회장 심재철을 집으로 오도록 해서 100만 원을 주고 서울대 데모를 책임지라고 했다라는 발표문이 있는데 이런 사실이 있습니까?

김대중 전연 없습니다.

이해찬 이 점에 관해서 조사를 받아 본 사실은 없습니까? 5월 20일 이전에요.

김대중 없습니다.

이해찬 없습니까? 그다음에 두 번째로는 정동년과 관련해서 물어보겠습니다. 계엄사에서 여러 가지 조서를 많이 받았는데 정동년과 관련되는 부분, 정동년에게 자금을 주어서 전남대학교 데모를 교사해서 광주사태, 광주의 엄청난 참극을 가져오는 결과를 빚어냈다라고 되어 있습니다.

본 위원이 지금까지 정부 측에서 제출한 모든 자료를 다 검토해 본 결과를 우선 말씀을 드리겠습니다. 김대중 증인은 최초의 진술서를 5월 20일 작성했습니다. 맞습니까?

김대중 아마 그랬을 겁니다.

이해찬 그리고 정동년 증인은 5월 18일 처음으로 작성했습니다. 그런데 이 500만 원 자금 수수에 관련된 조사는 정동년 증인의 신문조서를 정밀 검토해 본 결과 5월 30일 처음으로 나오고 있습니다. 그리고 증인의 신문조서에서는 6월 15일 처음으로 나오고 있습니다. 6월 15일 처음으로 조사를 받은 사실이 맞습니까?

김대중 여하튼 정동년 씨 관계는요. 처음에 잡아가서 한참 말이 없다가 한 20여 일 지나고 나서야 정동년이란 말이 나왔어요.

이해찬 예, 그리고 중간에 연결의 고리가 되었던 김상현 증인은 5월 19일

최초의 진술서가 나오고요. 자금에 관련된 신문은 6월 3일 처음으로 나오고 있습니다. 그래서 본 위원이 의아하게 생각하는 것은 만약에 증인께서 정동년 씨로 하여금 광주를 선동케 하려고 했다면 이 사실이 수사 초기 단계에서 밝혀지지 않고 왜 그 신문 시작 20일 후에 처음으로 밝혀졌는가에 대해서 의문을 갖고 있습니다. 이 점에 관해서 지금까지 증인이 아는 바가 있으면 말씀을 해 보세요.

김대중 그러니까 5월 22일 발표를 보면 주로 제가 민주헌정연구회라든가 또 청년정치문화연구회라든가, 이런 저하고 가까운 조직을 동원해 가지고 반란을 모의했다, 이렇게 했다가 그것이 아마 상당 기간 나중에 나와서 알고 보니까 잡아다가 모두 고문하고 했지만 잘 안 엮어진 모양입니다. 그러자 또 광주 문제가 5월 22일 그 당시까지하고 달라서 그것이 의외로 커져 가지고 26, 27일까지 가고 하니까 이 사건을 말하자면 크게 만들기 위해서는 저하고 관련을 지어야 하겠다, 이런 생각하에서 그렇게 한 것으로 저는 알고 있습니다. 또 그렇게 정보를 듣고 있습니다.

이해찬 좋습니다. 그러면 그 재판 과정에서 정동년 증인과는 대질 신문을 하셨습니까?

김대중 그것은 조사 과정이나 재판 과정이나 정동년과의 대질을 여러 차례 요구했지만 한 번도 수락이 안 되었습니다.

이해찬 이 부분은 굉장히 중요한 부분인데요. 증인께서 엄청난 광주 참극을 야기시켰다라고 하는 가장 중요한 대목이 바로 이 대목인데요. 이 대목에 대해서 재판 과정에서 대질 신문을 그렇게 요청했음에도 불구하고 결국 못하셨다는 말씀입니까?

김대중 그렇습니다.

이해찬 그래서 본 위원이 이 문제에 관련해서 자료를 정밀 검토를 한 결과 대단히 중요한 자료 하나를 발견했습니다.

1980년 5월 19일 자 계엄사 합동수사본부에서 작성한 김상현 증인에 관한 내란 선동 등 피의자 피의 사건 인지 동행 보고서를 발견해 냈습니다. 이것은 정부 측이 제출한 자료입니다. 5월 19일 작성된 자료의 최종 페이지를 보니까 결재가 과장, 국장, 단장, 참모장, 본부장까지 사인이 되어 있습니다. 그리고 작성자는 군사법경찰관 육군준위 김성구로 되어 있고 도장이 찍혀 있습니다. 이 자료에 보면 이 자료의 신문 사항 12항에 보면은 다음과 같은 사실이 있습니다. 증인은 이 사실에 대해서 자세히 모르시겠지만 앞에 말씀하신 박 위원의 신문 사항과 거의 유사한 내용이기 때문에 간략하게 제가 읽어 드리겠습니다. "1980년 5월 5일 18시 30분경 한국정치문화연구소에서……" 하고서 "전남대 자연과학대학 4년 복학생 정동년으로부터 전남대도 다른 대학 못지않게 학내 성토를 잘하고 있는데……" 하면서 쭉 김상현과 정동년의 대화 내용이 나옵니다. 그리고 다음 장에 넘어가서 "조선대학교 학생운동에 손을 쓰려면 자금 500만 원이 필요하다라고 정동년이 요구하자 정동년을 동교동 김대중가 내실로 안내하여 김대중 면전에서 현금 300만 원을 제공하면서……" 이렇게 하면서 앞에 박 위원이 말씀하신 그런 내용이 그대로 나옵니다.

그리고 서랍 속에서 200만 원을 꺼내서 그다음 날에 또 준 사실도 나옵니다. 그다음에 만났을 적에……. 그런데 본 위원이 초점을 두고자 하는 것은 바로 다음과 같은 사실입니다. 김상현에 대한 인지 보고서에서 "일부 지역에 폭동을 야기케 하여 5월 21일부터 5월 27일간 군인 22명, 경찰 4명, 일반인 144명이 사망하고 군경 다수가 피해를 입은 사태를 야기케 한 자임." 이렇게 되어 있습니다. 5월 19일 작성된 범죄 인지 동행 보고가 이미 광주사태의 내용을 이미 기술하고 있습니다. 이 점에 대해서는 어떻게 생각하십니까?

김대중 저는 만일 그것이 정말로 그 날짜에 작성되었다면 제가 잡혀가서 한 20일 내외까지 묻지 않을 이유가 없다고 생각하고 그것은 나중에 만들어 넣은 것이 아닌가 그렇게 생각합니다.

이해찬 한 가지를 더 묻겠습니다. 증인께서는 중앙정보부 지하실에서 오랫동안을 수사를 받으셨지요?

김대중 예.

이해찬 김상현 증인도 역시 같은 장소에 있는 지하실에서 수사를 받으셨지요?

김대중 나중에 그렇게 알았습니다.

이해찬 예. 그렇게 바로 광주 문제하고 관련되어서 가장 중요한 두 분이 같은 지하실에서 이렇게 조사를 받으면서 쓰여진 엄청난 범죄 내용인데 이대로 인정한다면은…… 이것에 대해서 5월 19일 이후에 정동년과의 관계, 6월 20일 조사를 받을 때까지 중간에는 한 번도 이 사실에 대해서 확인도 없었습니까?

김대중 김상현 씨가 아까 그 낭독한 대로 저희 방에 와서 정동년하고 같이 와서 저한테 돈을 받아 갔고 그쪽으로 넘겨주었다, 그렇게 김상현 씨의 자필 진술서라는 것을 가지고 왔어요. 그래서 제가 보고 그러면 김상현 의원이 여기 서울 시내에 있으니까 지하실에 갇혀 있는 줄 몰랐지요. 있으니까 그럼 김상현 의원을 나하고 대질시켜 주시오, 대질시키면 본인이 내 방에 왔던 것을 알 것 아닙니까? 이러고 대질을 요구했습니다.

그랬더니 그다음 날인가 다음다음 날인가 다시 김상현 의원 진술서를 가지고 왔어요. 그때는 김상현 의원은 와서 정동년 씨를 저한테 소개만 하고 나가 버렸고 나중에 정동년이 집에 한참 있다가 청년정치문화연구소에 찾아와서 내가 김대중 씨로부터 이렇게 돈을 받았습니다, 그렇게 말하는 것을 들었다, 이렇게 김상현 씨의 진술 내용이 달라져 있어요. 그래서 제가 보고 이거 굉장히 고통을 받고 있구나, 이렇게 생각을 했습니다.

그리고 이 정동년 씨도 곧 증인 신문하면 아시지만 우리 집에 한 번도 와 본 일이 없기 때문에요. 안방을 이렇게 도면을 수사관들이 그려 주면서 여기가 침대가 있고 여기 농이 있고 이렇게 해 가면서 정동년 씨를 훈련을 시켰다고 그래요.

이해찬 좋습니다. 본 위원이 한 가지 더 의심스러운 것은 이러한 정도의 범죄 사실이 김상현 증인으로부터 인지가 됐다고 한다면 당연히 김대중 증인에게도 이러한 범죄 사실을 확인을 했을 것이고 또 5월 22일 광주에서의 참극이 한참 진행되고 있던 상황이기 때문에 당연한 수사 중간 발표에 포함이 되었으리라고 판단이 됩니다. 그럼에도 불구하고 전혀 포함돼 있지 않았던 사실에 대해서 본 위원은 상당히 의심을 가지고 있습니다.

마지막으로 광주하고 관련해서 증인께 몇 가지 작은 사실만 더 확인하겠습니다. 그동안에 여러 가지 정부의 발표나 이런 것을 종합해 보면은 증인께서는 광주에 사조직을 많이 가지고 있는 것으로 그렇게 얘기가 되고 있습니다.

특히 그중에서 전남 영암에 거주하는 김봉수 그리고 해남에 거주하는 김유곤이가 광주에 있는 증인의 사조직인 깡패 조직이라고 돼 있습니다. 두 사람에 대해서 말씀을 해 주시기 바랍니다.

김대중 잘 모르는 사람들인데요.

이해찬 전혀 모르는 사람들인가요?

김대중 예, 얼굴을 보면 혹시 기억날는지 모르지만 이름 갖고는 모르겠는데요. 또 그런 사조직을 한 일이 없고요.

이해찬 예, 광주 당시의 발표문에 보면 이들이 복면 폭도로 활동하면서 화물차에 김대중 석방하라는 플래카드를 붙이고 폭동을 가열시켰다라고 돼 있습니다. 이 사람들에 대해 전혀 모릅니까?

김대중 예, 모르겠습니다.

이해찬 김유곤 씨에게는 집권하면 우체국장을 시켜 주겠다라고 약속까지 하셨다는데요.

김대중 좌우간 제가요 집권하면 뭐 시켜 주겠다고 말한 사람은 단 한 사람도 없습니다.

이해찬 예, 그다음에 물어야 할 사실이 많이 있습니다. 그런데 광주 문제를 우리가 다룸에 있어서 명백한 사실을 확인하는 과정이 어떻게 보면 고인들에 대한 도리가 아니라고 생각하기 때문에 이런 정도로 본 위원의 신문을 마치겠습니다.

위원장 대리(이하 생략) 이민섭 다음은 장석화 위원 신문해 주시기 바랍니다.

장석화 통일민주당 장석화 위원입니다. 12·12사태로 정권 탈취의 야욕을 드러낸 일부 정치군인들이 자신들의 음모의 마지막 단계로서 택하였던 5·17 비상계엄 확대 조치는 광주 시민의 저항권 행사에 부딪혀서 잊을 수 없는 민족적 비극을 초래했습니다. 이들 정치군인들은 자신들의 정권 장악에 방해가 되는 문민 정치인들을 제거하기 위해 음모도 같이 진행시켰습니다.

그 대표적인 사건이 증인이 연루되어 사형 선고까지 받았던 김대중 내란음모사건입니다. 이 사건의 허구성과 군부 세력의 부도덕성을 적나라하게 파헤치기 위해 본 위원은 주로 증인에게 이 사건에 관한 절차상의 불법성에 관해서 단문 단답식으로 묻겠습니다.

증인은 1980년 5월 17일 밤에 댁에 침입한 무장 군인들이 연행 이유를 말하였습니까?

김대중 이유는 말하지 않고요, 집에 와서 그냥 총 개머리판으로 막 대문을 치고 발로 차고 하면서 문 열라고…… 그래서 저희 집에 있는 경호원이 나가서 누구냐, 대지는 않고 문만 열라고 막 차고 그렇게 난리가 났어요.

장석화 연행 도중에 가혹 행위나 난폭한 행위를 당하였습니까?

김대중 그래서 저희가 응접실에 앉아 가지고 문 열어 주라고 그랬더니 뛰어 들어 오더니 일단의 무장 군인 한 7, 8명 되는데 그 사람들이 총검을 꽂은 채로 와서 제 가슴에다 대고 이래 가지고 가자, 이래서 끌려간 것이지요.

장석화 연행 도중에 가혹 행위나 난폭 행위를 당한 일은 없습니까?

김대중 연행 도중에 제 머리를 눌러 가지고 자동차 바닥에 누르고 그래 가지고 밖에를 못 보게 그렇게 하고 끌고 갔어요.

장석화 1980년 5월 22일에 발표된 계엄사의 중간 수사 발표는 대부분이 증인이 연행되기 전에 이미 작성되어 있었던 것이 아닙니까?

김대중 아마 그렇게 생각이 되는데요.

장석화 그렇다면 증인은 계엄 당국의 미리 짜여진 각본에 의하여 불법 연행 감금을 당한 것이지요?

김대중 그것은 뭐 의심의 여지가 없다고 생각합니다.

장석화 또한 1980년도 5월 31일에 계엄사가 발표한 광주사태의 내용 중에서 정동년 씨 부분은 계엄 당국이 조작한 것이지요?

김대중 물론 그렇습니다.

장석화 그때 정동년 씨는 5월 17일에 이미 연행되어서 감금 상태에 있다고 증인은 알고 있지요?

김대중 모릅니다.

장석화 모릅니까? 결국 그렇다면 증인을 비롯한 재야 민주 인사들은 정권 탈취의 야욕에 찬 일부 정치군인들의 각본에 따라 무자비한 고문에 의해서 허위의 진술서를 작성하게 된 것이지요?

김대중 그렇게 되었지요.

장석화 증인이 1980년도 7월 11일에 육군교도소로 이감되면서 구속영장을 처음으로 제시받았지요?

김대중 정확히 기억이 없습니다.

장석화 예, 그러니까 증인은 5월 17일부터 무려 50일 이상을 영장 없이 불법 구금을 당한 것이지요?

김대중 지금 기록 봐도 아마 한 3, 40일 불법 구속된 것입니다.

장석화 1980년 7월 4일에 계엄사가 발표한 김대중내란사건의 전모의 내용은 대부분이 조작된 것이라고 재판 과정에서 주장했지요?

김대중 그렇습니다.

장석화 증인은 5월 17일에 무장 군인에게 연행된 뒤에 80일 이상이 지난 8월 9일에 가서야 처음으로 이희호 여사의 방문을 받았지요?

김대중 그렇습니다.

장석화 이희호 여사가 그때서야 처음으로 면회를 하게 된 것은 계엄 당국의 강제적인 출입 통제 때문이었지요?

김대중 그때에도 그랬고요, 집사람은 그 후로 1년 동안 연금당해 있었습니다. 면회 갈 때만 그 사람들이 차 타고 동승해서 다니고 그랬습니다.

장석화 증인은 그때 부인에게 모든 책임은 나에게 있다, 모두에게 대단히 미안하다, 다른 사람은 전혀 관계가 없다라고 되풀이 말했지요?

김대중 예, 그랬습니다.

장석화 그 말은 증인이 감금되어 있는 동안에 진술한 소위 내란음모사건은 고문이나 협박에 의한 허위 자백이었음을 뜻하는 말이었지요?

김대중 다른 분들이 그렇게 고문당해 가지고 자백해 놓은 것 보니까 저 하나 때문에 그렇게 당한 것을 생각하니까 굉장히 미안하게 생각하고 가슴 아파서 그렇게 말했지요.

장석화 검찰 수사 과정에서도 처음 진술을 부인하지 않았지요?

김대중 처음에 진실을 다, 정보부에서 한 것이 거짓말이라고 다 얘기를 했지요. 했는데 제가 좀 부끄러운 얘기지만 그때는 죽고 사는 문제가 남았어요.

정보부에서 쭉 조사해 보니까 내란 선동은 죽지는 않아요. 그런데 가만히 보니까 이 국가보안법으로 해서 한민통으로 연결해서 국가보안법 1조 1항에 해당시키면 죽는 것이지요. 사형 선고지요.

그래서 저는 신경이 사실 거기에 있었습니다. 어떻게 하든지 무기라도 좋으니까 살았으면 좋겠다, 그런데 제가 참 어리석고 부끄러운 얘기지만 검찰관 꼬임에 빠졌어요. 검찰관의 얘기가 그렇게 부인하면 전부 피고에게 불리합니다, 그러면서 자기는 생각하기를 이 국가보안법 이것은 말도 안 된다, 이것은 적용될 수가 없다, 그러니까 이 문제는 제가 책임지고 제가 적용 안 시키겠습니다, 제가 기소 안 하면 됩니다, 그 분이 검찰부장이니까 이러면서 "나머지 문제는 다른 피고들이 다 시인했는데 여기서 다시 부인하면 또 한 번 정보부로 가 가지고 또 당해야 됩니다, 그러니 여기서 시인하시고 그래 가지고 이 법정에서 한 말씀 하십시오."

그래서 저는요, 검찰에서 얘기한 것이 증거 능력은 없고 법정에 가서 얘기하면 다인 줄 또 그렇게 알고요. 제가 살겠다는 욕심 때문에 일종의 말하자면 그렇게 해 준다면 내가 이것은 죽지는 않는 것이니까 이렇게 생각하고 시인한 것이지요.

장석화 증인에게 세 명의 국선 변호인과 세 명의 사선 변호인이 선임되었지요?

김대중 전부가 셋입니다.

장석화 예, 좋습니다. 재판 시작되기 전에 변호사들을 접견한 적이 있습니까?

김대중 시작할 무렵 직전에 접견했지요.

장석화 좋습니다. 그래서 1심 1차 공판에서 검찰 신문에 대해서 묵비권 행사를 한 일이 있습니까?

김대중 예, 그렇습니다.

장석화 그러나 2차 공판에서부터 신문에 응했지요.

김대중 그랬습니다.

장석화 그것은 협박을 받았습니까?

김대중 아니오.

장석화 좋습니다. 항소심에서 증인을 비롯한 재야 민주 인사들은 재판부의 편파적인 재판 진행에 실망하여 변론을 거부한 것도 있습니까?

김대중 1심에서 최후진술을 거부했고요, 2심에서도 여러 번 법정에서 투쟁을 했지요.

장석화 예, 증인이 관련된 내란음모사건의 항소심에서 재야 민주 인사들이 신청한 증인들은 하나도 채택이 되지 않았지요?

김대중 아니요. 우리가 채택한 증인 중에서 예를 들면 이태영 여사 같은 분은 채택이 됐습니다.

장석화 예, 그래서 이신범 씨를 비롯한 대부분의 재야 민주 인사들은 재판부를 기피한다는 의사 표시를 했습니까?

김대중 예, 그렇게 했지요.

장석화 그런데 재판부는 재판부 기피 신청을 받아들이지 않고 변호사의 변론을 계속 시키려고 했으므로 증인을 비롯한 재야 민주 인사들은 모두 퇴장했지요?

김대중 예, 그런 일도 있었습니다.

장석화 퇴장할 때 이신범 씨가 이런 더러운 재판을 받을 것인가라고 소리

치던 것이 기억납니까?

김대중 누가 했는지는 모르지만 전부가 떠들고 나왔지요.

장석화 그야말로 연행에서부터 재판 때까지 증인이 연루되었던 내란음모 사건은 군사독재 정권의 더러운 음모에 의한 인권 유린의 대표적 사례라고 증인은 생각하지요?

김대중 예, 그렇습니다.

장석화 증인은 확정 판결 사흘 전에 사형은 당하지 않을 것이라는 점을 알고 있었다고 『월간조선』 인터뷰에서 밝힌 바가 있지요?

김대중 예.

장석화 1981년도 1월 18일에서 23일 사이에 육군교도소에 계속 수감되어 있었습니까?

김대중 그렇지요.

장석화 아니면 잠시 다른 곳을 다녀온 적이 있었습니까?

김대중 마지막 확정 판결이 되면서 그날로 무기로 감형이 됐는데 그 무렵에 한 이틀 아마 중앙정보부였지요. 그쪽 갔다 왔지요.

장석화 그때 탄원서를 작성했습니까?

김대중 예, 그렇습니다.

장석화 탄원서의 내용은 무엇입니까?

김대중 처음에는 그 탄원서 쓰라고 해서 제가 안 쓴다고 했더니 거기서 하는 말이 어떻게 됐거나 사형수인데 그것을 감형하는데 탄원서 안 쓰고 되겠냐! 그러니 요식상 필요하니까 써라, 그래서 그것 또한 이치에 맞는 얘기고 해서 제가 썼는데 제가 쓰기를 저로 인해서 많은 사람들이 이렇게 모두 고초를 겪고 있는데 저는 아무래도 좋으나 그 사람들은 관대하게 해 달라, 그렇게 탄원서를 썼더니 가지고 갔다 오더니 당사자가 자기를 관대하게 해 달라는 것인데 자기를 빼고 하라고 하면 말이 되냐, 자기도 넣어서 써라 그래서 넣어서 썼지요.

장석화 증인에게 그 얘기는 누가 했습니까?

김대중 거기에 최 과장이라는 사람이 했어요.

장석화 최 과장은 누구의 지시를 받아서 그렇게 말씀하신 것 아닙니까?

김대중 위에 왔다 갔다 하니까 협의했겠지요?

장석화 위에 누구하고 협의가 됐다고 생각합니까?

김대중 그것은 모르겠습니다.

장석화 증인은 1973년도 8월에 중앙정보부의 납치에 의한 강제 귀국 후에는 한민통과 직접적인 관련은 없었지요?

김대중 전연 없었지요.

장석화 그 의장직도 사임한다는 뜻을 세 번씩이나 사람을 통해서 알렸다고 법정에서 주장했지요?

김대중 사임이 아니라 제가 납치는 8월 8일이고 일본에서 한민통이 결성된 것은 8월 15일입니다. 1주일 후입니다. 그래서 자기들 마음대로 나를 의장으로 했기 때문에 나는 의장이 아니라고 통고한 거지요.

장석화 1973년 8월의 납치사건과 관련해서 한·일 양국은 1973년도 강제 귀국 이전, 증인의 해외에서의 활동에 대해서는 처벌하지 않기로 한다는 합의, 소위 정치 결탁을 한 일이 있지요?

김대중 그렇습니다.

장석화 그러므로 1973년도 강제 귀국 이전의 한민통과의 관련을 이유로 국가보안법 1조의 위반을 증인에게 적용한다는 것을 이와 같은 국제적인 약속을 무시하는 것이라 생각하지요?

김대중 완전히 약속 위반이고 내용도 거짓이고 하니까 결국에는 이번 13

대 국회에 와서 이 정부가 그 판결문을 내놓을 때까지 8년 동안 판결문을 못 내놓은 것이지요.

장석화 강제 귀국 이후의 한민통 관련 사실은 증인이 법정에서 부인했고 이태영 박사도 그 점에 대해서 증언한 바도 있지요?

김대중 그렇습니다. 이태영 여사가 가서 왜 본인이 승낙도 안 했는데 의장으로 했냐고 본인이 항의하면서 취소하라고 했다. 그 말……

장석화 그러므로 군사법원이 증인에게 적용한 국가보안법 1조 위반은 증인에게 사형에까지 처할 수 있도록 하려는 군부 세력의 음모라고 생각하시지요?

김대중 그렇지요. 광주 문제 가지고 하려다가 안 되니까 그런 거지요.

장석화 이상과 같이 증인의 연행 조작 감금과 수사에 있어서의 사전 조작 과정, 적법 절차를 무시한 재판 과정 등을 살펴볼 때에 증인이 연루되었던 내란음모사건은 일부 정치군인들이 집권 야욕을 성취하기 위하여 자기들에게 반대하는 재야 민주 세력을 말살시키려고 치밀하게 계획하고 진행시켰으며 때마침 일어난 광주민주화항쟁에 증인을 배후 조종 세력으로 조작하려고 수십 일간의 불법 감금을 통하여 만들어 낸 부도덕한 정치 음모극이라고 할 수 있겠지요?

김대중 그렇습니다.

장석화 그 외에 몇 가지 질문을 보충하겠습니다. 증인은 1982년도 12월 형 집행정지로 석방되어서 미국으로 떠나면서 다시는 정치 활동을 않겠다는 내용의 탄원서를 써서 당국에 제출했다는데 그렇습니까?

김대중 '다시는'이 아니라 미국 가면 치료에 전념하고 정치 활동 안 하겠다고 썼습니다.

장석화 비행기 내에서 아마 형 집행정지가 된 것이라는 말씀을 하셨는데 그것이 사실입니까?

김대중 그렇습니다.

장석화 당국이 증인을 강제로 미국으로 보내려고 한 것과 마찬가지로 당국이 김영삼 총재에 대해서도 단식 때 강제로 미국으로 보내려고 기도했던 사실을 증인은 알고 있습니까?

김대중 잘 모릅니다.

장석화 김영삼 총재에 대해서는 증인과 같이 구속하면 제2의 부산사태가 재발될 것으로 생각해서 구속하지 아니한 것으로 증인도 생각하지요?

김대중 그럴 수도 있지요.

장석화 12·12사태의 가담자들은 반란죄, 항명죄 또 5·17사태의 가담자들은 내란죄를 범하였다고 보는데 증인은 이들을 법대로 처벌하여야 한다고 보십니까?

김대중 그 문제에 대해서는 아까 얘기를 했습니다. 그렇기 때문에 그 문제는 다시 되풀이할 것이 없고 아까 얘기로 대신하겠습니다.

장석화 좋습니다. 결국 증인은 광주사태의 발발 원인을 전두환 씨가 국보위를 만들어서 정권을 탈취하려는 음모의 일환으로 광주사태를 일으켰다고 보는 것이지요?

김대중 그렇습니다.

장석화 광주항쟁이 격화된 이유가 첫째, 부산사태에서도 그랬듯이 증인의 불법 구금으로 인한 호남인들의 증인에 대한 기대감 좌절로 인한 불안 둘째, 공수부대의 과잉 진압으로 인한 본능적 항거 셋째, 호남 지방 등의 푸대접에 대한 분노 넷째, 유언비어로 인한 지역감정 격화 등으로 생각하는데 증인도 같은 견해를 가지고 계십니까?

김대중 그런 점이 있지요.

장석화 증인은 수차 광주항쟁 가해자들에 대해서 보복 금지와 용서를 역설하였는데 지금도 그 소신에는 변함이 없습니까?

김대중 예, 지금 국민의 감정이 상당히 악화되어 있지만 저 개인이나 저희 당은 아직 방침을 바꾼 일이 없습니다.

장석화 마지막으로 묻겠습니다. 광주민주화운동의 숭고한 정신을 받든다면 지역감정 해소와 야권의 차기 집권을 위해서라도 야당을 통합해서 국민의 기대에 부응하여야 한다고 보는데 이와 같이 증인이 민주화에 앞장서기 위해서 지금이라도 당장 야당 통합할 생각은 없습니까?

김대중 그 문제는 지금 이 자리가 그것을 논의하는 자리가 아니고 거기에 대해서는……

장석화 민주화투쟁의 정신에 지금 비추어 보아서 제가 드리는 말씀입니다.

김대중 그런데 거기에 대해서는 장 위원 얘기를 나중에 더 듣고 따로 얘기를 하겠습니다.

이민섭 다음은 신경식 위원 신문해 주시기 바랍니다.

신경식 민주정의당 신경식 위원입니다. 김 총재님 참 오래간만입니다. 국회 막상 들어왔습니다마는 그동안 자주 뵐 기회가 없었습니다.

그동안 증인께서는 많은 세월을 고난과 역경 속에서 지내 오셨습니다. 그 고난과 역경, 그 지나온 발자취 속에는 저희들이 증인에 대해서 동정을 하고 또 많이 이해를 하는 부분이 있고 또 일부 부분에 대해서는 많은 국민들이 의혹을 갖는 부분도 많다고 저는 생각을 합니다. 그래서 오늘 광주민주화운동과 증인이 관련된 것으로 이제까지 알려지고 있는 내란음모사건에 대해서 궁금한 점을 몇 가지 묻겠습니다.

1982년 12월 13일 증인은 건강상 치료를 받고자 미국에 가기를 원한다고 그러면서 "본인은 앞으로 국내외를 막론하고 일체 정치 활동을 하지 않겠으며 일방 국가의 안보와 정치의 안정을 해하는 행위를 하지 않겠음을 약속드리면서 각하의 선처를 앙망하옵니다."라는 내용의 탄원서를 제출한 것으로 알고 있습니다. 사실입니까?

김대중 예, 그런 것을 낸 것은 사실인데 그것은 제가 먼저 가겠다는 것이 아니고 정부에서 가 달라고 얘기하는데 나중에 요식을 꾸밀 때 그렇게 꾸민 것입니다. 그리고 제가 미국에 가서 그 정치 활동을 했는데 그때는 대사관에다가 다 통고를 하고 내가 법적으로 책임진다고 말하고 했습니다.

신경식 이어서 1982년 12월 13일 탄원서를 내기에 앞서서 1981년 1월 23일 내란음모사건이 대법원에서 상고를 기각하기 5일 전인 1월 18일 증인은 "본인의 행동으로 국내외에 물의를 일으키고 이로 인하여 국가안보에 누를 끼친 데 대하여 책임을 통감하며 진심으로 국민 앞에 미안하게 생각해 마지 않습니다. 본인은 앞으로 자중 자숙하면서 정치에는 일체 관여하지 아니할 것이며 오직 새 시대의 조국의 민주 발전과 국가안보를 위하여 적극 협력할 것을 다짐하는 바입니다." 하는 내용의 탄원서를 그 당시에도 제출했습니다. 여기서 서명하고 지장을 찍고 그랬는데 사실입니까?

김대중 예, 그렇습니다.

신경식 제가 지금 이 두 가지를 인용한 것은 아까 위원들 질문에 답변하실 때 무기로 되었다가 또 감형되었다가 출옥하고 이게 무슨 법을 마음대로 하는 것이 아니냐, 그런 질문을 했을 때 증인께서 답변하시는 과정에서 사실 근거 없는 죄명으로 그렇게 되었었고 내가 나오게 된 것은 국내외 전 세계의 여론의 압력으로 나오게 된 것이다, 그런 말씀을 하셨습니다.

저는 지금 이 두 가지 탄원서가 증인이 감옥에서 나오는 데 영향을 미치지 않았나 이렇게 생각을 하고 있는데, 전적으로 이 탄원서가 영향을 미쳤다는 것이 아니라 이 탄원서도 일부 영향이 미치지 않았겠나, 이런 생각을 하는데 증인께서는 어떻게 생각하십니까?

김대중 그것은 거꾸로입니다. 저를 죽이려다가 도저히 죽일 수 없으니까 나중에 살릴 때 요식행위를 갖추면서 그것을 써 달라고 해서 써 준 것이고 미국 갈 때도 그쪽에서 가 달라고 했는데 제가 안 간다고 했으나 밖에서 저희 동지들이 내가 미국 가야만 다른 사람도 석방이 된다, 그래서 또 치료도 급한 면도 있고 해서 갔는데 정부가 먼저 방침을 결정해 놓고 요식행위로 그런 것을 다 써 달라고 한 것입니다.

신경식 아까 말씀하시는 가운데 이학봉 위원이 회유를 하는데 절대 양보하지 않겠다고 말씀도 하셨고 또 양보를 하지 않았다고 그러셨는데 그런데 이 탄원서만큼은 써 달라고 한다고 그대로 써서 친필로 쓰고 또 지장까지 찍은 것은 좀……

김대중 제가 양보 안 한다는 것은 제가 용공분자라는 것을 승인한 것은 목숨 걸고도 양보를 안 했다, 나머지는 그때 사정으로 할 수 없어서 허위 자백도 했다, 그렇게 말했습니다.

신경식 그러면 이것도 허위 자백하는 그런 범주에 속하는 탄원서였습니까?

김대중 그것은 요식행위로서 필요하다고 느꼈기 때문에 써 준 것입니다. 그리고 제가 거기 썼지만 미국 가서 국가에 해된 일 하거나 안보를 해친 일 없습니다.

신경식 두 가지에 전부 정치를 안 한다는 것을 강조를 하셨는데 정치를 안 하신다고 강조를 해 놓았는데 그것은 그때 그러면 실제로 정치를 안 하겠다는 심정으로 탄원서에 서명을 하셨던 것입니까? 아니면 내가 여기서 지금 너희들이 써 달라니까 써 주지만 두고 봐라, 내가 나가서 정치할 것이다, 그런 마음을 갖고 계셨었던가요?

김대중 그때 미국 갈 때 쓸 때는……, 처음에 사형이 감형될 때는 다시 정치한다는 것을 생각도 할 수 없는 환경이었고 미국 갈 때 쓴 것은 제가 1971년 국회의원 선거 때 자동차로 저를 깔아 죽이려고 해 가지고 다친 복관절 때문에 치료가 굉장히 그땐 긴급했습니다. 양쪽 치료하는 데 1년 걸려요, 수술하면. 그래서 미국 가서 정치한다는 것은 전혀 생각할 수가 없는 상황이어서 그래서 정치 어차피 못 하는 것이고 또 요식이 그렇게 되어 있으니까 나올 때는 누구든지 다 그렇게 씁니다. 형 집행정지로 나올 때는, 요식이 그렇게 되어 있는 것이니까 그렇게 써 준 것이지요.

신경식 그 자동차 사고는…….

김대중 그런데요, 그 요식이 어쨌건 정치 활동 안 한다고 해 놓고 했지 않느냐? 그것이 순 거짓말 아니냐? 그러면 그 점에 대해서도 항변 안 합니다.

신경식 그 자동차 사고 관계는 그 당시에 증인께서도 잘 아시겠지만 저도 신문기자로서 그때 신민당 출입을 하면서 여러 가지 내용을 참 많이 알고 있습니다. 그런 관계는 이제 나중에 또 언제 언급될 날이 있으리라고 생각을 합니다.

지금 말씀하시는 가운데 증인께서 미국 가신 뒤에 정치 활동 하시지 않았다, 그런 말씀을 하셨습니다. 거기에 대해서 몇 가지만 묻겠습니다.

김대중 하지 않았다고 말을 안 했는데요. 가서 치료받으면 정치 활동을 하려야 할 수 없고 상황이 그러니까 안 한다고 했는데 아까 말한 바와 같이 미국 가서 보니까 이제 좀 더 설명하면 수술을 받아 보았자 아무 효과가 없기 때문에 의사가 그만두라 해서 수술은 안 받았어요.

그래서 자연히 그런데 세계 각국에서 기자들이 몰려오고 이래서 그것을 도저히 거절할 수 없는 환경인 데다가 그 당시 정부에서 여기서 가기 전부터 지금도 그것을 유포하고 있는데 제가 정부로부터 거액의 돈을 받아 가지고 정치 활동을 안 하기로 했다, 이렇게 말을 유포를 했어요.

그래서 제가 미국에 있는 우리 대사관에 사람을 보내 가지고 내가 이런 약속을 하고 왔는데 첫째는 내가 수술을 안 받게 되니 도저히 기자나 이전 교포들의 요청을 피할 수가 없고 둘째는 또 당사자들 측에서 이렇게 허위 정보를 유포하니 나로서는 그것을 가만히 있으면 시인한 것이 되니까 내가 정치 활동을, 정치적 발언을 안 할 수 없는데 다만 내가 국가를 해치는 얘기는 절대 안 한다, 그 대신 내가 여기서 정부의 정치를 비판하는 얘기는 하겠는데 이 점에 대해서는 내가 형식적으로 약속을 안 지키고 또 법에 저촉된다면 돌아가서 책임을 지겠다, 이렇게 분명히 통고를 하고 제가 시작했습니다.

문동환 이것이 어떻게 광주민주화운동하고 관계되는지 의문스럽습니다.

신경식 이 광주민주화운동 증인에 대한 내란음모죄는 지금 우리 광주특위에서 처음부터 거론되었던 것이고 또 이 내란음모 관계에 대해서 증인께서 우리 청문회에서 말씀을 하시겠다고 이미 말씀하셨기 때문에 이것은 마땅히 여기에서 거론될 일이라고 생각합니다. 그것을 위원장께 말씀드립니다.

이다음에 속기록을, 제가 지금 언뜻 잘못 들었는지 혹시 증인께서 착각을 하시는지 모르겠습니다마는 조금 전 말씀하시는 가운데 또 사실 "미국 가서 내가 정치 관계 안 했습니다. 안 했고……" 그런 말씀을 하신 것으로 저는 알고 있습니다. 그래서 그런 질문을 했었습니다.

그 미국 도착하신 지 한 6개월 후에 '워싱턴'에 인권문제연구소를 설치하고 『행동하는 양심』이라는 신문을 발간하셨습니다. 또 20여 회에 걸쳐서 강연회, 연설회를 다니시고 기자회견을 하셨습니다. 그 가운데에는 1983년 5월 11일 샌프란시스코에 있는 '프래아멘트호텔'에서 저희 교포들과 강연회를 갖고 끝난 뒤에 질문 응답을 하는 과정에서 한국의 민주화 목적을 쟁취하기 위해서는 미국은 한국 정부에 경제적 압력을 행사해야 한다, 그런 말씀을 하신 것으로 저희가 알고 있고 또 1984년 3월 27일 교포 언론에 배포된 보도 자료에 보면 미국은 내정간섭은 할 수 없지만 경제 무역상의 조치로서 격려도 하고 불만도 표시할 수 있을 것이다. 또 1984년 6월 21일 『시카고트리뷴』지에 기고하신 것을 보면 대한 경제 원조를 전두환 정권에 대한 상벌로 이용해야 한다, 이런 말씀들을 하신 것이 보도되었습니다.

이 같은 활동은 정치 활동에 속하지 않는다는 생각을 하시는지요? 그리고 또 하나는 그 당시 국내에서는 전자 제품 등에 대해서 일부 미 수출품에 그 '덤핑' 판정을 하는 등 미국 수출에 우리가 애로를 겪고 있을 무렵이었습니다. 그런데 증인의 정치적 소임이나 또는 정치적 신념에 반한다 해 가지고 우리 경제에 심대한 영향을 미치는 이러한 발언을 지도적 입장에 계시는 증인으로서 그것도 국내가 아닌 국외에서 그런 말씀을 하신 데 대해서 저희들은 정말 가슴 아프게 생각을 했습니다.

과거에 그 자유당 말기에 유석 조병옥 선생께서 그 당시 국회의 파동 때 자유당의 독재는 밉지만 빈대 잡기 위해서 초가삼간을 태울 수 없다, 그런 말씀을 하신 것이 오늘날까지 다들 알고 있는 얘기인데 우리나라에서 증인에 대해서 여러 가지 문제가 있다고 해 가지고 외국 가서 가지고 한국에 대한 원조 문제, 경제 문제 이런 데 대해서 이렇게 비판적으로 말씀하신 것을 저희는 참 안타깝게 생각하고 또 이런 일은 있어서는 안 될 것 아닌가 이런 생각을 하는데 증인께서는 어떻게 생각을 하십니까?

김대중 저는 그것을 정치 활동으로 보신다면 아무 이의가 없습니다. 그리고 제가 미국에 대해서 우리나라 안보에 해된 일을 하라는 것은 아니고 경제 문제에 있어서 미국이 한국이 민주주의를 잘하면 경제를 더 많이 지지하고 못하면 줄이고 하는 이런 것을 하나의 지렛대로 쓸 수 있다 말했는데 저는 그 점에 대해서는 그렇게 후회하지 않습니다.

왜냐하면 민주 발전은 경제의 발전보다 더 중요합니다. 민주주의 없이 경제만 발전되면 오늘 우리가 본 바와 같이 부익부 빈익빈, 오히려 국가의 안전이라든가 사회의 평화라든가 동족 간의 화해에 도움이 안 됩니다. 따라서 독재자가 소수에게 부를 집중시킨 그런 경제 발전이 큰 의미가 있지 않습니다.

아까 유석 선생 말씀을 했는데 저는 미국에서 망명 때도, 1973년 망명 때도 아까 말같이 망명정부 수립한다는 얘기는 취소시키고 대한민국을 절대 지지하는 그것을 제1조로 내세운, 초가삼간을 태우지 않는 일을 했고 또 저 나름대로 아까도 말씀했지만 저에게 그렇게 모진 박해를 가한 사람들에 대해서도 제가 정치보복하지 말라는 그런 정도의 저 나름대로의 초가삼간을 안 태운 배려를 하고 있습니다.

그러나 독재하고 싸우는 데 있어서 제가 미국으로 하여금 독재를 지지하는 그런 방향의 경제 협력을 안 하는 것이 좋다는 것은 제가 그렇게 잘못했다고 생각하지 않습니다.

신경식 다음은 신병 치료차 일본에 갔다가 10월유신이 선포되자 귀국을 일단 포기하고 유신독재 체제와 투쟁하기로 결심을 하고 반정부 활동을 펴시면서 일본에서 그 한민통을 결성했던 그 당시 상황에 대해서 몇 가지 물어보겠습니다.

지금 증인께서는 이 한민통 문제에 대해서 그것은 도쿄에 있는 우리 민단 본부를 중심으로 해서 구성된 것이고 또 조총련이 아니다, 뭔가 오해가 있었다, 그런 말씀을 하셨습니다. 그리고 미국서 그것을 만들고 일본에서 만들다가 도중에 강제 귀국되는 바람에 그것을 못 만들었다, 이런 말씀을 하셨습니다.

그런데 저희들이 지금 여기서 알고 있는 한민통은 증인께서 말씀하신 것과는 달리 여러 가지 객관적인 자료를 볼 때 이것은 우리 입장에서 볼 때는 반한단체이고 또 반국가단체라고 생각을 합니다.

그 이유로서 제가 몇 가지 말씀을 드리면 첫째, 무슨 설명보다도 1980년 3월 30일 자 『조선일보』에 보면 지금 논설위원으로 있는 이도형 씨가 그 당시 도쿄에 특파원으로 있었는데 조총련은 매월 1000만 엔 내지 2000만 엔씩 한민통에 자금을 공급해 왔다, 이것이 났습니다, 신문에.

그 한민통의 지금 핵심적인 인물이 김재화, 곽동희 이런 사람들인데 김재화는 저도 신문기자 하면서 7대 국회 초에 만나 본 적이 있습니다만 이 사람이 그때 돈을 헌금으로 써서 그것이 문제가 돼서 조사를 하다 보니까 이 사람의 배후가 드러났던 것으로 저희는 알고 있습니다.

그 1967년 6월 3일 자 『동아일보』에 보면 당시 『동아일보』 특파원으로 있었던 유혁인 특파원이 그 내용을 쓴 기사가 났습니다. 적어도 지금 여기에 계시는 분들이나 또는 텔레비전을 시청하시는 전국 우리 국민들이 『동아일보』나 이 『조선일보』에서 사실이 아닌 것을 일본에 가 있는 특파원들이 송고했으리라고 믿을 사람은 없을 것입니다.

이러한 객관적인 사실로 볼 때 한민통은 이것이 조련계, 직접 조련계가 관장하는 단체는 아니다 하더라도 조련계와 뗄 수 없는 밀접한 관계가 있는 것이 아닌가 저는 그렇게 생각을 합니다.

또 한민통에서는 『민족시보』라는 곽동희인가, 그분이 하는 신문을 한민통의 기관지로 나중에 활용을 했고 그것을 쓰고 있는데 그 『민족시보』에 보면 그 내용이라는 것이 이렇게 이북의 김일성이를 톱으로 해 가지고 김일성 연설이라면 대대적으로 선전하는 그러한 신문입니다. 이 신문이 바로 한민통의 지금, 그 당시 기관지로 활용이 됐던 신문입니다. 이런 객관적인 사실로 볼 때 과연 한민통이라고 하는 그런 단체가 이것이 조련계와 관계없고 또 나아가서 북한과 관계없다고 생각할 수 있겠는가, 더구나 우리를 이 한민통에 대해서 분개하게 만드는 것이 육영수 여사를 저격하고 사살한 문세광이가 한민통 조직의 일원이라고 그 당시 모두 밝혀졌었습니다. 또 그 후에 김정사라는 젊은 사람이 간첩으로 들어왔다가 체포되어서 재판을 받은 과정에서 한민통 조직의 일원이라는 것이 드러났고 그로 인해서 우리나라 대법원에서 한민통을 반국가단체로 규정을 했습니다. 여기에 대해서 한민통에서 아까 하신 말씀 이외에 또 추가로 설명하실 말씀이 있으시면 말씀해 주셨으면 좋겠습니다.

김대중 첫째로요, 저는 그 한국민주회복 통일촉진국민회의를 일본서 만들려고 해 가지고 그 당시 김재화 씨 등과 협의를 한 것은 사실입니다. 그 당시 대한민국 민단 도쿄단부 단장은 정재준 씨인데 이분은 이 재일교포 법적 지위 정할 때 한국 쪽으로 사람을 많이 입적시켰다고 해서 대한민국 정부로부터 훈장까지 받은 사람입니다. 그래서 이런 분들하고 같이 한민통 만들 이야기를 하다가 거기에서 뭐 조직 강령이라든가 규약도 만들지 못한 채로 8월 8일 납치되어서 왔습니다. 납치되어서 온 이후는 그분들하고는 아무 관계가 없습니다. 그때 제 친구로서 고향에서 초등학교 같이 다녔던 김청중 씨란 분이 그 후로 한민통에 관련을 했는데 저한테 친구이기 때문에 그 안부를 걱정해서 그 후로 건강이 어떠냐 해서 한두 번 전화가 오고 일본 신문에 이런 기사가 났다고 전화하고, 물론 전화 도청되는 줄 알고 다 하는 것이지요. 그런 안부 전화 외에는 한민통하고 그 후로 일체 연락도 관계도 없었습니다. 그렇기 때문에 한민통을 신 위원이나 정부에서는 어떻게 보시든 그것은 저하고는 관계가 없는 일입니다.

신경식 지금 한민통과의 관계가 없으신 것을 강조하고 계시는데……

김대중 이 문제에 대해서는요. 이태영 여사가 그 어려운 환경에서 당시 군법회의에 오셔서 증언했습니다. 김대중 씨가 나로 하여금 일본 가서 한민통 간부를 만나 가지고 나는 그런 것을 수락할 수가 없으니까 내 이름을 빼라고 한 것을 자기가 전했다, 또 그 당시 정일형 박사도 가서 얘기했고요. 또 돌아가신 김녹영 의원도 가서 얘기했고 지금 살아 계시는 송원영 의원도 가서 제 부탁 받고 이야기를 했습니다.

그리고 미국에 많은 분이 아시는 문명자라는 여기자가 있는데 그분이 한국의 저한테 전화를 해서 한민통하고 나하고 관계가 있느냐, 아마 그것이 1974년경으로 생각하는데, 그래서 제가 전혀 관계가 없다, 나는 한민통의 현재 하고 있는 일에 대해서 별로 찬성하지 않는다, 이렇게 말해서 미국에서 한국 교포가 하는 한국 신문에 그것이 상당히 크게 났습니다. 그래서 제가 1980년에 한민통 의장으로서 사형 선고를 받을 때 문명자 씨가 와서 증언하겠다고까지 했으나 오지 못하고 제가 말한 것을 전화 녹음으로 받은 것을 한국에 들여보냈는데 그것이 또 세관에서 탈취당해 가지고 결국 제출도 못 하고 말았습니다.

신경식 그러면 한민통과의 강제 귀국 이후의 관계에 대해서는 전혀 관계 없으시다는 점을 강조하시는데…….

김대중 없습니다.

신경식 그 귀국하시기 전에 7월 13일부터 한민통 일본 본부를 결성하기 위해서 아까 말씀하신 김정충, 곽동희, 김재화, 배동희 이런 양반들하고, 그런 분들하고 회합을 가지셨고 그 후에 8월 4일 도쿄 '팰리스호텔'에서 이들과 재회합을 해 가지고 그 자리에서 한민통 발기 대회를 8월 13일 갖자, 그리고 8월 15일 광복절 경축 행사와 함께 그 결성 대회를 일본 히비야공원 공회당에서 하자, 이런 것을 협의했다고 합니다. 8월 4일 팰리스호텔에 모이신 적은 있으신가요?

김대중 그 문제에 대해서는요, 모였습니다. 모였고 사실 그런데 지금 이것이 광주 문제하고 직접 관련이 없는데 이 문제가 길어져서 여기 위원 여러분이나 시청자들에게 죄송한데 물으시니까 할 수 없이 제가 말씀하겠습니다. 간단히 하겠습니다. 회의가 있었습니다. 있어서 그 자리에서 제가 세 가지 원칙을 제안했습니다. 하나는 대한민국 절대 지지, 둘째는 선민주 회복 후통일, 셋째는 조총련과 분명히 일선을 그을 것. 그런데 조총련과 일선을 그으라는 데 대해서 그중에 한 분이 왜 본국에서는 남북으로 왔다 갔다 하는데 우리가 국경일을 같이하면 안 되느냐, 이런 이의가 있었습니다. 그래 제가 그렇다면 내가 여러분하고 한민통 꼭 해야겠다고 일본 온 것 아니니까 여러분은 여러분대로 하시오, 그러면 나는 내 할 일 하겠소, 그러고 내가 퇴장하고 나왔습니다. 그런데 그 후로 그분들이 자기들끼리 회의해 가지고 우리가 김대중 씨, 말하자면 그 주장을 따르자, 이래 가지고 다시 제 '호텔'로 찾아와서 얘기를 해 가지고 다시 얘기를 그러면 완전히 내 의도대로 대한민국을 지지하고 공산당과 일선을 그은 그런 조직으로 한다는 전제하에서 이야기를 진행하다가 결국에는 납치되어서 온 것입니다.

그렇기 때문에 저는 준비 단계에서 조금 이야기하다 왔지, 전연 그 조직 요강이라든가 규약이라든가 강령 같은 것 작성하는 데 참가 못 했는데 나중에 강령을 정보부 조사 과정에서 제시해서 보았는데 신 위원도 가지고 계시는지 모르지만 그 강령은 거의 나무랄 데 없이 대한민국에서 독재만 반대하지 대한민국 지지하는 것으로 되어 있습니다.

신경식 이 강령과 발기문을 제가 가지고 있습니다마는 거기에 보면 발기인에 제일 먼저 증인의 이름이 올라 있습니다. 그런데 이 강령을 8월 4일 팰리스호텔에서 모였을 때 그 자리에서 확정을 했고 여기 인선을 모두 증인께서 결정을 하셨다고 그렇게 들었습니다.

김대중 그것 거짓말입니다.

신경식 그날 그 자리에서 그런 결정은 없었습니까?

김대중 예, 없었습니다. 강령 한 자도 저 있을 때는 안 했고 제가 귀국 후에 만든 것입니다.

신경식 그런데 그 후에 귀국하신 뒤에 그 한민통은 그 조총련과 서로 연계를 맺어 가지고 반한 활동 내지 나아가서 우리 당시의 정권을 전복하는 데 무엇인가 일조를 가하려는 그러한 활동을 했습니까?

김대중 그런데 저는 귀국 후는 한민통하고 일체 관계가 없었고 하는 행동도 잘 모르기 때문에 한민통이 정부 비판의 선에서 말하자면 강하게 했던 것이냐 아니면 대한민국을 반대하고 조총련하고 협력해서 했던 것이냐, 그것에 대해서는 모르겠습니다.

신경식 1985년에 돌아가신 김녹영 부의장이 일본을 가실 때 증인께서 일본 가거든 내가 지금 한민통 의장으로 되어 있나 본데 그것을 의장이 아니도록 해라, 그렇게 가서 이야기해라, 여러 가지 좋지 않다, 그런 말씀을 하셨고 그리고 김녹영 의장이 돌아와 가지고 7월에인가 증인께 가서 김정충이 이야기가 지금 구출 관계도 있고 여러 가지 문제가 있으니까 그대로 그냥 의장으로 모시고 있겠습니다, 그런 이야기를 했다고 그럽니다. 그럼 그 당시 일본서는 나를 의장으로 그대로 추대하고 있구나 하는 것을 알고 계셨나요?

김대중 그 사람들이 내 이름을 안 빼고 있다는 것은 알았지요. 그러니까 계속 연락한 것이지요, 빼라고.

신경식 그런데 그렇다면 국내에서 한번 회견이라도 하시든지 또는 성명이라도 발표하셔서 나는 이런 한민통과 관계없다 하는 것을 한번 국민들에게 알렸으면 아예 더 정확하게 해명이 되지 않았었을까요?

김대중 그런데 나는 그때는요, 이 한민통 문제가 이렇게 내 목숨까지 앗을 정도로 큰 문제가 될 줄 몰랐고요. 그 사람들이 그저 한국 정부의 독재 비판 운동하고 있는 줄로만 알았기 때문에 말하자면 저하고 관계있어서 한 사람들에 대해서 공개적으로 그렇게 하고 싶지는 않아서 자주 연락을 해 가지고 빼라고 그랬던 것입니다.

신경식 지금 광주 문제는 미처 말씀도 드리기 전에 10분이…… 시간이 다 되었다는 통고가 와서 더 말씀 못 드리겠습니다. 이상 마치겠습니다.

문동환 수고하셨습니다. 다음은 조찬형 위원께서 신문하여 주십시오.

조찬형 평화민주당 조찬형 위원입니다. 증인께서는 저희 당 총재이지시만 오늘은 증인으로서 국민 앞에 선서하고 증언을 하시는 것이니까 사실대로 말씀해 주시기 바랍니다.

먼저 최초 체포와 관련해서 몇 가지 묻겠습니다. 증인께서는 5월 17일 밤 10시에 체포당하셨다고 했습니다. 그러한 체포를 사전에 예상해 보신 일이 있으십니까?

김대중 없습니다.

조찬형 그와 같이 체포당할 당시에 증인의 심정은 어떠하셨습니까?

김대중 상당히 절망적이었습니다.

조찬형 체포 당시에 증인은 무엇을 하고 계셨습니까?

김대중 그날 저녁에 손님이 와서 식사를 같이하고 그분은 가고 그래서 가족들과 같이 응접실에 앉아 있었습니다.

조찬형 체포하러 온 자들은 몇 명이나 되었습니까?

김대중 집안에 군홧발로 뛰어 들어온 사람들은 한 7, 8명 그렇게…….

조찬형 누구의 지시를 받고 체포하러 왔다고 했습니까?

김대중 아무 말도 하지 않고 그냥 총칼 가지고 가슴에다 대고 이래 가지고 가자고 해서 끌려갔습니다.

조찬형 그들의 신분이나 복장은 어떠했습니까?

김대중 군복을 입고 있었습니다.

조찬형 태도는 어떠했습니까?

김대중 아주 난폭했습니다.

조찬형 체포 과정에서 불상사, 이를테면 가족이라든가 수행원 비서들 불상사는 없었습니까?

김대중 비서들이 구타당했지요.

조찬형 많은 상처를 입었습니까?

김대중 저는 체포되었기 때문에 잘 모르나 한 사람은 상당한 상처를 입었다고 들었습니다.

조찬형 증인이 최초로 연행된 장소는 어디였던가요?

김대중 중앙정보부 남산 건물 지하실이었습니다.

조찬형 그러면 그 장소에서 계속 조사를 받으셨나요?

김대중 60일 동안 거기 있었습니다.

조찬형 그 장소가 방이 몇 평이나 되었습니까?

김대중 방은 상당히 큰데요. 한 5평…….

조찬형 햇빛은 안 들어왔었지요?

김대중 전혀…… 지하실인데 들어올 리가 없지요.

조찬형 지금 증인에 대한 내란음모사건 수사 기록 임의 동행 보고서를 보면 임의 동행 보고서 작성 일자가 1980년 5월 18일로 되어 있습니다.

그런데 이미 그 보고서에는 공소 사실과 거의 같은 내용의 범죄 사실이 기재되어 있습니다. 그런 것으로 본다면 이미 군 당국이나 권력 당국은 증인을 그 전부터 수사해 왔고 체포할 계획을 사전에 세워 왔다고 느낄 수 있습니다. 그 점에 대해서 증인은 어떻게 생각하십니까?

김대중 나중에 보니까 계획 선상에서 한 일들입니다.

조찬형 증인을 수사하는 수사관은 대충 몇 명이나 되었습니까?

김대중 한 5, 6명…….

조찬형 그러면 5, 6명이 교대로 해서 수사를 했습니까?

김대중 교대로 수사를 합니다.

조찬형 그 수사관의 이름은 기억 못 하시지요?

김대중 자기들끼리 최 씨니 뭐 김 씨니 그러니까 모르지요.

조찬형 합동수사부에서 조사받으시면서 수사관 이외에 만나 보신 사람은 없으십니까? 아까 이학봉 씨라고 얘기하셨는데……. 이학봉 씨 이외는 만나 보신 일이 없습니까?

김대중 그 외에는 없습니다.

조찬형 아까 말씀하시기를 이학봉 씨가 서너 차례 찾아왔다고 그랬는데 이학봉 씨가 첫 번째 찾아와서 증인에게 대통령 단념해라, 우리와 협력하자, 재판은 요식행위다, 당신은 반드시 죽는다, 이렇게 얘기했다고 하셨습니다. 그중에서 우리와 협력하자는 뜻은 어떤 뜻이었습니까?

김대중 자기들하고 같이 하면 대통령만 단념하면 모든 것을 같이, 말하자면 부귀영화를 같이 하겠다, 그렇게 말했습니다.

조찬형 부귀영화를 같이 하겠다……. 두 번째 왔을 때는 신문 뭉치를 가져왔다고 아까 말씀하셨지요?

김대중 아니요. 첫 번 왔다 간 뒤로 신문 뭉치를 넣어 주었어요. 그래서 그때 처음으로…….

조찬형 그때 5·18광주의거를 처음으로 아셨지요.

김대중 처음으로 알았지요.

조찬형 그러면 이학봉 씨가 두 번째는 언제 왔습니까?

김대중 그보다도 한 이틀 후에 왔지요.

조찬형 그때는 와서 뭐라고 했습니까?

김대중 와서 잘 생각했느냐고 그래서 제가 생각해 봤는데 결국 나는 광주에서 목숨 잃은 분들하고 같이 죽겠다, 그 길 외에는 내가 사는 길이 없다고 생각했다, 그러니 나는 죽을 테니까 그런 줄 알고 하시라고 그랬지요. 그런데 그 후로 또 한 번 왔어요. 또 한 번 왔는데 결국 내가 안 들으니까 단념하고 그러면 육군교도소 가서 생각이 바뀌어지면 교도소장한테 얘기해 달라, 소장한테 말해 놓겠다, 그래 소장이 한 두어 차례 또 왔어요. 그래서 제가 똑같은 얘기하면서 내 생각은 안 바뀌어지니까 그렇게 통지하시오, 그랬더니 소장도 알았습니다. 하고 그러고 그 후로는 안 왔습니다.

조찬형 증인이 합동수사본부에서 그렇게 조사를 받으시면서 전두환 씨를 만났거나 만나기를 요청한 사실은 없으신가요?

김대중 그런 일은 없는 것 같은데요.

조찬형 다음에 아까 다른 위원도 물었습니다마는 중복되지 않는 범위에서 묻겠습니다. 정동년 관련입니다.

아까 말씀하시기는 체포된 지 약 15일 후에 정동년 문제가 거론되었다고 말씀을 하셨습니다. 그런데 정동년을 거론할 때 증인은 전혀 본 일도 없고 하다못해 사진이라도 보자, 아니면 대질이라도 해 달라, 이렇게 말씀하셨는데 증인께서는 전혀 모른다, 이렇게 처음에 부인을 하시다가 결국 검찰 조사를 보면 시인이 다 되어 있습니다. 자백한 것으로 다 되어 있습니다. 자술서도 쓰셨습니다. 그와 같이 허위 자백한 이유는 정신적 고문에 의해서 허위 자백하셨다고 하셨습니다.

김대중 정신적 육체적 고통 거기다가…….

조찬형 거기에 대해서 구체적으로 말씀을 좀 해 주십시오.

김대중 정신적 육체적 고통이라는 것은 아까도 말했지만 잠도 안 재우고 그래 가지고 아주 극도로 피로한데 몇 번이고 몇 번이고 또 묻고 그리고 공기도…… 햇빛도 한 번도 못 보고 있고 이런 상황에서 아주 심신이 극도로 피로해서 그것도 더구나 여러 가지 타격이 컸기 때문에 그랬는데 거기다가 정동년 씨와 김상현 씨의 자술서가 온 것을 보고 뭐…… 더 이상 나 혼자 해 보았자 도리가 없구나 생각해서 그 사람들 하자는 대로 해 주었지요.

조찬형 그런데 아까 증인께서 말씀하실 때는 육체적으로 고문당할 뻔도 했다, 이런 말씀을 하셨습니다.

김대중 예, 그랬습니다.

조찬형 어떤 상황이었습니까, 그런 상황은.

김대중 그러니까 정동년이를 아느냐, 정동년이한테 돈을 얼마 주었지 않느냐 그래서 내가 깜짝 놀라면서 나는 그런 사람 보지도 못하고 이름도 모른다, 어디 사진이라도 보여 봐 달라, 그래 사진도 안 보여 주면서 계속 묻는데 끝내 저항하니까 이제 말을 함부로 하면서 이 자식 저 자식 하면서 이제 좀 맛을 봐야 알겠다고 이런 식으로 나오면서 이 자식! 옷 벗어! 하면서 이렇게 나왔습니다. 그 전까지는 경어를 썼는데, 그래서 제가 아까도 말했지만 문 열 때마다 비명 소리가 들리니까 같이 와 가지고 저 사람들이 나 때문에 저렇게 당하는데 참 내가 죄송하다 생각도 있어서 죄책감도 있고 그래서 이제 옷 벗고 작업복으로 갈아입었어요. 갈아입은 후 고문을 하려고 하니까 그중에 한 사람이 김 선생! 앉으시오, 그러더니 저보고 이것 김 선생! 이래 봤자 소용없습니다. 이렇게 만들게 되어 있습니다. 김 선생이 안 했다 하더라도 이렇게 하게 되어 있으니까 이것은 내 힘으로도 어쩌지 못하고 김 선생 힘으로도 어찌지 못합니다. 이것 이대로 승인해야 합니다. 그래 내가 못 하겠다고, 아닌 것을 어떻게 하느냐 그러니까 다시 또 그렇게 되풀이하다가 정동년, 김상현 이런 것을 가져와서…… 그런데 김상현 의원 것을 처음에 가져왔을 때에는 아까 말같이 김상현 의원이 제 방에서 저한테서 돈 받아서 정동년 주었다고 했는데 내가 또 대질시켜 달라니까 그다음에는 김상현 의원은 와서 소개만 하고 가 버렸다, 그래 정동년이가 받아 가지고 와서 김상현 의원 사무실 청년 정치문화연구소에 와서, 말하자면 김대중 씨한테 돈 받아 왔다, 이렇게 말했 다고 그런 것을 보고 김 의원도 참 고통을 많이 보는구나 생각해서 제가 그냥 좋다고 말한 대로 써 주었습니다. 그리고 거기에서 작심하기를 모든 것은 법 정에서 말하자, 그러나 어떤 일이 있어도 용공으로 승인하는 것만은 여기서 목숨이 끊어져도 안 하겠다, 그렇게 방침을 정한 것입니다.

조찬형 예. 그런데 군 수사기관에서는 그렇게 해서 시인을…… 허위 자백 을 하셨고 그런데 또 검찰에서도 허위 자백을 하셨습니다. 그 이유는 아까 말 씀하시기를 군 검찰관의 유도신문에 당하신 것처럼…….

김대중 예, 유도신문도 있고 아까 말씀과 같이 모든 것 법정에 가서 하겠다 는 생각도 있고…….

조찬형 아! 법정에서 진술하기 위해서 검찰에서는 구체적인 진상을 밝히 지 않았다는 그런 말씀입니까?

김대중 예. 그런데 사실 그 검찰관이 참 교묘하게 속였습니다.

조찬형 어떻게 속였습니까?

김대중 지금 부끄러운 얘기지만 굉장히 동정을 하고 이 한민통 관계를 기 소한다는 것은 말도 안 된다고…… 이것은 내가 책임지고 저지하겠다고 내 가 기소 안 하면 못 하는 것이라고 이렇게 말하면서 그러니까 아무 걱정 말고 생명에는 걱정이 없으니까 이 나머지만 시인하십시오, 그렇게 하면 다 모든 것은 법정에 가서 또 얘기하면 되지 않습니까? 사람이 살면 그다음 일은 다 해결됩니다. 그래서 제가 참 그때는 지푸라기라도 잡고 싶은 심정이고 그래서 좀 부끄럽게도 검찰관 말을 순순히 들었지요.

조찬형 그 검찰관의 이름 혹시 아시나요?

김대중 정기용 씨란 분이에요.

조찬형 그 검찰관이 공판 관여도 같이 했나요?

김대중 1심 2심 다 했습니다.

조찬형 다 했습니까? 그 검찰관이 법정에 가서 태도는 어땠나요?

김대중 아주 우리 흔한 말로 면을 바꿔 가지고 굉장히 심하게 했지요.

조찬형 이 정기용 검찰관도 내일 증인으로 나오게 되어 있습니다. 그때 정기용 검찰관한테 묻겠습니다만 증인이 이 사건으로 인해서 결국 계엄 군법회의에서 비참한 사형 선고를 받게 되었습니다. 증인이 그와 같이 사형 선고를 당할 당시에, 언도를 당할 당시에 소감은 어떠셨습니까?

김대중 사형 선고당한 소감은 당해 보지 않은 분들은 잘 모르는데요. 사실 사형 구형받고 선고 날 갈 때는요, 그런 가능성이 희박하다고 생각하면서도 재판장 입에서 무기 소리가 떨어지기를 그렇게 갈망을 했어요. 그런데 사형 소리가 떡 떨어지니까 그냥 땅이 꺼지는 것 같은 그런 기분이 들었습니다. 그래서 와서 감방 안에서도 참 여러 가지 생각이 많았습니다. 그런데 여기서 그 말까지 할 것은 없으니까 안 하겠습니다.

조찬형 그때에 최후로 진술하신 내용 중에서 기억나시는 것만 간단히 얘기해 주십시오.

김대중 그것은 첫째는 제가 지금 우리나라에서는 엄연히 불가피한 일이지만 군부 세력이 있고 또 한편에서는 민주주의를 갈망하는 세력이 있다, 이 양 세력이 협력을 해야 이 나라는 잘된다, 그런데 민주주의를 원하는 세력을 여러분이 이렇게 탄압을 하고 일방적으로 하면 이 일은 결코 오래가지 못한다, 이것은 제가 중앙정보부에 있을 때도 자술서에 여러 번 썼습니다. 절대로 오래가지 못한다, 여러분 잘못하고 있다, 그러니 이러지 말고 양자가 서로 대화를 해서 풀어 나가야 한다, 지금 법정에서 기소한 것은 전부 거짓말이라는 것은 여러분 자신이 잘 안다, 이런 거짓이 어떻게 오래가느냐, 그런 얘기를 하고 또 거기에 우리 같이 공범으로 몰린 동지들 24명, 그 가족들 몇십 명이 있고 또 보도진이 그저 한 사람씩 와 있었는데 그 앞에서 제가 이 나라의 민주주의와 통일과 또 국민에 대해서 어떻게 사랑하고 생각해 왔다는 것을 말씀하고 그리고 아까 말같이 마지막으로 "지금 우리가 민주주의는 좌절됐지만 국민의 역량으로 봐서 1980년대에는 반드시 민주주의가 됩니다. 그때 여러분은 제 마지막 유언을 명심해 주시오. 그것은 우리가 이렇게 당하고 보니까 참으로 이것 못 당할 일 아닙니까? 그러니 이 나라에서 정권이 교체되더라도 정치보복을 하지 않는 것을 여러분이 한번 용서해서 안 하도록 해 주십시오. 용서란 것은 아닙니다. 나쁜 일 한 사람 용서하는 것이지 나쁜 일 안 한 사람, 잘한 사람 용서하는 것은 아닙니다. 그러니까 이렇게 우리한테 악을 행한 사람들을 우리가 한번 용서하면 다시는 이 나라에서 이런 일이 없을 것입니다. 이것이 내가 죽으면서 여러분께 마지막으로 부탁할 일입니다." 그렇게 말씀을 했지요.

조찬형 예, 알았습니다. 증인은 그와 같이 사형 선고를 받고 그 사형이 확정됩니다. 그러다가 복역 중에 사형에서 무기로 감형이 됩니다.

김대중 확정된 날 동시에 감형이 됐습니다.

조찬형 무기로 감형됐을 당시 소감은 어떠셨습니까?

김대중 그런데 확정되기 사흘 전에 어떤 분이 와서 저한테 비밀리에 살 거란 얘기를 알려 줬어요. 그래서 중앙정보부에 갈 때는 사는 것이다, 이렇게 생각하고 갔습니다. 갔으나 그래도 세상일은 모르는 것이니까 어느 때 뒤집힐지도 모르는 것이니까 참 조마조마한 심정이 있었는데 무기로 이렇게 선포되었을 때 그때는 기쁘다는 생각보다도 그냥 뭔가 전신의 긴장이 풀리는 그런 심정을 느꼈습니다.

조찬형 그리고 증인은 그 뒤 형 집행정지로 출소해서 가지고 미국으로 가십니다. 그때 여러 가지 루머가 있는데 증인께서 미국으로 신병 치료차 가실 때 전두환 씨로부터 거액의 여비를 받았다는 설이 있었습니다. 거기에 대해서 말씀해 주십시오.

김대중 전두환 정권으로부터요? 단 1전도 그때나 그 후나 그 전이나 받은 일이 없습니다. 그때 제가 미국으로 갈 때 양 고관절 대수술입니다. 이것이 한 1년 걸리는…… 이 수술을 하고 거기다가 또 가족을 셋이나 데리고 가서 생활비도 있고 그래서 정부에 대해서 10만 불을 교환해 주도록 요청을 아내가 했습니다. 그런데 정부가 7만 불만 교환해 주겠다 해서 7만 불 교환을 받고 비행기 표도 반드시 우리가 사라고 그렇게 해서 했습니다. 그런데 제가 그때 아닌 게 아니라 혹시나 정부에서 여비로 쓰고 병 치료에 보태 쓰란 명목으로 돈 주면 이것 큰일인데 어떻게 하나 이런 걱정이 있었습니다. 그런데 언제나 교도관이 같이, 말하자면 병원 방에 앉아 있기 때문에 아내가 올 때는 아내한테 말할 수가 없습니다. 그러다 아내가 가면 교도관도 나갑니다. 그런데 제 아내가 가면서 연필을 숨겨 주고 갔는데 그 연필 가지고 제가 아내한테 쪽지를 써서 혹시나 정부에서 돈을 주면 대단히 고맙다고 그러나 지금은 필요가 없으니까 이다음에 필요하면 달라 하겠다고 이런 식으로 해서 거절하라고 그렇게 써 주었습니다. 그런데 다행히 정부에서 준 일이 없었습니다. 그렇기 때문에 그런 말 할 필요도 없었습니다.

조찬형 증인이 그 사건으로 복역한 교도소는 어디였나요?

김대중 처음에는 육군교도소에 있다가 나중에 청주교도소에 있었습니다.

조찬형 그 교도소에서 복역 중에 주로 하신 일은 무엇이었습니까?

김대중 그런데 교도소에서 저는 형행법을 어겨 가면서까지 가혹 행위를 당한 것입니다. 왜 그러냐 하면 형행법은 한 사람이 6개월 이상 독방에 못 있게 되어 있습니다. 그런데 2년 동안 거기서 완전히 독방에 있었고 그리고 제가 있는 방은 완전히 벽돌로 그냥 둘러싸 버렸습니다, 집을. 그리고 제가 있는 방 양쪽 방은 비워 놓고 그다음 복도는, 또 가운데 복도는 벽돌로 막아 버렸고 그리고 뒤에 화장실 쪽 창문으로 유일하게 밖을 내다보게 되어 있는데 거기를 다시 또 쇠창살을 이중으로 하고 그리고 철망을 쳐 버려서 하늘도 볼 수가 없는 이런 상황하에 있었고 누구도 제 방에는 접근을 못 하고 교도관 5명이 교대로 감시를 하고 이래서 아주 완전 고립 속에서, 철저한 감시 속에서 2년 동안 살았습니다.

조찬형 그 방은 몇 평이나 됐습니까, 독방이.

김대중 방은 아주 작지요. 아마 한 평 반 정도였으니까⋯⋯.

조찬형 그런데 지난번 국정감사 때 본 위원이 청주교도소 가 보니까 증인께서 복역하셨던 그 방에 유일하게 그 방만 수세식 좌변기가 있었습니다. 그 이유는 뭐 다른 이유가 있었습니까?

김대중 수세식 좌변기가 아니고요. 제가 여기가 아파서 쭈그리고 앉아서 대변을 못 봅니다. 그러니까 교도소에서 나무로 짜 가지고 밑에는 그냥 보통 한국 변기가 그대로 있고 그저 앉을 수만 있게 해 준 것이지요.

조찬형 그러면 증인께서 쓰신 옥중 서한이 바로 그 방에서 다 이루어진 그런 서신이었습니까?

김대중 그렇습니다.

조찬형 그리고 이른바 1980년 초의 서울의 민주화 봄의 정국에서의 민주화 실현의 가능성하고 현 정국에서의 민주화 실현의 가능성에 대한 전망을 어떻게 보고 계십니까?

김대중 저는 아까도 말씀했지만 그때는 국민이 민주주의는 열망하지만 민주주의를 위해서 희생적으로 일어설 그런 분위기가 약했기 때문에 어렵다고 봤고 지금은 여러 가지 우여곡절은 있겠지만 우리나라가 민주주의가 되는 데 대해서는 조금도 비관하고 있지 않습니다.

조찬형 중요한 질문을 한 말씀 드리겠습니다. 지금 증인께서는 오랫동안의 야당 생활을 거듭하시면서 여러 차례 사선을 넘기도 하시고 많은 역경과 곤욕을 겪어 온 한국 야당사의 상징적인 인물로서 지칭을 받아오면서 밖으로는 노벨평화상의 후보 물망에까지 올랐던 분으로 알고 있습니다. 그러나 지금 현재 국민 일각에서는 증인의 사상에 대하여 아직도 의구심을 짙게 가진 그런 국민들이 많다고 듣고 있습니다. 물론 그동안 집권당의 공작 정치에 매도당해 온 어쩔 수 없는 산물이라고 하겠습니다마는 이 자리를 빌려서 증인께서 그야말로 국민 앞에 평소 증인의 정치 신조라고 할까 생각을 솔직하게 명백히 밝혀 주셨으면 감사하겠습니다.

김대중 그런데 그런 기회를 주셔서 감사한데 제가 중앙정보부 가서 60일 있었는데 그때 조사의 태반의 시간이 어떻게 하면 제가 사상적으로 말하자면 용공인가, 이것을 파내려고 온갖 노력을 했습니다. 그래 가지고 10년 전 20년 전의 어디 조그마한 기록문까지도 전부 찾아와서 했습니다. 결국 그 사람들이 실패했습니다. 제가 공산주의를 반대한 증거는 자꾸 나오고 얼마든지 있습니다. 녹음으로도 있고 글로도 있고 다 있는데 공산주의에 대해서 말하자면 이것을 지지하거나 수용하는 글은 한 자를 못 파냈습니다.

마침내는 해방 후의 일을 가지고 저한테 혐의를 걸었는데 저는 20대 초에 해방을 맞이해 가지고 그때 건국위원회에 가담을 했고 또 그 건국위원회는 처음에는 좌우익이 다 했습니다. 그러다가 나중에 주로 좌익 사람들 중심으로 인민위원회 했습니다. 그래서 1945년 8월부터 1946년 여름까지 약 10개월 동안 제가 그 건국위원회와 인민위원회에 참가했고 또 그 당시 신민당이라는 정당에 참가했던 게 사실입니다.

그러나 그 여름 이후부터는 공산당하고 일체 손을 끊고 나중에 한국민주당에 입당을 하고 그 당시 저희 장인이 한국민주당 목포시당 부지부장이었습니다. 입당을 하고 6·25전쟁 직전에는 제가 대한청년단 목포 해상단부 부단장을 했습니다. 그리고 6·25전쟁 당시는 제가 해운업을 했는데 사업차 서울에 왔다가 서울서 6·25전쟁을 만났습니다. 만일 제가 좌익성을 가지고 있었다면 그때 뛰어들었을 것입니다. 그러나 저는 공산당을 반대했기 때문에 숨어서 공산당을 반대한 우리 처남의 처가 이불 속에서 국제연합(UN)군 방송을 듣고 이렇게 했는데 서울에 더 있자니 식량도 없고 젊은 사람은 의용군 잡아가고 하니까 위험해서 결국 국제연합(UN)군 방송 들으니까 대전선에서 막겠다, 그러니 점령 지대에 있는 국민들은 희망을 잃지 마라, 이렇게 하는 것을 보고 안심하고 서울을 출발해서 고향에 내려간다고 해 가지고 온양으로 해서 장항, 군산 쪽으로 갔습니다. 군산까지 갔더니 벌써 목포에 들어갔어요. 들어가서 저도 낙심을 했는데 이게 제가 그때 도민증을 가지고 있었는데 도민증 가진 사람은 내려갈 수는 있었는데 서울로 올라갈 수는 없습니다. 그래 할 수 없이 목포를 갔더니 가 보니까 저희 집은 가게 낀 집으로서 상당히 좋은 집인데 완전히 역산으로 몰수당하고 숟가락까지 다 가져갔어요. 저희 어머니가 문 앞에 앉아 계시는데 다 쫓겨났다는 거예요. 그 집에 못 들어가요. 그래 가지고 저희 처는 저희 둘째 아들을 방공호에서 낳고 저희 동생은 이미 반동으로 잡혀가고 저도 가서 하루 이틀 숨다가 결국 잡혀가 반동으로 몰려서 그 사람들이 9월 28일 퇴각할 때 목포교도소에 있는 약 200여 명 중에서

120-130명 죽이고 70-80명 미처 못 죽인 사람들이 옥문을 부수고 탈옥해 나오는데 끼어서 저도 살아 나왔습니다. 그래 가지고 6·25전쟁 직후는 해상방위대 나중에 육군방위군 사건만 안 만났으면 해상방위군이 되는 거지요. 그 방위대 전남지부 부대장 그때 계급이 방위소령 해당으로 해서 상신됐습니다. 그렇기 때문에 이 사람들이 저에 대해서 사상적으로 얘기한 것은 이것은 완전히 조작이지 아무런 근거가 없습니다. 제가 사상적으로 그런 일이 있었으면 박정희 쿠데타 정권은 물론 제가 해방 후로 그런 사상 관계로 해서, 잠깐 구류 체포당한 일이 있지만, 한 번도 기소당해 본 일도 없습니다. 그렇다면 제가 그런 사상 문제가 있다면 오늘날 어떻게 해서 이렇게 대한민국 국회의원을 하고 야당 당수를 하겠는가, 자기들도 거짓말이기 때문에 더 이상 못하는 것입니다.

조찬형 마지막으로 한마디만 더 묻겠습니다. 증인이 5·18광주의거에 대해서 보는 시각에 대해서 묻겠습니다. 5·18광주의거의 역사적 의미와 정치적 진상을 요약해서 말씀해 주십시오.

김대중 다시 한 번 말씀해 주세요.

조찬형 증인이 5·18광주의거에 대한 역사적 의미와 정치적 진상을 증인이 보시는 시각에서 간단히 요약해서 말씀해 주시기 바랍니다.

김대중 저는 5·18민중항쟁은 민족 역사에 동학혁명 못지않게 참으로 위대한 우리 민중들의 항쟁으로 남을 것으로 확신합니다. 지금 제가 볼 때 현재 국회나 일반여론 중에서 광주항쟁을 과소평가한, 또 너무 시일이 가니까 좀 열이 식은 감을 느끼는데 이 광주 문제는 막중한 인명을 함부로 죽인 반인간적인 행동이라는 점에서도 돈을 좀 얼마 훔쳐 먹었다는 그런 경제적인 스캔들하고 차원이 다르지만 이 나라 민주 정통성을 이어 가려는 것을 일부 정치군인들이 폭력으로 절단시킨 이런 것은 영원히 용서할 수가 없는 것이고 이것은 민주 정통성에 대한 문제기 때문에 이 문제를 분명히 밝히고 청산을 해야 저는 앞으로 이 나라의 민주주의 정통성이 올바르게 선다고 생각해서 이번 특위의 사명은 참으로 민족사적으로 아주 크고 세계에서 이런 민권투쟁 혹은 국민들의 민주주의와 인권에 대한 자유의 투쟁의 역사에서도 중요한 기록이 되기 때문에 이 특위가 꼭 유종의 미를 거두기를 진심으로 바라고 있습니다.

조찬형 수고하셨습니다. 이상으로 질문을 마칩니다.

문동환 수고하셨습니다. 이인제 위원 신문해 주십시오.

이인제 통일민주당의 이인제 위원입니다. 오랫동안 증언해 주시느라고 매우 피곤하실 것 같고 또 매우 중요한 증인이 기다리고 있기 때문에 몇 가지만 간단하게 질문을 드리겠습니다.

증인께서 5월 17일 체포되어서 조사를 받은 곳이 중앙정보부라고 그러셨지요?

김대중 예.

이인제 그러면 수사를 한 사법경찰관들은 중앙정보부 소속 수사관들이었습니까, 아니면 보안사령부 소속 수사관들이었습니까?

김대중 제가 알기에는 뭐 신분은 잘 안 밝히지만 중앙정보부 소속으로 알았습니다.

이인제 그런데 수사 기록을 보면 군사법경찰관들이 많이 한 것으로 기억을 하고 있는데……

김대중 나중에 작성한 데 보니까요, 이름을 그 이름으로 쓴 것 같은데요. 하기는 정보부 직원들이 하고…….

이인제 그러면 보안사령부 소속 수사관들이 수시로 드나들고 또 그들의 이름으로 조서가 작성된 것 같다 그렇게 기억하신다는 거지요?

김대중 저한테 와서 보안사 소속이라고 하는 사람은 없었고요. 그런데 나중에 자기들이 작성하면서 뭐 누구 이름으로 할 것이냐 이런 것을 하는데 보니까 그렇습니다.

이인제 좋습니다. 중앙정보부는 대통령 직속의 최고 정보기관이고 보안사령부는 대통령, 국무총리, 국방부 장관, 직할의 군 최고 정보기관이기 때문에 보안사령부보다는 훨씬 더 비중이 큰 그런 정보기관이지요?

김대중 그렇지요.

이인제 그런데 4월 14일 자로 전두환 보안사령관이 중앙정보부장 서리로 취임을 해서 중앙정보부도 장악해 버렸지요?

김대중 예.

이인제 그렇게 두 정보기관을 한 사람이 장악한 가운데 증인이 중앙정보부에서 조사를 받으셨습니다. 그렇기 때문에 사실상 그 사건의 수사에서 중앙정보부가 사건을 주도했는지 보안사령부가 주도했는지를 질문하는 것 자체가 잘 성립이 안 되겠지만 당시 중앙정보부 차장은 누구였습니까?

김대중 잘 모르겠는데요.

이인제 하여튼 소위 세칭 김대중 내란음모사건 이것은 보안사령부에서 주도해서 사건을 만든 것은 틀림없지요?

김대중 그렇지요.

이인제 이 사건에서 증인은 국가보안법 그리고 반공법, 내란음모, 계엄법, 외국환 관리법 이런 여러 가지 죄목으로 기소가 되셨지요?

김대중 예, 그렇습니다.

이인제 그리고 계엄 군법회의에서 1심과 2심의 재판을 받으셨지요?

김대중 그렇습니다.

이인제 그런데 당시 계엄법 16조를 보면 내란에 관한 죄는 물론 계엄 군법회의에 재판 관할권이 있지만 국가보안법은 재판 관할권이 없습니다. 참으로 놀라운 일입니다. 증인은 이 사실을 알고 계셨습니까?

김대중 몰랐는데요.

이인제 그래서 이 사람들이 그 후에 1981년도에 개정한 계엄법 제10조 1항 11호에 국가보안법을 계엄하의 군법회의에서 재판할 수 있도록 이렇게 넣었습니다.

증인에게 결국 사형 선고를 내린 범죄 사실은 한민통인가 하는 것과 관련한 국가보안법 위반 사건이 사실이지요?

김대중 그렇습니다.

이인제 재판 관할권도 없는 군법회의에서 국가보안법 위반 사건을 재판해서 결국은 그것으로 증인을 사형시키려고 한 그런 사건입니다. 그 사실을 전혀 모르고 계셨구먼요?

김대중 그렇습니다.

이인제 그리고 이 5·18광주항쟁, 이것의 발발 원인을 오늘 주로 규명하는 청문회인 것 같습니다. 정치적인 측면에서 몇 가지만 여쭈어보겠습니다.

증인께서는 아까 다른 위원들의 질문에 대한 답변에서 소위 전두환 씨를 정점으로 하는 일부 정치 지향적 군부 집단이 탈법적인 수단으로 정권을 탈취하고자 하는 기도가 있었다는 것을 느끼고 있었다, 이런 답변을 하신 것으로 기억합니다. 그것을 상당히 구체적으로 느낀 시점은 대개 언제쯤이십니까?

김대중 그것은 12·12사태 때 느꼈고 계속 경계를 해 왔지요.

이인제 12·12사태로 인해서 잠재해 있던 세력들이 그야말로 실체로 등장한 것으로 이렇게 판단이 되는데 그리고 그 뒤에 방금 얘기했듯이 전두환 씨가 보안사령관뿐만 아니라 최고의 정보기관인 중앙정보부까지 지배 장악함으로써 이제 더 이상 그를 견제할 수 있는 세력은 찾아보기 어려운 그러한 실정이 있다고 저는 생각을 하는데 증인께서는 같은 생각이십니까?

김대중 그렇습니다. 그래서 진두환 씨가 중앙정보부장 겸임한다는 발표를 보고 이것은 중대한 사태다, 이것 국민과 더불어 감시해야겠다, 이런 말을…… 그 당시에서는 그 이상 신문에 날 수가 없어서 그 정도 말을 했지요.

이인제 그렇다면은 정치라고 하는 것은 어느 시대에 있어서나 각기 주장이 다른 세력들이 서로 다투고 충돌하고 그러면서도 발전해 가는 것인데 1979년 12월부터 1980년 초에 분명히 한국 정치 상황에서는 새로이 권력을 탈취하고자 하는 군부 세력이 노골화돼 가고 있었다는 것을 증인도 알고 계셨다고 한다면 그러한 소수 군부 집단의 준동을 억제할 수 있는 길은 소위 민주화를 열망하고 있는 국민들의 여망을 받들어서 그것을 정치 제도화시키려고 노력하던 당시의 신민당이지요? 신민당을 중심으로 하는 제도 야당 세력들이 일치단결하는 길 이상의 좋은 길은 없었지 않았는가 저는 그렇게 생각하는데 어떤 견해이십니까?

김대중 그 점에 있어서는요. 시국을 보는 절박한 점, 위험도에 있어서 정치권하고 저희들 재야권…… 저는 그때 재야권에 주로 있었으니까요, 차이가 있었고 그래서 정치권은 정치권대로 뭉쳐서 민주화 쪽을 하고 그때는 재야권의 힘이라는 것이 굉장히 컸습니다. 그렇기 때문에 또 잘 단합이 되어 있었고요. 그래서 재야권은 재야권대로 뭉쳐 가지고 이래 가지고 이 원내외가 호응해서 민주화를 시켜 놓고 정당의 단일화 문제는 가을에 가서 논의하는 것이 좋겠다, 그렇게 저는 이야기를 했지요

이인제 그렇습니다. 지금 말씀하신 바대로 재야권과 신민당이 힘을 합쳐서 싸웠을 때 유신독재가 무너진 것 아니겠습니까?

김대중 그렇습니다.

이인제 그런데 물론 증인의 의도가 어떤지를 떠나서 증인께서 4월 7일 자

인가 신민당 입당 포기를 선언함으로써 국민들은 증인을 중심으로 하는 재야는 새로운 정당을 만드는 것이 아닌가, 대부분 그렇게 느꼈고 본 위원도 그 당시 그런 생각을 갖고 있었습니다마는 그러한 것이 실체적으로 모습을 드러내고 있는 소수 군부 정치 집단을 효과적으로 방어하지 못한 결과를 가져온 것이 아닌가, 그렇게 생각하기 때문에 아까 증인께서 4월 7일 신민당 입당은 시국관의 차이…… 무슨 다른 이유도 있지마는 그런 것 때문에 포기 선언을 하셨다고 했는데 지금도 그러한 민주정치 세력이 단결하지 못한 것이 결과적으로 소수 군부 집단이 5·17이라는 쿠데타를 강행하고 제도 정치권에서 그런 쿠데타를 효과적으로 사전에 막지 못하니까 광주 시민을 비롯한 시민들이 그에 대항해서 싸우다가 이런 광주의 비극이 발생한 것이 아니냐…… 그런 측면에서 본다면 우리 당시의 정치인들이 단결하지 못했던 것들도 광주 비극의 하나의 간접적인 원인이라고 분석할 수밖에 없지 않으냐 본 위원은 그렇게 생각을 하는데…….

김대중 이 위원이 그렇게 생각하신 것은 이 위원 판단인데 그렇게만 생각하시면 사태의 본질을 상당히 벗어난 판단이라고 생각합니다. 그 당시 이 정치군인들은 무슨 야당, 재야가 하나로 되고 안 되고 그것이 문제가 아니고 자기들 자신의 정권 야욕에 의해서 계획을 추진해 갔던 것입니다.

아까도 말했지만 만일 정치군인들이 나중에 그런 짓 하고 나서 우리에게 뒤집어씌워서 분열됐기 때문에 그랬다 하는 것이 사실이라면 그러면 양 김 씨 3김 씨, 이를테면 다른 민간 인사들에게 정권 주면 됐지 자기들이 잡을 이유가 없는 것입니다, 그 근본은 자기들의 정권욕에서 나온 것이고 또 신민당에 그때 들어가는 문제가 논의 안 됐던 것은 아닙니다. 아닌데…… 내가 과거사를 자꾸 얘기하면 같은 야당끼리 서로 미안하니까 얘기를 줄이기 위해서 말 안 했는데…… 그때 신민당 들어가려고 하니까 재야 사람들을 당에서 심사하느니 어쩌느니 이런 문제가 생겨 가지고 일이 잘 안 돼서 잘못하면 우리끼리 싸우다가 더 국민을 실망시기고 구실을 주겠다 해서 일단 따로따로 싸워서 민주화해 놓고 나중에 그때 가서 단일화하는 문제는, 정당 문제는 논의하자, 그렇게 한 것입니다.

이인제 알겠습니다. 본 위원의 질문은 이상으로 마치겠습니다.

문동환 고맙습니다. 다음은 민주정의당의 김길홍 의원 신문해 주십시오.

김길홍 민주정의당 소속 김길홍 위원입니다. 오늘 역사적인 청문회에 증인께서 나오신 데 대해서 먼저 감사를 드립니다.

본 위원이 하고자 하는 신문은 이미 증인께 사전에 통보해 드린 대로 광주사태의 발생 배경과 동기 그리고 내란음모사건의 배경이 되었던 당시 복잡했던 정치 상황과 증인의 당시 활동 내용도 살펴보도록 하겠습니다.

그러면 지금부터 신문을 시작하겠습니다. 증인께서는 지난 1980년 4월 16일 한국신학대학에서 연설을 하셨습니다. 그 연설 가운데 증인께서는 폭력이나 물리적인 힘의 행사는 어쩔 수 없는 사태가 오기 전에는 자제해야 한다고 말씀하신 바 있습니다. 우선 그 내용을 기억하고 계십니까?

김대중 기억은 못 하지만 그런 말 했었을 수 있지요.

김길홍 여기 증인께서 하신 내용이…….

김대중 제가 부인 안 하니까 말씀하세요.

김길홍 『동아일보』 4월 17일 자에 보도가 된 바 있습니다. 그 말대로라면 어쩔 수 없는 사태란 과연 어떤 상황을 뜻하는 것이며 어떻게 정의할 수 있을지 말씀해 주십시오.

김대중 예를 들면 광주에서와 같이 그 군인들이 총칼을 가지고 백성들을 마구 함부로 죽이고 탄압할 때는 그것은 자위권을 발동할 수밖에 없지요.

김길홍 본 위원은 국가권력을 원천적으로 부정하고 실정법과 사회 질서 또는 사회적 통념과 상식을 무시한 폭력은 명백히 반민주적 행위 내지 불법 행위라고 규정하지 않을 수 없습니다. 증인께서는 어떤 한 개인이나 정당 또는 특정 계층이나 특정 지역에서 어쩔 수 없는 사태가 발생된다면 폭력이나 힘을 사용해도 괜찮다고 지금 말씀을 하셨습니다.

증인께서는 다시 한 번 묻겠습니다마는 광주사태의 경우가 바로 이 어쩔 수 없는 사태의 개념 속에 포함된다고 보십니까?

김대중 그렇습니다.

김길홍 그렇다면은 전체 국민의 생명과 재산을 책임지고 있는 정부나 또 계엄하에서 계엄군이 법률상 어쩔 수 없는 상태에 직면해서 폭력이나 힘 즉, 공권력으로 사용하는 데 대해서는 어떻게 생각하고 계십니까?

김대중 정당한 계엄령이라면 당연히 그것을 우리가 준수해야죠. 그런데 이번의 이 군인들의 행동은 12·12사태에서 그야말로 내란 그리고 항명 군기 위반 온갖…… 말하자면 불법 무도한 짓을 해 가지고 자기 직속 상사를 체포하고 군기를 유린했습니다.

그것은 법대로 하면 사형에 해당되는 것을 모두 했어요. 그래 가지고 권력을 장악해 가지고 마지막에 광주 시민들의 평화적인 시위를 폭력으로 진압하고 또 시민들을 살상하고 심지어 집안에 들어가서 잠옷 입고 있는 사람까지도 체포하고 죽이고 이런 짓을 한 것을 정당한 국가권력의 행사라고 볼 수가 없지요.

김길홍 됐습니다.

김대중 이것은 완전히 국가의 이름을 빌린, 말하자면 폭도들의 행동이지 정당한 국가권력의 행동이라고 볼 수 없기 때문에 이 민주주의하에서 이 국민은 자연적인 자연권의 논리에 의해서 또 민주주의의 기본 원리에 의해서 국민은 정당한 국민의 생명 재산을 보호한 권력에만 복종할 의무가 있고 그런 불법 무도하게 국민을 탄압한 권력에는 당연히 항쟁할 권리가 있다는 것이 존 로크 이래의 민주주의 정설이기 때문에 나는 광주 시민들의 행동은 정당하다 이렇게 생각합니다.

김길홍 본 위원의 기억으로는 그 당시 대다수 국민들은 당시 계엄군의 질서 유지 회복에 협조한 것으로 알고 있습니다.

다음 지난 1980년 봄 다른 야당 지도자들과는 달리 증인께서는 학원이나 종교계의 행사에 빈번히 참석하시면서 학생과 주로 재야인사들을 상대로 연설을 하셨습니다. 당시 증인께서 이처럼 행동하신 것은 정당에 속해 있지 않았기 때문입니까? 아니면 다른 어떤 특별한 목적이 있어서입니까?

김대중 아까도 말씀했지만 두 가지 이유, 하나는 군인들이 12·12사태 이후 하는 행동으로 보아서 민주주의 전도가 대단히 걱정이 되기 때문에 모두가 힘을 합쳐서 민주화해 나가자는 그것을 호소하기 위한 것이 하나고, 둘째는 만일 그 잘못된 폭력이나 혹은 질서 교란이 있으면 민주주의를 하지 않으려고 하는 사람들에게 절호의 구실을 주기 때문에 그런 일이 없도록 부탁하기 위해서 다닌 것, 이 두 가지가 주목적이었습니다.

김길홍 당시 어느 정치인은 증인의 이 같은 행동에 대해서 곤란한 일이라고 평가했는가 하면 또 다른 야당 총재 측에서는 학원 연설을 자제하라는 것은 자칫 학생들을 자극할지 모른다는 우려 때문이라고 말했습니다. 증인께서는 당시 3김 씨 사이에서 이런 의견이 있었다는 얘기를 들은 적이 있으십니까?

김대중 잘 기억은 없으나 그분들은 또 그런 의견을 가질 수 있는 것이고 그러나 저는 그렇게는 생각하지 않습니다.

김길홍 증인의 그 같은 연설 활동이 아무리 정당하다 하더라도 당시 학생이 가두에 쏟아져 나와 질서 파괴와 폭력 시위를 벌이는 상황은 연일 계속되고 있었습니다. 증인께서는 당시 학생들의 시위에 대해서 어떻게 생각하고 계십니까?

김대중 저는 그 당시의 학생들 시위가 그렇게 연일 가두에서 한 일이 없다고 생각하고 있고요, 주로 학생들은 학원 문제 가지고 그때는 재단이나 혹은 과거 어용 교수라고 지목되던 사람들을, 학내 문제 가지고 학생들은 시간을 보내면서 계엄령 해제만 촉구하고 있었어요. 학내에서……. 그런데 끝내 안 하니까 5월 13일 학생들이 나온 것이기 때문에 학생들이 굉장히 오래 참았다고 저는 생각하고 있습니다.

김길홍 당시 신문철을 보면은 5월 13일부터 15일까지 학생들의 시위가 야간 데모까지 벌이고 있는 정도로 격화되어 있는 것이 신문 보도로 입증이 되고 있습니다. 아울러 증인께서는 증인의 그러한 활발한 정치 활동과 당시 그러한 소요 사태가 정부 또는 계엄군에게 어떤 정치 개입의 구실이나 동기를 부여할 수도 있다는 우려를 하신 적이 없습니까?

김대중 글쎄 저는요, 학생들이 소요를 일으켰다고 보지 않아요. 5월 13일 시위도 상당히 그 당시 계엄군이 악용했다고 보아요. 그 증거는 아까도 말했지만 이것을 대대적으로 보도하도록 아주 혼란스러운 측면만 보도하도록 언론에다가 강요하고 저같이 학생들한테 시위 자제하란 그런 기고문이나 성명서는 보도 못 하게 하고 이것으로 보아서 계엄군 측에서 혼란을 바랐다, 이렇게 보고 있는 사람입니다.

김길홍 본 위원이 알기로는 당시 계엄군에서 학생 소요 사태를 신문에 좀 크게 보도해 달라고 하는 것은 일반 국민들의 경각심을 촉구해서 여론으로 학생 데모를 자제시키려는 그런 취지에서 했다고 보고 있습니다.

김대중 그렇다면 제가 자제하도록 한 글도 싣게 해야지요.

김길홍 증인께서 학원과 학생의 자제를 설득한 것을 액면 그대로 받아들일 수도 있습니다. 본 위원은 자제의 호소보다는 감수성이 예민한 학생들에 대한 증인 연설의 내용이 문제라고 생각합니다. 증인께서는 학원과 종교계를 오가시면서 행동하지 않는 양심은 악의 편이다, 유신 잔재 세력을 국민의 힘으로 몰아내야 한다, 또 민주주의라는 나무는 피를 먹고 자라난다는 등의 내용을 말씀하셨습니다. 이런 내용을 감수성이 예민한 학생들이 듣고 과연 어떻게 느끼셨을 거라고 생각하십니까?

김대중 저는 행동하지 않는 양심이 악의 편인 것은 당연한 얘기고요. 유신 잔재가 다시 정권 잡는 것을 막아야 한다는 것도 당연한 얘기고 민주주의란 나무가 피를 먹고 자란다는 것은 토머스 제퍼슨의 얘기를 인용한 것이지 제가 그렇게 얘기한 것은 아닙니다.

김길홍 아, 인용해서 보도를 하셨습니다. 인용해서 말씀하신 증거가 여기 신문 보도에 나와 있습니다.

김대중 예, 그렇습니다.

김길홍 증인께서는 1980년 4월 29일 윤봉길 의사 48주년 기념제에 참석차 충남 예산에 내려가셨다가 그곳 덕산온천호텔에서 기자회견 등을 통해 민주화추진전국민운동 전개를 제의하고 중앙과 지방 조직에 착수할 것을 밝히셨습니다. 이 사실을 기억하고 계십니까?

김대중 그렇습니다.

김길홍 당시 야권의 통합 작업이나 야당 지도자 사이에 상호 협의 관계가 어떻게 된 후 4월 7일에 증인께서는 신민당 입당 포기 선언을 하셨습니다. 그러한 운동의 제의와 신민당 입당 포기는 어떤 관계가 있는 것입니까?

김대중 아까 말씀한 대로 정당하고 우리하고 시국 보는 견해 차이가 있기 때문에 정당은 정당대로 목적은 같으니까 민주화운동하고 우리 재야는 재야대로 민주화운동해서 이렇게 병행하는 것이 효과적이라고 생각해서 그렇게 주장한 것입니다.

김길홍 당시 증인께서는 대권을 꿈꾸고 있었고 또 증인께서는 1980년 3월 27일 기독교청년회(YMCA) 수요 강좌에서 대통령을 맡겨 주면 봉사하겠다고 말씀하신 바 있습니다. 그렇다면 대통령을 할 생각이 있는 정치인이 정당에 들어가지 않고 자신에 대한 개인적인 지원 세력과 재야 세력 그리고 학생 조직만으로 목적 달성이 가능하다고 보셨습니까?

김대중 그것은 이제 직선제 개헌을 그때 공화당과 신민당이 만들고 있었으니까 헌법이 확정되면 그때 정당 문제를 결정하겠다고 그랬지요.

김길홍 예, 증인께서는 그동안 누차 대통령이 되기보다는 민주화 달성이 자신의 소망이며 민주화만 되면 대통령 자리에 연연하지 않겠다고 말씀해 오면서도 지난 1980년 서울의 봄 당시나 작년 대통령 선거 때도 국민의 간절한 여망인 야당 통합 내지 야당 단일 후보 작업에 실패했습니다. 이러한 현상은 각기 야당이 저마다 투쟁 목표와 정치 노선이 다르기 때문입니까? 아니면 또 다른 이유가 있어서입니까?

김대중 1980년 문제는 지금 말씀한 그대로고요. 작년 문제에 대해서는 내가 할 말이 많지만 그 단일화가 못 된 데 대해서 국민에게 죄송하게 생각한다, 아까 말씀했습니다.

김길홍 예, 증인께서는 지난 1980년 당시 내란음모사건이 오늘 증언에서도 고문에 의한 조작이라고 말씀하신 바가 있습니다. 그렇다면 그 재판 전부가 조작이라는 말씀입니까? 아니면 일부 진실된 사실도 있다고 보십니까?

김대중 99퍼센트가 조작입니다.

김길홍 본 위원이 알기로는 증인께서 대법원 판결에서 내란음모사건은 조작 부분이지만 계엄법 위반 혐의는 사실이라고 인정하신 바가 있다는데 사실입니까?

김대중 예, 계엄법 위반이라는 것이 그러니까 1퍼센트 정도란 그 얘기입니다. 무슨 집회 허가를 받지 않고 집합을 했느니 그런 징도입니다. 그것이…….

김길홍 예, 본 위원이 알기로는 당시 증인께서 구금 생활 중에 정상적인 침식과 정기적인 의료 진단을 받았으며 수사관들도 증인에 대해서 경칭을 쓰는 등 예우를 했다고 하는데 그것은 사실입니까?

김대중 평상시는 그랬습니다.

김길홍 아까 오전 증언에서 자신에게도 고문을 해 달라고 말씀을 하셨다는데 그렇게 말씀하신 수사관을 지금도 기억하고 계십니까?

김대중 얼굴들을 보면 다 알지요.

김길홍 예, 알겠습니다. 증인께서는 1980년 4월 5일 자 『동아일보』에 게재된 인터뷰를 통해서 행동하지 않는 양심을 악의 편이라고 말씀을 하셨습니다. 또 당시 증인께서는 대중연설을 통해서도 이같이 말씀을 하셨습니다. 본 위원은 군이 증인의 이 같은 연설을 선동이라는 표현을 쓰지 않겠습니다. 일반적으로 볼 때 대다수의 국민들은 어떤 정치적 문제에 대해 딱 부러지게 의견을 말하거나 쉽게 행동하지 않는 것이 보통입니다. 증인의 표현대로라면 바로 이 행동하지 않는 대다수 국민들까지도 모두 악의 편이 되고 마는 셈인데 이에 대해서 증인께서는 해명해 주시기 바랍니다.

김대중 나는 다수 국민들이 그렇다고는 생각하지 않습니다. 그러나 솔직하게 얘기해서 1980년에는 상당수 국민들이 속으로는 이래서는 안 된다고 생각을 하면서도 공포심이나 혹은 여러 가지 이유 때문에 말 안 했습니다. 그렇기 때문에 민주주의가 안 된 것입니다.

그러니까 결과적으로 독재자들로 하여금 국민들이 자기들을 묵시적으로 지지한다고 이렇게 오판을 하게 한 것입니다. 그래서 그런데 작년부터는 국민들이 말하기 시작하고 있습니다. 그래서 제가 말씀하고 싶은 것은 이 행동하라는 것을 꼭 무슨 폭력을 쓰라 혹은 거리로 나와서 하라는 것이 아니라 이 정부가 잘못하면 편지도 하고 전화도 하고 여러 사람들 앞에서도 이래서는 안 된다고 말하고 이런 것이 행동이다, 그것입니다.

김길홍 지난 1980년 당시 재야 및 학생 세력이 주축이 되어서 5월 20일에 개최키로 했던 소위 민주화촉진선언국민대회와 증인께서 4월 29일 덕산온천 기자회견에서 밝히신 민주화추진전국민운동과는 어떤 관계가 있는 것입니까?

김대중 뭐 꼭 같지는 않지만 일맥상통한 것이지요.

김길홍 증인과 관계된 기록에 의하면 이 국민대회는 5월 20일 12시를 기해 서울·부산·광주 등 전국의 시·도청 광장에서 검은 리본에 민주주의 관을 메고 동시다발적으로 시위를 전개키로 했다는데 그것을 준비한 사실을 알고 있습니까?

김대중 모릅니다.

김길홍 모르신다고요. 본 위원 생각으로는 당시 그러한 모임이 실행된다면 전국적으로 치안을 마비시켜 사회를 극도의 혼란 상태로 몰아넣기 위한 우려가 있다고 보고 있습니다.

이 추진 대회에 앞서 가진 준비 모임에서 모 신부가 이런 식으로 전국 규모의 대회를 강행한다면 피가 흐른다고 하면서 반대했다는데 들으신 적이 있으십니까?

김대중 저는 그 준비 모임에 가 본 일이 없고 다만 4월 24일 문익환 목사가 오서 가지고 윤보선 전 대통령이 이미 서명한 문장을 가지고 왔는데 거기에 보니까 최규하 정권, 전두환 이런 분들이 민주주의를 회피하고 있다 비난하는 말을 쓰고 요구 사항으로서 군인들은 총을 놓고 부대에서 전부 나와서 합류해라, 노동자들은 해머를 놓고 나와서 같이해라, 상인들은 문을 닫고 철시해라, 이런 말이 있어서 제가 깜짝 놀라면서 이런 짓 하면 안 된다고…… 이 것은 가능성도 없을 뿐 아니라 해도 안 되고 이것은 큰 재난을 가져온다고 그래서 거기서 한 시간 내지 두 시간 격론을 해 가지고 다 취소시켜 버리고 그래 가지고 정치 일정을 빨리 발표해라, 계엄령 해제해라, 신현확, 전두환 물러가라, 이런 정도로 해서 성명서를 냈는데 그렇게 고쳐 주고 서명하고 그리고 나중에 장충공원이나 그런 데에서 집회할 때는 해도 좋다 이런 정도로 얘기를 끝냈습니다.

김길홍 만약 5·17 계엄확대 조치가 없었다면 그러한 전국 규모의 국민대회가 실현될 것으로 생각했었습니까?

김대중 전국 규모는 모르고요, 장충공원에서 했겠지만 어디까지나 그것은 질서 지키면서 했지 지금 말씀하신 바와 같이 국가 기능을 마비시킬 힘이나 있나요. 그런 것은 아니라고 생각을 합니다.

김길홍 5월 20일 열고자 했던 이 촉진대회를 이틀 앞두고 증인께서 연행됨으로써 증인과 가장 연고가 깊은 광주에서 반대 시위가 폭발되었다고 보는데 증인께서는 그렇게 생각하십니까?

김대중 광주 그것은요, 나중에 더 현지분들 조사해 가시면 알지만 결국은 이 군부에서 의도적으로 질서 유지에 가장 자극적이고 부적합한 공수부대를 침투시켜 가지고 광주 시민을 자극해서 문제를 일으킨 것입니다. 이 문제하고는 관계가 없습니다.

김길홍 본 위원이 알기로는 공수부대가 광주에만 간 것이 아니고 대구·서울 여타 지역에도 파견된 것으로 알고 있습니다.

김대중 그것이 다 잘못된 것이지요. 공수부대를 왜 보냅니까?

김길홍 정치적인 행사가 언제나 그렇듯이 증인의 지지 세력이 광주 집회 또는 여타 지역의 이 촉진대회 준비를 위해서 사전에 대회 또는 시위 계획 지역에 증인이 이끌고 있는 지지 세력들을 파견한 적이 없습니까?

김대중 뭐 그렇게 특별히 지지 세력을 파견한 일도 없고 또 아시다시피 제가 지방 간 것은 경주는 김유신 장군 제사에 갔고 그렇기 때문에 거기는 호텔 식당에서 사람 모아서 좀 얘기한 것뿐이고 전주는 동학제에 갔기 때문에 제가 사람 모이게 할 필요 없고 그리고 덕산온천은 윤봉길 의사 제사에 갔으니까 거기도 사람 모을 필요 없이 모인 것이고 나머지는 학교 학생들이고 그렇지요.

김길홍 본 위원의 야당 취재 경험으로는 정당의 어떤 집회가 열리면 사전에 정당 요원들이 파견돼서 그 모임을 준비하는 것이 관례인 것으로 알고 있습니다.

다음 질문하겠습니다. 지난 1980년 당시 계엄사는 증인께서 집권하면은 공천 또는 관직 및 이권을 준다는 구실로 막대한 돈을 거두어들여 이 가운데 일부를 학원 소요 및 선동 자금으로 사용했다고 발표한 바 있습니다. 그것이 사실입니까?

김대중 사실이 아닙니다.

김길홍 증인 말씀대로 그러한 사실이 아니라면 당시 별다른 직업이나 재산이 없었던 증인께서 어떻게 생활을 꾸려 나가시고 또 정치 활동 자금을 어떻게 마련을 하였습니까?

김대중 그렇게 공천 팔고 직책 안 팔아도 옳은 일 하고 있으면 옳은 일 하는 데 도와주는 의로운 사람도 있습니다. 우리들도 큰돈이 필요한 것도 아니어서 그런 도와주신 돈 갖고 살고 또 제 아내가 조금 저축도 했었기 때문에 그것도 쓰고 그런 것이지요.

김길홍 당시 증인께서 주변에 비서를 몇 명씩 두시고 또 두세 대의 승용차를 사용하신 것만 봐도 한 달에 최소한 몇천만 원 정도는 필요하셨을 텐데 그러한 자금이 과연 한두 사람의 지원으로 가능할 수 있었다는 말씀이십니까?

문동환 광주와 관계있는 질문해 주세요.

김대중 그런데요. 그것참 광주와 관계없는데…….

문동환 그것은 너무 사사로운 얘기가 되기 때문에…….

김길홍 위원장! 본 위원이 질문할 때만 광주하고 관계없는…… 얘기를 말씀하셨는데 아까 오전 회의에서 동료 위원들도 수차 의제 외의 발언을 많이 한 바 있습니다. 그때는 제지를 안 하시고 본 위원이 발언할 때 제지 하시는 이유가 무엇입니까?

문동환 지금 시간도 없고 해서…….

김대중 됐습니다. 제가 간단히 하겠어요. 저도 말 많이 하고 싶지 않으니까요.

아까 말씀같이 그런 최소한도의 생계비는 도와주는 사람도 있고…… 그랬었고 저는 비서와 경호원들은 사실 5·17 때도 거기 잡혀가서 발가벗겨지고 고문당하고 제가 빨갱이라고 시인하라고 해서 구타당해 가지고 몇 바늘씩 꿰매고 그렇게 했지만 그 사람들이 평소에 저하고 일할 때는 돈도 안 받고 정말로 동지적으로 봉사한 거지 저한테서 특별히 보수 받은 것 없습니다.

김길홍 5·18 당시 계엄 당국의 분석과 당시 신문의 보도 내용에 따르면 광주에서 전남대 학생들의 시위가 가장 격렬했다고 보는데 증인께서는 그 원인을 어디에 있다고 보십니까?

김대중 저는 그때는 이미 중앙정보부에 있었고요. 잘 모르겠는데요.

김길홍 증인께서는 당시 민주주의와 민족통일을 위한 국민연합 공동대표인 윤보선 전 대통령, 함석헌 씨, 증인께서도 공동대표이신 것으로 알고 있습니다. 이런 분들의 반대에도 불구하고 다수의 학생들을 국민연합에 가입하도록 하였습니다. 예를 들면 장기표, 이현배, 조성우, 심재권 이런 분들입니다. 이런 학생들을 국민연합에 가입시킨 것이 사실입니까?

김대중 그건 사실이 아닌데요. 저는 그분들을 거기에 가입시킨 일이 없고 국민연합에서 저는 상임 공동대표이지만 윤보선 선생이나 함석헌 선생이 그 사람들의 가입을 반대했다는 말씀도 못 들었고 그때는 또 문익환 선생이 국민연합의 상임위원장으로서⋯⋯.

김길홍 중앙위 의장이지요.

김대중 예, 집행위원장인가요? 그걸로서 실무를 다하고 계셨기 때문에 누구를 가입시켰는지는 모르겠는데요.

김길홍 장기표 씨는 그 당시 조직국장이었고 이현배 씨는 총무국장, 조성우 씨는 중앙위원, 심재권 씨는 홍보국장으로 일한 것으로 드러나고 있습니다.

김대중 예, 그랬을 것입니다.

김길홍 증인께서는 자신과 국가의 내일을 위해서 한창 공부에 전념해야 할 이러한 대학생들이 기성 정치권에 뛰어든 데 대해서는 평소에 어떻게 생각하십니까?

김대중 그것은 대학생도 이미 성인이고 투표권이 있고 또 가장 애국심이 강하고 또 국가의 현재와 장래를 걱정하는 사람들이니까 박정희 씨와 같이 그런 명분 없는 유신독재 가지고 국민의 자유와 권리를 억압하고 부를 소수에게 집중하고 노동자, 농민을 탄압하고 그리고 통일에 대한 양심적인 어떠한 노력도 말살하고 그런 것을 보고 그 사람들이 막연히 학교에서 공부만 하고, 나는 학생이니까 세상이 어떻게 돼도 모른다면 그런 젊은이밖에 없는 나라라면 그 나라는 나는 희망이 없다고 생각하는데요.

김길홍 질문 시간이 5분밖에 남지 않아서 광주사태와 관련한 지역감정 문제를 말씀드리겠습니다.

1988년 2월 민주화합추진위원회가 건의한 보고서 중에는 광주사태가 우리 사회에 잠재하고 있는 지역감정 때문에 확대되었는가 하면 다른 한편으로는 지역감정을 더욱 심화시키는 요인이 된 점을 지적하고 있습니다. 또한 1980년 5월 계엄사 작전 일지에서도 광주사태의 배경 가운데 한 요인으로 지역감정의 문제를 들고 있습니다. 이처럼 광주사태와 지역감정의 상관성은 여러 측면에서 입증되고 있습니다.

증인께서는 광주사태와 지역감정이 서로 관련이 있다고 보십니까 아니면 없다고 보십니까?

김대중 지역감정은 아시다시피 광주사태 이전에 있었고 만일 그것이 관련이 있다면 지역감정이 광주사태를 좀 조장한 면이 있다고 보지 광주사태 때문에 지역감정이 더 악화됐다고 하는 것은 본말전도라고 생각합니다.

이 지역감정은 아까도 말하다시피 박정희 씨가 정권 잡아 가지고 이 경상도와 전라도 양쪽 사람들을 이간시키기 위해서 조작한 그것에 불행하게도 일부 사람들이 영향을 받아서 이렇게 오늘날까지 된 것이지 다른 데 원인이 있는 것은 아닙니다.

김길홍 현재 야권에서 주장하고 있는 광주사태의 발생 요인을 보면 대략 계엄군의 강력 진압 행위라든지 또는 군부가 집권의 계기를 마련키 위해서 조작한 것이라는 두 가지 주장으로 요약되고 있는 것 같습니다.

당시 계엄 확대와 더불어서 서울·부산·대구·전주·대전 등 전국적으로 계엄군이 진주하여 신속하게 사태를 진정하고 질서 회복을 시켰습니다마는 유독 광주에서만 유혈 사태가 발생하였습니다. 이 같은 현상이 지역감정과 연관이 있다고 보지 않습니까?

김대중 지역감정보다는 제가 체포됐다는 말을 듣고 "김대중 석방하라",

"전두환 물러가라", "계엄령 해제하라" 이렇게 세 가지를 주 슬로건으로 했다고 그러니까 그런 데 원인이 있었다고 봐야지요.

김길홍 마지막으로 질문드리겠습니다. 지역감정이 오늘과 같은 지경에 이르기까지에는 여러 가지 원인이 있겠습니다마는 1971년 제7대 대통령 선거에서 영남 출신인 박정희 후보와 호남 출신인 증인이 후보로 나서게 됨으로써 지역감정이 실제로 대두되기 시작했다고 할 수 있을 것입니다. 그 이전까지만 하더라도 각종 선거에서 지역감정은 찾아보기 힘들었습니다. 예를 들어 이종남 씨, 조재천 씨, 또 유석 조병옥 선생 등이 이런 분들이 전남 또는 충청도 출신 인사이지마는 부산이나 대구에서 당선됐을 정도입니다.

증인 자신도 출신지가 아닌 강원도 인제에서 당선되셨고 함경도 출신인 정동섭 씨란 분이 목포에서 당선되었지요?

김대중 그렇습니다.

김길홍 본의든 본의가 아니든 간에 증인께서는 우리 민족의 크나큰 불행의 씨앗이 되고 있는 지역감정의 심화에 스스로 책임이 있다고 보십니까, 없다고 보십니까?

김대중 그런데 지금 질문하신 김 위원께서 조금 잘못 기억하고 있는 점이 있는데요. 이종남 씨가 부산에서 당선되고 조재천 씨가 전라도분인데 대구에서 당선되고 또 조병옥 박사가 충청도분인데 대구에서 당선되고……

김길홍 안동에서 또 임영신 씨가 당선됐습니다.

김대중 또 상주에서 전라도분인 홍정표 씨가 당선되고 반면에 경상도분인 강성명 씨가 저희 목포에서 당선되고 경상도분인 엄민영 씨가 전주에서 당선되었습니다. 이 모든 것은 자유당과 민주당 때의 얘기이고 박 정권 된 이후의 얘기가 아닙니다. 박 정권 이후 이 지역감정을 조작해 가지고 이런 좋은, 말하자면 지역을 초월해서 국회의원 당선시키고 하던 이 문제는 없어져 버렸고 또 하나 첨가하면 박정희 씨가 1963년에 대통령이 될 때 그때 박정희 후보는 서울·강원도·경기·충북·충남 다 졌습니다. 전라도하고 경상도에서만 이겼습니다.

전라도에서 35만 표를 이겼습니다. 그때 박정희 씨가 겨우 15만 표로 이겼는데 만일 전라도에서 안 이겼으면 틀림없이 졌습니다. 그런데 그렇게 은혜를 입고도 박정희 씨가 지역을 차별했기 때문에 그때부터 지역감정이 생긴 것이지 그 이전에는 없었기 때문에 이것은 전적으로 군사독재 정권의 집권 야욕에 의한 지역차별 때문에 생겨난 것입니다.

김길홍 질문 요지를 잘못 이해하고 계시는 것 같습니다. 오늘날과 같이 지역감정이 악화된 것은 증인께서는 책임이 하나도 없다는 말씀인지 조금은 있다는 말씀인지 그것을 밝혀 주시기 바랍니다.

김대중 저는 없지요. 박정희 씨가 있지요.

김길홍 장시간 수고해 주셔서 감사합니다.

문동환 다음은 민주정의당의 이민섭 위원이신데 아시는 대로 시간은 많이 흘러갔고 아직도 해야 할 과업은 산적해 있습니다. 우리 이민섭 위원은 간사이기도 해서 여유 있게 하실 줄 압니다마는 초점을 맞추시고 반복을 피하셔서 정말 5·18광주민주화운동 진상을 규명하는 그 일에 협조해 주실 줄 믿습니다. 부탁합니다.

이민섭 이민섭 위원입니다. 방금 동료 김길홍 위원도 말씀이 있었습니다마는 우리가 역사적인 진실 추구 작업을 해 나가는 데 있어서 매우 중요한 역할을 우리 본 특위가 하고 있습니다. 이러한 특위를 운영하는 데 있어서 위원장께서는 좀 더 공정한 그런 사회를 봐 주십사 하는 것을 먼저 촉구를 드리고 질문을 하고자 합니다.

오늘 이 자리에서 의제 외의 발언 여부가 나오는 이유는 우리 증인으로 나오신 김대중 총재께서는 광주사태와는 관련이 되어 있지마는 당시에 현장에 안 계셨기 때문에 또 제1야당을 이끌어 가시는 그러한 총재이기 때문에 이 사태 이전의 문제를 우리가 밝히고 또 그 1980년 봄에 일어났던 일과 아울러서 우리 증인이 관련되셨던 그 사건을 다루기 때문에 얘기가 좀 산만하지 않은가 이렇게 생각을 합니다.

그러나 우리 신문 요지를 댁으로 보냈을 텐데 거기에는 분명히 이러한 포괄적인 말씀을 다 듣기로 이렇게 요지가 가 있는 것으로 알아서 그렇게 좀 양해를 해 주시기를 바랍니다.

먼저 증인께서 한두 가지 시국관 내지는 상황을 보는 시각에 관해서 말씀하신 것을 토대로 여쭈어볼까 생각을 합니다. 1980년도 서울의 봄이 매우 순조롭게 평온한 가운데 민주화가 잘 이루어져 가고 있는데 어떤 정권을 획득하기 위한 의도적인 기도로서 모든 것이 전개되어 나갔다 하는 것으로 저희는 증인의 말씀을 이해를 하고 있습니다.

그중에 아까 말씀하신 것 중에 5월 15일 서울 남대문 앞에서 벌어졌던 5만 내지 10만 군중의 모임의 성격을 우리가 정확히 짚어야만 5·17과 5·18의 진단이 이루어질 수 있지 않을까 생각을 합니다.

당시의 상황을 보면 저도 그 당시에 현장을 가 보았습니다마는 4·19 못지않게 엄청난 그러한 위기감을 조성하는 대군중 집회였습니다.

이때 도큐호텔 쪽에 있는 언덕에서 서 있던 버스를 기어를 빼고 시위 군중들이 타고 내려가 돌진하면서 순식간에 막고 있는 전경을 밀어서 한 명이 죽고 칠팔 명이 부상당한 행위였습니다.

이것을 증인께서는 조작된 행위다, 이렇게 아까 말씀하셨는데 이러한 조작이 과연 가능했겠는가, 이런 것을 한번 다시 여쭈어보고 싶습니다. 이것은 제가 보기에 광주사태에 있어서 도청 앞에서 시위 군중들이 버스를 타고 돌진해서 도청으로 들어가서 거기서 그때 방위하던 군이 사망한 그러한 사건이 있었습니다. 그러면 이러한 사건 당시에 그 버스를 몰고 질주한 사람을 과연 시위 군중이 누가 잡고 어느 경찰이 그것을 잡을 수 있겠는가 남대문 앞에서의 시위도 전경이 깔려 죽는 입장에서 그 범인이 안 잡혔다고 그래서 이것이 조작의 가능성이 크다고 하신 것은 좀 편견이 아니신가 해서 그 문제에 관해서 보시는…… 그 5월 15일의 집회 성격이 그렇게 평온한 가운데 참 아무 일도 일어나지 않을 듯한 그러한 시위였고 따라서 우리가 위기감을 조성할 필요가 없는 그러한 분위기였던가 하는 데에 대해서 말씀해 주세요.

김대중 먼저 그 시위에 대해서 얘기하면요, 그 시위는 너무도 오랫동안 계엄령 해제를 기다리다가 이제 더 이상 참기 어렵다는 그 사람들의 행동이었다고 볼 수 있고 따라서 그 사람들의 목적은 어디까지나 계엄령 해제시키고 평화적인 선거로 들어가는 데 있었지 폭력으로 정권 뒤집는 데 있지 않았습니다. 그것은 5·17 후 어떠한 수사에도 그것이 나타나 있지 않습니다.

그리고 그 당시 전경뿐 아니라 사복 경찰이 그런 시위에는 쫙 깔려 있는데 버스 안에서 운전석에 앉아서 차를 운전해서 밀고 가고 사람을 죽이고 버스의 문을 열고 나온다 하면 경찰들이 그것을 못 잡을 리가 없습니다. 그런데 그때도 이미 이것은 말하자면 계엄사의 사람들이 조작해서 한 것이다 하는 말을 했었는데 그 후로 제가 여러 번 그런 말을 들었습니다. 그것 조작한 것이었다고…… 제가 증거는 없으니까 딱 아까 조작한 것이라고는 하지 않았습니다. 그런 혐의가 짙다, 이렇게 말을 했는데 지금 이 나라는 유신 이전도 그랬지만 이후에 얼마나 많은 범죄자를 고문과 기타의 방법으로 조작을 했는가, 또 얼마나 많은 소위 말하는 사쿠라를 학원이나 정치계에 침투시켰는가 생각해 볼 때 그런 일에 있어서는 이 군사정권들이 국민으로부터 의심받는 것은 나는 능히 있을 수 있다고 생각합니다.

이민섭 예, 알겠습니다. 전경을 이렇게 상해시키는 그런 조작도 가능할 수 있는 그런 환경이었다, 그런 말씀으로 제가 이해를 하겠습니다. 또 하나는 1980년 봄 서울에 또 전국의 학생들의 모든 움직임이 지금 증인께서 말씀하는 그러한 질서 있는 가운데 전개된 면도 없지 않아 있었다고 봅니다마는 전반적으로 점차적으로 이것이 가열하고 점점 강도가 높아졌던 것으로 압니다. 그리고 증인께서는 아까 말씀하시기를 5월 16일에는 조용했는데 이러한 5·17조치가 난 것은 이것은 어떠한 의도적인 것이 아니냐 하는 그런 논리로 말씀했습니다. 저는 여기서 5·17조치의 얘기보다는 이 학생들이 그 당시 5월 13일부터 15일까지 격렬한 시위를 전국적으로 서울을 중심으로 벌였고 5월 16일은 이화여대에서 자기네들이 앞으로의 활동 방향을 의논하기 위해서 소강상태에 들어갔던 것입니다. 그래서 여기서 20일 전국적인 이것은 학생 차원이 아닌 학생·노동자·농민·정당·사회단체 등 범국민적인 규모의 집회를 갖기로 계획하는 그 시기가 5·16이었습니다. 이것은 어떻게 보면 폭풍 전야의 정적과 같은 이러한 상황을 평온한 상황이었다고 보시는 그 시각이 너무 참 안일하신 것이 아니었던가, 그러한 생각도 저는 해 봅니다.

그래서 5월에 학생들의 모든 움직임이 20일을 기해 가지고 폭발적으로 터지게 되어 있었습니다. 그래서 증인께서도 학생들과 당시 심재권 씨가 대학생들 모임에서 날짜를 20일로 이렇게 대충 의견이 교환이 되고 그것을 16일 북악파크호텔 521호실에서 다시 의논할 때 당시의 최규하 대통령이 어떠한 조치가 있을지 모른다, 여러 가지 의견이 있어서 또 아까 말씀한 대로 22일로 결정을 했다가 다시 이것을 가지고 이화여대에서 모이는 학생들 모임에 간 결과 거기서 이미 우리가 20일로 결정을 했는데 22일로 되면 곤란하지 않으냐 해서 다시 그 문안이 와서 발표될 때는 증인은 22일로 고치셨지만 20일로 발표돼서 학생들의 당초 계획대로 이렇게 나간 것으로 이해를 하고 있습니다. 이러한 것을 볼 때 20일은 정말로 그 당시의 상황을 경험해 본 사람들은 어떠한 것이 터질지 모르는 매우 불안한 상황이었다 하는 것을 지금도 기억하는 국민들은 많이 있을 것으로 압니다. 그래서 이러한 그 당시를 보는 시각에 대해서 잠깐 여쭈어봤습니다.

김대중 그런데요, 그 학생들이나 그때 야당이나 재야가 요구한 것이 이것입니다. 계엄령 해제해라, 정치 일정을 분명히 밝혀라, 이것이 주입니다. 그렇기 때문에 그것만 밝히면 문제가 없는 것입니다. 정당한 요구입니다. 그런데 그 정당한 요구를 듣지 않고 말하자면 시일을 7, 8개월이나 지연시키니까 그런 문제가 생겨난 것입니다.

그리고 또 그 당시 학생들의 5월 14일부터의 시위를 보더라도 어떠한 폭력을 써 가지고 파괴하거나 방화한 일이 없습니다. 그러던 학생들이 16일 시위를 중단하면서 정부 태도를 보겠다 그래 가지고 정부와 국회의 하는 것을 보고 있기 때문에 만일 5월 20일 시작된 국회에서…… 물론 그 이전에 양당 당수가 합의해 가지고 이번에 여기서 계엄령 틀림없이 해제한다, 이렇게 발표했다면 학생들이나 우리가 군이 집회할 필요가 없었을 것입니다. 그렇기 때문에 문제는 그렇게 정당하게 시국을 안 풀어 간 정부에 책임이 있는 것이지 7개월이나 기다리다가 이제 집회해 가지고 혹은 시위해 가지고 그렇게 해 주시오 한 학생이나 재야에 책임이 있다고는 저는 생각하지 않습니다.

이민섭 사태를 그렇게까지 몰고 간 정부에도 책임이 있다고 생각을 합니다. 그러나 어떤 학생들의 요구에 정부가 그것을 들어주지 못했을 경우에 어떤 폭발적인 움직임이 발생한다 하는 문제는 우리가 생각할 때 그 사태의 결과에 대해서 우려하는 그러한 국민이 많았다 하는 얘기입니다.

다음에는 광주 문제에 관해서 당시 계시지를 않았기 때문에 질문이 거의 안 나옵니다마는 워낙 중요한 문제이기 때문에 유언비어에 관해서 한 가지만 어떻게 이해하고 계시는지 여쭈어보겠습니다.

당시 광주의 상황 발생이 지역감정의 문제도 상당히 영향이 있었을 것이고 또 우리 증인께서 구금되신 문제도 상당히 자극을 주었다고 생각을 합니다. 또 광주사태가 급속도로 악화된 데는 무엇보다도 유언비어가 매우 신속히 또 그리고 조직적으로 유포된 데 큰 원인이 있다고 생각을 하는데 증인께서는 어떻게 생각을 하십니까?

김대중 저는 유언비어보다는요. 그런 유언비어가 발생한 원인은 진압 군대들이 참으로 미안한 표현이지만 야만적이라고밖에 할 수 없는 그런 진압 방법, 마구 부녀자들을 찌르고 어린애를 죽이고 사람이 도망가면 집안에까지 쳐들어가서 죽이고 심지어 집안에서 가족하고 조용히 있는 사람까지도 가서 죽이고, 또 죽은 시체를 여러분이 비디오를 보셨다니깐 알지만 질질 끌고 다니고 이러고 막 발길질하고 이런 참혹한…… 제가 지금 얘기한 것은 아마 그 실정의 10분의 1도 못 될 것입니다. 이런 것을 보니까 광주 시민들이 격분하게 되고 또 그런 유언비어가 생기게 된 것이지 유언비어 자체 가지고 그렇게 되었다고는 보지 않습니다. 사태는 저는 거꾸로라고 생각합니다.

이민섭 예, 그 문제에 관해서 하나만 더 묻겠습니다. 그 유언비어가 발생한 시기를 보면 인명 살상이 시작되기 전인 첫날인가 18일로 기억을 합니다마는 그날부터 이미 대검으로 어떠한 피해를 입었다는 이런 유언비어가 나돌기 시작을 하고 또 그것이 점차 처녀 계층 또 부녀 계층 이런 각계각층으로 그 유언비어가 그 피해 상황이 물론 많이 나돌았습니다. 이런 현상에 대해서 증인께서는 이것이 우연히 어떤 사태 발생의 근거에 의해서만 나왔다고 보는지, 아니면 그 당시에 어떠한 그런 의도적인 생각을 가지고 이런 것을 만들었는지 이런 것에 대해서는 한번 생각을 해 보시지 않았는지요?

김대중 그런데요, 어느 사회든지 유언비어는 있게 마련이고 또 그런 긴장된 시점에서는 더 있기 마련입니다. 그러나 지금 이 위원님께서 말씀하신 대로 유언비어가 그런 대량 살상이 시작되기 전이라면 만일 대량 살상을 안 했으면 그런 유언비어는 힘을 쓰지 못합니다. 그런데 대량 살상을 하고 말하자면 난폭한 행동을 하니까 유언비어가 기승을 부리게 된다, 그래 가지고 더 효과를 내게 된다, 저는 그렇게 생각합니다.

이민섭 예, 알겠습니다. 지난 대통령 선거 때 보아도 서울 구로구청 농성 사건 때 순경들이 학생과 시민을 몰살시켜서 트럭으로 실어 내고 있다, 또 건국대학 사태 때도 사망자 숫자가 시시각각 대자보로 나붙고 이러한 유언비어의 무시 못 할 파급력 내지는 상상력, 이런 데 대해서는 저도 인정을 합니다.

그러면 이런 유언비어가 어느 쪽에 의해서 이루어졌다고 다시 말해서 조작이라면 표현이 좀 점잖지 못합니다마는 극단적으로 말한다면 광주의 당시 상황을 악화시키기 위해서 어느 다른 쪽에서 만들었다고는 생각을 안 해 보셨는지요?

김대중 저는 현장에 없었으니까 그 당시 상황을 자세히는 모르겠습니다. 모르겠으나 아까 말씀과 같이 유언비어는 그런 혼란기에는 있기 마련인데 그런 유언비어가 만일 그다음에 그런 살상이 없었으면 큰 힘을 발휘하지 못했을 것이다, 생각합니다. 아까 구로 사건도 부정이 있었기 때문에 그런 유언비어가 또 그런 가혹한 탄압을 해서 해산했기 때문에 그러지 않았겠느냐 하는 일반적인 심리에 파고들어 가서 효과를 낸 것이고 건국대학 사건도 수천 명의 학생을 체포하면서 이것을 전부 공산 분자다, 용공도 아닌 공산 적색분자다, 이렇게 몰아 가지고 터무니없는 누명을 씌워 가지고 그런 진압을 했기 때문에 그런 유언비어도 나온 것으로 생각합니다.

이민섭 알겠습니다. 그 원인 행위에 대해서는 물론 이해를 합니다만 그것이 그렇게 가공할 정도로 과장 내지는 증폭된다는 것이 유언비어의 가장 무서운 속성이 아닌가 이렇게 생각이 듭니다.

다음 우리 진상조사특위에서 가장 중요한 과제가 될 수 있는 것이 발포 경위의 규명입니다. 이 문제에 관해서는 아까 증인께서는 전두환 전 대통령이 발포 명령자로 이렇게 떠오르고 있다, 이런 말씀이 있어서 다시 한번 발포 명령과 군에서 자위권 발동의 개념이 어떻게 다른 것인지 그것을 한번 증인께서 아시면 한번 설명을 해 주시면…… 같은 것인지 다른 것인지…….

김대중 그러니까 발포 명령은 자위권 발동을 위한 발포도 있을 수 있고 또 자위권 아닌 공격자적으로 발포할 수도 있습니다. 그런데 5·18민주화운동은 제가 쭉 확인한 바로는 자위권을 위해서 발포한 것은 아니고 광주 시민을 의도적으로 탄압해 가지고 말하자면 겁을 주고 이렇게 해서 진압을 하고 했는데 광주 시민의 저항이 뜻밖에도 너무 커 가지고 사태가 상당히 커지니까 더 많은 발포를 하게 된 것이다, 이렇게 보는데요. 그렇기 때문에 저는 광주에서의 발포는 정당한 자위권이었다고는 보지 않고 이것은 어디까지나 이 정권을 쥐고자 하는 전두환 씨 세력들이 광주라는, 체포한 김대중과 특수 관계가 있는 그 지역에서 시민들을 도발해 가지고 문제를 일으키고 따라서 그 총기 발사는 불법적이고 자위권 행사가 아닌 무고한 시민들에 대한 불법적인 발사 행위였다, 이렇게 생각합니다.

이민섭 알겠습니다. 제가 알기로는 21일 저녁 7시 30분 계엄사령관이 자위권을 보유했다는 천명을 하고 이어서 그날 저녁에 전남대 계엄분소에서 자위권 발동 지시가 있었고 또 그다음 날 2군사령부와 계엄사령부 모두 자위권 발동 지시가 정식으로 있었던 것으로 압니다만, 이것은 조사 과정에서 저희가 규명할 문제라고 생각합니다. 다만 아까 말씀하시기를 전두환 전 대통령이 그 당시에 보안사령관으로서 이러한 발포에 관해서 모르고 있을 리가 없다, 이런 말씀을 했습니다. 그래서 이것은 발포의 상황을 갖다가 사후에 보고를 받고 아니면 그 과정에서 보고를 받아서 인지하는, 아는 문제 즉 알고 있는 문제인지 아니면 현재의 상황을 시시각각 최고 책임자가 파악을 해서 발포 명령을 했다는 것인지 그것이 분명치를 않습니다. 그래서 저는 그러면 최고의 발포 명령자면 이것이 현지의 상황을 파악해야 될 것이고 그 파악과 동시에 신속히 그것이 위에 전달돼서 발포하느냐 안 하느냐 하는 것이 순간적으로 이루어져야 되는 이런 굉장히 기술적인 것을 요하는 문제인데 이러한 발포 사실을 모를 리가 없다는 그 추정으로써 최고 발포 명령의 확증을 거증하기에는 여러 가지 보완 보강의 증거가 필요하지 않을까 이렇게 생각을 하는데 어떻게 생각하십니까?

김대중 아까 제가 말씀했는데도 모를 리가 없다, 그것 하나 가지고 얘기한 것은 아니고 당시 보안사령부는 합동수사본부장을 사령관이 겸하고 있어서 거기에다가 중앙정보부장까지 겸하고 사실상 우리나라 국권을 다 쥐고 있었던 것입니다. 그런 때이기 때문에 입법부만 빼놓고는 사법부 행정부가 다 실질적으로 그 사람 손아귀에 들어갔고 나중에 입법부까지 지배했지만…… 그런데 광주의 505부대라는 보안사령부의 그 지소를 가지고 있어 가지고 이것이 그 당시의 광주의 그 모든 군부대나 정보기관을 실질적으로 총지휘하는 그런 기관이었습니다. 그렇게 되어 있었고 해서 그것이 어느 순간에 한 시간 두 시간의 발포라면 모르지만 적어도 열흘을 두고 계속된 발포인데 이것을 그 당시에 실질적인 이 나라 실권자요, 모든 수사기관의 총책임자가 그것을 모르고 있었다, 또 그것에 대해서 아무 판단도 안 내렸다, 이러면 아마 삼척동자도 웃을 것입니다.

거기에다가 머지않아서 어느 사람이 발표할 것으로 봅니다마는 그 당시 그 지방 기관에 있었던 사람이 증언한 바에 의하면 그 기관에서는 수시로 본부에, 당연한 얘기지요, 전두환 사령관하고 계속 전화로 연락을 하고 또 사람이 올라왔다 내려갔다 했다는 것입니다.

그리고 정호용 장군은 서울과 광주를 말하자면 왔다 갔다 하면서 이래 가지고 전두환 씨하고 협의하고 현지에 내려왔고 또 이렇게 해서 결국에 이 모든 것을 말하자면 지휘하는 그러한 입장에 있었습니다.

이런 여러 가지를 종합해서 전두환 씨가 그 당시 발포의 실제적인 책임자였다. 이것은 저는 조금도 의심하지 않습니다.

이민섭 저는 그 당시 전두환 보안사령관이 실권자였기 때문에 모든 것을 다 알 수 있었을 것이다 하는 그런 것으로 이해를 하겠습니다.

이 발포의 경위는 앞으로 조사가 되겠지만 우리 군조직법에 의해서 그 계통에 의해서 이루어지는 그 모든 과정이 정확하게 다 파악이 될 수 있을 것으로 생각을 해서 이 발포 명령자와 자위권의 발동 소위 발포 명령과 자위권의 발동에 관해서 우리가 정확하게 이해를 하는 것이 우리 진실 추적의 가장 중요한 과제가 아닌가 이렇게 생각을 합니다.

김대중 그런 의미에서도 오늘 여기에 최규하 전 대통령과 전두환 전 대통령이 나와서 둘 중에 과연 누가 발포에 대해서 그 당시 실질적인 영향력을 행사했고 어떻게 했느냐를 따졌어야 했는데 두 분이 안 나온 것이 지극히 유감이라고 생각합니다. 만일 그 당시에 최규하 씨가 실질적인 힘이 있었다면 능히 이것을 대통령 권한으로써 제지할 수 있었을 것입니다.

이민섭 이제 한두 가지만 묻겠습니다.

미국의 개입 문제에 관해서 어느 정도 이해를 하고 계시는지 당시 한국군의 이동이나 진압 작전에 있어서 미국이 개입이 되고 있다 하는 문제에 대해서 어느 정도 이해하시는지 알고 계시는지를 묻고 싶습니다.

왜냐하면 아까 보니까 2군이 한·미연합사 산하에 있었다, 이런 말씀을 하셨는데 이것도 2군과 3군 이것이, 2군은 여하튼 한·미연합사 산하에 있지 않았던 것으로 이렇게 또 이해가 되고 있고 그래서 또 공수부대를 왜 현지에 그렇게 파견했느냐 다른 부대도 있는데 하는 문제에 관해서 미군의 개입 문제와 관련이 되어 있어서 말씀드립니다마는 당시 공수여단은 한·미연합사의 지도 체계하에 있지 않았기 때문에 신속히 이동이 가능해서 이 부대를 배치했다는, 그런 당국의 입장이 있는 것으로 이렇게 이해를 합니다.

다만 구체적으로 미국의 개입이 예를 들어 어느 사람의 발언을 인용하시는 것보다는 어떤 구체적인 증거 같은 것을 알고 있는 것이 계시면 말씀을 좀…….

김대중 제가 말씀드린 것은 미국이 법적으로 개입했다는 것을 강조한 것은 아니고 논리적으로 얘기하면 2군은 미군 산하에 있고 광주에 갔던 공수부대는 논리적으로 얘기하면 31사단 지휘하에 있고 이렇기 때문에 31사단은 또 2군 관할하에 있고 이렇기 때문에 법적으로 연결해 보면 미국이 법적으로 책임이 꼭 없다고 할 수 없다, 제가 군 출신 장군한테 확인한 바에 의하면 2군은 한·미연합사 산하에 있다고 말씀해 주었습니다. 저는 전문가가 아니기 때문에 그분들 말씀 듣고 했는데요. 그런데 제가 아까 더 강조해서 얘기한 것은 그런 문제보다는 당시 어쨌거나 한·미연합사의 사령관이요, 또 우리나라 군사 지휘자에게 대한 막강한 영향력을 가지고 있었고 또 정부에 대해서도 영향력을 가지고 있었던 미국, 이 미국이 적어도 한국 사람들의 눈으로 볼 때 가시적으로 그런 참상이 10일 가까이 전개되고 있는데 이것을 최선을 다했다는 그런 노력을 안 한 데 대해서는 대단히 유감이다, 그러한 한국 사람들의 원망이랄까 그런 기대에 벗어난 미국의 태도가 결국 반미 감정을…… 말하자면 광주의거 이후로 갖게 된 것이다. 이런 것을 말씀한 것입니다.

이민섭 마지막으로 한 가지만 말씀드리겠습니다. 그런 광주의 비극적인 사태가 발생한 것은 우리 모든 국민의 아픔이고 또 우리 역사의 아픔이기도 합니다. 다만 이런 아픔들이 빨리 치유되고 또 모든 광주 시민의 명예가 회복되는 이것이 다만 우리 정치권에서 이용되지 않았으면 하는 것이 본 위원의 소망입니다. 어디까지나 진실 규명은 진실 추적을 통해서 실체적인 진실을 규명하는 것으로서 역사에 기록이 되어야 할 것으로 봅니다.

앞으로 이 광주의 진상 문제에 대해서는 앞으로 치유 대책을 마련하는 데 있어서도 제1야당을 끌고 가시는 총재이신 만큼 우리가 정말 인간 화합의 차원에서 또 비정치적인 차원에서 이 문제가 지혜롭게 매듭지어지는 데 우리 증인께서 앞장서 주실 것을 말씀드리면서 신문을 마치겠습니다.

문동환 고맙습니다. 지금 민주정의당의 정창화 위원과 역시 민주정의당의 이긍규 위원 두 사람의 이름이 여기 적혀 있습니다.

("정동호 위원도 있습니다." 하는 이 있음)

정동호 위원의 이름은 여기 없는데요. 그러면 다음은 정창화 위원입니다.

("정동호 위원하고 순서가 바뀌었어요." 하는 이 있음)

조홍규 위원장님! 진행에 관해서 말씀드리겠는데요, 특정 정당만 계속하는 것에 대한 배경 설명을 해 주셔야 알지…….

문동환 예, 다른 당에서는 지금 발언이 다 끝났습니다. 그래서 이제 민주정의당만 남았는데 다음에 정동호 위원께서 말씀하시는 동안에 간사님들 우리 앞으로 할 일이 많은데 간사님들이 모이셔서 혹시 이것을 빨리 조속히 끝낼 수 있는 방법이 있겠는지 의논해 주시기를 부탁합니다.

그런 다음 정동호 위원께서 말씀하시되 제가 이렇게 말씀드리는 것은 이미 민주정의당만 남았기 때문에 그러는데 될 수 있는 대로 빨리 끝내서 우리 다음 증인의 얘기를 듣도록 협조해 주시기를 부탁하는 것입니다. 그러면 정동호 위원 질문해 주십시오.

정동호 민주정의당 정동호입니다. 본 위원이 오늘 준비한 질의 내용은 앞에서 신문하신 동료 위원들과 많은 부분이 중복되었습니다. 그렇기 때문에 몇 가지에 대해서만 간략하게 질의하겠습니다.

본 위원이 질의에 들어가기 전에 먼저 몇 가지만 짚고 넘어가겠습니다. 증인께서 오전 답변하시는 가운데 최규하 전 대통령 중동 순방은 아무 명분이 없음에도 불구하고 일부러 보내 놓고 정권을 탈취하기 위한 음모를 꾸민 것이었다고 말했습니다. 그러나 본 위원이 알고 있기는 당시 전 최규하 대통령은 5월 15일부터 15일간 '사우디아라비아', '쿠웨이트' 공식 방문은 우리 국가로서는 첫 번째로 중동 지역 방문인 것입니다. 그의 배경은 1978년도 말 '이란' 사태 후에 세계의 원유 수급 사정이 매우 악화되어서 1979년과 1980년도 석유파동이 일어났습니다. 이로 인해서 국내 유가 인상이 1년 사이에 무려 105.9퍼센트 인상되었습니다. 따라서 16년 만에 처음으로 '마이너스' 6퍼센트라는 경제 성장을 기록하였습니다. 또한 도입선이 중동에 의존되어서 원유 공급 안정을 위한 문제는 시급한 상황이었습니다. 그 성과로서 원유 안정 공급을 확약받았습니다.

또한 '사우디아라비아'와는 3000억 불 상당의 경제개발 합작 자본 기술 협약을 받아 냈습니다. 이러한 뚜렷한 명분이 있었던 것입니다. 그러면 과연 증인께서 명분 없이 보냈다는 중동 순방과 본 위원이 알고 있는 것과 어느 것이 맞는 것인지 말씀해 주십시오.

김대중 한 나라의 대통령이 외국 가는 것이 전혀 의미 없이 간 것은 아니겠지요. 그런데 제가 아까 말씀한 것은 그 당시 그렇게 미리 계획도 안 되었던 것을 갑자기 만들어서 간 것이다, 그렇게 말했는데 그런 '사우디아라비아'하고 석유 공급이라든가 혹은 기타 계약은 국무총리가 가도 되고 또 외무부 장관이 가도 될 수가 있습니다.

그런데 국내 정치 문제는 5·17 확대계엄을 하지 않으면 안 될 정도로 정부 측에서 보면 그렇게 시국이 급박해 가는데 대통령이란 분이 불과 며칠 앞을 안 내다보고 국내가 급박한 것을 놔두고 나라를 비우고 거기에 갔다 하는 것 자체가 잘못된 판단이다, 저는 그렇게 생각하고요.

제 판단은 제가 들은 정보로는 그렇게 대통령을 그쪽으로 보내 놓고 이 전두환 씨 중심으로 한 군인들이 자기들의 그 탈권의 준비를 착착 진행시켰다, 저는 그렇게 알고 있습니다.

정동호 아무 계획 없이 갑작스럽게 중동을 순방했다는 것은 친구와 친구 사이에 옆집에 놀러 가는 것과는 다릅니다. 이것은 사전에 이미 일국의 국가 원수가 타 국가의 원수를 순방한다는 것은 치밀한 사전에 계획 없이는 이루어질 수 없는 사항입니다. 이것은 고 박정희 대통령이 이미 중동 순방 계획을 세웠던 것을 실현한 것입니다.

그렇기 때문에 국가와 국가 간의 순방에 대한 약속은 국가원수는 꼭 지켜야 할 상황이었다는 것을 제가 말씀드립니다. 다음으로 넘어가겠습니다.

김대중 그런데요, 그래 그렇습니다. 어느 나라에서 초청을 받으면 1년 전, 2년 전에 받지요. 편리한 시간에 가는 것이지요. 그런데 그때 5월 그 무렵에 갈 정도의 계획이 정부에 미리 없었는데 갑자기 계획을 세워서 갔다는 것이지 아무 계획 없이 갔다는 것은 아닙니다.

그런데 아까도 말하다시피 타이밍이 국내가 그렇게 중요한데 국내 문제는 해결 안 하고 나라의 대권을 맡은 분이 중동에 갔다는 것이 결과적으로 보더라도 잘못된 것이 아닙니까? 그러니까 도중에서 다 못 하고 돌아왔지요.

정동호 앞서 본 위원이 말씀한 바와 같이 우리나라의 배경에 대해서도 말씀을 했고 성과에 대해서도 말씀했습니다. 됐습니다. 다음 넘어가겠습니다. 마치 증인께서는 왜 하필 광주에만 공수부대를, 강한 부대를 투입했느냐, 이러한 말씀을 한 바 있습니다.

북괴의 전략은 원래 기습전입니다. 가장 충격적인 요법인 기습전입니다. 또 속도전입니다. 아울러서 과거의 전쟁과는 달라서 전 국토를 전장화시켜서 제2전선, 제3전선 심지어는 제5전선까지도 형성해서 전쟁을 도발하려는 꿈을 버리지 않고 있습니다. 그런데 북괴는 그 당시에 이 전략부대와 적후방에서 주로 전쟁 시에 활동을 하는 그러한 전략부대 특수 8군이 있습니다. 이 부대들이 우리 한국군의 옷 2만 벌을 일본에서 도입한 바 있고 이 부대들이 갑자기 사라진 바가 있습니다.

이래서 그 당시에 본 위원이 알고 있는 공수부대 투입은 대전에 이리(익산)에 있는 7공수여단에서 1개 대대 또는 전주에 1개 대대 서울에서도 역시 1공수여단이 성균관대학을 위시해서 7개 대학에, 공수여단이 한양대학 등 7개 대학에, 13공수여단이 외국어대학 외 2개 대학에 투입되었다는 것을 말씀해 드립니다.

다음 또 묻겠습니다. 증인께서는 앞서 동료 위원들의 질의에 답변하는 과정에서 본인은 지역감정의 희생자라고 말씀했습니다. 1980년도 봄에 증인께서 전국을 순회하며 연설, 강연 시에 한 번도 언급한 바 없는 지역감정 문제를 1980년 5월 11일 전북 정읍농고 교정에서 거행된 동학제 강연을 통해서 박정희 정권 18년간의 크나큰 과오는 신라 통일 후에 지방색을 다시 불러일으킨 것이라고 말한 바 있습니다. 유독 그곳 정읍에 갔을 때만 이러한 지역감정에 관한 발언을 하신 특별한 이유가 있으신지 말씀해 주십시오.

김대중 그때 정읍에서 그 말씀도 하고 그러나 우리는 절대 이러한 지역감정에 현혹되어서는 안 된다, 내가 여기 와서 이 말한 것은 여기가 전라도이기 때문에 나의 고향 땅이기 때문에 여러분들에 대해서 이런 박정희 정권이 조작한 지역감정에 우리가 현혹되고 이래 가지고 그것에 놀아나서 지역적으로 심화해서는 안 된다, 그 말을 그다음에 붙여서 한 것입니다. 제가 그 말한 것은 이미 지역감정이 상당히 확산되어 있기 때문에 그래서는 안 된다는 말을 하기 위해서 이것을 박정희 정권이 조작한 거지 경상도 사람과 전라도 사람이 서로 대립할 이유는 없는 것이다, 그렇게 설명한 것입니다.

정동호 됐습니다. 다음 증인께서는 출생신고 시에 최초 생년월일인 1924년 1월 16일을 1943년도에 1925년 12월 3일로 정정하였습니다. 그 후 텔레비전 회견 시에는 자신의 생년월일을 1923년 1월 8일로 말씀한 바 있습니다. 그렇다면 증인의 세 개의 생년월일 중 정확한 것은 어느 것이고 생년월일을 두 번씩이나 수정한 것은 흔치 않은 일이라고 생각되는데 그 이유는 무엇입니까?

김대중 이것은 정말로 광주하고 관계없는 일인데, 물으시니까 답변 드리겠습니다. 세 번은 아니고 한 번 고쳤는데 호적 이전에 정확히 얘기하면 제가 1924년 1월 8일생입니다. 그런데 호적은 1923년 12월 3일인가 어떻게 그렇게 되어 있어요. 그런데 나중에 그것을 1925년 12월 3일로 고쳤는데 고친 때를 보면 알지만 그때 일본군대에 걸려 가지고 제가 1기생으로 군대에 가게 되어 있었어요. 그런데 그것을 1924년 12월로 하면 한 기가 늘어지고 1925년 12월로 하면 또 한기가 늘어져요. 그래서 되도록 군대를 안 보내겠다는 가정에서의 생각에서 그렇게 호적을 바꾼 것입니다. 다른 의도는 없습니다.

정동호 증인께서는 최초 본적인 전남 신안군 하의면 대리 231번지에서 1960년 6월 25일 강원도 인제군 북면 원통리 655번지로 본적을 옮긴 사실이 있습니다. 또 1963년 10월 19일에는 본적을 서울 마포구 동교동 31-1로 두 번째 옮긴 사실이 있습니다. 맞지요?

김대중 맞습니다.

정동호 이에 대해서 본 증인께서는 본적을 두 번씩이나 옮긴 이유에 대해서 그 당시의 상황과 관련해서 말씀해 주시지요.

김대중 이유는 간단하지요. 제가 강원도에서 국회의원 출마를 했는데 아무래도 현지분들이 같은 고향이 아니라고 해서 배척하는 점이 있어서 제가 거기에서 지구당 위원장이고 하기 때문에 선거하는 입장이라면 아주 거기에서 하겠다 해 가지고 5·16쿠데타 전에 그리로 옮기고 해서 선거에 당선이 되었습니다.

그런데 5·16쿠데타 후로 제가 다시 출마하게 된 것은 강원도 쪽은 아니고 목포에 가서 출마하게 되었는데 그렇다면 강원도에다 본적을 놔둘 이유가 없고 그렇다고 다시 전라도로 가지고 갈 필요가 없어서 서울 현 거주지로 옮겨 온 것이지요.

정동호 본 위원이 알고 있기에 증인께서는 4·19혁명 직후 1960년도 7월 29일 국회의원 선거 때에도 인제에서 출마하여 두 번째 낙선한 일이 있습니다. 그 당시에는 증인께서는 자유당의 전형산 씨에게 패했는데 그렇습니까?

김대중 그렇습니다.

정동호 5대 국회의원 선거인데 선거는 민주당이 175석을 차지했고 자유당은 겨우 2석밖에 차지하지 못한 것으로 알고 있는데 기억하고 계십니까?

김대중 아마 그럴 것입니다.

정동호 다음 묻겠습니다. 증인께서는 앞서 민주당 김광일 위원이 5·17 이전에는 정치권에 대한 학생들의 시위 이슈가 없었다는 내용의 질문에 대해서 그렇다라고 답변을 했습니다. 그런데 본 위원이 가지고 있는 자료에 의하면 이 당시 학생들의 정치권에 대한 시위 이슈는 5·17 이전 4월 7일 증인께서 신민당 입당 포기 선언을 한 이후에 이미 표출되고 있었다고 알고 있습니다. 다시 말해서 10·26 이후 4월 초까지의 학생 소요는 주로 학원 자율화 요구와 총학장 퇴진 및 학교 재단 부조리 척결 등 학내 문제를 주 이슈로 하다가 증인께서 신민당 입당 포기 선언을 한 4월 7일을 기점으로 해 가지고 시위 이슈가 유신 세력 퇴진, 정부 계엄 반대 등 정치 문제로 전환되었습니다.

본 위원이 이를 짚고 넘어가려고 하는 것은 이 문제는 1980년 당시의 상황에 대한 객관적인 인식이 필요하다고 보기 때문입니다. 그렇다면 증인께서는 증인의 신민당 입당 포기 선언의 시점과 관련하여 학생들의 정치권에 대한 쟁점 표출의 시기가 대략 일치하는데 이에 대해서는 어떻게 생각하고 계십니까?

김대중 그것은 관계가 없다고 생각을 합니다. 학생뿐 아니라요, 5월에 들어서면서 언론계에서도 상당히 명분 없는 계엄 사태를 지속하는 데 반항을 해 가지고 기자협회도 5월 20일까지 계엄을 해제 안 하면 앞으로는 당국에 가서 검열 안 받겠다고 나서게 되었고 또 재야의 많은 문인들이라든가 교수라든가 이런 분들도 그런 주장을 하기 시작했기 때문에 이것은 학생들에 국한된 일이 아닙니다. 그렇기 때문에 제 신민당 입당 여부와는 관계가 없습니다.

정동호 다음 질문하겠습니다. 증인께서는 다음 문제가 광주사태 발생 원인과 어떤 연관 관계를 가지고 있는지 말씀해 주시기 바랍니다. 증인께서는 한상석이라는 인물을 알고 계십니까?

김대중 한상석이요. 뭐 하는 사람인데요?

정동호 말씀드리지요. 본 위원이 알기로는 한상석은 정동년, 김상현의 하부 선으로서 광주사태 시 비밀기획실장이라는 직책을 담당했었습니다. 한상석이가 쓴 시위 모의 노트를 본인이 가지고 있습니다. 이 「자유」라고 하는 노트입니다.

이 노트는 한상석이가 작성한 것인데 13페이지에 보면 5월 19일 폭동 계획이라 이렇게 해서 모의를 한 것으로서 14시부터 18시 사이에 가톨릭농민회

조직을 이용하여 죽창, 배터리 등을 준비해서 폭동을 일으킨 후 방송국과 공공 건물 및 예비군 무기고를 접수한다라고 되어 있는데 이것은 실제 상황입니다. 실제 상황에서 19일 방송국과 공공 건물인 파출소에 대한 투석 공격이 시작되었습니다. 5월 20일 광주문화방송이 시위대의 공격으로 불에 타는 결과가 있었는데 증인께서는 학생들의 모의와 실제 상황이 딱 맞아떨어지는 것을 우연의 일치라고 보십니까, 아니면 사태의 발생 원인에 어떤 관계가 있다고 보십니까?

김대중 한상석에 대해서는 제가 전혀 모르겠고요. 또 그 「자유」 노트에 대해서도 모르겠습니다.

("내일 증인으로 나옵니다, 한상석 씨가." 하는 이 있음)

그러나 증인으로 나온다니까 그때 물어보시고 아까도 말씀하시다시피 당시 전남경찰국장이 민화위에서 증언한 대로 5월 16일 시위는 지극히 평화적으로 끝났고 군대가 개입할 아무런 이유가 없었다 하는 증언을 저는 정당한 증언이라고 생각하고 있습니다.

정동호 됐습니다. 다음 질문하겠습니다. 증인은 1980년 5월 10일 자가에서 고 전태일의 누이동생인 전순옥과 만나서 동인으로부터 인천 동일방직 해고 여공들이 여의도에 소재되어 있는 대한노총회관에서 복직 요구 농성을 하는데 자금을 보조해 달라는 요청을 받은 적이 있습니다. 기억됩니까?

김대중 예, 기억이 나는데요.

정동호 이때 증인은 부인 이희호 씨로 하여금 20만 원을 제공함과 동시에 메달과 책자, 테이프 등을 제공했다는데 사실입니까?

김대중 아마 돈 좀 도와준 것 같아요, 식대를…….

정동호 이것이 증인께서 당시 배포했던 메달, 테이프 사진인지? 이것이 맞습니까?

김대중 멀어서 안 보이는데요.

정동호 입법조사관 이것 한 번 확인해 주세요.

김대중 예, 맞습니다.

정동호 특히 증인께서는 이 메달 3000개를 만든 것으로 알고 있습니다. 이외에 제작된 것이 더 많이 있는가, 또 증인의 얼굴까지 특별히 넣어서 제작한 이유는 무엇인지 말씀해 주시기 바랍니다.

김대중 이것은 저하고 아는 분이 저를 위해서 만들어 가지고 왔어요. 그런데 3000개는 아니고 우선 100-200개 가지고 왔었는데 그것 몇 사람 안 주고 끝났는데 그거야 뭐 미국도 그렇지만 세계 각국에서 정치하면 입후보자 메달도 주고 여러 가지 사진도 주고 그런 거 아닙니까? 그런 선이지요 뭐…….

정동호 좋습니다. 이것으로서 본 위원의 신문을 마치면서 한마디 말씀드리고 싶은 것은 광주사태의 원인을 규명하는 것도 매우 중요합니다만 지금 우리에게 가장 중요한 것은 이를 계기로 사랑과 포용으로 우리의 아픔을 국민 모두와 함께 나누어 가짐으로써 국민 대화합의 일대 전기를 마련하는 것이라고 생각합니다. 광주 시민의 아픔은 곧 우리 국민 전체의 아픔입니다. 감사합니다.

문동환 수고하셨습니다.

최봉구 위원장, 의사 진행 발언 있습니다. 오늘 본 청문회의 의사 일정이 김대중 증인과 이희성 증인의 두 분 증언을 듣게 되어 있습니다. 듣게 되어 있는데 지금 오늘 시간을 보면 10시부터 자정까지 하면 전부 14시간이 됩니다. 지금 현재 시간이 오후 6시가 다 되어 갑니다. 그러면 벌써 8시간을 소비했는데 앞으로 위원회의 능률적인 운영을 위해서는 위원장께서는 불필요한 질문을 제지해 주시고 그다음 야 3당에서는 더 이상 물어볼 말이 없다 해 가지고 증언 청취를 안 하고 있습니다. 이런데 유독 민정당에서만 계속해서 불필요한 질문을 하고 있는데 본 위원회의 능률적인 운영을 위해서는 위원장께서 적절한 조치가 있어야 될 것으로 생각합니다. 앞으로 남은 시간 6시간밖에 안 남았습니다. 그러니까 위원장께서 적절한 판단을 해 주시기 바랍니다.

문동환 예, 그 얘기 지금 하려고 일어났습니다. 지금 민정당에서 요청한 이름이 세 사람이 여기 있습니다. 그런데 이희성 씨에 관한 증인 신청 들어온 것이 18명입니다. 이것을 시간 계산해 보면 10시간이 쉽게 넘어가게 되어 있습니다. 그러니까 대단히 난처합니다. 간사들 모이셔서 민정당에서 이것을 하겠다고 주장하면 권리가 있습니다. 민정당에서 처리하셔야 방법이 섭니다. 그러니까 아무리 위원장이 권위가 있다고 해도 그런 권위는 없습니다. 민정당에서……

조홍규 위원장! 아까 말씀하실 때 정창화 위원하고 정동호 위원을 교체했고 이긍규 위원 한 분 남았어요. 한 분 들으면 끝나는 것이지 왜 세 분이 더 나와요. 합의된 대로 해요. 아까 말씀하셨잖아요. 신청 들어온 것이……

문동환 아까 명단을 낸 사람이 그것이었고 또 계속해서 명단을 낼 것이라는 것입니다. 그런 이야기입니다. 지금도 이광오 위원까지 적어 냈습니다마는 이것으로 끝났다는 이야기도 아닙니다. 그러기에 제가 부탁하는 것은 민정당에서 오늘의 시간을 아시니까 이렇게 계속해서 이것을 다 하신다면 이 문제는 어떻게 할 것인가 하는 것을 간사들이 의논해 주셔서 좋은 해결 방안을 강구해 주시라 이런 이야기입니다.

신기하 위원장님, 의사 진행 발언입니다. 오늘 첫 청문회에 들어가면서 우리 4당 간사들은 서로가 5공특에서 있었던 청문회의 전철을 밟지 말고 합리적인 운영을 해 보자 하고 다짐까지 했습니다. 그 합리적인 방안의 하나 중에 지지부진한 질의나 또는 중복된 질의는 피하고 의제와 거리가 먼 질의도 피하자고 합의를 한 바 있습니다. 그래서 지금 김대중 증인의 경우는 5·18광주민주화운동과 관계되는 문제가 비교적 단조로워서 증인들의 수가 약 10명 정도가 질의를 하게 되면 거의 파헤쳐지기 마련입니다. 그런데 민주당에서 3명, 평민당에서 3명, 그리고 공화당에서 1명, 야권에서 7명이 질의를 했고 무소속 1명, 그래서 8명이 질의를 했고 민정당에서 처음에 똑같은 수로 3명 해서 11명이 질의를 했을 때 이미 상당수의 반복된 질의와 중복된 질의와 또한 지지부진한 질의를 했는데 그 이후 3명이 더 민정당에서 질의를 해 가지고 아주 본 의제와는 거리가 먼 질의 또는 그렇지 않으면 중복된 질의를 거듭해 가고 있는 실정이올시다. 그래서 위원장께서 말씀하시기 전에 저희들 4당 간사들은 뒷전에서 서로 합의를 보려고 노력을 했습니다마는 이미 민정당 측에서는 지도부에서 12명의 위원이 전원 신문에 응해 달라 한다는 것입니다. 그렇지 않으면 이희성 증인에 대한 질의 시간을 좀 단축해 달라 그런 약속이 있으면 하겠다, 그래서 이희성 증인은 당시 육군참모총장이자 계엄사령관의 위치에 있었기 때문에 광주민주화운동의 진상을 밝히는 데 있어서는 핵심적인 증인의 위치에 있기 때문에 그러한 정치적인 협상에는 우리가 응할 수 없다, 그래서 현재까지에 이르렀기 때문에 위원장께서는 잘 모르고 계십니다. 아까 위원장께서 적절히 지적하신 바와 마찬가지로 나머지 민정당 소속위원들의 김대중 증인에 대한 신문권은 얼마든지 권한으로 보장되어 있지만 중복된 질문이나 또는 이외에 지지부진한 의제와 관계없는 질문은 위원장의 권한으로써 엄격히 다스려 주시기 바랍니다. 이상입니다.

이민섭 의사 진행 발언입니다. 방금 평민당 신기하 위원께서 의사 진행 발언을 하면서 타당 위원의 발언에 대해서 부질없는 발언이다, 중복 발언이다, 또 여러 가지 이야기를 하시는 데 유감을 표명합니다.

우리가 같은 동료 위원으로 역사의 진상을 파헤치는 데 나름대로 열심히 진상 추적을 위해서 준비해 온 발언을 그것도 김대중 증인께서는 이번밖에 안 나오시기 때문에 나오신 심에 꼭 묻고 싶어서 지금 하고 있는 것입니다. 저희도 의사 진행에 협조를 해서 서로 원만하게 하려고 합니다. 저희만 일방적으로 하려고는 조금도 생각을 하지 않습니다. 다만 분명히 여기서 밝히고자 하는 것은 우리 김대중 증인의 채택에 관해서는 평민당에서 먼저 요청을 했습니다. 그리고 신문 요지로 작성을 해서 본인에게 전달하는 과정에서 저희는 신문 요지를 내지 않았습니다.

평민당에서 낸 신문 요지를 보면 김대중 증인의 사태의 직접 관련 여부, 당시 김대중 정치 활동이 사태에 미친 직간접적 영향, 사태와 직간접적으로 관련된 김대중과 해외 반한 활동 내용, 소위 김대중 내란음모사건의 진위, 소위 김대중 내란음모사건의 조작 경위와 재판 과정, 5·17 이전의 정치적 상황과 국민의 민주화 요구, 기타 5·18광주민주화운동의 발발 원인과 배경에 대하여 또 1980년 5월 16일 김영삼·김대중 시국 수습 6개 항 성명의 경위 및 당시 시국에 있어서의 정치적인 역할, 5·17 이전 재야인사 및 정치인의 민주화운동 소위 김대중 내란음모사건과 광주민주화운동과의 관련 조작 경위, 5·17 이후 구속 중 광주민주화운동 수습 파악 및 관련 책임자 파악 여부, 또 5·17 이후 학생들의 주요 요구 사항 이렇게 광범위한 신문 요지를 야당 측에 의해서 만들어서 본인에게 전달하고, 오늘 신문을 이 범위에서 하도록 지금 여기 유인물에 나와 있습니다.

이렇게 광범위한 상황을 함에 있어서 당시 김대중 증인과 광주와 직결된 사태만을 물어야 된다는 것은 여기 한 종목에 불과합니다. 열댓 개 중에⋯⋯. 그래서 오늘의 의제 밖이 아니라는 것을 말씀드리고 다만 우리가 모처럼 준비해 온 것을 저희 나름대로 의사 진행에 협조하면서 이렇게 빨리 끝내도록 하려고 노력을 하고 있습니다. 이렇게 이해해 주시고 질문이 들어온 것에 대해서는 받아 주시기 바랍니다.

문동환 예, 집행하겠습니다. 이제 그만 얘기합시다. 꼭 얘기하셔야 되겠어요?

김인곤 꼭 해야 됩니다. 지금 전 국민이 주시를 하고 있습니다. 광주사태를 어떻게 진상을 진실되게 규명하느냐 하는 문제에 대해서 전 국민의 주시 속에서 지금 진행되고 있습니다. 그런 까닭에 저희 신민주공화당도 세 명밖에 없습니다마는 또 할 말도 많이 있습니다. 전부 준비해 가지고 왔습니다. 그러나 사태의 상황이 더 이상 얘기할 필요가 없다고 판단했기 때문에 저희 당에서는 한 사람만 질문하고 말았습니다.

동시에 여기에서 지적하지 않을 수 없는 것이 전 대통령 최규하, 전두환 씨가 나왔다면 지금 김대중 증인과 이야기가, 아까부터 말씀드렸습니다마는 여러 가지로 전후가 맞아 가지고 사태 규명이 대단히 효과적으로 되었을 줄 믿습니다. 그러나 지금 여당에서는 한 사람도 빼놓지 않고 다 하겠다, 이 의도를 정말로 말을 하고 싶은 말이 있어서 그러는 것인지 지금도 캐낼 것이 없어서 그런지 모르겠습니다마는 불쾌한 것은 그러면 빨리 끝내 줄 테니 이희성의 관계를 시간을 절약해 달라, 이런 정도로 나온다고 하는 것은 광주사태를 진실된 마음으로 진실을 캐내고자 하는 것이 아니라 하나의 전략이라고 생각할 때 이것은 대단히 불쾌스럽고 이것은 국민에게 이번 광주사태 규명하는 사람의 이름으로서 고발하는 것입니다. 그렇기 때문에 효율적으로 정신 똑바로 차리고 진행해 주세요, 위원장! 그리고 여기 면사무소입니까? 호적 조회까지 다 하고 있어요? 무슨 소리를 하고 있어요!

오경의 위원장! 제가 한마디만 말씀드리겠습니다. 저는 간단합니다. 우리 모든 특위 위원들이 광주 문제를 잘 처리하려고 애를 쓰고 있습니다. 그런데 민정당 측 얘기도 들어 보니까 일리는 있습니다마는 이민섭 간사께서 하신 그런 말씀 내용 또 진실을 파헤치려는 그런 주된 목적에만 치우쳐진다면 다행인데 저희들 간사회의에서 결정된 사항으로서는 어떤 경우에라도 지난번 5공 비리 청문회에서 우리가 많은 교훈을, 또 거기에서 느낀 바 많아서 금번 우리 광주특위에서만은 진실로 국민 편에서 국민들이 궁금하게 생각하시고 또한 국민을 대표하는 국회의원으로서의 역할을 다해야 되겠다는 그런 차원에서 광주특위만은 좀 더 효율적이고 성과 있는 특위를 운영하여야 되겠다 하는 그런 목적하에서 간사회의에서 얘기가 있었던 부분을 특위 위원 여러분에게 전달이 안 된 것이라고 생각이 돼서 본 위원이 다시 한 번 이 자리에서 주지를 시켜 드릴까 합니다.

그날 위원장님과 우리 간사들은 이런 얘기를 했습니다. 어떠한 경우에라도 중복되는 발언은 삼가자, 한 번 얘기를 어떤 위원이 했을 경우에는 우리 27명 중에는 그 부분을 양보해야 된다, 그리고 추호라도 지루한 발언을 하지 말자, 30분이나 40분을 채우지 말자, 무엇 때문에 그것을 내 시간을 꼭 채워 가지고 쓸데없는 인기 발언이라든지 잿밥에 신경을 쓰는 일은 추호라도 해서는 안 되겠다, 그리고 그 외에 회의장의 질서를 우리 국회의원으로 하여금 문란하게는 절대로 하지 말자, 우리가 분위기를 깨 가지고 전체의 분위기를 흩트린다는 것은 우리 스스로에게 책임이 있다, 그다음은 어떠한 행위를 할지라도 이 전체 운영에 만에 하나라도 지장을 초래한다든지 우리 특위 운영에 추호라도 장애가 되는 요인 그런 요소는 우리 스스로 배제하는 그런 일들을 하자, 그리고 마지막으로 위원장은 사회를 공평무사하게 운영을 잘해 주시기를 부탁한다, 이런 얘기들을 우리는 하고 그날 간사회의를 마쳤습니다.

그런데 오늘 이제 와 보니 당 대 당 간에 이해관계가 얽혀진 듯한 인상을 풍기는 얘기들이 나오고 있는데 추호라도 우리는 이런 부분에서는 다시 한 번 재고를 해야 될 것이며 앞으로 위원장께서는 이러한 간사회의의 주된 목적을 다시 한 번 주지시켜 주시고 효율적인 운영을 해 주시기를 부탁을 드립니다.

박찬종 위원장님! 박찬종 위원입니다. 대단히 외람됩니다마는 우리 국회가 무슨 좋은 전통을 반드시 쌓아 내려온 것은 아닙니다. 그러나 제가 9대 이후에 체험하고 경험한 바에 의하면 매사를 대체로 의석 비율대로 합니다. 또 9대 10대 때는 이른바 여당이 수가 훨씬 많았을 때 대정부질문 같은 것은 오히려 야당이 질문자 수보다도 적게 한 때도 많이 있었습니다.

오늘 우리 야권의 이런 입장과 민정당 입장에 대해서 국민들은 이미 판가름이 났으리라고 생각합니다. 대단히 외람됩니다마는 저의 제 나름대로 짧은 경험을 가지고 이 국회 전통을 지금 말씀을 드렸습니다. 민정당 동료 위원 여러분들께서 조금 양보하시는 것이 옳다고 생각하고 만일 이 자리에 민정당 수뇌부가 와 계시면 뒤에서 이 문제를 조정해 주시기 바랍니다. 국민들은 이미 심판을 했으리라고 생각합니다.

문동환 엄격하게 사회해 달라고 해서 이제부터는 엄격하게 사회하겠습니다. 민정당에서 기어이 세 분을 해야 한다면 하는 수밖에 없습니다. 우리 본래 간사회의에서 얘기했던 것처럼 중첩을 하지 말게 요점을 바르게 찔러서 얘기하시고 만약에 생일을 묻는 식으로 이것을 끌고 나가신다면 제가 엄격하게 하겠습니다. 그러나 여러분들이 이제는 강하게 얘기해 달라고 요구하기에 그대로 집행하고 꼭 요점, 꼭 필요한 것, 중복되지 않게 5·18광주민주화운동과 관련되는 것을 집중해서 말씀해 주십시오.

정창화 신문해 주십시오.

최봉구 엄격하게 사회를 보시려면 10분간 휴식해야 됩니다.

문동환 꼭 2시간이라고 하지는 않았어요. 정창화 위원 질문하시고 그동안 간사님들은 다시 의논하셔서 여기에 해결 방법을 강구하여 주시기 바랍니다. 정창화 위원 발언해 주십시오.

정창화 정창화 위원입니다. 모든 국민들의 관심이 쏠려 있는 오늘의 이 광주민주화운동 진상조사특별위원회의 청문회가 지금 이 시간까지 아주 잘 진행이 되어 왔다고 생각을 합니다. 그런데 이게 마지막 순간에 와서 또 국회가 국민들에게 실망을 주는 모습을 보여 주지 않았느냐 하는 생각에서 본 위원 퍽 가슴 아프게 생각을 합니다. 그리고 아침 일찍부터 이 자리에 나오셔서 증언을 해 주시는 증인께서는 퍽 피곤하실 것 같고 또 많은 위원들이 이제 짧게 그리고 중복되지 않게 질문을 하는 것이 좋겠다는 또 의사 진행 발언도 있었고 해서 본 위원은 아침부터 지금까지 증인께서 질의 답변 과정에서 말씀하신 내용 중에서 조금 의심이 가거나 다시 확인을 하는 것이 좋겠다고 생각되는 부분에 대하여 몇 가지 물어보고자 합니다.

첫째, 증인께서는 광주사태에 대한 내란음모죄로 유죄 판결 확정을 받은 것은 이미 8년 전의 일입니다. 그렇다면 그동안 증인께서는 이 내란음모사건의 판결은 조작에 의해서 그렇게 되어진 것이다라고 오늘 이 청문회에서까지 말씀을 하셨는데 그렇다면 왜, 그동안 조작에 의한 재판이었다고 하는 확증과 자신을 갖고 계신다면 왜 대법원에 재심 청구를 하시지 않으셨는지 물어봅니다.

김대중 과거 재판부는 행정부의 지배하에 있어 가지고 전연 공정한 재판을 할 수 없는 사법부였기 때문에 그런 일을 할 필요가 없고 더구나 그 대법원장 되어 간 분들 보면 제 사건이나 김재규 씨 사건에 공을 세운 사람들이 대법원장으로 되어 가는 판에 거기다가 무슨 신청했자 아무 의미가 없기 때문에 안 했지요.

그러나 이제는 대법원도 바뀌고 그랬기 때문에 현재 저하고 같은 피고였던 한승헌 변호사가 지금 맡아 가지고 저희들 내란음모 관계 전원이 재심 청구할 서류를 만들어 가고 있는 중입니다.

정창화 만약에 그동안의 사법부가 행정의 시녀였기 때문에 정당한 재판을 내릴 수 없을 것이기 때문에 재심 청구를 하지 않았으나 이제 우리 법원이 독자적인 독립성을 지닐 것이기 때문에 재심 청구의 준비를 하고 계신다면 오늘 이 청문회에 증인께서는 반은 스스로 원하셔서 이 문제를 해명코자 하시고 또 광주항쟁의 진실을 규명하고자 하셔서 나오셨다고 하는데 일본의 경우에도 재판에 영향을 주는 사건이 가능성이 있을 때에는 국회의 청문회에서는 의제로 삼지 않는 것이 그 실례로 되어 있는 것으로 알고 있습니다. 그렇다면은 증인께서는 혹시 재심을 청구할 문제가 있는 이 건을 이 청문회에 나오셔서 스스로 답변하시겠다고 생각하신 것은 재판에 영향을 주고자 하는 그러한 속셈은 없으셨을까요?

김대중 그런 의도는 전혀 없습니다.

정창화 두 번째 확인합니다. 증인께서는 1980년 2월 29일에 복권이 되신 이후 또다시 정치 규제에 묶였다가 1987년에 다시 복권되신 적이 있으시지요? 그래서 사면복권이 되어 대통령 후보로 출마하셨는데 이때에 대통령 후보로 출마하시기 위해서 본인은 물론 주위에 계시는 여러분들이 증인의 사면복권을 건의하고 또 주장을 하셨는데 사면복권이란 원칙적으로 유죄를 스스로 인정하는 것이 아닌지요?

김대중 그것은 법리론적으로는 그렇습니다. 그런데 지금 우리가 현실적으로 보아서 무슨 혁명을 해 가지고 정권을 바꾸지 않는 이상은 법적 조치로는 그 길밖에 없기 때문에 그것은 이미, 말하자면 재판이 그렇게 조작하고 부당한 것은 다 아는 일이니까 법적으로는 그 길밖에 없기 때문에 그 길을 택할 수밖에 없어서 그렇게 주장한 것이지요.

정창화 되었습니다. 아까 증인께서는 정동년 씨라는 사람을 1985년 4월경에 처음으로 만났고 돈을 주었거나 하는 사실은 전혀 없었다고 진술하셨습니다. 당시의 수사 기록, 저희 광주특위에 세출된 수사 기록을 보면 정동년은 군사법경찰 수사 단계에서 열세 번, 군검찰 수사 단계에서 두 번 그리고 군법무사 앞에서 세 번 도합 18회에 걸쳐 김상현 씨를 통하여 증인으로부터 돈을 수령하였다고 하는 사실을 자백한 바가 있습니다. 이렇게 열여덟 번씩이나 그것이 허위로 자백이 될 수 있다고 생각을 하십니까?

김대중 그것은 그런 공포 분위기하에서 본인이 일단 뭐든지 자백하겠다고 했으니까 수사관 측이 요구하는 대로 몇 번이든지 했겠지요. 또 정동년 씨가 곧 나오니까 물어보시면 알 것입니다.

정창화 그래서 먼저 확인을 해 보기 위해서 그러는 것입니다. 그렇다면 당시 증인의 변호를 맡았던 우리 동료 위원입니다마는 허경만 의원이 정동년 씨가 법무사 앞에서 증인으로부터 500만 원을 받은 사실을 시인한 이 부분에 대해서 진정 성립을 인정했는데 그러면 당시의 변호사인 허경만 의원도 고문에 의해서 이것을 진정으로 성립했다고 생각될 수 있겠습니까?

김대중 그것은 허경만 변호사가 어떻게 해서 인정했는지 잘 모르겠는데요, 저는 또 인정한 사실도 모르겠고요.

정창화 다음 확인하겠습니다. 증인께서는 재판을 받는 과정에서 모든 것은 고문과 또 그 상대방 때문에 허위로라도 자백을 할 수밖에 없었다, 그러나 용공 부문만은 죽을 각오를 하고라도 인정을 하지 않았다라고 오전에 진술하셨습니다. 그렇다면 그때 그 재판 과정에서 제시된 여러 가지 죄목 중에서 용공 부문보다도 이 부문은 훨씬 경한 그러한 것이었고 이 부문을 증인께서 용공 부문만큼 강하게 또 절대로 그런 일이 없었다고 부인을 하셨더라면 이러한 무고한 피해자가 나오지 않았거나 그때 그 재판이 다시 재수사되어졌을지도 모른다고 생각되는데 그런 생각은 드시지 않는지요?

김대중 용공 부문은 저 한 사람한테 국한된 문제니까 제가 그것을 싸워서 거부할 수가 있습니다. 그런데 다른 문제는 여러분하고 관련되었는데 그분들이 이미 허위 자백을 했어요. 그리고 허위 자백이 참 견딜 수 없는 고문에 의해서 했는데 제가 더 우겨 봤자 방법이 없어요. 그분들에게 고통만 자꾸 더 주는 것이기 때문에 그래서 그쪽 부분은 저도 할 수 없이 승인을 하고 법정에 가서 싸우겠다, 이렇게 생각하고 또 용공 부문은 저로서는 죽고 사는 문제니까 이것을 승인한다는 것은 저뿐 아니라 저희 동기들이나 자식들한테까지 큰 영향이 미치는 문제니까 제가 그것을 결사적으로 반대를 한 것이지요.

정창화 증인께서는 1980년 5월 15일 오후 남대문 부근에서 있었던 학생들이 시위가 극에 달해서 전경이 버스에 치여 역살당하는 등 그러한 사건도 조작이었을 가능성이 있다고 아침에 증언을 하셨습니다. 혹시 조작에 대한 정확한 근거나 증거라도 갖고 계시는지요?

김대중 그런 이야기도 들었고요, 또 상황 증거로 보아서 아까도 말씀했지만 버스에 타고 밀어붙여 가지고 그렇게 죽이면 거기서 뛰어내린다고 하면 주위에 있었던 정사복 경찰이 누군가가 잡았을 텐데 잡지도 않았고 그 후라도 영 범인이 안 나온 것으로 보아서 제가 들은 정보 즉 자기들이 혼란을 조성하기 위해서 그런 일을 했다, 그때 그것이 국민에게 큰 충격을 주어 가지고 학생들 시위에 대해서 아주 부정적 반응을 일으키는 데 큰 공헌을 했습니다. 그런 점에서 의심을 한다, 그거지요.

정창화 그러면 이제 몇 가지 마지막으로 물어보겠습니다. 아까도 본 위원이 질의를 했습니다마는 오늘의 이 청문회는 우리 역사에 있어서 크나큰 비극이요, 다시는 일어나서는 안 될 광주의 아픔을 치유하기 위한 이 특위의 청문회입니다. 그렇다면 증인께서는 그 아픔을 누구보다도 앞장서서 치유하실 수도 있다고 생각을 하시고 또 이 광주사태에 대하여 그동안 누구보다도 많이 관심을 가져오신 우리나라의 지도급 정치 인사이십니다. 우리가 아침 10시부터 이 시간까지 증인과 함께 광주의 아픔과 광주의 역사를 얘기하고 있는 이 청문회가 그때에 아픔을 당했던 유가족들이나 국민들에게 어떠한 이익을 주실 수 있다고 생각을 하십니까?

김대중 5·18민중항쟁이 법률적으로 폭도 내란, 혹은 용공, 이런 것으로 규정된 채 지금 시정이 안 되고 있습니다. 그리고 그때에 희생된 분들의 명예도 회복되지 않고 있습니다. 그런 데다가 거기에 대해서 가해한 사람들, 그렇게 구국의 결단을 했다, 나라가 송두리째 잘못될 것 같으니까 이런 일 했다고 그렇게 자랑하던 분들 중에 단 한 사람도 광주에서 그런 무력 행사에 대해서 내가 시켰다, 내가 책임자다, 이제 그런 말 안 합니다. 서로 남한테 미루고 있습니다. 이런 상황하에서 저는 진실을 밝혀야 돌아가신 분들도 눈을 감고 지하에서 고이 쉴 수가 있고, 그 유가족들의 한도 풀릴 수 있다고 생각을 하고 있습니다. 동시에 이것이 분명히 되어야, 그래서 잘못되었다는 것이 판명되고 이렇게 해야 이 나라 민주주의에 대한 정통성이 서 가지고, 다시는 이런 잘못된 일을 되풀이하지 않는 역사적, 현실적 교훈을 세울 수 있다고 생각하기 때문에 이번 이 광주특위의 사명은 민족사적으로 보더라도 굉장히 중요한, 비길 데 없이 중요한, 그런 사명을 가지고 있기 때문에 여러분께서 이 5·18민중항쟁에 대해서 이번에 여야 간의 당리당략을 초월해서 이것을 분명히 밝혀 가지고, 그 밝힌 결과에 따라서 여야가 중지를 모아 가지고, 올바른 그리고 국민적으로 지지받을 수 있는 해결책을 도출할 수 있도록 그렇게 해 주시기를 진심으로 바라고 있습니다.

정창화 이제 증인께서 간절히 말씀하신 그러한 뜻에는 본 위원도 동감을 하고, 또 이미 지난 1월에 민주화합추진위원회에 국가의 많은 원로 지도자들이 모이셔서 근 40일에 가까운 기간 동안 이 광주의 아픔을 치유하는 일이 어떤 방법이 있겠느냐 해서 오랜 시간 토의를 해서 민주화합추진위원회가 정부에 대해 건의를 제출한 바가 있습니다. 그 속에도 이미 그러한 건의는 충분히 포함되어 있다고 생각이 되고, 또 광주사태의 원인이 어디에 있느냐에 대해서, 오랜 시간 증인들을 통하여 증언을 들었으나 명백한 원인을 가리기에는 참으로 어렵다라는 결론을 내린 바가 있는 것으로 알고 있습니다.

아무쪼록 오늘의 이 청문회가 광주의 아픔을 달래고, 민족의 밝은 역사를 열어가는 계기가 되기를 바라면서 질의를 마치겠습니다. 감사합니다.

김대중 '나의 고백'

대담 『사목』
일시 1990년 11월

질문 당신이 살고 싶은 곳은? 그 까닭은?

김대중 내가 살고 싶은 곳의 하나는 광주이고 또 하나는 목포이다. 광주학생독립운동의 고장, 5·18민주화운동의 고장, 망월동이 있는 민주 성지 그리고 나와는 끊을 수 없는 광주이다. 또 하나는 나의 고향 항구 목포이다. 유달산, 삼학도, 영산강 그리고 「목포의 눈물」의 목포! 대안동에 집을 짓고 고하도가 병풍처럼 둘러싼 호수 같은 목포항 입구를 보면서 살고 싶다.

질문 당신이 가 보고 싶은 곳은?

김대중 북한이다. 나는 육십이 넘도록 아직 북한에 가 본 적이 없다. 무엇보다도 금강산에 가 보고 싶다. 만일 금강산에 가 보지 못하고 죽는다면 큰 한이 될 것 같다. 그리고 백두산도, 대동강도 보고 싶고 모든 곳을 가 보고 싶다. 북한 땅 대지에 입 맞추며 통곡도 하고 싶다.

질문 당신이 가장 하고 싶었던 일이 무엇이며 언제, 무엇을?

김대중 어릴 때부터 정치가나 교육자가 되는 것이 나의 꿈이었다. 후자는 이루어지지 못했다. 나는 정치가가 되어서 많은 고생도 했고 또 대통령 선거에서 두 번 실패했지만, 국민의 편에 서서 나름대로 양심껏 일해 왔기 때문에 나의 인생에 후회는 없다.

질문 당신이 진심으로 마음을 터놓고 대화한 사람은?

김대중 무엇보다도 인생의 삶의 척도를 "무엇이 되는 것"보다도 "바르게 사는" 데 두는 사람이다. 바르게 사는 사람이란 내 이웃 즉 내 아내, 내 자식들, 내 형제 가족부터 시작해서 모든 세상 사람들을 위해서 봉사하는 것을 삶의 보람으로 여기는 사람이다. 만일 그가 기독교 신앙에 입각해서 그런 사랑과 봉사의 생활을 하는 사람이라면 금상첨화라 할 것이다.

질문 당신 생애에서 가장 고마운 사람은? 그 까닭은?

김대중 고 장면 국무총리다. 그분은 내가 1956년 영세를 받을 때 나의 대부를 서 주신 신앙의 아버지시다. 그분은 나에게 신앙의 모범을 보여 주셨다. 장면 박사는 그 당시 민주당의 당직 배분에 있어서 나를 파격적으로 발탁해서 내 역량을 발휘하도록 도와주셨고, 집권했을 때는 집권당의 대변인으로 기용해 주셨다. 그리고 무엇보다도 박사님은 민주주의의 정신에 투철하고 자기가 정권을 내놓는 한이 있더라도 야당의 권익을 존중해야 한다고 거듭 역설하신 것을 지금도 생생히 기억하고 있다.

질문 당신 생애에서 양심에 가장 거리낀 일을 한 것은? 언제, 무엇을?

김대중 내 누이동생이 1959년에 죽었는데, 누이동생은 이화여대 다니다가 중도 퇴학하고 오랫동안 심장판막증으로 고생하다가 죽었다. 그 당시 나는 야당을 하면서 선거에 몇 번 실패해서 가산이 탕진되어 누이동생의 치료를 충분히 해 주지 못했다. 그보다도 좀 더 누이동생을 따뜻하게 격려하고 보살펴 주었어야 했는데 그것도 제대로 못 했다. 어떨 때는 귀찮다고 생각한 일도 있었는데 지금도 가슴이 아프다.

질문 당신의 삶의 목적은?

김대중 내 삶의 목적은 하느님께서 이 세상에 하느님의 사랑과 평화와 정의의 나라를 세우는 일에 동참하는 것이다. 즉 민중을 괴롭히는 악과 싸워서 이를 극복하고 고난받고 소외받는 사람들을 위해 인간다운 삶의 여건을 실현하고자 한다. 갈라진 조국을 화해와 사랑으로 통일하여 7천만 민족에게 기쁨과 평화의 대로를 열어 주고 싶다. 나아가 우리 민족이 아시아·태평양 시대의 주역이 되어 세계의 평화와 소외된 민족의 발전을 위해 봉사하는 도덕적 선진국이 되는 기틀을 세우고 싶다.

질문 당신이 가장 좋아하는 덕목은?

김대중 경천애인敬天愛人이다. 하느님을 공경하고 사람을 사랑하라는 뜻인데, 경천과 애인은 따로 떨어진 것이 아니라 경천을 하려면 먼저 하느님의 아들인 우리 이웃 사람을 사랑해야 하고 사람을 사랑하려면 우리 모두의 아버지인 하느님을 공경해야 한다. 둘은 갈라질 수 없는 하나이다.

질문 당신이 가장 아름답다고 느낀 것은? 또 그 까닭은?

김대중 좌절과 슬픔 속에 젖어 있는 사람들, 특히 집단적으로 그런 상태에 있는 민중들의 고난에 동참해서 같이 노력하고 희생하는 것을 볼 때이다. 나는 우리 대학생들이 농민이나 노동자 등 민중 속에 들어가서 고난을 같이하는 것을 볼 때, 이 세상에 그 무엇보다도 아름다움을 느낀다.

질문 당신이 보기에 세상에서 가장 완전한 행복은? 그것을 얻기 위한 노력은 어떻게?

김대중 행복을 얻는 것은 결코 불가능한 것이 아니다. 누구든지 무엇이 되는 것보다도 바르게 사는 데 목표를 두는 삶을 살아간다면 그런 삶은 하루하루가 성공이요, 행복된 삶이다. 특히 사회적으로는 소외된 사람들, 나의 도움을 필요로 하는 사람들을 위해 봉사하고 내 사랑을 아낌없이 줄 때 진정한 행복이 있다고 생각한다.

질문 당신이 겪은 가장 큰 행운은?

김대중 내게 가장 큰 행운은 서로 사랑하고 아끼는 화목한 가정이 있다는 점이다. 우리 가족은 나로 인해 수없는 박해를 받았다. 그러나 그러한 고난 속에서 서로 사랑하고 한데 뭉치게 되었다. 이웃에 대한 봉사의 정신과 정의로운 사회를 이루기 위한 노력 속에서 하나가 되었다. 우리는 주일마다 세 자식들과 세 며느리 그리고 다섯 손녀, 두 손자 이렇게 온 가족이 교회에 갔다 와서 점심을 같이 먹는데 이때가 우리에게는 가장 행복한 때이다. 모두 착실하고, 모두 건강하고, 서로 아끼고 화목하니 이 이상의 행복은 어디 있겠는가!

질문 당신이 겪은 가장 큰 불행은?

김대중 이유 여하를 막론하고 1987년 선거 당시 야권 단일 후보를 이루지 못했던 점이다. 물론 단일 후보가 됐더라도 과거와 같이 부정선거로 인해서 승리는 어려웠을 것이다. 그러나 단일 후보가 됐더라면 국민에게 그토록 좌절감을 주지 않았을 것이라고 생각할 때, 그것은 나를 위해서나 국민을 위해서 큰 불행이었다고 생각한다.

질문 당신에게 가장 두려운 것은?

김대중 역사의 심판이다. 역사 속에서 내가 어떻게 평가될 것이냐? 우리들은 한때 세상 사람들을 속일 수는 있지만 역사를 속일 수는 없다. 또 내게 두려운 것은 자기 양심의 소리이다. 우리는 남을 속일 수는 있어도 자기 자신은 속일 수 없다.

질문 당신에게 부자유를 가장 크게 느끼게 하는 것은?

김대중 유명한 데서 오는 사생활의 침해이다. 그리고 너무나도 많은 사람을 접촉하기 때문에 읽고 싶은 책을 읽지 못한다든가, 하고 싶은 취미 생활을 못 하는 것이다.

질문 불행이나 고난 또는 두려움을 이길 수 있는 힘은 어디서 얻는지?

김대중 자기가 바르게 살고 있다는 데서 오는 긍지와 마음의 평화이다. 옳은 것은 반드시 국민과 역사에 의해서 바르게 평가된다는 믿음, 한때의 좌절이나 오해는 결코 오래갈 수 없다는 확신이 고난을 극복할 힘을 준다.

질문 원수나 미운 사람과 어떻게 화해할 수 있으며 참용서가 가능한가?

김대중 사랑까지는 못 해도 용서는 할 수 있고 또 해 왔다고 생각한다. 나는 박정희 씨나 전두환 씨같이 나를 정치적으로만이 아니라 생명까지 말살하려 한 사람을 용서해 왔다. 그러나 어떤 경우에도 죄는 용서해서는 안 된다.

질문 당신에게 영향력을 준 책은?

김대중 토인비의 『역사의 연구』이다. 이것을 통해서 나는 인류 역사의 대파노라마의 전모를 파악할 수 있었는데, 도전과 응전에 의해서 움직이는 역사 발전의 법칙을 깨달을 수 있었다. 그리고 또 하나는 성서이다. 이 책을 통해서 하느님의 사랑의 본질, 즉 소외받고 고통받는 사람 그리고 카인같이 죄에 가득 찬 사람까지 하느님은 사랑하신다는 위대한 진리를 배웠을 때 내 눈이 환히 떠지는 심정이었다.

질문 당신에게 영향력을 준 종교 서적은?

김대중 공의회 문헌이다. 이것을 통해 제2차 바티칸공의회 이후 우리 교회가 나아가는 새로운 진로에 대해서 많은 것을 배우게 되었다. 또 하나는 독일의 신구교 신학자들에 의해 만들어진 『하나의 믿음』으로서 결국 마르틴 루터의 종교개혁 이래 이제 교리 면에서 하나가 된 교회의 모습을 배웠다.

질문 당신에게 감명 깊었던 영화나 연극은?

김대중 영화 「토지」를 보았는데 우리 조상들의 잡초같이 끈질긴 생명력에 큰 감명을 받았었다. 그리고 연극은 「세일즈맨의 죽음」인데 현대자본주의

문명 속에서 인간의 삶의 한계상황을 생생히 느낄 수 있었다.

질문 성숙한 사람에게 첫째로 꼽을 수 있는 성격은?

김대중 '열린 마음'이라고 생각한다. 남의 말을 경청하고 내가 그 사람의 위치에 서서 그 사람과 문제를 생각하고 같이 해결하는 자세이다.

질문 우리의 청소년들에게 가장 바라는 것은?

김대중 무엇보다도 성공의 참뜻을 올바르게 파악해야 한다. 성공이라는 것은 결코 높은 자리에 서거나 부자가 되는 것이 아니다. 성공이란 한 순간 한 순간을 바르게 사는 것이다. 성공은 결코 내일에 도달할 목표가 아니라 지금 이 시간에 차지해야 할 현실이다. 이것이 인생의 진리라는 것을 깨닫기 바란다. 그리고 자기 자신에 대한 엄격한 윤리적 규제를 습관화해야 한다. 사람의 가장 중요한 싸움은 자기 자신과의 싸움 그것도 도덕적으로 떳떳하게 사는 자기를 만들기 위한 싸움이라는 것을 명심해 주었으면 좋겠다.

질문 우리 대학생들에게 가장 기대하는 것은?

김대중 우리 대학생들이 민주화와 민족문화의 회복과 사회정의의 실현을 위해 이룩한 공헌은 크게 평가되어야 한다. 그러나 그간 일부 대학생들의 태도를 볼 때, 자기들의 주장에 대해 국민의 이해를 얻으면서 추진하기보다는 너무 성급하고 과격하여 국민과 유리된 경향이 적지 않다. 한 사람이 백 보를 가는 것보다는 백 사람이 한 걸음을 가는 것이 옳은 것이다. 왜냐하면 운동은 대중과 연대했을 때만 성공할 수 있는 기본 성격을 지녔기 때문이다. 대중으로부터 고립되는 것이야말로 공작 정치의 목표이자 바람인 것이다.

질문 우리나라의 가정에 가장 큰 문제점은 무엇인가? 가정을 결속시키는 바탕은?

김대중 가정에 있어서 가장 중요한 문제는 부모들이 자식들의 모범이 되는 것이다. 부모는 비윤리적인 생활을 하면서 자식들에게만 바르게 살라고 하고, 부모는 책 한 권 읽지 않으면서 자식들에게만 열심히 공부하라는 것은 설득력이 없다.

질문 남존여비를 벗고 사회 발전을 위해 여성들이 무엇을 배워야 할 것인가?

김대중 우리나라는 이제 남녀고용평등법이 성립되었고 또 가족법에 의해서 여성이 법률적으로 남성과 동등한 대우를 받게 되었다. 그러나 문제는 이러한 권리들이 여성보다는 남성들에 의해서 부여된 면이 상당히 크다는 점이다. 여성이 스스로의 힘에 의해서 자기 권리를 쟁취해야 한다. 그러기 위해서는 여성 모두가 여성 지도자를 키우고 아껴야 하며 각종 선거에서 여성 후보를 적극 지원해야 한다. 그렇지 않으면 남성으로부터의 차별을 결코 벗어날 수 없을 것이다.

질문 사회의 성숙한 발전을 위해 개선되어야 할 한국의 남성상은?

김대중 인구의 반을 차지한 여성을 가정과 사회 전체의 파트너로 이해해서 그의 인격과 권리를 존중하는 것이다.

질문 우리 한국민의 장점과 단점이 무엇이라고 생각하는가?

김대중 한국민의 장점은 뭐라 해도 교육열과 부지런함 그리고 진취적이라는 점이다. 한국민의 단점은 의심할 여지없이 성질이 급하고 꾸준함이 부족하다는 점이다.

질문 우리나라 역사에서 가장 존경하는 인물은? 그 까닭은?

김대중 전봉준 장군이다. 전봉준 장군은 시골 서당의 훈장이었는데 이런 분의 머리에서 노비 해방, 과부 개가, 토지 개혁, 서정 혁신 등의 내정 개혁과 반제국주의의 시대적 소명이 나왔던 것은 참으로 놀라운 일이다. 그리고 전봉준 장군은 그것을 실천에 옮겨서 수백만의 농민을 궐기시켰다. 세계의 어떠한 민중 지도자에 견주어도 손색이 없다.

질문 어떤 사람이 국가나 사회 공동체의 발전에 가장 이바지하는가?

김대중 모든 사회 구성원에게 자유와 정의, 인간의 존엄성이 보장되어야 하며 그러한 권리의 쟁취가 사회 구성원 자신의 참여에 의해서 이루어져야 한다. 즉 주인으로서 자기의 권리를 쟁취하도록 도와주어야 한다고 믿고 노력하는 사람이다.

질문 어떤 사람이 국가나 사회 공동체의 발전에 가장 해를 끼치는가?

김대중 국민 대중의 참여의 길을 봉쇄하는 독재자이다. 독재자에 의해서 국민의 자유가 박탈되고 성장으로 얻어진 부를 소수에게만 집중시키는 그런 잘못된 사회구조는 우리 사회를 분열시키고 많은 사람들을 좌절과 저항으로 이끌기 때문이다.

질문 현재 우리나라에서 가장 시급히 해결되어야 할 일은?

김대중 민주주의의 정착이다. 그중에서도 핵심은 지방자치제를 전면적으로 실시하는 것이다. 우리는 이러한 민주 발전을 통해서 자유와 정의를 실현해서 한국을 동방의 서독으로 만들어서 통일에의 힘을 기르는 것이 우리들의 시급한 과제로 설정되어야 할 것이다.

질문 남북통일의 첫걸음이 무엇이고 이를 위해 계속해야 할 과제는?

김대중 평화 공존과 평화 교류를 병행 실시해서 한편에서는 정치적 군사적 대립을 최대한도로 감소시키고 한편에서는 전면적인 교류를 진행시켜서 민족의 동질성을 회복시키는 것이라고 생각한다.

질문 현재 우리나라에서 정부가 해야 할 가장 중요한 일은?

김대중 무엇보다도 국민으로부터 믿음을 회복해야 한다. 그리고 민주주의와 부의 공정 분배를 실시해서, 국민으로 하여금 정부가 우리 자신을 위해서 있다는 것을 실감하게 해 주어야 한다.

질문 현재 우리나라에서 국회가 해야 할 가장 중요한 일은?

김대중 3당 야합으로 국민의 대표성을 상실한 13대 국회를 해체하고 새로운 총선거를 통해서 14대 국회를 창출하는 것이 가장 시급한 일이라고 생각한다.

질문 현재 우리나라에서 사법부가 해야 할 가장 중요한 일은?

김대중 사법부가 시대의 흐름을 바르게 파악하고 사법부에 대한 국민의 기대에 부응하는 판결 자세를 가져야 한다. 무엇보다도 이제 냉전 시대가 종식되었고 화해와 통일의 시대로 가고 있는 이 마당에, 사법부가 시국 사범에 대한 상응한 판결을 내려야 한다.

그리고 또한 사법부는 국민이 좌절감과 분노에 빠진 가장 큰 원인이 이 사회의 힘 있는 자에 의한 억압 구조와 착취에 있다는 것을 파악하고 약한 사람들을 짓밟는 강자의 횡포에 대한 엄격한 제재의 자세를 취해야 한다.

질문 현재 우리나라에서 국민이 해야 할 가장 중요한 일은?

김대중 지방색 타파이다. 지방색 타파 없이는 우리는 좋은 정치를 기대할 수 없다. 어느 정당이, 어느 후보자가 가장 국민을 위해서 바람직한 정당과 후보냐가 아니라 그 정당의 후보자가 어느 지역에서 나왔느냐 하는 데 기준을 두고 투표한다면 천년이 가도 우리 정치는 바로 될 수 없다. 동서 간의 화해도 못 하면서 우리가 어떻게 남북의 화해를 기대할 수 있겠는가?

질문 모든 국민을 함께 잘살게 하는 경제 정책은?

김대중 정의 있는 자유경제이다. 경제체제로서는 자유경제가 가장 바람직하다는 것은 말할 필요도 없다. 그러나 불균형 분배 구조를 타파해서 빈부 간, 지역 간, 도시와 농촌 간, 대기업과 중소기업 간의 갈등과 적대를 해결하지 않으면 건전한 경제 발전은 결코 이룰 수 없는 것이다.

질문 현재 우리나라에서 막중한 책임을 질수록 꼭 지켜야 할 기본 덕목은?

김대중 국민에 대한 외경심이다. 국민을 하늘같이 존경하고 국민을 범같이 무서워해야 한다. 그래서 국민의 뜻에 따라서 국민을 위한 정치를 해야 한다.

질문 우리나라에서 가장 소중히 보존해야 할 전통이나 문화를 무엇으로 보는가?

김대중 교육열, 효도, 스승에 대한 존경심이다. 어느 민족이건 자원이 풍부하다고 해서 반드시 잘살지는 않는다. 그러나 국민을 잘 교육시켜서 못사는 나라는 하나도 없다. 교육은 우리의 가장 위대한 전통인 것이다. 부모가 자식이나 며느리의 인격을 존중하는 가운데 이루어지는 효도는 온 가족이 존경과 사랑 속에 행복한 가정을 이루는 원천이 될 것이다. 군사부君師父 일체라고까지 말한 스승에 대한 존경은 우리 사회의 가장 큰 자랑거리라고 생각한다. 그리고 문화도 민중들에 의해서 창출된 문화를 우리는 특별히 보호하고 발전시켜야 한다. 국악, 무용, 공예 등 각종 민족 예술에 대한 재평가와 보존에 더욱 힘써야 한다.

질문 토속 종교에 대한 당신의 관심은?

김대중 토속 종교는 우리 민중들의 생각과 소망이 담겨져 있는 것으로서 우리들은 민중의 삶의 뿌리를 여기서 발견할 수 있다. 또 거기에는 부분적으로 하느님의 계시가 나타나 있다. 따라서 토속 종교에 대해서 깊은 관심과 연구를 하는 것은 기독교가 한국에서 뿌리를 튼튼히 내리는 데 큰 도움이 될 것으로 믿는다.

질문 당신은 조상과의 유대를 어떻게 의식하고 표현하는지?

김대중 조상을 거슬러 올라가면 아담에 이르고 아담을 거슬러 올라가면 하느님에 이른다는 교회의 해석이 나는 아주 정당하다고 생각한다. 따라서 조상에 대해서 나는 따뜻하고 친근한 존경심과 유대를 느낀다. 그리고 조상들이 남긴 많은 위대한 유산이 있다. 우리는 그것을 잘 발굴해서 현대적으로 되새겨야 한다고 생각한다. 나는 김해김씨인데, 김해김씨의 조상인 수로왕과 왕후인 허씨를 시조로 하는 가락국의 역사에는 아주 소중한 유산들이 있다. 민중이 왕을 추대하는 민주주의의 싹이 있고, 왕이 백성을 위해서 좋은 정치를 한 민본주의가 나와 있고, 외국 여성과 왕이 국제결혼을 한 세계주의 정신이 나와 있고, 또 왕비가 난 자식들 중에서 두 왕자를 골라 허씨 성을 준 여권 존중의 싹이 있다. 그렇기 때문에 우리는 이런 것을 현대적 입장에서 재해석할 때 20세기의 오늘의 현장에서 조상과의 새로운 만남의 장이 열린다.

질문 종교가 국가와 사회 발전을 위해 제일 먼저 무엇을 해야 한다고 보는지?

김대중 광야에서 외치는 소리가 되어야 한다고 생각한다. 그러기 위해서는 무엇보다도 중요한 것은 지역감정을 타파하는 데 종교가 앞장서야 한다. 하느님의 사랑은 민족과 인종의 차별도 뛰어넘는데 지금 이 나라에서는 독재자들이 조성해 놓은 지역감정이 우리 사회를 갈가리 찢어 놓고 있다. 그런데 종교계가 이 문제에 대한 적극적인 개입을 주저해 왔고 심지어 일부는 여기에 동조하는 경향도 있었다. 이것은 참으로 하느님의 뜻에 어긋난다고 생각한다. 그리고 또한 종교는 이 땅의 정의 실현에 앞장서서 위정자들이나 사회 여론에 강하게 호소해야 한다고 생각한다.

질문 한국 천주교회에 대해 마음에 드는 점이나 보존해야 할 점은?

김대중 위대한 순교의 역사이다. 이것은 참으로 자랑스럽고 감사하고 길이 보존해야 한다고 생각한다. 평생을 독신으로 살면서 모든 것을 주님께 바치는 신부님이나 수녀님을 보면 저절로 머리가 숙여진다.

질문 한국 천주교회에 대해 마음에 들지 않는 점과 비판해야 할 점은?

김대중 성직자들이 지나치게 권위주의적인 것 같다.

질문 한국 천주교회에 대해 특별히 바라고 싶은 것이 있다면?

김대중 천주교회가 신자들의 영적 구원과 더불어 사회적 구원에 대해서 좀 더 적극적인 역할을 했으면 좋겠다. 일제하 3·1독립운동에 참가하지 않은 우리들의 수치스러운 역사, 일제의 신사참배에 과감하게 저항하지 않았던 역사, 이런 것을 우리가 생각할 때 우리는 좀 더 사회에서 정의로운 참여를 해야 하지 않는가 생각한다.

질문 당신의 삶에서 이론적인 설명이 불가능한 신비로운 체험이 있다면?

김대중 1973년 일본 도쿄에서 중앙정보부원들에게 납치되어서 배에 태워진 후에 전신을 결박당해 바닷속에 던져지려는 순간이었다. 나는 이제 나의 인생은 마지막이라고 생각하면서 다른 일을 생각하고 기도하는 것을 잊고 있었다. 그랬는데 갑자기 예수님이 내 앞에 나타났다. 그래서 예수님의 옷자락을 붙잡고 나를 살려 달라고 애원을 하는데 어디선가 펑펑하는 폭발물 소리가 계속 들려왔다. 그것은 나를 구출하기 위한 미국(?) 비행기의 경고탄 소리였다. 주님의 나타나심은 내가 죽음을 모면하는 순간이었다.

질문 현재 당신의 삶에 만족하는지? 만일 만족하지 못한다면 무엇을 하고 싶은지?

김대중 원칙적으로 만족하고 있다. 나는 성공의 기준이 무엇이 되는 것이 아니라 어떻게 사는 것이 기준이라고 생각하기 때문에 나의 삶에 만족한다. 물론 여러 가지 실수와 잘못은 많았다.

질문 당신의 인생을 어떻게 엮어 가고 끝맺어야 할 것인지?

김대중 하루하루 최선을 다해서 살아감으로써 끝을 맺고자 한다. 그러나 자기가 최선을 다하는 것은 내 자신만이 할 수 있는 자유 선택의 영역이다. 따라서 나는 내가 할 수 없는 일에 대해서는 하느님에게 맡기고 거기에 대해서 신경 쓰지 않기로 결심하고 있다.

질문 사후 세계에 대해서 어떤 생각을 하는지?

김대중 예수의 부활을 믿느냐 안 믿느냐가 사후에 우리가 하느님을 만날 수 있느냐 없느냐 하는 우리들의 신앙을 결정한다고 생각한다. 나는 많은 고민과 묵상 끝에 예수님의 부활을 믿고 있다. 때때로 의문과 흔들림이 없는 것은 아니지만 기본적으로는 그런 확신을 갖게 된 것을 감사히 생각한다.

질문 당신이 다음 세대에 남기고 싶은 말이 있다면?

김대중 역사는 정의의 편이다. 민중의 소망은 반드시 성취된다. 이 세상은 바른 방향으로 전진하고 있다. "내일의 태양이 떠오른다는 데에 조금도 의심 말고 당신의 최선을 다하시오. 그것이 당신 인생의 성공의 길입니다."

질문 당신은 어떤 좌우명을 가지고 살고 있는지?

김대중 나의 좌우명은 첫째로 행동하는 양심이 되라는 것이다. 행동하지 않는 양심은 악의 편이다. 둘째는 앞에서도 누차 강조했지만 무엇이 되느냐가 중요한 것이 아니라 어떻게 사느냐가 중요하다. 셋째는 우리가 이 세상에서 성공하려면 서생적書生的 문제의식을 갖는 순수성과 더불어 상인적商人的 현실감각을 갖는 실체적인 자세의 두 가지가 하나로 조화되어야 한다고 생각한다.

질문 이외에 하고 싶은 이야기가 있다면?

김대중 지금 우리 세대는 인류 역사 이래 처음 있는 대격변기를 맞고 있다. 그리고 이 격변기는 민중이 처음으로 주인이 되는 민중 혁명의 시대이다. 민중 혁명의 목표는 자유와 빵이 같이 보장되고 인간의 존엄성이 최고의 가치가 되는 그런 시대인 것이다. 또한 우리가 살고 있는 한국은 아시아·태평양 시대, 인류 역사상 처음 도래하는 시대의 중심에 있다. 한국은 거기에서 주도적 역할을 하는 나라 중의 나라가 될 것이다. 우리 역사를 보더라도 우리는 민족사상民族史上 최대의 상승기에 있다. 언제 우리 민족이 이렇게 세계적으로나 또 우리 내부적으로 힘을 발휘한 일이 있었던가? 우리는 비록 분단이 되어 있지만 이 문제도 머지않아서 극복될 것이다. 이제 냉전 대결의 시대는 끝났고 민족주의와 민주주의가 세계를 끌고 가는 시대가 되었기 때문에, 민족주의에 의한 통일, 민주주의에 의한 자유와 정의의 실현은 의심할 바가 없는 것이다.

* 이 글은 가톨릭 주교회 기관지 『사목司牧』 1990년 11월 호에 실린 김대중의 「나의 고백」이다.

1990년대 환경 정책과 평민당의 입장

대담 한국환경기자클럽

일시 1990년 12월 21일

황보영춘(사회) 한국환경기자클럽 회장 황보영춘입니다. 1980년대 초반까지만 해도 공해 문제를 반정부적인 관점에서 바라보는 시각이 많았습니다. 그러나 오늘날 환경 문제는 생명과 직결되는 현안이라는 데 모두가 공감하고 있을 만큼 날로 심화되고 있습니다. 지금 창밖으로만 보아도 서울의 대기오염이 얼마나 심한지 쉽게 구별할 수 있습니다. 이러한 문제를 해결하는 데 언론도 적극적으로 이바지하기 위해 한국환경기자클럽이 발족되었습니다. 환경기자클럽이 창립된 후 처음으로 갖는 이 행사에 김대중 평민당 총재를 초청하게 된 것은, 환경 문제를 해결하기 위해서는 환경 정책과 법을 입안하는 정치권의 역할이 가장 크다는 데 저희 회원들의 공감대가 형성되었기 때문입니다. 바쁜 일정에도 불구하고 초청에 응해 주신 김대중 총재께 환경기자클럽을 대표해서 감사의 말씀을 드립니다. 짧은 토론 시간입니다만 이번 행사가 정치 지도자와 환경 문제를 토론하는 공식적인 행사로서는 처음이지 않나 생각합니다. 이를 계기로 선진화된 환경 정책과 법이 창출되기를 기대합니다. 이번 토론회의 주최는 환경기자클럽으로 되어 있습니다만 실질적인 주최는 한국기자협회입니다. 한국기자협회장의 인사 말씀이 있겠습니다.

기자협회장 여러분 반갑습니다. 출범하자마자 눈부신 활동을 보이고 계시는 한국환경기자클럽 회원 여러분께 축하와 감사의 말씀을 함께 드립니다. 그리고 오늘 아주 바쁘신 중에도 저희 기협 강좌에 좋은 내용을 담아 주시기 위해서 특별히 참석해 주신 김대중 평민당 총재께 다시 한번 감사의 말씀을 드립니다.

기협 강좌는 저희 기자협회의 존재 이유와 상당히 밀접한 관련이 있습니다. 그것은 다양화되고 전문화된 사회에 우리 기자들이 제 기능을 하기 위해서는 현장에서의 전문성과 취재의 폭을 넓히는 작업이 매우 중요하다고 보고 기자협회가 앞으로 그런 사업을 펴기로 했으며 기협 강좌는 그러한 사업에 아주 기초적인 단계의 사업입니다.

앞으로 기자협회는 이러한 사업을 토대로 해서 보다 전문화된 교육 프로그램을 실천해 나갈 생각을 가지고 있습니다. 공자 앞에서 문자 쓰는 격이지만 이 환경 문제는 우리 사회 나아가 민족공동체의 운명을 좌우할 중요한 문제라고 생각합니다. 오늘의 기협 강좌가 좋은 결실을 맺기를 기대합니다. 감사합니다.

황보영춘 토론에 들어가기에 앞서 김대중 총재의 간단한 인사 말씀이 있겠습니다.

김대중 여러분, 이렇게 뵙게 되어 대단히 반갑습니다. 환경기자클럽이 이번에 창립되었다고 들었습니다. 이것은 오늘 우리나라 환경 문제의 절실한, 진실 이상의 위기에 처한 상황에 비추어서 매우 적절하다고 표현하기보다는 오히려 만시지탄의 감이 있다고 이렇게 말할 정도로, 꼭 나와야 할 그런 기구가 나온 것이 아닌가 생각합니다.

그런데 기자클럽이 창립되어 첫째로 지목하여 말하도록 한 사람이 전데 이것은 어떻게 보면 가장 부적절한 선정을 했고 또 어떻게 보면 가장 적합한 선정을 했다, 이렇게 모순된 말을 할 수 있겠습니다. 저는 경력이나 모든 걸로 봐서 환경에 대해서는 참으로 아마추어이고 아는 것이 없습니다. 그러한 점에 있어서는 첫 번째 나와서 이야기하는 사람으로서는 진심으로 부적격합니다. 그러나 제가 처해 있는 정치적 위치, 정부의 환경 정책을 감시하고, 편달하고, 국민을 대변하고 이렇게 해야 할 위치에서, 그런 점에서 여러분께서 저를 편달하는 의미에서 선정한 것은 적절한 선정이 아니었는가 이렇게도 보겠습니다.

환경 문제가 이렇게 크게 부각된 것을 보고 정말 금석지감을 금할 수 없습니다. 그 당시의 신문을 보면 알겠습니다만 제가 1971년, 지금부터 20년 전에 대통령 후보로 나왔을 때 박정희, 돌아가신 그분하고 같이 대결했는데 그때 야당 후보가 상당한 국민적 관심을 끌었습니다.

제가 무슨 말 하면 대서 특보가 되고 그랬는데 한번은 환경 문제를 가지고 그 당시 서울 수원지의 물이 뉴욕 하수구 물보다 더 오염이 되어 있다는 이야기, 그리고 서울의 공기(지금에 비하면 그때는 정말 다시없이 깨끗한 편이었지만), 그런 말을 하면서 환경 문제를 이야기했더니 신문 중에서 가장 크게 다룬 신문이 밑에 2단이고 그렇지 않으면 1단으로 깔아 버리는 그런 정도의 취급을 받았습니다. 지금도 그것이 참 인상에 남아 있습니다.

환경 문제는 생존을 위협하는 문제

김대중 그런데 지금은 환경 문제가 전 국민적 관심이 되어 있다는 것을 볼 때 금석지감이 큽니다. 지금 국민의 관심을 끌고 생활과 직결된 절실한 문제들이 몇 가지가 있습니다. 물가, 치안, 교통, 환경, 주택 이 다섯 가지가 가장 중요한 것이 아닌가 생각합니다. 특히 환경은 물가와 더불어 모든 국민에게 관계가 있습니다. 도시와 농촌을 막론하고 그렇습니다. 다른 문제는 지역에 따라서 또는 시간에 따라서 차이가 있지만 이 문제만은 시간도 지역도 차이가 없이, 밤도 낮도 차이가 없이 전 국민적인 관심과 걱정거리가 되고 있다, 그래서 물가와 환경 문제는 가장 중요한 국민적 관심사가 아니겠는가 이렇게 생각합니다. 요사이 우리들은 여기저기서 나는 공해 사고들을 보고, 피해 입은 농작물이라든가 혹은 또 기형 송아지라든가 기형 생선 등을 볼 때 참으로 환경 문제가 이제는 우리의 생존을 위협하는 문제라고 봅니다. 또 환경 관계의 질병도 이제는 일상의 다반사같이 일어나고 있습니다.

이대로 잘못 가면 지구는 파멸

김대중 인류 역사를 보더라도 이 환경 문제가 얼마나 무서운가를 알 수 있습니다. 이 지구가 생겨서 46억 년, 지금의 생물이 바다에서부터 시작되었는데 36억 년 되었습니다. 그동안에 지구 환경 변화로 인해서 몇 번이고 생물이 전멸하고 다시 나오고 이러한 상태였습니다. 인간의 종이 나온 것도 약 500만 년 전 지금 아프리카 케냐의 동쪽에 있는 볼고리아 호수 근방에서 나왔다고 되어 있는데 그러한 인간의 종도 몇 번 이 환경 때문에 전멸하였습니다.

추위와 더위 혹은 사막화 때문에 전멸하고 오늘날 우리 세계 각지에 퍼져 있는 인간의 종, 즉 호모사피엔스 이것이 나온 것은 겨우 10만 년 정도밖에 되지 않았습니다. 이렇게 해서 환경의 힘, 기후 혹은 생태계 등 이러한 것들의 변화가 얼마나 무섭다는 것을 알 수 있는데, 지금 20세기의 종반 마지막 단계에 있는 우리에게 바로 그러한 옛날의 시대, 몇백만 년 혹은 10억 년 전후 시대의 일이 남의 일이 아니라고 생각됩니다. 이것은 일반 사람들, 저 같은 아마추어들이 그냥 느끼는 느낌이 아니고 환경 문제의 전문적인 대가들, 세계적인 과학자들이 거듭 이것을 경고하고 있습니다. 이대로 잘못 가면 지구는 파멸한다, 인류는 전멸한다, 모든 생물은 큰 재난을 당한다, 이렇게 거듭 말하고 있습니다. 우리가 보다시피 지금 겨울의 기온이 따뜻해지고 지구 전체가 따뜻한 방향으로 변화된 것을 몸소 느끼고 있습니다. 오존층 파괴라든가 해양 혹은 사막이 확대되어 가는 것을 눈으로 보고 있습니다.

우리가 볼 때 한반도는 지금 삼팔선 또는 휴전선으로 45년 동안 나라가 두 동강이 되어 있습니다. 그러나 환경 문제는 휴전선도 없고 삼팔선도 없습니다. 공기는 자유롭게 이동하고 있고, 물도 높은 데서 낮은 데로 남북의 경계 없이 흐르고 있고, 바닷물도 흐르고 있습니다. 공기 오염, 바다 오염, 강물 오염, 이것이 남쪽, 북쪽을 다 같이 망치는 그러한 상황을 우리에게 보여 주고 있습니다.

중국 해안 지대에서 일어난 대기 오염이 지금 바람에 날려서 우리나라에 와 가지고 산성비를 내리고 있습니다. 그래서 우리나라에서 동아시아 지역의 환경회의를 열자는 이러한 말도 나오고 있는 실정입니다.

환경 보전은 경제 발전에 도움

김대중 이제 우리 국민도 늦게나마 환경 문제에 대한 의식이 상당히 고양되어 환경 보전 운동이 대두되고 있습니다.

최근의 환경 문제에 대한 여론조사를 보면 우리 국민들의 환경 문제에 대한 여론이 환경은 일단 망치고 나서보다도 예방부터 해야 한다는 반응이 많이 나와 있는데 그것이 약 42퍼센트가 되고 있습니다. 그다음에 교육과 홍보가 필요하다는 것이 약 29퍼센트가 됩니다.

그리고 환경에 있어서 환경을 보전하는 것이 단순히 방어적이 입장만이 아니라 경제 성장의 능력을 높일 수 있다는 것이 73퍼센트가 나와 있고, 생산 활동을 뒷받침하게 된다는 것도 80퍼센트가 나와 있고, 사회간접자본의 의미를 가진다는 것도 70퍼센트가 나와 있습니다. 그리고 환경 보전을 위한 비용은 공해 유발 시설을 한 그러한 곳에서 부담해야 한나가 49퍼센드, 정부 예산에서 나와야 한다가 38퍼센트, 국민 세금에서 해야 한다는 것은 아주 적은 11퍼센트 등으로 공해 유발자가 우선적으로 부담해야 한다는 여론이 가장 많고, 전체적으로 예방이 중요하다, 환경 보전은 오히려 경제 발전에 도움이 된다, 그리고 환경을 망친 사람이 먼저 부담해야 한다, 이렇게 대단히 건전한 환경에 대한 국민의식이 나와 있습니다. 참으로 반가운 일이라고 생각하지 않을 수 없습니다.

저희들은 이 환경 문제가 한때 이야기되면, 환경 보전을 주장하는 것은 경제 발전을 뒤로 미루고 하기 때문에 경제 발전 도상 국가에서는 그것이 곤란하다는 이러한 사고방식은 나중에도 이야기가 나오겠지만 곤란하다고 생각합니다.

환경 보전과 경제 발전은 상호 보완적이고 또 서로 필수적으로 필요로 한다, 이렇게 이제 우리의 사고방식을 바꿔야 하지 않겠는가 생각합니다.

심지어는 설사 경제 발전이 어느 경우에 따라서는 늦어지는 한이 있다 하더라도 환경 문제를 튼튼히 가꾸어 가면서 경제 발전을 추구해야 한다, 이것이 경제 발전의 목적인 국민의 행복에 기여하는 길이고, 또 길게 보면 경제 전체의 건전한 발전에 도움이 된다, 이렇게 생각하고 있습니다.

대개 이러한 기본적인 생각을 가지고 저희 당은 환경 문제에 대해서 아주 부족하고 아주 초보적인 면이 많이 있지만 관심은 크게 가지고 계속적으로 노력을 하고 있으며, 저희 당의 부총재로 계시는 박영숙 의원께서 당의 활동뿐만 아니라 환경기구까지 만들어 가지고 지금 노력을 하고 있습니다. 당으로서도 여기에 대해서 가능한 모든 지원을 하면서 밀접하게 협의하고 있습니다.

우리 당이 기본적으로 이러한 생각을 가지고 있다는 것을 여러분께 말씀드리고 여러분의 질문이 계실 것으로 알고 있는데 성심껏 답변을 거기에 따라서 하겠습니다. 그러나 아까도 말씀드렸다시피 제가 환경에 대해서 아는 것이 부족하기 때문에 여러분과 같이 전문적인 지식을 가진 분들에게는 대단히 미흡한 답이 될 수가 있지만, 그러나 역시 야당의 총재란 사람이 환경 문제에 대해서 어떠한 정도의 인식을 가지고 있는가 하는 것이 여러분께 참고가 될 거란 의미에서 의의가 있다고 생각하시고 저의 졸견을 들어주시면 감사하겠습니다.

이상으로서 인사의 말씀을 마치겠습니다. 감사합니다.

황인선(서울경제신문 기자) 유명한 의사는 병의 원인을 정확히 아는 경우에 치유가 가능하다고 합니다. 통일과 연관시켜서 남북 문제에 관해서 몇 가지 여쭤보겠습니다.

우선 우리 남쪽과 북쪽에 대해서 총재께서 평소 생각하시는 환경오염 실태, 예를 들어서 우리가 평상시 마시는 수돗물 문제라든가 또 우리가 매일 호흡하고 있는 대기 문제, 그리고 요새 폭주하고 있는 쓰레기 문제, 이 세 가지 정도에 한해서 평소 느끼시는 개괄적인 오염 실태에 대해서 말씀을 듣고 싶고, 그다음에 남북의 오염 실태에 상호 연관성이 있다면 그 공동 대처 방안도 있을 것 같은데, 공동 대처의 필요성이 있다면 앞으로 김 총재께서 어떻게 쌍방 간에 이 문제를 풀어 나갈 것인가, 거기에 대해서 말씀해 주십시오.

김대중 먼저 말씀드리고 싶은 것은 사실 우리가 북한에 대해서 모릅니다. 모르기 때문에 북한이 어느 정도 공해 문제를 가지고 있는지도 알고 있지 못합니다. 우리는 공산권은 공해 문제가 별로 없는 줄 알았는데 이렇게 개방되니까 공산권도 상당히 공해 문제가 심각하다는 것이 알려지고 있습니다. 북한도 이제까지 완전히 가려져 있었기 때문에 어느 정도 심각한지는 아직 모르고 있습니다. 그러나 기본적으로 남북이 모두 산업화와 도시화를 지향하고 있기 때문에 북한도 예외가 아니고 우리가 본 대로 심각하다, 이렇게 말할 수가 있겠습니다. 제가 느끼기는 북한은 여기보다 산업화나 도시화가 덜 되어 있기 때문에 아무래도 여기보다는 공해가 덜 심할 것이라고 생각합니다. 또 북한은 산지가 많이 있기 때문에 녹지가 많아서 그 점도 공해를 방지하는 데 상당한 도움을 주고 있을 것이라고 생각하고 있습니다.

그래서 잘못하면 남북통일이 우리의 오염된 환경 문제를 북쪽에까지 이관시키는 것이 되지 않겠나 하는 우려도 있습니다.

아까도 말했지만 공기는 이동하고 물도 강물, 바닷물이 다 이동하기 때문에 지금 우리가 일일이 측정은 못 하지만 이미 환경 문제는, 특히 공해 문제는 상당 부분 통일하고 있는 그런 면도 있지 않겠는가, 이렇게 생각합니다.

따라서 앞으로 남북 간의 환경 문제만은 정치를 초월한 문제고 또 순수하게 남북 전 민족의 건강과 국토의 보전에 관한 문제이기 때문에 여기에는 밀접한 협력이 필요합니다. 그전에 노태우 대통령이 비무장지대의 생태계 공동 조사를 제안했는데 이것이 한 번 제안으로 끝날 게 아니라 앞으로 남북총리회담 같은 데서도 계속 이러한 것이 추진되어야 한다고 생각합니다.

또 정주영 씨가 이북에 가서 금강산 개발에 대한 공동 협력을 한다고 했는데 잘못하면 공동 개발이 공동으로 자연 파괴를 할 수도 있습니다. 이렇기 때문에 우리 설악산 꼴을 만들지 않기 위해서, 설악산은 잘못해서 도시화가 되어 갑니다. 그 주변에 콘도미니엄이 지어지고 빌딩도 짓고 하는데 이러한 일이 없이 금강산을 보전하면서, 자연환경을 보전하면서 어떻게 개발하겠는가 하는 것을 우리의 잘못된 경험에 비추어서 되풀이하지 않아야겠다는 생각을 가지고 있습니다.

우리 당은 앞으로 정부와 협의해서 서로 의견이 잘 조화가 되면 당의 대표를 북한에 파견해서 여러 가지 문제를 논의해 볼 생각을 가지고 있습니다. 남북의 화해, 통일 문제를 협의할 생각을 가지고 있고 또 그러한 것들을 통해서 더 잘되고 자신이 생기면 저 자신도 한번 가 볼 생각을 가지고 있습니다.

그런데 이번에 당 대표가 가면, 또 당 대표가 안 가더라도 이번 4월달에 국제의회연맹(IPU) 총회가 있어서 거기에 가게 되면 우리 당 대표도 가는데, 갔을 때는 환경 문제에 대해서만은 속히 더 이상 악화되기 전에 남북이 공동대책위원회를 만들자, 이것은 다른 문제하고 달라서 전혀 정치성이 없는 문제이기 때문에 공동대책위를 만들어서, 어느 한쪽이 환경을 망쳐도 상대방에게 피해를 줍니다. 그렇기 때문에 공동대책위를 만들자 하는 제안을 해서 북한의 동의를 얻고 우리 정부도 물론 지지할 것으로 믿습니다. 그러한 노력도 좀 해 보겠다 이렇게 생각하고 있습니다.

서원석(조선일보 기자) 내년 봄이면 지방자치제가 30년 만에 되살아나서 기초 광역의회 구성을 위한 선거에 들어가고 그 때문에 정치권도 상당히 바쁠 것으로 알고 있습니다. 환경 문제가 총재께서도 말씀하셨다시피 최근 국민들의 관심사가 되고 있고 지자제가 시행되면 그에 대한 지역 주민들의 욕구는 더 커지리라 예상됩니다. 그렇지만 지방자치단체는 주민들의 고용 확대라든가 소득 증대, 개발 행정에 더 우선적으로 관심을 쓰기 마련일 것이라고 보여집니다. 더욱이 우리나라는 지방 재정 자립도가 낮고, 지자제가 시행되면 자치단체가 공해 배출 기업에 대해 오히려 규제하기가 어려워질 가능성도 있다는 지적이 있습니다. 이러한 경우가 있어서는 안 되겠습니다만 지방의회가 제 역할을 못 하고 공해 기업이 지방자치단체와 유착해서 공해 기업을 오히려 눈감아 줄 가능성마저도 있습니다.

또 지역 주민을 지나치게 의식하게 되어 예를 들어 쓰레기 매립장 문제만 해도 어딘가는 꼭 있어야 하는데 자치단체에서는 서로 안 받을 가능성이 있는 거지요. 그리고 환경오염이 광역화되어서 이리저리 얽히게 되는데 그에 대한 문제도 예를 들면 서울의 경우는 서울이라는 자치단체 하나만의 문제가 아니라 전 위성도시 문제로 이리저리 얽혀지게 될 가능성이 있습니다. 두 가지만 여쭤보겠습니다.

지자제 시행과 관련해서 환경 보전 정책의 방향은 어떠해야 한다고 보시는지, 예컨대 환경처와 같이 중앙 부처의 정책 및 감독 권한을 어느 만큼 자치단체에 이양해야 한다 할지, 그러한 문제들이고, 두 번째로 일부에서는 지방자치단체가 조례 준칙 같은 것을 만들어서 공해세를 거두고 하수 처리장과 같은 공해 방지 시설을 갖추도록 하자는 주장도 있고, 정부에서도 그런 견해를 밝힌 적이 있었는데 이에 대한 야당 총재로서의 입장은 어떠신지 크게 두 가지만 여쭤보겠습니다.

김대중 지방자치가 되었을 때 지방자치가 환경 문제에 미치는 영향이 어떻겠는가 하는 문제는 순기능의 면도 있고 역기능의 면도 있다고 생각합니다. 지방자치제가 되면 주민들의 뜻에 따라서 모든 것이 행해지기 때문에 환경 정책이 과거와 같이 중앙정부 마음대로 지휘·통제해서 지방 주민의 의사를 무시하고 밀어붙이던 그런 일은 이제 어렵게 될 것입니다.

이번에 안면도 사건을 보거나, 혹은 그보다 더 고용이나 지방의 경제에 도움이 됨에도 불구하고 군산에서 동양화학 티디아이(TDI) 공장을 주민들의 60퍼센트 이상이 서명하고 반대한 이러한 것을 보거나, 이 환경 문제에 대한 주민들의 관심이 높기 때문에 환경을 보전하기 위해서 주민 파워가 상당히 순기능적인 공헌을 할 것으로 봅니다.

그러나 한편으로 낙후된 지역들은 지금 질문 중에 말씀하신 것처럼 지방의 발전을 위해서 무리하게 공해 산업 같은 것도 받아들이고 또 무계획적으로 개발한 결과 환경상 문제를 유발하는 등 양면이 있다고 생각됩니다.

우리는 잘하는 면은 크게 걱정할 것이 없지만 잘못된 면은 상당히 경계를 해야 합니다. 그래서 중앙정부, 또 언론이나 모든 사회운동이 사전에 이러한 문제를 충분히 계몽하고 해서 지방자치단체들의 사전 예방 조치 혹은 주민운동이 활발히 일어날 수 있도록 유도하고 격려해야 되지 않겠는가 생각합니다.

환경은 공동으로 보전해야

김대중 더욱이 우리나라는 국토가 비좁기 때문에 지방자치단체라 하지만 환경 문제에 대해서는 즉각적인 관계가 있습니다. 이쪽에서 공기 오염시카면 바로 이웃 자치단체 공기까지 오염시키고, 또 저쪽에서 해양을 오염시키면 그 물이 바로 이쪽으로 오고, 이렇기 때문에 구별하기가 어렵습니다. 예를 들면 대구 염색 공단에서 오염된 물을 쏟아 내면 금호강을 통해서 그것이 낙동강으로 흘러와 가지고 결국 부산의 시민들이 먹는 물금취수장으로 그 물이 다 들어갑니다. 대구의 개발이 부산 사람에게는 공해의 전이가 되는 이러한 문제들이 있습니다.

그래서 이렇게 연관된 강을 낀 자치단체들은 서로 환경 문제에 대해서는 협의체를 구성하고 공동으로 강물을 보전하는 노력을 해야 할 것이고, 또 아까 말한 것처럼 공기를 한쪽에서 지나치게 오염을 시킨 그러한 산업체가 있는데 이것이 이웃 지역에 영향을 미칠 때는 다른 지역도 서로 협의하는, 앞으로 이 문제에 대해서는 법률까지도 만들어서 그러한 기능을 발휘할 수 있도록 해 주어야 하지 않겠는가 이렇게 생각합니다.

그리고 아무리 지방자치라 하더라도 국토가 아주 좁고 또 환경 문제는 서로 관련이 있기 때문에 중앙정부가 이 문제에 대해서는 개입을 해서 조정, 통제하는 역할도 해야 할 것입니다. 이래서 한편으로는 지방자치단체 자체가 노력을 하고, 또 두 번째로는 자치단체 상호 간에 서로 협력해서 환경 보전을 위해 노력하고, 세 번째는 중앙정부가 전체적으로 관장해서 통제·조정하고 이렇게 하는 삼위일체의 방식이 지방자치 체제하에서의 환경 보전에 도움이 되지 않겠는가 생각합니다.

황보영춘 공해세에 대한 평민당의 입장을 말씀 안 하셨는데…….

김대중 공해세 문제는 나중에도 나오겠지만 당연히 공해를 유발한 업체들이 부담을 해야 한다고 생각합니다. 어느 것은 국가적 규모에서 징수해야 할 것도 있을 것이고, 상당 부분은 지방자치단체가 해당 업체로부터 징수하고 해서, 같은 기업 중에서 공해를 많이 배출하는 업체와 또 공해를 미리 자체적으로 통제해서 이것을 정화시키는 업체는 구별해서, 공해의 배출도에 따라서 세금을 조정해야 한다고 생각합니다.

동종의 기업은 똑같이 받는다고 하면 이것은 환경 보전을 위해 공해 배출을 줄이려고 노력한 기업에 대해서는 하나의 징벌이 됩니다. 그래서는 안 되고 같은 동종의 기업이라 하더라도 공해 배출의 정도에 따라서 이것을 조정하는 그러한 세금 제도가 필요하다고 생각합니다.

서원석 보충 질문이 있습니다. 방금 말씀하신 것은 공해 배출 기업에 대해서만 국한해서 말씀하셨는데 예를 들면 하수도 같은 경우 수질 오염의 60퍼센트 이상은 생활 하수라고 합니다. 그 지역 주민이 버리는 각종 생활 폐수라든가 오염된 물로 인해서 하수 처리의 필요성이 대두되는데 총재께서 말씀하신 것은 공해 배출 기업에만 국한하셨습니다.

그런데 저의 질문은 공해세라는 것이 일종의 주민세처럼 일정한 몫은 항상 지역 주민이 생활 하수라든가 이러한 것을 오염시키니까, 그러한 세를 지방세로서 신설하게 된다면 그런 문제에 대해서 야당은 어떠한 입장을 취하실 것인지…….

김대중 그 문제는 지방 주민의 여론에 따라 그 지방의 의회에서 그러한 필요성이 있다는 주민들의 동의가 있을 때는 해도 무방하다고 생각합니다.

그러나 이 하수도 문제라든가 청소 문제들은 어디든지 주민 전체의 문제인데 그런 일 하라고 국민들이 세금 내고 있는 것이기 때문에 원칙적으로는 정부나 지방자치단체나 자체 예산에서 해야 합니다. 그러나 어떤 특수한 사정이 있거나 주민들의 여론이 특별히 이러한 것을 촉진시킬 필요가 있다고 해서 그 지방별로 공해세를 설치해서 지방의회가 이것을 통과시킨다면 할 수도 있는 문제라고 생각합니다.

유석현(연합통신 기자) 흔히들 환경 정책을 추진하는 정부 관리들 또는 환경처 장관, 전직이나 현직도 그렇고, 가장 많이 하는 말이 경제 개발과 환경 보전의 조화를 이루어 나가겠다고 하는 말을 듣게 됩니다. 그러나 경제 발전을 추진하다 보면 환경 보전이 제대로 이루어지지 않는 경우가 너무나 많고 우리나라의 경제 발전 과정을 보아서도 그러한 예는 많이 있습니다. 따라서 대부분의 환경 전문가들은 경제 개발이 늦추어지더라도 환경 보전을 우선해야 한다는 그러한 주장을 제기하고 있습니다. 이와 관련해서 김 총재께서는 과연 우리나라의 현재 경제 수준이라든가 국민의식 수준, 사회 여건 등 여러 점을 고려할 때 현시점이 경제 개발을 다소 늦추더라도 환경 보전을 우선해야 할 시기가 된 것으로 보시는지 궁금하고, 환경 보전 우선 정책을 추진하는 데서 경제 발전이 도외시된다거나 이렇게 서로 마찰을 일으키는 문제에 대한 극복 방안을 알고 계시는지 듣고 싶습니다.

이와 관련하여 한 가지 더 여쭤보고 싶은 것은 우리나라의 경제 발전 과정에서 정부의 투자라든가 공단 건설 이런 것이 수도권 또는 영남권에 집중되다 보니 호남권을 비롯한 그밖에 타 지역은 산업 발전이 낙후되었다는 지적을 많이 받아 왔습니다. 반면에 또 낙후된 것이 오히려 환경 보전에 참 잘되었다, 다행스럽다는 의견도 제시되고 있는데 그 점에 대해서 어떻게 생각하시는지 의견을 듣고 싶습니다.

김대중 저희 당이나 저희들 생각은 극단적으로 이야기하면 환경 문제부터 해결해야 한다는 생각입니다. 그러나 실제는 경제 발전과 환경 보전 문제는 병행할 수 있다, 또 병행해야 한다, 그리고 병행하는 것이 경제 발전에 도움이 된다고 생각합니다.

예를 들면 미국에서 1970년대로 기억하는데 그 당시 에드먼드 머스키 상원의원이 내서 머스키 법안이라 하여 자동차의 배기가스를 제한하는 법안을 냈습니다. 하지만 자동차 업자들이 로비를 해 가지고 그 법안을 좌절시켜 버렸어요.

그런데 일본에서도 이 문제를 가지고 굉장히 떠들었습니다. 역시 자동차 업자들이 로비를 했지만 결국 자동차의 배기가스를 대폭 줄이고 공해를 줄이는 방향으로 강하게 밀고 나가는, 미국에 비하면 미국은 그 법안이 좌절되었는데, 일본은 그러한 방향으로 추진했습니다. 그렇게 자동차의 무게를 줄이고 공해 배출을 줄이는 노력을 한 결과 일본의 자동차가 미국 시장을 석권하게 되어 버렸어요. 그래서 미국의 자동차 업계는 저렇게 후퇴하는 하나의 원인이 되었고 일본의 자동차 업계는 환경 문제에 적응하면서 공해 문제를 해결했기 때문에 발전할 수 있었습니다.

환경 보전과 경제 발전은 병행해야

김대중 이런 것을 볼 때 개발과 환경은 결코 배치된 문제가 아닙니다. 모든 문제가 그렇습니다. 지금 우리가 미국에서 수입하는 과일 하나라도 전부 측정해 가지고, 또 우리 과일이 미국이나 대만으로 가더라도 측정해 가지고 공해 문제가 있으면 팔리지가 않습니다. 환경 문제 해결 안 하면서 돈 벌겠다는 시대는 이제 완전히 갔습니다.

그렇기 때문에 1960년대나 1970년대까지의 환경 보전이 앞이냐, 개발이 앞이냐, 그러한 문제는 옛날이야기고 지금은 둘을 병행하지 않으면 절대로 안 되는 시대가 되었다, 이렇게 우리가 인식을 분명히 바꾸어 가지고 최악의 경우에는, 어느 기업의 종류에 따라서는 일시적으로 어느 쪽이 먼저냐의 문제가 있습니다만, 그때는 원칙적으로 환경 보전이 먼저다, 또 이 시대의 지구를 보전해서 후손에게 우리가 좋은 환경을 넘겨주어야 하는 것이 우리의 책임이다, 이렇게 생각하기 때문입니다.

프레온 가스 규제에 관한 국제협약, 캐나다 몬트리올에서 1987년에 체결되었는데, 이러한 문제에 대해서 우리가 등한히 하다가 지금 우리나라에서 나가는 자동차나 냉장고나 에어컨이나 반도체 등이 외국에서 수입이 금지당할 위기에 처해 있다고 듣고 있습니다. 이러한 것이 지금 오존층을 파괴해서 지구를 파멸시키려고 하는, 그리고 오존층이 파괴됨으로써 인체에 해로운 광선이 피부암을 유발시키고 있는, 이런 상황인데 우리가 어떻게 해서 개발만 앞세울 수 있습니까? 당연히 오존층 파괴를 하지 않는 것을 첫째로 하고 그러한 조건 속에서 경제 발전을 시켜 가지고 수출도 증대시켜야 한다고 생각하고 있습니다.

개발과 환경은 상호 보완적으로 해야

김대중 그래서 개발과 환경은 상호 보완적으로 해야 하고 환경 보전을 위한 기술에 더욱 많은 투자를 해야 합니다. 우리나라가 지금 그 점에 있어서 대단히 부족하다, 또 환경 경쟁의 체계가 제대로 서 있지 않다, 지금과 같은 환경처 가지고는 인력으로 보나 권한으로 보나 도저히 역부족이다, 그렇기 때문에 정부 기구도 더 강화시키고 여기에 예산 투자도 더 하고 환경 오염시킨 사람들한테 세금도 받고, 그래서 그 돈 가지고 환경을 보존하는 방향으로 이 문제에 대해서 적극적으로 해 나가야 한나, 이렇게 생각합니다.

마지막으로 개발이 늦어진 지역들은 그 점에 있어서 환경의 파괴가 안 되어 있기 때문에 덕을 본 것이 아니냐, 사실 그러한 면도 있습니다. 처음에는 무턱대고 개발만 하고 환경을 마구 무시했기 때문에 지금 온산이나 울산 같은 데가 저렇게 비참한 환경 상황이 되었는데 아마 이제부터 개발하는 데는 어디건 그렇게는 어려울 것입니다. 그러한 점에서 늦게 개발한 것이 축복이 될 수도 있습니다. 세상은 모두가 다 나쁜 것만은 아닙니다. 좋은 점이 있으면 나쁜 점도 있는데 그렇기 때문에 늦게 개발된 것으로 그런 덕도 좀 볼 수 있는 것이 아닌가 이렇게 생각합니다.

윤기설(한국경제신문 기자) 최근 페르시아만 사태로 인해 기름값이 크게 오르면서 산업 설비 가동이나 가정용 난방 부담이 가중되고 있습니다. 이에 따라 그동안 저유가 시대였던 지난 1987년 이후 환경처가 사용을 규제했던 고유황 벙커시(C)유 등의 사용이 동력자원부(현 산업통상자원부) 등 관계 부처의 요구에 밀려 부분적으로 허용하고 있어 대기 오염이 점차 심화되는 것으로 알고 있습니다. 이처럼 유황 성분이 많이 포함된 연료의 사용이 확대되다 보면 지금도 높다는 비난이 일고 있는 국내 대기 오염도가 앞으로 더욱 심화될 것으로 보입니다. 그러나 대기 오염 물질이 많이 포함된 연료의 사용을 규제하면 기업들의 생산 원가가 인상되는 데 여기에 대해서 김 총재께서는 어떻게 생각하시는지 말씀해 주십시오.

김대중 이것이 참 어려운 문제입니다. 다른 것도 자신이 없지만 이 문제에 대해서는 참 자신이 없습니다. 여러분들한테 배웠으면 좋겠다는 정도로 답변할 실력이 제게 없고, 그것이 중요한 문제인 줄 알지만 해결 방식을 제가 잘 모르고 있습니다.

에너지원별 소비량을 우리 당 정책위원회 신 전문위원이 적어 준 것을 보면 석유가 1989년 말 현재로 49.6퍼센트, 석탄 30퍼센트, 원자력이 14.5퍼센트, 엘엔지(LNG)가 3.2퍼센트, 수력이 1.4퍼센트, 이렇다고 합니다. 이래서 저유가 시대에는 상당히 석유를 많이 썼는데 이제 고유가 시대가 되고 하니까 다른 생각들이 있고, 특히 핵에너지에 대한 관심이 높아지고 있습니다. 그런데 핵에너지도 그러면 안전하냐, 공해 문제가 없느냐, 얼른 보면 핵에너지는 공해가 없다, 적다, 이렇게 보는데, 그러나 핵 전문가들 이야기는 핵발전소를 해체할 때 또는 핵폐기물(이번에 안면도 사건도 있었습니다만) 기술이 아직도 대단히 부족해서 지금 우리가 눈앞에 보다시피 이 문제도 어려움이 있습니다. 그리고 만일 오염이 되었을 때 방지 비용도 핵 발전이 훨씬 높다고 했습니다.

그래서 핵 발전을 반대하는 전문가들은 핵 발전보다는 수력 발전이나 석탄 화력발전에 의존해야 한다, 이렇게 말하고 있는데, 또 핵 발전을 지지하는 분들은 그렇지 않다, 핵 발전이 염가로 먹히고 또 공해가 없다, 그렇기 때문에 핵 발전을 해야 한다는 논쟁이 지금 일고 있습니다.

그 외에 태양 에너지 또 바다 조수를 이용한 조력 에너지, 이런 것도 적극적으로 권장해야 하는데, 태양 에너지는 우리가 알다시피 실용화 단계로 지금 들어가고 있어서 우리도 이쪽에 더 주력해야 하지 않는가 생각합니다. 태양 에너지를 쓰게 되면 제일 공해가 적고 또 자원은 무진장으로 나오니까 무한정하다고 생각됩니다.

지금 유류 문제에 있어서는 다른 나라에 비하더라도 우리가 유류를 너무 많이 쓰고 있습니다. 낭비를 하고 있어요. 그래서 무엇보다도 유류 소비 절약 운동을 대대적으로 벌여야 합니다. 그리고 정부는 소비 억제에 대한 조치를 취해야 합니다. 지금까지 하고 있는 것도 아주 부족하다, 그래서 형식적인 것이 아니라, 더 효율적이고 적극적인 소비 억제 조치를 취하고 국민은 유류 소비 절약 운동을 하고, 대체 에너지를 개발하도록 하고, 그리고 핵에너지 문제에 대해서는 빨리 양성화시켜 가지고 국민적 토론에 부쳐서 필요하면 국민 투표에까지 부치더라도 핵에너지 문제를 해결해야겠다, 이러한 방향에서 해결책을 우리가 찾아내야 하지 않는가, 이렇게 생각하는데, 아까도 말했다시피 이 문제를 이야기하자면 거기에 또 반론이 제기되고 그렇습니다. 그래서 자신 있는 안을 아직 충분히 못 하고 있다는 것을 솔직하게 여러분께 말씀드립니다.

황보영춘 가벼운 보충 질문을 하겠습니다. 김 총재께서는 토론장이나 강연회에 나오실 때 공부를 많이 하시는 걸로 알려지고 있습니다. 계속 무거운 주제만 올라오고 있는데 혹시 아황산가스가 무엇인지 알고 계십니까? 알고 계시면 아시는 대로 설명해 주시기 바랍니다.(청중 웃음)

김대중 아황산가스가 대기를 오염시키고 자동차나 연탄이나 이런 것에서 나오는 것으로 알고 있는데 그 이상은 모르겠습니다.(청중 웃음)

황보영춘 피피엠(PPM)은 알고 계십니까?

김대중 모르겠는데요.

황보영춘 오실 때 시청 앞에 대기 오염 전광판이 있는데 몇 피피엠(PPM) 정도 나타났는지도…….

김대중 못 보았어요.

황보영춘 아황산가스에 대해서는 아주 잘 알고 계시는 것 같습니다.

청중 집에서 수돗물은 어떻게 먹고 계십니까?

김대중 정수기로 정화해서 먹습니다.

김현종(중앙경제신문 기자) 제가 여쭤보고 싶은 것은 종합적 환경 체계의 강화를 위한 평민당 측의 대안에 대해서인데요. 얼마 전에 신문의 외신면에서 영국 보수당 당수 선거를 보면서 상당한 충격을 받았습니다. 대처 내각의 붕괴를 몰고 온 장본인인 헤슬타인 의원이 경선에서 떨어진 뒤에 환경 장관에 임명되었다는 그러한 기사를 읽었거든요. 우리나라에서는 상당히 어려운 일이고 또 상상조차 할 수 없는 일입니다. 그 나라가 그만큼 환경에 신경을 많이 쓴다는 얘기겠죠.

1970년대 중반까지만 해도 환경처는 보사부의 일개 계장이 맡아 보는 환경계에 불과했습니다. 정부도 나름대로 환경의 중요성을 깨닫고 올 들어서 환경청을 장관급 처로 승격시키고 여러 가지 지원도 많이 하고 있는 걸로 알고 있습니다마는 전반적으로 상당히 부족하다는 느낌을 받았습니다. 특히 종합 조정 기능하고 사전 예방 기능인데요. 올해 환경 현안으로 박영숙 부총재께서 많이 뛰어다니신 설악산 훼손이라든지, 팔당호 준설이라든지, 또 군산 동양화학 티디아이(TDI) 공장이라든지, 이러한 것들이 전부 환경처가 사전 예방 내지는 종합 조정 기능이 부족했기 때문에 뒷북만 치고 다니는 그런 일들로 보이는데, 평민당에서는 그러한 것들을, 우리가 오늘 김 총재를 모신 것은 제1야당의 총재 자격으로 모신 것인데, 이런 문제점들에 대해서 평민당은 어떤 대안을 갖고 계시는지 구체적으로 자세하게 답변해 주시기 바랍니다.

김대중 자세하게 대답을 하려고 해도 많이 알아야 자세하게 대답을 하지…….(청중 웃음)

환경청이 환경처로 승격될 때 여러분이 아시는 대로 우리는 상당히 환경부로 하려고 애를 썼습니다. 지금도 그 방침은 안 바꾸고 있습니다. 따라서 평민당이 1992년에 정권 잡으면 환경처가 환경부 되는 것은 틀림없습니다.(청중 웃음)

영국 내각의 환경부 장관에 낙선된 분이 임명되는 것을 보고 나도 사실 놀랐습니다. 경합자니까 우리나라식으로 하면 외무 장관이나 내무 장관이나 재무 장관 하는 줄 알았는데 환경부 장관으로 가는 것을 보고 놀랐는데요. 환경부를 경시하는 것은 우리뿐만 아니라 일본도 아직도 장관이 환경 장관 되면 별로 출세한 것으로 안 봅니다. 이런 것을 보면 영국이 확실히 앞서 있다는 생각을 저도 가졌습니다.

현재 환경처는 부처 간의 조정·통제 기능뿐이지 거기서 정책을 세워 가지고 집행하게 되어 있지 않기 때문에 별로 힘이 없습니다. 따라서 환경처가 되고 나서 1년이 지났는데도 별로 한 업적이 없고, 어떤 환경 문제에 대해서 단호하게 보류시키고 또 폐지시키고 혹은 변경시키고 이러한 일을 한 일도 없고, 이 환경처가 하는 일은 오히려 공해 배출 업체에 대해서 영향 평가를 형식적으로 잘못하면 본의는 아니지만 공해 배출에 대해서 일종의 면죄부를 발행하고 있는 이러한 결과도 나오고 있습니다.

이래서는 도저히 안 된다고 생각합니다. 그래서 먼저 기구부터 환경부로 승격을 해서 인원도 확충하고 해 가지고 현재와 같이 조정·통제만이 아니라 정책의 수립과 집행 기능을 주어야 한다고 생각합니다.

여기에 대해서 참고로 말씀드립니다만, 이번에 정부가 국토통일원을 통일원으로 하면서 부총리 관장으로 했는데, 저는 이런 식은 찬성하지 않습니다. 그것 자체가 나쁘다는 것은 아닙니다. 원래 통일원이라는 것은 제가 6대 국회 민중당 정책위원회 의장으로 있을 때, 부총리 관장하에서 통일 부처를 둔다는 결의안을 낸 것을 정부가 받아들여서 이것이 통일원이 됐습니다. 그렇기 때문에 저도 관계있는 사람이지만 이제는 이 통일원 하나만 부총리 관장으로 해서는 안 된다고 생각합니다. 적어도 총리 밑에 부총리가 한 4명쯤 있어 가지고 외무, 국방, 통일 이런 문제를 관장하는—외무, 국방과 통일은 밀접한 관계가 있습니다.—부총리 1명을 두고, 또 경제 문제를 관장하는 부총리를 지금과 같이 하나 두고, 또 하나는 사회, 환경, 노동, 이런 국민복지 문제에 관련된 부총리 하나 두고, 그다음에 교육, 문화, 이런 분야의 부총리를 하나 두고, 이렇게 네 가지 부총리를 두고 국무위원의 일을 하면서 필요에 따라서는 총리와 4명의 부총리, 대통령 이렇게 6인이 일종의 소내각을 구성해 가지고 영국의 전시내각 하듯이 중요 문제를 거기서 다루어서 국무회의에 회부하고, 또 국무회의에서 위임받아 처리하고, 그러면서 이 4개의 부총리가 정부 부처를 4파트로 나누어서 통제하는 이런 것이 필요하다는 생각을 가지고 있습니다.

여담으로 말씀드렸는데 어쨌거나 환경처는 환경부로 승격이 되어서 정책 수립과 집행의 기능까지 가져야 한다고 생각하고 있습니다. 지난 30년 동안 산업화, 도시화 속에서 대기 오염, 수질 오염, 해양 오염, 유해 화학 물질, 폐기물, 이런 문제가 산적해 있습니다. 그리고 생활 환경이 오염되고 농지와 산림 보존 지역들이 파손되면 어느 것은 몇십 년도 걸리고, 어느 것은 백 년 가지고도 안 됩니다.

이것도 환경하고도 관계가 있어 얘긴데, 와우아파트 같은 서민 아파트를 1971년 대통령 선거 때—제가 그때 야당 후보인데—대통령 선거에 맞추기 위해서 부랴부랴 산꼭대기에다 허술하게 지었습니다.

원래 그런 서민 아파트라는 것은 밑으로 내려오고, 높은 지대는 고급 주택이 가야 여러 가지, 물이라든가, 오물 처리라든가 이런 부담이 줄고 도시 미관도 좋은 것인데, 와우아파트를 거기다 올렸습니다. 우리가 그것을 반대했지만 선거 전에 했어요. 또 예를 들면 여의도에 국회의사당이 있습니다만, 여의도를 개발해서는 안 된다는 것입니다. 그때 저는 건설위원이었는데 우리는 굉장히 반대했습니다만, 여의도는 하늘이 우리 서울에 준 선물입니다. 여의도를 공원으로 개발해 가지고 영등포 쪽과 마포 쪽, 양쪽 시민들이 휴일날이나 평소에 와서 놀면 거기에 적어도 2-3만 명이 들어갈 수 있습니다. 그리고 강물까지 포함해서 수상 공원까지 같이 하면 공원 없는 서울에 훌륭한 선물인데, 아무 필요 없이 거기에다 집을 지었습니다. 돈벌이하기 위해서 그랬습니다. 시에서 돈벌이 위해서요. 그런 집 지을 여의도 정도 땅은 얼마든지 다른 데서 구할 수 있는데 거기다 지은 것이에요.

한 가지만 더 얘기하겠습니다. 제가 1978년 겨울부터 1979년 겨울까지 1년 동안 서울대학병원에 감금당했습니다. 감옥살이를 거기서 했어요. 거기서 몇 번을 얘기했는데 서울대학병원을 그 공기 나쁜 데다가 왜 새로 짓느냐는 것입니다. 서울대학병원은 마땅히 관악구 같은 다른 곳으로 옮겨 가고 서울대병원 자리 그리고 문리과대학과 법과대학 자리, 이것을 창경원과 연결시켜서 창경원을 고궁으로, 서울대병원 자리는 식물원, 저쪽 문리과대학과 법과대학 자리는 동물원, 이렇게 해 가지고 창경원에 둔 세 가지를 갈라서 분산시키고, 창경원과 서울대학병원 사이의 도로와 저쪽 대학로 전부 지하도로 만들어 가지고, 3개 공원을 모두 걸어서 다닐 수 있도록 이렇게 만들었으면 훌륭한 기여가 되는 것인데, 저쪽 서울대 문리대를 팔아넘겨 버리고 이것은 이것대로 병원을 또 짓고, 이렇게 해서 좋은 기회를 놓쳤다는 얘기를 한 적이 있습니다.

그렇게 한 번 잘못하게 되면 몇십 년이 아니라 백 년, 이백 년도 도저히, 영원히 바꿀 수 없는 이러한 문제가 있기 때문에 환경 문제 혹은 도시계획 문제 등 환경과 밀접한 관계가 있는 것은 정말로 우리가 신중히 다루어야 합니다.

잘못하면 우리 후손들한테 조상들이 손가락질을 당하면서 굉장한 원망을 들을 것이 아니겠느냐 이렇게 생각합니다.

어쨌거나 지금 우리가 환경 문제에서 중요한 것은 첫째, 정부의 집권자부터 환경 문제가 다시없이 중요하다는 것, 개발이 늦어지는 한이 있어도 내 시대에 환경을 파괴했다는 말을 듣지 않겠다는 이러한 결심이 첫째 필요한 것입니다.

그래 가지고 이 환경 보전과 개발을 꼭 병행하겠다, 안 될 때는 개발을 못하게 하는 것을 보장하겠다는 결심이 필요하고, 국민이 이 문제에 대해서 지금보다 훨씬 더 각성을 가져야 합니다. 이래 가지고 환경 문제에 대해서 정부를 감시하고, 편달하고 또 환경 문제에 대해서만은 시위가 자주 일어나야 합니다. 시민들이 교통 불편을 조금 겪더라도 일어나야 합니다. 이렇게 해서 환경 문제를 지켜 나가야 합니다.

그리고 아까 말한 것같이 정부 기구도 환경 문제를 제대로 다룰 수 있는 그런 기구로 만들어야 하지 않는가, 이런 세 가지 정도의 조치가 될 수 있어야 하는데 이렇게 만들려면 환경기자클럽 여러분들의 글 쓰는 필력 여하가 이 문제에 큰 영향이 있다고 생각해서 앞으로 잘해 주시길 부탁드립니다.

황보영춘 보충 질문을 하나 드리겠습니다. 평민당이 지난 대통령 선거 개표 결과를 앞두고 당시 환경청을 환경보호부로 한다, 이렇게 사전 조각한 걸로 알고 있습니다. 그 복안에는 변함이 없으신 것 같은데요. 여기서 마찰되는 것은 아까 지자체에서 환경 보전을, 지방의회 내지는 지방 주민들에게 자율권을 많이 주겠다, 이런 것하고, 현재 기획 부서인 환경처를 환경부로, 집행 부서로 바꾸겠다 할 경우에는 마찰이 더욱 심해지거든요. 환경부로 될 것 같으면 자율권이 더 적어지고 그럴 때에 마찰은 엄청나게 커질 텐데, 모순되는 말씀을 하셨다고 사회자는 느끼거든요. 그 마찰을 어떻게 극복하시겠습니까?

김대중 지방자치 자체가 그렇게 말씀하시면 결국 마찰 요인이 다 있는 것입니다. 지방에다 자치를 맡기면 중앙정부의 기본 정책하고 마찰이 있는데 그러한 마찰을 조정해 가는 것이 정치고, 행정이라고 생각합니다. 그러나 중앙정부 혼자만 가지고 환경 문제를 절대로 할 수 없습니다. 지방에서 도와주지 않으면 할 수가 없습니다.

그렇기 때문에 이 문제도 마찰의 분야를 최소한으로 줄이면서 환경 문제를 다루어 나가되, 전국적이고 보편직인 것은 중앙 부처가 주로 관장하고, 지방적으로 처리할 수 있는 것 혹은 특수한 것은 지방 부처가 하되, 중앙 부처는 어디까지나 지방 부처가 일선에서 잘할 수 있도록 도와주고 협력하는, 감독 감시나 지배보다는 협력하고 보완해서 국가 전체의 계획과 지방의 특수성 간에 서로 조화해서 해 나가면 이 문제를 해결할 수 있지 않겠는가 생각합니다.

이시호(국민일보 기자) 자연환경 보전 측면에서 보면 생명 벨트인 그린벨트 지역이 1971년 지정된 후 30년 동안에 전체 면적의 13퍼센트에 해당하는 2195만 평이 공공시설이라든가 주민의 민원 해결 차원에서 잠식당한 걸로 집계가 되어 있습니다. 현재 국토 이용 관리 측면에 개발과 자연환경 보전 측면의 규제 조치가 상충되고 있다고 보고 있습니다.

총재께서는 앞으로 그린벨트 지역 관리를 어떠한 측면에 중점을 두어서 관리를 하는 것이 바람직하다고 생각하시는지 말씀해 주시기 바라며, 최근 들어 골프장 허가가 무더기로 나서 골프장이 난립하고 있습니다. 대책을 말씀해 주시면 감사하겠습니다.

그리고 한 가지 더 묻겠습니다. 총재님 가족 명의로 그린벨트 지역에 땅을 소유하고 있는지도 명확히 밝혀 주시면 감사하겠습니다.(청중 웃음)

김대중 제일 마지막부터 이야기하면 한 평도 없습니다. 그린벨트 문제에 대해서 저는 과거에 박정희 대통령의 정치를 별로 안 좋아한 사람이지만 그린벨트를 설정한 일은 참 잘한 일이었다, 이렇게 생각하고 오늘날 우리가 이만한 정도의 울창한 산림을 갖게 된 데는 이 그린벨트 설치의 공로가 참 컸다고 생각합니다. 물론 거기에는 또 하나 농촌의 인력이 부족해서 산에 나무하러 갈 여력도 없고, 그런 노동 비용이 굉장히 비싸기 때문에 대신 무연탄을 쓰는 바람에 산에 나무를 안 해서 산이 울창해진 점도 있지만, 그린벨트 설정도 아주 공이 컸다고 생각하고 있습니다.

그런데 그린벨트를 설정할 때 군사정권의 특색이지만 주민의 동의를 얻거나 혹은 충분한 협의 없이 일방적으로 막 설정하여 밀어붙였는데, 보기에 따라서는 그렇게라도 안 했으면 그린벨트가 됐겠느냐는 면도 있지만, 민주국가에서는 그렇게 안 하는 나라도 많은 것을 보면 이 문제에 있어서는 국민의 사유재산에 대한 권리나 주장을 지나치게 무시한 면도 있었다는 것, 그런 사람의 희생이 컸다는 것도 우리가 부인할 수 없다고 생각됩니다.

전문가들이 조사해 놓은 것을 보면 서울 지역 그린벨트의 전체 면적은 농경지 등을 제외하고 96퍼센트가 녹지자연도 6등급 또는 7등급으로 상당히 좋은 수준이라고 합니다. 그래서 약 20년 정도 가꾼 나무들이 울창한 숲을 이루고 있습니다. 이것은 아까도 이야기했지만 좋은 결과라고 생각합니다.

그런데 그린벨트에 대해서 지난 10월 말에 규제 조치를 상당히 완화했는데 여기에 대해 두 가지 견해가 나오고 있습니다. 환경 단체들은 상당히 반발하고 있고, 현지의 해당 주민들은 그것도 부족하다고, 더 해제해야 한다고 이렇게 주장을 하고 있는데, 저희 당의 전문위원이나 의원들이 당에 보고한 것을 보면 이것은 대립된 문제가 아니고 조화될 수 있는 문제다, 녹지는 보존하고 혹은 더 확대해야 하겠지만 주민들의 주거 지역을 해제해 주어야 한다, 주거 지역은 이미 녹지가 아닌데 그것까지 그린벨트로 묶어 가지고 주택 개량도 못 하게 만들고, 팔지도 못하게 만들고, 이렇게 하는 것은 부당하다, 이것은 사유재산권에 대한 침해다, 그린벨트로 묶고 있는 것도 좋지만 사유재산 침해라는 면은 함부로 해서는 안 된다는 것도 우리가 신경을 써야 한다는 것입니다. 말이 쉬워서 그린벨트 해제하면 안 된다고 하지만 내가 내 재산, 전 재산으로 가지고 있다가 그린벨트로 딱 묶여 전혀 활용도 못 하고, 무엇도 못

한다든지 하는 것을 실제 내 자신이 겪었다고 할 때 여기에서 오는 물질적, 정신적 고통이 얼마나 큰가 하는 것을 우리가 생각해 볼 필요가 있습니다.

따라서 국가는 그러한 면도 충분히 배려하고 보상, 기타 여러 가지 방법에 의해서 경제적 손실을 보상해 주어야 하고, 특히 이 주거 지역만은 해제해 주어야 한다고 생각하고 있습니다.

그리고 앞으로 해제하고 할 때에는 정부 기관이 아닌 완전히 독립적이고 전문적인 전문가들한테 철저한 환경 영향 평가를 받아 가지고, 이 지역은 해제하더라도 환경에 지장이 없다는 아주 과학적인 평가를 받아 가지고 해야 합니다. 공무원들이 함부로 책상 위에서, 편의에 의해서, 혹은 청탁이나 압력에 의해서 해서는 안 된다고 생각하고 있습니다.

이것과 관련해서 골프장 이야기인데, 골프장 이야기할 때 조금 곤란한 것은 제가 골프를 치지 않습니다. 그래서 안 치니까 심술부리는 것 같아서(청중 웃음) 참 말을 조심하는데, 6대 국회 때 서울에 컨트리클럽이 하나뿐이었습니다.

그런데 정부의 어떤 기관에 저의 친구가 있었는데 컨트리클럽 회원권을 하나 가지고 왔습니다만 제가 돌려주었어요. 그랬더니 그 친구 말이 이것 가지고 있으면 아주 큰돈 된다, 안 쳐도 되니 가지고 있어라, 그리고 다른 분들이 또 골프 도구를 가지고 왔어요. 그러나 제가 전부 다 돌려주었습니다. 둘 다 돌려주었어요. 그리고 지금까지 골프를 안 합니다. 물론 고관절이 안 좋은 면도 있지만 하려고만 마음먹으면 할 수 있습니다. 그렇지만 저는 안 하는데, 우리 당에서도 골프 하는 분들이 있습니다. 하지만 나만은 되도록 골프 안 하는 게 좋겠다, 왜냐하면 골프 자체가 나쁘다는 것이 아니라 우리 국민의 여러 가지 의식 수준으로 보아서 야당 총재가 골프를 한다는 것은 국민에게 위화감을 주지 않겠는가, 이렇게 생각하고 있습니다.

그래서 저는 골프를 안 하고 앞으로도 안 할 작정입니다. 오늘도 여기서 말했기 때문에 하고 싶어도 못 하게 되었습니다.(청중 웃음)

이야기 들어 보니까, 골프 한 번 나가면 가서 골프 치고, 목욕하고, 밥 한 그릇 먹고, 돌아오고 하면 보통 6-7시간 걸린다고 하는데, 저는 그렇게 시간을 낼 수도 없고 해서 안 하겠다고 생각하고 있습니다.

골프장에서는 아시다시피 맹독성 농약을 써 가지고 농약 중독 또는 상수원의 오염 문제들이 아주 큰 문제 아닙니까?

또 골프장의 캐디들이 불임증에 걸린다든가, 기형아를 낳는다든가, 이러한 말도 들었습니다. 그리고 이 골프장 문제 때문에 바로 엊그제도 박영숙 부총재가 단장이 되어 경북 선산을 다녀왔는데 골프장 건설을 못 하게 하는 농민들의 투쟁이 3년 반이나 걸리고 있습니다. 이렇게 골프장을 못 하게 하는데 허가 났다고 불도저라든가 건설 기자재 들어오니까 농민들이 거기에다 천막을 치고 2-3백 명 인원이 이 추운 겨울에 천막에서 자면서 지키고 있습니다.

그래서 우리 당이 가서 어느 정도 못 하게 해 가지고 농민들의 감사를 받은 일도 있습니다만, 이러한 문제의 사회불안도 있고, 지방에 따라서는 골프장을 이해관계에 의해서 해 주자는 측과 반대하는 측이 농민들까지 싸움이 나가지고 마을 공동체가 파괴되는 면도 있습니다.

사실 이 골프장이라는 것은 농민들이 볼 때는 상당히 의욕 상실, 또 청소년들에게 영향도 있고, 위화감도 있고, 이래서 저는 우리나라의 체육부에서 이야기하다시피 마구 그냥 전 국민이 골프 하는 이런 식으로 추진하는 것은 옳지 않다고 생각합니다. 현재 6공화국이 들어선 후 120건을 허가해서 전체 170개의 80퍼센트를 점유하고, 경기도에만 70개가 들어서서 이 나라가 마치 골프 공화국 같은 나라가 되고 있습니다. 일본식의 인구 비율로 한다면 일본이 우리 인구의 3배인데, 그런 식으로 한다면 우리도 앞으로 400개를 더해 주어야 한다는, 이러한 계산이 나옵니다. 이러한 문제를 꼭 일본을 모방해야 하는가 하는 문제가 있고, 또 경제 건설의 차이가 있습니다.

일본과 우리나라의 차이점

김대중 그리고 한 가지 중요한 것은, 일본은 아시다시피 부의 분배가 상당히 고르게 되어 있습니다. 국민 간의 위화감이라든가 적대감이 적습니다. 때문에 노동자도 골프를 합니다. 노동자도 골프를 하기 때문에 하는 사람에 대해서 못 하는 사람들의 반감이 거의 없습니다. 그러나 우리나라는 부의 공정 분배가 안 되어 있기 때문에 일반적으로 달동네 사람들이라든가, 노동자라든가, 농촌에 있는 농민들이라든가, 모두 골프는 꿈도 못 꾸고 있습니다. 그래서 골프를 전 국민이 할 수 있는 부의 공정 분배나 사회정의는 안 해 놓고, 남의 나라가 하니까 우리도 똑같이 해야 한다는 그 점만 우리나라에 도입한다는 것은 체육청소년부가 잘못 생각하고 있다고 말씀드리고 싶습니다.

골프장에 대해서는 아까도 말씀드렸지만 하지 마라, 폐지하자, 이렇게 주장하지는 않습니다. 그러나 되도록 절제하는 것이 좋겠다고 생각합니다. 우리나라 사회구조가 이 문제에 대해서 국민적 위화감을 갖는 이상, 위화감 없는 나라하고 똑같이 하자는 이야기는 이치에 맞지 않는다고 생각합니다. 위화감 없는 사회부터 만들어 놓은 뒤에 골프의 대중화가 진행되어야 합니다.

그러면 그때는 저도 하겠습니다. 그러한 위화감을 이렇게 놓아두면서 형식만 미국도 하니까, 어디도 하니까, 이러한 이야기는 통하지 않는다고 생각합니다. 그리고 지금 이 단계에서 이미 허가된 것도 만일 우리가 정권을 잡으면 전부 영향 평가 다시 해 가지고 주민들과 충분히 협의해서, 맹독성 농약 같은 것 안 쓰고, 이러한 모든 조건을 갖추어 가면서, 주민들하고 마찰을 피하면서 진행시켜 나가야 하고, 특히 철저히 환경 영향 평가를 하면서 해 나가 야 되지 않겠는가, 이렇게 생각합니다.

김병윤(내외경제신문 기자) 그동안 여러 언론을 통해서 많이 보도가 되었습니 다마는 군산 지역에 동양화학에서 세운 티디아이(TDI) 공장이 있지 않습니 까? 이 공장이 들어서면서 군산·옥구 주민들은 모두 생존의 위협을 받고 있 습니다. 이러한 면에서 보았을 때 아까 김 총재께서도 말씀하셨듯이 건설도 좋지만 환경 보전 그리고 우리의 생존을 지켜야 한다고 말씀하셨습니다. 그 런 면에서 보았을 때 김 총재께서는 현재 군산에서 건설이 끝나서 이제 시험 가동 상태인 군산 티디아이(TDI) 공장 가동에 대한 입장은 어떠십니까?

조병래(동아일보 기자) 같은 질문을 하는 것이 좋겠습니다. 군산 티디아이 (TDI) 문제도 일종의 서해안 개발에 따라서 공단이 조성되고 입주한 공장인 데요. 지역 균형 발전과 중국과의 교역 문제 때문에 서해안 지역의 공업화가 불가피한 것으로 받아들여지고 있습니다. 그런데 우리나라 기후 특성상 편 서풍 지역이기 때문에 서해안 공업화는 전국적으로 대기 오염을 유발할 우 려가 있고, 그리고 현실적으로 수심이 얕고 조류가 완만하기 때문에 항해의 오염 우려가 또 있습니다. 이 경우는 당장 영산호가 생기고 나서 목포 지역의 어촌 주민들이 어장을 떠나야 하는 이러한 문제가 실제로 있었고, 여러 가지 문제를 야기하고 있는데, 군산 티디아이(TDI) 공장 문제도 마찬가지겠지만 서해안 공업화의 방향이 어떻게 나가야 하는지 이 부분하고 같이 묶어서 말 씀해 주십시오.

김대중 티디아이(TDI) 문제를 먼저 말씀드리겠습니다. 이 문제는 지금 상 당히 심각한 문제이고 잘못하면 제2의 안면도 같은 사태가 오지 않겠는가 걱 정을 하고 있습니다.

이 문제는 우리 당에서 계속적으로 조사단도 파견하고, 시민 대표나 회사

측하고도 접촉을 하고 있습니다. 또 군산시, 노동부, 산업안전공단 등과도 접촉을 하고 있습니다. 이렇게 원만한 해결을 위해서 노력을 했지만 아직 성과가 없습니다.

회사 측 주장은 이렇습니다. 이중, 삼중으로 유독가스 누출 방지를 하고 있기 때문에 아무 걱정이 없다, 또 여천에도 똑같은 동종의 공장이 있지만 지금 아무 사고 없이 운영하고 있다, 그리고 천억 원이나 들인 공장을 이제 뜯어 가지고 어떻게 하란 말이냐, 이렇게 얘기하고 있습니다. 그런데 주민들 이야기는, 어쨌거나 이것이 한 번 폭발하면 인도에서와 같이 큰 피해가 있는 공장인데, 이것을 시내 한복판에 둔다는 것이 말이 되느냐, 아무리 안전하다고 하더라도 우리는 도저히 불안해서 살 수가 없다, 공장을 옮겨 가라, 이러한 이야기를 하고 있어서 이것이 해결이 안 되고, 천주교 신부님들이 선두에 서 가지고 군산 시민의 65퍼센트 정도가 서명을 해서 이것을 옮겨 가라고 하고 있습니다.

그런데 여기 문제를 살펴보면 가장 큰 문제는, 뚜렷이 이러한 위험성이 있다고 하는 구체적이고 과학적인 증거라든가, 현재 공해를 발생시키고 있는 상황이라든가, 이러한 문제는 아닙니다. 문제는 그 위험성인데, 가장 근본적으로 사태를 악화시킨 책임은 정부에게 있습니다. 군산시, 전라북도 혹은 중앙정부가 이러한 문제를 해결할 때, 안면도 핵폐기물 처리 때도 그랬지만, 이 문제를 현지 주민들과 충분히 상의를 하지 않고, 주민들 여론에 반대가 있는데도 불구하고 이것을 무시하고 허가를 해 주고, 또 건설시키고, 그래서 주민의 반대 속에서 계속해 놓고, 이제 일단 만들어 놓았으니 어쩔 테냐, 이런 식으로 지금 몰고 가고 있습니다.

여기에서 주민들하고 감정 대립이 되고, 대화가 끊기고, 해결의 실마리가 나오지 않고 있습니다. 그러니까 풀 수가 없는 그러한 상태가 된 것이 아닌가, 이렇게 보고 있습니다. 이래서 현지 주민들이 회사도 불신하고, 정부 부처도 불신하고 있습니다.

따라서 이 문제를 해결하려면, 사태를 이렇게 악화시킨 책임이 있는 시장이나 전라북도 지사를 인책해야 한다고 생각합니다.

인책을 해서 정부가 잘못된 행정에 대해서 군산 시민 앞에 책임을 느끼는, 이러한 태도를 취해서 시민들이 먼저 정부를 신임하게 만들고, 그다음에 정부가 중간에 서서 회사와 주민들 사이에 대화를 유도하면서, 여기에 객관적이고 전문적인, 주민들도 충분히 신임할 수 있는 전문가들을 데려다가 과연 이것이 얼마만큼 위험한가, 현재 약간의 위험성이 있다면 그것을 더는 방법은 무엇인가, 도저히 이겨내는 방법이 없다면 그것을 어떻게 해야 할 것인가, 이런 문제를 아주 객관적인 분들, 주민이 신뢰할 수 있는 그러한 사람들하고 풀어 가야 합니다. 그것이 선결되어야 합니다. 그래서 첫째는 정부가 일선 행정의 잘못한 사람들을 인책하고, 둘째는 정부가 완전히 중립적 입장에 서서 주민과 업자 간의 대화를 유도하고, 그다음에 객관적인 사람들의 과학적이고 전문적인 지원을 받아 가면서 이 문제에 대한 해결 방안을 풀어 나가야 하지 않겠는가, 이렇게 생각하고 있습니다.

티디아이(TDI)에 대해서는 이 정도 말씀드리고, 저희 당의 입장은 결코 업자에 대해서만 가혹하게 죄인 취급하듯이 하는 것은 아닙니다. 과정이 나빴고, 업자도 그러한 점에서 책임이 있고, 적어도 군산의 20만에 달하는 주민들의 60퍼센트 이상이 불안해하는 문제를 소홀히 해서는 안 된다는 입장입니다.

그리고 서해안 문제가 나왔는데 이 문제도 저희 당이 발의하려고 하는 환경 영향 평가에 관한 법률을 빨리 통과시켜서 충분히 영향 평가를 해 가면서 개발해 나가야 한다고 생각합니다. 그런데 비꼬는 말이 될지 모르겠습니다마는 이 서해안 오염은 지금 너무 걱정할 것이 없는 것이, 정부가 계획만 세워 놓았지 돈은 내놓지 않고 있습니다. 그래서 전혀 진전이 없어요. 새만금 개발 같은 계획을 세워서 1조 3천억짜리로 해 놓았는데, 정부가 백억 원 들여 가지고 기초 조사하고 나서 금년에는 일체 안 합니다. 그래서 이 문제를 포기하다시피 했어요.

새만큼 개척을 하게 되면 거기에 많은 공장 부지라든가 농지도 나오지만 중요한 것은 고군산하고 연결시키면 고군산 그쪽에 부산 항구의 1.5배나 되는 15만 톤급 배까지 자유롭게 와서 접안시킬 수 있는, 그런 좋은 항구의 요지가 있습니다. 그런데 안 해요. 돈은 아시다시피 지금 경북고속전철—이것은 사실 급한 것이 아닙니다. 서해안고속도로 이것이 계획만 번지르르하지요. 돈이 없어요. 고속도로 한 발도 안 나가요. 세 군데서 금년에 한 500미터씩 할 것입니다.(청중 웃음)

아마 이것 하나 하는 데 한 50년이 걸릴 겁니다. 그리고 호남선 복선 같은 것은 이리(현 익산)에서, 아니 대전에서 광주 송정까지 가는 데 23년 걸렸어요. 제가 이번에 영광에서 연설할 때도 그랬습니다. 달팽이가 기어 다녀도 10번은 왔다 갔다 했을 거라고.(청중 웃음) 그러다 보니 광주 송정에서 목포는 안 가고 있습니다.

그러니까 서해안 개발에 공해, 너무 걱정할 것 없어요. 정부가 안 하니까요. 그렇지만 이건 농담입니다. 농담이고 또 진담입니다.

앞으로 우리의 건설은 공해 유발 사업을 그저 무턱대고 도입해 가지고 공장 건설만 하면 좋다, 이런 시대는 지나서 저공해 그리고 저연료 소비 또 첨단과 신소재, 이런 방향으로 활로를 열어 나가야 합니다.

왜냐하면 우리는 자원도 없고, 연료도 없고, 국토는 좁고 또 공해로 나라를 망칠 수도 없기 때문입니다. 많은 연료를 쓰면서 지금과 같이 하는 그런 산업을 발전시켜 나가면 쓰레기는 감당할 수가 없습니다. 대신에 우리 국민은 아주 교육 수준이 높고, 상당히 적극적이고 부지런하기 때문에 노사 관계만 잘하면 훌륭한 산업 체계를 만들 수 있습니다. 앞으로는 그러한 방향에서 새로운 산업 체계를 이 나라에 만들어 나가야 합니다.

서해안은 그러한 방향에서 동해안에서 했던 실패를 되풀이하지 않도록 해야 합니다. 또 동해안에서 했던 2차 산업, 공해를 많이 유발하고 원료를 많이 쓰고, 연료를 많이 쓰는 그러한 사업, 그것을 뭐라고 표시하는지 전문 용어를 모르겠습니다만, 그러한 것보다는 첨단산업이라든가 신소재라든가 이러한 방향으로 우리의 산업 방향을 바꾸어 나가야 합니다. 이래서 부가가치가 높은, 그러면서 공해 유발이 적고 원료를 적게 쓰는 좋은 머리와 우수한 기술이 필요한 그러한 방향으로 우리의 산업을 개척해 나가야 합니다.

이것이 서해안뿐만 아니라 앞으로 모든 지역에 적용해 나가야 할 길이 아니겠는가, 그렇게 생각하고 있습니다.

황보영춘 제가 보충 질문을 간단하게 드리겠습니다. 지난번 티디아이(TDI) 사건 때 평민당에서는 박영숙 부총재를 단장으로 해서 진상조사단을 파견하였습니다. 그때 항간에서는 동양화학이 평민당에 정치자금을 주지 않았기 때문에 가능하지 않았나 이러한 설도 있습니다. 만약에 동양화학으로부터 평민당이 정치자금을 받았을 경우 그래도 티디아이(TDI) 진상조사단 파견을 결재하셨겠습니까?

김대중 좋은 질문하셨습니다. 여기 우리 문동환 고문도 계시고 박영숙 부총재도 계시는데 제가 맨날 이 말 하는 것을 알고 계십니다. 정당이나 정치 지도자는 돈을 못 만들어도 정치 지도자가 못 되고, 돈을 잘못 만들어서 조건 있는 돈 만들어도 정치 지도자가 못 되고, 만든 돈을 자기가 가져도 정치 지도자가 못 된다, 이렇게 말하고 있습니다. 돈은 만들어야 합니다. 안 만들면 정당 할 수가 없습니다. 그러나 문제가 없는 돈을 만들어야 합니다. 그러니까 어렵지요. 또 만든 돈 자기가 가지면 안 됩니다. 정치인의 호주머니는 돈이나 수표의 정거장이 되어야지 거기서 있으면 안 됩니다. 정거장에 사람은 보이지만 거기 있지는 않습니다. 나가야 돼요. 우리는 문제점이 있는 데서는 절대 돈 받지 않습니다. 절대 받지 않으니까 문제가 없습니다. 정치자금 받습니다. 받는데 단 십 전도 여러분 앞에서 얼굴 못 들 돈 받은 일 없습니다. 앞으로도 안 받습니다. 그런다면 내가 정치를 안 합니다. 그래서 이 점에서 동양화학에서 돈 받은 일도 없고, 받을 일도 없고, 이렇게 문제 있는 데는 동양화학이건 어디건 절대로 안 받습니다. 그러니까 사회자께서 그 문제는 전혀 걱정하실 필요가 없습니다.(청중 웃음)

황보영춘 제 질문은 만약에 동양화학에서 문제가 없다, 공해 공장이 전혀 아닌데 총재의 판단이 그것을 모르고 정치자금을 받았는데 나중에 이러한 사건이 터졌을 경우를 가정해서 진상 조사를 갈 때 결재를 하시겠냐, 안 하시겠냐, 이런 질문입니다.

김대중 진상 조사는 문제가 있으면 보내야죠. 그런 조건 모르고 받았던 정치자금은 아무 죄가 없습니다. 그런데 진상 조사 보냈다고 상대방이 뭐라고 하면 왜 내가 말 못 합니까, 받은 일 없습니다마는 왜 말 못 합니까, 아무런 문제가 없습니다.

정일성(서울신문 기자) 아까도 총재께서 잠깐 언급하셨습니다마는 최근 들어 우리나라에는 동양화학 군산 티디아이(TDI) 공장을 비롯해서 집단 민원이 많이 발생하고 있습니다.

금년에 환경처가 집계한 바로는 1989년도부터 10월 말 현재까지 30인 이상이 호소한 민원이 273건이나 됩니다. 그러니까 이틀 만에 거의 한 건꼴로 이렇게 공해 관련 집단 민원이 발생하고 있다는 것인데요. 그렇다면 공해 관련 집단 민원을 어떻게 대처해야 하는지, 어떻게 대처해야 효율적인지 총재의 고견을 듣고 싶습니다.

김대중 자료를 보니까 금년 1월부터 7월 말까지만 해도 73회가 발생했는데, 골프장 건설 반대, 쓰레기장 건설 반대, 해양 오염 피해 어민들의 보상 요구, 이런 집단 민원이 있었고, 지난 11월 8일에는 안면도에서 핵폐기물 문제로 일종의 민란이라고 해도 과언이 아닐 정도의 그런 집단 민원이 있었습니다.

이런 집단 민원이 나는 데 있어서 대부분의 원인은 사전에 주민들하고 전혀 협의하지 않는 데 있습니다. 주민과 협의하지 않고 마치 무슨 작전을 하듯이 비밀리에 가서 후다닥해 버리고 나중에 주민들이 반발하고 나서는 이런 사태가 계속되고, 또 이렇게 집단 민원이 나는 이유는 처음부터 주민들이 이런 집단 행동으로 간 것이 아니라 관에 대해서 얘기를 해도 해도 안 되니까 결국 나중에는 사생결단하고 집단으로 행동하게 되기 때문입니다. 그러니까 사전에 얘기하지 않고, 사후에도 주민의 평화적인 주장을 무시하고, 이래 가지고 결국 어떤 인상을 주냐 하면 관은 돈 있고 힘 있는 사람 편이지 우리 편이 아니다, 이런 인상을 주민들한테 줍니다. 그렇기 때문에 우리도 힘이 있어야 되겠다는 자포자기적인, 우리도 막고 보자고 하는 이런 생각으로 주민들이 집단 행동을 하게 되는데, 잼버리 대회에서 나왔던 민원이라든가, 영종도 바다에서 유조선이 충돌되어 가지고 바다를 오염시킨 때의 영종도 어민, 혹은 티디아이(TDI) 관련 군산 시민들, 안면도 주민들, 다 그렇습니다.

앞으로 이런 문제, 골프장 건설이나 쓰레기장 건설 문제 혹은 모든 문제는 공개적으로 주민들하고 대화하면서 주민들의 여론 수립, 물론 그것이 말이 쉽지 행정기관으로서는 여러 가지 어려움이 있습니다. 주민들이 때로는 무리한 주장도 하게 되고, 그러나 민주주의라는 것이 어차피 국민의 동의를 받아 가면서 해야 하기 때문에, 그렇다 하더라도 주민들의 여론을 수렴해서 일을 진행해 나간다면 물론 처음에는 그런 문제가 있지만, 차츰차츰 하나의 관행이 생기면 그 관행에 따라서 해결해 가는 제도가 만들어져 가지고 앞으로는 그런 문제가 쉽게 해결되는 방향으로 나갈 수 있다고 생각합니다.

동시에 이런 집단 민원을 막기 위해서는, 작년에 우리 전문위원을 스웨덴에 1개월 동안 환경 문제 연구차 보낸 일이 있습니다만, 스웨덴에서는 옴부즈맨이라는 제도가 있다고 합니다. 일종의 환경 감사원 제도인데, 어떤 환경 문제에 대해서 주민들이 정부의 민원 처리에 불만이 있을 때는, 그것을 시간이 걸리는 재판소로 가져가는 것이 아니라, 환경 감사원으로 가지고 가면 이 감사원이 직접 가서 조사를 해서 증거를 수집해 가지고, 기업이나 혹은 정부 기관하고 합의를 유도하거나 아니면 소송을 대행해 준다고 합니다. 그러니까 주민들이 아주 신뢰할 수 있는 전문가가 전문적인 조사를 해 가지고, 또 법규를 잘 알아 가지고 이 문제에 대해서 억울하지 않게 기업주하고 절충을 해 준다든가, 정부하고 협의해 준다든가, 그래서 안 되면 소송을 대행해 준다든가, 이렇기 때문에 집단 행동을 할 필요가 없는 것입니다. 하고 싶어도 할 이유가 없어요. 국민도 그렇게 해 주는데 집단 행동을 하면 그런 것은 지지하지 않습니다. 그래서 이런 방향으로 나가야 되지 않느냐, 또 정부의 책임자나 이런 사람들이 환경 문제 일어난 지역에는 직접 현장에 가서 실체를 보면서, 정부가 주민들의 문제에 관심을 가지고 있다는 것을 보여 줄 때, 주민들이 정부를 신뢰하고 협력적으로 나올 수 있다고 봅니다.

이것을 요약해서 말씀드린다면 모든 것을 공개적으로, 골프장 혹은 쓰레기장을 건설할 때 공개적으로 해서 주민들의 동의를 얻도록 노력하고, 문제가 생길 때는 주민들을 대신해서, 법률적으로나 기술적으로 대신해서, 주민들의 문제를 해결해 줄 수 있는 그런 제도를 우리가 개발해 가지고 정부하고 절충, 기업가하고 절충, 혹은 소송의 대행, 이런 것을 해 줄 제도를 만들 필요가 있다, 그리고 정부의 장관들은 산업 시찰만 할 것이 아니라 환경 보전 시찰도 자주 해 가지고 정부는 양쪽에 관심을 똑같이 가지고 있다는 것을 국민에게 믿게 하는 노력이 필요하다고 생각합니다.

황인선(서울경제신문 기자) 지금 집단 민원과 관련되어 티디아이(TDI) 문제 또는 울산·온산 지역에서 발생된 듀폰 이산화티타늄 문제, 그다음에 한국티타늄도 역시 이산화티타늄 문제로서, 주민 반발이 앞으로 상당히 고려될 것이라는 얘기가 지배적인데요. 이 문제를 김 총재께서는 그동안 선진국이나 다른 데서 해 왔던 적정한 대책으로 당위적인 말씀을 해 주셨는데 그러한 대책은 충분히 타당하다고 봅니다. 하지만 현실적으로 볼 때 사업 주체하고, 피해자인 주민들과, 그다음에 인허가를 결정하는 정부 기관 사이의 팽팽한 마찰 상태에서는 결코 자연적으로 해결되지 않는 것이 현실입니다. 이런 측면에서 어떤 객관적인 대책을 말씀하셨는데, 그것을 평민당이 좀 더 적극적으로 3자든 4자든 공동 이해 당사자들을 참여시켜서 객관적인 기준을 제시하면서 그 문제를 하나하나 풀어 나갈, 그런 복안을 구체적으로 가지고 계시는지 그것을 한번 듣고 싶습니다.

김대중 지금까지도 우리가 이러한 노력을 많이 했습니다. 지난 여름 영종도의 해양 오염 사건, 그 유조선 충돌 사건이 일어났을 때는 제가 직접 현지에 갔습니다. 가서 주민들 이야기도 들어 보고, 또 떠밀려서 해안에 올라오는 기름을 빨리 제거시키고, 피해 보상을 빨리하도록 해서, 간 결과가 상당히 성과가 있었습니다. 군산 티디아이(TDI) 문제도 우리가 계속 관심을 갖고 조정하는 노력을 하고 있습니다. 그래서 지금까지도 환경 문제는, 우리가 단순히 비판만 하는 것이 아니라 할 수 있으면 업자하고 같이 대화해서 문제를 풀어가는, 이러한 방식으로 지금까지 노력을 했고 앞으로도 노력을 하겠습니다.

환경 문제가 날로 심각해지기 때문에 당으로서는 이 문제를 해결하기 위해 당의 국회의원뿐만 아니라 이제는 전문가들을 당의 자문 역으로 추대를 해서 노력을 해야 하지 않을까 생각합니다.

그리고 오늘 이렇게 여러분들하고 토론하는 기회를 가졌는데, 이것은 누가 뭐라고 해도 정부가 앞장서서 해야 할 문제이고, 또 정부가 해 주어야만 이것이 제대로 해결됩니다. 그래서 앞으로 노태우 대통령을 만날 기회가 있으면 이러한 문제를 적극적으로 가서 이야기하고, 특히 스웨덴의 환경 감사원 제도 같은 것도 도입해서, 정부가 집단 민원이 일어나지 않고도 해결할 수 있는 이러한 조치를 취해 나가도록 대통령하고도 협의할 작정입니다.

오정국(스포츠서울 기자) 아까 총재께서 말씀하실 때 평민당 내의 환경 전문위원이 스웨덴으로 파견되어서 공부를 하고 오셨다, 이러한 말씀을 하셨는데, 물론 여기 박영숙 부총리께서도 계십니다만, 제가 궁금한 것이 평민당에서 환경 전문위원이라고 해도 좋고 하여튼 환경·공해를 다루는 부서와 직제가 있을 것입니다. 그 부서와 직제가 어느 정도 인원으로 편성되어 있고, 예산이 어느 정도고, 물론 그것을 일목요연하게 그래프로 그릴 수도 없겠습니다만, 환경 관련 부서와 비중이 과연 어느 정도 되는지 소개해 주시면 감사하겠습니다.

김대중 우리 당에 환경 담당 전문위원이 있는데, 지금 여기 와 있습니다. 한번 일어서 보세요……. 신 위원이 스웨덴 갔다 왔죠? 전문위원은 당으로서는 아주 중요한 요직입니다. 당의 정책에 대해서 아주 큰 영향을 주고 있습니다. 그리고 환경국이 있습니다. 국장이 있고 또 거기에 부장들이 있고, 이분들이 환경 문제가 생길 때는 전국의 도처를 누비고 다니면서 조사를 하고 있습니다. 그리고 무엇보다도 우리 당에서 지금 환경 문제는 부총재이신 박영숙 부총재가 환경 담당 부총재다시피 해서 하고 있기 때문에, 평민당은 당의 기구나 인력 배치에 있어서는 비교적 무게 있게 하고 있는 셈입니다.

김동권(매일경제신문 기자) 사실 가장 시급한 문제는 우리나라의 쓰레기 매립장 확보 문제인데 여러 가지 난관에 부딪쳐서 진전을 보지 못하고 있습니다. 하루에 산업 폐기물과 생활 쓰레기가 7만 톤씩 발생하고 있는데 버릴 곳이 없습니다. 그래서 불법 투기되거나 매립되고 있어서 전 국토가 지금 쓰레기 장화되어 가고 있는 실정입니다. 이 점과 관련해서 앞으로 이 쓰레기 매립지를 어떻게 효율적으로 조정해야 될지 말씀해 주시기 바랍니다.

김대중 쓰레기 매립이 큰 문제가 되었는데요. 매립지는 첫째 주거 지역이나 상수원 보호 구역에는 절대로 해서는 안 된다, 그리고 쓰레기 매립지에는 오폐수 처리 등 위생 처리 시설이 그야말로 완벽하게 갖추어져야 한다고 생각합니다. 그리고 다시 말하지만 환경 영향 평가를 철저히 해야 합니다. 현재는 10만 평 이상, 하루 매립량 500톤 이상만 하고 있는데, 이것을 모든 쓰레기 매립장에 대해서 적용해 나가야 한다고 생각합니다.

그리고 지금까지 쓰레기 처리에서 우리나라는 아주 단순한 매립 위주였는데 이것을 세 가지 방향으로 발전시켜 나가야 합니다. 하나는 재생, 지금 독일이나 일본은 이 쓰레기 재생이 상당히 성행하고 있고 큰 성과를 올리고 있습니다. 이것은 많은 자원의 절약도 되고 또 경제적으로도 소득을 보고 있습니다. 얼마 전에도 신문을 보니까 독일에서는 가정에서부터 쓰레기 버릴 때 봉지를 따로따로 해 가지고 버리는 것을 아주 의무적으로 생각하고 시민들이 조금도 그것을 귀찮지 않게 생각하고 있는데, 최근에 일본 신문을 보면 일본에서도 상당히 대대적으로 그러한 방향으로 유도하고 있습니다.

우리나라도 그러한 말이 나오고 있는데 이 재생에 대해서 첫째로 유의하고, 둘째는 소각을 상당히 중시해야 합니다. 미국과 같이 국토가 넓은 나라는 주로 매립을 위주로 하고 있지만 국토가 좁은 일본이나 우리나라는 소각이 위주가 되어야 합니다. 그런데 지금 국토가 좁은 나라가 매립 위주로 되어 쓰레기 문제가 아주 잘못 처리되고 있습니다. 과거에는 땅값이 헐하고 매립이 아주 비용이 적게 들었지만, 지금은 오히려 비용도 비싸진 마당이니까 그렇게 해서는 안 된다고 생각합니다.

그리고 또 하나의 해결 방안으로서 저희 평민당이 발의해 놓고 있는 '환경 오염 방지 사업 비용 부담 법안', 이름이 조금 깁니다. 이것을 빨리 입법해서 비용을 오염 원인자가 부담하도록 규제해야 합니다. 예를 들어 산과 바다에 버린 쓰레기를 보면 비닐 포장, 일회용 컵과 용기, 빈 병, 빈 깡통, 이러한 것이 대부분입니다. 그런데 전부 표면 상표가 붙어 있어서 어떠한 업체들의 것인지 모두 나와 있습니다.

그래서 돈벌이는 그런 업체들이 하고 쓰레기 피해는 전 국민이 입고, 또 비용은 정부가 부담하고, 이런 것은 부당합니다. 그리고 한 번 토양을 오염시켜 놓으면 다시 회복하기도 어려운 국토의 보존 문제도 있어서 원인자 부담의 방향으로 해야 합니다. 이러한 것은 이미 세계적인 추세로 하고 있는데, 우리 나라도 농약 빈 병은 농약 회사들이 기금을 내 가지고 회수하고 있습니다. 이렇게 환경오염을 유발하는 다른 모든 쓰레기에 대해서도 이런 원인자들이 부담해서, 자기들이 쓰레기를 수집하는 일을 직접 하거나 아니면 지방자치 단체나 국가가 할 때 거기에 비용을 부담하거나, 이렇게 해야 하지 않겠는가 생각합니다.

또한 유해 산업들이 자체 내에서 시설을 만들어 가지고 쓰레기를 자체 처리하도록 해야 합니다. 현재는 산업 폐기물 배출 업소들이 8천 개나 되지만 불과 0.5퍼센트인 45개 업체밖에 안 하고 있는데, 이러한 것을 더욱 확대하도록 노력해야 한다고 생각하고 있습니다.

김일(**중앙일보 기자**) 쾌적한 환경을 현실적으로 달성하기 위해서는 하수 처리장, 쓰레기 소각장, 도시가스 배관망과 같은 환경 기반 시설 투자가 필수적인 시대가 되고 있습니다. 그렇지만 우리의 경우에 환경처 1년 예산이 8백억 원 선이어서 서울의 2개 구청 예산도 못 미치는 수준이고, 내년도 정부의 전체 예산은 20퍼센트 가까운 초팽창 편성을 하면서 건설부, 수산청, 환경처 등을 망라한 정부 전체의 환경 관련 예산은 제자리걸음 내지는 오히려 감소해서 환경 보전이 말뿐인가 하는 느낌을 많은 사람들한테 주고 있습니다.

현재 하수 처리장을 통한 하수 처리율이 28퍼센트에 불과하고, 따라서 나머지 72퍼센트의 하수는 식수원인 강으로 바로 흘러들어 가는 데서 알 수 있듯이, 찬밥 신세인 환경 투자, 이것을 앞으로 어떻게 확충시켜 나가실 것인지 말씀해 주십시오.

김대중 환경 기반 시설의 종류는 하수 처리 시설, 분뇨 처리 시설, 쓰레기 처리 시설, 오수 정화 시설, 산업 폐기물 처리 시설, 축산 폐수 정화 시설, 공단 폐수 처리 시설 등 여러 가지가 있습니다.

이번 대통령의 시정연설을 보면 1992년까지 현재의 2급수를 모두 1급수로 개선하겠다고 공약을 했지만 지금 말씀하신 대로 환경처에 그런 예산은 거의 없습니다. 이대로 가면 말뿐으로 그칠 가능성이 큽니다.

그래서 이 재원 확보는 세 가지로 하여야 합니다. 하나는 국가 예산에서 나와야 하고, 하나는 그 지역의 수익자인 주민들이 부담하고, 하나는 오염을 유출시키는 기업체들이나 기관들이 이것을 부담해야 합니다. 3자가 비율을 어떻게 해야 될지는 여기서 말할 준비가 안 되어 있습니다만, 3자가 분명히 분담해서 해야 합니다. 저희 당은 다음 기회에 저희가 발의 중에 있는 환경오염 방지 사업 비용 부담법을 시급히 통과시키려고 합니다. 그런데 이 법을 시행할 때 중소기업자들은 상당히 부담이 과중해서 수출경쟁력이 약화될 가능성도 있기 때문에, 그런 데는 세제나 금융 지원을 해서 보완하지만, 기본적으로 환경을 오염시킨 기업체들은 그에 상응하는 부담을 해야 한다, 이렇게 생각하고 있습니다.

그리고 앞으로 대기업들에 대해서는 환경오염 방지를 위한 기술 개발 투자를 더 적극적으로 권장을 하고, 또 비용이 과중해서 국제경쟁력이 없는 그러한 공해 산업은 단계적으로 폐쇄시켜야 합니다. 그리고 아까 말한 대로 비공해 혹은 과소 공해 배출 기업으로 발전시켜 나가야 합니다. 그래서 비공해 산업 전화를 위한 산업구조 조정, 이것을 위해서 기업과 정부가 같이 노력해야 합니다. 한쪽에서는 어떻게 하면 공해를 적게 배출시키는가 하는 노력, 그 다음에는 배출된 공해 물질을 잘 처리할 수 있는 환경 기반 시설을 확충하는 노력, 그리고 이 기반 시설을 확충해 나가는 데 있어서 3자가 공동으로 부담하는 것, 더 나아가서는 이미 경쟁력이 약한 공해 사업을 폐지하는 방향으로 산업구조를 재조정해 나가야 한다, 이렇게 생각하고 있습니다.

황보영춘 참고로 말씀드리면 올해 환경처 예산이 김일 기자도 말씀하셨지만 599억 원인데, 건설부 상하수도국의 1개국 예산은, 1769억 원입니다. 그러니까 환경처의 일개 부처 예산이 건설부 일 개국 예산의 35퍼센트밖에 안 됩니다. 이렇게 해서 어떻게 환경 보전을 할 수 있을까, 저희 기자들은 항상 기사화를 하고 있습니다만 의원들께서 반영을 안 하시는지, 경제기획원에서 안 하는지, 도저히 이해할 수가 없습니다. 우리나라도 환경 보전을 그야말로 공약대로, 여당이든 야당이든 공약대로 실천하기 위해서는 국민총생산(GNP)의 일정 비율을 환경 부분에 투자하든지, 아니면 누구나 납득할 수 있듯이 환경은 반드시 돈이 투자가 되어야 방지 시설이든지, 오염 방지가 된다는 것을 다 알고 있으면서도 실질적인 행정으로는 안 된다는 게 참 문제점이 많은 것 같습니다. 이제는 고쳐야 되지 않겠나 생각하면서 김 총재께서 각별한 신경을 써 주시면 고맙겠습니다.

민병철(KBS 기자) 주지하시는 바와 같이 팔당호는 1천3백만 수도권 인구의 생명 수원입니다. 계속 박영숙 부총재의 언급이 나오고 있습니다만, 이 자리에서 박영숙 부총재에 대한 환경처 기자들의 인기에 대해서 상당히 놀랐습니다. 그런데 이 팔당호 골재 채취 문제 역시 박영숙 부총재가 현장에서 제기했던 그러한 문제인 만큼 이미 보고를 받으셨고 이에 대한 복안도 가지고 계시리라 생각됩니다. 팔당호 골재 채취 문제에 대해서 생각하시는 점이 있으시면 말씀해 주시기 바랍니다.

김대중 팔당호는 지금 말씀과 같이 1천3백만 혹은 1천5백만 수도권 주민들의 식수원이기 때문에 이 문제는 보통 중요한 문제가 아닙니다.

지난 6월부터 우리는 현지 조사도 하고, 여기에 대해서 여러 가지 관심을 가지고 해 왔습니다. 박영숙 부총재, 이철용 의원, 정기영 의원, 지난번까지 했던 김충조 의원, 전부가 여기에 관심을 가지고 여러 번 조사를 했습니다. 또 공청회나 설명회도 참석하고, 국립환경연구원의 시험 준설 결과 발표도 참석해서 일일이 이것을 다 체크했습니다.

그런데 이 골재 채취는 전문가들에 의해서 세 가지 문제가 있다고 합니다. 첫째는 팔당호 바닥에 유해 물질이 있느냐 없느냐 하는 유해 물질의 존재 유무, 둘째는 있다면 이 유해 물질이 취수장까지 올 수 있느냐 하는 문제, 셋째는 취수장까지 들어왔을 때 정수장에서 완전하게 정수 처리를 할 수 있느냐 하는 문제, 이런 문제들이 있다고 합니다. 이 세 가지에 대해서 어느 것 하나도 환경처가 명확한 답변을 하지 않고 있습니다. 우리는 환경처에 대해서 여러 가지 협력을 하고 동정도 하고 있지만 여하튼 이러한 문제에 대해서 책임 있는 환경처가 아무것도 안 하고 있는 사실도 지적하지 않을 수 없습니다.

최근에 시험 준설을 한다고 하고 있는데 전문가들은 시험 준설하는 것마저도 위험하다, 사전에 모형 실험부터 해야 한다, 여러 가지 의견이 갈려 있습니다. 우리 평민당의 주장은 충분한 조사와 모형 실험이 끝날 때까지 상수원의 준설을 유보해라, 그리고 정부는 현 2, 3공구 지역의 공구를 옮겨 가지고 남한강 쪽으로 갔는데, 1공구도 완전히, 모든 문제에 대해서 과학적으로 확신이 설 때까지는 이것도 옮기고 폐쇄해라, 이것이 우리 당의 입장입니다.

그런데 국무총리가 지시해서 조사해 가지고 정부가 지정한 사람들이 조사·보고한 것을 보면, 문제가 없다는 식으로 보고가 되어 있는 것으로 알고 있습니다. 어디에서나 마찬가지겠지만 이 문제에 대해서 서울 시민들이라든가 모든 사람들이 정부에 대해 불신하고 있습니다.

그래서 작년에 수돗물에서 중금속이 검출되었을 때 노 대통령이 직접 나서서 책임지고 해결하겠다 해 놓고, 이러한 문제에 대해서 충분한 자신이 서기 전에 골재 채취를 허용하려는 것은 좋은 일이 아닙니다. 그래서는 안 됩니다. 이 환경 문제는 만의 일이라도 문제가 있다면 큰일입니다. 따라서 우리는 1공구도 폐쇄해서 옮겨 가고, 여기에 대해서 충분한 모형 실험을 해 가지고, 아주 자신이 있다고 할 때만 하는 그런 방향으로 이 문제를 전환시켜야 합니다. 한마디로 이야기해서 팔당호의 골재 채취는 전면적으로 일단 중지해야 한다, 이것이 저희 당의 입장입니다.

원인성(한국일보 기자) 선진국들을 보면 아까 총재께서도 말씀하셨듯이 지구온실효과나 오존층 파괴 문제를 상상외로 심각하게 받아들이고 있는 것 같습니다. 그런데 선진국이라고 하는 사람들이 이 문제를 해결하는 과정에서 우리 같은 개도국이나 제3세계 국가들에 대해서 책임을 공유하자는 식으로 지금 나오고 있기 때문에, 우리 입장에서는 이것을 환경 문제라는 차원 이전에 경제나 외교적인 차원에서 좀 더 심각하게 받아들여야 되지 않을까 하는 생각이 듭니다. 한 예로 아까 말씀하셨듯이 프레온 가스 규제 협약을 보면 우리나라 같은 경우에 뒤늦게 허겁지겁 뛰어들어 가지고 상당히 불이익을 당하고 있는 것으로 알고 있는데요. 이번에 외부에서 보니까 온실효과 문제를 거론하면서 그 원인이 되는 자동차의 배기가스라든지, 또 에너지 사용 문제를 굉장히 중요하게 거론을 하고 있습니다. 또 거기에서 대표적인 예로 한국에서 자동차가 매년 60만 대씩 늘어난다든지 그런 예를 들고 있는 것을 볼 때 이것이 우리 경제나 우리의 성장에 대한 압력으로, 프레온 가스 규제처럼 곧 다가올 것이라는 느낌을 많이 받았습니다. 이러한 문제에 대한 우리의 외교적인 노력은 거의 없는 것 같은데 말이죠. 평민당의 입장에서는 어떠한 생각을 갖고 계시고 정부에 어떠한 외교적인 대응을 촉구하실 것인지 의견을 말씀해 주십시오.

김대중 지금 이 환경 문제가 지구 전체의 관심사가 되었는데 하나 말씀드리고 싶은 것은, 인류는 지금까지 참으로 어려운 도전들을 많이 극복해 왔습니다. 그리고 또 우리가 존재하는 한 도전은 그치지 않습니다. 그런데 이 환경 문제의 도전도 인류는 해결하리라고 보고 있습니다. 해결하는 방향으로 벌써 나가고 있습니다. 그것이 빈번한 국제회의입니다.

최근 2-3년간 국제적인 회의 또는 협약이 만들어지기 시작하는 이러한 방향으로 나가고 있어서 산성비 문제, 오존층 파괴 문제, 지구 온실효과 문제, 열대림 파괴와 사막화 문제 등 이러한 지구 규모의 환경 문제에 대해서 이제 모두 본격적으로 달려들고 있습니다. 그래서 단순히 어느 한 나라가 아니라 전 세계적인 협력이 필요하고, 이제는 선진국 정상회담에서도 이 문제가 다루어지고 있습니다. 앞으로 10년 후 1990년대 말까지는 상당한 진전을 할 것이라고 믿고 있습니다. 이것은 인류에 대한, 역사에 대한 우리들의 확신을 가지고도 이야기할 수 있지 않은가, 이렇게 생각하고 있습니다.

예를 들면 프레온 가스 규제에 대한 몬트리올 의정서, 지구 온실효과의 대처, 화석연료 과다 사용을 규제하기 위한 기후변화 방지 조약, 핵폐기물 등 유해 산업 폐기물의 국가 간 이동을 규제한 스위스 바젤 협약 등등 이런 식으로 차츰 되어 가고 있고 각국 정부도 협력하고 있습니다. 우리나라도 이직 긍정적인 반응은 못 받고 있지만, 중국 해안 공업 지대에서 배출되는 탄산가스나 질소산화물, 아황산가스 등이 우리나라에 바람으로 실려서 산성비로서 영향을 줍니다. 이래 가지고 동북아 녹색 협력회의, 이런 것을 제안한 일도 있고 한데, 이러한 움직임들은 국제 간의 정부만이 아니라 지금 민간인들도 활발하게 하고 있습니다.

일본에서 개최되었던 지구 환경 문제에 관한 민간회의에서도 비정부 조직(Nom-Government Organization)이 공동으로 개최하는 것이 대단히 효과적이다. 이런 것이 작년 가을에 일본에서 있었습니다. 그 이유는 기업의 영향을 벗어나서 민간단체들이 자유롭게, 민간 운동가들과 환경 운동가들이 자유롭게 할 수 있다, 이런 것인 것 같습니다.

앞으로 이 문제를 해결하려면 우리 정부가 민간 환경 단체들의 이런 노력도 적극적으로 지원하는 동시에 국제적으로 환경 문제에 대한 정보 교환에 나서 가지고 다른 나라에서 이미 겪어서 실패했던 문제에 대해서 우리가 되풀이하지 않도록 경험을 배우고, 또 다른 나라에서 그것을 어떻게 해결했느냐 하는 것을 경험으로 배우고, 또 우리가 가지고 있는 경험도 나누어 주고 이렇게 하는 것이 필요하다, 우리가 지구촌의 한 주민으로서 이웃 주민과 이 지구촌 전체를 정화시키고, 오염을 방지하고, 국제적인 협력을 해 나가야 되지 않겠는가, 이렇게 생각하고 있습니다.

김철웅(경향신문 기자) 최근에는 해양 오염 문제도 대기나 수질, 쓰레기 문제 등에 못지않게 심각한 문제로 등장하고 있습니다. 특히 금년에는 기름 유출 사고가 빈발해서 연안 어업 등에 큰 타격을 주었고 아산만 등 전국 연안의 오염도가 아주 심각한 상태에 이르렀습니다.

해양 오염 문제에 대한 야당의 견해를 밝혀 주시고 아울러서 최근 부산남항의 인공 섬 건설이 해양 오염 우려가 높다는 전문가들의 지적에도 불구하고 강력히 추진되고 있습니다. 참고로 이 사업은 김영삼 민자당 대표의 공약 사업으로 알려져 있습니다.

김대중 부산 그 얘기를 어느 분의 공약 사업이라고까지 지적하면 제가 말하기가 어렵게 되는데,(청중 웃음) 여하튼 그것이 만일 공해에 문제가 있다면, 그렇게 해서 뒤가 나쁘면, 공약하는 분은 물론 지금 선의로 하고 있는데, 결과는 공약하는 분을 위해서 불행한 일이고 부산 시민을 위해서도 불행한 일이기 때문에, 철저한 환경 영향 평가를 받아야 한다고 생각합니다.

이제 모든 사업이 환경 영향 평가를 받아야 합니다. 그런데 이것을 아주 소홀히 하고 있고, 현재의 환경 영향 평가 열 중의 일곱 또는 여덟은, 환경 당국자에게는 미안한 말이지만, 본의 아니게도 환경오염에 대한 면죄부, 허가장을 내준 것 같은 이러한 결과도 가져오기 때문에 이 환경 영향 평가를 할 수 있는 인력과 장비와 예산을 충분히 주어야 합니다. 이것을 안 해 놓고 나중에 환경을 망쳐 놓고 나서 회복하려면 그 몇십 배 예산 가지고도 되지 않습니다. 시간도 더 걸리고, 그렇기 때문에 경제성으로 보더라도 환경처에 예산을 많이 주어서 우수한 인력과 장비를 빨리 도입시키는 이런 조치를 해 주어야 한다고 생각합니다.

여천공단 매립과 폐수 배출로 인한 광양만 해양 오염 문제, 울산·온산공단의 폐수 배출로 인한 해양 오염 문제, 서해안 매립과 간척 사업으로 인한 해양 오염 문제 등 이런 문제가 산적해 있는데 어느 하나 지금 제대로 해결이 안 되고 있습니다. 그리고 해상 오염 이런 문제도 나왔는데, 유조선 사고가 일어나지 않도록 미리 방지해야 하겠지만, 사고가 났을 때는 응급조치할 수 있는 인력도 장비도 지금 거의 없습니다. 그러니까 말만 해 봤자 아무런 소용이 없습니다.

지난번에 영종도 현장도 가 보았는데 참 떡한 상황입니다. 거의 다 망치고 나서야 해안으로 밀려오는 것이나 그저 해결하는, 바다로 떠 나가는 것은 손도 못 대는 이런 상태입니다. 그래서 이런 문제에 대해서는 다시 한 번 얘기하는 것이지만, 지금 해양 오염 문제에 있어서 소관 부처가 내무부(현 행정안전부) 해양경찰대, 교통부 해운항만청, 환경처 등으로 갈라져 있어 책임 전가하기 좋게 맡겨져 있습니다. 그러니 일이 제대로 안 되고, 따라서 환경처를 부로 해 가지고 거기에 인력과 예산을 충분히 주고, 이래 가지고 환경부가 모든 것을 통괄하도록 환경부로 전부 집중시키고 다른 유관 부처들이 협력하도록, 그리고 관할에 따라서 순응해서 하도록 이렇게 환경부가 독립을 하고, 그리고 빨리 더 큰 손해를 보지 않게 하기 위해서 장비나 인력을 충분히 갖추어야 합니다.

이렇게 하는 동시에 이 환경오염 피해 배상법을 만들어 가지고 오염시킨 사람들에 대해서 여기에 대한 충분한 배상을 시켜서 다시는 그런 일이 함부로 일어나지 않도록 충분히 주의시켜야 합니다. 이 주의가 부족해서 많이 이런 일이 일어난다는 것을 알고 있습니다. 이렇게 해서 첫째로, 그런 일이 일어나지 않도록 하고, 둘째로, 일어났을 때는 재빨리 이것을 처리할 수 있는 그러한 장비와 인력을 갖추어야 하고 그리고, 셋째는 해양 오염 문제를 일괄해서 체계 있게 처리할 수 있는, 예방과 오염 제거, 이 두 가지를 할 수 있는, 그러한 기능을 환경처로 집중해서 환경부로 만들어야 하고, 이러기 위해서는 충분한 예산과 인력을 공급하고 전문가들이 여기에서 많이 일할 수 있도록 그렇게 해서 해양 오염 방지를 해 나가야겠다, 이렇게 생각하고 있습니다.

조홍섭(한겨레신문 기자) 지난번 안면도 사태를 계기로 핵발전소 문제가 다시 한 번 국민의 뜨거운 관심거리로 등장했습니다. 사실 우리나라에 핵발전소가 들어온 지 12년이 되는데 어느덧 이 핵발전소에서 나온 전기가 우리들이 쓰고 있는 전기의 절반을 차지하게 되었고, 또 1인당 핵발전량도 세계 6위를 차지하고 있습니다. 그리고 이미 곳곳에서 부지 확보라든가 하는 문제가 나타나고 있는데요. 정부에서는 2001년까지 당초 계획보다 2기가 많은 7기를 건설하겠다는 계획도 최근에 발표했습니다. 그런데 이 핵발전소 문제에 대해서는 환경 운동 단체들만이 어찌 보면 외롭게 싸움을 하고 있어 야당 쪽에서는 소 닭 보듯 하는 것 같습니다. 일부 야당 의원은 핵발전소 문제의 홍보 책자를 직접 저술하는 경우도 있고 또 어떤 야당 의원은 반대 운동에 앞장서기도 하는 모습을 보이고 있습니다.

김 총재님께 우선 정부의 핵 드라이브 정책에 대한 개괄적인 견해를 여쭤 보겠습니다. 제가 알고 있기에는 이미 오스트리아나 스웨덴 같은 나라에서는 국민투표를 통해서 핵 발전에 대한 국민의 의견을 모은 것이 있습니다. 그때 그 나라에서는 국민의 의견을 몰라서 국민투표를 했다기보다는 핵발전소에 대한 상이한 입장을 가진 정당이 국민의 지지를 누가 더 받느냐를 알기 위해서 이 문제에 관한 국민투표를 했던 걸로 알고 있습니다. 그런 점에서 비추어 볼 때 앞으로 이 문제에 관한 국민투표를 우리나라에서도 추진한다면 평민당은 핵발전소를 계속 짓는 것과 중단 또는, 다른 방안이 있겠지만, 반대하는 그 어떤 쪽에 서실 것인지를 말씀해 주십시오.

김대중 정직하게 말해서 저희 당은 이 문제에 대해 아직 정책의 결론을 내리고 있지 못합니다. 저희 당에는 이 핵 발전이 대단히 유해하다, 이것은 중단시켜야 한다는 주장이 강하게 있고, 그 수가 조금 많은지도 모르겠습니다. 그러나 한편으로는 그렇지 않다, 핵 발전을 하는 것이 오히려 공해 유발을 막고 또 염가로 할 수 있다, 먼 중동에서 석유를 갖다 쓰는 그러한 부담을 덜 수 있다는 생각도 있습니다. 양쪽 다 자기들의 과학적인 지식과 정책적인 판단의 소신에 의한 것이기 때문에 이것을 단순히 어느 한쪽이 나쁘다, 총재니까 내 말을 따르라, 이렇게 할 수가 없습니다. 이 문제는 그래서 저도 양쪽의 얘기를 경청하는 입장에 있다는 것을 말씀드리는데, 지금 우리나라가 수력 발전이 5퍼센트, 화력 발전이 45퍼센트, 원자력 발전이 50퍼센트, 이렇습니다. 그런데 앞으로도 원자력 발전 비율은 다른 발전이 늘어나기 때문에 50퍼센트 이상 비율은 늘어나지 않는다고 들었습니다.

이 문제에 대해서는 저도 고민이 많아서 지난번에 독일의 빌리 브란트 사회당 전 당수가 왔을 때 제가 직접 물어보았지요. 우리는 문제가 많은데 당신들은 독일에서 어떻게 하고 있느냐, 녹색당(Green Party)도 있고 해서 어떠냐 했더니 그 양반이 "우리도 굉장히 많이 고민하고 있는데 지금 당장 뾰족한 대안이 없고 해서 이 조력(조수)과 태양열 에너지 문제를 충분히 해결할 때까지 앞으로 한 20년 동안은 핵 발전을 허용할 수밖에 없지 않으냐, 위험성은 알면서 그런다." 이렇게 말하는 것을 제가 들었습니다. 그분 말이 절대적인 권위가 있다는 것이 아니라 하나의 참고 얘기고, 스웨덴 같은 나라에서는 국민투표로 이것을 안 하기로 했는데 저희 당은 이 문제에 대해서 최종 결론을 아직 못 내리고 있다는 것을 여러분께 말씀드리겠습니다.

그러나 어떤 경우에도 이 핵 문제에 대한 안전도는 최대한 지켜 나가야 하고, 또 핵폐기물 같은 것의 처리도 이것은 절대적으로 주민인 국민들에게 불안을 주어서는 안 됩니다. 그래서 이번 안면도 사건의 경우도 행정기관이 비밀주의로 한 것에 대해서 저희 당이 앞장서 싸워 가지고 결국 그 내막을 폭로해서 완전히 정부의 속임수였다는 것이 국정감사 결과로 나타난 것을 여러분이 잘 알고 계십니다. 경제과학위원회에서 특별히 애를 많이 썼습니다.

이 문제에 대해서는 앞으로 이렇게 진행시키는 것이 좋을 것 같습니다. 이 핵발전소 건설 계획이나 핵폐기물 처리장 건설 계획 같은 것은 미리 어디에

다가 핵발전소를 놓고 싶다, 그 이유는 이러이렇다, 핵폐기물은 이러이렇게 하고 싶다, (저는 핵폐기물은 무인도에 저장해야 한다, 무인도가 아니면 유인도에서 하더라도 사람 적은 곳을 골라서 하고, 거기 있는 분들은 다른 섬으로 충분한 보상을 주어서 옮기도록 해야 한다고 생각하고 있습니다만) 이런 모든 문제를 국회에 와서 정부도 공개하고, 또 국민 앞에서도 충분히 발표하고, 국회에서 여·야당 충분히 이것을 꼭 당책만이 아니라 의원 각자의 소신에 따라서 토론하고, 이래 가지고 국민적인 합의를 거쳐야 한다, 그리고 필요하면 국민투표를 해야 한다, 이런 방향에서 이 문제를 처리하기를 바라고 있습니다.

저 자신도 양론을 경청하고 있는 중이고 부끄러운 말이지만 아직 이 문제를 제가 자신 있게 찬성이다, 반대다, 이럴 정도까지는 지식을 못 가지고 있다는 것을 여러분에게 솔직하게 고백합니다. 그리고 우리는 에너지 문제를 너무 큰 것만 생각할 것이 아니라, 우리 국토의 70퍼센트가 산지이기 때문에 계곡이 많고 수량이 풍부한 것을 이용해서 소규모 수력발전소를 건설하면 환경오염도 안 되고 원거리 송전 비용도 절감됩니다. 또 열병합발전소 같은 쓰레기 소각로 건설을 통해서 연료를 절감시키는 것을 지역별로 널리 확대해 가지고 연료 절약 노력을 하면 쓰레기 문제도 해결되고, 에너지 문제도 해결하는 일석이조의 일이 되는데, 우리나라는 이제 겨우 서울 목동하고 의정부 두 군데만 쓰레기 소각 방식에 의한 열병합발전소가 되어 있습니다.

또 조력 발전에 대해서 열심히 연구해야 하고, 태양열 이용은 이미 거의 실용 단계로 들어가 있기 때문에 이것도 우리가 적극적으로 활용해서 다각적으로 하되 최후 목표는 공해 없는 에너지를 얻어야 합니다. 그래서 마지막에는 핵 연료도 필요 없고, 핵 발전도 필요 없고, 석유를 쓰는 것도 필요 없는 그것을 최종 목표로 하면서 공해 없는 발전, 에너지 정책을 펴 나갈 필요가 있다, 이렇게 생각하고 있습니다.

황보영춘 김 총재께서 5시 30분 정도에 출발하셔야 된다고 말씀하셨는데 5분 남았습니다. 『코리아헤럴드』와 『코리아타임스』의 질문을 김 기사가 먼저 하시고 다음에 손 기자가 하시면 답변은 함께 하시도록 하겠습니다.

김수경(코리아헤럴드 기자) 선진국 산업 쓰레기가 개도국에 수출되고 있다는 것은 주지의 사실입니다. 한 예로 듀폰 티타늄 공장 설립을 둘러싸고 환경오염 시비가 있었습니다. 그리고 한국도 외부로부터 유해 물질을 수입하고 있는 현실입니다. 이에 대한 김 총재의 의견을 듣고 싶습니다.

손기영(코리아타임스 기자) 다국적 기업의 공장들이 환경에 전혀 위험이 없다고 주장하고 있지만 실제적으로 보아서 국민들이 안심할 수 없는 처지에 있습니다. 앞으로 이러한 다국적 기업들이 공장 건설을 추진할 경우 이것을 감시하기 위해서 평민당이 어떤 역할을 할 수 있으며, 기본적으로 이런 다국적 기업의 공장들에 대해서 평민당은 어떠한 견해를 가지고 있는지 답변해 주시기 바랍니다.

김대중 외국의 공해산업이 우리나라에 오는 것, 이미 우리나라는 그런 단계는 지났습니다. 또 지나야 하고 우리나라의 산업구조 자체를 이제는 정보화 시대, 첨단산업 시대에 알맞은 그런 정보산업, 지식산업 그리고 첨단산업, 예를 들면 우주공학 산업이라든가, 생명공학이라든가, 신소재, 이런 방향으로 나가야지, 이제 우리나라가 남의 나라의 찌꺼기나 받는 후진 국가도 아니고 또 우리나라와 같이 국토가 협소한 나라에서 공해의 위험성이 높은 그런 산업은 절대로 받아서는 안 됩니다. 인구가 밀집된 나라가 그런 것을 받아들일 수는 없습니다.

우리 평민당은 지금까지도 반대했지만—과거 듀폰 때도 적극 반대했습니다.—앞으로도 계속 반대할 것이고, 이런 문제에 있어서 우리가 미처 충분한 지식이 부족해서 알지 못하는 것이 있을 때 여러분이 일깨워 주면, 이러한 문제는 단호하게 반대 투쟁을 해서 국민과 같이 이것을 저지하겠습니다. 용납하지 않겠습니다.

우리가 나갈 길은 그런 길이 아니다, 우리가 나갈 길은 훨씬 더 높은 기술 수준, 지식 수준, 그 방향으로 나가야 한다, 그것이 우리 국민의 이익이 되고 세계 경제에 공헌하는 길도 된다, 이렇게 생각하고 있습니다.

외국 쓰레기를 우리나라가 수입한다, 이런 것은 그것을 어떠한 부분적인 공업 원료로 쓰는 면도 있다고 듣고 있지만, 이런 문제에 대해서는 충분히 전문가들의 환경 영향 평가를 받고 필요 불가결한 것만—그런 것이 혹시 있는지 모르지만—수입하되, 원칙적으로 이것도 수입을 금지해야 하고 받아서는 안 된다고 생각합니다.

이 문제는 제가 충분한 지식이 없기 때문에 여러분께 이것은 이렇게 하고 저것은 저렇게 하도록 답변을 드리지 못하지만, 원칙으로서 쓰레기를 우리나라에서 수입하는 것은 공해에 큰 지장이 없다 할지라도 기본적으로 용납할 수 없다, 그렇게 말할 수 있습니다.

여러분! 부족한 답변을 경청해 주셔서 감사합니다. 결론적으로 말씀드리면 우리는 앞으로 조상으로부터 물려받은 금수강산, 여러분이 외국 여행 다해 보셨지만 우리나라같이 아름다운 나라가 몇 개나 있습니까. 저는 젊었을 때는 우리나라가 아름다운 것을 제대로 깨닫지 못하다가 이제 나이를 먹으면서 깨닫고 나서, 여러분같이 젊었을 때 깨닫지 못한 것을 후회하고 있습니다. 이 아름다운 나라를 조상들이 우리에게 물려주었는데 더 좋게는 못 할망정 이것을 망쳐 가지고 우리 후손들에게 넘겨줄 수는 없습니다. 그렇기 때문에 환경 문제, 이것은 정말 거족적인, 전 국민적인 문제로서 우리가 관심을 갖고 나서야 하고, 특히 환경 문제는 전문적인 문제가 많아서 국민들이 잘 모르는 점이 있는 것을 여러분께서 깨우쳐 주고, 또 저희 당도 이것을 적극적으로 정책화해서 아까도 말했듯이 경제 발전과 환경 보전이 꼭 병립되는 그런 방향으로 나가겠습니다. 그리고 공해가 없는 비공해 산업 분야로 우리 산업을 이끌고 나간다는 이러한 목표하에서 전 국민의 합의 속에 모든 것을 진행하고, 핵발전소라든가 골프장이라든가 쓰레기 문제 등 이런 문제는 그 지역의 주민 혹은 전 국민의 토론을 붙여 가지고 납득과 동의 속에서 문제를 해결해 나가겠습니다.

이제부터는 정말 깨끗한 나라로 다시 돌리는 노력을 하는 동시에 환경 문제를 국민이 다루는 과정에서 우리 국민이 민주주의적인 국민으로 더욱 성숙하고, 자기 문제를 중론을 통해서, 토론을 통해서 해결할 수 있는 그러한 국민적인 발전도 같이했으면 좋겠다. 이렇게 생각합니다. 대단히 미흡한 것을 여러분께 말씀드려서 전문가인 여러분께서는 부족한 점이 많았다고 생각하겠지만, 오늘을 계기로 해서 더욱 열심히 환경 문제에 대해 우리 당은 공부하고 정책을 수립해서 국민과 여러분의 기대에 부응하도록 하겠습니다.

대단히 감사합니다.(청중 박수)

황보영춘 간단하게 마지막 정리를 하겠습니다. 김 총재께서 오늘 이 자리에 나오기까지의 과정을 저희들은 잘 알고 있습니다. 그 점에 대해서 다시 한 번 감사의 말씀을 드립니다. 오늘 여러 가지 선진화된 정책들이 많이 나왔습니다. 다음에 평민당이 야당이 되든 여당이 되든지를 떠나서 꼭 이것을 성사시켜 주십사 하고 기자들은 부탁드립니다.

감사합니다.

갈등 큰 시대일수록 진실한 문학작품이 나온다

대담 윤채한
일시 1991년

윤채한 국정과 당무에 바쁘신데도 불구하고 『우리문학』을 위하여 어려운 시간을 내주시어 대단히 고맙습니다. 더구나 지금은 임시국회 개회 중이고 또 상공위 사건과 수서지구 사건으로 인하여 정치권 전체가 뇌관을 안고 있는 마당이라 더욱 송구스러운 마음 금할 길 없습니다. 비록 두서없는 질문이라도 양해 있으시길 바랍니다.

김대중 감사합니다.

윤채한 범죄와의 전쟁 선포 이후 신문에 조직폭력에 관한 기사가 많아졌습니다. '이리(익산) 배차장파'니 '광주 오비(OB)파' 등 유난히 호남 출신 또는 호남을 거점으로 한 폭력집단이 많습니다. 따라서 이를 두고 정치권력은 영남이, 암흑가의 대권은 호남이 갖고 있다고 합니다. 이런 문제를 총재께서는 어떻게 생각하시는지요?

김대중 그 문제에 대해서 특별히 생각해 본 적은 없지만, 그건 다른 각도로 보면 자연스러운 문제도 되지요. 왜냐하면, 폭력에 호소한다는 것은 갈등을 해소하지 못해서 내부적 불만이 비정상적인 방법으로 표출된 것이라고 볼 수 있지요. 그렇기 때문에 호남 지역이 한 30년 동안 정치권으로부터 개발이라든가 인재 등용 등 여러 부분에서 차별받고, 심지어 한민족임에도 불구하고 문화적인 면에서까지 차별을 받으니까 거기에서 나온 좌절감, 저항, 욕구불만, 그리고 또 사회에 정상적으로 진출할 기회가 적으니까 비정상적인 행동이 유발될 수도 있지요. 또 하나는 의도적으로 호남 사람을 표출시키는 관권의 작용도 있다고 듣고 있습니다. 말을 깊이 하면 지역감정 문제를 건드리는 것 같아 말하고 싶지 않은데 그런 면이 있습니다.

과거에 동학혁명을 보더라도 소외되고 억압받는 구조 속에서 저항이 생겨났지요. 물론 이런 것이 좋은 방법은 아닙니다. 폭력이나 범죄에 호소하는 것은 나쁘지만 그러나 원인을 캐 보면 우리 사회의 모순과 갈등구조가 문제가 되지 않나 하는 생각이 듭니다.

윤채한 평민당에 문인이 세 명 있는 걸로 압니다. 시인 양성우 의원, 작가 이동철 의원, 그리고 이번에 부대변인으로 임명된 시인 윤재걸 씨가 바로 그분들입니다. 그런데 두 분 공천할 때의 배경이 궁금한데요. 어떻습니까? 문인이란 점이 좀 작용을 했습니까?

김대중 그게 아마 공천에서 그분들의 장점이 되었을 겁니다. 정치사회에 문인·예술가가 들어옴으로써 정치권이 훨씬 윤택해지고 우리가 보지 못한 인간 영혼의 깊은 면을 봄으로써 인간 자체에 대해 본질적인 것을 파악할 수 있게 그분들이 도와줄 수 있거든요. 실제로 도움이 되고 있습니다.

윤채한 그분들의 작품을 읽어 보신 적이 있습니까?

김대중 있지요. 이동철 씨 작품으로 『어둠의 자식들』, 『꼬방동네 사람들』, 『오과부』 등을 읽었지요. 『어둠의 자식들』을 읽고는 놀랐어요. 우리나라에 욕설이 그렇게 많은 줄 몰랐어요. 일생에 보지도 듣지도 못한 욕이 쏟아져 나오잖아요.

나는 문학가를 보면 천재라고 생각돼요. 어찌 그리 어려운 말들을 많이 아는지, 황석영의 『장길산』을 보더라도 젊은 사람이 어떻게 그런 옛날얘기를 많이 아는지 말이에요. 참 문학가들은 특별한 사람이라고 생각해요.

이문구 씨의 『우리 동네』 같은 것도 보면요, 우리가 모르는 말이 그렇게 많아요. 그 작품을 읽다 보면 문장 하나를 온통 뜻을 모를 때가 많아요.

윤채한 이어령 교수가 문화부 장관이 된 지가 꽤 됐잖습니까? 이 장관의 문화부 정책을 어떻게 평가하고 계십니까? 또 우리나라 문화 정책의 문제점은 어떤 것이라고 봅니까?

김대중 근본적으로 군사 문화가 청산되어야 합니다. 목적을 위해서 수단과 방법을 가리지 않고 물질 만능주의, 그리고 상대방을 라이벌로 인정하지 않고 적으로 몰아 말살해 버리는 정치, 흑백주의, 이런 식의 군사 문화 안에서 예술이나 문학이 발전할 수가 없습니다. 인간의 인권이 정상적으로 보장되지 않고는 말입니다.

제가 느끼기는 이어령 장관을 글쎄요……. 단지 인상일 뿐인데, 단편적인 아이디어는 많이 나오는데 근본적인 문화계의 방향 설정이 뚜렷이 국민에게 인식되지 못하는 게 아닌가 생각합니다.

이번에 제가 국회 대표연설에서, 우리 국악과 한국화를 초등학교 때부터 가르치자고 했거든요. 이 점 제가 잘못 알고 있으면 가르쳐 주시면 좋겠는데요. 저는 참 이상하다 싶어요. 한국 것은 안 가르치고 서양 것부터 가르쳐야 하는가, 그게 참 이해가 안 돼요. 분명히 우리 한국 사람이 세계 무대에서 동등하게 발전을 이루어 나가는 것이 음악입니다. 세계적인 음악가가 우리나라에서 나오거든요. 음악적 소질이 있고 우리 언어 자체가 음악적이잖아요. 예를 들면, 살랑살랑, 떼굴떼굴 등으로 말이지요. 그런데 우리의 판소리 같은 음악은 세계적인 인정을 받고 있는데도 왜 우리 어린이들한테 가르치지 않는가 말입니다.

서양 춤은 잘 추지만 우리 춤을 몰라요. 요즘은 농악을 많이들 하는데 참좋은 현상이지요. 그리고 그림도 그래요. 서양화도 좋지만 우리 한국화도 굉장히 가치가 있거든요. 그래서 저는 두 가지를 동시에 하는 것은 좋지만 서양것 위주로만 해서는 안 된다는 것입니다. 저라면 오히려 문학을 포함한 모든 예술을 우리 것 우선으로 하면서 거기에다 세계적인 것을 접목시켜야 한다고 생각해요. 한국인은 어디까지나 한국적인 것을 소중히 해야지요.

또 하나, 우리 언어문화에서 식민지성을 떨쳐 버려야 한다고 봅니다. 많은 분야에서 일본 말을 공공연히 쓰고 있지요. 특히 건설 분야에서 그렇고요. '노가다'니 '시다'니 말이지요. 또 일본식 영어도 볼썽사납습니다. '아르바이트'를 줄여서 '바이뜨'라고 한다든지 영어에는 있지도 않은 '아마'라는 말 등이 그런 것이지요. 이런 식의 일본 사람들이 만들어 놓은 영어를 우리가 그대로 쓰고 있어요. 야구 중계도 그렇지요. 일본식 영어를 쓰니까 미국 사람들은 알아듣지를 못해요. 이처럼 식민지 문화와 분단문화가 아직도 뿌리 깊이 박혀 있는데 거기에다 군사 문화까지 야합이 되어서 반민주적, 반민족적인 문화 현상을 이루고 있다고 봅니다.

윤채한 지난 1971년 대통령 선거 직전 당시 제1야당인 신민당 대통령 후보 지명전에 나오셨던 총재께서 K대 재학생들과 간담 모임이 있었습니다. 그때 역시 대학 입학 문제가 심각한 사회 문제였던 터라 참석자의 일원이었던 제가 그 점에 관해 질문을 하였던바 모든 사람이 배우고자 할 때는 기회를 주어야 한다, 한 평에 한 명씩 들어갈 수 있을 정도로 문호를 개방해도 좋다, 기회를 균등하게 주고 졸업을 어렵게 하는 게 좋다라는 말씀을 하셨는데 지금 생각은 어떠신지요?

김대중 지금도 똑같은 생각을 하고 있습니다. 이번에도 각 대학 총장들을 직접 만나 물어봤더니 재정 문제에 대한 보완만 해 준다면 현 정원의 두 배가 넘어도 문제가 없다는 것입니다. 그래서 제가 이런 이야기를 했습니다. 우리나라 대학의 폐단이 입학은 어렵고 졸업은 쉽다는 점입니다. 거꾸로 되어야 하죠. 그래야 실력 있는 사람이 나오지, 대학만 들어가면 공부 안 해도 되느냐 이거죠. 우리나라 사람이 공부 열심히 하는 것 같지만 공부 안 합니다. 대학에서도 별로 공부 안 하고 특히 사회에 나오면 공부라고는 안 합니다.

윤채한 과연 지금 정원을 배로 늘린다면 대학 시설이 이를 충당할 수 있느냐, 강의실도 부족하지만 실험 실습실도 안 되거든요. 교수 요원도 그렇습니다만 이에 대해 총재께서 구체적인 정책 대안을 가지고 계시는지, 또한 기부금 문제에 대한 총재님의 생각은 어떠십니까?

김대중 좋은 질문입니다. 우리나라 공과 쪽의 실험시설 등이 어지간한 선진국의 고등학교 정도만도 못합니다. 노후하고 부족하고 이래서 우리나라 대학의 질이 급속도로 떨어지고 있습니다. 거기다가 교수가 부족하고, 이래서 교수 될 수 있는 박사 가진 사람이 거리에 넘치고 그래서 오죽하면 대학 전임 자리 하나에 7천만 원, 1억 원 한다니 세계에 이런 나라가 어디 있겠습니까. 제가 보기에 단순한 수용 능력으로 보면 3배까지 늘릴 수 있습니다. 문제는 교수와 실험실입니다. 그런데 정부가 돈을 안 줍니다. 외국은 전부 국가가 예산을 주지 않습니까?

그래서 대학이 어려운데 이에 대해 저는 특별한 재정수입 루트를 발견해야 된다고 봅니다. 그래서 일정 소득 이상의 사람에게 부가세로 교육발전세를 물려 국가 발전에 기여하는 방법이 있겠고, 또 기여입학 제도가 있습니다. 저는 작년 가을 연설에 기여입학 제도를 이야기했습니다. 이번에는 넣었다가 당에서도 이견이 있고 해서 뺐습니다만 이런 의견을 가지고 있습니다. 대학 간에도 의견이 다릅니다만 크게 볼 때는 필요하다고 봅니다. 정원 내가 아닌 정원 외로 5퍼센트면 5퍼센트로 돈을 받고, 돈을 받더라도 성적순으로 받아 이를 3등분 하여 한몫을 돈 없어 공부 못 하는 학생의 장학금으로, 한몫은 교수 요원 충원에, 다른 한몫을 학교 시설에 쓰는 겁니다. 그러면 자연스럽게 부富의 이동이 되고 학생은 삼중으로 혜택을 보게 됩니다. 그리고 공부하려는 사람에게는 원칙적으로 학업이라는 길을 열어 주는 것이 바람직한 일이 아닙니까? 그것이 안 되어 청소년 범죄가 늘고, 외국 유학한다고 돈이나 잔뜩 쓰고 타락해 버리는 일이 벌어지고 있습니다. 이런 폐단을 없애려면 넣어 주고, 그 대신 공부 안 하면 졸업을 안 시키는 것입니다. 이렇게 되면 교육발전에 기여도 하고, 자신도 공부할 기회를 갖지 않나 하여 저는 기여입학제를 찬성하고 있습니다.

윤채한 지난번 사립학교 개정이 개악改惡이라고들 합니다. 어떻게 보십니까?

김대중 우리가 반대는 했습니다. 그러나 단상에서 끌려 나오는 등 철저히 싸우지 못했다는 오해를 받게 되어 대단히 죄송할 뿐입니다. 결과적 실수가 생긴 큰 이유는 국회 운영 구조가 잘못되어 분과위원회에서 모든 것을 하고, 본회의에서 그냥 넘어가 버려 그런 것인데, 아무튼 이는 우리가 어떻게든 고치려고 애를 쓰고 있습니다.

그런데 말입니다. 사립학교법이 국회에서 통과되고 나니까 왜 악착같이 반대하지 않았느냐고 항의 전화가 오는 거예요. 물론 우리 평민당은 반대를 하였습니다만……. 문제는 그렇게 중요한 정책이면 왜 우리한테 미리 알려주고 설명하지 않았느냐 하는 겁니다. 민주주의는 로비 정치입니다. 민주주의는 우는 아이한테 젖 주는 것이 아닙니까? 내 권리 내가 찾아야 합니다. 그러나 사립학교법이 잘못됐다고 규정된 이상 그 법은 고쳐져야 하고 또 고쳐야 합니다.

윤채한 어느 여당 의원이 여론조사를 들먹이며 "우리나라 국회의원의 인기가 창녀보다 못하다"고 했습니다. 물론 정치 부재 현상이 날로 심화되다 보니 그런 비유까지 전개되었겠지만 그걸 듣는 국민의 입장은 참으로 착잡했습니다.

김대중 그건 그 의원이 잘못 이야기한 것입니다. 그건 우리나라 여론조사가 아니고 프랑스 여론조사였습니다. 제 얘기는 우리가 가지고 있는 사회적 구조가 더 문제라고 봅니다. 제가 실제 과거 자유당 때부터 여당 의원들을 봅니다. 공화당, 민자당, 이렇게 쭉 보면 개인적으로는 참 훌륭한 사람이 있습니다. 욕심나는 사람도 있습니다. 그런데 표결할 때 보면 독재의 편에, 잘못된 법안 쪽에 일어서요. 또 야당 쪽에서 보았을 때 저런 사람도 야당이냐고 고개를 흔드는 사람도 국민 편에, 민주 편에 서거든요. 이게 이 사회구조의 중요한 문제입니다. 그래서 20세기 최대의 신학자인 라인홀드 니버 교수가 『도덕적 개인과 비도덕적인 사회』에서 이런 이야기를 했어요. 어느 대기업의 회장이 집안에서 자식이나 아내에게나 대단히 좋은 부모고 남편이다 이겁니다. 운전기사한테도, 이웃한테도 친구한테도 잘한다 이겁니다. 그런데 딱 기업에, 기업구조에 들어가면 그때는 노동자를 억압하는 일, 소비자를 착취하는 일을 열심히 한다는 것입니다. 구조가 나쁘면, 다시 말해 아직도 군사 문화가 지배하고, 지방색이나 조장하며 독재적인 사고방식으로 국가보안법 하나 폐지 안 하고, 가진 자 위주의 정책만 계속하는 그런 정권이 좋은 정치를 할 수 있느냐 하는 겁니다. 구조가 못 하게 되어 있어요. 그러니까 구조 자체가 큰 문제가 되는 것입니다. 창녀 다음이 국회의원이라고 해도 좋은 구조가 되면 그 사람은 좋은 정치가 되는 데 협력할 수 있고, 아무리 성인군자를 갖다 놓더라도 나쁜 구조 속에 흘러가는 정치 속에서라면 나쁜 구조에 묻혀 가고, 거기에서 희생이 되거나 협력하거나 둘 중의 하나인 것입니다. 그렇기 때문에 좋은 정치를 하려면 좋은 정치를 할 수 있는 구조가 되어야 하는 것입니다. 오늘도 구속자 가족이 왔었고 정치범이 1400명이 있는데 사회의 관심이 거의 없습니다. 참 억울하고 안타까운 일이지만 결국 정권이 이느 편에 서느냐, 노동자, 농민, 서민들 편에 서느냐, 양심을 가지고 사는 중산층 편에 서느냐, 아니면 재벌이나 장군, 힘 있는 자, 이런 자 편에 서느냐, 그렇다고 재벌이나 장군이 나쁘다는 것은 아닙니다. 그 사람만을 중심으로 하는 정치가 나쁜 것입니다. 어느 편에 서느냐에 따라서 인간 자체가 하는 역할이 달라져 버립니다. 그래서 이 점이 우리가 관심을 가져야 할 문제가 아닌가 합니다.

윤채한 차기 평민당의 정권 또는 정치 구도를 어떻게 잡아 나가시겠습니까?

김대중 정치선전을 좀 해야겠습니다. 문제는 정권 교체입니다. 내후년이 대통령 선건데 민자당이 정권 잡으면 오늘의 정치가 그대로 가는 것이고 평민당이 정권 잡으면 새로운 정치가 시작되는 것이 사실입니다. 저희 평민당이 정권을 잡으면 어떻게 되느냐, 대기업 위주의 정책이 중소기업 위주의 정책으로 되고, 농촌을 우선적으로 살리는 그런 정책이 될 것이며, 노동자와 기업가가 대등한 입장에서 노동자는 생산성 향상에 책임을 지고, 기업가는 노동자의 생존권에 책임져서 공존공영하는 체제로 갈 것입니다. 우리가 정권을 잡으면 국가보안법을 폐기할 것이며, 안기부가 횡포 못 부리고, 전교조·전노협 등의 노동자가 자유로워집니다. 그 사람이 특별히 국법을 어기지 않는 한 이북 갔다 오라 하지, 어느 사람은 가고 어느 사람은 못 가고 그렇게는 안 합니다. 또한 바로 북한에 우리 라디오와 텔레비전을 일방적으로 개방해 버릴 것입니다. 지금 공산주의의 무엇이 무서워 개방을 못 합니까. 전 세계가 외면하는 공산주의인데 뭐가 겁나느냐는 것입니다. 이 사람들은 공산주의가 겁난다 하여 국내 억압정치를 위해서 개방 안 하고 국가보안법을 폐기 안 하는 것입니다. 동구에서 실패를 했고, 소련에서 실패했으며, 세계 도처에서 실패한 공산당이 아닙니까?

　이건 독재정권이 독재를 합리화시키기 위해 이를 자꾸 악용하고 있는 것입니다. 국민들이 자꾸 알도록 해야 합니다. 지금 텔레비전에서 「남북의 창」, 「통일 전망대」 등을 방영하고 있는데 이런 것만 보아도 우리 국민이 공산당에 대해 얼마나 판단력이 생기고 있습니까? 우리 국민이 그런 자생 능력이 있어요. 서독 슈미트 총리를 만났을 때 텔레비전·라디오 개방 이야기를 했더니 아니 아직도 안 하고 있느냐고 하더군요. 그래서 안 하고 있다고 했더니 서독은 혼자 했다 이거예요. 그랬더니 동독이 자연적으로 하더래요. 창피하니까, 하다 보니 동독 사람이 서독 것만 보더라는 겁니다. 나중에 노동자들이 다 서독 텔레비전을 틀어 놓고 일하더라는 거예요. 어느 지역은 서독 텔레비전 방송이 안 들어와 할 수 없이 중계소를 만들어 서독 텔레비전 방송을 보게 했다는 거예요. 그렇기 때문에 우리가 정권 잡으면 그렇게 할 것입니다, 모든 게 달라지는 거지요. 우리는 국민을 믿고 민주주의를 하겠다. 우리가 공산당에 대해서 경계를 하지만 두려울 것 없다. 우리가 공산당에 대해 자신 있게 통일로 나가고, 정치범을 만들지 않고, 국민에게 자유를 주면, 굳이 폭력을 쓰겠어요? 어느 단계에 가면 공산당 하라고 해도 안 해요. 서독은 공산당 하라고 해도 안 되잖아요? 미국도 선거 때마다 공산당이 나옵니다. 한 10만 표쯤 얻어요. 그래서 텔레비전·언론들이 인터뷰도 해 줍니다. 애교로 레이건도 욕하고 부시 욕하고 그래요. 그것을 보고 국민들이 웃어요. 그렇게 자신이 있어야 해요.

　윤채한 부인 이희호 여사의 영향 때문은 아니겠지만 총재께서는 특히 여성 문제에 많은 관심을 갖고 계시는 걸로 알고 있습니다.

　김대중 그렇습니다. 아마 대한민국에서 부부가 함께 문패를 나란히 거는 집은 무척 드물 겁니다. 그러나 저희 집은 그렇게 한 지 30년이 넘었습니다. 여기서 하나 밝혀 둘 게 있습니다.

저와 우리 평민당에서 남녀고용평등법, 즉 같은 노동, 같은 임금, 같은 승진을 보장하는 법률안, 그리고 가족법, 그러니까 어머니의 권리가 아버지와 같고, 딸의 권리가 아들과 같은 법을, 여야 어느 당도 지지하지 않는 것을 제가 대통령과 절충해서 만들었습니다. 얼마나 역사적인 일입니까? 이 법안이 국회에서 통과되던 날 우리 당 의원들을 모아 놓고 박수 한번 치자고 하니까 남자들이 뭐라고 하는 줄 압니까? 남자 권리 다 빼앗겼는데 뭐가 좋아 박수를 치냐고 볼멘소리 하더군요.

그런데 또 하나 느끼는 점은 우리나라 여성들이 각성해야 돼요. 여성들의 권리를 여성이 찾는 게 아니라 남성들이 찾아 주고 있어요. 13대 국회까지 40여 년 동안 선거를 했는데 지역구에서 당선된 의원은 겨우 5명밖에 안 돼요. 여성들이 같은 여성에게 표를 안 찍어요. 이번 실시되는 지방자치제에서도 출마할 여성들이 없어요. 이래서는 안 됩니다. 각료가 25명인데 최소한 여성이 5명은 차지해야 됩니다. 이렇듯 여성 문제에 관한 아무리 좋은 정책을 획기적으로 발표해도 우리나라 여성들은 어느 한 사람 고맙다거나 고생했다거나 찾아와 주지도 않고 하다못해 전화 한 통도 없어요.

정당은 표를 얻어야 하고 그래서 사람들이 표로 보이기도 하지요. 그런데 우리나라 여성에게는 아무리 해 줘도 표가 안 돼요. 남자 의사에 그냥 따라가는 거예요. 우리나라에는 정말 새로운 여성운동이 필요하다고 봅니다.

윤채한 그렇습니다.

김대중 세계적인 것을 떠나 인도·파키스탄·스리랑카 등은 물론 동남아를 보더라도 교육 수준은 우리가 높은데 여성의 사회 진출, 정치 참여는 월등히 뒤떨어지고 있습니다. 이 점, 특별히 관심 가질 때라고 봅니다.

윤채한 가족 얘기를 듣고 싶습니다. 그 숱한 투옥과 가택 연금, 더구나 사형 선고, 납치, 해외 망명 등 고난의 연속에서 함께 겪을 수밖에 없었던 가족의 고통은 본인으로서는 차마 견디기 어려웠으리라 짐작이 갑니다.

총재께서는 천주교의 독실한 신자로 알고 있습니다만……

김대중 예, 그런데 우리 집 종교는 참 복잡해요. 저는 천주교인데, 집사람은 개신교 쪽인 감리교 장로고, 큰아들 식구는 전부 가톨릭, 그런가 하면 둘째아들은 가톨릭인 데 반해 며느리는 개신교예요.

윤채한 신문 같은 데 가끔 보도되는 것을 보면 총재께서는 손자, 손녀들과 망중한을 즐기시곤 하시던데요.

김대중 그게 또 그래요. 참으로 이상한 것이 큰아들은 딸만 셋 낳고, 둘째는 아들만 둘 낳았어요. 막내는 아직 미혼이니까 모르겠지만, 아들딸 하나씩만 바꿔 낳았어도 좋았을 걸 싶기도 해요. 그러나 인력으로 안 되는 걸 어찌합니까?

기왕 가족 얘기가 나왔으니 말입니다만 저는 복이 있어서 남들이 그 흔히 말하는 고부간의 갈등이 전혀 없어요. 시어머니와 며느리 사이가 마치 친정어머니와 딸 같아요. 우리 가정 내용을 아는 사람들은 좀 별다르려니 생각하겠지만, 그렇지 않아요. 아주 효자, 효부예요. 형제간 우애도 더할 수 없이 좋아요.

윤채한 세 분의 아드님을 두셨는데 정치에 관심이 있는 아드님은 누구며 또 어느 아드님이 적격이라고 보십니까?

김대중 큰애가 홍일이, 둘째가 홍업이, 막내가 홍걸이, 이렇게 아들만 셋 두었습니다만 정치 쪽에는 아무래도 큰애라고 봅니다. 둘째와 막내는 관심이 없는 것 같습니다.

차제에 하고 싶은 말이 있어요. 저는 우리 아이들에게 늘 미안하게 생각해요. 아버지 잘못 만나 어디서 마음 놓고 놀지도 못하고 그러다가 제가 정치적으로 박해를 받으면 같은 곤욕을 치르곤 하지요. 요즘은 또 서울 강남에 있는 중국 음식점 중국성인가 만리장성인가를 제 아들이 한다고 소문이 났답니다. 그 음식점 사람들이 영업에 대단히 어려움을 겪고 있다고 하소연도 해 와요. 평생 야당만 하고 갖은 억압만 받아야 했던 저나 제 아이들이 무슨 돈이 있어 그렇게 큰 음식점을 할 수 있습니까?

윤채한 50년 가까운 헌정사에서 무수한 정치인이 있었습니다. 외국의 예를 보면 이른바 정계 지도자층에 있던 분이 은퇴를 하게 되면 자서전으로 자기의 경험을 기록으로 남기고 있습니다. 그러나 우리나라 정치인들은 불행하게도 그런 분이 아직껏 없었습니다. 제가 볼 때 총재님께서는 자서전을 쓰실 충분한 역량이 있다고 여깁니다마는…….

김대중 예, 좋은 말씀이라 생각됩니다. 오래전의 일이지만, 제 경우에는 1973년도에 일본으로 망명해 있을 때 『독재와 나의 투쟁』이란 책이 일본어로 나오고, 뒤에 한국말로 번역된 것이 있습니다. 또 옥중에서 쓴 서간문이 국내에뿐만 아니라 미국의 캘리포니아대학교 로스앤젤레스캠퍼스(UCLA)와 일본의 이와나미서점에서 출판된 일이 있습니다.

저는 과거에 정치하다가 은퇴하신 분들에게 자서전을 쓰라고 자꾸 권하고 있습니다. 왜냐하면 그것은 후세에 대한 책임과 동시에 역사에 대한 증거물로 남겨야 되니까 써 줘야 한다고 봅니다.

윤채한 예, 그것은 역사의 거울 같은 것입니다.

김대중 역사를 대하는 것이 자기가 보는 시각으로 본 것이기 때문에 객관성이 다소 부족할지 몰라도 그건 아무래도 관계가 없습니다. 그런 시각도 있었다는 것을 보여 줄 수 있습니다. 우리나라의 정치하는 분들은 그렇게 잘 안하고 있습니다. 저는 지금 이미 계속 자료를 축적시켜 놓고 있습니다. 지금 비서 한 분이 전담하고 있지요.

그런데 자료를 찾다 보면 재미있는 걸 발견하고 있지요. 제가 35년 전에 『동아일보』와 『사상계』에다 노동 문제에 관한 글을 쓴 게 있는데 지금 봐도 오늘날 우리 현실에도 그대로 적용되는 것을 볼 수 있습니다.

살아 있는 것으로 새롭게 감동을 주는 부분도 있는데, 예를 들면 노사를 위한 것으로 노사 화합을 잘해야 소비자, 노동자, 기업가, 이 3자 이익이 된다. 이것이 경제가 발전하며 성장하는 것이며 선진사회로 나아가는 길이다. 그런데 노동자를 억압하고 노조를 탄압해서 자유를 안 주면 동유럽이나 공산권에서 볼 수 있듯이 결국에는 노동자들의 사보타주로 망한다. 그런데 그게 오늘날 바로 이뤄지고 있습니다.

사람이 사상이나 행적을 글로 남긴다는 것은 참 중요한 것이라고 봅니다. 글을 남기게 되면 그 사람의 것으로 꽁꽁 묶이게 됩니다. 여기서 사회의 문제점을 하나 지적하고 싶은데요. 외국을 보면 기억조차 없어진 말들을 들춰내 놓고 본인에게 들이댑니다. 그래서 말을 함부로 하지도 못할 뿐 아니라 글 역시 아무렇게 쓰지 못합니다. 그 말이나 글에 대해 막중한 책임을 져야 하니까요. 그런데요, 우리 한국 사람들은 석 달 전에 한 얘기도 다 까먹고 잊어버리는 게 보통입니다.

지금 보세요, 3당 야합해서 민자당이란 거대 여당을 만든 사람들이 바로 몇 달 전만 해도 우릴 당선시켜 주면 노태우 군사정권과 싸워 민주화 이루겠다고 하던 사람들 아닙니까? 그런 사람들이 오히려 3당 야합이 구국의 결단이라고 말하고 있습니다. 그러나 아무도 기억하지 않고 있기에 그냥 어물쩍 넘어가 버린 겁니다. 그래서 국민이 감시하지 않고, 추적하지 않는다면 정치뿐 아니라 모든 부문에서 거짓말을 하게 됩니다. 문학을 보더라도 그렇잖습니까? 일제 때 천황폐하에게 충성하면서 학병을 지원하고 이름 바꾸는 데 앞장서서 별짓 다 하던 문학인들이 어느 사이에 민족문학가가 되어 우리 문학계의 지도자로서 해방 후 50년 가까이를 그 사람들이 지배해 오는, 그런 구조를 만들고 있지 않습니까? 이런 점에서 사회가 바로 되고 명색이 지도자란 사람들이 국민을 함부로 대하지 못하게 하려면 역시 국민 쪽에서 그런 방면에 관심과 지식을 가진 사람들이 엄정한 태도를 취해야 됩니다. 그런데 어려움은 그런 악한 사람들이 현재 문학계에 있어 힘을 가지고 있기 때문에 잘못 보이면 작품도 잘 안 실리고 여러 가지 불이익이 있을 뿐 아니라 괜히 미움을 받으면 여러 불편한 점들이 많이 생깁니다. 그래서 적당히 선생님, 선생님 하고 넘어가죠. 정치계는 물론 더 그렇지요. 예를 들어 예수같이 "오른쪽 뺨을 때리면 왼쪽 뺨을 내놓고, 겉옷을 요구하면 속옷까지 벗어 주라." 하는 그런 관대한 분도 구조적 악의 지배자에 대해서는 한 치의 타협도 없이 철저히 매도하면서 "이 악마의 자식들아." 또 "위선자"라고 부르다가 정치범으로 몰려 사형당한 것 아닙니까. 예수가 십자가에 못 박힌 게 종교적 이유가 아닙니다. 그건 정치입니다. 유대의 왕이 되려고 한다 해서 사형당한 것입니다. 예수는 전혀 왕이 되려고 하지 않았는데 뒤집어씌운 것입니다. 이건 우리 사회와 똑같습니다.

결국 힘 있는 자와 싸우면 약한 자는 힘센 자에게 박해를 받습니다. 그들은 "저자가 정당한 소리 한다." 해서 미워하는 것이 아닙니다. 다른 이유를 만들어 매장시켜 버립니다. 여기에는 고통이 따르기 때문에 그렇게 안 되려고 대부분은 피하려 합니다. 피터 드러커라는 미국의 저명한 유대인 경제학자가 있는데 독일에 있다가 히틀러로부터 도망쳐 나간 사람이지요. 그 사람의 말을 들어 보면 히틀러가 그렇게 힘을 잡게 된 것은 히틀러의 독재에 대해 협력한 사람들 때문이 아니다, 그 수는 매우 적었다, 그것은 행동하지 않는 양심 때문이었다, 제가 자꾸 강조하는 이 행동하지 않는 양심들이 그렇게 만든 것입니다. 나쁜 줄 알면서 입 다문 사람들, 그렇기 때문에 그 나라 국민들이 얼마만큼 행동하는 양심이 되느냐 여기에 달려 있습니다. 행동하지 않는 양심은 악의 편입니다. 왜냐하면 악이 활개 치게 만든 것이거든요. 그래서 제가 이번 국회 연설에서 마지막에 얘기했지만 우리는 다 무엇이 될 수는 없다, 대통령이 되고 싶다고 해서 되는 것도 아니고, 일류 문학가가 되고 싶다고 되는 것도 아닙니다. 그럼 어떻게 사느냐, 물론 사는 것은 누구든지 할 수 있습니다. 그러면 어느 쪽에서 무엇이 되는 데는 성공했지만 바르게 사는 데는 실패했고 반대로 무엇이 되는 데는 실패했지만 바르게 사는 데는 성공했다면 둘 중 어느 게 성공한 사람이겠습니까? 그건 불문가지라고 봅니다.

좀 더 예를 들어 봅시다.

러시아 근대문학의 선구자로서 『대위의 딸』을 쓴 푸시킨도 행동하는 양심을 가지고 대중의 입장을 대변하고 자유를 주장하다가 결국 왕의 트릭에 걸려 결투를 강요당해 살해된 것 아닙니까. 그러나 그렇게 살았기 때문에 오늘날 대접받는 푸시킨이 된 것입니다.

우리나라의 전봉준 장군이 사형장에 가면서 지은 시가 있습니다. 내용은 "때를 만나서는 나라를 위해 모두가 힘 모아 애를 썼는데 운이 다하니 뭇사람들이 떠나가 영웅도 어쩔 수 없구나. 내가 죽은 뒤에 후세에 누가 내 우국충정을 알아줄거나"(時來天地皆同力 運去英雄不自謨 愛民正義我無失 愛國丹心雖有知) 하는 시인데 지금은 알아주는 정도가 아니라 이 나라의 빛나는 지도자로서 영원히 남을 것입니다. 도대체 알 수 없는 것은 어떻게 그 시골 훈장의 머리에서 그 당시에 그런 반봉건적인 생각이 나왔는지 그게 궁금합니다. 아주 소박합니다만 토지 개혁, 남녀 평등, 노비 해방, 세정 개혁 등 이런 것들이 있습니다. 이러한 반봉건적인 근대화의 정신과 일제나 외세에 대항해 우리나라를 지키는 반제국주의는 그것이 곧 민족의 권익을 생각하는 것입니다. 그런데도 오랫동안 동학란이었고 역적으로 몰렸던 것이, 지금은 다시없는 혁명으로 불리고 있습니다.

그리고 고려 무신 때 일어났던 만적의 난을 보면 "왕후장상의 씨가 따로 있냐. 우리도 못 가질 게 뭐 있냐. 세상 개혁해 보자."라고 했단 말입니다. 그

로마 제정시대의 스파르타쿠스의 노예 반란보다 이 만적의 난이 훨씬 더 가치 있습니다. 그것은 단순히 때려 부쉈지만 이것은 자기네들이 미래에 어떻게 하겠다는 비전이 제시되어 있습니다. 그렇게 비참하게 인간 이하의 취급받다가 버림받고 죽었지만 행동하는 양심으로 올바르게 살았기 때문에 후세에 와서 다시 우리들의 가슴속에 되살아나지 않는가 하고 생각됩니다.

윤채한 총재께서는 어느 정치인보다도 훨씬 많은 문학작품을 섭렵한 걸로 알고 있습니다. 따라서 평소 문학에의 사려와 아울러 문학관을 듣고 싶습니다.

김대중 제가 볼 때 요즈음이 문학의 어려운 시대라고 여겨집니다. 역사를 보면 과학이 극도로 발달해 물질문명이 고도화되면 문학이나 예술이 위축되어 버립니다. 인간들 전부가 그런 현실에 현혹되기 때문이지요. 지금은 고속시대여서 더욱 사람들의 마음이 메말라 가고 인정이 없어 깊은 것을 생각하지 못하게 됩니다. 이런 시대일수록 갈등이 커지게 됩니다. 문학은 어려워지지만 이런 갈등 속에서 더 진실한 문학이 나오지 않는가 생각됩니다. 최근에 우리 당 동지들하고 문학 얘기를 한 적이 있는데 제『옥중서신』에도 그런 말이 나옵니다. 좋은 문학작품을 읽어라, 안 그러면 좋은 음악을 듣거나 좋은 미술품들을 봐라. 왜냐하면 가령 좋은 문학작품들 중에 도스토옙스키나 투르게네프와 또 희랍시대의 일리아드나 중국 고전문학과 우리나라 고전 등 이런 것들은 전부 인간 밑바닥에서 나온 영혼의 소리가 들어 있습니다. 그렇기 때문에 읽을 때 우리 마음에 어떤 영감을 주고 정신에 일종의 윤활유를 쳐주는 것같이 우리에게 활기와 유연성을 줍니다.

예술작품을 보고 듣고 하면 머리가 안 굳어집니다. 그래야 새로운 시대에 적응해 나갈 수 있습니다. 특히 나이 먹은 사람들은 더 자꾸 노력을 해야 합니다.

그런데 저는 다행인지 불행인지 몰라도 문학작품들을 학생 시절에도 읽었지만 감옥에 가 있는 동안 거의 다 읽었습니다. 감옥이란 게 사실 축복입니다. 감옥에 간 덕택에 희랍시대의 책들이나 철학, 역사책들을 많이 읽을 수 있었습니다. 저의 집에는 책이 한 만 권 정도 있는데 제가 반쯤은 좀 못 되게 읽었지만 그래도 상당히 읽은 편이지요. 감옥에서 아주 좋은 책을 읽을 때면 진짜로 무릎을 '탁' 치면서 "아! 내가 여기 안 왔더라면 이 진리를 모르고 죽었을 텐데." 하고 감옥 온 것이 그렇게 감사합니다. 밖에 있을 때는 책 욕심은 있으니까 좋은 책이다 싶으면 무작정 사다 놓고도 못 읽었거든요. 그럴 때면 문득 감옥이라도 갔으면 좋겠다는 생각을 할 때가 한두 번이 아닙니다.

그런 유혹을 받을 때가 많습니다. 감옥 안 가 본 사람은 그런 말 느끼지 못합니다. 물론 감옥에 가더라도 책 안 읽고 그저 빈둥빈둥 놀면 아무 소용없는 말이지요.

우리나라 사람들은 정말 너무도 책을 안 읽습니다. 저부터도 그렇습니다. 문학작품이나 예술작품들 이런 것들은 우리 인간 생활을 풍요롭게 해 주고 활력을 줄 뿐 아니라 변화하는 시류를 흡수할 수 있는 가능성 내지는 능력을 줍니다. 그런 감각으로 정치를 할 때면 정신이 유연성을 가지게 되어 초등학생과 대화를 해도 된단 말입니다. 여성을 만나든 남성을 만나든 직업이 다른 사람과 마주해도 대화가 다 된다고 봅니다. 왜냐하면 우리의 사고방식이 유연성을 가져 자유자재로 생각할 수 있어 그렇게 됩니다. 그렇지 않으면 딱 굳어져 버립니다. 자기 혼자 아무리 유식한 말을 해도 젊은 사람이 볼 때는 도저히 얘깃거리가 안 되고 그냥 슬그머니 등 돌리게 되는 상대가 되어 버립니다. 특히 정치를 하려는 젊은이들은 문학작품을 열심히 읽어야 하고 문학인들이 역시 그런 의미에서 정치인들을 자꾸 끌어내 대화를 함으로써 교양을 주어야 합니다. 대체로 정치인들은 문학인들이라고 하면 겁을 냅니다. 그쪽에 대해서는 워낙 생소하니까. 잘못하면 무식하다는 소리를 들을까 봐 그러지요. 그렇기 때문에 정치인들이 쉽게 문학을 접할 수 있도록 그런 기회를 자주 만들어서 문학과 정치와의 교류를 해 나가는 일은 참으로 좋은 일이라고 생각됩니다.

윤채한 지난 1년은 우리 정치사에 전무후무할 커다란 변혁이 있었습니다. 국민이 뽑아 준 야당이 하루아침에, 그것도 느닷없이 여로 탈바꿈하여 거대 여당인 민자당을 만들었지 않았습니까?

김대중 그래서 우리는 그것을 가리켜 3당 야합이라고 합니다. 통합이 아니에요. 국민이 야당 하라고 뽑아 주었으면 당연히 야당을 해야 하고 야당으로서 국민의 편에서 정부 여당을 감시하고 견제해야 되는 것 아닙니까? 그러다 힘을 합쳐야 되겠다, 그런 절실한 필요성이 있을 때 야당끼리 합해야 되는 겁니다. 국민의 뜻이 뭡니까? 야당 통합 아닙니까? 하라는 야당 통합은 하지 않고 2야당이 1여당과 쑥덕쑥덕 모여 내각제 각서 만들어 놓고 야합이나 했으니 누가 과연 그들을 믿겠습니까?

윤채한 그렇다면 오늘의 정치는 어떻게 보십니까?

김대중 비록 그렇게 국민의 의사와는 정반대인 3당 야합으로 거대 여당이 탄생되었지만 그러나 그들의 뜻대로 정치가 되진 않았죠. 우리가 저항하고 국민이 반대하니까 3/4 의석 가까이 갖고도 내각제 개헌을 포기한 것 아닙니까? 국민 여론조사에 보면 과거 민정당의 지지율이 25퍼센트 정도까지 되었는데 3당이 합치고 나서, 그 민자당이 10퍼센트도 안 되는 지지밖에 못 받고 있어요. 국민이 외면해 버린 것이에요.

그럼에도 불구하고 작년 1년은 우리나라 정치가 굉장히 발전한 한 해였다고 저는 감히 평가합니다. 내각제 개헌이라든가 지자제 같은 중차대한 정치 현안이 있었음에도 가투(가두투쟁)나 싹쓸이가 없었어요. 약간의 문제, 국회에서 몇 번 쿠당탕거리고 제가 또 십삼 일 밥 굶고 한 것이 고작이었어요. 그런 과정으로만 개헌 저지를 했고 지자제를 얻을 수 있었습니다. 우리나라 역사에 처음 보는 거대한 민주주의 전진이 작년에 이루어진 거죠.

이 지방자치제 해 놓고 보니 전국이 지자제 붐인데 금년은 약과예요. 내년에 서울시장, 몇 개 도지사가 야당으로 넘어오고 해 봐요. 세상이 완전히 바뀌어져요. 그런 계제를 우리 평민당이 만든 겁니다만 바로 이런 것이 민중시대고 민주주의 정치 아니겠습니까?

윤채한 지난해에 평민당 부총재를 지낸 바 있는 양순직 씨와 국민당 총재였던 이만섭 씨를 만난 적이 있었습니다. 당시의 야권 분위기가 통합이었기 때문에 제가 그분들에게 평민당 위주의 통합, 또는 개별 입당을 권유하기도 하였습니다. 그러나 그분들의 한결같은 대답은 평민당의 내부 사정을 들어 퍽 부정적인 시각이었습니다. 그 이후 민주당과의 통합에서 실패했고 또 통추위의 역할 또한 무산되었습니다. 그렇다면 지금 평민당의 야권 통합에 관한 계획이나 구상은 있으신지요.

김대중 평민당은 흔히 제가 혼자 좌지우지하는 당으로 말씀들을 하고 계시는데 절대 그렇지 않습니다. 물론 제가 당 총재로서 당 운영에 관한 한 어느 정도 영향을 미칠 수는 있습니다만 우리 당만큼 민주 정당은 없을 것입니다. 여야 정당 가운데 총재를 투표에 의하여 뽑은 당은 우리밖에 없어요. 비록 경합자가 없더라도 신임을 받는다는 차원에서 꼭 투표를 합니다. 그렇기 때문에 우리 당의 내부 사정을 들어 야권 통합을 지연 내지 장애시킨다는 것은 무척 부적절한 얘깁니다.

그리고 머지않아 영남을 포함해서 상당수의 유능하신 분들이 우리와 뜻을 같이할 것입니다. 형식이야 평민당 입장이 되든 아니면 평민당 간판을 내리고 신당 창당의 길을 걷든 말입니다.

윤채한 야권 통합을 거론하면서 늘 재야를 그 대상에 포함시키고 있습니다. 물론 지난 총선에서 평민당이 기성 정치권에만 집착하지 않고 재야라는 새로운 감각의 이질적 정치집단을 수혈하여 성공을 거둔 사례도 있었습니다 만 그때, 재야 정치인들의 제도권 내에서의 의정 활동은 어떠합니까?

김대중 이제 재야분들도 거기에서 하던 투쟁 방식으로는 정치해서 안 된다, 정치권 밖에서는 더 이상 힘을 쓸 수 없다는 것을 인식하고 있습니다. 그리고 그분들이 제도권 정치 현장에 들어와서 얼마나 잘들 하고 있습니까? 일례로 문동환 박사나 박영숙 부총재 역시 평민당에 들어오기 전 이른바 재야 인사였지 않습니까? 그 밖의 분들도 만족할 만큼 잘하고 있습니다.

윤채한 민정당의 노태우 대표, 당시 노 대표가 기자들과의 대담 도중 김 총재를 가리켜 "그자"라고 했었습니다. '그자'란 한글로 풀이하면 아주 고약한 지칭이기도 합니다. 따라서 그런 노 대표가 지금은 대통령이 되어 김 총재와 몇 차례에 걸쳐 여야 영수회담을 한 바 있습니다. 그때마다 총재께서 느끼시는 노 대통령에 대한 감정과 인식은 어떠십니까?

김대중 진심으로 말합니다만 저는 성격적으로 남을 미워하지 못하는 사람입니다. 박정희 씨나 전두환 씨 등 참 많은 사람으로부터 온갖 박해를 당해왔지만 그래도 저는 그들을 미워하지 않습니다. 그러나 옳지 않은 정치에 있어서는 절대 타협하지 않습니다. 이건 목숨 걸어요. 전두환 씨만 해도 그래요. 지난 1980년 그대로 두면 제가 대통령이 될 것 같으니까 전혀 터무니없는 걸 조작해서 저를 죽이려고 한 것 아닙니까? 그런데 제가 생각해도 우스워요. 1988년 올림픽 직후 전두환, 이순자 체포하라고 그 아우성치고 하다못해 우리 당사도 학생, 노동자, 유가족, 광주 시민 등이 10여 차례나 기습 점거했지만 그때마다 그분들을 피하지 않고 만나 기꺼이 그 문제를 해결했습니다. 구속해서는 안 된다고 말입니다. 그보다 더 재미있는 것은 대구, 부산에 연설하러 갔을 때 몇천 명씩 모인 자리에서 질문이 있다고 해서 뭐냐고 물으니까 왜

두 연놈을 찢어 죽이지 않고 그냥 두느냐 하는 거예요. 이 말을 듣고 우레와 같은 박수가 터지는 거예요. 그래서 저는 그 자리에서 단호하게 말했어요. "죄는 미워도 사람은 미워하지 않아야 한다. 전두환 씨는 이미 많은 심판을 받았다. 공인이 국민으로부터 매도당한다는 것 이상의 심판은 없다. 또 국정 자문회의 의장 내놓고 백담사로 쫓겨나고 일가친척 잡혀가고, 이 이상 심판은 없다. 제가 군법회의에서 사형 선고받았을 때 구속자 가족들한테 내가 죽더라도 이 사람들이 민주주의 하면 절대로 보복하지 말라 했고, 지난 대통령 선거 때 역시 보복하지 않겠다고 국민에게 약속했는데 이제 와서 그걸 뒤집으면 안 된다." 그렇게 설득했어요. 이번에도 전두환 씨가 백담사에서 내려오는 데 제가 반대만 했으면 그게 그렇게 간단치 못했어요.

노태우 대통령에 대해서도 저를 공안정국으로 때려잡으려는 것도 알고 있지만 그래도 노태우 씨가 민주주의를 한다면 도와주고 국민을 위한 정치를 한다면 친구가 돼도 좋다고 했습니다. 노태우 씨가 임기를 마치고 한 시민으로 안전하고 평화롭게 사는 데 도와주어야 할 사람이 바로 내가 아니냐고까지 생각하고 있습니다. 그러나 다만 나쁜 정치하고는 타협해서는 안 된다는 점입니다. 제가 무슨 박해를 다시 받는다고 해도 그 점은 분명합니다. 노태우 대통령은 여러 번 만나 보니까 상당히 합리적인 사람입니다. 남 말을 잘 알아듣고 또 참을성 있게 듣는 장점이 있는 분이에요. 그리고 자기의 관념적 의식으로는 민주주의를 해야겠다 하고 총론 역시 민주주의에 대한 의사가 있어요. 그런데 각론으로 들어가면 그게 안 돼요. 국가보안법 폐지, 지방자치제 실시 등 구체적 문제에 부딪히면 흔들리는 거예요. 그리고 일단 결정했다가 주위에서 반대하면 그 반대를 설득하기보다는 오히려 영향을 받는 인상이 있어요. 사람은 각기 특징이 있는 것인데 그런 점에 있어서는 전두환 씨와는 정반대 타입의 지도자라고 보여집니다.

저는 노태우 대통령이 정치를 성공적으로 하고 있다고 말할 수 없어요. 바탕에서 잘못돼 있어요. 우리가 또 성권을 잡아아겠다든기, 자기가 원하는 사람이 정권을 잡아야 한다든가 하는 생각을 가지면 안 돼요. 민주주의를 한 결과 누가 잡든 나는 공정한 선거관리자가 되어 정권을 넘겨주겠다, 그리고 나는 우리 국민을 믿고, 모든 자정 능력과 자치 능력을 믿고 민주주의 하겠다, 이런 결심이 있어야 하는데 그러질 못해요. 민주주의 하면서 새로운 개혁안에 모험이 따르는 것 아닙니까? 국민을 믿지 못하고 국가보안법으로 처분 안 하면 마치 모든 국민이 공산당이 되는 것 같은 그런 사고방식이 문제지요. 아직도 군사 문화적 사고방식을 못 버리고 있는 거지요.

제가 노태우 대통령의 말 중에 가장 감동받았던 것은 첫 번쨴가 두 번쨴가 여야 영수회담 때였는데 "지금까지 우리가 상당한 경제 성장을 했는데 소외받은 대중들에게는 혜택이 잘 못 미쳤다. 그러니 이제 소외받는 대중들에게 혜택을 줄 때가 왔다"고 하더군요. 이 말을 듣고 "야, 군사통치 지도자한테서 이 말을 들을 줄 몰랐는데." 하고 무척 놀랐습니다. 얼마 전 영수회담 때 노 대통령한테 그 말을 상기시키면서 실망했다고 했습니다. 한마디로 노태우 대통령은 정치를 성공적으로 이끌지 못하고 있습니다.

윤채한 근래에 들어 남북 고위급회담 및 남북통일 축구대회가 열렸고 세계 탁구나 청소년 축구의 단일팀 구성을 합의하였습니다. 여기서 총재께서 주장하시는 공화국연방제의 실현 가능성과 우리나라의 통일 문제는 어떻게 보십니까?

김대중 세상이 바뀌고 있습니다. 그 변화하는 역사의 주체는 민중, 즉 국민들입니다. 그리고 이들 대중이 이끌어 가는 방향은 민족주의입니다.

동유럽에서는 물론 그렇지만 소련연방 내에서마저 리투아니아라든가 발트 3국이 독립하려 하지 않습니까. 공산당의 지배로부터 결국은 민주주의가 되고야 말 것입니다.

우리나라도 역시 조국의 통일, 이것은 현실로 다가오고 있습니다.

그리고 이제는 정의사회의 구현입니다. 독일을 보면 동독 사람들이 서독 사회의 정의로운 공정분배라든가 사회보장제도에 매혹되어 서독이 동독을 흡수합병한 것이 아닙니까. 서독의 힘에 의해서 통일을 하려 했다면 서독은 국제적으로 큰 제재를 받았을 겁니다. 서독은 단순히 동독하고 평화 공존하려 했는데 동독 사람들이 일어나서 우리는 서독이 좋으니까 합치겠다, 이렇게 한 거예요. 그래서 누구도 손 못 대고 동·서독이 통일된 것입니다. 독일통일이 우리보다 늦게 된다 한 것이 더 빨리, 보다 쉽게 된 것은 바로 그런 이유입니다.

우리나라는 통일을 하겠다고 말로만 그럴 뿐 서로 책임을 전가하는 등 진정한 통일 의지가 없다고 봅니다. 북한에 김일성 주석이 정권을 쥐고 있을 때 우리는 조금 양보해서라도 통일을 이끌어 내야 합니다.

제가 감히 분명하게 말하고 싶은 것은 이 정권은 정권안보를 위해서만 통일을 얘기할 뿐이지 결코 통일을 해야겠다는 의지가 없습니다. 그래서 이 정권 아래서는 결코 통일 안 됩니다.

윤채한 총재님께서 『목포일보』 사장을 역임하신 걸로 알고 있습니다. 지난번 언론 청문회 이후 『조선일보』와 불편한 관계도 있었지만 그런대로 잘 마무리되는 듯했음에도 불구하고 요즘도 『조선일보』는 평민당과 총재님에 대해 편파적인 시각을 갖고 있는 듯합니다. 그런 점은 어떻게 생각하시는지요?

김대중 우리 언론에는 하나의 큰 문제점이 있습니다. 일종의 센세이셔널리즘이랄까, 하나의 방향에서 어느 신문이 떠들면 전부 한길로 와 하고 몰려가죠. 앞도 뒤도 안 보고 한 방향을 말이죠. 그러니까 그 언론의 조류에 걸리면 멀쩡하게 성한 사람도 병신이 돼요. 그렇게 사회적으로 매장되는 경우가 얼마든지 있거든요. 여러분도 살 아시겠지만 신문 톱이 똑같고 심지어 가십까지 같은 건 우리나라나 일본밖에 없어요. 이것은 일본 식민문화의 잔재라고 할 수 있죠.

가령 『워싱턴포스트』지, 『뉴욕타임스』, 『시카고타임스』나 『엘에이(LA)타임스』가 있는데 신문 톱이라든가 일 면 기사가 거의 같은 것은 일 년에 몇 번 안 되죠. 『워싱턴포스트』가 보도하면 『뉴욕타임스』는 당연히 보도 안 합니다. 자기네가 뉴스 보도의 가치가 없다면 안 합니다. 저도 여러 번 『뉴욕타임스』에 보도도 되고 인터뷰도 했는데 어느 땐 인터뷰를 해 놓고 안 나와요. 낸다 해 놓고 말이죠. 그러다가 한 달쯤 뒤에 나오죠. 충분히 자료 조사를 하는 겁니다. 뉴욕에서 인터뷰를 했는데 동양에 있는 특파원에게 기사를 보내서 그 기자가 자기 의견을 붙여서 완전히 책임하에 내죠. 그런데 우리나라 신문사는 어떻게 하느냐 하면 A라는 신문이 수서사건에 이런 기사를 냈는데 B신문에 안 나면 B신문 기자는 혼나요. 왜 너는 못 했느냐고 말이죠. 그러다 보니 석간에 난 가십을 조간이 그대로 받아쓰는 경우가 많거든요. 이건 우리나라 신문이 정말 몰개성적인 센세이셔널리즘에 빠지는 게 아닌가 해요.

그렇게 되기 때문에 신문 자체의 질적 문제도 있지만 그런 신문의 일제 공격, 포위망에 말려드는 사람은 완전히 거기서 사회적으로 매장돼요. 나중에 아니라고 해 봤자 소용도 없어요.

예를 들면 재작년이죠. 공안정국 때 당해 봤는데 안기부에선 매일 신문들한테 한 건씩 흘려요. 김대중이 김일성한테 편지를 보냈다, 서경원이한테 여비를 줬다, 가기 전에 김대중이를 만나서 협의를 했다, 로스앤젤레스에 있는 누구한테 연락을 했다는 등 매일 톱이 나요. 이쪽에 한마디도 묻지 않고요. 모든 신문에 같이 나요. 나중에 그것은 법적 근거가 없어서 입건조차 안 됐어요, 그 안기부에서 한 것은. 그런데 그게 정치생명이 왔다 갔다 하는 일이거든요, 빨갱이니 뭐니 하니까. 그런데 나중에 신문이 그게 아니었다, 미안하다 말 한마디 없는 거예요. 그러니까 독자들한테 이 김대중이 인상이 아주 고약하게 남는 거죠. 그런 점에서 언론의 책임성으로 보나 또 언론 자주성으로 보나 문제가 있지 않나 합니다.

또 하나 우리 언론들이 말하는 양비론 즉 여당도 나쁘고 야당도 다 나쁘다는 말이 문제예요. 예를 들면 지방자치 하자는 약속을 여당이 뒤집지 않았어요? 우리는 하자 그랬죠. 그런데 뒤집은 쪽도 나쁘고 하라는 쪽도 나쁘다는 거예요. 심지어 언론들이 평민당은 지자제 할 생각도 없으면서 괜히 쇼한다고 썼거든요. 아무 근거도 없이 말이오. 그런데 얼마나 타격이 있는지 몰라요. 결국 의원직 사퇴한다고 하고 제가 단식까지 하면서 얻어 낸 게 바로 지자제 아닙니까?

또 금융실명제 같은 건 노태우 씨가 공약한 사회정의의 실제적인 정책입니다. 그런데 몇백억, 몇천억 가진 사람들이 세금 한 푼 안 내고 투기하고 있지 않습니까? 금융실명제를 해야만 투기를 막을 수 있고 지하에 숨은 돈을 양성화시킬 수 있다고 하더니 하루아침에 뒤집는데, 그것에 대해 싸우는 사람이나 그렇게 얘기하는 사람이나 같다는 거죠. 이런 식의 양비론, "악을 행한 자나 악에 반대하는 자나 똑같다." 이것이 사회적 비판력을 흐리게 하는 사고방식의 하나라고 봅니다. 시是는 시고 비非는 비라고 이야기하지 않는 자세, 이것은 사회에서 악을 비호하고 선을, 혹은 악과 싸우는 세력을 좌절시키죠. 이런 점에서 시비를 분명히 가리지 않는 것도 우리 사회에서 시정되어 한다는 생각입니다. 언론이 그런 면에서 상당히 새로운 자세를 가져 줘야 한다고 생각합니다.

윤채한 우회적 답변이시군요. 우리나라는 지금 지방색, 또는 지역감정이 날로 심화되고 있습니다. 물론 망국병이기도 하지만 이를 타파하기 위해 지난 함평 보궐선거에서 총재께서는 평민당의 영남 출신 이수인 후보를 공천하여 당선시킨 바도 있으십니다. 그때 지역감정을 해소하기 위한 필사의 처방이라고 하셨습니다. 이건 하나의 문학적 상상입니다만, 호남의 대표적인 인물이신 총재께서 이번 실시되는 지방자치제에 대구시장 또는 부산시장으로 출마하실 용의가 없으신지요. 총재께서 출마하실 경우 대구 혹은 부산 사람들이 표를 주지 않으면 지역감정을 고착화시키는 장본인이 바로 영남 사람이라는 책임을 면키 어려울뿐더러 더 크게는 영남이 호남에 영원히 갚지 못할 빚을 지게 되는 경우가 되기 때문입니다. 또 다음의 대권 경쟁에서 앞서진 빚을 갚아야 한다는 압박감을 영남 사람에게 주게 되므로 한번 모험적 승부수를 걸 수 있다고도 봅니다. 또한 민자당으로서도 공천자를 내기 어려운 그야말로 진퇴유곡의 처지가 될 수도 있지 않을까요?

김대중 오늘 잘못하면 부산시장 나오겠군요. 그것이 그 전에 민주당 이기택 총재하고 통합하자고 할 때 서로 선거지를 바꿔서 국회의원에 출마하자고 한 것 아닙니까? 하나의 충격요법이랄 수 있죠. 먼저 말하고 싶은 것은 지역감정이란 역대 군사정권이 자기네 집권을 위해 만든 일시적인 현상이지 결코 근원적인 것은 아니라는 말입니다. 그것은 인간성의 가장 저열한 것, 인종차별이라든가 지역차별이라든가 하는 가장 저열한 것에 호소하는 것이죠. 이것은 동시에 집권에 이용한 것뿐 아니라 인간을 최하로 타락시킨다고 할 수 있겠습니다. 우리나라를 보면 가령 초대 대통령인 이승만 박사를 얘기할 때 헌정 파괴, 독재정치 등등 이 모든 것을 용서한다 해도 친일파를 등용한 것은 용서할 수 없다고 봅니다. 과거 친일파들이 문학계를 지배했잖습니까. 정·경제계는 말할 것도 없고요. 그런 친일파 자식들이 일류 대학 나오고 외국 유학에서 다시 돌아와 우리나라를 지배했고 애국자들은 추위와 굶주림에 떨다가 죽고 그 자식들은 교육도 못 받고 몰락했습니다. 이것은 그분의 민족 정통성에 대한 훼손, 영원히 용서받을 수 없는 잘못입니다. 또한 박정희 씨의 모든 것을 용서한다 해도 용서하지 못할 것이 있는데 그것이 바로 지역감정에 대한 거죠. 이것 또한 영원히 씻을 수 없는 잘못이랄 수 있죠. 저는 이 문제에 대해서는 촌보도 양보 안 하고 절대로 타협도 안 합니다. 이번 이수인 씨 때도 여러분은 잘 모르시겠지만 저는 정치생명을 걸었어요. 거기서 낙선하면 정치적 궁지에 몰리고 당내 반발을 받게 되어 있었어요. 그러나 저는 몸을 던져서 해야 한다는 생각이었습니다. 신문에서도 신선한 충격이라고 보도했지만, 그러나 저는 믿음이 있었어요. "내가 호소하면 된다." 그분들이 맘속에 갖고 있는 양심의 소리와 일치하기 때문에 말이 통한다는 확신이죠. 그래서 "정치를 괴롭히고 죄악인 지역감정을 깨라. 마음의 진실된 메시지를 보내면 반응이 올 것이다."라고 했죠. 결국 과거 서경원 의원보다 오히려 표가 더 많이 나왔죠, 영남에서. 그러니까 지난달 20일 대구 연설 때 굉장히 많이 모였죠. 거기서 지방색 타파에 대해 연설을 해서 많은 박수를 받았습니다. 그건 밀양에서도, 청송에서도 그랬습니다.

대중들은 변하고 있어요. 그런데 중간층들이 고정관념에 사로잡혀 있지요. 본인은 그동안 감옥에서 6년, 망명 생활 10년을 했습니다. 또 공산당한테 한 번, 박정희 씨에게 세 번, 전두환 씨에게 한 번, 그렇게 다섯 번을 죽을 고비를 당했습니다만 그럴 때 내가 전 국민을, 아니 7천만 민족을 위해 싸웠지 전라도 사람만 위해 싸웠냐는 거죠. 선거 투표 때 그 당수나 후보가 어느 출신인가 따지지 말자, 제발 그러지 말자는 말입니다. 인물은 잘났는데 고향이 어디여서 안 된다, 그래선 안 된다는 겁니다.

일부 종교 지도자들은, 지식인, 대학교수도 그렇습니다. 평소 민중이 어떻고 하는 분들도 선거 때 보면 고향 생각해 결정하는 분들이 있어요. 그렇다면 종교인들의 심오한 진리 속에서 산다는 의미가 어디 있느냐, 진선미를 추구한다는 지식인들의 의미가 어디 있느냐 힐 수 있죠. 우리 정치인도 잘해야 하지만 이 분야야말로 모든 국민이 같은 마음으로 잘해야 되겠다고 생각합니다. 이 문제를 저지른 것은 박정희, 전두환, 노태우 세 분이지만 그것을 깨는 것은 전체 국민이 몸으로 깨야 하겠습니다. 왜냐하면 우리 전부가 피해자들이기 때문입니다. 정부가 위하는 것이 누구냐, 양심을 갖고 있는 사람이냐, 양심을 젖혀 놓고 자기의 이기적 목적을 달성하려는 사람이냐, 소외당한 사람이냐, 누르는 사람이냐, 억울한 사람이냐, 특권층 또는 가진 사람이냐, 그 정부가 위하는 사람이 누구냐에 따라서 우리의 행불행이 결정됩니다. 그러므로 20세기 후반은 민중혁명 시대이며 결국 역사가 가는 것은 민족, 민주주의, 정의와 평화라 할 수 있겠죠.

윤채한 오랜 시간, 대단히 감사합니다. 허심탄회하신 총재의 말씀에 희망찬 미래의 한국을 보는 것 같아 한결 마음이 가벼워졌습니다. 앞으로도 김대중 총재와 평화민주당의 무궁한 발전을 기원하겠습니다. 아울러 제1야당 총재와의 대담이라는 이 뜻깊은 시간을 『우리문학』은 아주 소중히 간직할 것입니다. 감사합니다.

---

* 이 글은 윤채한 『우리문학』 발행인과의 대담으로, 계간지 『우리문학』 1991년 봄 호에 실렸다.

2000년의 희망과 우리의 과제

대담 관훈클럽
일시 1991년 12월 6일

이성준(사회) 저는 관훈클럽의 총무를 맡고 있는 이성준입니다. 현재 『한국일보』사 정치부장으로 재직 중에 있습니다. 먼저 저희 관훈토론회의 초청에 응해 주신 김대중 민주당 대표위원님께 관훈클럽을 대표해서 심심한 사의를 표합니다.

취재원과 중진 언론인들이 만나서 격의 없는 토론을 벌이는 관훈토론의 전통이 오늘 김 대표를 이 자리에 모심으로써 다시 한 번 확인되었다고 생각합니다.

김 대표를 소개하기에 앞서 저희 관훈클럽이 김 대표를 초청하기까지 상당한 논란이 있었음을 이 자리를 통해서 밝혀 드립니다.

국가적 문제가 산적해 있는 시점에서 외면의 단계를 넘어서서 불신의 대상으로까지 지목받고 있는 정치를 또다시 토론의 주제로 삼는 것이 바람직한가에 대한 의견이 심각하게 제기되었습니다.

이와 함께 기왕에 정치를 주제로 할 바에는 잘 알려진 정치 지도자들보다는 새로운 비전을 제시해 줄 수 있는 새 인물을 모시는 게 바람직하지 않으냐는 의견도 상당히 있었습니다. 당연하고도 일리가 있는 의견들이라고 생각합니다.

그러나 아리스토텔레스도 일찍이 간파했듯이 어차피 인간은 정치적 동물입니다. 정치가 우리 현실에서 불신을 받고 있다 하더라도 사회 각 분야에서 행사되고 있는 영향력은 실로 엄청난 것입니다. 특히 우리는 내년에 국가의 진운을 결정하게 될 총선과 대통령 선거 등 잇단 중요한 정치 일정을 목전에 두고 있습니다.

그리고 김 대표는 우리 정치를 얘기할 때 빼놓을 수 없는 존재이며 내년 대통령 선거에 또다시 나설 것이 확실시되는 정치 지도자 중의 한 분입니다.

저희 관훈클럽은 앞으로도 향후 정치 일정에서 중요한 역할을 하실 정치 지도자는 여야를 막론하고 어느 누구든 이 자리에 모실 것입니다.

그러면 이 자리에 오신 분은 물론 국민 모두가 잘 알고 계시는 김 대표를 그의 이름 뒤에 붙어 다니는 호칭을 중심으로 소개를 대신하겠습니다.

김 대표는 3선 중진이었던 지난 1971년, 대통령 후보로 나선 이래 줄곧 김 후보로 불렸습니다. 1980년 서울의 봄, 다시 말해서 김 대표의 사면 복권 문제가 정국의 주요 현안이었을 때는 유력한 재야인사로 통하게 되었습니다. 서울의 봄이 무산되고 영어의 몸이 되었을 때는 그냥 자연인 김대중이 되었고, 1985년 귀국해서 민추협 공동의장직을 맡았을 때는 김 의장이 되기도 했습니다. 1987년 대통령 선거에 재출마했을 때는 다시 김 후보가 되었고, 지난 10월 야권 통합 이후에는 민주당의 김 대표로 불리게 되었습니다.

김 대표는 내년 대통령 선거에 다시 나설 것이 확실시됩니다. 짧지 않은 우리 헌정사에서 대통령을 3번 이상 하신 분은 이승만 박사, 박정희 대통령, 두 분이나 계셨지만 대통령 후보를 세 번이나 하실 분은 아마 앞으로 나오기가 힘들지 않을까 생각됩니다. 김 대표는 노벨평화상 후보로도 여러 차례 추천

되기도 했습니다.

최근 들어 김 대표는 "무엇이 되는가보다는 어떻게 사는가가 중요하다"는 말씀을 자주 하신다는 얘기를 들었습니다. 이 말씀은 기막힌 정치 역정을 걸어온 김 대표가 후세 사가들의 평가를 염두에 두고 운신을 하겠다는 좋은 의미로 해석됩니다. 그런 만큼 오늘 김 대표의 얘기 중에는 귀담아들을 부분이 많이 있을 것 같습니다.

김 대표는 지난 1980년 4월 25일 관훈토론회에 처음 나오셨고 오늘 이 자리가 세 번째가 됩니다. 1980년에는 「1980년대의 좌표」를 주제로, 그리고 1987년에는 「민주주의의 십자가를 지고」라는 제목으로 기조연설을 해 주셨으며, 이번에는 「2000년의 희망과 당면 과제」라는 제목으로 연설을 해 주시겠습니다.

김 대표의 연설에 앞서 저희 관훈클럽의 운영위원과 감사분들을 소개하겠습니다. 김 대표 바로 오른쪽이 관훈클럽의 기획위원이시며 『경향신문』 체육부장인 김세환 위원입니다. 그 옆이 관훈클럽의 회계를 맡고 계시는 변우형 『서울신문』 편집부국장이십니다. 제 왼쪽이 관훈클럽의 감사를 맡고 계시는 구월환 『연합통신』 기사심의위원이십니다. 그리고 마지막으로 감사이신 김진화 한국방송(KBS) 해설위원을 소개합니다.

그리고 저 오른쪽에는 오늘을 빛내 주실 패널리스트 네 분이 초청되어 계십니다. 초청 연사의 기조연설을 들은 뒤에 회의 진행 방법과 함께 소개해 올리도록 하겠습니다. 그러면 김대중 민주당 대표께서 기조연설을 해 주시겠습니다.

김대중 대표 기조연설

김대중 존경하는 이성준 총무! 그리고 회원 여러분! 또한 이 자리에 와 계시는 귀빈 여러분!

전통과 권위를 자랑하는 관훈클럽에서 오늘 제가 연설하게 된 것을 진심으로 영광으로 생각하며 또한 감사드려 마지않습니다.

그러나 관훈클럽에 와서 말하는 것이 마냥 기쁜 것만은 아닙니다. 정치인이 제일 무서워하는 곳이 이 관훈클럽이 아닌가 생각됩니다.

여기 와서 매서운 질문을 받겠느냐, 수사기관에 가서 조사받겠느냐고 물으면 아마 수사기관 쪽을 택하는 사람도 상당히 있을 것입니다. 왜냐하면 수사기관에 가서는 묵비권도 행사할 수 있고, 또 국회의원이기 때문에 때로는 큰소리를 할 수도 있지만, 여기서는 묵비권도 행사할 수 없고 큰소리도 못 하고 꼼짝없이 당해야 하기 때문입니다.(일동 웃음)

저는 오늘 「2000년의 희망과 당면 과제」에 대해 연설하겠는데 "불안정한 현상 유지냐, 안정된 민주 개혁이냐"라는 부제를 가지고 얘기를 하겠습니다.

나의 꿈

김대중 앞으로 9년 뒤, 2000년까지 우리는 어떤 변화를 하겠는가?

저는 이런 꿈을 가지고 있습니다.

명년에 만일 우리가 민주정부를 세울 수 있다면 2000년에 우리는 지금과는 상당히 다른 좋은 환경에 있을 것이다, 무엇보다도 서구 수준의 민주주의가 이 땅에서 실현되고 있을 것이다, 그리고 도덕 정치가 부활되어 부정과 부패가 크게 줄어든 깨끗한 사회가 될 것이다, 그리고 우리 경제는 선진 대열에 설 정도로 활성화된 그런 상황이 되지 않겠느냐, 이렇게 생각합니다.

현재 우리의 복지 상태는 후진국의 상태를 면치 못하고 있는데, 아마 그때는 오늘의 서구 사회 수준 정도의 복지는 실현되고 있을 것이라고 생각합니다.

우리 민족의 염원인 통일은 남북이 서로 공존하는 통일, 제가 말하는 공화국연합제, 즉 1연합 밑에서 2독립정부가 존재하는 그런 1단계의 통일은 그때까지 실현될 것이 틀림없다고 봅니다.

또 하나의 꿈을 더한다면 그때 우리는 아시아·태평양 시대의 한 주역으로서 선진 국가로서 세계의 모든 개발도상국과 더불어 같이 발전해 나가는 도덕적 선진 국가를 만들 수 있지 않겠느냐고 생각하고 있습니다.

그러나 오늘의 현실은 이러한 꿈과는 너무도 괴리가 큽니다. 어떻게 보면 어둡고 매우 실망스럽습니다. 무엇 하나 정상적으로 가고 있는 것이 없지 않으냐, 모든 것이 불안정한 그런 상황에 있다, 이렇게 말할 수 있습니다.

대단히 미안한 말씀이지만 노태우 정권 4년의 통치는 아무리 좋게 평가하더라도 실패작이라고 생각합니다. 노태우 정권이 제일 잘했다고 내세우는 북방 외교조차도 최근의 소련 사정을 보면 할 말이 없을 것입니다.

정부는 지금까지 소련에게 경협 자금 30억 달러 중 아마 18억 달러 정도의 도움을 준 모양인데, 이것은 국제사회에서도 하나의 빈축의 대상이 되고 있습니다. 우리 야당은 이 경제 협력을 신중히 하라고 여러 번 경고한 적이 있습니다.

비정상의 현실을 정상화해야

김대중 그런데 정치, 경제, 사회에 걸친 우리 사회의 비정상적인 현실을 살펴보면 처음부터 비정상적인 것이 아니었다는 것을 알 수 있습니다.

1990년 1월 3당 합당을 선언하기 전까지 우리의 국회는 아주 정상적으로, 지난 11대, 12대 국회보다도 더 능률적으로 운영되었습니다. 날치기는커녕 의안의 98퍼센트까지가 여야 만장일치의 합의로 통과되는 좋은 운영을 하고 있었습니다. 국민의 정당에 대한 지지율도 모두 합하면 70퍼센트를 넘어섰습니다.

그런데 문제는 3당 합당 이후부터 달라졌습니다. 잘 아시는 대로 3당 합당은 노태우 정권이 내각책임제 개헌을 하려는 엉뚱한 생각을 가지고 시도한 것입니다. 3당 합당은 우리나라는 물론 외국에도 예가 없는, 참으로 반민주적이고 부도덕하고 국민을 우롱하는 정변이었던 것입니다.

이런 가운데서 변절한 야당 의원들이 하루아침에 여당으로 변신함으로써 여소야대는 깨지고 거여소야巨與小野가 되어 횡포를 부리기 시작했습니다.

국회에서는 3당 합당 이후에는 한 번도 빼놓지 않고 중요 의안이 날치기로 처리되고 있습니다. 공안 세력들은 때가 왔다는 듯이 들고일어나서, 분열과 모함과 음해를 통한 공작 정치, 힘으로 억누르는 정치가 지금 이 나라에 판을 치고 있습니다.

이러한 상황이 오늘날 우리 정치의 현실입니다. 정치가 이토록 비정상의 길을 치달아 왔는데 어떻게 다른 분야의 정상적 발전을 기대할 수 있겠습니까?

외람된 말씀이지만, 저희 야당이 참으로 비상한 노력을 해서 국민의 질책과 바람대로 야권 통합을 이룬 것이 그래도 정치를 바로잡는 데에 약간의 공헌이나마 한 것이 아닌가, 감히 그렇게 생각합니다.

경제도 마찬가지입니다. 이 나라 경제는 기업인들이 열심히 사업을 일구어서 경제 내적인 방법으로 돈 버는 것이 아니라 오히려 땅이나 주식 투기해서 돈을 버는, 이런 아주 비정상적인 사회가 되어 버렸습니다.

열심히 기업 하는 사람이 바보 같은 세상이 되었습니다. 지하경제가 우리나라 경제 전체의 30퍼센트에 달한다고 합니다.

이런 가운데서 기업인과 노동자 모두가 의욕을 상실한 무력증에 빠져 있는 것이 지금 우리의 현실입니다.

물가는 폭등하고 있습니다. 정부는 물가 인상률이 10퍼센트 정도라고 하지만 실제 우리 서민들이 느끼는 생활 물가, 장바구니 물가는 30-40퍼센트를 넘고 있습니다.

우리들의 고향인 농촌은 지금 빈집같이 공동화되고, 농촌 경제는 완전히 쇠퇴되었고 파멸의 지경에 이른 것입니다.

사회도 그렇습니다. 과거에는 상상도 못 하는 악성 범죄가 이제는 다반사로 행해지고 있습니다. 한시도 마음을 놓을 수 없는 무서운 사회가 되었습니다. 한탕주의가 성행하고 있습니다.

전면적 부패가 위로부터 아래까지 지배하고 있습니다. 과소비, 사치, 향락 풍조가 온 사회를 뒤덮고 있는 것을 누구도 부인하지 못할 것입니다. 이 세상에 대한 엉뚱한 복수심을 가진 젊은이들이 일요일 여의도 광장에 차를 몰고 들어가서 닥치는 대로 사람을 치어 죽이는 기막힌 일도 벌어지는 세상입니다.

불신과 냉소주의가 국민 사이에 퍼져 있고 특히 청년들은 더 그렇습니다. 이런 만성적 불안정과 비정상적인 상태가 오늘의 우리 현실입니다. 이러한 일은 3당 합당 이후 일어났거나 극심해진 것들입니다. 참으로 암담한 심정을 금할 수 없습니다.

그러나 어두운 밤이 오면 반드시 밝은 내일이 오고, 역사는 한 번도 좌절하거나 후퇴한 일이 없다는 것을 우리는 믿습니다. 그러므로 여기서 좌절할 수 없는 것이고 반드시 이러한 비정상의 현실을 정상화해야 한다고 생각합니다.

그러면 어떻게 이 문제들을 해결해 나갈 것인가? 오늘의 현실을 극복하고 정상화, 다시 말해 안정과 발전의 길을 가기 위해서는 무엇을 해야 할 것인가?

먼저 정치 분야에 대해서 말해 보겠습니다.

우리 정치가 비정상화된 데에는 양대 원인이 있습니다. 정치를 정상화하기 위해서는 비정상화의 원인을 제거해야 합니다.

하나는 내각책임제 개헌의 기도입니다. 노태우 대통령은 6·29선언을 통해서 대통령직선제를 받아들였습니다. 지난 대통령 선거에서는 직선제를 유지하겠다고 국민에게 공약했습니다. 그런데 이를 저버리고 일부 특정 지역 세력들의 영구 집권을 꾀하기 위해 내각책임제 개헌을 추진해 왔습니다. 노태우 대통령은 이를 단념해야 합니다. 자기 임기 중에는 내각책임제를 시도하지 않겠다는 것을 공개적으로 선언해야 합니다.

그리고 3당 합당은 그 야합적 성격으로 인해서, 그리고 대의보다는 사리에 입각한 통합이었다는 점 때문에, 결국 오늘 우리가 눈으로 보듯이 참담한 실패를 했습니다. 매일같이 후계 다툼과 내분으로 추악한 모습을 드러내고 있습니다, 이것은 절대로 시정될 수 없고, 민자당이 스스로 이를 시정하기 바라는 것은 더더욱 어리석은 일입니다. 야당이 남의 당 시비할 것은 없지 않겠느냐고도 말할 수 있겠지만, 이것이 집권하는 여당이 하고 있는 일이기 때문에, 우리 정치가 이 모양이 되고 경제와 사회가 저 모양이 되어도 당내에서 권력 다툼만 하고 있는 현실이 우리 국민 전체의 안위에 직접 관련되기 때문에 이런 말을 하는 것입니다. 또 여당이 건전해야 야당도 같이 정치를 잘 해 나가고 국민의 신임을 얻을 수 있습니다. 3당 야합이 빚어낸 현실을 이대로 방치한다면 더 큰 불행이 우리의 목전에 다가올 것이라는 것을 우리는 알고 있습니다.

따라서 저는 노태우 대통령이 가망 없는 민자당에 매달릴 것이 아니라 3당 합당의 잘못을 시정하는 그러한 결단을 내려야 한다, 이왕 만든 정당을 어떻게 할 수 없다면 노 대통령은 민자당을 탈퇴해야 한다고 생각합니다. 출발부터 잘못된 것은 시정해야 하는 것입니다.

그래서 노태우 대통령은 앞으로 약 1년 남짓 동안 정국의 안정, 경제의 재활성화, 그리고 민생 안정, 치안, 교통, 물가, 환경, 교육 등의 문제를 해결하는 데 전념해야 합니다.

예측 가능한 정치를 해야

김대중 그러한 힘을 얻으려면 이제 노 대통령 혼자만으로는 안 됩니다. 민자당 가지고는 어림도 없습니다. 거국내각을 만들어야 합니다. 여야와 나라 안의 뜻있는 인사들이 모두 참가해서 새 출발을 해야 한다고 생각합니다.

이것이 지금은 여러분께 비현실적으로 들릴지 모르지만, 저는 거국내각이 실현될 가능성을 결코 배제할 수 없다고 생각하고 있습니다. 또 노태우 대통령이 성공하려면 반드시 이렇게 해야 한다, 안 하면 크게 후회할 일이 닥쳐올 것이라는 것을 저는 감히 말할 수 있습니다.

그리고 또 하나 말하고 싶은 것은, 노태우 대통령은 예측 가능한 정치를 해야 한다는 것입니다. 정치는 노태우 대통령의 사유물이 아니라 우리 국민 전체를 위한 것이고 국민의 정치입니다.

그런데 우리 국민들은 앞으로의 정치 일정을 도대체 짐작조차도 못 하고 있습니다. 언제 국회의원 선거를 하는 건지, 언제 지방자치단체장 선거를 하는 건지, 아니 도대체 지방자치 선거를 하기는 하는 건지 알 수가 없습니다. 많은 의혹이 있습니다.

여당 인사들 중에서도 제각기 주장하거나 짐작하는 선거 일자도 서로 다르고, 심지어 지방자치를 할 필요가 없다, 연기하자고 주장하는 사람들도 있습니다.

노태우 대통령은 이런 문제에 대해서 분명히 해야 합니다.

더불어 내년의 3대 선거는 동시에 실시해야 한다고 생각합니다. 왜 동시 선거를 못 합니까? 미국은 20여 개의 선거를 동시에 하지 않습니까? 몽골은 작년에 4개의 선거를 하루에 했습니다.

최근에 필리핀의 외상인 망글라푸스, 저와 미국에서 망명 생활을 같이한 절친한 친구인데, 그가 와서 직접 얘기하는 말을 들으니까 필리핀은 최근 37개의 선거를 하루에 실시하였는데 그것도 기명 투표를 한다고 그럽니다. 그런데 붓 대롱을 찍는 3개, 4개의 선거를 우리가 같이 실시하지 못한다는 것은 말도 안 되는 일입니다.

내년의 동시 선거 실시는 국민의 부담을 덜기 위해서나 선거 인플레이션을 막기 위해서나, 경제에 미칠 영향을 최소화하기 위해서도 마땅히 그래야 할 일입니다.

저는 여기서 동시 선거에 대해서 국민의 뜻이 어느 쪽에 있는가, 분리 선거를 지지하는가, 동시 선거를 지지하는가를 놓고 여야가 공동으로 인정할 수 있는 객관적인 여론조사 기관으로 하여금 국민 여론조사를 하게 해서 결정하자는 것을 민자당과 노태우 정권에게 정식으로 요청하고 싶습니다.

그리고 노태우 대통령은 무엇보다도 공명선거의 명백한 의지를 표시하고 이를 실천해야 한다고 생각합니다. 만일 공명선거가 없다면 우리는 큰 파탄과 재앙을 면치 못할 것입니다.

무엇보다도 노태우 대통령은 저와 지난번 청와대 회담에서 약속한 대로 선거를 철저히 공영제로 해서 돈 안 드는 선거를 하고, 야당도 선거를 치를 수 있게 정치자금을 보장하겠다는 약속을 지켜야 한다고 생각합니다.

그리고 노태우 대통령이 거국내각을 못 하겠다면 우선 공명선거를 위해서 안기부장, 내무부 장관, 법무 장관, 검찰총장 등 정치에 관여커나, 선거에 관여하는 기관의 책임자들을 중립적인 인사들로 교체해야 합니다. 그리고 가능하면 야당 인사도 입각시켜서 야당도 선거 관리에 참가할 수 있도록 하는 것이 필요합니다.

이렇게 할 때만 우리 국민은 노태우 대통령의 공명선거에 대한 의지를 믿을 수 있을 것입니다. 과거에도 정부 여당은 수차 공명선거에 대해 떠들었지만 한 번도 이것을 이행한 일이 없는 것에 비추어서, 우리는 이러한 요구를 할 수밖에 없는 것입니다.

이렇게 함으로써 노태우 대통령은 정국의 안정을 실현할 수 있고, 1년 남짓의 기간 동안 유종의 미를 거두어 퇴임 후도 영광된 시민 생활을 할 수 있지 않겠느냐고 생각합니다.

경제의 정상화를 위해서는 민주적이고 강력한 리더십으로 안정적이고 발전적인 경제 관리 능력의 발휘가 절대로 필요합니다. 이런 것이 없기 때문에 오늘의 우리 경제의 불행이 있는 것입니다. 경제의 관리 능력, 민주적이고 강력한 관리 능력이 절대로 필요한 상황인데 이를 위해서는 아까 말한 거국내각이 참으로 필요하다고 저는 생각하고 있습니다.

또한 우리는 경제 발전을 위해서는 기업인들의 사기를 고양시켜야 합니다. 지금 기업인들이 완전히 사기가 떨어져 있고 일할 의욕을 갖지 못하고 있습니다. 기업인들이 의욕을 갖게 하려면 투기로 폭리를 얻을 수 있는 길을 막고 유능하고 정직한 기업인만이 성공할 수 있도록 해야 합니다. 기업인이 정부의 경제 정책을 자유롭게 비판하고 또 정책 수립에 참여할 수 있도록 해야 합니다. 기업인은 자유경제의 주인이기 때문에 그렇습니다. 정당한 기업인을 우리는 죄인시할 것이 아니라 애국자로 대우해야 합니다. 그러한 풍토를 일으키지 않고서 기업인의 의욕을 고취하기는 어렵지 않은가, 저는 그런 생각을 가지고 있습니다.

이제는 여러분이 아시는 대로 옛날과 같은 소품종 대량생산의 시대가 아니라 다품종 소량생산의 시대로 경제체제가 바뀌고 있습니다. 여기에 적응해 나가려면 우리는 중소기업을 과거처럼 단순히 육성의 차원이 아닌, 중소기업을 우리 기업의 중심적 위치로 끌어올리는 일대 경제 혁명이 필요하다고 저는 생각합니다.

물론 대기업을 배제하자는 것은 아니지만, 대기업은 이제부터는 세계적인 제품을 우리나라에서 만들 수 있는 그런 분야로 전문화하고 특수화해야 합니다. 우리나라에는 세계적인 대재벌은 있지만 세계적인 제품을 만들어 내는 대기업은 없습니다. 이것이 오늘 수출이 부진해지고 국제적 경쟁력을 상실하고 있는 원인이라고 생각합니다.

경제의 재활성화와 발전을 위해서 절대로 요구되는 것은 올바른 노사 관계의 정립입니다. 지금과 같은 노사 관계를 가지고는 성공할 수 없습니다. 현재 노동조합은 과거와 같이 빈번한 쟁의를 하지는 않지만 열심히 일하지 않고 사보타주하는 사람들이 늘어나 기업 발전에 저해가 되고 있습니다. 정부와 기업에서 일방적인 억압을 가하기 때문에 이런 상태가 오는 것입니다.

이것을 시정해서 기업을 활성화시키고 경제를 다시 일으키려면, 노사가 서로 대등한 입장에서 서로 협력하는 가운데 공존공영하는 관계를 정립해야 합니다.

기업은 노동자의 생존권을 보장하고 노동자는 기업의 생산성 향상을 보장해서 서로 협력하면서 해 나가야 한다고 생각합니다.

투기가 일소되어야 합니다. 공돈 번 사람이 없어야 합니다. 투기는 우리 경제 자체를 망칠 뿐 아니라, 이 때문에 결국에 가서는 과소비가 일어나고 물가를 앙등시키고 있습니다.

투기를 막으려면 금융실명제를 실시해서 음성적인 뒷거래를 못 하게 만들어야 합니다. 토지 관계 세법, 예를 들면 종합토지세와 양도소득세의 세율,

과세 표준을 정당화시키고 업무용, 비업무용의 구별을 없애야 합니다.

이렇게 하면 토지 가격은 현재의 반 이하로 내려가고, 또 토지에서 거둬들이는 세수입은 최소한 5조 이상 10조에 달하게 된다는 것이 전문가들의 일치된 견해입니다. 땅값이 내려가야 집값이 내려가고, 집값이 내려가야 집세가 내려가고, 집세가 내려가야 임금이 안정되고, 임금이 안정돼야 물가도 안정되고 수출이 되는 것입니다. 우리 당은 총선에서 승리하면 금융실명제, 토지 관계 세제의 정상화를 반드시 단행하도록 추진해 나가겠습니다.

마지막으로 사회 문제의 정상화를 위해 말씀을 드리겠습니다. 여기서도 다시 한 번 강조하고자 하는 것은, 정직하고 근면한 자만 성공하는 사회를 만들어야 한다는 것입니다. 거짓에 차고 사술에 능하고 게으른 자는 발붙일 수 없는 사회를 만들어야 합니다. 부정부패를 일소해야 하는데, 우선 정치의 부패부터 해결해야 합니다.

그러기 위해서는 두 가지가 크게 필요합니다.

하나는, 정치자금을 완전히 양성화해서 모든 정당과 정치인이 부정한 거래를 하지 않고도, 음성적인 수입 없이도, 정치자금의 양성화 속에서 빚 안 지고 정당 활동과 정치를 해 나갈 수 있도록 해 주어야 합니다. 여당의 특권도 없고 야당의 불리도 없어져야 합니다.

집권자가 모든 공직자 앞에서, 아니 모든 국민 앞에서 "내가 부정을 하면 여러분도 하시오. 내가 모범을 보일 테니 내가 안 하는 이상은 하지 마시오." 이렇게 모범을 보일 때 이 나라는 비로소 새로운 기풍이 일어나 부패가 일소될 것으로 봅니다.

또한 우리는 오늘 우리 사회의 가장 큰 불만의 요소가 부의 불공정 분배에 있다는 것을 다 알고 있습니다. 분배 정의가 실현되어야 합니다. 정의는 균등이 아닙니다. 정의는 각기 제 몫을 주는 것입니다. 어른은 밥 한 그릇 주는 것이 정의이고, 어린이는 밥 반 공기 주는 것이 정의입니다. 기업인은 기업인의 몫이 있고, 근로자는 근로자의 목이 있고, 사무원은 사무원의 몫이 있습니다. 정당한 몫을 주어야 합니다. 음지에서 소외받고 있는 사람들에 대해서도 국민으로서의 정당한 몫을 주어야 합니다. 이럴 때만 정의가 실현되고 국민은 이 나라에 희망을 갖고 안정이 된다고 생각합니다.

인명 존중의 사회를 만들어야 합니다. 사람의 인권을 존중할 뿐 아니라 모든 생물의 생존권을 존중해야 합니다.

지금 이 나라의 산천초목, 날짐승, 들짐승, 물고기 모두가 오늘의 이 오염된 환경 속에서 못살겠다고 아우성치고 있습니다. 우리 인간 때문에 그렇습니다.

우리는 우리 조상이 준 땅을 망치고 있습니다. 이런 점에 있어서 우리는 인간의 권리뿐 아니라 모든 생물의 권리, 조상이 준 땅의 권리를 지키는 그런 생명 존중의 운동이 필요하다고 생각합니다.

사회를 바로잡으려면, 그리고 정치와 경제를 바로잡으려면 지도층의 각성, 정치의 민주적 개혁, 그리고 국민적 감시, 이 세 가지가 삼위일체로 이루어져야 한다고 생각합니다.

불안정한 현상 유지냐 안정된 민주 개혁이냐

김대중 저희 민주당은 지난 9월 16일 통합한 이후 참으로 일치단결해서 국민의 기대에 부응하는 정치를 하려고 노력하고 있습니다.

우리는 내년에 반드시 정권 교체를 이루고 민주 개혁을 추진해야 하는데, 우리 당이 아니면 누가 할 것이냐 하는 책임감과 사명감을 감히 가지고 있습니다.

우리는 안정 속에서 개혁을 추진하는 중도정당입니다. 우리는 과격주의를 반대하고 폭력을 반대하고 어느 특정 국가를 적대시하는 것을 반대합니다.

우리는 선명 야당의 길을 갑니다. 반대도 선명해야 하지만 타협과 협력할 일도 선명히 하겠습니다.

민주당은 건전 야당의 길을 갈 것이고 정책 정당의 길을 가겠습니다. 국민의 성원 속에서 이러한 일이 국민이 바라는 만큼 이루어져서, 국민의 정치에 대한 소망과 기대가 다시 회복되기를 진심으로 바라고 있습니다.

저는 불안정한 현상 유지냐, 안정된 민주 개혁이냐의 기로에 우리가 서 있다고 생각합니다. 국민 여러분께서 저희들과 같이 새로운 희망의 21세기를 맞이하기 위해서, 다 같이 결단하시고 협력해 주실 것을 부탁드리면서 저의 말을 마치겠습니다. 감사합니다.(박수)

질의응답

이성준 예정된 시간보다 다소 기조연설이 길어졌습니다. 이제부터 본격적인 토론에 들어가겠습니다.

시작에 앞서서 오늘 토론에 나설 네 분의 패널리스트를 소개해 드리겠습니다. 좌석 배열은 관례대로 소속 회사 가나다순입니다.

제일 왼쪽에 계시는 분이 박기정 『동아일보』 정치부장입니다. 박 부장은 서울대학교 문리대 사회학과를 졸업했고, 도쿄대학과 서울대신문대학원에서 학업을 계속했습니다. 박 부장은 1968년도에 『동아일보』에 입사했으며 사회부, 외신부 기자를 두루 거쳤고 제5공화국 때는 청와대 출입 기자로서 출입 금지 조치를 당할 만큼 정론을 펼친 날카로운 필봉의 소유자입니다.

그 옆이 고흥길 『중앙일보』 편집부국장입니다. 고 부국장은 서울대학교 문리대 정치학과를 졸업한 뒤 미국 미주리대에서 학업을 계속했습니다. 고 부국장은 1968년도에 『중앙일보』에 입사해서 인기투표를 한다면 이건희 회

장보다도 표가 조금 더 나온다는 것이 후배들의 정평입니다.(웃음)

그다음이 여기자 칼럼으로 유명하신 장명수 『한국일보』 편집국 국차장이십니다. 장 국차장은 이화여자대학교 신문방송학과를 졸업한 뒤 1963년도부터 『한국일보』 기자로 근무하고 있습니다. 장 국차장은 이대가 선발한 이대 100년 사상 자랑스러운 100인 중의 한 분이십니다. 김 대표도 차기 총선의 영입 1호로 물색 중인 것으로 알고 있습니다.(웃음)

마지막으로 김인규 한국방송(KBS) 정치부장을 소개합니다. 김 부장은 서울대학교 문리대 정치학과와 동 대학원을 졸업했고, 미국 인디애나대학에서 1년간 연수를 했습니다. 김 부장은 지난 1973년 한국방송(KBS) 공채 1기로 입사해 외신부, 사회부 기자를 거쳤고 한국방송(KBS) 공채 1기 중 첫 부장으로 발탁될 만큼 한국방송(KBS)이 꼽는 가장 대표적인 방송기자입니다.

이상 소개드린 대로 패널리스트 네 분은 모두 언론계에서 객관적으로 평가받고 있는 해박한 논객들입니다. 기대해 볼 만한 질문들이 나오리라고 확신합니다.

토론의 원만한 진행을 위해서 몇 가지 간단한 규칙을 고지하겠습니다. 특히 김 대표께서 유념해 주시기 바랍니다.

질문은 1분 이내로 해 주시고 답변은 3분 이내로 제한하겠습니다. 질문은 좌석 배열순으로 하는 것을 원칙으로 하겠으며, 한 번의 보충 질문과 다른 패널리스트들의 보너스 질문을 허용하겠습니다. 답변은 물론이고 질문이 길어질 경우 원만한 진행을 당부하는 종을 울리겠습니다.

토론자 외에 플로어에 계시는 내빈들을 위해서 토론회 중에 메모지를 나누어 드릴 테니 질문 사항을 적어 내주시기 바랍니다. 지금부터 토론회를 시작하겠습니다.

박기정 안녕하십니까? 김대중 대표께서는 언젠가 이런 말씀을 하셨습니다. 대통령으로 말할 것 같으면 나만큼 철저히 연구한 사람도 없는데, 역시 대통령은 운이 따라야 하는 것 같다는 말씀을 하신 것으로 기억하고 있습니다.

아까 총무께서 말씀하신 대로 그토록 정신일도精神—到 대통령학을 연구해 오신 김 대표께서는 실로 지난 1971년 이래 1991년 현재까지 약 20년 동안 파란만장한 정치 역정을 겪어 오셨습니다. 그러한 김 대표께서는 그동안 재수에 실패하셨고 내년에 삼수에 도전을 하실 것으로 얘기가 되고 있고, 그것에 대한 준비에 상당히 여념이 없는 것으로 알고 있습니다.

토론의 성격상 토론을 쉽게 하기 위해서 단도직입적으로 여쭤보겠습니다. 내년도 대통령 선거에 세 번째로 나설 것인지? 그 부분에 대해서 명확하고 솔직하게 말씀을 해 주셨으면 합니다.

김대중 제가 대통령은 되고 싶어도 운이 따르지 않으면 안 된다고 한 말은 기억에 있지만, 대통령학을 나만큼 공부한 사람은 없다고 말한 기억은 없는데…… 잘 모르겠습니다.

대통령 선거에 꼭 나갈 것이냐는 질문은, 제가 여기서 단도직입적으로 분명히 말하지만, 저는 두 번 출마한 경험이 있으므로 이번만은 제가 자청해서 이렇게 하겠다, 저렇게 하겠다 하는 말은 않기로 정하고 있습니다.

모든 문제는 국회의원 선거가 끝나고 당에서 결정할 것입니다. 그리고 저보다도 더 좋은 분이 있으면 그분을 결정할 것입니다.

다만 제가 한 가지 말하고 싶은 것은 대학교에 삼수해서 들어가도 우등생인 사람도 있기 때문에, 반드시 삼수가 나쁜 것은 아니지 않으냐 하는 생각이기 때문에, 삼수가 혹시 되더라도 너무 타박은 안 해 주셨으면 감사하겠습니다.(웃음)

고흥길 사실은 지금 김 대표께서 말씀하신 것을 제가 받아서 질문을 생각하고 있었습니다. 김 대표께서 떳떳하게 "내가 다음에 출마하겠다"고 말씀하실 것으로 기대를 하고 질문을 준비했는데, 사실 답변이 아직도 아리송해서 다시 이 문제를 짚고 넘어가야 될 것 같습니다.

지금 총무가 확실하게 출마하실 것으로 예상된다고 말했고, 지금 여야를 막론하고 차기에 김 대표가 다시 제1야당의 대권 주자로 나설 것이라는 것은 거의 공통된 인식이 아닌가 하는 생각입니다.

비단 저 혼자만의 생각이 아니고 국민 대부분이 그런 생각을 가지고 있다고 보는데, 다시 한번 이 문제에 대해서 당의 의사다, 당의 결정이다, 이렇게 간접적인 표현으로 미루지 마시고, 이 문제에 대해서 관심 있는 사람들이 상당히 많으니까 이런 관훈토론장에 와서 한번 말씀하시는 것도 상당히 의미가 있다고 생각됩니다.

이 문제에 대해서 다시 한번 생각을 해 주시고 답변해 주시고, 다음에 만약 출마를 하시게 될 때, 지명을 받으실 경우에 야당으로서는 어떤 절차에 의해서 언제쯤 이런 결정을 하게 될 것이냐 하는 문제도 아울러서 답변을 해 주셨으면 합니다.

김대중 뒤쪽부터 답변을 드리는 것이 좋겠습니다. 우리 당으로서는 민주적 절차에 의해서, 사전 내부 합의보다는 민주적 절차에 의해서 대통령 후보를 지명하는 것이 당으로서 떳떳하고 후보로 지명받은 사람도 떳떳할 것이다라고 생각하고 그 시기는 총선 끝난 후가 될 것이라고 생각됩니다.

그리고 다시 말하지만, 정치라는 것은 사실 제 일생을 해 온 것인데, 하나의 큰 경험이 있다면 아까 말한 하늘의 뜻이, 운이 있어야 되는 것이지 사람 마음대로 되는 것이 아니라는 것 하나와 또 하나는 정치는 내일을 모른다는 것입니다.

요즘 동유럽이나 소련의 사태를 보더라도 참으로 정치의 내일을 알 수 없습니다. 그래서 총선 후의 상황이 어떻게 될지 모르겠고, 저 개인으로서는 지금 그 문제보다는 총선에서 당이 승리하는 데 전력투구를 해서, 그 결과로서 우리 당의 모든 당원들이 총선 과정의 결과를 평가해서 어떤 사람이 나가는 것이 좋겠다는 당론이 집약되는 것을 보고 제 결심을 할 생각입니다.

그렇기 때문에 지금 분명히 대답 못 해서 대단히 죄송하고, 그 점은 아직 확실히 정한 바가 없다고 말씀드리겠습니다.

김인규 앞에서 두 분이 질문을 해 주셨습니다만 저는 조금 더 직선적인 질문을 던져 보겠습니다. 최근에 보면 몇 사람만 모이면 차기 대권 후보들이 누가 될 것이냐는 얘기들이 오고 가는데, 그 대권 후보의 대부분이 다 여권의 차기 후보에 관한 얘기지 야권의 후보가 누가 될 것이냐는 얘기는 거의 안 합니다.

그만큼 김 대표의 야권에서의 위상이 확실하기 때문에 여기에 대해서 의문을 안 갖는 것으로 해석이 되고 있는데, 그럴수록 국민들 가운데는 이번에 야권 통합이라는 큰일도 해냈고 또 지역감정 해소라는 야권의 큰 뜻도 살리고 그리고 우리 정치에서도 무엇인가 변화를 바라는 여론을 수렴한다는 뜻에서도, 이번 대통령 선거에는 내가 나가지 않고 새로운 인물을 내세우는 것이 어떻겠느냐는 신선한 충격을 기대하는 사람들도 있습니다. 이 부분에 대해서 김 대표의 입장을 듣고 싶습니다.

김대중 그것도 아주 좋은 말씀입니다. 아까도 말했지만 총선을 끝내고 나서 그때의 국민 여론과 당의 중론에 따라서 좋은 사람이 있고, 또 내가 생각해서 나보다 더 좋은 분이 있다면 당연히 그분을 추대할 수 있다고 생각합니다. 그 점에 대해서는 저는 담담한 심경을 가지고 있습니다.

박기정 이야기가 너무 경직되게 흘러서 이야기를 좀 바꿔 보겠습니다. 야권은 그렇다고 치고 현재 여권에서는 여러 가지 이야기가 많이 있는 것 같지만 무엇인가 분명하게 드러나지 않는 것 같습니다.

그래서 김 대표께서 생각하실 때 남의 집 얘기 같지만 그쪽은 어떻게 될 것 같은가? 아까 말씀하신 대로 김 대표께서는 대충 확실시된다고 되어 있으니까, 저쪽 집안은 어떻게 될 것인가? 그런 점에 대해서 한 말씀 해 주셨으면 좋겠습니다.

김대중 그것은 제가 박 부장에게 물어보고 싶은 이야기인데…….(웃음)

언론사에서의 광범위한 취재망을 가지고 계시는 분이 더 잘 아시지 않겠느냐 생각됩니다. 그리고 제가 남의 당 문제에 대해서 얘기하는 것은 별로 온당하지 않다고 생각하고 실제로도 잘 모르겠습니다.

이렇게 보면 김영삼 대표가 될 것도 같고 저렇게 보면 안 될 것도 같고…… 사람에 따라 들려오는 말도 다르고 그래서, 요즘 텔레비전에 나오는 부채 도사에게나 가서 물어봐야 알지 잘 모르겠다는 생각이 듭니다.(웃음)

장명수 시중에는 김영삼 민자당 대표가 만일 대통령 지명에 실패할 경우에 민자당을 탈당해서 김대중 대표를 도울 것이라는 설이 나돌고 있습니다.

만일 그런 사태가 일어난다면 김대중 대표께서는 김영삼 대표의 도움을 기꺼이 환영하시겠습니까?

김대중 그것은 함부로 답변 안 하는 것이 좋겠는데요. 있지도 않은 일 가지고, 그 답변은 이렇게 해도 안 되겠고 저렇게 해도 안 되겠고……. 죄송하지만 답변 안 하는 것이 좋겠어요.(일동 웃음)

박기정 저희 패널리스트들이 여기에 나올 때는 상당히 각오를 단단히 하고 나왔는데, 지금 출발부터 김 대표 말씀에 케이오(KO)는 아닌데 판정패 정도로 밀리고 있습니다.

이 자리에 야당에서 많은 의원들이 오셨고 또 저희 언론계 선배, 동료들이 많이 와서 지켜보고 있고, 또 국민들이 이 자리를 상당한 관심을 가지고 지켜보고 있을 것으로 생각합니다.

그래서 오늘 이 자리를 통해서 김 대표께서 좀 더 솔직한 의견을 거리낌 없이 말씀하셨으면 하는 것이 저희 관훈클럽의 바람이고 패널리스트들의 바람입니다. 사족이라서 대단히 죄송합니다.

지난 1987년 10월에 김 대표께서 1노 3김이 나왔을 때 누구를 제일 강력한 후보로 보느냐는 질문에 답변을 한 바가 있습니다. 그때 김 대표께서 김영삼 씨는 국민의 지지도로 보나 투쟁 경력으로 보나 어려운 상대이지만, 군사정권의, 여당의 프리미엄을 가지고 있는 노태우 씨도 상당히 강력한 후보다, 이렇게 답변을 하신 적이 있었는데, 김영삼 대표를 일단 차기 주자로 가정을 했을 경우에 김 대표는 국민적인 지지 기반도 상당히 가지고 있는 데다가 집권당의 프리미엄까지 갖춘 후보로 무장이 될 것 같습니다. 1987년도의 선거와 비교해서 두 분이 경쟁을 하실 때, 과거보다 상황이 더 좋아지리라고 생각을 하십니까, 아니면 상황이 더 어렵다고 생각을 하고 계십니까? 가상이라 좀 죄송합니다만 답변을 해 주셨으면 합니다.

김대중 사실은 1987년에 제가 그런 말을 안 하는 것인데 제 속마음이 드러나서 손해를 봤다고 생각됩니다.

김영삼 대표건 누구건, 역시 오늘의 우리 사회 같은 환경에서 정권을 장악하고 있고 막강한 금권을 갖고 있고 엄청난 조직이 있고 또 많은 관변 조직을 동원할 수 있는 그런 체제하에서는, 여당 후보가 꼭 누구라는 것도 중요하지만 반드시 그것만이 중요한 것은 아니고, 이러한 후보 외의 조건이 많이 있기 때문에 제 생각에는 누가 나와도 우리로서는 만만히 볼 수 없는 그런 힘겨운 상대가 될 것이라고 생각합니다.

그래서 전력투구를 했을 때만 선거에 이길 수 있을 것이라는 판단을 하고 있습니다. 그래서 저는 민자당에서 누가 후보로 나오든지 결코 경시할 수 없다고 생각합니다.

김인규 지금 내각제 음모가 결국은 장기 집권으로 연결된다는 말씀을 하셨는데 시중에는 이와 정반대의 의견도 있어요. 뭐냐면 내각제가 사실은 민자당이 원하는 게 아니라 오히려 민주당에서 내각제를 발의할 수도 있다, 그것은 오는 14대 총선이 고비다, 14대 총선에서 민주당이 지금 우세한 의석을 차지하고 있는 호남 지역을 제외한 다른 지역에서 지난 광역 선거와 같이 참패를 할 경우에는, 결국은 김 대표가 정치적인 장기 집권, 야당 당수로서의 그것을 계속 유지하기 위해선 다른 방법이 없지 않으냐? 그때는 결국 지역 당의 실체를 실감하게 될 것이고 그러한 지역 당의 실체를 실감하게 되면 내각제를 통해서 지분이라도 유지하려고 할 가능성이 없지 않다, 오히려 그것은 민자당보다는 민주당에서 뒤집어씌우기다라는 의견이 없지도 않습니다.

이 점에 대해서 또 한 가지 문제는, 김 대표께서 최근 야당 통합 때 기자 간담회에서 말씀하신 대로 대통령의 결선투표제가 필요하고 또 지역감정 해소라든가 후계자 양성의 측면에서 부통령제를 신설하겠다는 것이 바람직하다, 이것을 만약 개헌이 안 되면 선거공약으로라도 내걸겠다는 말씀을 하신 적이 있는데, 14대 총선의 공약으로 내건다는 말씀입니다. 결국은 야당도 개헌할 뜻은 가지고 있는 것이 아니냐? 그런 뜻에서 의심하는 사람들이 많은 것 같습니다. 이 점에 대해서 김 대표께서 솔직한 의견을 말씀해 주셨으면 합니다.

김대중 민주당이 속으로는 내각책임제를 더 바라고 있다, 그런 분이 세상에 있다니까 저보다도 제 속을 더 잘 아는 분이 있는 모양인데……(웃음)

분명히 말해서 우리는 그렇게 생각하지 않습니다. 우리는 이다음 선거에서도 어느 특정 지역에서만 의석을 얻고 다른 지역에서는 못 얻을 것이라고 생각지 않습니다. 지난번에도 우리가 호남과 서울에서 이겼는데, 사실은 그때 당내에서 분규가 생겨 대량 이탈 사태가 없었다면 경기, 서울에서도 상당한 성과를 올렸을 것입니다.

여하튼 우리는 지금 자타가 인정하는 단일 야당이 되었는데 이 나라 국민들이 야당을 전부 외면하고 여당만 찍으리라고는 생각지 않습니다. 우리는 능히 개헌 저지선을 돌파할 것이고, 과반수도 넘어설 수 있다고 생각하고 있습니다.

그리고 아주 극단적으로 얘기해서 선거에 우리가 패배했다고 하더라도 내각책임제를 지지하지 않습니다. 안 하는 이유는 단순히 특정 세력이 영구 집권을 노리기 때문에만 반대하는 것이 아니라, 내각책임제가 근본적으로 지금 이 나라에서는 맞지 않는다고 생각하고 있기 때문입니다.

그 이유의 하나는, 지금 군인들이 정치적 중립을 지키는 방향으로 많이 나가고 있지만 아직도 군사 문화가 지배하고 있고, 군인들의 정치 개입의 가능성을 100퍼센트 배제할 수 없는 이러한 여건하에서, 내각책임제를 해서 군을 통솔하는 권한이 대통령과 총리, 둘로 갈라져 나간다면 과거 민주당 정권 때와 같이 결국에 가서는 군의 통솔력이 약화될 가능성이 있기 때문에 그것은 우리나라에서 바람직하지 않다는 것입니다.

그리고 또 하나는 정경유착의 문제입니다. 일본같이 모든 것이 잘되고 있는 나라도 세계에 내놓고 얼굴을 들 수 없이 부끄러운 것이 또 있는데, 그것은 정치의 부패상입니다.

내각책임제는 여러분이 아시는 대로 의원 수를 다수 확보한 사람이 정권을 잡습니다. 여러분이 일본의 자민당을 보다시피 완전히 돈 가지고 의원 수를 확보하는 면이 있습니다.

따라서 우리나라같이 재벌들이 일본과 같은 국민적 기업의 전문적 재벌이 아니라, 기업이 전부 개인 소유, 혹은 일가족 소유의 그런 상태에서 우리가 내각책임제를 하면 엄청난 정치 부패를 막을 수 없을 것이고, 정당과 개인들이 과거 일제하의 일부 정당이나 개인같이 모든 새빌이니 기업들에게 예속되는 그런 상태로 갈 것입니다.

따라서 저는 근본적으로 이런 두 가지 점에 있어서 내각책임제는 바람직하지 않다고 생각하고 있습니다. 그리고 우리가 그럴 리는 없다고 믿고 있지만, 가상해서 선거에서 좌절된 경우에도 내각책임제는 지지하지 않겠다는 것이 분명한 입장입니다.

그리고 저 개인으로서는 러닝메이트제나 결선투표제가 바람직하다고 생각합니다. 이것은 민주체제하에서 당연히 그렇습니다. 특히 우리나라같이 지역감정이 격화된 나라에 있어서는 러닝메이트제만이 이 문제를 해결하는데 가장 효과적인 방법입니다.

미국이 남북전쟁 이후 두 나라로 분리 독립될 위기를 남북이 정부통령을 서로 하나씩 내세운 러닝메이트 제도를 통해서 극복하고 나라를 유지해 왔습니다. 지금도 공화당이건 민주당이건 다 남북을 배합하는 러닝메이트제를 하고 있습니다.

그러나 이 문제에 있어서는 아직 당내에서 합의를 보지 못했습니다. 당내에서는 제가 말하는 그런 장점은 인정하지만, 또 다른 문제점도 있기 때문에 아직 이것을 결정하기에 이르다는 의견도 있기 때문에, 지난번에 당 정책에 넣지 않았습니다. 이 문제는 선거공약을 만들 때 주위의 의견을 들어봐야 될 문제이기는 하지만, 저 개인으로서는 그 생각을 그대로 가지고 있습니다.

또 노태우 대통령이 36퍼센트의 지지로 당선이 됐는데, 결선투표제를 하지 않고 과반수 미만의 지지를 가지고 대통령을 하는 나라가 제가 알기로는 없습니다.

지난번에도 만일 결선투표제를 했으면 야당 후보가 하나로 합치기 때문에 노태우 후보는 당선이 안 됐을 것입니다. 막강한 권력의 대통령중심제를 가지면서 50퍼센트에도 못 미치는 30퍼센트 정도의 지지를 가지고 대통령을 한다는 것은 절대로 정통성을 주장하기 어려운 일입니다. 그래서 결선투표제가 필요하다고 생각합니다.

그런데 아까 말한 우리 당내의 의견 조정 문제, 또 하나는 지금 지적한 개헌 문제를 잘못 꺼냈다가는 다른 개헌 문제에 구실을 줄 우려도 있다는 점 때문에, 이 문제는 부득이 현실적 여건 때문에 신중히 해야 하지 않는가 이렇게 생각하고 있습니다.

고흥길 다음에는 답변을 하기 쉬운 당면한 정치 현안에 대해서 여쭈어보겠습니다. 요사이 여야 사무총장 간에 정치관계법 협상이 막바지의 단계에 이르렀습니다. 특히 야당 쪽에서는 정치자금법 개정 문제에 상당히 주력을 하고 있는 것으로 생각됩니다만, 물론 정치자금이라고 하면 오늘의 상황에서 야당이 상당히 어려움을 겪고 있는 것은 누구나 다 알고 있는 입장입니다.

그래서 이번에 당초 협상할 때 내놓은 안을 보면, 국고보조금에 있어서 현재 유권자 한 사람당 400원씩으로 되어 있는 것을 한 사람당 천 원씩으로 올리자, 그리고 정당 추천 선거가 있을 때마다 천 원씩 올리자는 안을 내놨더군요.

그렇다면 내년 같은 경우에 정당 추천 선거가 세 차례 있을 경우 국고 보조가 국민 일인당 4천 원씩이니까 현행보다 약 10배 가까운 국고 보조를 일단 협상안으로 내놨습니다.

이에 대해 여러 가지 점에서 너무 일시에 많은 것을 요구하는 것이 아니냐는 시각들이 있는데 이에 대해서는 어떻게 생각하십니까?

김대중 대단히 일리가 있는 말씀입니다. 그런데 명년은 네 개의 선거가 한꺼번에 있기 때문에 특수하다는 것을 우리가 염두에 두어야 할 것 같습니다.

그리고 우리가 이렇게 정당에 대한 국고 보조, 그리고 국민의 기탁으로써 하고 그 이상 돈을 안 쓴다면, 지금까지와 같은 그런 엄청난 돈을 선거 때 쓰는 것에 비하면 대단히 적은 액수로써 선거를 치를 수 있습니다.

한 선거에 득표율에 따라 천 원씩 준다고 하면 결국 여야가 전부 받아들인 돈이 200억 정도밖에 안 됩니다. 200억 정도 가지고 선거를 한다면 국회의원 선거, 광역 선거, 대통령 선거, 모두 합해서 600억 원밖에 안 듭니다. 기초단체장은 정당 공천이 아니기 때문에 정당이 받을 이유가 없습니다. 그러면 600억을 가지고 선거한다면, 지난번에 광역 선거 하나만에도 2조 원이 들었다는데 얼마나 싸게 먹히는 것입니까?

그리고 민주주의를 하려면 선거를 해야 하고 선거를 하려면 정당이 있어야 합니다. 그렇다면 자기가 지지한 정당에 대해서 한 번 투표하면서 천 원 기부하는 그런 부담은 감내하겠다는 국민이 많을 것으로 생각됩니다. 요새 하루 품팔이를 해도 3만 원, 5만 원을 받습니다. 천 원 가지고 좋은 정치가 된다고 하면 국민은 기꺼이 감내할 것으로 생각됩니다.

문제는 그러한 부담이 중요한 것이 아니라, 국민에게 그런 부담을 지워 놓고 뒷구멍에서 엄청난 돈을 따로 쓰는 데 있습니다. 이것은 정부와 대통령이 안 하겠다고 결심하면 안 하게 됩니다.

광역 선거 때도 돈 못 쓰게 하고 선거 사범 다스린다고 하면서 전부 여당 후보들이 한 사람당 몇십억씩 뿌린 사람들이 수두룩하고, 신문에 얼마든지 그 사례가 보도되지 않았습니까? 그렇기 때문에 저는 이 점에 있어서는 오히려 깨끗이 전면적으로 양성화시켜서 그 이상 쓰지 않게 만들면 우리 정치가 깨끗하게 되고, 국민도 그렇게 한다면 천 원씩 내는 것을 양해하실 것이라고 생각합니다. 물도 항아리에서 퍼내려면 깨끗이 한 말 퍼내고 두 말 퍼내는 것이 낫지, 구멍으로 새게 만들면 밤새 지내고 나면 빈 항아리가 됩니다.

정치자금을 음성화시켜서는 안 됩니다. 양성화시켜야 합니다. 그렇게 될 때 비로소 정치가 평정화되고 건전화된다고 생각해서 저희 당은 이것을 주장하고 있습니다. 이것은 저희 당만이 주장하는 것이 아니라 외국에 이런 예가 참 많습니다.

일례를 들면 독일의 경우, 내각책임제이기 때문에 국회의원 선거가 가장 중요한 선거인데, 총투표수에서 0.2퍼센트 이상 얻은 정당에게 정치자금을 국가에서 줍니다. 한 표에 대해서 5마르크를 줍니다. 5마르크면 우리 돈으로 2500원입니다. 독일은 2500원인데 우리는 천 원만 달라는 것이기 때문에 그렇게 과도한 주장도 아니지 않은가 이렇게 생각합니다.

고흥길 보충 질의하겠습니다. 지금 말씀하시기를, 국고보조금이 민주당이 주장하는 대로 제대로만 된다면 그 범위 내에서 선거를 치를 수 있다고 말씀하셨는데, 지난 10월에 민주당이 확정한 정치관계법 개정 속에는 이런 것이 들어 있었습니다. 전국구 헌금을 양성화할 수 있는 법안, 즉 전국구 선거자의 선거 비용 부담금제를 신설하자, 이런 내용이 담겨져 있었습니다. 그런데 이런 의견을 제안했다가 비판적인 여론이 나오니까 조금 후퇴한 것 같은 감을 받았는데, 이번 기회에 전국구 헌금 양성화 문제에 대한 명확한 입장을 밝혀 주십시오.

김대중 우리 당은 전국구 헌금을 과거 13대 때에 반수는 받지 않고 반수는 받았습니다. 반수는 영입 또는 당에서 고생한 분들을 한 닢도 받지 않고 국회의원으로 추대했고 반수는 받았습니다. 그래서 선거를 치렀습니다.

그러나 이러한 정치자금을 양성화하자는 것은 역시 전국구로부터 정치헌금을 받는 것은 바람직하지 못하다는 생각에서 나온 것입니다. 이렇게 해서 선거를 할 수 있게 해 주면, 물론 이 돈 가지고 선거가 다 되는 것은 아닙니다만, 법정 선거자금의 반 정도를 당에서 나누어 줄 수 있게 됩니다. 그러나 나머지는 출마자 스스로가 마련해야 할 테니까 그 정도면 할 수 있다고 생각하고 있고, 법으로 정치자금이 국고로써 허용이 되면 전국구 헌금은 일체 받지 않을 결심으로 있습니다.

박기정 정치자금법 개정이 민주당의 뜻대로 안 되면 전국구 헌금을 받을 수밖에 없지 않으냐, 그렇게 생각을 할 수 있도록 말씀하셨습니다. 거기에 대한 답변을 해 주시고 여기에 첨가해서 말씀드리고 싶은 것은, 전국구 의원을 헌금을 받고 공천을 했기 때문에, 물론 그것이 전부는 아니겠지만 이 나라 정치가 국민들로부터 신뢰를 받지 못하는 현상까지 빚어지지 않았냐는 그런 시각도 있습니다.

그래서 정치자금법 개정이 민주당의 마음에 들지 않더라도, 차제에 전국구 의원의 경우는 아예 헌금을 받지 않고 건전하고 신선한 정치 지망생들이 입문을 할 수 있도록 정치 지도자이신 김 대표께서 특별히 이번부터 배려를 하실 생각은 없으신지 여쭤보고 싶습니다.

김대중 그 문제에 있어서는 아까 말이 그렇게 나왔지만, 정치자금법이 개정이 안 되면 전국구로부터 헌금을 받겠다는 바로 그 말은 아닙니다. 그런데 제가 언론계에 계시는 여러분께 말하고 싶은 것이 두 가지 있습니다.

하나는 전국구를 정치자금 받았다고 해서 자격 없는 사람을 마구 끌어들이는 것은 아닙니다. 우리 당에는 헌금을 하고 전국구로 당선된 분들이 있는데, 여러분들이 내일이라도 그 전국구 의원들의 국회에서 발언한 속기록을 한번 검증해 보면 아십니다. 그분들은 어느 지역구 출신 못지않게 아주 우수한 실적을 보이고 있습니다.

그렇기 때문에 돈 주고 팔았기 때문에 아무나 데려온 것은 아니고, 또 돈 주고 들어왔기 때문에 의원으로서 성실하게 일하지 않는 것이 아닙니다. 이 점은 제가 분명히 현재 국회에 있는 속기록을 가지고 그분들이 대단히 훌륭한 의원 생활을 했다는 것을 입증할 수 있습니다.

그리고 정치자금법을 개정해서 야당에게 돈도 안 주고 전국구에서 헌금도 받지 말라 하는 것은 결국은 본의 아니게 야당은 손들고 선거하지 말라는 얘기가 됩니다. 그렇기 때문에 아직 그렇게 되기 전에 언론들이 좀 여론을 환기시켜서, 선거를 하려면 필연적으로 돈이 드는 것이니까 정당이 그런 음성적인 방법으로 돈 거두어들이지 않고도 선거할 수 있도록 여론을 일으켜 주셨으면 좋겠습니다.

여러분이 아시는 대로 여당은 수서사건처럼 비리도 저지르고 기타 엄청난 자금을 거두어들입니다. 내가 알기로는 대형 공사치고 정치자금 안 바치고 공사 따낸 사람이 없습니다. 큰 이권치고 정치자금 안 바친 사람들이 없습니다. 그래서 여당은 수조 원을 마구 쓰면서 선거를 하고, 야당은 정치자금도 안 들어오고 당내에서 헌금도 못 하게 하고 그러면 어떻게 선거하라는 말입니까? 이것은 현실의 문제입니다.

그러면 야당은 간판 내리고 여당 일색으로 모든 것 다하는 것을 그래도 놔두고 보라는 것인가? 전투를 하려면 탄환이 있어야 하는 것인데, 한쪽은 탄환을 산같이 쌓아 놓고 한쪽은 탄환 몇 발 가지고 공정하게 해 보라고 하는 것은 말이 안 된다고 생각합니다.

그래서 정녕 안 되었을 때 우리가 어떻게 해야 하느냐, 당 문을 닫느냐, 아니면 무슨 방법을 취하느냐는 것은 그때 또 여러분들이 알 수 있게 우리의 당론을 정하겠습니다.

그런데 아직도 국회 폐회까지는 12일이나 있기 때문에 정치자금법이 개정되도록 끝까지 최선의 노력을 기울이겠습니다. 언론계 여러분이 관심을 가져 주셨으면 합니다.

대통령이 저하고 분명히 약속했습니다. 야당도 정당할 수 있고 야당도 선거할 수 있도록 해 주겠다, 보장해 주겠다고 말했어요. 대통령이 제게 약속을 하고 보장을 했으면 현실적으로 해 주어야지, 말만 그렇게 해 놓고 안 한다, 그러면서 자기들은 수조 원의 돈을 끌어다가 마구 뿌리면서 선거한다, 이런 것은 언론계가 용납해서는 안 되지 않는가? 이래서 오히려 언론계에서 우리를 도와달라고 부탁하고 싶습니다.

박기정 저도 갑자기 생각나는 질문을 하나 드리겠습니다. 공천 문제가 나와서 말씀드리겠습니다만, 호남 지역에서는 실례된 말씀이지만, 김대중 공천은 바로 당선이다, 지금 그렇게 되어 있기 때문에 다시 실례의 말씀을 드리겠습니다, 막대기라도 공천하면 당선된다는 것이 공공연하게 나오고 있는 실정입니다. 그렇기 때문에 공천을 따내기 위해서는 선거운동에 필요한 돈을 공천을 따는 데 다 쓴다는 그런 얘기도 없지 않습니다. 다시 말해서 호남 지방에 대한 공천은 어떤 면에서 보자면 지역감정에 편승한 형태가 아닌가 하는 지적도 있습니다만 그것에 대한 견해는 어떠십니까?

김대중 그런데 마치 호남 지방에서만 저희 당의 공천을 받으면 당선되는 것같이 생각하시는데, 지난 선거 때 민정당 공천을 받으면 바로 경북 대구에서는 당선이고 민주당 공천받으면 부산에서는 바로 당선되지 않았습니까? 반드시 호남에서만 그렇게 되는 것같이 여러분들은 생각하시는데, 그것은 공평한 점이 좀 부족하지 않은가 생각됩니다.

그리고 아까도 말했지만, 만약 우리가 공천하면 호남의 유권자들이 무조건 찍을 것이다, 이렇게 오만한 생각을 가지고 한다면 무서운 반발을 받습니다. 여기서 분명히 말씀드릴 것은, 호남의 유권자가 제 호주머니에 들어 있는 것이 아니라 제가 호남 유권자의 호주머니에 있습니다. 호남의 유권자는 저를 담고 다닐 권리도 있지만 저를 버릴 권리도 있습니다. 저는 결코 그 유권자들을 마음대로 좌지우지할 수 없습니다.

저는 호남의 유권자뿐 아니라 모든 유권자에 대해서 마찬가지입니다만, 특히 압도적으로 지지해 준 분들의 은혜와 뜻을 받들기 위해서 정말 살얼음판을 걷는 심정으로 아주 조심스럽게 노력하고 있습니다. 조금도 소홀히 하거나 무시하지 않습니다.

그러한 노력과 자세를 계속할 때만 지지를 받을 수 있을 것이라고 생각하고 있습니다. 그렇기 때문에 유권자를 무시하면서 함부로 부당한 공천을 한다든지, 어떤 지역에서 다른 좋은 사람을 제쳐 놓고 자격 미달의 사람을 공천한다든지 하는 일은 절대로 있을 수 없습니다.

김인규 너무 분위기가 딱딱해지는 것 같아서 영화 얘기를 하면서 분위기를 식혀 보고자 합니다. 제가 지금 드리는 질문은 1분은 넘을 것 같으니 총무께서 너그럽게 양해를 하시고 좋은 치지 말아 주십시오.

한 몇 년 전에 단성사에서 제가 본 영화인데, 한국 제목은 잘 모르겠고 미국 영화인데 원제는 「One Potato, Two Potato」라고 생각됩니다. 그 내용은 이렇습니다. 흑인 남자와 백인 여자가 서로 사랑을 해서 백인 여자가 아이를 낳습니다. 그러다가 몇 년 후에 이혼을 하게 됩니다. 이혼을 하게 된 몇 년 후에 아이가 스무 살이 채 안 되었을 때인데, 미성년자라서 의사 결정을 할 수 없을 때입니다.

이 아이의 어머니가 남편에게 돌아간 아이의 양육권을 다시 달라고 소송을 제기했습니다. 그때 미국 판사의 판결이 상당히 감동적이었습니다. 엄마가 과거에 아빠에게 양육권을 준 딸아이를 다시 달라는 이유가 "미국 사회에는 흑백차별이 아직도 상존하고 있다. 그래서 얘는 흑인 아버지의 아래서 자라는 것보다는 백인 어머니 밑에서 자라는 것이 이 아이의 장래를 위해서는 좋다. 그래서 내가 이 아이의 양육권을 주장한다"는 요지였습니다. 논란 끝에 결국 판사가 내린 결론은 "미국의 흑백차별이 있다는 것 자체는 상당히 모순이고 잘못된 일이다. 그러나 현재 미국에는 흑백 인종차별이 엄연히 존재하고 있다. 그래서 여론이나 국민의 편견이 잘못된 것이고 불합리하기는 하지만 그렇다고 해서 우리가 무시할 수는 없다. 따라서 이 아이의 장래를 위해서는 어머니가 양육하는 것이 마땅하다"는 것이었습니다.

이 말씀을 드리게 된 것은, 최근에 나도는 소문을 전제로 말씀을 드리는 것인데, 이 자리에 나오기 전 제가 며칠간에 걸쳐서 김 대표의 가족 관계, 신문 스크랩, 잡지 등을 상당히 열심히 읽었습니다.

어느 여성 잡지에 큰 자부子婦를 인터뷰한 기사가 있었어요. 큰 자부가 영동에 택시를 타고 갔는데 택시 운전기사가 어느 큰 중국집 앞을 지나면서 "이게 야당을 하는 김 모 씨의 큰아들이 하는 음식점이다."라는 얘기를 하더라는 겁니다. 그래서 본인이 너무 마음이 안되고 기분이 나빠서 "실은 내가 그 집의 큰며느리의 친구 되는 사람인데, 그것은 사실이 아닙니다. 잘못 아신 것입니다." 하고 이해를 시키느라 혼났노라면서 참으로 마음이 아팠다는 말을 인터뷰를 통해서 읽었습니다.

시중에는 큰 자부께서 토로했듯이 김 대표의 개인적인 치부 관계, 돈 문제에 대한 얘기들이 많이 나돌고 있는 것이 사실입니다. 한마디로 "공천에서 상당히 챙겼다더라. 앞으로 대선 준비를 위해서 상당 액수를 증권에 투자한다더라."든가, 다른 방법으로 무언가를 하고 있다, 또 자녀들이 굉장한 화식집을 하고 있다는 등의 뜬소문이 아직까지도 나돌고 있습니다.

그래서 이러한 기회에 김 대표께서 세상의 여론에 대해서 분명하게 밝혀 주시면 어떻겠느냐? 그리고 지난번 1987년의 출마 시에, 내 재산이 얼마고 동교동 집이 얼마고 해서 밝히신 적이 있습니다. 지난 1987년에 비해서 오늘 이 시간 현재 김 대표께서 갖고 계시는 부동산은 얼마고, 동산은 얼마고, 내 직계가 가진 것은 얼마고, 그래서 대개 어느 정도 된다는 것을 밝혀 주실 수 있는지, 이 자리에서 말씀해 주시면 감사하겠습니다.

김대중 사람이 세상 살다 보면 너무도 억울한 말을 많이 듣고 삽니다. 그런데 저는 특별히 그런 경험이 많습니다. 하나는 부덕의 소치이고 하나는 정보 정치, 공작 정치와 피투성이의 싸움을 해 오는 과정에서, 그들이 제가 민주주의를 위해 싸우니까 밉다고는 못 하고, 때로는 사상이 나쁘다고 하고 때로는 치부를 했다고도 하고……, 그런 것을 의도적으로 퍼뜨려 왔습니다.

여러분이 잘 아시는 대로 1987년 대통령 선거 때는 『동교동24시』라는 책을 안기부 간부가 직접 개입해서, 그들이 고용한 사이비 작가가 써 주고, 내 경호원 하던 사람의 이름을 빌려 발행해서 마구 뿌려 대기도 했습니다. 그것이 저에게 엄청난 타격을 주었습니다.

지금 말한 중국요릿집도 그렇습니다. 우리는 그 집의 젓가락 하나 가진 적이 없습니다. 그런데 우리에게 누명을 뒤집어씌워서, 어떤 주간지가 그렇다고 썼습니다. 그런데 그 주간지에 그것은 사실이 아니니까 시정해 달라고 아무리 요구해도 시정을 해 주지 않습니다. 이런 무책임한 언론의 피해도 큽니다.

제가 당한 것은 제 일이니까 괜찮지만, 솔직히 자식 가진 부모의 심정으로서 제 자식이 저 때문에 사업도 제대로 못 하고, 정치도 못 하고, 그러면서 그런 누명만 자꾸 쓰고 있는 것을 보면, 아무리 자식이지만 부모로서 면목이 없고 측은하기 짝이 없습니다. 때로는 며느리 보기가 부끄럽고 손녀들이 중학교, 고등학교에 다니는 나이인데 그 애들 보기에도 참 가슴 아픈 때가 한두 번이 아닙니다. 여러분도 자식을 가진 부모로서 저의 심정을 이해할 것입니다.

그리고 저는 여기서 분명히 말하지만 지난번 1987년에 밝힌 대로 그때의 재산에서 늘어난 것이 없습니다. 저의 자식들도 그렇습니다. 제가 정치를 하기 때문에, 다른 모든 정치인과 마찬가지로 저도 정치자금을 만듭니다. 그러나 정치자금을 만드는 데 있어서, 저의 양심에 가책이 되거나 또 그와 관련해서 양심에 가책될 일을 하거나 하는 일이 없습니다.

솔직히 얘기해서 저는 많은 어려운 고비를 넘겼기 때문에, 물질에 대해서는 그렇게 집착하지 않습니다. 제가 자식들에게 들려주는 교훈 가운데 하나가, "부자도 되지 말고 가난하게도 되지 말아라. 부자가 되어도 인격을 유지할 수 없고, 가난해도 인격을 유지할 수 없다"고 말합니다.

장명수 김 대표께서는 지금까지 왜 후계자를 키우지 않느냐는 질문을 여러 인터뷰에서 많이 받으셨고, 그때마다 정치 지도자는 누가 키워 주는 것이 아니고 자기 힘으로 커 나와야 된다고 대답하셨습니다. 그런데 우리나라처럼 여당도 야당도 그처럼 권위주의적이고 인물 중심적인 정치 풍토에서 젊은 세대가 자기 힘만으로 커 나올 수 있다는 것은 매우 의심스럽습니다. 이제 민주당 대표로서 새로운 세대의 정치적 지도자들을 키우기 위해서 어떤 복안을 갖고 계십니까?

김대중 저는 정치 지도자는 자기 힘으로 커야 한다, 당의 몇몇 지도자감에 대해서는 당직이나 국회의 직을 주면서 기회를 주고 있다, 그러나 결국은 대통령감의 정치 지도자는 자신이 커 나가야지 남이 키워 주는 것이 아니다, 이렇게 말해 왔습니다. 분명히 지금도 그런 사람들에 대해서 기회를 주고 있습니다. 그리고 실제 격려도 하고 있습니다.

저는 지난 1971년 대통령 후보가 될 때, 당시의 당수로부터 철저한 견제를 받았습니다. 그래서 당직을 전혀 얻지 못했습니다. 대통령 후보를 경합할 때에는 당수가 특정인을 밀고 완전히 저를 공개적으로 반대했습니다. 그러나 저는 그것을 뚫고 싸워서 결국 제가 2차 투표에 역전승을 해서 대통령 후보가 되었던 것입니다.

저의 경험으로 보더라도 당수가 막더라도 될 수 있는데, 당수가 기회를 주는데 왜 성장하지 못하느냐, 이렇게 격려하는 의미에서 그런 말을 하고 있습니다.

분명히 지금 말한 대로, 저는 우리 당내에서 좋은 후배들이 커 나가기를 바라고 있고 또 그분들이 성장하는 것을 보는 것을 기쁨으로 생각하고 있습니다. 그러나 결국 여러분이 보시다시피, 민자당의 민정계의 경우 대통령 후보감이 없어서 저렇게 난리를 피우는 것을 볼 때, 국민이 인정하는 후보자감이라는 것은 어느 정도 본인이 노력을 해서 커 나가야지 인위적으로 만들어지는 것이 아니라는 것을 알 수 있습니다. 그렇기 때문에 본인이 노력을 해야 한다는 편달과 격려의 의미로 그렇게 말하고 있는 것입니다.

박기정 오늘날 야당을 걱정하는 사람들의 얘기를 들어 보면 대체적으로 두 가지로 집약이 됩니다.

하나는 야당이 공당이라기보다는 너무 일인 정당에 가깝다는 얘기들을 하고, 두 번째는 당의 충원이 제대로 안 되어 있다, 전근대적이다라는 두 가지의 지적을 하는데, 첫 번째 문제는 제가 질문하고 싶은 사항이 아니고, 두 번째 충원의 문제를 묻고 싶습니다.

이제까지 야당이 문호 개방이다, 신진 인사 영입이다, 이런 얘기를 과거부터 많이 해 왔는데 대개 보면 참신한 인사를 영입한다기보다는 상당히 구 야권에 가까웠던 사람, 또는 과거에 야성 경향이 있는 사람, 대개 이런 사람의 충원에 그쳤습니다. 고위 공직자라든지 또는 대학교수라든가, 물론 그런 분이 전혀 없다고 하는 것은 아닙니다만, 또는 고위 장성을 지냈다거나, 어느 면에서 보면 사회적으로 상당히 보수 지향적인 면도 있으면서 안정된 계층의 인사들은 충원이 되지 않았지 않느냐는 생각이 듭니다. 물론 그것은 우리나라의 독특한 정치 문화 탓도 있겠습니다만 야당 자체도 문제가 있는 것이라고 생각합니다.

지금 14대 공천과 결부해서 야당에서 몇몇 예비역 상성과도 교섭이 진행 중이고 여러 명망 인사와도 교섭이 되고 있다는 것을 민주당 측에서 밝힌 적이 있는데, 실질적으로 외부 인사의 영입 작업이 어느 정도 진행이 되고 있는지, 공개할 수 있는 부분은 여기서 밝혀 주시고, 그러한 외부 인사들이 앞으로 14대 총선에서 어느 정도 소화가 될 수 있을지 가능하면 그것까지 밝혀 주셨으면 합니다.

김대중 질문은 아니라고 그랬지만, 일인 정당이라고 하는 데 대해서 한 말씀 드리겠습니다. 우리나라에는 이상한 도그마가 있어서 야당은 일인 당이고 여당은 아닌 것같이 인식하고 있는 분들이 있는데, 저는 그 점에 대해서는 큰 의문을 가집니다. 요즘 민자당이 대통령 후보에 대해 얘기하는 것을 보면 당연히 후보가 여러 명 있으면 경선해야 할 것 아닙니까? 그런데 모든 이들이 한결같이 하는 소리가 "노태우 대통령의 의지에 달렸다"고 합니다. 세상에 그런 민주주의가 어디에 있습니까?

그런데 우리 민주당이 아까 말씀과 같이 한 사람밖에 없지 않으냐고 하는데, 민주당은 저나 이기택 대표최고위원부터 계속적으로 당내의 투표를 통해서 뽑혔습니다. 그런데 이쪽은 일인 당이고 저쪽은 일인 당이 아니다? 이런 것은 우리로서는 참 이해할 수 없습니다.

그리고 지금 민자당은 완전히 노태우 대통령 한 사람이 모든 것을 다 결정합니다. 그런데 우리는 열 사람의 집단 지도 체제입니다. 아마 초민주주의라고 할까, 초집단 지도 체제를 하고 있는데 일인 정당이라고 말하기는 어렵지 않은가 생각합니다.

솔직하게 제가 한 가지 얘기하겠습니다. 일인당이라고 하는 말은 결국 저를 두고 하는 말일 것인데, 과거에 구 민주당 하던 분들이 통합 야당에서 활동하면서 느끼는 심정을 이렇게 고백하고 있습니다. 밖에서 생각할 때는 지금 말씀하신 대로 그렇게 생각했다는 것입니다. 그런데 와서 당 운영하는 것을 보고, 모든 것을 회의에서 중론에 따라 결정하니까 그동안 오해하고 있었다는 것을 본인들이 얘기하고 있습니다. 그렇기 때문에 그 점에 대해서 지적해 주신 김에 오해를 풀기 위해서 말씀드리는 것입니다.

그리고 영입 문제인데, 사실 과거에는 우리가 좋은 분들을 영입하고 싶지 않아서 그런 것이 아닙니다. 가서 말해 봤자 오려고 하지 않습니다. 그래서 참 어려웠습니다. 그런데 이번 통합 이후에는 여건이 달라졌습니다. 그래서 제가 볼 때는 군 고위 장성급을 위시해서, 상당히 유력한 대학의 현직 교수라든가 혹은 전직 공무원이라든가 경제계 인사라든가 이런 분들이 내정되고 있고, 일부는 공천 신청도 내고 있습니다. 전국구에도 상당히 영입이 될 것입니다. 그래서 이번에는 야당에도 어느 정도 새로운 인재가 대거 들어오지 않겠느냐, 그리고 아까 말한 대로 국민 전체가 볼 때 안정감을 가질 수 있는 그런 보수 경향을 띤 인사도 상당히 들어오지 않겠느냐고 생각하고 있습니다.

장명수 외부 인사의 영입, 특히 여성 인력의 영입에 대해서 다시 질문을 드리겠습니다. 스웨덴이나 노르웨이나 대만 같은 나라에서는 여성들의 정치 진출을 늘리기 위해서 지방의회 의원이나 국회의원 선거에서 일정한 비율을 여성에게 할당하는 여성쿼터제를 시행하고 있습니다. 또 지난번 평민당은 지자체 선거를 앞두고 여성들의 진출을 돕기 위해 비례대표제 도입을 주장하면서, 그 비례대표 후보의 순번을 정할 때 남성 번호는 홀수로 혹은 여성 번호는 짝수로 남녀남녀, 이런 식으로 배정해서 적어도 비례대표에 있어서는 절반 정도는 여성이 당선될 수 있도록 하겠다는 안을 제시한 바 있습니다. 그런데 민주당은 앞으로 14대 국회의원 선거에 앞서서 전국구 후보를 배정할 때, 여성을 몇 퍼센트 정도나 공천하실 예정인지 밝혀 주시기 바랍니다.

김대중 몇 명 할진 아직 모르겠고요. 여성을 전국구에 반드시 안배해서 추대할 생각입니다. 그런데 여성 문제가 나와서 말인데, 제가 볼 때는 우리나라 여성이 아시아에서 학력과 지적 수준이 최고로 높은데 정치의 수준은 따라가지 못합니다. 필리핀에서는 여성이 대통령이고, 미얀마에서는 여성이 야당 당수인데 선거에서 이겼고, 방글라데시에서는 여야 당수가 모두 여성입니다. 인도나 스리랑카에서도 여성 총리가 집권했고 파키스탄에서도 했는데, 우리나라는 이번 국회의원 공천 신청에서도 여성의 수가 한 다섯 명 정도밖에 안 됩니다. 그리고 막상 여성들이 선거에 나와도 당선이 잘 안 됩니다. 여성들이 정작 여성 후보들에게 표를 잘 안 찍는 것입니다.

광역 때도 참 애를 먹었습니다. 그래서 여성들이 여성에게 표를 찍는 운동을 해 주어야겠다고 생각합니다. 전국구에만 들어오면 뭐 합니까? 뭐 합니까라는 말은 잘못됐고, 그것도 중요하기는 하지만, 여성들이 지역구에서 당선되어서 들어와야 하는데 우리에게는 이것이 너무도 부족합니다.

그래서 하다못해 여성을 비례대표제에 할당해서 넣자고 지난번 광역 선거를 앞두고 열심히 주장했지만, 여당이 듣지 않아서 이루어지지 못했습니다. 광역 선거에서도 우리가 그런 운동을 하고, 여기 앉아 계시는 박영숙 최고위원이 앞장서서 뛰고 했지만, 여성들의 호응도가 제가 볼 때는 약했습니다. 만일 여성들이 앞장서서 민자당에게 "만일 여성 비례대표제를 받지 않으면, 우리 여성은 절대 여당에 표 안 주겠다"고 제대로 단합하여 으름장을 놓았으면, 민자당이 어떻게 안 들을 수 있겠습니까? 그런데 결국 광역 선거를 해 보니까, 여성의 상당수가 민자당을 찍었다는 그 말입니다. 그러니까 민자당이 여성을 대수롭지 않게 생각하는 것입니다. 이래서 여성들도 자기 권리를 찾기 위해서 좀 더 노력하고, 국회의원 선거에도 많이 출마하고, 당선도 시키는 이런 환경이 되었으면 좋겠습니다.

고흥길 장시간 정치 문제를 가지고 시달리시느라고 애 많이 쓰셨습니다. 경제 문제로 전환해 볼까 합니다. 일찍이 김 대표께서는 『대중경제론』이라는 책도 쓰셨고, 경제에 관해서는 현역 정치 지도자 중에서 어느 분보다 해박한 지식과 나름대로의 식견을 가지고 계시는 분으로 생각하고 있습니다.

그런데 유감스럽게도 최근에 민주당이나 또는 김 대표께서 경제 문제에 대해서 얘기하는 것을 들어 보면, 국가 경제적 차원이랄까, 대국적인 차원보다는 국민들의 인기, 또는 특정 계층의 표를 의식하는 얘기가 상당히 많지 않으냐는 의심이 갈 때가 있습니다. 비근한 예로 추곡 수매 같은 것을 예를 들겠습니다.

민주당의 지지 기반이 물론 호남이라든가 농촌 지역이 중심이고, 물론 도시도 있습니다만, 하여간 추곡 얘기만 나오면 야당은 항상 정부안보다는 수매량이나 수매가를 대폭 인상해야 되고 늘려야 된다는 주장을 많이 하고 있습니다.

그러면서도 한편으로 정책을 보면, 노동자를 위해서도 정부가 힘을 써야 하고, 양심적인 대기업도 키워야 하고, 국가경쟁력도 키워야 되고, 수출산업도 지원해야 하고 여러 가지 좋은 말씀은 다 하십니다.

결국 경제라는 것은 한정된 재화를 가지고 어떠한 효율적인 배분이나 투자를 통해서 생산의 극대화를 기하느냐, 국가의 부를 증대시키느냐 하는 것인데, 이렇게 누이 좋고, 매부 좋다는 식의 경제 정책을 하다 보면 아무것도 되는 것이 없지 않으냐? 결국 경제는 선택의 문제라고 생각됩니다.

경제 문제에 대해서 누구보다도 밝으신 김 대표에게 이런 말씀을 드려서 죄송합니다만, 그런 선택의 문제를 따질 때, 이것도 저것도 다 하는 게 아니라 진짜로 어떤 문제에 우리가 신경을 써야지 되느냐? 국제경쟁력을 키우느냐, 아니면 배분의 문제냐, 또 심지어 최근에 우루과이라운드 협상 문제에 있어서도 민주당이 어떤 기본 입장이나 정책을 밝힌 게 없었던 것으로 알고 있습니다.

그래서 가장 초점이 되고 있는 우루과이라운드에 대한 민주당의 입장, 우리 경제의 우선순위를 어디에 두느냐, 소위 국가경쟁력 제고에 두느냐, 배분의 문제에 둬야 되느냐 하는 두 가지 문제에 대해서 이 자리를 통해 밝혀 주시기 바랍니다.

김대중 자꾸 어려운 질문으로 들어가는데요…….(웃음) 아까 인기 위주라고 말씀을 하셨는데, 사실 정당이 인기를 얻어야지요. 인기를 얻지 못하면 선거에 지는데 어찌합니까? 그런데 무책임한 인기 전술은 국민에게 통하지 않습니다. 저는 필요할 경우 인기를 못 얻는 말도 많이 했습니다, "기업인들의 사기를 북돋아 주어야 한다. 정당한 기업 활동을 하는 사람은 애국자로 대해서 그 권위를 세워 줘야 한다"는 말도 했습니다. 기업인 수보다는 노동자의 수가 훨씬 많은데 감히 그런 말을 했습니다. 그리고 "노동자의 생존권을 보장하지만, 노동자는 열심히 일해서 생산성 향상을 보장해야 한다." 이런 말도 했습니다.

추곡 문제 같은 것도 그래요. 알기 쉽게 얘기합시다. 정부가 말한 대로 하더라도 소비자 물가가 약 10퍼센트 정도 올랐습니다. 그런데 국민은 아무리 못하더라도 본전은 찾아야 할 것 아닙니까? 정부가 말하는 10퍼센트 인상은 사실이 아닙니다. 실제로는 30퍼센트, 40퍼센트 올랐어요. 10퍼센트라고 하더라도 본전은 해야 할 것 아닙니까?

그런데 일반 벼 수매가를 7퍼센트 올려 주면, 정부 발표의 물가 인상률에도 3퍼센트 밑지지 않습니까? 통일벼는 0퍼센트, 전혀 안 올리겠다는 말입니다. 그렇게 되면 10퍼센트 밑지지 않습니까? 노동자도, 봉급자도, 대개의 여러분들도 10퍼센트 이상 실질적으로 봉급이 올라가고 있는데, 왜 농민만 밑져야 합니까? 그것도 제일 어려운 농민이······.

그러니까 우리는 여타 노동자나 봉급자 정도는 농민에게 해 주어야 한다는 것입니다. 농민도 본전은 해야 할 것 아닙니까? 조금도 우리의 주장이 잘못된 것이 아니라고 생각합니다. 그리고 정부가 추곡을 사는 목적이 곡가를 보장하는 데 있다면, 곡가를 보장할 만큼 사 주어야 합니다. 곡가를 보장하지 못하는 수매량 결정은 의미가 없습니다.

지금 소련에 차관을 잘못 주어서 벌써 1조 몇천억이 거덜 나게 되었는데, 그런 데는 돈을 마구 집어 주면서, 양곡 100만 석 더 사는데, 그것도 아주 없어지는 돈이 아닙니다. 한 2천억 있으면 되는데 그것도 안 내놓겠다는 것입니다. 이것을 우리가 어떻게 납득할 수 있겠습니까?

지금 농촌에 한번 가 보세요, 어떤 상황인가. 그래서 우리가 주장하는 것입니다. 우리가 말하는 천만 석 이상 사라는 것은 여당도 주장을 했습니다. 그러다가 정부의 압력 때문에 할 수 없이 후퇴하는 것이에요. 지금 농촌 출신 여당 의원들에게 물어보세요. 정부 여당 안에서 선거구민에게 가서 이건 내가 했다고 떳떳하게 말할 수 있는 사람이 한 사람이라도 있는가. 전부 속으로는 불만입니다. 그러면서도 할 수 없이 공천을 못 받을까 봐서 그러는지 모르지만, 따라가고 있는 것입니다.

우루과이라운드에 대해서는 여러분이 잘 아시는 대로 정부가 자진해서 쌀을 포함한 15개의 농축산물은 비교역 품목으로서 수입 개방을 하지 않겠다고 국민에게 약속했습니다. 아직도 정부는 그 입장을 표면적으로는 바꾼 일이 없습니다. 그런데 실제로는 나머지 14개 품목은 다 포기하고, 마지막으로 쌀 하나 남기면서 몰려왔는데, 이 쌀조차도, 이미 제네바에 간 정부의 협상

대표가 잘못 말했다가 난리가 난 일이 있지만, 속으로는 양보하려 하고 있는 것 같아요. 정부의 태도를 믿을 수 없어요.

그래서 우리는 정부에 대해서 약속을 지키라는 것입니다. 저는 이 문제에 대해서는 분명히 이렇게 생각합니다. 미국 하버드대학의 갤브레이스 교수도 우리나라에 와서 말한 일이 있습니다. 또 그와 일본의 경제 평론가와의 대담을 일본 책에서도 읽었습니다. 갤브레이스 교수가 말하기를 "농업은 근대산업이 아니다. 농업은 전통산업이다. 그렇기 때문에 전통산업에 대해서 근대산업의 원칙인 자유무역주의를 적용한다는 것은 잘못이다." 미국 사람이 그렇게 말하고 있습니다.

저는 부시 미 대통령이 지난번에 한국에 왔을 때나 슐츠 장관이 왔을 때도 직접 만나서 얘기했습니다. "한국의 농업에 대한 개방 주장은 부당하다"고.

우리 당의 우루과이라운드에 대한 태도는 분명합니다. 우리는 정부가 약속한 대로 15개 품목은 다 방어하지 못하더라도 적어도 주곡에 해당하는 몇 가지 품목은 반드시 방어해야 한다는 것입니다. 그래서 우리는 이 문제에 대해서는 여야 없이 공동 보조를 취해 왔습니다. 우리 당 자체로 제네바에 당 대표를 보내 농수산물 개방 압력에 항의한 일이 있고, 그리고 국회 차원에서도 최근 우리 당의 이형배 의원이 대표로 제네바에 가서 이 문제에 대한 한국의 입장을 강력하게 전달한 일이 있습니다. 또 우리 당의 농촌 출신 김영진 의원이 미국의 농무성, 상무성에 가서 쌀 수입 개방 압력의 철회를 요구하는 입장을 전달하는 등 할 수 있는 최대의 노력을 기울이고 있습니다.

그리고 분배와 성장 중 어느 쪽에 정책의 우선순위를 둘 것인가에 대해 질문하셨는데, 이것은 당연히 둘을 병행해야 합니다. 성장이 없는데 분배할 수 없고, 분배가 정당하게 되지 않으면 성장을 뒷받침해 줄 수 없습니다.

분배를 잘해야, 노동자나 일반 서민들이 구매력이 생겨 물품을 사기 때문에 성장이 이루어지고, 또 분배가 된 돈을 가지고 예금을 하기 때문에 산업자금으로 기업에 되돌려질 수 있습니다.

분배와 성장은 과거에는 상충하는 것처럼 생각되었지만, 상충하는 것이 아니라 상호 보완적인 것이며 또 그렇게 끌고 나가야 한다고 생각합니다.

우리가 가려는 길은 바로 서독이나 일본처럼 성공하는 길입니다. 분배와 성장을 병행시키고 기업인은 기업인의 몫, 노동자는 노동자의 몫, 사무원은 사무원의 정당한 몫을 주어야 합니다. 그리고 노사가 대등한 입장에서 노동조합의 자유를 인정하고 대화를 통해서 모든 것을 풀어 나가되, 기업은 노동자의 생존권을 보장하고 노동자는 기업의 생산성 향상을 보장해서 공존공영하는 이런 길로 가는 것, 서구 사회에서 성공하고 있는 나라들이 다 하고 있는 그런 길입니다. 우리는 이 길로 가야 한다고 생각하고 있습니다.

장명수 조금 전에 쌀 시장 개방에 반대하는 것이 민주당의 기본 입장이라고 말씀하셨는데, 농업을 전통산업으로 보는 견해가 있다고 하더라도 우리가 국제 시장에서 물건을 팔아야 하는 이상 쌀 시장 개방도 결국은 피할 수 없을 것이라는 전망이 지금 우세합니다. 이렇게 정부나 야당이 쌀 시장 개방을 계속해서 반대하면서 그게 가능한 것처럼 얘기하는 것은, 오히려 농민들에게 이루어질 수 없는 환상을 심어 줄 뿐입니다. 차라리 농민들에게 불가피하게 개방할 수밖에 없다는 것을 미리 알려 줌으로써 대비하게 하는 것이 옳지 않은가 하는 견해도 있습니다. 그 점에 대해서 어떻게 생각하십니까?

김대중 맞습니다. 그런 견해도 있고 저도 때로는 그런 걱정도 하고 있습니다. 장명수 위원께서 말씀하신 것이 사실상 우리의 딜레마입니다. 그런데 지금 우리 농촌의 현실을 볼 때, 남의 국제 사정만 생각하고 쉽게 양보할 수 있느냐? 그럴 수 없다고 생각합니다.

그리고 문제는 각국이 우리만 빼놓고 전부 개방으로 가고 있는 것도 아닙니다. 우리가 신문에서 보다시피 상당수의 나라들이 아직도 저항을 하고 있습니다. 그리고 무엇보다도 이해할 수 없는 것은, 지금 미국이 우리에게 개방을 강하게 요구하고 있지만, 미국도 100년 가까이 농촌에 대해서 보조금을 주고 강력한 농촌 보호 정책을 취해 왔습니다. 아직도 수출 보상금을 주고 있습니다.

그동안 우리의 산업화 과정에서 제일 희생되어 온 사람이 농민입니다. 그것도 미국의 잉여 농산물에 의해서 받은 피해가 가장 큽니다. 미국 쌀하고 우리 쌀하고 비교하면 값이 5배에서 크게는 7배 차이도 날 수 있습니다. 이런 값싼 미국 쌀이 마구 들어오면 우리 농민들은 쌀농사를 완전히 포기해야 합니다. 이런 것을 우리가 받아들일 수 있습니까?

그리고 만일 우루과이라운드가 완전히 합의되어서 어찌할 수 없는 그런 단계에 갔을 때는, 그때의 사정에 맞게 다른 대처 방법을 강구할 수도 있겠지만, 쌀 수입 개방이 농촌을 완전히 파탄시키는 일인데도 불구하고 미리 어찌할 수 없는 대세라고 체념해서, 양보할 수는 없는 것이라고 생각합니다.

그런 데다가 지금 일부에서 민주당이 농민만을 위하지 않느냐는 말도 하는데 그것은 사실이 아닙니다. 지난번 우리 당이 전국적으로 농민과의 대화 모임을 가진 일이 있습니다. 그때 저도 농촌에 가서 대화를 해 보았는데, 소비자의 입장을 대표하는 한 여성이 나와서 얘기하는 것을 들었습니다. 자기 가족이 4명인데 한 달에 쌀값이 3만 5천 원 든다는 것입니다. 그 정도면 우리에게는 큰 부담이 아닙니다. 여러분이 아시다시피 날품팔이를 해도 하루에 3-5만 원을 법니다. 하루 벌면 한 달 쌀값이 나옵니다. 언제 우리 시대에 하루 벌어서 한 달 쌀값이 나온 때가 있습니까? 그렇기 때문에 도시에 사는 사람들은 농촌을 살리기 위해서, 3만 5천 원 들 것이 4만 5천 원 드는 한이 있더라도 농촌이 유지되기를 바라지 그 돈 만 원 때문에 농촌이 파멸되기를 바라지 않습니다.

추석이나 명절에 1천5백만 명에서 2천만 명의 사람들이 농촌으로 가지 않습니까? 아직도 우리들의 고향은 농촌입니다. 농촌이 파멸되면 이 나라는 망합니다. 우리의 뿌리가 완전히 없어지고 나라가 공동화되어 버립니다. 국가 안보도 중대한 사태로 들어갑니다. 농촌의 문제는 이제 단순히 경제 문제만이 아니라 정치적, 사회적 문제이며 국가 존립의 문제입니다. 내 나라가 죽고 사는 문제인데 끝까지 싸워 보지도 않고 손을 들 수는 없습니다. 우루과이라운드에서 다른 나라들이 모두 다 지지하더라도 우리는 반대해야지요. 그리고 최선을 다해 싸워 나가면 반드시 길이 열립니다.

고흥길 언뜻 김 대표 말씀을 들으면, 우루과이라운드에 대해 현재까지의 민주당의 입장은 정부와 똑같은 것같이 들리는데 저희가 그렇게 이해를 해도 되겠습니까? 그리고 또 한 가지는, 아까 제가 추곡 수매와 수매량 문제를 말씀드렸는데 그것을 조금 잘못 이해하신 것 같습니다. 그게 마치 정부가 제시한 추곡가나 수매량이 정당한 것이고 옳기 때문에 했다는 식의 의견은 아니라는 것을 여기서 해명을 해 드리겠습니다.

최근에 정부가 재벌 그룹에 대해서 세금 추징 등의 압력을 가해 긴장이 조성되고 있는 것 같습니다. 특히 현대그룹에 대한 세금 추징에 대해서는 경제적인 측면에서의 해석도 있지만, 특히 정치적인 측면에서의 해석도 있는 것 같습니다. 그 부분에 대해서는 어떤 견해를 가지고 계시는지 말씀해 주십시오.

김대중 참 애매한 문제라서 답변을 잘못하면 오해를 살 수도 있는 어려운 문제인데요. 우리 당으로서는 현대그룹뿐 아니라 많은 재벌 기업들이 주식 이동 과정에서 부당한 이득을 취한 것이 우리나라 재벌들의 일반적인 현상이라고 생각하고 있습니다. 따라서 정부가 현대그룹에 대해서 그런 것을 포착했다면 세금을 받는 것은 정당하다고 생각합니다. 물론 현대그룹은 억울하면 법적으로 대항하겠지요.

우리로서는 너무도 일반적인 생각이기 때문에 그 문제를 가지고 조금도 시비하지 않습니다. 다만 우리가 문제로 삼는 것은 이런 일들입니다. 왜 조사하려면 다 같이 하지 현대만 한다든가 몇몇 특정 기업만 문제 삼는가 하는 문제입니다. 그리고 재벌 기업들의 탈법적인 행위는 옛날부터 알려져 있던 일이고, 우리 당이 누차 정부에 경고하고 국회에서 추궁해 왔던 일입니다. 그렇다면 정부는 그동안에는 무엇을 했느냐 하는 것도 문제입니다. 그리고 조사를 하면 조용히 하지 왜 그렇게 특정 기업만 떠들썩하게 해서, 결국 세상 사람들이 볼 때 배후에 어떤 숨겨진 의도가 있다고 느끼게 만들었습니다. 그리고 거기에는 여러분이 아시는 대로 정치보복, 정치자금 관계 등의 여론이 무성한 것도 사실입니다.

내용은 증거가 없기 때문에 일일이 말할 수는 없지만, 한 가지 분명한 것은 현대그룹의 정주영 회장이 정부의 경부고속전철 정책에 대해 또 영종도국제공항 건설을 외국 기업에 준 데 대해 비판을 하고, 200만 호 주택 건설을 졸속하게 서둘러서 물가 앙등을 초래한 데 대해 비판을 하고, 그리고 서울 교통 문제 해결책에 대해 어떤 의견을 말한 것을 알고 있습니다. 그 내용 중에 상당히 타당한 면이 있다고 보지만, 정부가 그것을 대단히 불유쾌하게 생각하고 있었다는 것을 알고 있습니다.

우리나라 역대 정권들이 지금까지 경제인들을, 좀 과장해서 말하자면, 일종의 노예 취급하고 정부 시책에 대한 비판의 자유를 박탈하는 일을 해 왔습니다. 직원 50명 정도의 조그마한 기업체를 가져도 야당을 지지한다는 그런 소리를 했다가는 얼마 안 가 공장 문을 닫아야 하지 않았습니까? 또 기업은 당연히 정부가 하는 일을 지지해야 하지 않습니까? 그리고 모든 경제단체는 정부 정책을 옹호해야 하지 않습니까? 이런 일이 민주국가에서 어디에 있습니까? 특히 경제 정책에 있어서는 미국이건 일본이건 선진 각국들은 경제단체나 경제인이 정부의 경제 시책을 자유롭게 비판할 뿐 아니라, 정부는 그들의 의견을 충분히 참작하고 비판을 받아들여 가면서 정책을 세우고 있습니다. 그런데 경제인들이 정부 정책을 잘하건 못하건 비판을 못 하지 않습니까? 이런 풍토는 없어져야 한다고 생각합니다.

저는 그런 점이 있어서 이번에 정주영 회장이 정부의 정책을 과감하게 비판한 것은 마치 이 나라에서 군이 정치를 좌우하는 시대가 지났듯이, 이제는 정권이 경제인을 마음대로 억압하는 시대가 지나가야 한다는 하나의 신호가 아니냐, 이렇게 생각해서 그것은 장기적으로 의미가 있는 일이라고 생각합니다. 그러나 우리는 현대그룹의 주식 이동에 대한 탈세를 비호할 생각은 조금도 없고 그 사실을 세무 당국이 적발했다면 당연히 정당한 세금을 추징해야 한다고 생각하고 있습니다.

장명수 경제 문제에서 잠깐 비켜서서 다른 질문을 하겠습니다. 올해 아웅산 수지가 노벨평화상을 받았을 때, 많은 사람들은 지난 1987년 김대중 대표가 대통령 후보직을 양보해서 정권 교체에 기여했다면 1988년도 노벨평화상은 틀림없이 김 대표가 받을 수 있었을 것이라고 생각하며 몹시 아쉬워하는 것을 보았습니다.

김 대표께서는 자신이 그때 만일 대통령 후보를 양보했다면 자신이 한평생 쌓아 온 민주화를 위한 투쟁의 공로로 노벨평화상을 받을 수 있었으리라고 생각하십니까?

김대중 노벨평화상을 받고 안 받고는 제가 잘 모르겠고요. 여하튼 1987년 그때 저로서는 여러 가지 이유가 있었습니다. 그러나 제가 복권된 후로 통일민주당에 들어간 것은, 김영삼 총재가 제가 복권이 되면 저를 대통령 후보로

옹립하겠다고 공언한 일이 있기 때문에 들어갔는데, 결국 그렇게 되지 않고 서로 갈라서는 길로 갔습니다.

지금 저는 그 점은 대단히 판단을 잘못했다, 김영삼 총재가 양보하지 않으면 나라도 양보해서 김영삼 총재를 밀었어야 할 것인데 내가 그러지 않은 것이 큰 잘못이었다, 이렇게 생각하면서 대단히 후회하고 있습니다. 다른 무슨 이유보다도 국민이 바라는 후보 단일화를 이루지 못한 데 대한 책임감을 느끼기 때문에 그렇습니다. 다만 그때 야당이 후보 단일화가 되었더라도 당시의 여건으로 보아서 꼭 야당이 이기리라는 보장은 없었습니다. 그렇지만 적어도 국민이 바라는 후보 단일화는 이루어짐으로써 지더라도 국민에게 여한은 남기지 않았을 것이라고 생각합니다. 그때 제가 양보의 결단을 내리지 못한 것은 어떠한 이유를 막론하고 대단히 잘못된 판단이었다고 반성하고 있습니다.

이성준 토론회를 시작한 지 두 시간 가까이 진행되고 있습니다. 대충 9시 30분 정도면 마무리를 지어야 할 것 같습니다. 남은 부분을 마무리 지어 주셨으면 좋겠습니다. 플로어에서 많은 질문이 들어와 있습니다.

김인규 국민들이 많이 관심을 가지는 남북 관계에 대해서 묻고 싶습니다. 김 대표는 특히 지난 9월에 소련을 방문했다가 노태우 대통령의 유엔 연설회장에 직접 참석하셔서, 남북한의 유엔 동시 가입도 축하하고 정부의 북방 정책의 성과도 인정하는 그런 모습을 국민들에게 보이셨습니다. 그런데 그로부터 약 한 달 뒤의 기자회견에서는 현 정권이 4년 동안 별로 이뤄 놓은 것이 없다, 남북 문제라든가 통일 외교 문제도 장기 집권을 위한 수단으로 이용하고 있다고 통박을 하셨는데, 이런 부분을 본 국민들의 입장에서는 뭔가 앞뒤가 안 맞는다고 생각하는 분들이 있습니다. 이번 기회에 정부의 북방 정책에 대한 김 대표의 시각을 정리해 주시지요.

김대중 제가 그렇게까지 심하게 밀한 것은 아니고요. 이 정부가 북방 정책이나 통일 문제를 내정에 이용해서는 안 된다, 국민들이 그것에 대해서 의혹을 가지고 있다고 말한 것으로 기억합니다. 그런데 그것은 지금 사실이 입증되지 않았습니까?

저는 지난 1월 국회에서 대표연설을 할 때 정부에 대해 "지금 고르바초프 정권은 결코 안정되어 있지 않다. 그러므로 모든 것을 주의해야 한다. 특히 경제의 수용 태세가 되어 있지 않다. 그러니 30억 달러 차관을 주는 것은 좀 더 상황을 봐 가면서 신중하게 해야지 서두르면 안 된다"고 말했습니다.

그런데 정부는 듣지 않았습니다. 다른 나라에서 빚까지 내서 소련에 차관을 주었어요. 그리고 제가 모스크바에 가서 소련의 지도자를 직접 만나 경제정책을 일일이 물어보니까 아무것도 안 되어 있어요. 자기들도 그 점은 인정해요. 큰일 났어요. 그래서 저는 소련에서도 경제 협력에 대해서는 신중해야 한다고 말했습니다. 그런데도 정부가 듣지 않고 계속 주었어요.

결국에 가서는, 노태우 정부가 일본이나 다른 나라들이 선뜻 하지 않는 소련과의 경협을 서두르고, 유럽공동체(EC)나 국제통화기금(IMF)이 소련에 대해서는 경제 협력할 단계가 아니라고 한 얘기를 듣지 않고 그렇게 한 것은, 고르바초프 만나고 그렇게 해서 정부가 일종의 외교 실적을 올리기에 급급한 나머지 하고 있는 것이 아닌가, 이런 인상을 국민에게 주고 있는 것이 사실입니다.

정부의 북방 외교에 대해서 성공했다고 평가를 했지만, 동시에 그것은 전혀 불가능한 일을 노태우 대통령이 혼자 한 것은 아닙니다. 국제 정세의 흐름에서 볼 때, 어차피 되게 되어 있었던 일입니다. 그렇다면 좀 침착하게 차근차근 했으면 오늘날 소련에 18억 달러나 돈을 주고 언제 받을지도 모르는 이런 상황이 되었겠습니까? 18억 달러면 1조 4천억이나 되는 큰 액수인데, 이 돈은 떼이게 될 가능성이 다분히 있는 상태가 되었고 이것은 바로 국민의 부담으로 돌아오기 때문에, 우리가 그렇게 비판을 한 것은 조금도 지나친 것이 아니라고 생각됩니다.

또 제가 볼 때는, 노태우 정권이 남북 문제에 있어서도 하루속히 정상회담을 하기 위해서 상당한 양보도 하려는 것으로 알고 있습니다. 그리고 정상회담을 함으로써 국내 정치에 이것을 이용하려 한다는 말이 여권 측에서도 빈번히 나오고 있습니다. 우리는 과거에도 남북 문제를 국내에서 악용한 것을 뚜렷이 봐 왔지 않습니까? 유신이 바로 그것이었습니다. 통일을 위해서 유신한다고 해 놓고 결국 나중에 보니까 박정희 씨의 영구 집권에 이것을 악용했습니다.

또 많은 경우에 남침의 위기, 안보의 위기를 떠들면서 국내에서 탄압정치를 했습니다. 이렇기 때문에 우리는 남북 문제를 국내 정치에 이용하지 말라고 경고하는 것은 우리의 쓰라린 체험에 의한 것이기 때문에, 야당의 대표로서는 마땅히 해야 할 책임을 수행한다는 심정이라는 것을 이해해 주시기 바랍니다.

김인규 한반도 핵 문제에 대해서 한 말씀 더 질문하겠습니다. 지금 한반도의 핵 철수 문제가 세계적으로 비상한 관심을 모으고 있습니다. 주한 미군의 핵을 철수함과 동시에 북한에 대한 핵 사찰 문제가 국제기구를 비롯해서 여러 우방들 사이에서 상당히 심각하게 논의되고 있는데, 미 의회의 일각에서는 북한의 핵 개발 저지를 위해서는 군사적 강압 조치도 필요하다는 얘기까지 나오고 있습니다. 한반도 핵 문제에 대한 김 대표 개인의 입장이나 생각 또는 민주당의 기본 입장이 어떤지 밝혀 주십시오.

김대중 민주당의 당론이 최종 확정은 되어 있지 않습니다. 그러나 대체적으로 당도 이렇게 생각하고 저도 이렇게 생각하고 있습니다. 우리는 "북한이 국제원자력기구에 가입한 이상 무조건 핵 사찰을 받아야 한다. 동시에 비록 직접 관계는 없지만, 역지사지해서 우리가 북한의 입장에 있다고 하더라도 상대방 쪽에 핵무기가 강력한 외국 군대와 함께 있다는 것에 위협을 느끼지 않을 수 없으니, 여기에 대해서 북한이 위협을 느끼지 않도록 조치를 취해야 한다, 그리고 어떠한 경우에도 한반도에서 핵전쟁이 일어나서는 안 된다"고 주장해 왔습니다.

다행히 그 후로 미국이 한반도에 지상 핵과 공중 핵을 철수하기로 결정했고, 노태우 대통령의 한반도비핵화선언이 나왔습니다. 우리는 이것이 북한의 요구를 상당히 충족시키는 조치라고 생각합니다. 따라서 북한은 마땅히 더 이상 지연시키지 말고 핵 사찰을 받아야 한다고 생각합니다.

다만 우리는 이 문제의 해결에 있어서 무력 사용은 피해야 한다, 그것은 대단히 중대한 문제이다, 만일 우리가 무력을 사용했을 때 당연한 결과로서 그쪽도 무력을 사용하고 나설 것이다, 이것은 결국 전면전으로 연결되는 문제이기 때문에 그런 일은 해서는 안 된다고 생각합니다.

우리는 국제 여론으로, 특히 유엔 안전보장이사회가 이 문제를 다뤄서 북한이 핵 사찰을 수용하도록 해야 합니다. 북한도 핵 사찰 수용을 하지 않겠다고는 말하지 않습니다. 최근 북한은, 남한의 핵 철수가 시작되는 것을 국제기구가 승인할 수 있는 정도로 확인되면 핵 사찰을 수락할 용의가 있다고 말하고 있습니다. 실제 북한이 처해 있는 입장을 보더라도 북한의 핵무기 생산을 지지하는 나라는 중국을 포함해서 세계에 한 나라도 없습니다.

현재 북한의 경제 조건이 대단히 나쁜데 이것은 결국 일본, 장차는 미국으로부터 어느 정도의 경제 협력을 얻어 내느냐에 북한의 장래가 걸려 있다고 봐야 할 것입니다. 그러므로 북한이 이 문제를 가지고 끝까지 버텨 낼 수는 없는 것입니다.

다행히 우리 정부가 무력에 호소하지는 않겠다고 말하고 있고, 또 미국의 국방차관이 미국 정부로서는 처음으로 정부 차원에서 무력 사용을 배제하겠다는 말을 했습니다.

박기정 많은 국민들이 내년의 경제를 걱정하고 있는데, 이유가 내년의 네 차례의 선거를 어떻게 치를 것인가 하는 것 때문입니다. 이에 대해서 평소 김 대표께서는 얼마 전에 이런 말씀을 하셨습니다. 내년 선거를 단체장 선거를 합쳐서 세 번에 치르고, 국회의원 선거는 후보 한 명당 1억 원씩 해서 한 700억 원, 그리고 단체장 선거도 국회의원 선거와 비슷하게 700억 원, 대통령 선거는 후보 한 명당 200억 원씩 해서 3명 600억 원이면 치러질 수 있기 때문에, 이렇게만 되면 별로 경제에 영향을 크게 안 미칠 것이라는 말씀을 하셨습니다. 제가 생각하기에는 선거의 횟수를 줄여서 과연 과열 선거를 막을 수 있을 것인가 의문이 듭니다. 선거의 횟수보다는 질이 더 문제가 아닌가 생각됩니다.

다시 말하면 과연 공명선거, 소위 돈 안 쓰는 선거가 이루어질 것인가, 여기에 가장 핵심적인 문제가 걸려 있다고 보는데 만약 1987년 대통령 선거 때처럼 여의도에서 백만, 이백만이 모이는 그런 대중집회를 하는 선거 양상이 되었을 때, 과연 후보 한 명당 200억 정도의 자금으로 선거를 치를 수 있을지 제 자신은 잘 이해가 가지 않습니다.

따라서 김 대표께서 내년 선거를 공명선거로 치르기 위해서는 물론 정부 여당의 뼈아픈 각오도 필요하겠습니다마는, 제1야당의 대표로서 이 문제에 대한 의지를 이번 기회에 밝혀 주시기 바랍니다.

김대중 선거 비용이 전체 해서 2천억이면 된다는 말은 전제가 있습니다. 지난번 광역 선거만 해도 약 200억의 돈을 후보들이 썼다는 것이 언론의 보도입니다. 지금 언론들이 주춤하는 바람에, 내년 4개의 선거를 이대로 고삐 풀어 놓은 채로 과거와 같이 금권 선거를 하게 되면 최하 6조, 많으면 10조 원까지 쓸 것이라고 말하고 있습니다. 참으로 가공할 만한 경제 혼란을 초래할 상황에 있습니다.

이번에 선거법 협상을 하면서 돈 안 쓰는 선거를 하자고 여당과 이야기를 해 보니까, 여당이 듣지를 않습니다. 심지어 사담으로는 "여당이라면 조직과 돈 가지고 선거하는 것인데 돈 안 쓰는 선거를 어떻게 받아들이느냐"는 식으로 노골적으로 나오고 있습니다. 대통령이 분명히 청와대에서 돈 안 쓰는 선거를 위해서는 무슨 조치든지 하겠다고 약속했는데 선거법 협상은 지금 그런 방향으로 되지 않습니다.

이래 가지고는 내년 우리 경제 상태가 우려됩니다. 아까도 말했지만 국회의원 선거에 700억, 두 개의 지방자치 선거를 합쳐서 700억, 이렇게 동시 선거를 하면 1천 400억 정도의 돈으로 충분히 선거를 치를 수 있습니다. 선거법만 지키고 중앙선관위에서 정해 준 선거 비용 한도를 지키도록 엄격히 다스리면 이 돈을 가지고 충분히 됩니다. 그런데 문제는 여당이 안 지키는 데 있습니다. 그리고 수사기관이 겉도는 수사만 하고 있고, 실제로는 돈 뿌리고 다니는 여당 후보를 비호하고 있습니다. 공명선거 캠페인을 하려고 하면, 결국 민간단체가 하는 것은 못 하게 막아 버립니다.

요컨대 이 문제는 노태우 대통령이 어떻게 결심하느냐에 달려 있습니다. 대통령이 결심만 하면, 제가 볼 때는 국회의원 선거와 두 개의 지방자치단체장 선거 각기 700억, 그리고 대통령 선거 600억, 합쳐서 2천억이면 충분히 가능하다고 봅니다. 그러면 경제적 혼란이나 물가 앙등도 피할 수 있다고 생각하고 있습니다.

사람을 많이 모으면 돈이 많이 들 것이라고 하는데, 지난번에 여의도뿐 아니라 보라매공원에서의 저의 유세 때는 약 250만의 시민이 운집했습니다. 외국의 추계가 그렇습니다. 그런데 여의도에서 하고 전국에서 그렇게 대대적으로 집회를 열었지만, 대통령 선거에 우리 당이 쓴 돈을 이제 솔직하게 여러분에게 공개한다면, 우리 당으로 그때 온라인으로 헌금이 들어온 것이 약 9억 원 정도였습니다. 그리고 당내에서 마련하고 또 개별적으로 들어온 헌금 등을 합쳐서 쓴 돈이 모두 40억 원 정도였습니다. 그때 그 이상 쓰지를 않았습니다. 사실 그 이상은 쓰려야 쓸 돈도 없었고…….

선거에 드는 비용은 주로 여당에서 유권자를 매수하고 향응을 제공하는 데 돈이 들지, 집회하고 연설하는 데 드는 것이 아닙니다. 그래서 자꾸 제가 주장하는 것은 입은 풀어 주고 돈은 묶자, 그런데 지금까지 돈은 풀어 주고 입은 묶는 선거를 하고 있습니다.

지금 여당은 정당이 선거운동을 못 하게 법을 만들어 놨습니다. 세계에서 법으로 정당이 선거운동 못 하게 되어 있는 나라는, 아프리카를 포함해도 우리나라뿐일 것입니다. 이런 나라 없습니다. 정당이라는 것은 선거하기 위해서 있는 것입니다. 선거를 안 하면 정당이 무엇 때문에 필요 있습니까?

우리 헌법에는 엄연히 정당의 활동을 보호 육성하게 되어 있습니다. 그런데도 정당이 선거운동을 못 하게 합니다. 우리가 이렇게 항의했더니 겨우 이번에는 옥내에서만 정당의 집회를 하게 해 주겠다고 나오는 것이에요. 옥내만 집회를 하게 해 주겠다는 것은 사실상 못 하게 하는 것이에요. 왜냐? 전국 시, 군 중에 공회당을 가지고 있는 곳이 반이 채 안 됩니다. 그나마 지난번 영광 함평 보궐선거를 해 보니까 미리 여당이 공회당을 선거 시작 날부터 마감 날까지 하루도 안 빼놓고 전 기간 동안 대여해 버립니다. 그래서 우리는 공회당을 쓸 수가 없어요.

그렇다면 야당은 결국 조그만 예식장을 빌려서 사람 일이백 명을 모아 놓고 해야 된다는 말입니다. 그래서 우리가 싸우고 싸우니까 여당의 협상 대표가 "그러면 울타리 쳐진 안에서는 괜찮다. 학교 운동장은 괜찮다"고 잠시 물러서더니, 그 말도 다음 날에는 취소해 버렸습니다. 참으로 답답한 일입니다.

야당은 돈 가지고 선거를 할 수도 없고, 해도 안 되고, 조직도 약하고, 관변 단체의 지원도 없고, 행정기관도 안 도와주고, 결국 선전 하나밖에 없는데 이 것도 안 된다? 야당의 당수를 무엇 때문에 둡니까? 야당이 당수를 두는 목적 중에는 선거 때 유세해서 자기 당 후보에게 표를 얻어 주는 데에 있는데, 당 수가 유세를 못 하게 만드는 이런 일을 이 정권이 하는 것입니다. 그래서 이 문제는 야당의 사활 문제로서 싸우고 있다는 것을 말씀드리고, 여러분의 이 해를 바라 마지않습니다.

장명수 김대중 대표와 김영삼 대표의 오랜 관계를 지금 와서 뒤돌아보면, 두 분이 진심으로 하나가 되어서 협력했던 시기는 정치적 탄압으로 두 분이 정치적 활동을 전혀 할 수 없었던 시기뿐이고, 두 분이 정치적 활동을 할 수 있었던 시기에는 줄곧 대립 관계, 경쟁 관계를 유지해 왔다고 할 수 있습니 다. 아까 김 대표께서 말씀하셨지만, 두 분은 그토록 뜨거웠던 국민적 열망에 도 불구하고 대통령 후보 단일화를 이루지 못했고, 또 선거에서 패배한 후 그 토록 따가웠던 질책 아래서도 야당 통합을 이루지 못했고, 지금은 여야로 갈 라진 채 다시 대립 관계, 경쟁 관계에 있습니다.

어떤 사람들은 그 관계를 적대적인 공생 관계라 부르기도 하는데, 그러한 두 분의 관계가 우리나라 정치 발전에서 매우 부정적인 관계를 미쳤다고 생 각합니다. 두 분이 그토록 서로 하나가 되어서 협력할 수 없었던 것은 두 분 의 정치 노선에서 결코 하나가 될 수 없을 만큼 차이가 있는 까닭인지, 아니 면 단지 서로를 불신하는 감정의 문제였는지, 결코 하나가 될 수 없을 만큼 정치적 노선의 차이가 있었다면 구체적으로 어떤 차이가 있었는지 말씀해 주시기 바랍니다.

김대중 마지막 질문이 제일 어려운데요.(웃음) 참, 그래요, 우리에게 전생이 있다면 김영삼 대표와 저와는 어떤 관계였는가 한번 알아보고 싶디고 생각할 때도 있습니다. 그러나 저는 김영삼 대표와 저의 관계를 부정적으로만 보지는 않습니다. 우리는 자유당 이래 제3공화국, 제4공화국 그리고 제5공화국에 이르는 근 30년 동안을 민주주의를 위해서 같이 싸워 왔습니다. 경쟁하면서 협력하는 이게 민주주의의 참 바람직한 모습 아닙니까? 당내 경쟁도 있을 수 있는 것이고 당을 달리하면서 경쟁할 수도 있는 것입니다. 경쟁이 없는데 민주주의가 어떻게 있습니까? 경쟁이 없으면 발전도 없습니다. 그 점에 있어서는 우리가 우리의 정치 발전에 기여한 면도 많다고 생각합니다.

또 여러분이 아시다시피 김영삼 대표가 저에 대해서 잘한 일이 많지만, 저도 예를 들면 1979년에 완전히 실의에 빠져 있는 김영삼 대표를 야당의 총재로 밀어서, 당시 막강한 이철승 씨를 간신히 2표 차이로 2차 투표에서 누르고 총재로 당선시켜서 10·26까지 오게 만든 것 아닙니까? 그렇기 때문에 우리들의 경쟁은 상당한 공헌을 했다고 저는 생각합니다.

다만 아까 제가 말했듯이, 그런 경쟁적 협력 과정에서 애석한 것은 우리가 1987년에 단일화를 못 한 것입니다. 이것은 우리 둘의 큰 책임이고 적어도 저는 크게 반성할 만한 책임이 있다고 생각합니다.

그런데 지금은 다릅니다. 지금은 김영삼 대표와 저와는 미안하지만 입장이 다르다고 생각합니다. 김영삼 대표는 하루 사이에 국민과의 약속과는 달리 국민이나 당의 어떠한 결의나 양해도 없이 노태우 씨와 합의해서 3당 합당을 했습니다. 저는 이것을 절대로 잘한 일이라고 생각하지 않습니다. 3당 합당은 우리 정치에 대한 국민의 불신을 불러오고 오늘날같이 정치를 혼란의 상태로 빠뜨린 계기가 되었습니다.

13대 전반기의 여소야대 국회에서는 언제나 만장일치, 여야 합의, 야당이 양보하고 여당이 양보하고, 불가피한 것은 표결로 결정했습니다. 정상적이고 능률적으로 운영되었습니다. 한 번도 날치기한 적이 없습니다.

그러나 3당 합당 이후에는 계속적으로 격돌하는데, 결국 그 원인은 3당 합당이 만든 것이고 3당 합당은 노태우 대통령과 같이 김영삼 대표가 했습니다. 저는 이것을 대단히 유감스럽다고 생각하면서, 오늘의 정치 현실에 대해서는 제가 김영삼 대표와 같이 책임을 져야 할 이유는 없다고 생각합니다.

우리 민주당 사람들은 분명히 국민과 약속한 대로, 선거 때 공약한 대로 야당의 위치를 지키면서 그대로 가고 있습니다. 지금 민자당으로 간 김영삼, 김종필, 기타분들은 국민들과의 약속을 저버린 것이기 때문에, 그 결과 오늘의 정치가 이토록 퇴보했기 때문에, 그 책임이 우리 둘에게 똑같이 있지는 않다고 생각합니다. 한 가지 첨언할 것은 저는 개인적으로 김영삼 대표에 대한 우정에는 변함이 없습니다. 그래도 김영삼 대표나 저는 최근에 민자당 합당 이전까지는 30년 이상을 민주주의, 문민정치를 위해서 싸워 왔습니다.

요즘 일부 사람들이 우리 두 사람을 놓고 세대 교체해야 한다, 이렇게 떠들고 있는데, 저는 세대 교체는 언제든지 있어야 한다고 생각합니다. 세대 교체를 하지 않는 나라가 어디에 있습니까? 다만 그것은 민주적인 절차가 필요한 것입니다. 국민과 당이 결정해서 하는 것입니다.

지금 세대 교체를 주장하는 분들 중 상당한 분들이 과거 군사정권 아래서 수사기관에 있었거나 집권당에 있었던 것으로 알고 있습니다. 그래서 우리들이 군사통치와 투쟁할 때 우리의 반대편, 독재의 편에 섰던 사람들이 마치 심판자처럼 세대 교체를 말하는 것을 볼 때, 저는 그것이 옳지 않다고 생각합니다.

저는 당과 국민이 원치 않으면 당연히 정치 일선에서 물러나서, 좋은 동지에게 양보하고 물러날 것입니다. 결코 빈말이 아닙니다.

아까도 사회 보신 분이, 제가 무엇이 되는 것보다는 어떻게 사는 것이 중요하다는 말을 자주 한다고 하셨는데 그것은 사실입니다. 무엇이 되는 것이 인생의 성공을 좌우하는 것은 아니다, 최근에 자리를 뜬 역대 대통령을 보더라도 그렇고, 과거에 인간으로서 최고로 성공했던 이완용을 보더라도 그렇습니다. 안중근 의사는 면장 하나 못 했지만 바르게 사는 데 성공했기 때문에 영원한 승자이고, 이완용은 최고로 높은 자리에 올라갔지만 바르게 사는 데 실패했기 때문에 영원한 실패자가 되지 않았습니까?

저도 이제 나이로 보나 무엇으로 보나 앞으로 역사에서 어떻게 평가될 것인가, 국민의 마음속에 어떻게 남을 것인가, 내 자식들에게 어떤 부모로 남을 것인가, 이것을 심각하게 생각합니다. 저는 분명히 말씀드려서 무엇이 되는 것이 목적이 아니고, 어떻게 사느냐가 목적입니다.

그러므로 당과 국민이 제가 볼 때 저를 원치 않는다, 이 정도면 결단해야겠다고 생각하면서, 절대로 당이나 국민에게 짐이 될 생각이 없다는 것을 여기서 분명히 여러분께 말씀드립니다.

김인규 김영삼 씨와의 관계를 말씀하셨는데 지나간 얘기를 말씀드릴 것 같으면 최근에 김 대표께서는 표정이 상당히 밝으시다, 김영삼 씨가 속해 있는 여권에서는 뭔가 잘되는 것 같지 않고 야당은 그대로 통합해서 상당히 앞으로의 길이 자신만만하다는 생각을 가지고 표정이 밝다는 우스갯소리도 있습니다.

그럼에도 불구하고 두 김 씨가 대결했을 경우 그것을 상정해서 이 나라의 지역감정은 도저히 회복할 수 없는 상태로 심화되지 않겠느냐는 우려가 없는 것이 아닙니다. 그럼에도 문민정치를 위해서는 그래도 두 분이 결판을 내서 뭔가 결론을 내는 것이 좋지 않으냐는 의견이 있는 것도 사실입니다.

아까 말씀하신 대로 정치는 항상 가변적이므로 뭐라 말할 수 없지만, 만약

두 김 씨가 대결을 해서 거기서 결판이 났을 경우 어떻게 하겠느냐, 다시 말해서 실례되는 말입니다만, 김대중 대표께서 좋지 않은 결과가 나왔을 때 이제는 더 이상 4수를 하지 않는다고 말씀하실 수 있는지, 그래서 더 이상 하지 않고 이 나라 정통 야당의 맥을 이을 수 있는 후진을 위해서 밑거름이 되실 수 있다고 말씀하실 수 있는지, 그것을 궁금히 생각하는 사람이 많아서 대신 여쭤봅니다.

김대중 이 문제는 여러분께 분명히 말하겠습니다. 4수는커녕 3수도 당과 국민이 원치 않는다고 보면 안 하겠다고 말씀드렸습니다. 하물며 저는 제가 대통령 후보로 지명될지 안 될지도 모르는 입장에서, 지명되는 것을 전제로 해서 4수까지 얘기할 수는 없습니다. 그러나 어폐가 있는 것을 무릅쓰고 만약 지명됐다고 할 때, 물론 당으로서는 당연히 당선을 위해서 싸울 것이고 저도 싸울 것이고 또 당선되기를 바라겠지요.

그러나 여하튼 성공을 못 했다고 할 경우에는 마땅히 정치의 책임 있는 자리에서 물러나고 새로운 좋은 분을 추대해서 앞날에 대비하도록 하고, 저는 일개의 병사로서 당 안에서든지 당 밖에서든지 가능한 방법으로 민주주의를 위해서, 당의 발전을 위해서, 또 다음 승리를 위해서 헌신하겠다는 것이 저의 분명한 약속입니다.

다만 여기서 오해 없기를 바라는 것은 마치 제가 3번, 다음에 당연히 대통령에 나가는 전제로 말이 나가는 것 같아서 대단히 주저됩니다. 아직 당에서 전혀 결정된 바 없고 또 솔직히 얘기해서 총선 끝나고 난 후의 정치 상황이 어떻게 될지도 모르는 상태에서 미리 대통령 후보가 되었다는 전제하에서 말한다는 것은 조금 온당하지 않은 면이 있지만, 그 질문에 답변하지 않으면 "저 사람은 3수뿐 아니라 4수도 할 사람이다."라는 오해를 받을 수도 있다고 생각해서 할 수 없이 말합니다. 그렇게 이해해 주시기 바랍니다.

이성준 네 분의 패널리스트의 질문을 마치겠습니다. 예정된 시간이 훨씬 지나고 있습니다. 플로어에서 많은 질문이 들어와 있습니다만 몇 가지만 골라서 짧게 여쭙겠습니다.

첫 번째는 일본의 자위대 해외 파견을 비롯한 군사 대국화에 대한 견해를 요약해서 말씀해 주시면 감사하겠습니다.

김대중 일본의 군사 대국화에 대해서는 제가 여러 가지 걱정한 나머지 모스크바대학 강연에서도 이에 대해 언급했습니다. 우리는 이 문제에 대해서 아시아 각국과 더불어 심히 우려를 금할 수 없다, 그래서 남한에 있는 미군이 이제는 북한의 남침에 대비할 뿐 아니라, 일본의 군사 대국화에 대한 동북아의 군사적 균형을 잡는 데에도 필요하므로, 군사적 진공상태를 남기지 않기 위해서도 당분간 상당 기간 미군이 주둔해야 한다고 말해서 국내 신문에도 크게 보도되는 것을 보았습니다.

저는 이번에 일본이 유엔평화활동(PKO) 계획에 따라서 비록 평화 유지라고 하지만 일본 자위대를 해외에 보내기로 한 것을 대단히 불길한 징조로 생각하고 있고, 미국이 일본의 군사 대국화를 부추기는 인상도 있어서 상당히 걱정을 하고 있습니다. 이번 부시 대통령의 방한 때 서로 대화할 기회가 있으면, 우리 국민의 이러한 우려를 솔직히 전달할 생각입니다.

이성준 마지막으로 한마디만 더 묻겠습니다. 김일성 정권의 장래를 김 대표께서 한번 진단해 주시지요.

김대중 여러분이 아시는 대로 이제 세계의 역사는 하나의 명확한 진로를 표시했습니다. 19세기 중반부터 사회주의와 자본주의가 약 150년 동안 대립해 왔습니다. 그 결과 민주주의를 한 자본주의와 사회주의는 다 성공을 했습니다. 서구사회의 보수정당, 서구사회의 혁신정당이 바로 그것을 의미합니다. 그러나 민주주의를 거부한 자본주의와 사회주의는 모두 실패했습니다.

히틀러의 독점자본주의, 일본 군국주의, 동시에 동유럽과 소련의 사회주의가 다 실패했습니다.

왜 민주주의를 안 하면 실패하느냐? 민주주의를 안 하면 자기모순을 시정할 수 없고, 국민의 불만을 수렴해서 해결해 줄 길이 없습니다. 그렇기 때문에 결국 자멸하고 만 것입니다. 소련과 동구의 사회주의는 우리가 볼 때 자멸한 것이지 타의에 의해서 멸망한 것이 아닙니다.

그런 의미에서 저는 북한이건 중국이건 베트남이건 지금과 같은 체제로 나간다면 다 실패한다고 생각합니다. 역사의 교훈은 그 교훈을 적용하는 데 선후는 있지만 예외는 없습니다. 그렇기 때문에 북한도 예외가 될 수는 없다, 이것은 분명하다고 생각합니다.

북한은 지금 민주주의적인 개방, 말하자면 민주주의 제도를 도입하고 개방경제로 가느냐, 아니면 동유럽과 같은 어려운 지경에 빠지느냐, 양자의 기로에 서 있다고 생각합니다. 또 북한이 지금까지 해 온 강력한 국내 통제로 봐서 전자, 즉 개방주의적인 경제를 택하기가 어려울 것이라고 생각하고 있습니다.

우리는 남북통일에 있어서 점진적인, 공존적인 통일을 추구하고 흡수 통일을 바라거나 북한 정권의 전복을 바라서는 안 된다고 생각합니다. 그러나 북한 정권 내에서 역사의 명령인 개혁을 거부하고, 자체 내에서 어떤 사태가 생기는 것이 전혀 가능성이 없다고는 말할 수 없습니다. 우리는 거기에 대해서도 대비하는 마음가짐을 가져야 한다고 생각합니다.

이성준 말씀 감사합니다. 김대중 민주당 대표위원 초청 토론회에 참석하신 여러분께 감사의 인사를 드리면서, 이상으로 이번 토론회를 마감할까 합니다. 끝까지 열과 성을 다해서 답변해 주신 김대중 대표위원께 심심한 감사의 말씀을 드립니다. 그리고 패널리스트들의 노고에도 치하를 드립니다.

노동운동의 자유가 민주주의의 척도

대담 정운영

일시 1991년 12월

정운영 『사회평론』으로부터 이 대담을 부탁받고 처음에는 완강히 고사했으나, 박호성 편집인의 회유와 위협(?)으로 결국 수락하고 말았습니다. 일을 맡으면서 두 가지 목표를 세웠습니다. 우선 대학생을 비롯한 젊은 세대들이 신문이나 방송을 통해 김대중 대표의 얼굴과 이름은 자주 대하고 있으나, 실상 과거의 행적이라든가 경륜에 대해서는 잘 모르기 일쑤입니다. 예컨대 도쿄에서 김 대표의 신상에 사활의 위험이 닥쳤던 1973년에 태어난 세대들이 벌써 투표권을 행사할 나이에 가까워지고 있는 형편이기 때문입니다.

따라서 김 대표의 생각과 행동을, 긍정적이든 부정적이든, 있는 그대로 상세하게 그들에게 알리자는 것이 그 하나의 목표였습니다. 그리고 지난 대통령 선거에서 당시의 김대중 후보를 지지했던 사람들 가운데 상당한 수효가 지금은 그 지지의 유보 내지는 관망의 자세를 취하고 있는 것이 사실입니다. 그래서 그 거리감의 원인을 밝혀 보자는 다른 하나의 목표를 세웠습니다. 다시 한번 바라든 바라지 않든, 김 대표의 행보가 당분간 이 나라의 장래와 운명적으로 연결되어 있는 이상 그것은 반드시 필요한 작업이라고 생각했기 때문입니다. 요컨대 오늘의 대담은 김 대표의 과거를 정확하게 알아보고, 지난 대통령 선거 이후 김 대표의 공과를 분명하게 따져 보려는 데에 있다고 할 수 있습니다.

김대중 잘 알겠습니다. 아주 어려운 대담이군요.

정운영 며칠 전 어떤 행사에서 김 대표가 전두환 씨와 악수를 하면서 파안대소하는 큰 사진이 어느 신문에 실려 있었습니다. 우리네 생각으로는 그저 따귀를 한 대 올려붙였어야 마땅한데, 그 평화로운(?) 사진을 보고는 여러 사람이 적지 않게 곤혹스러운 느낌을 받았습니다. 그게 정치인지 아니면 김 대표의 품성인지, 글쎄 어떻게 해석해야 되겠습니까?

김대중 저도 착잡한 심정을 느꼈는데, 평소부터 죄는 미워해도 사람은 미워하지 않는다고 말해 왔습니다. 나쁜 제도에 대해서는 철저하게 반대하고 목숨을 걸고라도 싸우지만 사람을 미워한 일은 없어요. 그렇기 때문에 전두환 씨에 대해서도 인간으로서 미워한 적은 없어요. 그가 한 정치에 대해서는 반대하고, 앞으로도 영원히 반대하지만, 인간으로서 만났는데 그렇게 기분 나쁘게 대할 것은 없다는 생각이었지요. 그때 들어가면서 앞에 있는 분들과 쭉 악수를 하면서 갔는데, 전두환 씨가 와 있는지는 몰랐어요. 그래서 돌연히 만나서 순간적으로 웃고 악수를 했는데, 평소부터의 제 생각이 그렇게 표현된 것 같습니다.

민주주의는 싸워서 회복해야

정운영 죄는 미워하지만 사람은 미워할 수 없다는 김 대표의 얘기는 다른 곳에서도 여러 번 읽었는데, 말은 그렇게 하지만 현실에서야 어디 그렇게 됩니까?

김대중 저는 그래요. 이상하게 저는 성격적으로 사람을 잘 미워하지 못해요. 물론 저도 미운 사람이 있으면 욕도 하고 죽어 버렸으면 좋겠다는 생각도 하지만, 그게 오래가지를 못해요. 그리고 제 신앙이 그렇고요. 제가 1980년에 사형 선고를 받고 마지막 진술을 할 때도 내가 죽더라도 우리 민주주의는 반드시 10년 내에 온다, 그때 여러분은 한 가지 유념할 일이 있는데, 민주주의는 어떤 경우에든 싸워서 회복해야 하지만 사람에 대해서는 보복하지 말라고 당부했습니다. 대통령 선거, 국회의원 선거에서도 절대로 정치보복은 안 한다는 얘기를 했고 실제로 행동으로 그렇게 했어요. 1988년 올림픽이 끝나고 전두환, 이순자를 체포하라고 할 때, 저는 끝까지 제 소신대로 얘기해서 다 설득을 시켰어요. 그 대신 5공 청산에 있어서 광주 문제를 끝까지 철저하게 파헤친다든지, 정호용 씨 같은 분을 정계에서 물러나게 한다든지, 전두환 씨를 국회청문회에 나오게 한 것은 제가 아니었으면 안 됐어요.

정운영 옛날에 김 대표가 쓴 어떤 글을 보니까 가장 고마운 사람으로 장면 총리를 든 적이 있었습니다. 그런데 우리가 장면에 대해서 느끼는 것은 민주주의의 규칙을 지켰다는 점과 정권을 빼앗겼다는 점, 이 양 측면입니다. 이에 대해서는 어떻게 생각합니까?

김대중 그분이 나를 대변인으로 발탁해서 매일 만났습니다. 그 어느 때인가 장 총리는 우리가 오래 집권하는 것보다는 평화적으로 야당이 집권하는 것이 더 중요하다는 말을 했어요. 나는 그 말이 마땅치 않았지만 그 후의 장기집권을 쭉 보니까 실감이 가더라고요. 그래서 훌륭한 분이었다는 생각을 하는데, 다만 마지막에 5·16쿠데타를 다루는 방법에 있어서는 지금도 부족한 점이 있지 않았는가라고 생각하고 있습니다. 물론 장 박사가 미 대사관으로 피신하려다가 막혀서 못 간 것도 알지만, 그때는 미군사령관이 한국 작전권을 완전 장악하고 절대적인 영향력을 발휘했었으니까, 거기와 연락을 해서 뭔가 사태를 해결하려는 노력을 적극적으로 했어야 했습니다. 그건 본인께 우리가 많이 서운하게 생각하는 점이죠.

정운영 1925년에 출생하신 것이 맞습니까?

김대중 실제는 1924년 1월 8일(음력 1923년 12월)이에요. 그런데 1925년 12월 3일로 되어 있는 것은, 일제시대에 징병에 끌려가지 않기 위해서 일부러 2년 정도 늦추어 놓았기 때문입니다.

정운영 그러면 해방 당시의 나이가 20세로, 한참 피가 끓는 시대였을 텐데요. 이력을 보니까 건준에도 가입했고 인민위원회에도 가담을 했었는데, 그 이후 결별의 사유가 분명하지 않던데요, 간단히 얘기해 주시지요.

김대중 1946년 여름경까지 지방에서는 좌우익의 차이가 없이 같이 일했어요. 그러다가 그 사람들과 갈라지게 되는데, 지금은 그런 말이 없지만 그때는 공산당은 소련을 조국이라고 한다, 그리고 붉은기를 우리 깃발이라고 한다는 말이 있었거든요. 그래서 인민위원회 사람들이 모인 회의에서, 제가 그때는 나이도 젊으니까 거칠게 말했지요. 어느 놈이든지 소련을 조국이라고 부르면 가만히 안 두겠다고 했어요. 그것이 미움을 받아서 꽉 찍히는 원인이 됐어요. 그래 가지고 관계가 악화되었고, 그런 데다 당시 한민당 목포시 부지부장을 맡고 있던 장인이 나를 불러다 놓고, "너는 공산주의가 뭔지 몰라서 그런다. 우리는 일제시대 신간회도 해 보고 뭣도 해 보고 해서 다 안다."라면서 설득을 하고, 그래서 그들과 갈라서게 되었죠.

정운영 그러면 이렇게 정리해도 되겠습니까? 사회주의나 공산당이 갖고 있는 비민족적 지향 같은 것에 대한 반발과 장인의 설득, 이 두 가지를 결별의 이유라고 봐도 좋습니까?

김대중 네. 공산주의가 갖고 있는 정의의 측면에 대한 주장에는 매력을 느꼈어요. 그런데 아까 말씀드린 것과 같이 내가 본질적으로 갖고 있는 민족주의적 생각에는 변함이 없습니다.

정운영 1955년에 『사상계』라는 잡지에 기고한 글 중에, 물론 당시와 현재 사이에 굉장한 거리와 차이가 있지만 아무튼 거기에 이런 내용이 들어 있었습니다. "현재 우리 민족의 최대의 과업이 공산 침략자를 타도하여 남북을 통일해야 한다"고 말이지요. 그때는 지금과 상황이 크게 다릅니다만, 당시의 이 주장이 현재도 유효합니까?

김대중 지금 나는 이렇게 생각합니다. 지금은 공산주의자고 무슨 주의자고 대화를 통해서 민족적 차원에서 협력하고 공존하면서 통일을 해 나가야 한다고 생각하고 있어요.

정운영 그렇다면 당시의 주장은?

김대중 그 당시의 상황을 반영한 것으로서, 공산주의 타도라는 것은 북한 정권 타도라는 의미보다는 공산주의를 반대한다는 의미로 말한 것입니다.

정치를 왜 하게 되었나

정운영 정치 초년기에 시련이 많았던 것 같습니다. 국회의원 당선까지 4수를 했고, 그 과정에서 부인이 타계하는 비극도 겪었습니다. 그렇게까지 하면서도 정치를 하고 싶었던 이유가 뭡니까?

김대중 저는 어렸을 때부터 정치에 관심이 많았어요. 일제 때 시골에서 자랐는데 저희 아버지가 구장을 지내셨어요. 마을에서 제일 유지지요. 그때 우리말 신문은 없고, 일본의 『매일신보』가 구장집에는 무료로 배달되었는데, 꼭 1면을 읽을 정도로 정치에 관심이 많았습니다. 그런데 제가 정치를 본격적으로 해야겠다고 작정한 것은 6·25전쟁 때입니다. 공산당이 남침해서는 제가 사업을 하기 때문에 반동이라는 이유로 쫓아냈습니다. 공산 치하에서 2개월가량 갇혀 있다가, 학살 직전에 탈옥을 해서 나왔지요. 그때 이승만 박사는 남침에 대해 전혀 대비도 없으면서 한다는 소리가 사흘이면 평양에 가고 일주일이면 백두산에 간다는 소리만 하고, 또 자신은 도망가면서도 방송으로는 국민을 지킬 테니 걱정하지 말라고 큰소리치고 그랬습니다. 그런 것을 보니까 정치가 잘못될 때 국민이 얼마나 불행한가를 깨달았습니다. 그 제일의 희생자가 바로 나였던 셈이지요. 그때부터 지금까지의 일관된 생각은 인생에서 뭐가 되는 것도 중요하지만 어떻게 사는 것이 더욱 중요하다는 것입니다. 무엇이 되는 데는 이완용이 최고로 성공했지만 어떻게 사는 데에 실패했기 때문에 만고의 역적이 되고, 뭐가 되는 데 있어서 안중근 의사는 철저히 실패해서 시골 면장 하나 못 했지만 어떻게 사는 데에 성공했기 때문에 영원한 영웅입니다. 또 바로 우리 눈앞에서 앞서간 두 사람의 대통령도 뭔가 되는 데는 성공했지만 어떻게 사는 데는 다 실패한 사람들이지요.

정운영 1969년에 이른바 '40대 기수'라는 얘기가 나왔습니다. 지금 민자당의 김영삼 대표가 원내총무 시절에 거론했습니다만, 여하튼 거기에 김 대표도 적극적으로 찬동했고, 나중에 대통령 후보까지 올랐습니다. 그런데 당시 유진산 당수가 구상유취니 정치적 미성년자의 태도니 해 가며 여러 가지로 반대했습니다. 만약에 사정을 바꿔서 지금 민주당 내에 누가 40대 기수론 같은 것을 들고나온다면 어떻게 대응하겠습니까?

김대중 그것은 당연히 할 수 있는 주장이라고 생각합니다. 다만 당시의 우리는 40대도 대권 도전에 참여하겠다, 우리에게도 그런 기회를 달라고 했지, 기성세대에게 나가라는 얘기는 안 했어요. 그런데 지금은 그게 아닌 것 같아요. 인위적으로 세대 교체를 하는 것은 군사 문화이지 민주 문화가 아닙니다. 인위적 세대 교체는 5·16쿠데타 이후로 박 정권이 시작해서 지금까지 해 오고 있는 거예요. 또 하나 중요한 것은 잘 아시다시피 유진산 당수가 저를 철저하게 반대했습니다. 그래서 저를 배제하고 김영삼 씨를 지지했어요. 그러나 제가 2차 투표에서 역전승을 거두었습니다. 그 후 당수를 뽑는 전당대회가 있었는데, 그때 제가 당수를 하려면 당수도 할 수 있었습니다. 그러나 저는 선거를 하려면 당이 단합을 해야 한다고 생각해서, 유진산 씨를 그대로 총재로 앉히면서 저와 선거를 같이하도록 한 일도 있어요. 그분은 저를 배척했지만 저는 그분을 몰아내지는 않았어요. 그렇기 때문에 오늘 일부 사람들이 세대 교체를 주장하는 것을 보며 참 어이없어요. 우리는 저러지 않았는데, 저런 식이 아니었는데라는 생각을 갖습니다.

정운영 혹시 지금 민주당 내의 40대 가운데 그만한 역량을 가졌거나, 그 당시의 폐기를 보여 줄 만한 사람이 눈에 띕니까?

김대중 언제든지 기성세대는 젊은 세대에 대한 편견도 있고, 평가절하도 하기 때문에 제 의견도 그럴지 모르겠지만, 그때의 우리와 같은 패기를 갖거나 스스로의 힘으로 크려는 노력들이 부족한 것 같아요.

정운영 이왕에 말이 나왔으니까 묻겠습니다만, 이른바 후계 구도를 구상하고 있습니까?

김대중 이미 하고 있습니다. 지금 그런 가능성이 있다고 보는 몇몇 분들에게는 당직도 주고 원내직도 주면서 지켜보고 있습니다. 그리고 가능성이 있는 몇몇 사람들에게는 그렇게 준비하라고 얘기합니다.

정운영 마지막 과정은 경선에 붙일 생각입니까?

김대중 당연하지요. 대통령 후보는 국민적인 지지랄까, 평가가 있어야 하기 때문에 인위적으로 만들 수는 없습니다. 내각책임제의 총리는 인위적으로도 됩니다. 그렇지만 대통령은 안 되는데, 지금 민자당의 민정계가 정권도 쥐고 당권도 쥐고 있으면서 대통령 후보를 만들지 못하는 것이 그 증거 아닙니까? 대통령 후보란 기회를 주면 자기가 되어야 해요. 저 같은 사람은 기회를 안 주는 것도 뚫고 나갔지만, 그것까지는 안 되더라도 기회를 주면 자기가 뚫고 나가야지 주위에서 후보까지 만들어 줄 수는 없어요.

정운영 당 밖에도 마음에 드는 사람이 있습니까?

김대중 예, 있어요.

도쿄 납치사건의 전말

정운영 다시 과거로 돌아가겠습니다. 1973년 도쿄에서 납치되었는데, 일본 쪽의 보도는 한국의 중앙정보부가 개입했다는 얘기를 전하고 있습니다.

김대중 일본 정부는 지금까지도 정식 발표는 안 했습니다.

정운영 여하튼 『마이니치신문』이 취재하여 보도한 사건 전모에 따르면 그런 사실이 나오고 있는데요.

김대중 그건 명백한 얘기입니다.

정운영 그 납치사건에 대해 아직 밝혀지지 않거나, 김 대표 자신이 풀리지 않았다고 생각하는 문제들이 남아 있습니까?

김대중 부인하는 사람들도 있지만, 당시의 중앙정보부장 이후락 씨가 1980년에 우리 당의 최영근 씨에게 고백한 것을 보더라도 박정희 씨가 지시한 것이 틀림없다고 봅니다. 그리고 납치가 아니라 살해 계획이었습니다. 우선 호텔 목욕탕에서 저를 죽여서 피는 물과 함께 흘려 내 버리고, 몸은 토막을 내서 륙색에 집어넣어 나오려고 했어요. 나중에 호텔방에서 큰 륙색 두 개와 종이와 노끈이 발견됐습니다. 그리고 북한이 한 것으로 가장하기 위해서 북한의 담배를 놔두고 그랬어요. 그러나 호텔에서 나를 끌고 나오다가 우리가 소리치고 하니까 당황해서 거기서는 못 죽이고 바다로 끌고 나왔거든요. 그래서 바다에서 전신을 결박해서 물에 던져 죽이려다가 못 죽였는데, 그때 못 죽인 것은 비행기가 와서 경고탄을 계속 쏘았기 때문이에요. 그래서 저지가 된 것이지요. 그런데 지금도 분명치 않은 것은 그 비행기가 일본 것이었는가, 미국 것이었는가라는 것입니다. 그것이 아직도 비밀로 되어 있어요. 그러나 거의 분명한 것은 미국이 그것을 알았는데, 지금으로 봐서는 일본 내의 공작선과 중앙정보부 사이에 왔다 갔다 한 무전의 암호를 해독한 것 같아요. 그래서 못 죽인 것 같습니다.

정운영 막 바다에 던지려고 할 때, 이제 내 인생은 이것이 마지막이다라며 기도를 드렸더니, 예수님이 나타나서서, 그분의 옷자락을 붙잡고 살려 달라고 빌어 목숨을 구했습니다라면서 인생의 신비 같은 것을 체험했다고 쓴 글을 읽은 적이 있습니다만.

김대중 그 말씀 중에 제가 마지막에 하느님께 기도했다고 했는데, 부끄러운 얘기지만 그때는 기도를 안 했습니다. 처음 해변가에서 큰 배로 실려 갈 때는 기도를 했어요. 제가 가톨릭 신자니까 성호를 긋다가 그 사람들에게 두들겨 맞기도 했지만, 막상 죽을 때는 다른 생각을 하고 있었어요. 고생스러운 방랑 생활도 이것으로 끝나니까 차라리 잘됐다라는 생각을 하다가, 그다음 순간에는 두 토막으로 잘라 놓으면 위 토막만이라도 살았으면 좋겠다라는 생각으로 노끈을 풀 수 있는가도 더듬어 보고, 그러는데 갑자기 예수님께서 앞에 서시더라고요. 그래서 예수님을 붙잡고 살려 달라고 했는데, 그 순간에 뭔가 눈에 번쩍하고 들어왔습니다. 붕대로 눈을 철저하게 감았는데도 말이지요. 그리고 무슨 펑 소리가 나자 나를 집어던지려던 사람들이 비행기라고 하더군요. 나중에 생각하면 그것이 생사의 기로였지요.

정운영 김 대표 개인적으로는 이 문제가 끝난 것으로 정리하고 있습니까, 아니면 아직도 미결의 상태로 두고 있습니까?

김대중 일본 정부는 그 문제에 대해 대단히 잘못된 태도를 취했지요. 왜냐하면 저는 일본에 합법적으로 거류 증명을 갖고 있었기 때문에 일본 정부가 제 신변을 보장할 의무가 있는 것입니다. 일본 국법을 어기고 납치를 해 갔으면, 일본 정부는 중앙정보부가 한 것이 명백해진 이상 반드시 저를 원상 회복을 시켜야 하는 것이지요. 저는 오랫동안 일본 정부에 책임 이행을 주장했지만 이제 그 책임은 묻지 않겠습니다. 또 이후락 씨가 지시해서 한 것은 분명하지만 누구에 대해서도 책임을 요구하지는 않겠습니다. 그러나 다만 진상은 분명히 밝혀야 합니다. 한번 저지른 악은 천년이 가도 진실이 밝혀져야 합니다.

정운영 김 대표가 가장 살고 싶은 곳이 광주와 목포라는 글을 읽은 적이 있습니다. 광주 문제를 끝났다고 생각합니까?

미결의 광주 문제

김대중 저는 그렇게 생각지 않아요. 광주에 대해서는 원칙이 있습니다. 진상 규명, 명예 회복, 정당한 배상, 그리고 광주 영령들을 위한 성역화 사업이 그것인데, 그 넷 중에 하나도 제대로 끝나지 않았습니다. '배상'을 '보상'이라는 방식으로 돈을 주었는데, 그런 방식으로는 배상이 될 수 없습니다. 진상 규명은 청문회를 통해 상당히 해냈습니다. 특히 중요한 진상의 하나는, 그것이 국내에서는 거의 과소평가되어 버렸는데, 말하자면 미국 정부가 국가의 정식 공언으로 광주진상조사위원회의 위원장 앞으로 보낸 공문에서 "12·12 사태와 광주사태는 정치에 관심을 가진 군인들이 저지른 사건이었다"고 밝힌 것입니다. 미국으로서는 상당히 하기 힘든 일을 우리가 해낸 것입니다. 다만 진상 규명에 있어서 우리가 아직 못 하고 있는 것은 누가 발포 지령을 내렸는가인데 이건 이 정권하에서는 도저히 불가능하더라고요. 앞으로 그 희생자와 영령 및 광주 시민의 업적을 영원히 후세에 남겨서 큰 교훈이 되도록 하고, 또 우리가 죽은 사람들의 명예를 높여야 하는데, 대통령까지 그 사업에 동의해 놓고는 전연 지키지를 않습니다. 그래서 광주 문제는 미결로 남아 있습니다.

정운영 정치적으로 더 이상 이 문제를 거론하기 힘들다는 생각이 드는데요. 결국 정호용 의원 하나의 옷을 벗김으로써 이 문제를 사실상 끝내려는 게 아니냐는 의혹도 없지 않습니다. 이런 비판에 대해서는 어떻게 대답하겠습니까?

김대중 정호용 의원을 몰아낸 것을 과소평가한다면 굉장히 잘못입니다. 정호용 씨가 당시 민정당의 2인자입니다. 대통령 밑의 최고 권력자입니다. 그 사람 하나를 몰아낸다는 것은 말하자면 여권에서의 기둥을 빼 버린 것과 같습니다. 그리고 그 사람이, 즉 여당의 제2인자가 광주 문제에 대한 책임을 지고 나갔다는 것은 큰 성과로 보아야 합니다. 결과적으로는 그 사람이 나감으로써 여당이 구심점을 상실한 겁니다. 오늘의 상황을 보세요. 만일 그 사람이 그대로 있었으면 오늘 대통령감으로 부각됐을 것이고, 그 후로 여당이 훨씬 더 비민주적인 방법으로 위력을 발휘했을 것이라고 생각할 때 절대 과소평가할 수 없는 것입니다.

정운영 바로 그 점에 대해 실제로 책임질 사람은 전두환 씨인데 오히려 정호용 씨에게 책임을 지운 것이 아니냐는, 쉽게 말씀드리면 라이벌 제거와 광주 문제를 맞바꾼 것이 아니냐는 비판이 제기되고 있는데요.

김대중 그것은 전혀 그렇지 않습니다. 나는 광주 문제가 전두환, 정호용, 노태우 세 사람의 공동 책임이라고 생각합니다. 그런데 청문회의 조사 과정에서 전두환, 노태우 씨가 관련된 증거는 아무래도 안 나와요. 모두 부인하니까 말이지요. 그런데 정호용 씨는 피할 수 없는 것이 그때 공수부대 사령관이었단 말입니다. 현장에 가서 닷새인가를 있었습니다. 머무르기는 했지만 학살 발포 지령은 내리지 않았다는 것인데, 그것은 정황으로 봐서 도저히 납득이 안 가는 것입니다. 그러니까 아까도 얘기했지만 이 문제는 반드시 진상을 밝혀야 합니다. 나는 전두환 씨가 최고 책임자였다는 사실이 나타나지 않을까 하고 추측하고 있습니다.

정운영 그렇다면 진상을 밝히는 과정에서 선두환 씨를 법정에 세우는 경우가 있을 수 있습니까?

김대중 물론이지요. 누차 얘기했지만 사람을 처벌하는 것은 안 되어도, 그 진상만은 분명히 밝혀야 합니다. 누구에게도 차별이 있을 수 없습니다.

정운영 김 대표는 이른바 중간 평가의 유보가 파국을 막기 위한 조처였다고 해명했는데, 그에 대한 국민들의 의문이 두 가지입니다. 하나는 파국의 내용이 무엇인가라는 것이고, 다른 하나는 일종의 월권이 아니냐는 것입니다.

김대중 후자부터 먼저 얘기하면, 중간 평가를 안 하기로 한 것이 아닙니다. 연기하기로 한 거예요. 중간 평가라는 것이 1988년 봄 아닙니까? 그런데 2년은 해야 중간이라고 볼 수 있습니다. 1988년은 올림픽으로 한 해를 보냈고, 1989년 초는 아직 중간단계가 아니라는 데에 문제가 있었던 것이지요. 다음은 파국의 문제인데, 당시 정호용 씨가 앞장서서 중간 평가를 주장했습니다. 그리고 국무회의에서 강영훈 총리가 국무위원들과 중간 평가를 하자는 결의까지 했습니다. 나중에 중간 평가를 안 한다고 했을 때 강 총리가 사표를 냈습니다. 그러면 그때 어떤 계획을 갖고 있었는가? 노태우 씨는 중간 평가에 대해 자신의 일이니까 주저를 하고, 내각과 정호용 세력은 중간 평가 과정에서 학생들, 혁신계, 재야 모두가 들고 나서면 그 혼란을 구실 삼아 새로운 쿠데타로 정국을 일거에 제압하려는, 즉 여소야대의 정국을 뒤집어 보려고 음모하고 있었던 것입니다.

정운영 그러니까 중간 평가를 기회로 오히려 여권에서 정권을 파괴하려고 했다는 말입니까?

김대중 파국을 막는다는 것이지요. 그렇기 때문에 그 수에 넘어가서는 안 된다고 얘기했던 것입니다. 그리고 그때 야 3당이 "노태우 씨는 약속대로 민주화를 빨리해라. 그 결과에 따라 중간 평가를 한다." 이렇게 합의했던 것입니다. 그런데 그 약속을 어기고 김영삼 통일민주당 대표(당시)가 즉시 중간 평가를 하라고 나왔던 것입니다. 아까 말씀드렸던 바와 같이 그 사람들에게 그런 음모가 없었다면 여당의 제2인자와 정부의 제2인자가 어찌 그런 주장을 하고 나오겠습니까? 그런 음모가 있었던 것은 분명한 사실입니다.

야권 통합과 3당 통합

정운영 민자당으로의 통합에 대해서 김 대표는 부도덕하고 반민주적인 방법으로 영구 집권을 꿈꾸는 행위라고 말한 적이 있는데, 야당이 통합하는 데는 그런 논리가 적용되지 않는가라고 억지로 묻는다면 어떻게 대답하겠습니까? 야당 통합은 되는데 여당 통합은 왜 안 되는가라고 말이지요.

김대중 논리적으로는 그렇게 됩니다. 그러나 야당 하겠다고 국민에게 약속하고 선출된 사람이 여당으로 간 것은 변신입니다. 그러나 야당 하겠다는 사람이 야당을 하겠다는 사람과 합쳐서 더 강한 야당을 하겠다는 것은 국민의 뜻에 합치되는 것이고, 선거 때의 약속과 하나도 틀린 데가 없는 것입니다. 어떤 여론조사를 보든지 국민은 야당이 통합하라고 하지만, 야당더러 여당으로 가라고 한 적은 한 번도 없습니다. 통일민주당 사람들은 유권자에게 "노태우 정권은 전두환 정권과 똑같다. 본질적으로 다른 것이 없다. 그렇기 때문에 위장된 군사정권의 독재를 막기 위해서 우리를 보내 달라"고 주장하고 나왔던 것입니다. 그래 놓고는 위장된 군사정권 사람들과, 그것도 국민은 커녕 자기 당내에서도 한마디 없이 하루아침에 해치운 것, 이것은 완전히 부도덕한 짓이고 국민의 뜻을 배신한 짓이라고 봅니다. 그런데 그렇게 해서 된 당시 통일민주당 국회의원들이 지금 선거구에서 굉장히 몰리고 있습니다.

정운영 만일 절차가 공개적이고 모든 사람이 이해하는 방법이었다면 그렇게 비난을 안 받아도 되는 겁니까?

김대중 그래도 큰 차이는 없다고 생각합니다. 왜냐하면 국회의원이라는 것은 대의원입니다. 국민의 대표이고 국사를 논의하는 사람이기 때문에 선거 때 약속한 것을 넘을 수는 없습니다. 노태우 대통령이 내각책임제로 개헌을 추진하는 데 대해서도 내가 항상 "노 대통령은 그 자격이 없다. 이것은 국민에 대한 신의의 문제다."라고 주장하는 것은, 노태우 대통령이 6·29선언을 할 때 국민에게 항복했다면서 내각책임제를 포기하고 대통령직선제를 받아들였기 때문입니다. 선거 때 한 번도 내각책임제 얘기를 한 적이 없습니다. 그랬다면 그나마 36퍼센트도 못 얻었을 거예요. 그러면 임기 중에 절대로 내각책임제를 할 권한이 없는 거예요.

정운영 민자당 통합에 대해 김 대표는 그 사실이 보도될 때까지 전혀 몰랐다고 술회한 적이 있습니다. 제1야당의 총재가 그런 큰 정치적 사건을 정말 모르고 있다면 정보 수집 능력에 문제가 있는 것이고, 혹시 알고 나서도 그렇게 말했다면 정직하지 않다는 생각이 드는데요.

김대중 그런 비판을 감수하지만 사실은 그렇습니다. 공화당이 민정당으로 들어갈 가능성은 봤어요. 그러나 설마하니 민주당이 그쪽으로 가리라고는 꿈에도 생각하지 못했어요. 그래서 한다면 연립내각 정도는 될 가능성이 있다고 내다보았지요. 그때 김영삼 씨하고 김종필 씨가 매일 골프 치면서 태도를 수상하게 하지 않았어요? 그래서 공화당이 민정당으로 가느냐, 아니면 민주당과 공화당이 통합해서 민정당과 연립내각으로 가고 우리만 고립시키느냐는 문제만 생각했지요. 그렇지만 민주당이 바로 여당으로 갈 줄은 정말 몰랐어요. 발표하는 날까지 몰랐어요.

정운영 여소야대라는 정국이 있었습니다. 결과적으로 다시 여대야소로 복귀하고 말았습니다만, 혹시 김 대표 자신도 민정당을 투쟁의 대상으로 생각하기보다는 동반자적인 협력 관계로 생각했다가 그쪽의 버림을 받은 것은 아닙니까?

김대중 민정당을 동반자로까지 생각한 일은 없고요. 다만 여소야대의 체제하에서 여하간 우리가 다수니까 민정당과 정국 안정을 위해서 서로 협조해 나가야겠다고 했는데, 그것은 국민의 생각이 그것을 바라기 때문에 그렇게 한 것입니다. 아시다시피 지난 3, 4년간 국민의 의식이 놀라울 정도로 바뀌어져 가고, 놀라울 정도로 보수화되고 있습니다. 그리고 지식인이나 재야에서 생각하는 것보다는 훨씬 더 과거의 독재체제를 혐오하는 생각이 줄어들고 있고, 심지어 최근의 어떤 여론조사를 보면 박정희 대통령을 가장 존경한다는 말이 나올 정도니 얼마나 달라져 가고 있는가를 알 수 있습니다. 일부가 극도로 과격해져 국민의 생각과 맞지 않는 일을 한 것도 결코 잘한 일은 아닙니다. 그런데 정치하는 사람들은 급속도로 변해 가는 이 물결을 타지 않으면 밀려나 버립니다. 그러면 당이 되지 않습니다. 그래서 국민의 정서에 맞추어 가려면 부득이, 말하자면 5공 시대의 자세를 갖고는 따라갈 수 없습니다.

공화국연합제의 내용

정운영 공화국연합제는 김 대표가 만들어 낸 가장 중요한 역작의 하나라고 생각하는데, 간단히 정리를 해 봤더니 평화 공존, 평화 교류, 평화 통일의 3단계로 되어 있고, 마지막 평화 통일의 단계가 1연방 2독립정부, 1연방 2지역정부, 1국가 1정부로 되어 있었습니다. 그런데 김 대표는 여러 곳에서 북한의 현 체제는 안 된다는 얘기를 한 적이 있는데, 그렇다면 이 공화국연합제라는 안의 상대가 북한의 현 체제입니까, 아니면 이 체제가 끝난 다음 체제입니까?

김대중 그것은 갈라서 얘기해야지요. 북한의 현 체제가 안 된다는 것은 우리의 상대가 안 된다는 것이 아닙니다. 지금 동유럽과 소련의 변화를 보더라도 북한이 현 체제를 갖고 오래갈 수는 없을 것입니다. 그것은 역사적 관점에서 본 북한의 입장 문제이고, 당장의 공화국연합제와는 관계가 없는 것입니다.

정운영 그러면 두 문제를 연결해서 얘기하자면 이런 해석이 가능하겠습니까? 여하튼 현 체제와도 공화국연합제라는 안을 가지고 접촉하고 노력을 기울일 수는 있으나, 그 구체적인 소득을 얻기는 어렵다고 말이지요.

김대중 저는 소득도 얻을 수 있다고 생각합니다. 현 체제와의 평화 공존이나, 군사 대결의 종식을 기대할 수 있고, 남북 교류에서 경제 협력을 포함한 여러 일을 할 수 있다고 보거든요. 그리고 현 체제에서 1연방 2독립정부를 하면, 연합정부가 있고 연합국회도 만들 수 있게 되지요.

정운영 이왕 북한의 얘기가 나왔는데, 평소 북한에 대해 어떤 생각을 하고 있습니까?

김대중 제가 느낀 것 중에 가장 새로운 발견은 크게 보면 같은 민족으로서 큰 변화가 없다는 것입니다. 많은 사람들이 큰 변화가 있다고 하는데 나는 큰 변화가 없다고 생각합니다. 역시 같은 조선 사람이다, 역시 같은 한국 사람이다라는 생각을 갖고 있습니다. 그리고 북한에 대해 우리가 평가할 점은 말하자면 민족 정통성을 지켜 왔다, 친일파를 제거하고 일제와 싸운 사람들이 권력을 지켜 왔다는 것입니다. 우리 대한민국 최대의 약점은 민족 정통성을 안 지켰다는 것입니다. 결국 일제시대 친일한 자들이 전부 정보부 요직, 군, 경찰, 실업계, 심지어는 문화계까지 다 점거하지 않았습니까? 그래서 아직도 일제의 잔재가 우리 주변에 우글거리는 상황이고, 이런 것을 보자면 북한을 상당히 평가해 주어야 합니다. 다만 그런 평가에도 불구하고 북한은 공산주의로서 국민의 기본권을 억압하고 개인 숭배를 강요했으며, 또 경제를 경제 원리대로 다루지 않아서 경제적 면에 있어서는 실패했습니다. 이런 면에서 북한은 성공적인 통치를 해 왔다고 볼 수 없습니다.

정운영 도쿄에서 납치될 때도 그랬고, 5공 치하에서 수난을 받을 때도 그랬고 여하튼 미국의 도움을 상당히 많이 받은 것으로 알고 있습니다. 예컨대 그레그에 대한 반대 여론이 비등했을 때 미국 국회에 사신을 보냈다는 얘기도 마찬가지고요. 그래서 김 대표는 미국에 빚이 너무 많아 나중에 좋은 기회가 오더라도 대미 자존에 혹시 문제가 생기는 것이 아니냐는 의구심이 이는데요 이 문제에 대해서는 어떻게 생각합니까?

김대중 그레그 대사 얘기부터 하면 제가 그레그 대사를 위해서 국회에 사신을 보낸 것은 아니고, 그레그 씨가 대사에 임명됐다고 해서 "당신의 임명을 축하한다. 그리고 당신이 과거에 나를 위해 애써 준 것을 나는 지금도 고맙게 생각하고 있다"는 편지를 보냈어요. 그런데 이 양반이 워낙 급하고 청문회에서 떠들고 하니까 공화당 의원을 통해서 "봐라, 한국의 야당 지도자로부터 나에게 이런 편지가 왔다." 하고 보였던 모양이에요. 그것이 국회에서 이용되리라고는 꿈에도 생각지 못했죠.

저는 그동안 미국에서 쭉 반미라는 얘기를 들어 왔습니다. 그 이유 중의 하나는 아무래도 제가 탄압을 제일 많이 받으니까 인권투쟁과 제일 많이 연결되고, 또 국회 내에서 케네디 의원을 위시하여 인권 문제에 철저하게 앞서 나가는 분들이 저를 지지하기 때문인 것 같습니다. 저는 분명하게 얘기해서 반미도 반대하고, 반소도 반대하고, 반일도 반대합니다. 어느 특정 국가를 반대하는 것을 반대합니다. 저는 민족과 국가의 이익을 우선시합니다. 그렇기 때문에 미국과 손잡는 것이 유리할 때는 손잡고, 아닐 때는 비판합니다. 지금 농산물 수입의 경우에는 철저하게 반대하고 있습니다. 제가 단호하게 반대하는 것이 이 정부가 함부로 행동하지 못하는 원인이 되고 있습니다. 농산물 개방의 고삐는 우리가 쥐고 있습니다.

정운영 미국이 우리에게 저지른 죄악이 있다고 생각합니까?

김대중 역사적으로 볼 때 한·일합병을 정당화시켜 주고, 또 한편으로는 해방적인 면도 있지만 국토 양단에 대한 책임도 있고, 그리고 광주학살 때 미국이 당연히 이것을 억제하고 견제해야 했는데, 이를 회피하여 결과적으로 전두환이 쿠데타에 성공하는 데 협력했던 점입니다. 제가 볼 때 박정희, 전두환 때까지 미국이 우리 국민의 의사보다는 독재자와 결탁해서 독재정권이 지탱하는 것을 도왔습니다. 크게 봐서 미국이 대한민국의 역사에서 민주 세력을 지지한 것은 극히 드물었고, 독재와 반민주 세력을 지지한 것이 대부분이었다고 저는 생각합니다.

정운영 김 대표는 여러 차례 한국이 제2의 서독이면 좋겠다, 아시아의 서독이면 좋겠다, 또 우리가 나가야 할 길은 제2의 서독이어야 한다면서 서독 예찬에 앞장서고 있는데 혹시 그럴 만한 특별한 이유라도 있습니까?

김대중 서독은 우리나라와의 많은 공통점 중에도 분단국가였고, 그러면서도 통일을 성취한 점에서 우리가 가장 배울 점이 많다고 생각합니다. 그리고 또 하나 제가 크게 호의를 갖고 있는 것은 서독이 제2차 세계대전에 자기 민족이 저지른 죄악에 대해서 철저하게 반성하고 있다는 점입니다. 일본은 과거에 대해 반성하지 않고 오히려 미워하고 정당화하려는데, 독일은 철저하게 반성하지요. 이것은 우리가 높이 평가하고 존경할 만하다고 생각합니다.

그리고 직접적인 문제로서는 우리가 군사통치하에서 시달릴 때 정말로 사심 없이 도와준 나라가 독일입니다. 독일의 인권 교회들이 우리의 민주주의를 위해 물심양면으로 얼마나 도왔습니까? 돈도 보내 주고, 우리나라 사람을 초대해서 교육도 시키고, 정부나 국회를 통해서 영향력을 행사하도록 만들고 했습니다. 그래서 노태우 씨가 독일 갔을 때도 폰 바이체커 대통령이 바로

"한국의 국가보안법이 그래서 되겠느냐? 한국에 정치범이 많다는데 그래서야 되겠느냐"고 말하지 않았습니까? 이번에도 제가 가서 만났더니 바로 악명 높은 국가보안법이 아직도 있느냐고 묻더라고요. 이런 모든 점에서 우리가 참고할 만한 상대가 아닌가 생각합니다.

정운영 소련과 동유럽의 여러 나라에서 나타나고 있는 현실사회주의의 붕괴에 대해 어떤 느낌을 가지고 있습니까?

민주주의와 사회주의

김대중 저는 사회주의가 자본주의에 졌다고 보지는 않습니다. 민주주의를 하지 않는 사회주의, 민주주의를 하지 않는 공산주의가 진 것이고, 어떤 것은 스스로 붕괴한 것이라고 봅니다. 아시다시피 19세기 중엽부터 자본주의에 대한 안티테제로서 사회주의가 등장했습니다. 1848년에 '공산당 선언'이 발표된 것으로 알고 있는데, 그 후 150년 동안 자본주의와 사회주의가 다 같이 민주주의를 하면 성공을 하고, 민주주의를 안 한 자본주의와 사회주의는 다 실패를 했습니다. 가령 민주주의를 안 한 자본주의의 실패는 히틀러의 독점자본주의, 일본 군국주의하의 독점자본주의입니다. 그리고 민주주의를 한 자본주의는 아시다시피 서구 사회에서 성공했습니다. 심지어 독일이나 일본도 제2차 세계대전 이후 민주주의를 하면서 자본주의로 성공을 했습니다. 민주주의를 한 사회주의는 스웨덴이 대표적인 케이스인데, 대단한 성공을 거두었습니다. 그런데 민주주의를 안 하는 사회주의, 말하자면 동유럽에서는 패배했습니다. 그러면 왜 민주주의를 하면 성공하고, 민주주의를 안 하면 패배했을까요?

제일 큰 이유는 민주주의를 하게 되면 민주주의가 갖고 있는 메커니즘을 통해 자기모순을 스스로 해결할 수 있는 자정 능력이 생기기 때문입니다. 여론이나 투표 같은 것을 통해 국민들의 변화된 욕구를 알아차려서 수용할 수 있습니다. 민주주의를 안 한 자본주의나 사회주의는 그것이 없습니다. 동구라파나 소련에서는 '노동자의 나라'라면서 몹시 떠들지만 열심히 일하지 않습니다. 그래서 결국은 경제가 붕괴되어 버렸습니다. 그러니까 그렇게 강력하게 보이던 공산국가들이 힘없이 무너지는 것이지요. 가장 큰 문제는 경제적 붕괴가 원인이 되어서 국민적 단합이 안 되는 것입니다. 그런 의미에서 저는 사회주의가 패배한 것이 아니라 민주주의를 안 한 사회주의가 패배한 것이라고 생각합니다. 중국이나 북한이나 베트남 같은 나라들도 예외가 될 수는 없습니다. 이것은 역사의 흐름이기 때문에 누구도 바꿀 수 없는 것이지요.

정운영 그 도식에 따르면 북한은 민주주의를 하지 않는 사회주의라고 이해해야 되겠군요.

김대중 그렇지요.

정운영 그렇다면 남한은 어떻습니까? 민주주의를 안 하는 자본주의인가요?

김대중 남한은 민주주의도 제대로 하지 않고 개방경제도 제대로 하지 않고 있습니다. 오늘날 우리 사회에서 민주주의를 하지 않는다는 단적인 증거는 지금 감옥에 1천 수백 명이 있어서, 전두환 정권 말기보다 더 많은 재소자가 있다는 사실이 입증하고 있습니다. 그리고 민주주의를 하는 나라냐, 하지 않는 나라냐는 것을 테스트하기 위해서는 노동운동을 할 수 있는 자유가 있는가 없는가를 보면 됩니다. 자본가만 자유가 있고 노동자에게는 자유가 없으면 민주주의를 안 하는 것 아닙니까? 우리나라에는 노동운동의 자유가 없습니다. 지금 남한 사회가 안정을 못 찾고, 국민의 단합이 안 되고, 그리고 경제도 잘 안 되는 이유가 바로 거기에 있습니다.

정운영 걸프전이 개시되었을 때 김 대표는 전비 부담과 의료진 파견은 좋으나 전투병 파견은 안 된다면서, 그 안 되는 원인의 하나로 북한의 오판을 지적했습니다. 정말로 그때 북한의 오판이 문제가 되었습니까, 아니면 그저 말로 그렇게 해 본 것입니까?

김대중 반반이지요. 말하자면 우리 입장을 세우기 위한 부분도 있고, 잘못 하면 그런 일이 있을 수 있다는 뜻으로.

대중이 참가하는 경제

정운영 1960년대 중반 제가 대학에 다닐 때 대중경제라는 말을 처음으로 들었습니다. 김 대표가 정치나 외교 분야와는 달리 경제 문제에서는 다소 서툰 것이 아니냐는 지적이 있습니다. 대중경제의 내용을 한마디로 어떻게 소개할 수 있습니까?

김대중 제가 하버드대학에 1년 있었는데, 거기서 대중경제에 대한 리포트를 냈어요. 그 대학교수들이 좋은 논문이라고 심사해서 하버드대학 출판사에서 출판되었는데, 그 제목이 단적으로 성격을 규정합니다. 그것은 대중이 소유에 참가하고, 경영에 참가하고, 분배에 참가한다는, 그래서 대중 참여를 허용하는 것입니다. 주식이 독점되지 않고, 그래서 기업이 국민적 기업으로 되고, 그리고 운영은 영세 주주의 선출에 의한 전문 경영인이 하고, 거기에서 나온 소득은 주주들과 노동자들에게 고루 분배된다는 아이디어가 대중경제의 골간이지요. 그러니까 자유경제의 원칙에 입각해서 대중이 참가하는 경제체제입니다.

정운영 그 말대로 민중이 소유와 관리와 경영에 대규모로 참여하게 된다면, 현재 우리가 갖고 있는 체제에 상당한 수정이나 변화가 와야 하는 것 아닙니까?

김대중 반드시 그렇지는 않지요. 서구 사회를 보면 지금 그전과 같이 일가족이 기업을 소유하고 있는 나라는 거의 없습니다. 자본주의라는 것이 민간인들의 자본에 의해서, 그리고 자유경쟁과 시장경제의 원리에 의해서 움직인다는 의미에서 자본주의입니다. 과거에 개인이나 일가족이 소유하는 독점적 소유에 의한 자본주의는 없어지고, 이제 우리나라 같은 경우에나 남아 있는 거예요. 지금은 대중들이 소유와 경영과 분배에 참가하는 것이 서구 사회에서 성공한 자본주의 국가들의 일반적인 예입니다.

정운영 어떤 글을 통해 김 대표는 전교조의 파업권에는 동의할 수 없다고 주장했는데, 논리적으로 파업 없는 노조가 어떻게 가능합니까?

전교조, 우루과이라운드, 노동 문제

김대중 그것은 논리일 뿐입니다. 단결권과 교섭권을 가지면 무시할 수 없는 영향력을 발휘합니다. 지금은 불법화되어 있지만 전교조가 얼마나 많은 영향력을 발휘했습니까? 옛날의 교련이 없어져 교총이 되고, 그 교총의 주장이 상당 정도 반영된 것도 전교조의 영향입니다. 그리고 국민의 뜻과 맞아야 하는데, 뭐라고 해도 국민이 학교 선생이 파업하는 것까지는 지지하지 않습니다. 지지를 받지 못하면 오히려 전교조 자체를 인정하지 않는 세력들을 도와주는 것밖에 안 됩니다. 그렇기 때문에 모든 것이 한꺼번에 갈 수 있는 것은 아니다, 국민과 보조를 맞춰 가자면 이 시간에는 단결권과 교섭권 정도를 갖는 것이 옳다고 저는 전교조에게 권했습니다. 그런데 이런 사연이 있었습니다. 뭐가 잘되어 가면 강경 세력들이 지배를 해요. 처음에는 전교조가 아니라 전교협이었죠? 그때 전교협의 간부가 저에게 와서 1년 동안은 전교조를 만들지 않겠습니다라고 했습니다. 그런데 1개월 후에 노조를 만들더라고요. 그래서 나중에 물어봤더니, 갑자기 밑에서 들고일어나서 도저히 안 된다는 거예요. 그런데 아니나 다를까 국민이 반발하니까 그때는 권력층에서 국민의 반발을 등에 업고 막 탄압해서 쓸어 넣어 버렸단 말입니다. 나중에 급하니까 단결권만이라도 갖게 해 달라고 할 때는 너무 늦었단 말입니다. 내가 볼 때 대학에서의 학생운동도 학생 대중 전체가 따라오지 않는데 억지로 독주하다가, 다수 학생들과 거리가 생긴 경우가 적지 않다고 봅니다.

정운영 우루과이라운드라는 것이 지금 거론되는 내용과 큰 차이 없이 타결되어 국회의 동의를 요청해 오면 이제까지의 공언대로 반대하겠습니까?

김대중 반대하겠습니다. 쌀 개방과 주요 농산물 개방에 반대하는데, 그것을 우리에게 강요한다는 것은 원칙적으로 옳지 않고 현실적으로도 옳지 않습니다. 왜 그러냐 하면 갤브레이스 교수도 지적하듯 농업은 근대산업이 아니라 전통산업이고, 전통산업에 대해 근대산업의 원리인 자유무역을 적용하는 것은 이치에 맞지 않으며, 전통산업은 보호받아야지 개방해서 경쟁에 맡길 수 없기 때문입니다. 지금 우리나라의 쌀값이 국제가격보다 5배나 비싼데 어떻게 경쟁을 합니까? 우리나라 농촌은 완전히 없어지라는 얘기인데, 농촌이 없어지면 대한민국이 없어지지 않겠습니까? 말도 안 되는 소리지요. 미국도 과거에 백 년 동안 농업을 보조해 왔지 않습니까? 지금도 수출보조금을 주고 있잖아요? 자기들은 할 짓 다 하면서 우리와 똑같이 경쟁하자는 것이 말이 됩니까?

정운영 미국에서 심한 압력을 가해 오더라도 분명히 거부하겠습니까?

김대중 분명히 거부합니다.

정운영 민주당의 노동대책이 양비론으로 흐른다는 지적이 있습니다. 말하자면 이쪽저쪽 눈치를 살핀다는 비판인데요.

김대중 우리는 노동 문제에 대해서 한 번도 원칙을 바꿔 본 적이 없습니다. 우리는 처음부터 일관해서 노사 문제에 대해 이렇게 정리하고 있습니다. 노사는 대등한 입장에 서야 한다, 기업은 노동조합 결성의 자유를 인정해야 한다, 그리고 노동자들의 생존권은 보장되어야 한다, 그 대신 노동조합은 생산성의 향상에 책임져야 한다, 그래서 기업의 건전한 존립에 협력해야 한다, 이런 과정에서 정부는 어디까지나 중립에 서야 한다, 그래서 조종하고 위법한 측은 견제해야 한다, 그러나 중립성은 꼭 지켜야 한다는 것이 우리 입장입니다. 그런데 제가 볼 때 일부 노조 하는 사람들이 과격한 방향으로 주장을 해서, 그것이 국민들로부터 상당히 고립되고 비판을 받은 것이 사실이고, 그러한 점에서 지금 노조에서 상당한 반성이 일어나 시정하고 있는 것으로 알고 있습니다. 우리로서는 현재 노총과도 좋은 관계를 유지하고 있지만, 전노협이라든지 기타 대기업 노조와도 관계가 좋습니다.

정운영 노동운동이 때때로 과격하게 흐르는 부분이 있다고 했는데, 구체적으로 어느 정도가 과격한 것입니까?

김대중 가령 1989년, 1990년까지도 여러 군데의 투쟁 과정에서 폭력을 쓰지 않았어요? 그런 것은 절대로 안 된다고 생각합니다.

정운영 예컨대 사용자 측에서 먼저 폭력을 사용하기 때문에 노동자가 불가피하게 대응하는 경우에도 옳지 않다는 말입니까?

김대중 예, 안 된다고 생각합니다. 폭력을 썼을 때는 상대방에게 폭력을 쓸 구실을 줍니다. 그리고 상당한 경우에는 사용자 측이 폭력을 안 쓸 때도 노동자 쪽에서 쓸 때가 있습니다. 또 하나 노동조합에서 선출한 간부들이 가서 협상을 해 오면 뒤집어 버리는 예들이 많습니다. 이래 가지고는 되지 않습니다. 소수의 과격한 세력들이 집단으로 모일 때는 강경론이 정론이 됩니다. 그래서 뒤집어 버린다고요. 그렇게 하는 노조를 국민이 어떻게 신임하겠습니까? 그것은 결국 기업주나 정부로 하여금 노조에 대해 탄압할 수 있는 절호의 구실을 주는 것이지요. 그런 것이 결과적으로는 노조 자체에도 손해고, 국민의 지지도 받지 못한다고 생각합니다.

정운영 문제의 방향을 바꾸겠습니다. 지방색이라는 고질적이고 망국적인 풍토를 타파하기 위해서 여러 가지 얘기들을 하고 있는데, 김 대표는 그 대안으로 동서의 정부통령 제도를 제의했습니다. 그러나 그것은 지나치게 정치적인 대안으로서, 이를테면 동서에 속하지 않는 쪽의 주민들은 어떻게 하느냐 하는 반발이 제기될 수도 있는데요.

김대중 동서의 대립이 지방색의 시작이고 지방색의 본질 아닙니까? 그러니까 그렇게 표현을 한 것이지만, 좀 더 실제적으로 얘기하면 서로 다른 지역에서 정부통령 후보가 나옴으로써 그것이 지방 융합에 도움이 된다는 얘기입니다. 미국이 아시다시피 남북전쟁 전부터 남북 대립이 심하고, 남북전쟁 이후에는 거의 나라가 갈라질 정도로 대립이 심했습니다. 그런데 그것을 얽어매서 오늘까지 단합을 끌어온 것은 러닝메이트 제도입니다. 그런 의미에서 나는 이런 정부통령 제도가 필요하다고 했던 것인데, 아직은 당론으로 결정되지 않았습니다. 그러나 지방색의 문제는 본질적으로 그게 해결 방도는 아닙니다. 아까 지나치게 정치적이라고 했는데 사실입니다. 본질적으로는 차별하지 말아야 합니다. 차별하는 지역에 대해 왜 차별하느냐고 하는 것은 지방색이 아닙니다. 정당한 인권입니다. 물론 이것은 국민이 해결해야 합니다. 그런데 국민이 지방색에 의해 투표를 하면서 정치만 탓한다면 말이 안 되는 것이지요. 투표라는 것은 어느 정당의 어느 후보가 제일 좋은가에 따라서 투표를 해야지, 그 사람이 어디에서 나왔는가를 갖고 투표해서는 안 됩니다. 씨를 잘못 뿌렸는데 어떻게 좋은 곡식이 나옵니까? 이 점에서는 국민들도 반성해야 합니다.

정운영 만약 김 대표가 다른 지방에서 태어났다면 자신의 포부를 펴기에 좀 더 수월했으리라고 생각해 본 적이 있습니까?

김대중 예, 있습니다.

정운영 언뜻 이력을 보니까 사형 선고를 받고, 네 번 정도의 죽을 고비를 넘겼고, 6년 동안 옥고를 치렀고, 10년간을 연금과 망명 생활로 보냈습니다. 그래서 박해받은 정치인이라는 사실에는 누구도 이의가 없는데, 반대로 박해받은 것 이외에는 별 업적이 없지 않으냐고 다소 부정적인 시각을 들이댈 수도 있는데요.

나의 보람, 나의 부덕

김대중 박해를 받은 것이 민주주의를 위해서 저항했기 때문에 받은 것이라면, 독재를 저지하는 데 공헌했을 것 아닙니까? 제가 1985년 미국의 망명 생활에서 돌아왔고 1987년에 6·29선언을 가져왔는데, 분명히 말해서 그때 제가 김영삼 씨와 협력해서 둘이서 싸우지 않았다면, 틀림없이 내각제 개헌이 되어 버렸고 6·29는 없었을 것입니다. 국민의 힘으로 이긴 것이지만 결국 우리가 국민의 힘을 상징적으로 집결해서 싸운 것은 사실입니다. 그렇기 때문에 단순히 박해만이 아니라 박해 속에서 투쟁하면서 얻은 것도 있지 않은가 생각합니다.

정운영 1982년 미국으로 망명할 때, 당시의 실력자인 전두환 씨에게 화해 내지는 용서를 구하는 듯한 문건을 발표한 적이 있지요? 그 뒤 김 대표의 주변에서는 그 문제에 대한 언급을 꺼리고 있는데, 진짜로 그것을 스스로 썼습니까?

김대중 미국에 병 치료를 가게 해 주면 거기서 정치 활동은 하지 않고 치료에 전념하겠다고 쓴 것은 사실입니다. 그때는 그것을 쓰지 않고는 출국이 되지 않는 입장이어서 그렇게 했습니다. 지금으로서는 그것을 안 썼으면 좋았다고 생각할 수도 있으나, 그때로서는······.

정운영 정치를 오래 하다 보니 그렇겠지만, 측근에 있던 사람들이 떠나서 모함하는 책을 내는 등 여러 가지 곤혹스러운 경우를 당한 것으로 알고 있습니다. 그것은 김 대표의 자신이 너무 지나쳐 주변에 사람이 모이지 않기 때문이라고 보는 사람도 있는데, 이에 대해서는 어떻게 스스로를 변호하겠습니까?

김대중 내가 부덕하다고 얘기한다면 거기에 반대하지는 않겠습니다. 그러나 이건 아셔야 합니다. 내 주변을 떠난 사람이 쓴 대표적인 것이 『동교동24시』인데, 그 책은 우리 쪽에서 여러 가지 좋지 않은 행동을 해서 나간 사람을 안기부가 매수해서 그에게 원고를 써 주고 그의 이름으로 낸 것입니다. 그 안에 있는 얘기는 대부분 사실이 아니고요. 그런데 우리 쪽에서 나간 사람이 있는 것만 얘기하지, 우리 측근에 있다는 것이 얼마나 고통스럽다는 것을 모릅니다. 다른 야당 지도자 주변에 있으면 아무렇지 않은 일도 우리 주변에 있으면 문제가 됩니다. 30년, 40년 있으면서 몇 번이고 잡혀가서 물고문, 전기고문, 온갖 고문을 당하고 가산이 탕진되면서도 안 떠나는 사람들이 우리 주변에 수두룩하게 있습니다.

정운영 김 대표는 언제인가 "이승만의 가장 큰 잘못은 독재도 아니고 장기 집권도 아니고 친일파의 등용이며, 박정희의 가장 큰 잘못은 독재도 아니고 부의 집중도 아니고 지역감정의 조장이다."라고 말한 적이 있는데, 이런 레토릭을 만약 전두환 씨나 노태우 대통령에게 연장한다면 어떻게 되겠습니까?

김대중 전두환 씨의 가장 큰 잘못은 집권을 위해서 자기의 정적을 파괴하고, 자기에 반대하는 광주 시민들을 학살한 것이 제일 큰 잘못이었다고 생각합니다. 노태우 씨의 잘못은 뭐라고 해도 내각제 개헌을 하려는 것, 그것이 잘못입니다. 그것 하나 때문에 모든 잘못을 저지르는 것입니다.

정운영 그러면 내각책임제 개헌을 안 하고 물러나면 잘못이 없는 겁니까?

김대중 내각제 생각만 없다면 노태우 씨가 비교적 민주주의를 순조롭게 했을 겁니다. 그 증거로는 3당 합당 이전에는 국회가 비교적 순조롭게 잘 갔어요. 국회에서 안건의 98퍼센트가 거의 만장일치로 여야 협상 테이블에서 통과가 됐고 한 번도 날치기가 없었습니다. 그런데 결국 내각책임제를 하려고 하기 때문에 3당 야합을 하고, 또 그 억지를 부렸던 것입니다.

정운영 모두가 잘못한 사람의 경우인데, 이번에는 본받을 만한 인물을 꼽아 보시지요.

김대중 뭐라고 해도 민족독립에 집념을 불태우면서 일신을 희생한 김구 선생, 이런 분은 정치 차원보다는 애국자의 차원에서 우리가 존경할 분입니다. 다만 그분이 정치적으로 다른 방법을 택했어야 한다고 봅니다. 예를 들면 그분이 신탁통치를 반대했는데, 그때 국제 정세를 봐서 남북이 분단되지 않고 하나로 될 수 있는 유일한 길은 신탁통치를 받아들이는 것이었습니다. 그 외에는 방법이 없었어요. 그런데 신탁통치를 반대했거든요. 그 반대하는 심정은 충분히 이해합니다. 저도 그때 반대했었거든요. 지금은 그런 입장에 대해 비판하고 있는데, 그래서 5년이면 됐을 일이 지금 50년 동안 분단으로 남아 있단 말이지요. 신탁통치를 받아들이지 않기로 했으면 남조선 단독정부를 수립할 때 참가해서 대통령이 됐어야 합니다. 이승만 씨는 영구 분단을 위해서 대통령이 됐지만, 김구 선생은 북한과 협상하여 통일을 이루기 위해서 대통령이 됐어야 한다는 것이지요. 그런데 이것도 거부했어요. 전부 거부만 했지, 어떻게 하면 통일할 것인가라는 정치적 대안이 없었다는 점이 애석합니다.

정운영 당시의 형편에서 신탁통치의 수락이 우리의 유일한 대안이었다는 김 대표의 말을 다시 확인해도 좋습니까?

김대중 미·소가 냉전으로 들어가기 전에 마지막으로 합의했던 안이에요.

그것 아니면 다음부터는 갈라서는 것밖에 없는 때였어요. 그러니까 지금과는 상황이 다르다는 것을 알아야 해요.

정운영 그 외의 인물로는 누가 있습니까?

김대중 신익희 선생이 민주주의의 교사로서 그 당시 국민들에게 널리 민주주의의 필요성과 민주주의의 소중함을 가르치고 전국을 돌아다니면서 한 역할, 그래서 산산이 갈라졌던 야당 세력을 하나로 묶어서 민주당을 창당한 영도력, 이것이 상당히 돋보이고요. 그리고 장면 박사인데, 그분에 대해서는 이미 말씀드렸습니다.

정운영 모두 실패한 사람들만 좋아하네요.

김대중 지금까지 별로 성공한 사람이 없습니다. 민주주의를 위해서 싸운 사람 중에 성공한 사람이 없지 않습니까? 그 사람들이 실패하면서도 남겨 준 유산이 오늘날 우리가 가혹한 군사독재를 제압하면서 다시 민주주의로 가는 저력이 되고 있는 것이지요.

정운영 김 대표는 대학생들이 농민과 노동자 등 민중 속에 들어가서 고난을 같이하는 것을 볼 때가 이 세상에서 가장 아름답다고 말한 적이 있는데, 그 말을 그대로 믿어도 됩니까?

김대중 그렇습니다.

정운영 대학가의 데모에 대해서는 어떤 생각을 하고 있습니까?

데모의 권리와 학생운동

김대중 나는 학생들에게 당연히 데모의 권리가 있다고 생각합니다. 다만 폭력을 쓰는 방식은 옳지 않다고 생각하고요. 그것은 원칙적으로도 옳지 않고, 현실적으로도 상대방에게 탄압할 수 있는 구실만 주고, 또 국민으로부터 고립되기 때문입니다.

정운영 그러면 현실 개혁의 한 부분으로서 대학생들이 택하는 정치 행위에 원칙적으로는 동의하지 않는다는 말입니까?

김대중 폭력적 데모를 반대한다는 것이지, 평화적인 데모나 다른 의사 표시를 가지고 현실 정치에 개입하는 것은 바람직하다고 생각합니다. 내가 가장 슬프게 생각하는 것입니다만, 대학생들이 1980년대까지만 하더라도 정치인들을 초청해서 강연도 듣고, 건설적인 질문도 하고 그랬는데, 최근 1988년, 1989년, 1990년에 들어와서 학생들이 굉장히 거칠어졌어요. 일종의 심판자적인 입장에서 자기들이 마구 정치를 매도하고, 반동이니 보수니 사회민주주의니 이런 식으로 규정을 하고, 그리고 상대방의 말을 들으려고 하지를 않아요. 나이로 보면 새파란 막냇자식밖에 안 되는 사람들이 남의 이름을 함부로 불러대고. 이것이 어디서 온 것인가요? 남의 의견은 짓밟고 내 의견만 옳다고 주장하는 것이 바로 군사 문화인데, 바로 군사 문화에서 영향을 받은 그런 일을 볼 때 굉장히 슬픈 생각이 들고 이래서 되겠느냐 싶어요. 그런 가운데도 내가 학생 지도자들을 몇 사람씩 만나 얘기를 하면 완전히 통하고, 완전히 납득을 해요. 그런데 집단으로 모인 다른 장소에 가면 맘대로 매도하고, 심지어 폭력까지 쓰려고 하는데, 학생운동이 이래서는 안 된다고 생각합니다.

정운영 우리나라의 독재자들은 흔히 좋아하는 인물로 이순신 장군을 뽑고, 감명받은 책으로 『목민심서』를 들곤 하는데, 김 대표의 경우에는 토인비부터 토플러까지 그야말로 독서의 범위가 넓더군요. 이때까지의 사상 형성에 가장 큰 영향을 미친 인물 하나와 책 한 권을 소개해 주시지요.

김대중 종합적으로 사상을 형성시킨 책은 역시 토인비의 『역사의 연구』였고, 인물을 들라면 전봉준 장군을 들겠습니다.

정운영 현실 정치 문제로 화제를 바꾸겠습니다. 사실인지 아닌지 모르겠지만 신문지상을 통해 보면 야당의 비리도 여당에 못지않은 것 같은 느낌을 받습니다. 김 대표는 양비론의 시각을 대입하지 말라고 하지만, 아무튼 국민들이 자꾸 빠지려는 이 정치적 무기력증에 대한 치유 방안은 없겠습니까?

김대중 야당이라고 해서 비리가 없으란 법은 없지요. 그런데 언론이 보도할 때 야당의 이름은 과장하고 여당의 이름은 축소하는 경향이 많습니다. 구체적으로 수서비리에서 야당 의원들이 돈을 먹은 것은 대서특필해서 신문을 매일 장식했습니다. 그러나 수서비리는 아시다시피 청와대에서 저지른 것입니다. 말하자면 떡시루째 들어간 곳은 청와대입니다. 야당 의원들은 여당 국회의원을 포함해서 떨어진 떡고물을 주워 먹은 것에 불과합니다. 물론 그것도 나쁘지요. 하지만 언론에서 떡시루 전체는 청와대로 갔다, 그런데 그것을 지켜야 할 야당 의원도 고물을 주워 먹었다라고 보도한 것이 아닙니다. 그쪽은 거의 제쳐 놓고 야당만 갖고 야단치니까, 국민들은 수서비리 하면 국회의원들 돈 받아먹은 것만 기억하게 됩니다. 이러니 야당이 어떻게 공정한 비판을 받을 수 있습니까? 그런데 지금 건설공사치고 정치자금 안 내고 한 것이 없습니다. 경부고속전철 같은 것도 정치자금과 연계되어 있다는 소문이 파다하지 않습니까? 세무사찰을 하다가도 뒤에서 정치자금을 갖다주면 그만 중단하거나 액수를 줄여 버리지 않습니까? 이런 짓을 하고 있는데도, 그것은 눈감고 있다는 말이지요.

정운영 '현대' 문제를 정치자금 쪽으로 몰아붙인 적이 있는데, 정말 틀림없습니까?

김대중 '현대' 문제는 세 가지 측면이 있습니다. 하나는 탈세에 대한 문제, 즉 주식의 변칙이동 문제로서 그에 대해 정부가 세금을 걷는 것은 정당합니다. 둘째는 불공정한 방법입니다. 다른 사람들이 하고 있는 것을 놔두고, 어느 특정 기업만 몰고 가는 것은 부당하지요. 셋째는 정부와 경제계의 관계에서 중요한 분수령이라고 할 수 있는데, 지금까지 경제인이건 경제단체이건 정부를 비판하지 못했습니다. 그런데 정주영 씨가 처음으로 경부고속전철 건설을 왜 서두르느냐, 영종도국제공항 건설을 왜 외국 기업에 주느냐, 서울시의 교통 환경이 이래서야 되겠느냐, 그리고 주택 200만 호 건설을 너무 졸속하게 해서 물가와 노임을 뛰게 만들어서야 되겠느냐는 등등 아주 정당한 비판을 가했습니다. 그 비판에 대한 앙심으로서 정치보복을 한 것입니다. 내가 이렇게 말할 때는 모두 근거가 있습니다. 이렇게 볼 때 첫 번째는 정부가 정당하고, 두 번째와 세 번째는 정부가 부당하다는 것이 우리의 입장입니다. 제가 지금 말한 것은 결코 양비론이 아닙니다.

민중당과의 협력을 중요시한다

정운영 야당 통합이 수월하게 안 되는 이유로 민중당 쪽에도 여러 가지 문제가 있겠지만, 민주당 측에서 보자면 어떤 것이 난관입니까?

김대중 민중당과 우리 당이 통합하는 것은 그리 바람직하지 않다는 생각입니다. 우리 당은 중도정당이고 보수성을 띤 사람들도 많고, 반면에 민중당은 진보정당이 아닙니까? 진보정당이 보수정당으로 들어올 필요는 없습니다. 진보정당은 진보정당대로 대표할 세력이 있지요. 그런데 진보정당이 조급하면 안 돼요. 조급하다가는 전부 실패합니다. 맨날 원점으로 돌아가게 되지요. 진보정당에게 제일 중요한 것은 이념적으로 확고하게 뭉친 중심 세력이 형성되어야 한다는 점입니다. 둘째는 노동자 대중을 조직해야 하는데, 지금과 같이 노동자의 정치 활동을 억제하는 이런 사회에서는 할 수가 없어요. 노동자들이 조직화되고 헌금을 거두어 주어야 진보정당이 유지되는데, 그것을 할 수 없지 않습니까? 그리고 국가보안법이 있는 한 진보정당은 안 돼요. 그래서 지난번에 청와대 회담을 할 때, 제가 "아니, 그렇게 진보정당에 관심이 있으면 국가보안법을 폐지하고 구속된 노동자를 풀어 주고 구속된 사람들을 사면 복권시켜 주라"고 얘기했습니다. 그러지 않고 청와대에서 만나 돈이나 몇 푼 주면 별 의미가 없습니다. 그래서 나는 진보정당을 하시는 분들에게 솔직히 얘기합니다. "여러분들이 할 일은 우선 민주당을 정권 잡게 하는 일이다. 우리가 정권을 잡으면 그날로 여의도에서 전교조 간판을 들고 나와 집회를 해도 괜찮고, 전농도 다 합법화된다. 또 그날로 전대협 학생들이 이북과 교류를 하더라도 문제가 되지 않는다. 장차는 공산주의자가 되는 것도 자유로운 나라가 진정한 민주주의이지만, 공산주의를 지지하지 않는 이상 그런 행동은 무방하다"고 말이지요. 민중당은 장래를 위해 일단 우리와 서로 협력해서 내년에 민주당이 정권을 잡도록 돕는 것이 중요하다고 생각합니다.

정운영 통합이 중요한 것이 아니라 협력이 중요하다는 말인데, 그러면 만약 다음 대통령 선거에서 민중당이 독자적인 후보를 낼 때는 다소 거북한 문제가 발생하지 않겠습니까?

김대중 나는 민중당이 독자적인 후보를 내지 않으리라고 봅니다. 그쪽도 분명히 안 낸다고 얘기하고 있습니다. 만일 민중당이 독자적인 후보를 낸다면 누구를 도울지는 명백하지 않습니까? 그것은 자기네들을 위해서 안 해야지요. 민중당은 스스로 대통령이 될 수 있는 선택권은 없고, 결국 민자당이냐 혹은 민주당이냐 하는 선택밖에 없습니다. 출마해서 민주당 표를 갉아먹어 민자당을 도와주는 일을 한다면, 그것은 민주당과 민중당에 굉장한 문제가 되는데 그런 일은 민중당에서 하지 않으리라고 봅니다.

정운영 그러나 민중당의 입장에서 보자면 이런 문제가 제기되지 않겠습니까? 우리가 들어가는 것은 환영하지 않는다, 그러면서도 여권의 후보를 돕게 되는 것은 옳은 일이 아니다, 그러면 우리 민중당보고 대체 어디에 서라는 얘기냐는 식으로 불만이 터질 수도 있지 않겠습니까?

김대중 민중당이 우리를 지지하는 것이 우리를 위해서 지지하는 것은 아닙니다. 자기를 위해서 우리를 지지하는 것입니다. 민중당이 민자당의 승리를 결과적으로 방조하는 것은 자기를 해치는 것이고, 우리를 당선시켜 주는 것은 자기를 위한 것입니다. 우리가 승리하면 그날로 노동조합의 정치 활동이 자유롭게 풀리게 되어 민중당이 노조에 접근할 수 있습니다. 그러면 진정한 진보정당을 구상할 수 있기 때문에 자기에게 필요한 것입니다.

정운영 그러면 민주당은 철저하게 보수정당입니까?

김대중 아니, 중도정당이에요.

정운영 혹시 그 중도정당이 사회민주당이라는 간판과 사회민주주의적인 정책을 받아들일 가능성은 없겠습니까?

김대중 우리 당이요? 그럴 가능성은 없고 그럴 필요도 없다고 생각합니다. 아까도 말했듯이 지금은 자본주의 정당과 사회주의 정당이 150년 동안 서로 대결해 오다가 민주주의라는 공통분모 위에서 통합되는 과정입니다. 그렇기 때문에 유럽에 가 보더라도 과거 보수정당이나 사회민주 정당들이 전부 자기를 중도정당이라고 얘기하고 있습니다. 스웨덴의 사민당도 자기를 중도정당이라고 하지 혁신정당이라고 하지 않습니다. 독일의 사민당도 그렇고 말이지요.

그리고 네덜란드에 갔더니 심지어 기독민주당이 자기들을 중도좌파라고 얘기하고 있어요. 사회주의와 자본주의 정당이 정치적으로는 사회주의, 경제적으로는 대중 참여의 개방경제, 사회적으로는 복지사회, 이 세 가지를 중심으로 중도 통합이 됐습니다. 그래서 냉전이 종식된 것입니다. 유럽에서 선거 때 보면 정책의 차이라는 것은 거의 없다시피 합니다. 그렇기 때문에 우리도 중도정당의 길이 정당한 길이고, 앞으로 여기도 통합의 시대가 올 것이라고 생각합니다.

정운영 예전에 쓴 어느 글을 통해 김 대표는 경제 체제로서는 자유경제 체제가 가장 바람직하다는 것은 말할 것도 없다고 주장한 적이 있습니다. 그 소신은 조금도 변함이 없습니까?

김대중 물론입니다.

정운영 남북한의 유엔 동시 가입을 지지했지요?

김대중 제가 먼저 선창을 했습니다.

정운영 어떤 이유로 그랬습니까?

김대중 제가 우리나라에서 유엔 동시 가입을 제일 먼저 주장했습니다. 1972년 7·4공동성명 아흐레 후에 외신기자클럽에서 연설하면서 유엔 동시 가입을 주장하고, 또 하나 이대로 가면 박정희 씨가 통일을 구실로 해서 총통제를 할 가능성이 있다고 했는데, 불행히도 2개월 후에 10월유신으로 나타났지요. 그때 저는 남북이 이렇게 7·4공동성명으로 화해 무드를 타려면 당분간 공존해야 하는데, 공존을 하려면 유엔에 동시에 들어가서 국제 무대에서도 협력하면서 통일의 방향으로 접근해 가는 것이 옳다는 뜻에서 그렇게 주장했습니다. 처음에는 여야가 다 반대했어요. 그러다가 1년 후에 박정희 씨가 6·23선언 때 그것을 받아들였어요. 그런데 이북은 계속 반대를 했어요. 제가 작년 겨울 연형묵 총리가 왔을 때도 강력하게 권했고, 그리고 지난번 우리 국제의원연맹(IPU) 대표가 내북할 때도 강력히 권했는데, 결국은 이북이 태도를 바꿔서 동시에 가입하게 되었습니다. 이것은 이북의 정치적 변화에서 획기적일 뿐만 아니라, 남북이 앞으로 국제사회에서 공존하면서 협력하는 데 상당히 중요한 계기가 될 것입니다.

정운영 그러나 북한은 그것이 동시 가입이 아니라 별도 가입이고, 별도 가입이란 결국 통일을 멀리하는 것인데, 남한이 가니까 할 수 없이 따라가는 것이다라고 얘기하고 있는데요.

김대중 동시 가입을 하면 항구 분단이 된다는 얘기 아닙니까? 그러나 그것은 사리에 맞지 않습니다. 독일이 동시 가입을 했지만 통일이 되었고, 남북예멘이 유엔에 동시 가입했지만 통일이 되었고, 소련은 유엔에 소련과 우크라이나와 백러시아 셋이 들어가 있지만 셋이 분단국가는 아니지 않습니까? 유엔은 현존하는 국가들이 국제회의를 통해 세계문제를 공동으로 논의하는 장소이지, 그것 자체가 영구적인 구속력을 가진 것은 아닙니다.

정운영 분단 고착화의 위험은 생각할 필요가 없다는 뜻입니까?

김대중 없습니다. 독일 같은 선례가 있잖아요.

정운영 최근에 김 대표가 이룬 가장 큰 공적 중의 하나는 뭐니 뭐니 해도 지방자치제로서, 아마 여기에는 국민들의 이의가 없으리라고 생각합니다. 단식까지 하면서 얻어 낸 것 아닙니까? 그러나 지방자치가 실시된 이래 몇 달 동안 소득보다는 실망이 훨씬 더 컸는데, 이런 면에서 그 실시를 가장 열심히 주장했던 본인으로서 김 대표는 어떤 느낌을 받습니까?

국민의식과 풀뿌리 민주주의

김대중 한국 사람이 참 성질이 급한데 성질이 급하면 안 됩니다. 지방의회가 되어서 현재 첫 정기회의를 하고 있습니다. 지방자치건 뭐건 이런 것이 뿌리를 박으려면 적어도 몇 년은 걸립니다. 세계에서 지방자치를 안 하고 민주주의가 된 나라는 하나도 없습니다. 그런데 지방자치제를 하면 결국은 민주주의가 됩니다. 왜 그러냐 하면 풀뿌리 민주주의가 튼튼하게 발전해 나가면 민주주의가 안 될 수 없기 때문입니다. 지방자치는 아직 제대로 된 것이 아닙니다. 구청장이나 시장, 군수나 도지사도 뽑지 않고 있지 않습니까? 그것까지 되어야 지방자치가 되는 겁니다. 현재 지방의회가 있는데, 자꾸 언론이 문제점만 부각시키니까 그렇게 보이지만, 이것이 있음으로써 과거에 콧대 높았던 지방 행정관리들 앞에서 주민의 입장이 얼마나 강화되었는지 모릅니다.

정운영 선거 때마다 재야 영입이라는 문제가 거론되는데, 그것이 별로 성공한 적이 없다는 생각이 듭니다. 좀 가혹하게 얘기해서 당 대표의 입지를 강화하는 데 이용된다는 비판도 있는데, 이 문제는 어떻게 생각합니까?

김대중 두 가지로 얘기할 수 있는데, 과거에는 우리가 영입하려고 해도 사람들이 잘 안 왔습니다. 그런데 지금 통합한 이후로는 달라지고 있습니다. 앞으로 조직책 발표하는 것을 보면 아시겠지만 의외의 분야에서도 사람들이 올 것입니다. 이미 오고 있고요. 그리고 과거의 재야 영입이 전연 실패한 것은 아닙니다. 그쪽에서 들어온 분들이 국회의 각 위원회에서 활동을 잘해 주었어요. 그래서 정치 전체에 대해 신선한 바람을 일으킨 면도 있고, 또 재야권의 바람을 상당히 대변도 했습니다. 그러나 재야권 말고 다른 분야, 예를 들면 전직 장성이라든가 고위 관료라든가, 경제인 등 다양한 영입에 성공하지 못했는데, 그동안은 환경이 그렇게 안 됐습니다. 그러나 지금은 많이 달라졌습니다.

정운영 다소 급진적인 성향의 학생이나 진보적인 지식인이 김 대표의 정치적인 행보에 부담을 주지는 않습니까?

김대중 지장이 된다고는 생각하지 않고 그런 세력도 당연히 있어야 된다고 생각합니다. 다만 그런 사람들이 서로 의견이 다를 때는 대화를 통해 이해하고, 같이 협력하고, 결론도 내리고 해야 하는데, 그런 것 없이 일방적으로 매도하면서 해결하려고 할 때, 솔직한 얘기로 굉장히 슬픔을 느끼고 또 굉장히 걱정스럽다는 생각이 듭니다. 그렇게 해서는 안 되는데.

정운영 혹시 엔엘(NL)이니 피디(PD)니 하는 말을 들어 본 적이 있습니까?

김대중 물론입니다.

정운영 그런 움직임에 대해 어떤 생각을 갖고 있습니까?

김대중 엔엘(NL) 쪽에서는 주로 민족주의적인 생각을 갖고 있는데, 그것에 대해서는 젊은 사람들로서 당연한 생각이라고 봅니다. 다만 그것이 한발 더 나가서 주체사상까지 간다면 저로서는 찬성할 수 없습니다. 그것은 제가 볼 때 잘된 선택이 아니라고 생각하고 있고요. 피디(PD)가 노동자라든가 기층 민중의 권익을 생각하는 것도 대단히 좋은 일입니다. 다만 그것이 모든 것을 배척하며 고립적이고 독선적으로 나가고, 폭력까지 수반할 때는 대중, 특히 자기들이 기초로 하는 기층 민중의 지지는 얻지 못합니다. 그런 것은 결과적으로 기층 민중에 대한 정권의 탄압을 합법화시키고 합리화시키는 결과가 됩니다. 그렇기 때문에 정신은 물론 방법까지도 현명해야 한다고 생각합니다.

정운영 우리 사회에는 장기수 문제, 악법 개폐의 문제, 생존권 투쟁의 문제 등 해결해야 할 과제들이 산적해 있습니다. 지방자치 실시를 얻어 내던 때만큼의 노력과 투쟁을 쏟았던들 이 문제들이 훨씬 더 빨리 개선될 수 있으리라는 느낌이 듭니다.

김대중 그것은 좋은 지적이나, 현실을 생각해야겠지요. 지난 5월 한 대학생이 타살당해 정국이 첨예한 국민적 대결로 치달아 현 정권이 최대의 위기에 몰렸을 때, 일부 강경 재야의 주장과는 달리 정권 타도가 아니라 국가보안법 철폐, 양심수 석방, 경찰 중립화 등의 문제에 힘을 집중했더라면 상황이 훨씬 달라졌을 거예요. 제가 매번 말해 오는 바이지만 민주화운동은 국민 대중의 관심사를 반보半步 앞서 제기하고 그들의 정서를 따라야 하는 것이지, 너무 앞서 나가면 대중들이 받아들이지를 못합니다.

내각제에는 군벌과 재벌을 위한 책략

정운영 내각책임제를 반대하거나 반대해야 되는 이유는 무엇입니까?

김대중 아시다시피 대통령직선제 수용의 6·29선언은 우리 국민들의 피어린 투쟁의 승리가 아닙니까? 그런데 내각책임제로서의 개헌은 재벌, 정치군인, 5공 세력 등의 기득권을 지키기 위한 것입니다. 따라서 그것은 국민의 의사를 전면적으로 거스르는 것이지요. 또 내각책임제가 되면 국회의원은 완전히 재벌들의 돈으로 좌우됩니다. 일본을 보십시오. 집권당인 일본의 자민당에는 파벌이 대여섯 개 있습니다. 파벌의 보스는 돈을 많이 거둬서 밑의 사람들에게 줄 수 있는 사람이 됩니다. 돈을 못 거두면 절대로 보스가 못 됩니다. 그 보스 중에서도 돈을 더 많이 거두는 사람이 큰 파벌을 갖고, 총리가 됩니다. 또 장관 자리도 갈라 먹습니다. 더 알기 쉽게 말하면 국회의원 아무개는 '현대'하고 가깝고, 또 국회의원 아무개는 '삼성'하고 가깝고 이렇게 돼버리는 것입니다. 영국과 같이 부패가 없어진 나라라면 몰라도 우리나라와 같이 세계에서도 부정부패가 심한 나라에서 이것은 심각한 문제입니다. 또 문민정치 밑에서 군대의 완전한 정치적 중립이 이루어지기 전에 내각책임제를 했다가는 군부에게 제압되고 맙니다. 이런 내각책임제는 국민을 위한 정권이 아니라 군벌과 재벌을 위한 정권이고, 그들과 결탁한 부패한 관료들의 정권이기 때문에 이 나라를 불의한 길로 끌고 갈 것이 뻔합니다.

정운영 1992년의 총선 결과가 어떠하든 내각책임제 개헌은 재론하지 않겠습니까?

김대중 재론하지 않습니다.

정운영 현재의 민자당에서 잠재적인 대권 후보 3인을 들라면 누구를 꼽겠습니까?

김대중 글쎄요. 김영삼, 박태준, 이종찬 씨 정도라고 할 수 있겠지요.

정운영 이른바 양 김의 재대결을 피하고 싶습니까, 아니면 바라고 있습니까?

김대중 막상 그렇게 된다면 쉽지는 않겠지만 해볼 만하지 않을까요? 다만 정권을 장악하고 있고, 막강한 금권을 갖고 있고, 엄청난 조직이 있고, 또 많은 관변 조직을 동원할 수 있는 그런 체제에서는 후보자 인물 이외의 조건이 많이 개입하기 때문에, 제 생각에는 누가 나와도 만만히 볼 수 없는 힘겨운 상대가 될 것이라고 생각합니다.

정운영 지난 대통령 선거에 나왔던 이른바 비판적 지지에 대해 어떤 생각을 가지고 있습니까?

김대중 지식인들의 비판은 바람직한 것이지요. 그러나 저로서는 단일화론에 불만이 많습니다. 후보 단일화를 추진하는 과정에서 어느 한 후보가 약속을 깨고 말을 안 들으면, 추진 주체가 독자적으로 그들의 입장을 표명했어야 하는데, 결국은 유야무야로 끝내고 말았기 때문입니다.

정운영 선거와 관련하여 생각할 때, 이번에 결성된 전국연합에 바라는 것이 있습니까?

김대중 전국연합은 사회운동을 중심으로 활동을 계속해 나가리라고 봅니다. 만약 그들이 독자 후보를 내세운다면, 그것이 과연 누구를 위한 것이겠습니까? 나는 그런 무리를 범하리라고 보지 않습니다.

정운영 선거에 승리하더라도 집권에는 무리가 따른다고 보는 견해가 있는데, 예를 들면 재계의 협력은 어떻게 얻을 생각입니까?

김대중 저는 철저히 자유경제를 지지합니다. 이것은 우리 당도 마찬가지입니다. 자유경제하에서는 무엇보다도 기업인의 생명인 창의와 모험심, 이것이 경제를 역동적으로 밀고 나가기 때문입니다. 기업인에 대해 말씀드리자면, 제가 기업인을 미워하고 증오하는 것 같다고 말하는 사람도 있습니다만 그것은 사실이 아닙니다. 대기업에 대해서는 솔직히 애증의 양면을 가지고 있는데요. 그분들이 경제인으로서 공헌한 노력, 또 그분들이 관권 경제하에서 권력한테 당한 가지가지의 어려움을 볼 때 우리는 측은한 생각도 들고 동정도 합니다. 그렇지만 결과적으로 대기업들이 권력과 결탁해서 노동자를 가혹하게 대우하고 그리고 중소기업을 몰락시키면서 자기 혼자만 비대해진 것도 사실입니다. 그런 점은 고쳐야 합니다. 정치가 기업을 좌지우지하고 배후에서 위협하는 일이 없어야 하는데, 민주정부만이 이것을 보장할 수 있습니다. 이런 우리의 충정을 알게 된다면 재계나 대기업이 우리를 반대할 리가 없습니다. 사실상 지금도 그렇게 해 오고 있습니다.

정운영 만약의 경우, 군부는 설득할 자신이 있습니까?

김대중 군부에 대해 저는 낙관하고 있습니다. 6월항쟁을 통해 우리가 알게 된 일은 우리 군에도 참으로 좋은 현상이 일어났다는 것입니다. 군 내부에서도 "이제는 더 이상 정치에 개입하지 말자. 개입해 봤자 국민이 따라 수지도 않는다. 군대가 정치에 개입하는 시대는 지났다"는 반성이 있었다는 것이지요. 아직도 정치에 유혹을 받고 있는 군인이 있을 수 있겠지만 그런 사람은 소수일 테고, 다수 군인은 정치에 중립을 지켜야 한다고 생각하고 있다고 봅니다.

정운영 야권에서 복수 후보가 출마하여 승산이 없는데도, 경륜이 부족한 야권의 상대가 끝까지 사퇴를 안 하고 버틴다면 그에게 양보할 의향이 있습니까?

김대중 그럴 가능성이 없지는 않겠으나, 당 밖에서 그런다면 우리는 거기에 관심을 갖지 않겠습니다. 그런 요구를 하기 전에 먼저 당내로 들어와야 합니다.

정운영 단순한 가정이지만 1992년 선거에서 다시 실패한다면 퇴진할 생각입니까?

김대중 그건 그때 가 보아야 하겠지만, 적어도 지도자적 위치에서는 벗어나 있을 것입니다. 그렇다고 정치적 은퇴까지는 아직 고려하고 있지 않아요.

정운영 이것으로 일단 대담을 마칩니다. 오랜 시간 동안 대단히 감사합니다.

* 이 글은 『사회평론』에서 마련한 정운영 『한겨레신문』 논설위원과의 특별 대담이다. 정진백 월간 『사회평론』 창간 대표가 녹취 정리하였고 『사회평론』 1992년 1월 호에 게재되었다.

우리 경제 살리는 길

대담 한국신문편집인협회

일시 1992년 4월 10일

김대중 존경하는 안병훈 회장, 그리고 이 자리에 모이신 귀빈 여러분, 먼저 여러분께 마음으로부터 존경과 애정의 인사를 드립니다. 저는 오늘 이 권위 있는 한국신문편집인협회의 초청을 받고 여러분과 대화하게 된 것을 진심으로 영광스럽게 생각하고 또한 감사하게 생각합니다.

우리 모두가 아는 대로 지금 우리 국민의 가장 큰 관심은 물가, 수출 등 경제 문제에 쏠려 있습니다. 지난 총선에서 집권당이 패배한 것도 이러한 경제 정책의 실패에 연유한 바 컸다는 것은 일치된 분석입니다.

지금 우리 경제는 앞으로는 선진 국가에 의해서 가로막히고 뒤로는 후발 공업국들에 의해서 추월당하고 있습니다. 그리고 이러한 사태가 당장에는 개선될 전망도 보이지 않고 있습니다. 조금도 과장 없는 경제적 위기라고 하지 않을 수 없습니다.

먼저 경제를 살리고 봐야겠다는 것이 지금 뜻있는 이들의 일치된 생각입니다. 저는 통합 야당을 대표하는 입장에서 이러한 국민 최대의 관심사에 대해서 저의 견해를 밝히는 것은 국민에 대한 의무라고 생각하기 때문에, 이 자리를 빌려서 몇 가지 말씀드리고자 합니다.

우리 경제를 살리는 길은 많은 방법이 제시될 수 있지만, 저는 그중에서도 세 가지가 가장 중요하다고 믿습니다.

그것은 첫째 민주적이고 일관성 있는 지도력, 둘째 물가의 확고한 안정, 셋째 국제경쟁력의 강화입니다.

민주적인 경제 철학이 필요

김대중 우리 경제가 올바른 방향을 잡고 흔들림 없는 발전을 이룩하기 위해서는 무엇보다도 민주적인 경제 철학과 일관성 있는 경제 관리 능력을 갖춘 지도력이 필요합니다.

정부는 기업의 자율성을 최대로 보장하며 정경유착이나 정치적 차별을 단호히 없애 나가야 합니다. 전근대적이고 비민주적인 주식 독점이나 소유자의 독점적 경영 체제를 배제하기 위해서, 주식을 대중화하고 전문 경영인에 의한 근대적 경영이 이루어질 수 있도록 세제와 금융 등의 수단을 통해 유도해야 합니다.

대기업과 중소기업 간의 수직적 주종 관계를 타파하고, 수평적이고 대등한 협력을 이룩하기 위해서 가능한 모든 영향력을 발휘해야 합니다.

노사 관계에 있어서 기업은 노조 활동의 자유와 노동자의 생존권을 보장하고, 노동자는 생산성 향상으로 기업의 발전에 책임지는 상호 협력 체제를 이루어, 기업이 활기차게 운영될 수 있도록 민주적 노사 관리를 위한 확고한 정부의 태도가 필요합니다.

이러한 민주적인 경제 운영과 더불어 정부는 일단 결정된 정책은 흔들림 없이 밀고 나가야 합니다. 경제학에서의 금언에는 "좋은 정책의 잦은 변경보다는 오히려 나쁜 정책의 일관된 운영이 더 낫다"는 말조차 있습니다. 비민주적인 경제 정책의 운영, 그리고 잦은 변동은 오늘의 우리 경제를 위기 상황으로 몰아넣고 기업인, 노동자 모두가 의욕을 상실케 만드는 근본 원인인 것입니다.

박정희 정권과 전두환 정권은 그 정책은 비민주적이었지만 나름대로의 일정한 철학과 일관성 있는 정책을 밀고 나갔습니다. 그리하여 그 시대 나름의 성과도 올렸습니다. 물론 비민주적인 정경유착과 재벌 중심의 경제 정책은 우리 경제의 4대 고질인 "빈부 격차, 도농 간의 격차, 대소 기업 간의 격차, 지역 간의 격차"를 초래하여 우리 경제의 오늘의 구조적 모순을 가져온 바 있습니다. 그렇지만 상당한 경제적 발전과 안정을 가져온 것은 일단 인정해야 할 것입니다.

여기에 비해 노태우 정권은 민주적 운영에도 철저하지 못하고 정책의 일관성 있는 집행에도 실패했습니다. 이 때문에 중진국으로부터 선진국으로 이행해야 하는 우리 경제가 직면한 중대한 도전에 제대로 응전하지 못하게 만들었습니다. 이리하여 '아시아의 용'으로 칭송받던 한국 경제가 이제는 '미꾸라지'가 되었다고 조소받고 있습니다.

더욱 심각한 문제는 노태우 정권이 이미 그 실효성이 사라져 버린 억압적이고 대기업 중심의 경제 정책에 아직도 매달려서 갈팡질팡하고 있다는 사실입니다.

우리 경제를 살리기 위해서는 무엇보다도 확고한 철학을 갖고 민주적이고 일관성 있는 정책 방향으로 하루속히 전환해야 할 것입니다. 그러나 불행히도 이러한 일은 노태우 정권에게는 기대할 수가 없습니다.

앞으로 있을 대통령 선거에서는, 누가 과연 확고한 경제 철학을 갖고 민주적이고 일관성 있는 정책을 수립하여 오늘의 경제적 좌절을 극복하고, 21세기의 선진국 대열에 진입하기 위한 도약을 가져올 수 있는가를 놓고 국민의 결단이 이루어져야 할 것입니다.

물가의 안정은 경제 발전과 수출 증대의 조건입니다. 우리는 일시적인 금단현상을 겪는 한이 있더라도 물가는 반드시 선진국 수준인 3퍼센트 선에서 잡도록 모든 노력을 경주해야 합니다.

물가의 안정을 이룩하기 위해서는 첫째, 통화량을 적정 규모에서 억제해야 합니다. 일부에서는 통화량을 더욱 팽창시켜 이자율을 낮추어야 한다는 주장이 있는데, 이는 물가를 더욱 부채질할 뿐입니다.

요즈음 기업의 자금 사정이 어려운 것은 사실이지만, 이것은 공급된 자금이 설비 투자와 기술 개발 등에 투입되지 않고 비생산적 투기 활동에 사용되기 때문입니다. 방출된 자금이 적재적소에 사용된다면 통화 팽창 없이도 지금 사정이 호전되고 물가가 안정되어 이자율도 내려갑니다. 지금까지의 통화량 확대가 대재벌들의 투기를 통한 폭리를 조장해 온 결과 외에는 아무것도 남은 것이 없었습니다.

따라서 통화량의 적정 공급이 물가 안정의 핵심입니다. 모든 경제 선진 국가들은 통화량의 조절을 통해서 물가를 억제했습니다. 통화량을 정부의 간섭 없이 조절하려면 중앙은행을 독립시켜야 합니다. 통화의 왜곡된 흐름을 막으려면 투기를 근절시켜야 하고, 지금 정부가 하고 있는 시중 은행의 인사와 대출에 대한 관여를 단호히 중단해야 합니다.

정부가 한 번 정부 보유 주식을 모두 매각해서 민영화시킨 시중 은행에 대해서 이러한 간섭을 한다는 것은 불법이자 언어도단의 횡포입니다. 이러한 정부의 간섭은 오늘의 물가 앙등과 시중 은행의 부실화를 가져온 커다란 원인이 되고 있습니다.

둘째, 재정 지출을 억제해야 합니다. 일체의 낭비를 없애고, 정권 유지비, 선심 예산 그리고 불요불급한 대형 정부 사업을 억제해야 합니다. 1992년에 있어서 추경 예산은 결코 생각지 말아야 할 것이며, 1993년의 예산은 물가 양등률과 국민총생산(GNP) 성장률을 합친 예상 수치 15-16퍼센트 이상의 증가율을 보여서는 안 될 것입니다.

셋째, 투기를 근절해야 합니다. 우리 사회에 만연된 투기의 열병은 자금이 산 시설의 확대와 기술 혁신을 위한 투자에 사용되기보다는 투기로 흘러들어 가는 왜곡 현상을 낳았습니다. 따라서 통화 공급을 아무리 확대해도 생산 자금은 부족하며 특히 중소기업은 늘 자금난에 허덕이고 있습니다. 투기로 번 공돈은 과소비로 유출되어 물가를 부채질하게 됩니다.

투기를 잡아야만 물가가 안정됩니다. 특히 확대재생산이 불가능한 땅을 대상으로 하는 투기는 우리 경제에 근본적이고 파멸적인 해악을 초래하고 있습니다.

땅 투기를 근절하기 위해서는 금융실명제를 실시하여 숨어서 하는 투기가 불가능하도록 만들어야 합니다. 토지에 대한 조세 정책을 개혁하여 투기의 동기를 원천적으로 제거해야 합니다. 즉, 종합토지세 과세 표준과 세율을 현실화하고, 기업 소유의 땅에 대한 업무용, 비업무용의 차별을 철폐하며, 양도 소득세의 감면 제도를 없애야 합니다. 돈을 숨겨 놓고 투기를 할 수도 없고, 불필요한 땅을 소유하는 것이 부담스럽고, 투기를 하여 돈을 아무리 많이 벌어도 세금을 내고 나면 남는 것이 없게 해야 투기가 근본적으로 근절됩니다.

넷째, 시장경제 원리에 의한 자유로운 경쟁을 통해서 물가를 안정시켜야 합니다. 일체의 특혜나 까다로운 제한 조건을 철폐하고 자유로운 경쟁을 적극 권장해야 합니다. 누구든지 오직 "가장 좋고 싼 물건"을 소비자에게 공급하는 자만이 성공할 수 있도록 해야 합니다. 자유로운 경쟁이야말로 경제 발전의 원동력이며 물가 안정의 핵심적 요소이기 때문입니다.

다섯째, 유통 구조의 개선이 필요합니다. 국민의 생활에 지대한 영향을 미치는 장바구니 물가를 안정시키기 위해서는 유통 구조의 개선이 시급합니다. 이를 위해서 농수축협의 도시와 농촌 점포를 연결해서 불필요한 중간 마진을 없애는 것이 필요합니다. 또한 농수축협이 저장과 수송의 수단을 제대로 갖출 수 있도록 정부가 적극 지원해야 합니다. 그리하면 농수축협의 유통 기능이 원활하게 이루어져 농어민의 수입은 늘어나고 소비자의 지출은 크게 줄어들 것입니다. 그러나 농수축협의 직거래만 가지고는 소비자의 수요를 모두 충당할 수는 없습니다. 따라서 서울의 가락동 시장 같은 대규모 농수산물 유통 센터를 전국의 대도시에 다수 건설하여 경쟁을 강화시키면, 유통 구조를 대폭 개선할 수 있습니다. 서울에는 서너 곳의 농수산물 유통 센터를 추가로 증설해야 합니다.

국제경쟁력의 강화

김대중 예부터 내려오는 우리 속담에 "아저씨집 떡도 크고 싸야 사 먹는다."는 말이 있습니다. 이 속담은 시장경제의 핵심을 말하고 있을 뿐 아니라, 오늘의 우리 경제에 대해서 세계가 들이미는 도전장이기도 합니다. 생산 설비의 첨단화와 신제품의 연구 개발에 총력을 다해서 세계에서 가장 좋고 가장 싼 물건을 만들어 내야 합니다.

그러기 위해서는, 첫째, 기술 입국의 원칙 아래 기술 개발에 전력을 다해야 합니다. 기초과학과 응용과학 양면에 걸쳐 아낌없는 투자를 해서 기술 자립을 해야 합니다. 이제 우리에게 자신이 개발한 기술을 넘겨줄 나라는 어디에도 없습니다. 과학기술의 발전을 위해서는 과학자와 기술인에 대한 사회적 물질적 처우를 최대로 개선해야 합니다.

둘째, 이 땅에서 투기를 근절시켜야 합니다. 어떠한 기업도 기업 본연의 활동 이외에 땅 투기 등으로 치부하지 못하게 해야 합니다. 땅값이 오른 만큼 세금으로 흡수해야 합니다. 본연의 기업 활동 이외에는 돈 벌 길이 없도록 만들 때, 기업은 비로소 기술 개발, 경영 합리화 등 경쟁력 강화에 몰두하게 되고 세계시장을 석권 할 수 있는 제품을 만들게 됩니다. "우리나라에는 세계적인 재벌은 있어도 세계적인 제품을 만드는 기업은 없다"는 오늘의 어이없는 현상을 하루속히 극복하기 위해서도 투기를 발붙이지 못하게 해야 합니다.

셋째, 노사가 서로 신나게 협력할 수 있는 새로운 노사 관계가 필요합니다. 기업과 노동자가 자발적인 협력 속에 생산성을 향상시키는 체제를 반드시 만들어 내야 합니다. 경제는 사람이 하는 것입니다. 기업가도 신이 나야 기업 활동의 의욕이 생기고 노동자들도 신이 나야 좋은 제품을 더 많이 만들게 됩니다.

우리 경제의 초기 발전 단계에 군사정권이 한 것처럼 기업 활동에 일일이 간섭하거나 세무사찰 등으로 위협해서는 안 됩니다. 노동자의 일방적 희생만을 강요해서도 생산성 향상이 결코 이루어질 수 없습니다.

그럼에도 불구하고 정부는 아직도 5공화국식의 노동 정책을 그대로 유지하고 있습니다. 인내와 협상을 통해서만 노동자와 기업가는 서로 공정한 몫을 주고받으며 자발적으로 협력하는 체제를 만들 수 있는 것입니다.

총액 임금제 문제는 노사의 자율적인 해결에 맡겨져야, 정부가 이를 강요하는 것은 득보다 실이 훨씬 크게 될 것입니다.

정부는 노동자나 기업가 어느 쪽도 과격 행위나 부당한 억압을 하지 못하도록 엄격히 규제하는 가운데, 중립적 입장에서 지켜보면서 필요하면 노사 쌍방에 의해서 신임받는 중재자의 역할을 다해야 합니다.

경제 발전과 더불어 임금이 높아지는 것은 피할 수 없는 현상일 뿐만 아니라 바람직한 것이기도 합니다. 노동자들의 생활 수준이 향상되지 않는다면 경제 발전의 의미가 없기 때문이기도 하지만, 그들의 생활 수준이 향상되어야 열심히 일해서 좋은 물건을 많이 만들 수 있고, 그들의 구매력이 증대되어 경제 성장에 기여하게 됩니다.

문제는 임금이 얼마만큼 오르냐가 중요한 것이 아니라 임금이 오른 만큼 생산성 향상에 연결되느냐가 중요한 것입니다. 따라서 우리는 고임금의 추세를 막으려 하기보다는 이에 능동적으로 적응하여 생산성을 높이고 제품의 부가가치를 높여서, 노동자와 기업인이 다 같이 더 많은 소득을 얻는 산업구조로 발전적 전환을 추진해야 하겠습니다.

넷째, 중소기업 중심의 경제체제를 만들어야 합니다. 중소기업은 21세기를 향한 우리 산업구조의 핵심이 되어야 합니다. 지금까지와 같은 대기업 편중의 각종 특혜를 없애고 중소기업의 창조적 발전에 집중적인 노력을 기울여야 합니다.

세계 경제는 많은 분야에서 소품종 대량생산의 시대에서 다품종 소량생산의 시대로 크게 변화하고 있습니다. 소비자의 기호가 다양화되고 또 자주 바뀌기 때문에 이에 신속히 대응하여 다양한 상품을 적시에 공급해야 경쟁에서 이길 수 있습니다. 이 같은 일에는 대기업보다는 중소기업이 보다 효과적이고 신속하게 대응해 낼 수 있습니다.

불행히도 우리나라는 지나치게 대기업에 치중하고 중소기업은 대기업에 대한 종속과 희생만을 강요당해 왔습니다. 한때 우리 경제와 비슷한 여건에 있던 대만이 이제 우리를 훨씬 능가하는 경제력을 갖게 된 것도, 대만은 중소기업 위주로 산업을 발전시켜 왔기 때문이라 할 수 있습니다. 정경유착의 산물이기도 한 대기업 편중을 지양하고 중소기업 중심의 경제체제로 전환을 이루어야 합니다.

다섯째, 대기업은 세계적인 제품 개발에 책임을 져야 합니다. 우리나라는 세계적인 재벌은 있어도 세계적인 제품을 만드는 대기업은 없습니다. 오히려 중소기업에서 신발과 완구 같은 세계적인 제품을 만들고 있는 실정입니다. 이는 국가의 막대한 지원과 국민의 희생을 바탕으로 이룩한 대기업으로서는 체면이 서지 않는 일이며 용납될 수도 없는 일입니다. 정부는 우리나라의 30대 기업이 반드시 한 가지 이상의 세계적인 최우수 상품을 만들어 내도록 독려하고 지원해야 할 것입니다.

이리하여 한편으로는 중소기업의 기민한 대응력을 통해서 세계 도처의 장벽을 뚫고 들어가고, 한편으로는 대기업의 우수한 제품을 통해서 세계 주요 시장을 정복해 나갈 때 우리의 수출 능력은 비약적으로 증대될 수 있을 것입니다.

여섯째, 사회간접자본의 확충에 주력해야 합니다. 지금 도로·항만 등 사회간접자본이 우려할 정도로 낙후되어 우리 경제의 경쟁력을 크게 약화시키고 있습니다. 도로·항만 시설의 빈약은 경제 활동을 위축시킬 뿐 아니라 운송 비용을 증가시켜 물가 상승과 경쟁력 약화를 불러일으키고 있습니다. 물가 안정과 경쟁력 강화를 위해서 사회간접자본을 확충하는 것은 하루도 미룰 수 없는 시급한 과제입니다.

이러한 긴박한 사정에도 불구하고 정부는 건설에 10년이란 긴 기간이 필요하고 10조 원에 달하는 막대한 경비가 소요될 경부고속전철 사업을 서두르고 있습니다. 고속전철은 화물 수송용이 아니라 여객 운송용입니다. 따라서 우리에게 급박한 화물 수송 문제를 해결하기보다는 사람의 왕래만을 가속화시켜 서울·부산 등 대도시의 교통난을 가중시킬 우려가 큽니다.

경부고속전철보다는 제2의 경부고속도로와 제2의 경인고속도로 그리고 서해안고속도로를 건설하고, 부산·인천 등의 항만 시설과 기존의 고속도로를 확장하며 지하철 등 대도시의 대중교통 수단을 대폭 개선하는 것이 오늘의 교통과 수송난을 해결하는 길입니다.

서울과 같은 대도시 지역에서는 지하철망을 확대하여 2천 년까지는 80퍼센트 이상의 시민 교통이 지하철을 통해서 이루어질 수 있도록 한다면, 대도시의 교통난을 해소하고 대기의 오염도 크게 줄일 수 있습니다.

사회간접자본의 확충을 위해서 필요한 재원은, 경부고속전철을 연기하여 얻어지는 약 10조 원의 자금과 종합토지세와 양도소득세 등의 세수를 강화하여 얻어지는 매년 약 5조 원 이상의 국고 수입을 통해 마련될 수 있을 것입니다.

존경하는 회장, 그리고 참석자 여러분.

이상으로 '우리 경제 살리는 길'에 대한 저의 소견을 말씀드렸습니다. 여러분의 고견과 비판을 받아서 보다 알찬 정책으로 발전시키고자 합니다. 기탄없는 충고의 말씀을 바라겠습니다.

경청해 주셔서 감사합니다.

질의응답

박성범(사회·KBS 보도본부장) 김대중 대표최고위원께서 경제 문제를 중심으로 한 기조 발언을 해 주셨습니다. 서두에 말씀드렸습니다만 오늘 질문과 답변은 경제 문제에 국한하지 않고 관심사 전반에 관해서 질문을 하실 수 있습니다.

여영무(동아일보) 경제를 살리는 데 대한 김 대표의 청사진을 잘 들었습니다. 여론조사나 3·24총선의 결과로 볼 때 최근 국민들의 개혁 의지가 많이 표출되고 있습니다. 경제 개혁의 청사진에 대해서 말씀해 주셨는데 정치·사회 등에 대한 개혁의 청사진이 있으시면 말씀해 주셨으면 합니다.

어젯밤 바로 이곳에서 정주영 국민당 대표가 "부패한 야당이 부패한 여당과 공존하는 정치 형태를 산출했다. 그렇기 때문에 내가 나섰다."라고 말했습니다. 여기에 대한 반응을 말씀해 주시기 바랍니다.

세 번째로 김 대표께서는 통일 문제에 대해서 관심이 많으셔서 1991년에 『공화국연합제』라는 저서도 내셨는데, 통일 문제라고 하는 것은 굉장히 어려운 문제입니다. 이 자리에서 공화국연합제에 대한 설명을 해 주시고, 아울러 남북 간에 합의서가 채택이 되었고 회담이 진행 중인데 평소 통일 문제에 대한 김 대표의 견해를 말씀해 주시기 바랍니다.

김대중 첫 번 질문인 정치·사회의 개혁에 대해서 말씀드리겠습니다. 우리 정치에 있어서 가장 큰 문제는 국민의 불신입니다. 그러므로 국민의 신뢰를 회복할 수 있는 개혁이 가장 필요합니다. 국민의 불신은 정치인들이 국민에게 정직하지 않은 데서 기인합니다. 그 구체적인 예는 3당 합당을 계기로 해서 나타나고 있습니다. 3당 합당 전에는 기존 정당에 대한 국민의 지지도가 80퍼센트가 넘었습니다. 그런데 3당 합당 이후에는 여야 전체를 합쳐도 40퍼센트 미만으로 지지율이 떨어졌습니다. 이것은 국민에 대해서 정직하지 않은, 국민에게 믿음을 얻지 못한 정치가 얼마만큼 국민에게 불신을 가져오느냐는 것을 단적으로 입증하는 것입니다.

그리고 둘째로 정치에 있어서 중요한 것은 노태우 정권이 군사정권으로부터 진정한 민간 민주정부로 가는 과도기적 성격을 띤 정권으로서 해야 할 민주정치의 발전입니다. 그런데 노 정권은 집권 전반기, 3당 합당 전까지는 어느 정도 이것을 이룩했습니다. 그러나 그 이후부터는 다시 5공화국 시대로 역행하는 태도를 보이고 있습니다. 예를 들어 국회에서 다수가 날치기를 하는 일이나 국민에게 약속한 지자제를 실시하지 않으려고 합니다.

노태우 정권이 임기 말에 있어서 정말로 정치의 민주적 개혁을 어느 정도 했다고 내세우고 물러나려면 저는 무엇보다도 다음의 두 가지가 선행되어야 한다고 생각합니다.

국민이 이번 14대 총선에서 정해 준 여소야대에 대해서 말로써가 아니라 행동으로써 겸허하게 대응해야 합니다. 또 하나는 지방자치를 반드시 실시해야 합니다. 지방자치 없는 민주주의는 없습니다. 또, 세계에서 지방자치를 하지 않는 나라는 우리나라뿐입니다. 그리고 노태우 정권이 지방자치를 하지 않으려는 목적은 노태우 정권이 내세우듯이 경제적 문제 때문이 아니라 총선이나 대선에서 행정기관을 동원하여 부정을 저지르기 위한 것입니다. 선거의 공정을 보장하지 않는 체제하에서는 어떠한 개혁도 있을 수 없습니다. 따라서 지방자치 실시야말로 노태우 정권의 임기 말기에 있어서 가장 중요한 정치 개혁이 된다고 생각합니다.

요컨대 정치에 있어서는 정직한 정치로 국민이 신뢰심을 갖게 하는 것, 그리고 지방자치를 실시하는 것이 우리가 당면한 정치 개혁의 가장 중요한 내용이라고 생각합니다.

사회적으로 우리는 소외된 계층에 대한 배려가 너무도 적습니다. 그들이 자기 권리를 주장할 기회가 봉쇄되어 있습니다. 노동조합은 정치 참여를 금지당하고 있습니다. 농민들의 자유로운 운동도 봉쇄당하고 있습니다. 장애자들의 권익은 전적으로 무시당하고 있습니다. 그리고 사회정의는 하나의 구두선에 불과합니다.

그래서 이 땅에서 진정한 개혁이 있으려면 소외 계층들, 오늘의 현실에 대해서 비탄해 하고 심지어 저주하는 계층들의 소리가 국정에 반영되고 그들이 이 사회에 희망을 걸 수 있는 개혁이 진행되어야 합니다. 그러기 위해서는 노동조합의 자유가 보장되고 농민이나 모든 소외 계층들이 자기 권리를 자유로이 주장할 수 있는 체제로 우리 사회가 발전되어 나가야 합니다.

우리나라는 복지 예산 편성에 있어서 지금 후진 국가의 수준을 면치 못하고 있습니다. 사회복지가 적어도 중진국 수준에 맞는 복지체제로 전환되어야 합니다.

정주영 국민당 대표가 기존 정당에 대해서 비판을 하신 것을 알고 있는데 그런 점은 하나의 좋은 충고로 받아들이고 참고로 하겠습니다.

통일 문제에 있어서 저는 여러분이 잘 아시는 바와 같이 1971년 대통령 선거에 입후보했던 이래 21년 동안 일관된 주장을 해 왔습니다. 세 가지 원칙 즉, 평화 공존, 평화 교류, 평화 통일의 원칙 아래, 3단계 동일, 1단계 1연합 2독립정부, 2단계 1연방 2지방자치 정부, 3단계 1국가 1정부로 통일하는 3원칙과 3단계 통일 방안을 주장했습니다.

1단계의 1연합 2독립정부는 현재의 남북 정부가 독립국가로서 외교·국방·내정의 모든 권한을 행사하고 양측에서 동수의 대표를 내서 연합체를 구성하는 단계입니다. 여기서는 아까 말씀드린 3개의 원칙, 평화 공존, 평화 교류, 평화 통일의 문제를 전담해서 취급합니다. 저의 이러한 생각은 최근에는 우리 정부의 '한민족 통일 방안'에도 상당 부분 수용되고 통일원 장관이 저의 안에 대해서 적극적인 찬의를 표한 바도 있습니다. 또 북한에서도 저의 방안을 긍정적으로 검토할 용의가 있다고 작년에 우리 당의 국제의원연맹 (IPU) 대표가 북한에 갔을 때 만난 북한의 지도자들이 말하고 있습니다.

김일성 주석이 말한 고려연방제는 1단계의 공화국연합제가 성공하고 제2단계의 1연방 2지방자치 정부의 단계에 들어가서 그때에 논의될 문제라고 생각하고 있습니다.

저는 통일은 점진적으로 이루어져야 한다고 생각하고 있습니다. 독일식으로 흡수 통일을 지향해도 안 되고 너무 성급하게 서둘러도 안 되고 쉬지 않고 노력하되 점진적으로 해야 합니다. 그것이 정치적, 사상적, 문화적 부작용도 덜 뿐 아니라 우리 경제의 부담 능력에 비추어 보더라도 적절한 것이 아닌가 하고 생각합니다.

제가 작년 독일을 방문했을 때 폰 바이체커 대통령, 겐셔 외상 그리고 빌리 브란트 전 총리를 만났습니다. 그분들이 저에게 통일 문제에 대해서 한결같이 권고한 것은 두 가지였습니다. 하나는 공산당과 대결해서 통일을 성공하려면 철저한 민주주의를 해야 한다 그래서 공산주의 사회에게 강력한 흡입력을 주어야 한다는 것입니다. 둘째로 자기들은 불가피한 사정으로 돌연한 통일을 했지만 해 놓고 보니까 가능하면 점진적인 통일을 하는 것이 좋겠다, 이렇게 권고했습니다.

그러나 다만 우리가 점진적 통일을 원한다고 하더라도 동독과 같이 북쪽에서 돌변한 사태가 나올 수도 있습니다. 거기에 대비하는 방법은 우리의 민주체제를 철저히 발전시키는 것입니다. 그래서 이 땅에 자유와 번영과 사회적 복지가 실현되어서 우리 국민이 대한민국 정부 중심으로 튼튼히 뭉치고 협력할 때, 우리는 우리가 바라는 점진적 통합에 성공함은 물론 돌발적인 사태에도 충분히 대응할 능력을 갖게 됩니다.

권영국(기독교방송) 어젯밤 이 자리에서 관훈클럽 초청 연설회가 있었습니다. 정주영 국민당 대표는 만일 국민당이 집권을 하게 되면 현재의 100억 달러의 무역 적자를 집권 1년 만에 100억 달러의 흑자로 바꾸겠다고 했습니다. 또 2년 후에는 200억 달러의 흑자를 만들겠다, 3년 후에는 300억 달러의 흑자를 만들겠다고 말했습니다.

김 대표께서는 정주영 대표의 이러한 발언이 어느 정도 타당성이 있다고 보십니까? 그리고 이견이 있다면 어떤 것이 있는지를 말씀해 주시기 바랍니다.

김대중 자꾸 정주영 대표의 얘기가 나오는데……(일동 웃음) 저는 그분이 무슨 근거로 매년 100억 달러씩 늘릴 수가 있다고 하셨는지 잘 모르기 때문에 논평하기가 어렵습니다. 그러나 제가 앞으로 말한 경쟁력 강화가 주로 수출을 염두로 해서 말씀드린 것인데 세 가지의 정책, 민주적이고 강력한 지도력, 물가 안정, 경쟁력 강화를 달성하면 우리나라는 다시 한 번 국제경쟁력을 회복해서 국내 경제의 안정은 물론, 세계에 나가더라도 우리 국민의 능력으로 봐서 한번 해 보자고 하는 결심만 우리 국민 사이에 일어난다면, 능히 현재의 적자를 반전시키고 정 대표께서 말씀하신 그 이상의 성과도 거둘 수 있다고 생각합니다. 숫자는 왜 그렇게 나왔는지 모르겠지만 우리가 민주정부 하에서 바른 경제체제를 세운다면 우리는 능히 앞날에 발전해 나갈 수 있다고 생각합니다.

송효빈(한국일보 논설위원) 지금 민주당 안에서는 5월 전당대회다, 6월 전당대회다라는 말이 나오는데 대통령 후보를 위한 민주당의 전당대회는 언제쯤 여실 작정입니까? 그리고 지금 판세로 봤을 때 김대중 대표가 대통령 후보로 지명될 것이 확실시될 것 같다는 보도가 지배적입니다. 그렇게 될 경우 김 대표 스스로 말씀하신 대로 대권 도전을 위해 삼수에 나서게 되는데, 내각책임제하에서는 삼수, 사수도 많습니다. 그러나 대통령중심제하에서의 삼수는 상당히 보기 드문 일이 아닌가라고 생각합니다. 대통령을 꼭 하시겠다는 의지의 이유가 무엇인지 말씀해 주십시오.

또 하나 덧붙여서 말씀드리고 싶은 것은 지금 현대와 정부 간의 마찰이 굉장히 격렬합니다. 이렇게 되면 경제적인 혼란이 오지 않을까 하는 생각도 듭니다. 재벌의 정치 세력화, 재벌이 정당을 만드는 일도 세계사에 없는 것 같습니다. 김 대표께서 이 문제에 대해서는 어떻게 생각하고 계시는지 말씀해 주십시오.

김대중 전당대회는 5월에 열리는 것이 옳다고 생각합니다. 우리 당의 당헌을 보면 전당대회 문제를 판단할 두 가지 조항이 있습니다. 하나는 당헌 8조에 "전당대회는 매 2년마다 5월 중에 연다."라고 되어 있습니다. 그리고 또 하나는 부칙에 "총선 후에 여는 전당대회는 정기 전당대회로 본다"고 되어 있습니다. 그래서 총선 후에 전당대회를 열도록 당이 결정해 놓고 있는데 이 것을 정기 전당대회로 취급하게 되어 있습니다. 그러면 당헌에 5월에 열도록 해야 한다는 규정대로 5월에 여는 것이 당헌 해석상 당연한 것이라고 생각합 니다. 그리고 현실적인 필요도 5월에 여는 것이 옳은 일이라고 생각합니다.

삼수 얘기가 나왔는데 제가 아직 출마한다고 선언한 바 없습니다. 그러나 삼수하는 예가 세계에도 얼마든지 있습니다. 미테랑 대통령이 삼수를 해서 대통령에 당선된 후 재선까지 되었습니다. 그렇기 때문에 삼수한 사람도 성 적이 좋을 수도 있고 한 번 한 사람도 성적이 나쁠 수도 있습니다. 그러므로 그것은 큰 문제가 아니라고 생각합니다. 요컨대 당과 국민이 그것을 지지하 느냐, 않느냐가 중요하지 재수나 삼수냐가 중요한 것은 아니라고 생각합니 다.

그리고 요즘 정부와 현대의 대립 상황을 보고 있는데, 저는 양비론을 싫어 하는 사람이지만 이 문제만큼은 양비론의 입장에 설 수밖에 없다고 생각합 니다. 그것은 지금 현대 자신도 자신들의 탈세나 잘못을 시인하고 있고 증거 가 나와 있는데, 현대가 이런 일을 한 것은 대단히 잘못된 일이라고 생각합니 다. 그리고 마땅히 거기에 대한 책임을 져야 합니다. 그러나 동시에 정부가 탈세 하나만 보더라도 5년 동안 적어도 수십, 수백 회를 했는데 이를 다 알고 있으면서도 그동안 가만히 있었다는 것입니다. 이래서 지금 우리가 볼 때, 정 치적 필요성에 의해서 현대를 탄압하는 것은 절대로 옳지 않다고 생각합니 다. 세무 행정이나 금융을 정치의 수단으로 악용해 온 것이 3공화국 이래 이 나라의 가장 나쁜 폐단인데 이런 일을 지금도 하고 있는 것은 옳지 않다고 보 고 있습니다. 어느 누구도 지금의 이 상태를 정치 탄압이 아니라고 보는 국민은 없다고 생각합니다. 그렇기 때문에 이 문제에 있어서는 현대·정부 양쪽이 모두 국민의 비판을 받아야 한다고 생각합니다. 그리고 재벌의 정치 세력화를 정당하다고 할 사람은 없습니다. 저는 지난번 국회의원 선거에서 국민당이 하는 것을 보고 대단히 우려를 금할 수가 없었습니다. 현대의 간부, 사원들을 총동원해서 야당에서 공천을 못 받은 사람들을 국민당의 후보로 끌어들이고, 현대의 전 사원이 국민당 입당을 강요당하고 가족까지 입당했을 뿐 아니라 심지어 현대의 하청 기업까지도 입당 숫자를 할당받아서 움직였습니다. 그리고 현대 직원들을 지구당에 내려보내서 선거운동 때 돈 쓰는 것을 일일이 관리했습니다. 정경유착이 아니라 정경 일체를 했습니다. 이것은 기업을 위해서도 좋지 않고 정치를 위해서도 대단히 좋지 않은 일이라고 생각합니다. 물론 경제인이 정치하는 것을 나쁘다고 할 수는 없습니다. 그것은 자기의 권리입니다. 그러나 경제인이 정치하면서 자기 기업을 끌고 들어가서 입으로는 기업과 결별했다고 말하면서, 현실적으로는 기업의 모든 조직을 정당의 운영과 선거에 동원하고 있다는 것은 절대로 기업을 위해서나 정치를 위해서 옳지 않은 일이고 우리 경제 전체에 대해서도 매우 부정적인 영향을 준다고 생각합니다.

장두원(KBS 해설위원) 첫째, 김 대표께서는 연설에서 말씀하셨지만 우리 경제의 현실을 위기라고 말씀하셨고 지방자치단체장 선거는 꼭 실시되어야 한다, 그리고 앞으로 이 밖에도 선거의 공정성을 기하기 위해서 여러 가지 문제점들이 많이 있는데 이런 것들이 해결되어야 한다고 말씀하셨습니다. 그렇다면 앞으로 가까운 시일 내에 대통령과 만나서 이러한 문제들을 협의할 생각이 없는지, 또 협의하겠으면 시기는 어떤 때가 되겠는지 말씀해 주셨으면 감사하겠습니다.

김대중 야당의 대표가 대통령과 만나는 것은 자연스러운 일이고 또 과거에도 그래 왔습니다. 그런데 솔직히 얘기해서 최근 몇 달 동안 청와대 측에서 간접적으로 만나자는 제안이 있었으나 제가 그것을 수락하지 않고 있습니다. 그 이유는 여야가 대화를 해서 합의하면 그것이 이행되어야 하는데 번번이 약속이 지켜지지 않았습니다. 한 번 합의한 것이 이행이 되지 않으면 만나는 의의가 없습니다.

작년 6월에 노태우 대통령을 만났을 때, 그는 야당도 정치를 할 수 있도록 정당의 운영 자금을 보장하고 특히 선거에 있어서 공영제를 실시하여 선거 자금을 국고에서 지원하는 방안을 마련하겠다고 약속했습니다. 그런데 작년 연말에 있었던 정치자금법 개정 협상에서 대통령의 기왕의 약속을 지적하면서 우리가 최소한의 요구를 했습니다. 그러나 아무리 약속을 지키라고 항의해도 듣지를 않았습니다.

또 예를 들면 광주 문제 해결 방안 중의 하나로 광주의 상무대 자리에 광주 의거 기념탑과 기념관을 세우기로 합의해서 같이 발표했는데 또 그것도 얼마 가지 않아 뒤집었습니다.

지방자치 문제는 노태우 대통령이 약속을 위반한 가장 대표적인 것입니다. 1989년 5공화국 청산의 유일한 대가로서 지방자치 실시를 여야가 합의해서 통과시켰습니다. 그런데 3당 합당 이후로 이것을 하지 않겠다고 거부했습니다. 그래서 싸우고 싸워서 1990년 9월에 제가 13일 동안 단식을 해서 마침내 또 한 번 법을 개정해서, 작년에는 지방의회를 하고 금년에는 자치단체장 선거를 하기로 합의했습니다. 그런데 간신히 지방의회를 구성하고 나니 이제는 자치단체장 선거를 하지 않겠다고 하고 있습니다.

지금 우리가 말하는 이 순간에도 대통령은 약속만 어긴 것이 아니라 법을 어기고 있습니다. 지방자치법의 부칙에는 명백히 1992년 6월 말 이내에 지방자치단체장 선거를 실시한다고 되어 있습니다. 그렇기 때문에 그 법이 공포

된 날 이후부터 계속적으로 6월 이내에 해야 하는 것입니다. 그런데 대통령이 아무런 법 개정의 절차도 거치지 않고 지자제 연기를 일방적으로 선언하고서 안 하고 있습니다. 지금으로 봐서는 6월 말 이내에 지방자치단체장 선거가 실시될 가능성이 대단히 희박합니다. 이렇게 약속을 지키지 않습니다.

그렇기 때문에 대통령이 약속을 지키지 않는데, 가서 얘기만 해 봤자 의미가 없다고 생각합니다. 그래서 이 문제에 있어서는 대통령이 법을 어기고 있는 것이기 때문에 지방자치를 대통령이 꼭 실시하겠다고, 법을 지키겠다고 하는 것이 우리가 대통령과 여야 영수회담을 하는 전제가 되지 않겠는가 하고 생각하고 있습니다.

갈천문(연합통신) 정권 또는 정치권력이라는 것은 집권당만이 전유하고 있는 것처럼 생각이 됩니다만, 사실은 정부의 정책에 영향을 미칠 수 있는 권리를 가지고 정치권력이라고 얘기한다면 그런 의미에서 야당도 정치권력을 공유하고 있다고 볼 수 있겠습니다. 지금 김 대표께서 지적하신 여러 가지 경제 실정은 하나하나가 아주 뼈아픈 지적이 되겠습니다만, 과연 야당은 국회라는 제도를 통해서 이러한 실정 내지 이러한 잘못된 점들을 바로잡기 위해서 어느 정도의 노력을 기울였는지 묻고 싶습니다.

왜냐하면 정부는 정책을 집행하기 위해서 주도하고 있었지만 여기에 영향을 미칠 수 있는 야당이 어떤 구체적 대안을 내서 그것을 관철시키려고 하는 노력보다는 정치적 공세로 일관했던 느낌을 받고 있기 때문입니다. 따라서 14대 국회에서는 어떠한 새로운 방향을 잡고 나갈 것인지 말씀해 주시기 바랍니다.

두 번째는 이미 사장되다시피 했습니다마는 금융실명제는 한때는 야당의 묵인하에 사장이 되었다는 소문이 있었던 것도 사실입니다. 다음 국회에서는 금융실명제를 실시하기 위한 어떤 복안을 가지고 계십니까?

세 번째는 지금 여러 분들이 대권을 향해서 질주하고 있습니다. 그 가운데서도 몇 분에 대해서는 그분의 경제 철학이 어떤 것인지, 방향이 옳은 것인지 하는 견해를 듣고 싶습니다. 첫째는 김영삼 민자당 대표, 둘째는 정 대표에 대해서 그분들의 경제 철학에 대한 논평을 해 주셨으면 합니다.

김대중 야당이 비판만 하지 않고 경제를 위해서 어떠한 일을 했는지를 물으셨습니다. 거기에 대해서는 우리는 상당한 노력을 했습니다. 13대 국회 전반에서 우리는 한국은행의 독립을 위해서 굉장한 노력을 했습니다. 원래는 1987년 헌법을 만들 때 우리 야당은 한국은행 독립을 헌법에 넣으려고 했는데 여당, 그 당시 민자당 측에서 말하기를 "중앙은행의 독립을 헌법에 넣는 나라는 없다. 그러나 이것은 법으로 규정하자"고 해서 기록에 남겨 놨습니다. 그런데 13대 국회가 되고 나니까 이것을 듣지 않습니다. 그래서 그때는 여소야대니까 야당끼리만이라도 한은 독립을 입법하려고 했는데 야당 중에서 통일민주당은 찬성하는데 공화당이 듣지를 않았습니다. 그러니까 또 과반수가 안 되었습니다. 그래서 못 한 채로 있다가 3당 합당이 되고 나니까 영영 못 하고 있습니다.

지금 우리 경제에 있어서 가장 큰 숙제 가운데 하나가 한국은행의 독립인데, 이 문제는 우리가 하고 싶어도 못 하고 있는 것입니다. 이번에 다행히 야당이 다수가 되었기 때문에 다시 한 번 14대 국회에서 시도해야겠다고 생각하고 있습니다.

그리고 잘 아시다시피 작년 말도 그랬고 재작년 말도 그랬지만 우리는 예산을 너무도 지나치게 팽창시키는 것은 국민 부담을 시킬 뿐 아니라 물가 앙등과 연결된다고 해서 강력히 반대했습니다. 그러나 여당이 끝까지 듣지 않아서 우리 당이 예산안 통과를 반대하니까 결국 날치기로 통과시키는 사태가 있었습니다. 우리는 분명히 예산의 증가는 아무리 많더라도 경제 성장률과 물가 상승률을 합친 15-16퍼센트 이상으로 가서는 안 된다고 주장했습니다. 그런데 정부는 23퍼센트까지 올린 팽창 예산을 고집하는 상태에서 우리와 상당한 견해 차이가 있습니다.

이미 나온 말이지만 우리는 적극적으로 금융실명제 실시를 주장해 왔습니다. 여기에 있어서 우리는 한 치도 양보하지 않았습니다. 그러나 일반적으로 3당 합당이 이루어진 후 민자당은 기다린 듯이 금융실명제를 하지 않겠다고 선언했습니다. 이것도 우리가 다음 14대 국회에서 우선적으로 해야 할 과제라고 생각하고 있습니다.

그리고 장바구니 물가를 해결하기 위해서 저는 대통령과 만나서도 말했고 농협중앙회를 방문해서도 말했습니다. 생산지와 소비지의 농협 점포를 직접 연결해서 유통 기능을 강화하고 불필요한 중간 마진을 줄여야 한다, 이를 위해서 농수축협이 저장과 수송의 수단을 제대로 갖출 수 있도록 정부가 적극 지원해야 한다, 이렇게 강력히 권고를 했습니다.

또 노동자의 임금 문제에 대해서 대통령에게 수차 얘기했습니다. 임금을 얼마나 올리느냐가 중요한 것이 아니라 임금 이상으로 좋은 물건 만드느냐, 생산성이 얼마나 올라가느냐가 중요하다고 했습니다.

정부는 임금 이전에 주택 문제를 해결해 주어야 합니다. 의식주 중에서 의衣와 식食은 큰 문제가 아닙니다. 주住가 가장 큰 문제인데 예를 들어서 작년 가을의 통계를 보면, 지난 2년 동안 노동자의 임금은 230만 원이 올랐는데 주택 임대료는 450만 원 올랐습니다. 도저히 해 나갈 수가 없습니다. 임금 인상에는 생산성 향상이 뒷받침되지 않으면 분명히 인플레이션에 영향을 줍니다. 그러나 노동자는 임금이 오른 것이 자기들의 생활 수준 향상에 연결되는 것이 아니라 오히려 집세에 오른 임금을 다 넣어도 부족하게 되었습니다. 주택 문제를 먼저 해결해 줘야 합니다.

그런데 주택 정책을 보면 성공한 나라, 예를 들면 싱가포르 같은 나라는 약 7평 정도의 원 베드룸부터 시작해서 투 베드룸까지 올라갔습니다. 그런데 우리나라는 중산층의 집만 많이 짓지 서민 대중들이 사는 주택, 임대 주택은 등한시해 왔습니다. 그러므로 집을 아무리 많이 지어도 노동자나 서민들의 주택 문제는 해결이 되지 않습니다. 주택 정책을 잘못하고 있는 것입니다.

그래서 노동자들은 계속적으로 도심지에서 변두리로, 변두리에서 위성도시로 밀려가는 상황을 그대로 두고 임금만 억제해 봤자 통하지 않습니다. 억지로 누르면 일을 열심히 하지 않으므로, 동유럽과 같이 태업을 해서 경제가 어려워집니다. 지금 우리나라 수출품의 불량률이 일본의 3배이고 대만의 배에 달하고 있습니다. 이래 가지고는 경쟁이 안 됩니다.

그런데 기업가는 열심히 하는가? 기업가도 지금 신이 안 납니다. 기업에 대해서 간섭하고 정책이 자주 바뀌고, 투기해서 돈 벌 길이 있는데 무엇 때문에 사업을 합니까?

이런 경제의 많은 점들에 대해서 충고를 합니다만 정부가 듣지 않습니다. 그리고 오늘날 경제를 이 꼴로 만든 경제팀을 그대로 가지고 있는 것을 보더라도 노태우 대통령은 오늘의 경제 문제에 대해서 정말로 고민이 부족합니다. 그리고 잘못되고 있다는 인식도 부족합니다. 단편적인 몇 가지 사실을 가지고 자신의 경제 정책이 성공을 거두고 있다고 자꾸 우겨 대는데, 대한민국 국민 중에 노태우 대통령의 경제가 성공했다고 믿는 사람은 한 명도 없습니다.

이번 선거에도 그대로 나타났습니다. 노태우 대통령이 자기 경제 정책에서 가장 성공했다고 주장하는 200만 호 주택 건설은 오히려 노태우 대통령의 잘못된 정책의 표본입니다. 첫째, 서민 주택부터 짓지 않고 중산층의 주택에 치중했다는 것이 잘못입니다. 둘째는 한꺼번에 이 많은 집들을 무리하게 지었기 때문에 부실 공사도 물론 있었지만 건축 자재 값을 폭등시키고 노임을 폭등시켰습니다. 그것은 다시 제자리로 돌아가지 않습니다. 그래서 물가앙등을 초래했습니다. 이런 잘못된 정책에 대한 자기반성이나 고민이 없습니다.

그래서 우리가 계속적으로 충고를 했지만 이러한 것이 노태우 정권에게 진지하게 받아들여 지지 않았다는 것을 말씀드립니다. 특히 3당 합당 이후에는 완전히 여당이 일당 독주의 오만에 빠져서 야당의 말을 말로 생각하지 않는 그런 상황이었기 때문에 우리의 충고가 소용이 없었습니다.

민자당 김영삼 대표, 국민당 정주영 대표의 경제 정책에 대해서 평을 해 달라고 하셨는데, 저는 그 두 분과 저희 당은 경제 정책에 있어서 분명한 차이가 있다고 생각합니다. 민자당은 누가 대통령이 되건 군사정권이 지금까지 해 온 대로 관치경제 그리고 특권층의 이익에 치중하는 특권 경제의 길로 갈 것으로 봅니다. 그렇게 가지 않으면 그들의 존립 기반이 위태롭기 때문입니다.

그리고 정주영 대표의 경우는, 자유당 이래 언제나 집권자와 정경유착을 통해서 재벌 위주의 특권경제를 해 왔습니다. 일생을 그렇게 해 왔고, 본인이 그러한 재벌 위주의 특권경제를 튼튼히 뿌리박은 박정희 정권 시대를 찬양하는 것만 보더라도 그런 정책을 전혀 배제하지 않고 있습니다.

그런 반면 우리 당은 앞으로 세 가지의 방향도 제시했지만, 한마디로 얘기하면 대재벌 중심의 특권경제가 아니라 중소기업 중심의 대중경제의 방향으로 항상 가고 있습니다. 우리는 중소기업과 서민경제를 중심으로 해서 나가되 이것은 사회정의의 측면만이 아니라 오늘 세계 경제의 변화에 보조를 맞추는 데도 가장 올바른 길이라고 생각하고 있습니다.

요컨대 경제 정책에 있어서 민자·국민 양당은 한마디로 정경유착에 의한 특권경제를 지지해 왔고 그것을 지금도 잘했다고 생각하고 있고, 우리는 그것을 잘못된 일이라고 생각하고 있습니다.

이래서 우리는 중소기업 중심의 경제체제 그리고 농업을 살리는 기초 위에 우리 경제를 발전시켜 나간다는 데서 분명한 차이가 있고, 특히 분배 문제에 있어서는 오늘날 노동자를 포함한 소외 계층에 분배가 공정하게 가는 것만이 경제 발전의 목적을 이루는 것이지, 경제가 아무리 발전해도 분배가 공정하게 이루어지지 않으면 안 된다고 생각하고 있습니다.

우리는 우리의 경제체제에 있어서 빈부 간의 격차, 도농 간의 격차, 대기업과 중소기업 간의 격차, 지역과 지역 간의 격차를 해소시켜서 분배의 공정을 실현하는 것이 가장 중요한 점이라고 생각하는 데서도 앞서 말한 두 정당과 분명한 차이가 있다고 생각하고 있습니다.

김정훈(조선일보) 대권 도전과 관련해서 질문을 드리고자 합니다. 김 대표께서는 방금 전에 말한 삼수와 관련해서 삼수 자체가 문제가 되는 것이 아니라 국민의 지지와 당의 지지가 있으면 된다고 말씀하셨습니다. 지난주 조찬 연설회에서는 민자당의 김영삼 대표가 당의 경선에서 패배라는 것은 한 번도 생각해 본 적이 없다고 말씀하셨습니다. 아울러서 경선에서 누가 되었든지 야당을 이길 수 있는 사람만이 민자당의 대표로 나갈 수 있으며, 또 당내에서 한 번도 패배라는 것을 생각해 본 적이 없다고 말씀하셨습니다. 또 국민당의 정 대표께서도 대권 선언을 하면서 이길 수 있다는 뜻을 시사해 오셨습니다.

오늘 이 자리에서 김대중 대표께서는 패배를 한 번도 생각해 본 적이 없다는 김영삼 대표의 그 말씀과 정주영 대표도 이길 수 있다고 시사한 점에서, 김대중 대표께서는 솔직히 이번에 대권 도전을 선언하신다면 승산을 어느 정도 가지고 계시는지 솔직히 말해 주시기 바랍니다.

김대중 아시다시피 저는 이 문제에 대해서 공식적으로 결정한 바가 없습니다. 4월을 넘기고 5월에 들어가면서 상의할 분들과 상의도 하고 당내나 국민의 여론도 겸허히 경청하면서 결정하겠습니다. 다만 원칙론으로 얘기하면 저는 우리 당의 대통령 후보 지명은 어디까지나 자유 경선으로 행해져야 한다고 굳게 믿고 있습니다. 그런 일이 없을 것으로 봅니다만, 심지어 단일 후보가 나오더라도 신임투표를 받아야 한다고 생각합니다. 그리고 그 결과에 대해서는 누구든지 무조건 복종해야 합니다.

승산 문제에 대해서는, 누구든지 승산이 있으니까 나가는 것 아니겠습니까? 이번에 선거를 해 보고 한 가지 재미있는 현상은, 나중에 결과를 보니 3등, 4등 한 후보도 있는데 선거 유세 기간 중 만나 보니까 그 후보들은 당선에 대해서 추호도 의심을 안 하고 있었습니다. 그저 돈만 좀 보내 주면 틀림없이 당선된다고 장담하는 것을 많이 봤습니다. 선거는 누구든지 그 맛으로 하는 것입니다. 저도 옛날에 떨어지면서도 꼭 된다고 생각했거든요.(일동 웃음)

객관적으로 언론이 보도하는 것을 보더라도 이번 14대 총선의 결론을 요약하면 민주당의 승리, 민자당의 참패, 국민당의 약진, 무소속의 대거 진출이라는 평가에는 큰 이론이 없는 것 같습니다. 그래서 선거 후 외신도 보고 국내의 신문도 보면 민주당이 처음으로 정권을 잡을 가능성이 보인다고 합니다. 그런데 그런 이야기를 들으면서 제가 이상한 생각을 느낀 것은, 우리 당은 3분이 1선이 최저 목표 선이었습니다. 그런데 그 100석에도 3석이나 부족했습니다. 그런데 요즘 만나서 축하한다는 소리를 자꾸 들으면 이상한 생각이 드는 것입니다.

하지만 요컨대 이번 선거에서 민주당이 처음으로 앞으로 정권 잡을 정당으로서의 가능성이 보였다는 것은 일반적인 생각일 것입니다. 그러나 방심해도 좋을 정도로 크게 자신이 있는 것은 아닙니다. 이번에 우리 당의 전국 득표율이 29퍼센트 선밖에 안 되었고, 국회의원은 3분 1정도밖에 얻지 못한 것을 보더라도 알 수 있습니다.

다만 만일 이번 선거에서 관권이 전면적 개입을 하지 않았다면 결과는 많이 달라졌을 것입니다. 요즘 군 부재자 투표의 부정과 안기부의 선거 개입이 부각되었지만 실상은 일반 행정기관도 전면적으로 개입했습니다. 그리고 우리도 국민당이나 민자당과 같이 충분한 선거자금이 있었다면 우리 당이 과반수 선을 얻을 수 있었을 것만은 틀림없습니다.

그러나 '만일'이라는 가정은 필요 없는 것이기 때문에 그 문제를 극복해야 합니다. 관권의 개입을 대통령 선거에서 막으려면 반드시 지방자치가 실시되어야 합니다. 지방자치가 실시되지 않고는 관권의 개입을 막을 수 없습니다. 그리고 돈 문제를 해결해야 하는데 이 문제는 여야 협상에서 철저한 선거 공영제를 해야 합니다. 이번에도 대통령이 매일같이 돈 안 쓰는 선거를 하겠다고 강조했지만 결과적으로 엄청난 돈을 여당 후보가 뿌리고 다녔습니다. 이것은 선거 기간 중에 금융기관에서 약 2조 5천억 원의 돈이 빠져나간 것만 보더라도 알 수 있습니다.

철저한 선거공영제를 해야 합니다. 노태우 대통령도 자기 임기의 마지막 국가에 대한 공헌으로서 이 문제를 해야 할 것입니다. 노태우 대통령이 지방자치와 공명선거를 철저히 실시하느냐, 안 하느냐 하는 문제가 노태우 대통령의 임기 마지막에 유종의 미를 거두느냐 못 거두느냐를 판가름할 것이라고 생각하고 있습니다. 이리하여 공정한 선거가 행해지면 민주당은 승리의 가능성이 어느 정당보다도 많다고 전망하고 있습니다.

이청수(KBS) 약 4년 반 전에 노 대통령이 워싱턴을 그 당시에는 민정당의 대통령 후보로 처음 방문을 했을 때, 워싱턴 주재 특파원들과 이야기를 하는 도중 이런 것이 있었습니다. 앞으로 집권을 하게 된다면 인사 정책이 중요한데 인사의 공정성을 위해서 각 시도별 인구 비례에 상응하는 인사 등용 정책을 써 보는 게 어떻겠느냐는 질문이 있었습니다. 그 당시 노 후보는 상당히 흥미 있는 생각이라고까지만 답변했습니다. 그러나 그 답변 이후 집권한 후 오늘에 이르기까지 그러한 방향으로 인사 정책이 이루어졌다고 야당에서는 보고 있지 않는 걸로 이해하고 있습니다.

그런데 바로 한 주일 전에 김영삼 민자당 대표가 이 자리에서 이야기하기를 앞으로 집권을 하게 되면 인사 정책이 중요한데 일대 획기적인 개선을 하도록 하겠다고까지만 이야기하고 어떻게 하겠다는 내용을 구체적으로 이야기하지 않았습니다.

그런데 마침 어젯밤에 정주영 국민당 대표가 이 자리에 나와서 현대가 인구 분포 비율로 인사를 하고 있는데 앞으로 국민당이 집권을 하게 되면 인구 분포 비율대로 인사 정책을 쓸 것이라고 밝혔습니다.

그런데 일반인들은 "정치인들은 집권 전과 후가 다르기 때문에 말은 저렇게 해도 결국 집권을 하면 그대로 하지 않을 것이다."라고 불신을 하고 있습니다. 특히 민주당 김 대표께서도 평소에 인사 정책에 공정성을 주장해 오셨지만 집권하시게 되면 결국은 자기 지역 사람, 자기 사람을 많이 쓰게 되지 않겠느냐고 생각을 하고 있습니다.

김 대표께서는 만일 대통령 후보가 되시고 집권을 하게 되시면 인사 정책의 공정을 위해서 어떤 정책을 구체적으로 펴실 것인지, 특히 인구 분포대로 그것과 비슷하게 인사 정책을 한다고 하더라도 소위 요직만은 자기 사람을 혹은 자기 지역 사람을 쓰지 않겠느냐고 하는 의구심을 갖는 사람들이 많은데 그 문제는 어떻게 하시겠는지, 상대 지역 사람도 과감하게 등용할 생각이 있으신지 말씀해 주십시오.

그리고 군 부재자 투표에 대해서 민주당은 정책을 조금씩 바꾸고 있는 것으로 이해하고 있습니다. 그 이유는 군 관계라든지 또는 군 부재자 투표의 비율이 야당에 대한 지지율이 오히려 높은 것으로 여당에서는 통계 자료를 제시하고 있는데, 그것을 보면 일반 투표의 성향과 군 부재자 투표의 성향이 별로 다를 것이 없기 때문에 그리 크게 문제 삼을 것이 없다는 점에서 하시는 것인지, 그래서 군 부재자 투표는 부분적인 시정에 목적이 있는지 아니면 전면적인 재투표에 목적이 있는지, 아니면 앞으로 선거에서 군 부재자 투표의 제도 자체를 개선하는 데 목적이 있는지 분명히 해 주시기 바랍니다.

김대중 대단히 중요한 질문입니다. 역시 정치는 사람이 하는 것이고 그렇기 때문에 정치의 성공의 요결은 인사 정책의 성공 여부에 있습니다. 우리가 조선왕조를 보더라도 이성계 장군이 정권을 잡자마자 서북 사람들을 제거했습니다. 국토의 반에 거주하는 사람들이 국정에 참여할 기회를 박탈당한 것입니다. 그다음에 임진왜란 직전에 있었던 정여립의 난을 통해서 호남 출신들을 제거했습니다. 임진왜란이 끝나고 4색 당쟁의 시대에서 처음에는 영남 사람이 밀려나더니 그다음에는 기호 사람이 밀려났습니다. 그리고 1800년대 순조가 등극한 이래 망할 때까지 110년 동안 외척 세도로서 사대문 안의 사람만이 정권을 잡았습니다. 이같이 전 국민이 정치에 참여할 기회가 자꾸 축소되어서 축소된 만큼 나라가 망했습니다. 그래서 외척 세도 110년 동안에는 안동김씨, 풍양조씨, 다시 안동김씨, 여흥민씨가 차례로 집권하면서 결국은 모두 망했습니다. 이것은 우리에게 경종을 울리는 역사적 교훈이라고 생각합니다.

박정희 대통령의 집권, 그리고 전두환, 노태우 씨의 집권이 우리 민족에 끼친 최대의 해악은 다름 아닌 지방색 차별이고 인사 정책의 편중입니다. 그래서 이 문제는 우리 민족의 장래를 위해서, 국민적 단합을 위해서 반드시 시정되어야 합니다. 더구나 통일해서 공산당과 같이 선거에 참여하려는 우리가 남한 내에서조차 서로 지방색을 가지고 분열된다면 그 결과는 어떻게 되겠습니까? 지방색에 의한 지역 간의 분열과 대립이 시정되지 않고 그런 선거에 임했을 때 어떤 위험한 일이 벌어질지 우리가 상상해야 한다고 생각합니다. 그런 점에 있어서 지역차별의 문제는 꼭 시정되어야 합니다.

나는 지금 이 위원께서 말씀하신 바와 같이 인구별 인재 등용뿐만 아니라 정부의 주요 부서도 특정 지역이 독점하지 않고 지역별로 고르게 참여시켜야 한다고 생각합니다. 이것이 원론적으로 얘기하면 반드시 옳은 것은 아니지만, 원론 이상으로 우리나라를 근본적으로 망치고 있는 지역대립의 문제를 해소하기 위해서는 설사 한 지역에 좋은 사람이 많이 있더라도 거기를 집중적으로 등용하지 않고 고르게 참여시키는 것이 차선지책次善之策 같지만 더 좋을 것으로 생각합니다. 그래서 지역별 채용을 하는 것을 저는 선거공약으로 가지고 나가도 좋지 않을까라고 생각합니다.

그리고 그것에 국한해서는 안 된다고 생각합니다. 우리 정치에 여성과 젊은이들의 참여율이 대단히 낮습니다. 우리나라에서 국무위원이 24명인데 여성은 제2정무 장관, 대단히 미안하지만 별 큰 역할도 없는 자리밖에 주어지지 않고 있습니다. 또 45세 이하의 청년층은 거의 한 사람도 국무위원 자리에 없습니다.

저는 재작년의 국회에서 대표연설을 할 때, 여성과 청년이 적어도 20퍼센트 정도는 정부의 각료로 참여해야 하지 않는가라고 말한 바 있습니다. 이것도 인사의 인물 중심의 원칙에서 보면 문제가 있지만 인구의 반을 점령하는 여성들에게도 기회를 주고 또 우리 젊은이들의 생각을 국정에 반영시켜서 발랄한 국정의 추진을 위해서는 한번 생각해 볼 필요가 있다고 믿습니다. 그래서 인사 정책은 지역 문제만이 아니라 성별 문제, 연령의 문제도 고려해서 앞으로 정부가 해 나가야 한다고 생각합니다.

그런데 군사정권의 사람들이 인사 정책을 하는 것을 보면 정권을 국민으로부터 위임받은 국민의 정권이라는 생각을 하는 것이 아니라, 정권을 하나의 전리품으로 생각합니다. 우리가 싸워서 이 겼으니까 우리가 다 먹어야지 무슨 소리냐는 사고방식입니다. 그것이 대구경북(TK) 통치를 가져온 것입니다.

그래서 정권에 대한 이런 사고방식부터 고쳐야 하는데 이것은 군사 문화의 필연적인 속성이기 때문에 민자당 정권이 계속되는 한 그러한 체질을 바꾸기는 어려울 것이라고 생각합니다. 그래서 이의 시정을 위해서도 이번 선거에서는 반드시 민간 민주정부가, 민자당 이외의 정부가 나와야 한다고 생각합니다.

부재자 투표에 관한 문제인데 이 문제에 대한 우리 당의 입장은 아주 합리적이고 현실에 입각한 조정을 하고 있습니다. 처음에는 부정이 전면적으로 행해진 것이 아니냐는 판단을 했습니다. 조사단을 구성해서 조사를 해 보니 전면적으로 행해진 것은 아니고 전국에 약 20-30개의 지역을 목표로 해서 그 구역에 해당되는 사람만 집중적으로 부정부패를 한 것으로 보입니다.

그래서 우리 당만 보더라도 부재자 투표의 조작에 의해서 1000표 미만의 표차로 낙선되었다고 보는 지역이 약 10곳 내외가 됩니다. 그런데 왜 그렇게 조작했다고 보느냐 하면, 바로 10개월 전에 있었던 광역 선거 때와 비교하면 전혀 맞지 않습니다. 그 대비 표는 저희가 가지고 있기 때문에 언제든지 필요하면 드리겠습니다. 그리고 또 많은 증거가 나오고 있지만 본인들이 공개적으로 증언하는 것을 두려워하기 때문에 아직 이분들을 내세우지 않고 있습니다.

요컨대 왜 군 부재자 투표에 부정을 감행했는가? 왜 안기부가 그런 흑색선전을 하고 개입을 했느냐? 왜 행정기관이 전국적으로 부정선거에 개입을 했느냐? 이 모든 것은 노태우 대통령이 3분의 2 의석을 얻어서 내각책임제를 강행하려는 데 문제가 있었습니다.

그래서 노태우 대통령이 군에 대해서도 과거와 같이 야당이 지나치게 많이 나온 데 대해서 주의를 환기시킨 것으로 알고 있습니다. 그래서 국방부 기무사령관을 중심으로 군 부재자 투표 부정이 결정되고 지시되었습니다. 우리가 이 사실을 파악한 만큼 대통령이 국민에게 사과하고 이 문제에 대해서 진상을 밝혀라, 국방부 장관과 기무사 사령관도 책임을 지고 물러나라, 이런 입장으로 정리를 하고 있습니다.

우리는 이 문제를 가지고 선거 소송에 가서 소송을 통해서 시정하려는 동시에, 지금 안 되면 14대 국회가 열리면 여야가 조사단을 구성해서 국회 차원에서 철저히 규명해서 재투표를 하거나 당선 무효를 시키거나 이런 일을 법적 절차를 밟아서 실현시키려고 하고 있습니다.

그리고 또 하나 중요한 것은 부재자 투표를 반드시 선거관리위원회와 여야 후보자들의 참관인이 입회한 상태에서 투표하도록, 그리고 영외 투표하도록 법을 고쳐서 이제는 제도적으로 부정을 할 수 없도록 해야 합니다. 이것이 또 하나의 큰 목적입니다.

이성춘(한국일보) 장시간 동안 대권 문제와 경제 관계, 그리고 부재자 투표 관계도 상세히 말씀해 주셨기 때문에 저는 제1야당 민주당에 대해서 한두 가지만 문의를 해 보겠습니다.

평소 김 대표께서는 우리나라에 건전한 야당이 있어야 우리 민주정치가 튼튼해진다는 말씀을 기회 있을 때마다 역설하셨는데 저도 전폭적으로 동감합니다. 그런데 과연 소위 우리나라의 정통 맥을 이었다는 민주당의 건강도가 안심해도 좋을 정도냐 하는 부분에 대해서, 많은 당내외의 분들이 제가 관측하건대 상당한 의문을 가지고 있지 않느냐고 생각됩니다.

김 대표 자신도 지난 40여 년 동안 반독재 민주화투쟁으로 여러 가지 많은 고생을 하시고 애도 많이 쓰셨고 우리나라 야당이 걸어온 길이 바로 그 길인데 지금은 시대가 많이 바뀌었습니다.

이번 선거에서 나타난 대로 국민들은 선거 때마다 개혁을 원하는데 과연 야당은 거기에 부응할 자체 개혁을 제대로 하고 있느냐는 것에 대해서 저는 상당한 의문을 가지고 있습니다.

그리고 좀 지나치게 말하면 야당이라는 프리미엄 때문에 웬만하면 봐주는데, 당 운영에서 제1야당에 계시는 분들, 특히 대표를 비롯해서 지도급에 계시는 분들이 입만 열면 민주화, 민주화 하는데 야당 자체는 과연 민주적으로 운영되고 있습니까?

아까 인사 정책의 얘기를 하셨습니다만, 이번 선거에서 20대와 30대 유권자가 57퍼센트나 차지합니다. 이것도 어느 의미에 있어서는 상당히 중요한 의미를 띠고 있는데 이제 야당도 좀 변해야 되지 않는가라고 생각됩니다. 통합 이후 민주당의 움직임을 보면 계파 지분 비율이 있으므로 인사도 적당히 나누어 하시고 운영도 그런 식으로 하시는 것 같은데 이런 것 가지고는 안 됩니다. 이제는 아주 야당 자체가 대대적인 개혁을 해야 되지 않겠느냐고 생각합니다. 이것을 하실 수 있는 분은 제가 알기로는 김 대표가 아닌가 합니다. 그러므로 인사나 운영이나 모든 면에 있어서 민주적이고 공개적이고 철저하게 당의를 묻는 방법으로 결정할 의사가 없으신지 묻고 싶습니다. 예를 들어서 민주당의 당헌을 보면 세계에 내놔도 부끄러울 것이 하나도 없을 정도로 민주적으로 잘되어 있는데 실제 운영 면에 있어서는 역시 대표 측근 중심으로 장악되고 운영되지 않느냐는 인상을 강하게 줍니다. 그래서 총무뿐만 아니라 나머지 3역, 9역, 기타 주요 당직자들도 의원총회나 지구당 위원장 회의에서 당당히 공개적으로 하나하나 표로 인정받는 것이 좋지 않겠는가 하고 생각합니다.

그리고 새로운 신진 세력들을 당에 대거 유입할 수 있는 문호를 개방하고 차세대 후계 그룹들도 적극적으로 키워 주시는 개혁을 하실 의향은 있으신 지? 복안이 있으시면 말씀해 주시기 바랍니다.

두 번째는 그와 연관해서 아까 대표께서 조금 자랑을 하셨습니다마는 물론 민주당이 22석을 늘린 것은 상당한 성공입니다. 국민의 지지가 그만큼 있었다는 증거이기도 합니다. 그런데 사실 지역구 후보 공천 과정의 물의는 제1야당의 명예나 권위를 봐서는 지극히 불명예스러운 일이 아닌가 합니다. 물론 공천 때마다 잡음은 있게 마련이라 하지만 이제는 이런 것도 졸업할 때가 되지 않았나 합니다.

이제는 국회의원 후보 공천이나 지방의회 의원 공천을 중앙에서 하는 것은 폐지되어야 한다고 생각합니다. 그리고 어차피 민주화를 지향하는 마당이면 지역구 당원들이 대회를 열어 뽑도록 해야 합니다. 이런 부분도 아울러 문의하고 싶습니다.

김대중 여러 가지 말씀 감사합니다. 첫째 질문은 민주당이 야당으로서의 건강도에 대해 믿어도 좋으냐는 지적을 하셨는데, 결론부터 말씀드리면 우리가 충분히 건강하다고 말할 수는 없지만 적어도 앞날의 발전을 향해서 더욱 건강한 방향으로 지금 나아가고 있다고 생각합니다. 지금 말씀을 듣고 보니까 상당히 부정적인 면에 대해서 많은 관심을 가지고 계시는데(일동 웃음) 긍정적인 면도 상당히 있다고 생각합니다.

예를 들면 지금 우리가 구 민주당과 구 신민당이 통합을 했습니다. 통합이라는 것이 얼마나 어렵다는 것, 더구나 권력 없는 야당끼리 통합하는 것이 얼마나 어렵다는 것을 잘 아실 것입니다. 그러나 우리는 광역 선거 이후로 야당이 사는 길은 이 길뿐이라는 것을 알고 국민 여론에 따라서 통합을 했습니다. 저희는 통합을 할 때 많은 양보를 했습니다. 저희 신민당 측만 얘기를 하면 국회의원 수가 67대 8이고, 또 광역 당선자 수가 165대 21인데 그럼에도 불구하고 공동 대표제를 하고 똑같은 수의 최고위원회를 구성하고 공천 심사 위원을 동수로 했습니다. 그리고 당직 안배를 6대 4로 하는 등 과거 어느 통합에서도 보지 못한 유연성을 발휘해서 통합을 성취했습니다. 나는 이 점은 상당히 평가받을 만한 점이 아닌가라고 생각합니다.

그리고 우리는 정부에 대해서도 협력할 것은 협력해 왔습니다. 5공 청산의 과정에서도 여러 가지 잡음을 무릅쓰고 협력해 왔고 남북 문제나 기타 중요 문제에 대해서 협력해 왔습니다. 우리는 3당 야합 이전에는 야당이 다수였음에도 불구하고 과거 전두환 독재 치하의 11대, 12대 때보다도 더 국회를 능률적으로 운영했습니다. 98퍼센트의 안건을 만장일치로 여야 합의에 의해서 통과시키는 그런 능률도 보이고 협력도 보였습니다. 우리는 절대로 반대 일변도의 그런 일을 하지 않았습니다.

이러한 과정에서 일부 강경 재야로부터는 많은 비난을 받았지만 그것을 무릅쓰고 해 왔습니다. 예를 들면 지난번 강경대 군 사건 같은 때, 재야에서는 노태우 정권의 퇴진 운동을 강력히 추진할 때도, 우리는 정권 교체는 투표에 의하지 않으면 안 된다는 것을 분명히 했습니다. 그 당시 이러한 우리의 입장 때문에 굉장한 비난을 받았지만 우리는 흔들리지 않았습니다.

이렇게 우리는 정국 안정에 기여했다고 생각하고 있습니다. 오늘날 이 정도의 정국 안정이나마 있는 것은 저희 당이 노력한 면도 상당 부분 있다고 보고 있습니다.

여러분이 아시는 대로 우리들은 13대 국회에 들어와서 일관되게 '삼비三非주의'를 주장해 왔습니다. 비폭력·비용공·비반미를 주장했습니다. 이것 때문에 과격층으로부터 심지어 증오에 가까운 비난을 받았습니다. 그러나 우리는 흔들리지 않았습니다. 그 사람들도 오늘 여기까지 와 보고 우리의 주장이 옳았다는 것을 인정하게 되었습니다. 그러나 그 과정은 참으로 어려웠습니다. 이런 점도 야당으로서 건강도를 측정하는 기준이 되어야 되지 않는가 이렇게 생각합니다.

개혁 면에 있어서도 아시는 대로 우리 당은 30-40대의 젊은이를 41퍼센트나 공천했습니다. 민자당은 25퍼센트밖에 안 됩니다. 이렇게 젊고 새로운 분들을 당에서 적극 지원해서 이번에 다수 당선시켰습니다. 이런 점도 야당 건강도의 하나의 기준이 되지 않겠냐고 생각합니다.

당내 민주화 문제에 있어서 이미 우리는 평민당으로부터 신민당으로 통합하면서 총재가 단일 후보로 나올 때도 반드시 신임투표를 거치도록 했습니다. 그 투표에서 약 10퍼센트의 반대표가 나왔습니다. 우리는 앞으로도 그렇게 해 나갈 것입니다.

그리고 솔직히 말해서 과거 민주당 하던 분들이 과거 평민당이나 신민당이 일인 지배로 모든 것을 해 온 것처럼 생각했는데, 와서 당을 같이 해 보고 절대 그렇지 않다는 것을 알았다고 여러 분들이 얘기하는 것을 들었습니다. 우리 당에 대한 일종의 잘못된 신화가 '일인 지배'로서, 모든 것을 카리스마적인 지배로 하고 있다고 생각하는데 사실은 그렇지 않은 것입니다.

그리고 아까 지분 가지고 얘기했는데 정치사회는 어느 정당이든지 계보가 있기 마련입니다. 그러면 계보가 있으면 큰 계보의 사람이 작은 계보의 사람에게 지분을 나눠 줘야지 그냥 계보 정치를 타파한다고 해서 혼자 다 먹어 버리면 어떻게 하겠습니까? 그러면 또 그것을 보고 비민주적이라고 할 것입니다.

그렇기 때문에 저는 여야가 실력에 상응하는 국정 참여권이나 여러 가지 권리가 보장되는 것과 마찬가지로 당내에서도 실력에 상응하는, 모든 것을 그것을 위주로 해서는 안 되겠지만, 기본적으로는 그 권리를 보장하는 것도 하나의 민주주의의 원칙에 합당하다고 생각합니다. 다수의 권리뿐만 아니라 소수의 권리도 보장되는 것이 민주주의라면 당내에서 소수의 권리도 보장해서 합당한 지분을 주는 것이 옳은 것이 아닌가 생각합니다.

이번 공천 과정에서 여러 가지 물의가 있었다는 말씀이 있었는데 그것은 사실은 다소 과장된 것입니다. 저와 이기택 대표 두 사람이 당헌과 당의 결의에 의해서 공천의 마지막 결정을 하게 되어 있었습니다. 그런데 당에서 10인 공천심사위원회를 만들어서 완전히 밀실에 들어가서 제1차로 175명을 합의해서 올려 왔습니다. 이것을 우리 양 대표가 바꿀 권리가 있었습니다. 그러나 그 175명 중 단 한 사람도 바꾸지 않고 밑에서 결의해 온 그대로 우리가 인정했습니다. 그리고 나머지 약 35개 지역에 대해서 복수 추천을 해 왔습니다. 복수 추천을 한 사람 외에는 우리가 손대지 않고 그 범위 내에서 표결해서 공천을 했습니다.

그러므로 공천 과정에서는 무리는 없었다고 생각하고 과거에 있었던 것과 같은 불미한 잡음도 거의 없었습니다. 괜히 모두 떨어진 사람들이 한 소리지 한 가지도 증거를 대고 한 일이 없었다는 것을 말씀드립니다. 그리고 전국구에 대해서는 이미 여러 차례 국민에게 공개한 대로, 3분의 1은 전혀 당비를 받지 않고 당직자를 공천하고, 3분의 1은 전혀 당비를 받지 않고 외부 인사를 영입하고, 나머지 3분의 1에 대해서는 당비를 받고 공천을 했습니다.

이 이유는, 이미 전국구 공천에 앞서 우리 당은 다음과 같은 입장을 대외적으로 밝힌 바 있습니다. 대통령과 정부가 작년 2월에 야당에 약속한 대로 야당도 선거를 치를 수 있는 최소한의 선거자금을 보장해 주면 전국구 공천에서 한 사람도 당비를 받지 않을 것이고, 정 안 해 주면 3분의 1은 선거를 하려니까 불가피하게 당비를 받되 과거처럼 아무나 하는 것이 아니라 국회의원 자격이 충분히 있는 사람 중에서 재력이 있는 사람을 골라서 하겠다, 그리고 그 금액은 국민에게 공개하겠다고 했습니다. 그래서 당선권 후보의 3분의 1인 8명을 골라서 모두 205억을 모금하여 이를 국민 앞에 공개하고 당의 선거 자금으로 썼습니다. 지금 이 돈의 사용 내역을 정리하고 있는데 이기택 대표가 미국에서 돌아오면 국민 앞에 이를 정리해서 밝히겠습니다.

그래서 공천 과정에서 큰 물의는 없었다고 생각합니다. 물론 언론에는 여러 가지 말이 났었는데 그것 중에는 부분적으로 사실도 있지만 사실이 아닌 것이 많습니다. 그것에 비하면 여러분, 민자당 공천이라고 하는 것은 민자당이 한 것이 아니지 않습니까? 안기부가 다 하지 않았습니까? 전혀 정치에 개입하면 안 되는 안기부가 정치에 개입해서 지역구, 전국구 후보의 결정을 주도했습니다. 이것에 비하면 우리 당의 공천이라는 것은 여당에 대조적인 긍정적인 평가를 받아야 하지 않는가 생각합니다.

앞으로의 공천은 지구당이나 이런 곳에서 추천해서 그것을 기준으로 해야 한다는 의견에 대해서는 전적으로 동감하고 앞으로는 그런 방향으로 공천의 방향이 바뀌어야 한다. 이래서 미국과 같은 예비선거 제도를 한다든가 혹은 그렇지 않더라도 과거 자유당 치하에 민주당이 지구당에서 추천투표를 하게 해서 그것을 기준으로 최종 공천한 예와 같은 방향으로 지구당 의사를 전적으로 중시하는 방향으로 공천 제도가 발전되어 나가야 한다는 의견에 대해서 동감하고 있습니다.

오도광(한국일보) 지난번 대통령 선거 때 노태우 대통령은 36퍼센트를 받아서 대통령에 당선된 것을 알고 있습니다. 그래서 결국 소수파 대통령이라는 말이 많았고 김영삼 후보와 김대중 후보 그 외에 비민정당 후보가 받은 표가 60퍼센트가 넘었습니다. 그래서 그 당시에 야당에서 후보 단일화가 아니더라도 결선투표제만 했더라도 정권 교체가 가능하지 않았느냐는 지적이 있습니다. 그리고 야당의 일각에서는 대통령 선거가 끝나고 난 후에 결선투표제에 대한 상당한 논의가 있었고 주장도 나왔던 것으로 알고 있습니다.

지난번에 8명의 대표가 나왔습니다마는 결국에 가서는 3당의 3파전이었는데, 이번에도 결국은 민자당·민주당·국민당의 3파전이 되지 않을까 생각됩니다. 이처럼 되면 분명히 누가 되든 역시 소수파 대통령이 나올 것 같습니다. 이번 총선의 결과를 봐도 민자당이 약 38퍼센트 득표를 하고 민주당이 29퍼센트를 한 것으로 알고 있습니다. 그리고 국민당이 약 17퍼센트이므로 이러한 추세가 크게 바뀌지 않는 한 어느 당이 나오더라도 소수파 대통령이 될 수밖에 없습니다.

그래서 이 문제에 대해서 대통령 선거를 앞두고 대통령선거법에 대한 협상을 해서 결선투표제를 제의하실 용의는 없으신지? 만일 이번 대통령 선거에서 결선투표제가 어렵다고 한다면, 다음 대통령 선거에서는 이번 대통령 선거가 끝나고 난 다음이라도 혹시 누가 대통령이 되든 간에 김대중 대표께서 적극적인 입장에서 결선투표제를 추진하셔서, 우리나라 대통령이 앞으로는 소수파 대통령이 아닌 두 번째 결선투표에 의해서 국민의 다수의 지지를 받는 대통령을 선출해서 국정을 펴 나가는 것이 낫지 않겠습니까? 거기에 관해서는 어떻게 생각하시는지 구체적으로 대답해 주시기 바랍니다.

또 하나는 정호용 씨의 문제인데, 정호용 씨가 결국은 지난번 국회의원직을 사퇴했다가 이번에 당선되었습니다. 그런데 사퇴한 경위에 대해서는 여러분들이 더 잘 아실 테니까 저는 굳이 설명을 안 드리겠고, 정호용 씨가 이번에 무소속 입후보를 하면서 가장 강력하게 얘기한 것이 명예 회복을 하겠다고 한 것으로 알고 있습니다. 정호용 씨는 광주에서의 발포 책임이 있는지 없는지는 모르지만 거기에 대해서 상당히 논란이 있었는데, 이번에 대구 서구에서 당선이 되었는데 김 대표께서는 그 당선을 정호용 씨가 주장하는 대로 명예 회복으로 보시는지, 그리고 일단은 면책이 되었다고 보시는지 말씀해 주시기 바랍니다.

김대중 네, 아주 좋은 말씀입니다. 결선투표제는 마땅히 필요합니다. 저희는 지난 1987년 6·29선언 후로 헌법을 여야가 다시 만들 때 결선투표제, 정부통령제는 강력히 주장했습니다. 그러나 그 당시 민정당이 듣지를 않아서 하지 못하고 말았습니다. 이것은 어느 때인가 반드시 해야 할 과제가 아닌가 생각합니다. 다만 우리가 지금 그런 문제의 개헌 얘기를 자제해 온 것은 그동안은 잘못 건드렸다가는 엉뚱한 일이 생겨서 오히려 내각책임제 개헌을 하겠다고 달려들까 봐 개헌 소리를 못 하고 입 다물어 왔습니다. 그래서 결선투표제, 러닝메이트 정부통령제 그리고 그런 일은 없지만 단일 후보가 나왔을 때도 반드시 신임투표를 받는 이런 세 가지의 개선이 이루어져야 하는데 이런 것들은 모두 개헌을 요하는 사항입니다. 그렇기 때문에 적어도 이 문제는 이번에 안 되면 이다음에라도 반드시 실현되어야 할 문제라고 생각합니다.

그리고 정호용 씨에 대한 문제는 그때 정호용 씨가 특전사의 사령관이고 광주에 가서 1주일이나 있었고 정호용 씨 예하 부대들이 무고한 학살을 저질렀기 때문에 정호용 씨에 대해서 형사적 책임은 안 물었지만 정치적 책임을 물어서 의원직을 사퇴하게 했습니다. 그 책임을 물은 것은 지금도 정당했다고 생각하고 있습니다. 그렇기 때문에 우리의 태도에는 변함이 없습니다. 다만 이번에 대구 서구 갑구 유권자들이 정호용 씨를 다시 선출시킨 그 사실은 주권자들의 주권 행사이기 때문에 우리는 그것을 존중합니다. 그것에 대해서 이의는 없습니다. 그러나 전국 237개의 선거구 중 하나의 선거구에서 신임받았다고 해서 이런 전 국민적인 심판의 사건이 그것으로 전부 면책된다고는 생각하지 않습니다.

박성범 시간 관계상 이상으로 질의응답 시간을 마치겠습니다. 바쁘신데도 불구하고 이렇게 참석하셔서 좋은 말씀 많이 해 주신 김대중 대표님께 진심으로 감사드리고, 아울러 질문해 주신 회원 여러분께도 감사드립니다. 이상으로 신문편집인협회 초청 금요 토론회를 모두 마치겠습니다.

민주주의 없이는 성공할 수 없다

대담 경제정의실천시민연합

일시 1992년 6월 13일

윤원배(사회) 토론에 들어가기에 앞서 먼저 이 모임을 갖게 된 배경을 말씀
드리겠습니다.

오늘날 우리 사회는 정상적이기보다는 비정상적인 방법에 의존하는 경향
이 많고 잘못을 범하고도 죄의식을 별로 느끼지 못할 정도로 뒤죽박죽돼 있
습니다. 이제 우리 사회의 모순은 개인의 양심에 호소하는 방법으로는 치유
될 수 없는 한계에 이르렀습니다. 이러한 가운데 시민운동 단체로 출범한 저
희 경실련은 제도적 장치를 통해 원칙 하나하나 마련하고 지켜 나가도록 함
으로써 경제 민주화를 정착시키고 경제 정의가 실현되도록 하는 운동을 전
개하고 있습니다.

그러한 운동의 일환으로 경실련은 각 정당과의 정책 토론회를 개최하고
있습니다. 각 정당이 제시한 정책들을 검토하고 비판하여 경제 민주화와 경
제 정의 실현에 도움이 되는, 실현 가능한 정책이 되도록 한다는 것은 시민운
동에 있어 굉장히 중요한 의미를 갖는다고 생각합니다. 게다가 앞으로 대통
령 선거를 앞두고 있어 새 정부가 추진할 경제 정책의 방향을 올바르게 정립

하는 것은 무엇보다 중요한 문제라고 생각합니다.

토론에 들어가기에 앞서 김대중 대표께서 우리나라 경제 현실에 대한 대략적 견해를 밝혀 주시겠습니까?

김대중 안녕하십니까? 경실련이 그동안 우리나라의 올바른 경제 발전을 위해 노력해 온 데 대해 존경과 감사의 뜻을 표합니다. 단순히 경제뿐 아니라 공명선거 등 건전한 민주 발전을 위해 많은 기여를 하고 있는 점을 국민 모두가 기억하고 있습니다.

한국 경제는 참으로 중대한 위기에 처해 있습니다. 그것은 단순히 물가가 크게 올랐다든가 수출 적자가 크다든가, 외채가 많다든가 하는 문제만이 아니라 앞도 뒤도 막혀 있는 상태인 것이 더 큰 문제라고 생각합니다. 수출에 있어서 노동 집약적인 제품은 후발 국가들에게, 기술 집약적인 제품은 선진 국가들의 강력한 반격에 저지당하고 있는 진퇴양난의 입장에 있습니다. 그런데 더 큰 문제는 이런 경제 위기를 오늘날 집권 여당인 민자당이 정확히 인식하지 못하고 있다는 것입니다.

그뿐 아니라 우리 정부는 위에서부터 아래까지 모두 부패해서 설사 좋은 정책이 나온다 해도 그것을 실행할 가능성이 지극히 약하다고 볼 수 있습니다. 만일 이대로 5년이 더 지나면 우리는 희망을 잃게 될 것입니다. 지금 5년은 과거의 50년과 마찬가지로, 인류 역사상 최대의 격동기로서 기술혁명이 주도하는 대변혁의 시대입니다. 이러한 상태에서 5년이 더 흐른다는 것은 이미 희망이 없는 상태가 돼 버리는 것이 아닌가 하고 걱정이 됩니다. 그래서 경제를 살리기 위해서도 정권이 바뀌어야 하고 바뀌는 정당이 올바른 경제 처방을 가지고 대응해야 할 것이라고 생각합니다.

우리 민주당이 집권을 하게 되면 무엇보다도 투기를 없애 불로소득의 길을 봉쇄함으로써 기업이 본연의 일에 전력투구하지 않을 수 없는 여건을 마런할 것이며, 또 물가를 3퍼센트 선으로 잡아야 한다고 생각합니다. 물가를 잡을 때만이 경제 발전도 있고 수출도 가능합니다. 물가를 잡기 위해서는 토지의 지가를 하향 조정해서 땅에 의한 불로소득, 투기를 봉쇄해야 한다고 생각합니다. 그리고 기술 개발에 국력을 기울여야 하는데 물질적으로뿐만 아니라 사회적 우대를 해야 합니다.

현재 기술 쪽에 투자하고 있는 액수가 국민총생산(GNP)의 1퍼센트 선밖에 안 되는데 이것을 5퍼센트 선 이상으로 올려야 한다고 생각합니다. 한마디로 말하면 물가를 잡는 데 정부의 운명을 걸어야 하고 기술 개발을 통해 경쟁력을 강화하는 데 국가의 운명을 걸어야 한다고 생각합니다. 이 두 가지를 이룩하고 지금 양쪽 모두 사기가 떨어진 노사 간의 문제를 조정해서 노사가 함께 힘을 합하는 방향으로 노사 관계를 조정할 수 있다면, 물가 안정, 기술 개발, 노사 협력 등이 가능하고 앞으로 5년간의 집권 기간 안에 세계 8강의 대열에도 들어갈 수 있으리라 생각합니다.

마지막으로 강조하고 싶은 것은 지금은 정보산업 시대입니다. 아시다시피 이 정보산업 시대에는 정보가 자유롭게 관리되어야 합니다. 연전에 미국의 저명한 학자가 와서 말하기를 "내가 한국의 정치에 개입할 의사나 권리는 없지만 다만 한 가지 충고하고 싶은 것은 만일 한국이 이 제3의 물결, 즉 정보화 시대에 살아남기 위해서는 철저한 정치적 민주주의가 확립돼야 하며, 이 것 없이는 앞으로 경제에서 성공할 수 없다"는 말을 했습니다.

그래서 이번 1992년에 민간 민주정부가 건국 44년 만에 처음으로 이루어질 수 있는 기회가 왔는데 이번 기회를 절대로 놓쳐서는 안 될 것이라 생각합니다. 이를 위해서는 철저한 공명선거가 이루어져서 국민의 뜻대로 정권이 이동되어야 하며 그전에 무엇보다도 지방자치가 반드시 실시되어야 합니다. 지방자치 없는 공명선거 없고 공명선거 없는 민주당은 없습니다. 지방자치를 해야만 각 지방이 고르게 경제·사회·문화가 발전된다고 하는 것은 아무리 강조해도 과언이 아닐 것입니다.

윤원배 감사합니다. 김 대표께서 지금까지 포괄적으로 말씀해 주셨는데, 구체적인 질의응답으로 들어가겠습니다. 먼저 인하대학교 이영희 교수께서 질문하시겠습니다.

'작은 정부'를 실현하고 노사 간 자율 관계 회복해야

이영희 경실련이 경제 정의를 추구하고 있지만 단순한 경제 정의만이 아니라 사회 정의나 우리 사회의 윤리 등을 제대로 세우는 운동이라 할 수 있습니다. 그런데 최근 징코민 사건을 통해서도 알 수 있듯이 관료 사회가 대단히 구조적으로 부패했음을 느낄 수 있습니다. 이러한 문제가 시정되지 않고서는 우리 사회의 발전을 기대할 수 없습니다. 김 대표께서도 부정부패에 대해서 언급하셨는데 우리 사회의 기강을 올바로 확립하기 위해서 어떤 구체적인 대안을 갖고 계시는지를 먼저 여쭈어보겠습니다.

다음 두 번째로는, 노사 관계에 있어서 최근 정부가 총액임금제를 강행해서 여러 가지 말썽을 빚고 있습니다. 물론 임금이 지나치게 오르는 것은 바람직하지 않으나, 정부가 5공 시절과 같이 주도적으로 노사 문제에 개입하는 것은 바람직하지 않다고 생각합니다.

그런 점에서 김 대표께서는 총액임금제와 임금정책에 대해 어떤 대안을 갖고 있는지 듣고 싶습니다.

세 번째로는 지금 국제노동기구(ILO) 총회가 개최되고 있는데 복수 노조가 허용돼야 한다는 의견이 강력하게 제기되고 있습니다. 그러나 또 다른 한편의 노동자 측에서는 현재와 같은 체제가 유지되어야 한다는 주장도 만만치 않습니다. 물론 경실련은 복수 노조가 허용돼야 한다는 기본 입장을 갖고 있지만, 김 대표께서는 어떤 입장을 갖고 있는지 듣고 싶습니다.

또 헌법상으로는 공익사업 노동자에 대해서 단체행동을 금지하고 있는 규정은 없습니다만 쟁의조정법에서는 실질적으로 직접 중재에 의해서 쟁의를 못 하게 하고 있습니다. 헌법과 현실과의 모순이랄까, 이 문제에 대해서 어떻게 생각하십니까?

김대중 부패가 일소되지 않고는 어떤 좋은 정책도 의미가 없습니다. 그러므로 다음 정권이 제1차로 착수해야 할 일은 부패를 없앨 수 있는 여건을 만드는 것입니다. 그 첫 번째 방법은 정경유착을 없애는 것입니다. 정치자금이 기업에 의존하는 구조를 끊어야 하고 이를 위해서는 돈 안 드는 선거를 해야 하며 또 돈 안 드는 선거를 위해서는 선거공영제를 철저히 이행해야 합니다.

이번 영국 선거를 보니까 우리보다 훨씬 부자인데도 국회의원 선거 후보 1인당 우리나라 돈으로 8백만 원으로 선거를 했습니다. 당 본부로는 보수당이 90억, 노동당이 50억 정도 썼습니다. 이는 깨끗한 선거를 했기 때문입니다. 그러나 우리는 중앙선관위에서 허용하는 한도액만도 후보 1인당 1억이 넘습니다. 실제로는 몇십억을 쓴 사람이 많습니다. 돈 안 드는 선거 풍토가 마련돼야 정경유착이 없어지고, 정경유착이 없어져야 부패가 없어진다고 생각합니다.

그리고 두 번째로 공무원들의 생활 보장을 해 줘야 합니다. 지금 현재 공무원들은 정상 수입만 가지고는 생활이 되지 않습니다. 그런데 이에 비해 우리 행정은 엄청난 낭비를 하고 있습니다. 제가 행정 분야에서 근무한 사람의 얘기를 들은 적이 있는데, 만일 생활 보장을 해 주고 공무원이 정상적으로 열심히 일하도록 하면 현재 공무원 수의 3분의 1이 줄어도 일을 원만하게 해 나갈 수 있다고 합니다. 공무원 수를 상당히 줄이더라도 그 돈을 가지고 공무원의 생활을 보장해 주는 게 부패를 근절할 수 있는 방법이라 봅니다.

세 번째로는 대통령이 도덕적으로 깨끗해야 합니다. 대통령이 공무원들에게 "모범을 보일 테니까 따라와라. 내가 부패하면 여러분이 부패해도 괜찮다. 그러나 내가 부패하지 않는데 여러분이 부패한 것은 용납되지 않는다." 이런 자세로 나가면 대통령 주도하에 부정부패를 막을 수 있고 이런 세 가지 방안을 가지면 대체로 부패를 일소할 수 있다고 생각합니다.

다음으로 총액임금제에 대해서 말씀드리면 우리 당은 당론으로 이 총액임금제를 반대하고 있습니다. 임금 문제는 어디까지나 기업과 노동자 간에 결정할 문제지 정부가 개입할 문제는 아닙니다. 기업이 자기 수입의 형편에 따라 생산성도 좋고 수익이 좋으면 10-20퍼센트 줄 수 있고, 기업이 수입이 없고 노동자들이 정상적으로 근무하지 않아 도산 직전에 있다면 노동자와 얘기해서 임금을 하나도 안 올릴 수도 있습니다.

총액임금제에 대해 당에서 대책위원회를 구성해서 많은 기업가를 만나 보니 어떤 기업가는 정부가 간섭만 안 하면 13퍼센트 정도 올릴 생각이고 그러면 노동자와 원만히 타협이 될 텐데 정부가 개입해 노사가 본의 아니게 대립하고 있다고 하소연을 했습니다.

그리고 저임금의 노동 집약적인 제품을 가지고 세계시장에서 이익을 올리던 시대는 지났습니다. 이제는 우리가 고부가가치 제품, 고기술 제품을 만들어 세계시장에 진출하여 수익을 높여야 합니다. 싱가포르는 1970년 초에 이미 기업가들에게 임금을 올려 주도록 압력을 가했습니다. 저임금 사업에 매달려 있다 보면 고기술, 고부가가치 사업으로 전환할 수 없기 때문에 기업가들이 그런 쪽으로 나가도록 유도, 압력을 가했습니다.

저임금이 반드시 좋은 게 아닙니다. 그리고 임금을 제대로 올려 주면 그것은 절대로 기업가 손해가 아닙니다. 노동자들이 임금을 제대로 받으면 구매력이 창출되어 경제가 발전하고 남은 돈을 예금하면 산업자금이 나오기 때문에 임금이 오르는 것이 무조건 경제를 어렵게 만든다고 생각하면 안 됩니다.

결론적으로 말하자면 임금 문제는 어디까지나 기업가와 노동자가 서로 협의해서 자율적으로 해결할 문제이지 정부가 개입해서는 안 된다는 것이 제 생각입니다.

복수 노조 문제는 제가 6대 국회 때, 그러니까 20년 전에 복수 노조를 허용해야 한다는 노동법 개정안을 내놓았습니다. 그래서 그때 국회 본회의 의사당에서 이에 대한 공청회를 했는데, 그때 여당이 반대해 좌절됐습니다. 그래서 저는, 진정 자유로운 노동운동은 노동조합 결성의 자유부터 보장돼야 하며 따라서 복수 노조는 당연히 보장되어야 한다고 생각합니다.

이영희 공무원 수를 3분의 1로 줄일 수 있다는 말씀을 하셨는데, 실제로 줄일 생각은 없으신지요. 제가 알기로는 대통령이 되면 임명할 수 있는 자리가 3천4백 개나 된다고 합니다. 그만큼 큰 자리가 되니까 많은 사람이 권력에 몰려드는 것 같습니다. 그래서 관료의 부패를 막기 위해서는 권력 자체를 줄여, 말 그대로 '대권'이 아닌 '소권'으로 줄여야 하지 않겠는가 하는 생각입니다.

과거 레이건이 집권을 했을 때 연방정부가 비대할 필요가 없다고 해서 과감한 행정 개혁 조치를 단행했습니다. 지금 경영 면에서 볼 때 과연 우리의 행정이 그럴 능력을 갖추고 있는지 궁금합니다.

김대중 저는 공무원의 수를 줄이는 방향으로 나가야 한다고 생각합니다. 그러나 정확히 3분의 1을 줄일 수 있는지에 대해서는 다시 검토해야 할 부분입니다. 줄여도 한꺼번에 줄일 수 없고 점진적으로 줄여야 하며 제가 볼 때는 20퍼센트 정도까지는 줄일 수 있다고 생각합니다. 그것은 공무원의 능률 향상과 더불어 정부가 가지고 있는 쓸데없는 권한을 지방자치단체에 이양하는 등 간섭을 줄여 나간다면, 20퍼센트 정도까지 줄일 수 있고 그 돈을 가지고 공무원의 생활을 보장하는 데 충당할 수 있다고 봅니다.

정부의 권력을 축소시키기 위해서는 무엇보다 지방자치를 해야만 합니다. 그래서 선진국같이 지방에 대폭적으로 권한을 이양하면 전체적으로 보아 국가 발전과 각 지방의 정치, 사회, 문화 등 제반 분야의 균형적인 발전에 큰 도움이 될 것입니다. 그리고 경제 분야에 있어서 불필요한 개입을 줄여야 합니다. 어느 중소기업 하는 사람을 만나 얘기를 들었더니 중소기업의 창업을 위해서는 1백여 개의 도장이 필요하다고 하는데, 이런 데 간섭하지 말고 국내적인 문제는 지방이나 이익 단체에 이양을 하고 사회간접자본이나 치안 유지, 환경 등의 공익사업에 관심을 기울여야 합니다.

이미 격변의 시대에 세계는 경제 전쟁에 돌입했고, 유럽과 북미 등으로 세계는 분업화되어 가고 있습니다. 지난번 소련의 저명한 경제학자가 와서 한 말에 의하면 자기들은 유럽 경제권에 들어가는 것이 아니라 또 하나의 유럽공동체(EC) 같은 소련 국가 중심의 경제권을 설립하려 한다는 말을 한 적이 있습니다. 그러면 아시아는 어떻습니까? 이것이 어렵고도 중요한 문젠데 잘못하면 일본의 경제적 지배 구조 밑으로 종속될 가능성이 큽니다. 아시아 경제권을 형성하는 데 있어서도 통찰력이 필요합니다.

저는 지난번 봄에 부시 미국 대통령과 대담을 한 적이 있었는데, 우리는 일본과 잘해 나가기를 바라지만 일본이 단독으로 아시아에서 군사 대국, 경제 대국이 되기를 원치는 않으며 그래서 미국은 같은 태평양 국가로서 군사적, 경제적으로 아시아에 남아 한국, 일본, 미국이 삼각관계를 유지, 발전시키기를 바란다고 말한 적이 있고, 그때 부시도 공감했었습니다.

그래서 말레이시아가 추진하는, 미국을 배제한 아시아 경제 협력 체제는 찬성할 수 없습니다. 아시아태평양경제협력체(APEC)와 같이 미국을 개입시켜야 하며 앞으로 러시아, 중국과 우호 관계를 유지하고 남북 관계 개선에 노력하기 위해서는 국내 문제를 지방으로 넘기고 대통령은 국제 문제, 경제 문제에 주력해야 한다고 봅니다.

텔레비전 정치 토론으로 과열 선거 막을 수 있다

양건 저는 정치제도에 대해서 질문을 드리겠습니다. 먼저 대통령 선거제에 대한 질문인데, 최근 선거관리위원회는 대통령선거법 개정안을 내고 공청회를 열었습니다. 이 자리에서 많은 토론자들이 옥외 연설이 문제가 많고 폐지되어야 한다는 의견을 내놓았는데 이 옥외 집회에 대한 의견을 듣고 싶습니다.

그리고 다음은 국회의원 선거자금에 대한 질문입니다. 민주당의 초선 의원 12명이 정치자금에 대한 자정 선언을 한 바 있습니다. 많은 사람들이 이에 지지를 보냈으나 일부에서는 구조적인 개혁 없이 근본적인 문제 해결이 되겠는가에 대한 의문을 제기하기도 했습니다. 이와 관련해서 국회의원 선거제가 근본적으로 소선거구제에서 정당투표에 의한 비례대표제로 바뀌어야 한다는 주장이 작년부터 강하게 대두되고 있는데 그에 대한 대표의 생각을 듣고 싶습니다.

그리고 조금 전 기조 발언에서도 지자제 단체장 선거를 강조하셨는데, 이 문제와 관련해 일부 여론조사에 따르면 상당수의 국민이 단체장 선거를 반대한 것으로 나타났습니다. 물론 여러 가지 여론조사가 있고 결과가 일정치 않습니다만 상당수의 국민들이 반대하는 것은 어느 정도 사실인 것 같습니다. 왜 이런 결과가 나타났다고 생각하시는지 말씀해 주세요.

김대중 옥외 연설 문제와 텔레비전 토론은 밀접한 관계가 있습니다. 우리도 선진국처럼 텔레비전 토론이 활발하게 진행된다면 국민이 편하게 각 대표의 얘기를 비교하면서 들을 수 있는데 왜 옥외까지 나오려 하겠습니까? 그런데 지금까지 텔레비전 매체가 주로 여당 후보에 의해 장악되고 토론도 전혀 전개되지 않았기 때문에, 결국은 후보자의 연설을 직접 듣기 위해서 밖으로 나가는 것입니다.

저는 민주주의 국가에서 옥외 집회가 그르다고 생각하는 것은 옳지 않다고 생각합니다. 그러나 옥외 집회가 과열되는 것은 옳지 못한 일이며 그러기 위해서는 텔레비전 토론과 맞물려서 이것을 해결해야 한다고 생각합니다. 그래서 텔레비전 토론을 강조하면 자연히 옥외 집회는 감소하리라 생각합니다.

그리고 우리 당의 열두 의원이 자정 선언을 한 것에 대해서 과연 그것이 얼마만큼 효과가 있겠느냐 하는 것에 대한 질문이 나왔는데 이런 자정 노력은 구조 개선 노력과 개인적인 노력, 이 두 가지가 맞물려야 한다고 생각합니다. 그런 의미에서 이번에 그 사람들이 한 일은 큰 의미가 있습니다. 그 선언은 구조적인 데까지 영향을 줄 것이고 그렇게 되도록 준비 중에 있습니다.

다음은 선거구 문제에 대해서 말씀드리겠습니다.

정당투표에 의한 비례대표제를 저도 잘 알고 있습니다. 그런데 정치가 잘못된 것을 자꾸 제도 탓으로만 여길 필요는 없다고 여겨집니다. 대선거구제 가지고도 잘 된 나라가 있고, 소선거구제 가지고도 잘 된 나라가 있습니다. 물론 잘 안 된 나라도 있습니다. 결국은 그 나라의 선거 문화를 어떻게 건전하게 만들어 나가느냐에 달려 있습니다. 정당투표에 의한 비례대표제, 일리가 있습니다. 부정부패를 막고 정당정치를 강화시키는 등의 일리가 있지만 선거는 유권자가 합니다. 유권자가 거기에 대해서 얼마만큼 지지하느냐에 대해서는 아직 의문입니다. 유권자들은 역시 자기의 대표가 구체적으로 누구인지를 지적해서 지지하는 소선거구제에 더 관심이 많습니다. 그래서 이 문제는 단순히 이론만으로 결정할 것이 아니라 유권자들이 결정해야 합니다.

지자제 선거에 대해서 반대하는 사람이 많이 있습니다. 저희가 갖고 있는 통계는 과반수가 자치단체장 선거를 적어도 이번 대선 때까지 꼭 해야 한다고 말하고 있습니다. 그런데 민자당 발표에 의하면 47퍼센트가 반대, 42퍼센트가 지지한다고 밝혔습니다. 여론이라는 것이 원래 질문 내용, 대상 등에 따라 많은 오차를 낼 수 있고 유도 질문을 하기도 합니다. 그래서 반대하는 분들이 있다는 것은 자연스러운 일입니다. 왜냐하면 5·16군사쿠데타 이후 30여 년 동안 지자제는 낭비적이고 비효율적이라는 선전을 정부가 일방적으로 해 왔기에 많은 국민이 그렇게 생각하는 것은 당연합니다.

그러나 지자제를 실시해야 정치, 경제, 문화 등 각 분야가 균형 있게 발전합니다. 요즈음 민자당은 1년에 선거를 서너 번씩 치르는 것은 곤란하다고 말하는데 그렇게 하자고 한 사람들이 누구입니까? 우리는 국회의원 선거와 지자제 단체장 선거를 한꺼번에 하자고 주장했으나 민자당이 반대했습니다. 그래서 네 번 실시하게 된 겁니다.

재벌 해체해야 국민 경제 발전

최정표 제가 질문할 것은 재벌과 중소기업에 관한 것입니다. 재벌 문제는 지금 우리 사회의 중요한 과제입니다. 재벌은 기업과 다릅니다. 일반인들은 재벌과 대기업을 동일시하는 경향이 있습니다. 그러나 우리가 문제 삼는 것은 재벌이지 대기업이 아닙니다.

재벌은 대기업이 모여서 그룹을 이루고, 그 그룹을 개인이나 가족이 지배하는 체제를 말합니다. 그러다 보니 20-30개의 재벌 가문이 우리 경제의 50퍼센트 이상을 통제하는 비정상적인 구조를 이루고 있습니다. 오늘날 경제 위기의 큰 요인도 이 재벌 문제에서 비롯됐다고 해도 과언이 아닙니다.

경실련은 재벌 문제를 해결하는 데 크게 세 가지 대안을 제시하고 있습니다.

첫째, 그룹 총수나 그 가족이 수십 개를 총괄 지배하고 있는 그룹 집중 체제를 개별 기업 중심 체제로 바꾸어야 한다고 생각하고 있습니다.

둘째는 소유와 경영의 분리입니다. 소유와 경영을 분리하면 총수나 그 가족들이 비민주적으로 지배하는 경영 구조가 해소될 수 있습니다.

세 번째로는 소유 분산입니다. 지금 재벌 기업을 보면 총수와 그 가족들의 지분이 50퍼센트 이상 됩니다. 많은 데는 70-80퍼센트까지 되는 곳도 있습니다. 이렇게 지분을 많이 갖고 있으면 현대적인 기업이 될 수 없습니다. 따라서 총수와 그 가족의 지분을 대폭 축소시켜 총수가 수십 개의 기업을 총괄 지배하는 체제를 근본적으로 해소해야 한다고 봅니다.

경실련에서는 이 세 가지 방법을 재벌 문제의 해결 방안으로 내놓고 있는데, 민주당은 이에 대해 어떻게 생각하고 있는지 말씀해 주시지요.

김대중 전적으로 경실련의 대안이 옳다고 생각합니다. 그런데 이를 실현하는 데 있어서는 정부의 직접적인 간섭보다는 정부의 강력한 행정지도 아래 진행돼야 한다고 생각합니다. 재벌이 대기업으로 분산돼야 하는 것은 당연한 것이고 동시에 대기업은 기술 집약적이고 자본 집약적인 분야에 집중하고, 예컨대 중화학 공업이나 조선업, 첨단산업 쪽에 집중하고 나머지 분야는 중소기업에 넘겨서 대기업과 중소기업의 조화를 이루어 나가면 우리 경제를 발전시킬 수 있지 않을까 생각합니다.

최정표 김 대표께서는 평소에 고부가가치, 다품종 소량생산 위주의 산업 정책이 추진돼야 한다고 주장해 왔는데, 이를 위해서는 결국 중소기업을 보강하고 비중을 높여야 한다고 봅니다. 그러기 위해서는 무엇보다 고급 기술 인력 양성이 필요한데, 사실 지금 유수 대학 졸업생들은 전부 20-30개 재벌 기업으로 가 버리고 중소기업이 우수 인력을 확보하기란 거의 기대하기 어렵다고 봅니다. 고급 기술 인력 확보 방안에 대한 김 대표의 견해를 말씀해 주십시오.

김대중 중소기업의 큰 문제는 기술 문제인데 이를 지원해 주기 위해서는 우선 중소기업의 창의성이 보장돼야 한다고 생각합니다. 기술 개발에 있어서는 지금 우리나라가 여러 가지 면에서 그 시설이 낙후되어 있고 연구 조건 또한 열악합니다.

그래서 기술 투자에 드는 비용을 현재 국민총생산(GNP)의 1퍼센트에서 5퍼센트로 늘려야 합니다. 또 우리나라가 전통적으로 갖고 있는 장인에 대한 차별 의식이 개선되어야 합니다. 그래서 중학교 때부터 기술 부문에 뛰어난 인재를 양성해서 특별 교육을 시키는 동시에 기술 인력의 저변 확대를 위해 인문계 고등학교, 또 여자에게도 기술을 가르칠 수 있는 여건이 마련되어야 합니다. 기술자가 제대로 대우받을 수 있는 풍토가 만들어져서 '천재 기술사 양성'과 '기술 인력의 저변 확대'가 동시에 병행되어 '전 국민의 기술자화'가 이룩돼야 할 것으로 봅니다.

집권 1년 내에 금융실명제 실시

이필상 우리나라 경제는 두 개의 악의 고리가 서로 맞물려 있습니다. 그것은 '정경유착'과 '투기'로 이것이 톱니바퀴처럼 맞물려 돌아가면서 모든 경제 성장의 이득은 기득권층, 재벌 대기업으로 집중되고 있습니다. 반대로 서민, 중소기업들은 물가 불안과 투기의 피해자가 되고 있습니다.

금융은 시장경제에서 혈맥 역할을 합니다. 그런데 이러한 금융이 그동안 대기업들의 개인 금고와 같은 역할을 했고, 이는 경제 질서를 마비시켰습니다. 그러므로 금융 개선은 우리가 새 출발하기 위한 전제 조건이라고 봅니다. 그중에서도 가장 중요한 것이 '금융실명제'와 '중앙은행 독립'입니다. 우선 금융실명제의 실시는 우리 경제를 지하경제로부터 풀려나게 하는 출구가 될 것입니다. 민주당도 금융실명제의 조기 실시를 주장하고 있는데, 실시 시기를 구체적으로 언제쯤으로 잡고 있으며 아울러 기득권층의 저항을 어떻게 극복하실 생각입니까?

또 우리 경제의 밑동을 썩게 만드는 지하경제의 뿌리 중 하나가 검은 정치 자금의 흐름이라 할 수 있습니다. 이런 점에서 금융실명제 실시는 민주당의 정치적 이해관계와도 무관하지 않습니다. 특히 국민들은 민주당의 지난번 전국구 공천 때의 정치자금 조달에 대해 아직까지 의혹을 갖고 있는데 민주 당부터 정치자금 조달에 대해 명확하게 발표하실 의향은 없으신지요.

다음은 중앙은행 독립과 금융 자율화에 관련된 질문입니다. 김 대표께서 투기와 물가의 해결이 정권의 생명을 걸 일이라 말했듯이 우리나라의 투기 와 물가의 악순환은 경제 성장률에 비해 세 배 이상이나 되는 정치성 통화 증 가율이 그 원인입니다. 이 정치성 통화 증가를 근원적으로 제거하고 물가와 투기의 악순환을 막기 위해선 중앙은행의 독립이 선결돼야 합니다. 그런데 이 중앙은행 독립이란 정치적인 관점에서 보면 돈줄을 내놓는 것이기 때문 에 도저히 포기할 수 없는 정치적 이권인 것 같습니다. 민주당은 기존 정치 논리를 정면으로 부정하는 중앙은행 독립 조치를 취할 진의가 있으신지 솔 직하게 말씀해 주시기 바랍니다.

그리고 최근에 정부에서는 긴축 정책을 편다는 의미에서 통화 관리 등으 로 경제를 회복시키는 데 많은 노력을 하고 있습니다. 그런데 정부가 정책 발 표를 할 때마다 국민들의 정치에 대한 불신이 자꾸 커지면서 오히려 경제가 악화되는 현상을 빚고 있습니다. 그래서 물가 불안과 고금리의 악순환이 계 속 심화되고 기업이 자금난이 점점 악화돼 중소기업이 도산하거나 증시 부 양 대책에도 불구하고 증시가 폭락하는 현상 등 경제가 더 어려운 수렁으로 계속 빠지고 있습니다. 그렇다면 지금 정부가 취하고 있는 통화 금융 정책의 근본적인 허점은 무엇이며 과연 민주당이 집권했을 때 이런 상황을 어떻게 극복할 수 있는지 말씀해 주십시오.

김대중 금융실명제는 늦어도 집권 1년 이내에 실시할 계획입니다. 그리고 기득권층의 저항 얘기가 나왔는데, 저희들은 기득권층의 말을 들어야 할 만큼 신세 진 일도 없고 유착 관계도 없습니다. 저희는 그 점에 있어서는 자유롭습니다. 만일 우리가 집권 후 이를 실시하지 않는다면 국민이 그대로 있지 않을 만큼 우리는 강하게 금융실명제 실시를 약속해 왔습니다. 선거자금은 공영제로, 정당비는 국고로 할 생각이기 때문에 정치자금 조달에는 지장이 없다고 생각합니다.

우리가 총선 때 전국구 의원 여덟 명으로부터 특별 당비 명목으로 정치헌금을 받았습니다. 그러나 그것은 우리가 받고 싶어서 받은 게 아닙니다. 노태우 대통령이 작년 6월에 청와대에서 저와 대담할 때, 선거운동을 할 수 있는 선거자금을 보장해 주고 정치자금도 보장하겠다는 약속을 한 바 있습니다. 그러나 야당의 통합으로 여당 태도가 달라졌습니다. 야당 통합을 위협적으로 느꼈기 때문입니다. 그래서 결국 자금을 받지 못했는데 우리가 그 정치헌금을 받은 것은 국민의 심판을 받을 것은 받고 거기에 대해서 공개하겠다고 선언했기 때문이며 우리는 그것을 그대로 실천했습니다. 그러나 한두 가지 말씀드리고 싶은 것은 과거와 같이 국회의원 자격이 없는데도 돈을 받은 게 아니라, 국회의원 자격도 있으면서 경제력 있는 사람에게서 받았고 아무 부정 없이 그 돈을 썼습니다.

저희들은 1987년 현재의 헌법을 만들 때, 중앙은행 독립 조항을 넣자고 강력하게 제기한 바 있습니다. 그러나 당시 민정당에서 자기들도 찬성이지만 세계 어느 나라 헌법에도 중앙은행 독립 조항을 헌법에 명시한 나라는 없으니, 13대 국회에 들어가면 반드시 중앙은행 독립 입법을 하자는 합의를 했으나 막상 13대로 들어오니 실천하지 않았습니다. 그래서 결국은 우리의 중앙은행 독립 주장에도 불구하고 여당에 의해 이루어지지 못했습니다.

세계에서 선진 국가치고 중앙은행이 독립 안 된 나라는 없습니다. 우리가 선진 국가를 지향한다면 이것은 반드시 이루어야 할 사항이고, 경제를 제대로 살리기 위해서는 중앙은행의 독립이 필수적인 것입니다. 중앙은행 독립을 반드시 실천할 것을 여기서 굳게 약속드립니다.

그리고, 통화 금융 정책에 대해 말씀드리겠습니다. 저는 정부의 통화 금융 정책만큼 잘못된 정책은 없다고 생각합니다. 정부가 여기에 개입해야 할 이유는 하나도 없습니다. 정부는 은행의 민영화라고 해서 정부가 갖고 있던 주식을 모두 팔았습니다. 엄연한 실정법에 의해 정부는 주주권이 없는데도 불구하고, 은행장 선임뿐 아니라 부장급 인사까지도 개입하고 있습니다. 그러므로 현재의 은행 간부는 정부의 지시를 듣지 않을 수 없습니다. 그래서 정부는 가장 유능하고 책임 있는 사람이 은행 간부가 되는 길을 막고 있고, 또 은행 간부가 정직하게 돈이 가장 요긴하게 필요한 사람에게 대출하는 길도 막는 결과를 가져왔습니다. 국내 은행이 외국 은행과의 경쟁에서 부실할 수밖에 없는 이유가 여기에 있습니다.

야당도 굴절했지 않나

이필상 두 가지만 더 질문드리겠습니다. 1988년 8월쯤에 금융통화운영위원회에서 '삼분법'이라는 것을 내놓았습니다. 그것은 중앙은행의 의결 기관인 금융통화위원회, 한국은행집행부, 은행감독원, 이 세 개를 분리하겠다는 것이었는데 이는 어떤 의미로는 한국은행을 공중분해시키겠다는 뜻도 됩니다. 그런데 이 안이 나오자 그 당시 평민당에서는 강경한 반발 성명을 냈다가, 그로부터 3개월 후쯤에는 그 삼분법을 지지하겠다는 야당들의 안이 나왔습니다. 그때 언론에서는 '야당의 굴절'이라고 비판했습니다. 그때 야당들이 굴절됐던 이유를 말씀해 주십시오.

다음으로는, 요즘 증권시장이 계속 침체에서 벗어나지 못하고 있는데 그 원인에 대한 김 대표의 의견을 듣고 싶습니다. 그리고 이번 투신사에 대한 5·27조치에 대한 민주당의 견해는 어떤지 말씀해 주십시오.

장재식 그 '삼분법'에 대해선 어떤 오해가 있지 않나 싶은데요. 그 당시에 우리는 금융 자율화를 촉진하기 위해서 현재 정부 통제하에 있는 은행감독원, 증권감독원, 보험감독원을 통합해서 하나의 강력한 감독원으로 만드는 안을 의원 개인이 사견으로 건의한 적은 있습니다. 그리고 저희는 한국은행 독립에 대해서는 일관된 주장을 해 왔습니다. 마찬가지로 금융실명제에 관해서도 단 한 번도 후퇴하거나 포기한 적이 없음을 말씀드립니다.

김대중 현재 증권시장이 백약이 무효한 상태인 점은 어쩔 수 없는 경제 현실의 반영이라 생각합니다. 경제 현실이 개선되지 않고는 증시가 개선될 수 없습니다. 회사가 장사가 안되고 기업들이 위축되고 있는 상황에서 주가가 오를 리 없습니다. 또 주식이란 국가 경제 전체의 반영인데, 국가 경제가 외국과의 무역에서 1백억 달러의 적자를 내고 5백억 달러의 부채를 진 상황에서 주식이 오른다면 그것은 이상한 일일 겁니다. 이 문제는 우리 경제를 활성화시켜서 새 출발하는 것만이 근본적인 해결책입니다.

그러기 위해서는 금융을 자율화하고, 금융실명제를 해야 합니다. 과거 금융실명제를 실행하려 했을 때 그것을 반대한 이유가 세 가지였습니다. 금융실명제를 하게 되면 돈을 노출시키지 않기 위해 투기를 하게 되며, 돈이 드러나므로 주식시장에 가지 않고 해외 도피시킨다는 것이었지만, 결국 금융실명제를 안 하기로 결정이 난 이후 주식이 떨어지고 투기는 더욱 성행하는 결과를 가져왔습니다.

농협, 제 역할 찾아야 농민 살길 열린다

김완배 농촌 문제와 관련해서 질문드리겠습니다. 우리나라의 식량 자급률이 최근에 30퍼센트를 약간 웃도는 선으로 엄청나게 떨어졌고 연간 50만 명이 이농을 하여 농촌은 고령화되고 있습니다. 그나마 남아 있는 사람들도 수지가 안 맞아 언젠가는 농촌을 떠나야 한다는 인식이 팽배해 있습니다.

첫 번째 질문은 이러한 농업, 농촌 문제에 대한 진단을 듣고 싶다는 것입니다.

두 번째 질문은 1997년까지 양곡류를 제외하고는 모든 농산물을 수입 개방토록 돼 있습니다. 지난번 총선 때 민주당 공약을 보면 농산물 수입 개방 계획을 지연시킨다는 내용이 있었는데 구체적인 지연 방안을 듣고 싶고요.

세 번째로는 현재 추진되는 농업 진흥 구역 제도에 대해 농민들이 상당한 반발을 보이고 있는데, 이 농업 진흥 구역 내에 1백5만 내지 1백10만 헥타르를 포함시킬 계획이라는데 이 면적이 과연 적절한지, 그 선정 방법은 과연 적절한지, 포함되는 토지와 안 되는 토지의 지가 차이는 어떻게 보상할 수 있는지 등 전반적인 문제에 관해 김 후보의 생각하는 바를 듣고 싶습니다.

마지막으로 향후 10년간 농어촌에 42조 원을 투자하겠다는 정부의 7차 5개년 계획에 대해, 특히 그 투자 규모와 바람직한 재원 조달 방안에 대한 김 대표의 의견은 어떠신지 말씀해 주십시오.

김대중 농촌이 이렇게 피폐해진 원인은 박정희 정권 이후 30년 동안 농촌 차별화 정책을 펴 온 데 있다고 봅니다. 외국에서 배워 온 잘못된 비교우위론을 우리나라에 적용한 정부의 경제 관료들에게도 큰 책임이 있습니다. 외국의 헐한 값의 농산품을 수입하고 그 대신 비싼 우리 상품을 수출하면 오히려 이익이라는 생각이 지금까지 일관되게 진행돼 왔습니다.

그리고 저는 농민들도 책임이 있다고 생각합니다. 농민들이 차별당하고 불이익을 받으면서도, 선거만 하면 농민들은 여당을 찍음으로써 여당이 그릇된 정책을 바꿀 수 있는 압력 행사의 기회를 만들지 않았다는 것입니다.

또 농협 문제도 농촌 문제를 이해하는 데 빼놓을 수 없습니다. 농협의 역할은 생산성 향상과 금융 실무, 유통 업무를 통한 농민 소득 증대에 있습니다. 그러나 농협이 그 세 가지 역할 중에 금융 업무만 주로 하고 이에 치중하는 잘못을 범하고 있습니다. 농협은 생산성 향상이나 유통 문제에 대한 본연의 임무에 맞는 자기 역할을 수행해서 농민이 농산물 값을 제대로 받을 수 있도록 해야 합니다.

정부의 졸속한 개방 정책도 비난받아야 합니다. 수입 개방에 대한 대응책은 여러 가지가 있을 수 있습니다. 관세나 수입 농산품 검역 제도 등도 유효한 방법일 수 있습니다. 문제는 정부가 어떤 결심을 가지고 이 문제를 대하느냐에 달려 있다고 생각되고, '쌀' 문제에 관한 한 개방할 수 없다는 강경한 입장을 취해야 한다고 생각합니다.

농업 진흥 구역에 관한 내용은 좀 전문적이고 기술적인 것을 요하므로 다른 의원이 답변하는 게 나을 듯합니다.

장재식 농업 진흥 구역 발상의 근거는 특정 지역을 지정해서 농업을 진흥하기 위한 것이 아니라, 농민들의 탈농(이농)을 장려하기 위해 비지정지의 매매를 활성화시키고자 하는 의도에서 비롯된 대단히 잘못된 것입니다. 그러나 저희는 식량의 국가안보라든지 농업의 전략적 보호의 필요성 때문에 일정 지역을 농업 진흥 지역으로 정해서 보호하는 것은 헌법 정신에 비추어 보더라도 타당하다 생각합니다.

지금 농민들의 불만은 계속 빚을 지고 있는 마당에 토지 매매를 제한해 놓았기 때문에 땅값마저 떨어져 부채를 상환할 길마저 없어지고 재산이 감소하는 현상까지 나오고 있다는 데 있습니다. 이것은 농민들이 그 지정된 전용 지역에서 농사를 짓고 살 수 있는 제반 조치가 수반되어야 합니다. 1년이 늦어져도 그런 조건이 먼저 마련되어야 합니다.

김대중 결론적으로 말씀드리면 첫째, 생산성 향상에 주력해야 합니다. 각 작목을 냉철하게 검토해서 생산성 향상 가능성이 전혀 없고 농업 경제, 국가 경제에 짐이 되는 작목은 도태시켜야 합니다. 둘째는 농민에게 가격 보장을 해 줘야 합니다. 열심히 생산을 해도 제값을 못 받아서 밭에서 썩히는 사태가 없어야 하고, 만약 이런 경우가 생길 때에는 보험제도를 통해 가격에 대한 불안감을 덜고 안심하고 농사를 지을 수 있는 여건을 만들어야 합니다.

이렇게 하려면 여러 가지 구조 조정을 하고 기술 개발, 시설 지원을 위한 재원을 확보해야 하는데, 그러기 위해서는 농민을 위한 특별 목적세를 신설하거나 저리 금융을 농업 쪽으로 할당하는 등의 노력을 기울여야 합니다.

김완배 한 가지 더 보충 질문을 드리겠습니다. 농업, 농촌이 피폐해 가고 있는데, 아까 말씀 중에도 나왔지만 농업·농촌 관련 단체들은 오히려 그 수와 인원이 늘어나고 있습니다. 만약 집권을 하신다면 이런 농업·농촌 조직을 어떻게 정비하실 것인지, 그 정비 방안을 마련할 민주당의 농정 관련 전문위원 인력이 얼마나 되는지 말씀해 주십시오.

농민 단체는 자율적 활동 보장

김대중 농업 관련 단체의 조직에 대해서는 물론 정부가 갖고 있는 연구기관, 출연기관 등은 강화시켜야 하겠지만 농민들의 조직은 원칙적으로 정부가 관여할 필요가 없고, 농민들이 자율적으로 모여서 만든 조직은 단수든 복수든 농민이 원하는 대로 인정하겠습니다. 지금처럼 정부가 특정 단체만 인정하고 나머지 단체는 배제하는 일은 민주당 정권하에서는 없을 것입니다. 누가 농민들을 위해서 제일 올바르게 봉사하느냐에 따라서 농민들의 지지가 결정되는 방향으로 이 문제를 풀겠습니다.

그리고 전문 인력은 우리 당에 많지 않습니다. 농업 문제에 직·간접적으로 관계하는 전문위원이 3, 4명 있고, 그 외 보조 인원이 약간 있습니다. 하지만 농촌 출신 의원들이 많아 그 의원들이 농촌 정책에 관여하고 있고, 농림위원회 활동을 중심으로 하고 있습니다. 그런데 다행히 13대 때 우리 당의 농촌 출신 의원들의 활동이 참 좋았습니다.

최근 경남 함안에서 저를 찾아온 농민들이 23만 원 물던 수세를 지금은 11만 원만 문다며 매우 고마워했습니다. 수세를 대폭 감면한 것, 곡가 보장, 수매량 등 3당 합당 전까지는 문제가 잘 풀렸습니다. 전두환 정권 때 평균 2퍼센트 인상에다 1백만 석, 2백만 석 수매하던 것을 평균 14퍼센트 인상에 전량 수매하도록 만들었으니까요. 농가 부채도 5헥타르 미만에 대해서는 3년 거치 5년 상황 무이자, 또 그 이상은 5년 상환에 이자는 5퍼센트로 정했습니다. 심지어 우리 당에서는 축산법까지 개정해서 대재벌들은 돼지치기를 못 하게 했습니다. 농민이 쓰는 농업 기자재, 농기구, 농약, 비료 등에 대한 부가가치세를 부분적으로 폐지해서 1년에 약 1천억 원의 이득을 주고 있습니다.

이는 농림분과 의원들이 중심이 돼 재무위원들과 협력해서 하고 있는데, 즉 농업정책을 입안하는 데 큰 지장은 없을 만큼의 인력을 갖추고 있는 셈입니다.

면세점 올리는 게 능사인가

이만우 조세 분야에 대해서 몇 가지 질문드리겠습니다. 일부 전문가들은 우리나라가 지속적으로 성장할 수 있느냐 하는 것은 토지를 어떻게 다스리느냐에 달려 있다고들 말합니다. 부동산값이 안정 추세로 들어서고 있습니다만 이 정도 가지고는 항구적인 투기 억제책이 될 수는 없을 것 같습니다.

민주당으로서 부동산 투기 근절을 위해 어떤 정책 대안을 갖고 있는지 말씀해 주십시오.

다음으로, 과거 20년 동안 죽 살펴보면 선거철만 되면 소득세 경감이 공약으로 항상 등장합니다. 근로소득세 면세점을 향상시켜 준다든지 아니면 법인세율을 대폭 인하시켜 준다든지 이런 공약이 등장합니다. 이번에도 각 정당에서 근로소득세 면세점 향상을 비롯한 세율 인하를 고려하고 있는 것으로 알고 있습니다.

이미 민자당에서는 발표를 한 것으로 알고 있습니다만 지금 근로소득세를 내고 있는 근로자는 40퍼센트밖에 안 됩니다. 이미 60퍼센트는 면세점 미만에 있습니다. 해마다 선거철만 되면 면세점을 올렸기 때문입니다. 40퍼센트만 근로소득세를 내고 있는데, 여기다가 면세점을 더 올리면 지금 세금을 1퍼센트도 내지 않는 60퍼센트의 근로자에게는 아무런 혜택도 돌아가지 않습니다. 그러면 과연 40퍼센트의 근로자를 위해서 또 면세점을 인상해야 하는지 심각하게 묻지 않을 수 없습니다.

세금 경감 문제는 보통 경제성보다는 정치 논리에 의해서 공약을 제시하는 경우가 많은데, 이번에도 또 그래서는 안 되지 않나 생각합니다.

세제 문제와는 관계가 없지만 앞에서 지적이 안 됐기 때문에 몇 가지 지적하고 넘어갈 문제가 있습니다. 제가 연구한 바에 의하면 우리나라의 절대빈곤 인구가 2백 50여만 명이나 됩니다. 우리나라 전 인구의 5퍼센트 정도인데 이 절대빈곤 계층에 대한 대책은 굉장히 미흡할 뿐만 아니라 관심도 낮은 것 같습니다. 민주당에서는 절대빈곤 계층에 대해 어떤 대책을 갖고 계시는지 빈부 격차, 지역 경제의 격차 해소 방안에 대해 말씀해 주시면 고맙겠습니다.

그 밖에 '작은 정부'에 대해서는 여러 번 논의가 되었습니다만 실제 이것을 제도화하려는 노력은 미흡했습니다.

최근 국회에서 기금법안이 원안대로 통과되지 않고 수정돼서 통과됐습니다. 민주당에서 준비한 원안은 국회의 감사를 받는 것이었는데 마지막으로 통과될 시엔 국회에 보고하는 정도로 바뀌었습니다. 그 나름대로 국회가 정부를 감독하는 장치가 되고 있지만, 특별회계나 기금에 대해서는 국회의 감시·감독 기능이 미약합니다. 특히 기금회계, 특별회계는 일반회계의 규모를 능가하고 있습니다. 일반회계뿐만 아니라 기금회계, 특별회계의 흐름을 알기 위한 민주당의 대책을 말씀해 주십시오.

얼마 전 교수 몇 명이 모인 자리에서 우리 사회가 정치, 언론, 법조계나 공직 사회는 말할 것도 없고 전반적으로 외국에 비해 부정부패가 만연돼 있으며 특히 언론의 부패는 대통령 후보로 나선 두 김 씨한테 부분적인 책임이 있다라는 지적이 오고 갔습니다. 전반적으로 만연되어 있는 부정부패의 근절 방안에 대해서 좀 더 구체적으로 말씀해 주시지요.

절대빈곤층을 위한 사회보장 마련할 터

김대중 6공 초기 우리나라 부동산 가격은 공시가격으로 8백조였는데 노태우 씨가 집권하는 동안 2천조 원으로 올랐습니다.

우리나라 국토 면적이 미국의 1/95인데 우리나라 땅값으로 미국 땅을 산다면 70퍼센트를 살 수 있습니다. 대체로 세계 각국 국민총생산(GNP)과 땅값이 1:1로 같은데 일본은 3배이고 우리나라는 10배입니다. 특히 노 정권하에서 더욱 심해졌는데, 이는 금융실명제를 하지 않고 땅 투기를 방기했기 때문입니다.

두 기업이 똑같이 1백억 원 갖고 시작했는데, 열심히 기업을 해도 1년에 10억, 20억 벌까 말까 한데 하나는 땅 투기해서 1년에 2, 3백억 원씩 번다면 누가 땅 투기를 안 하겠습니까? 어떤 기업이 4년 전 잠실에 땅을 7백억 원을 주고 샀는데 지금은 공시가격으로 9천억 원이 넘는다고 합니다. 이러니 누가 열심히 기업 활동을 하고 연구를 하겠습니까?

그동안 정부가 내놓은 토지공개념 법안은 어떻게 보면 눈 가리고 아웅 하는 식이었습니다. 그래서 저는 종합토지세와 양도소득세 세율을 투기가 안 되는 선까지 재조정해야 한다고 봅니다. 또 무조건 하는 것이 아니라 2, 3년 안에 점진적으로 조정하고 양도소득세 감면 기간을 대폭 줄이면 1년에 5조 원 이상의 세수가 들어오는데 이 돈으로 농촌도 살릴 수 있고 교육·교통 문제도 해결할 수 있습니다.

아파트값을 반으로 내리는 것도 땅 투기 문제부터 해결해야지 아파트값만 가지고는 해결이 안 됩니다.

그리고 절대빈곤 인구가 2백50만, 빈부 격차, 지역 격차 문제는 사실 우리 사회의 폭발적인 요소입니다.

그리고 기금법안 문제인데, 기금법안을 심의하려고 그렇게 애썼고 3당 합당 이전에 법안을 상정했습니다. 그런데 그 당시 공화당이 끝까지 반대를 해 못 하고 있다가 국회가 문을 닫을 때 그나마 보고라도 받아야 질문이라도 할 수 있고 안 하는 것보다 낫다 싶어 한 거지 우리가 좋아서 한 것이 아닙니다. 그 점 이해해 주시기 바랍니다. 그리고 이제 야당도 숫자가 많아졌으니 실제 심의 과정으로 개정을 해서 추진하겠습니다.

정직하고 부지런한 사람이 성공하는 사회, 악이 패배하고 선이 이기는 사회를 만들려면 국민의 비판 의식이 강해야 합니다. 그런 점에서 우리 국민은 비판 의식이 부족합니다.

반년 전에 "초등학생도 투표로 반장을 뽑는데 지방자치단체장을 안 뽑는다는 게 말이 되느냐"는 말을 한 대통령이 지금 엉뚱한 얘기를 하는데도 국민들의 비판이 일어나지 않습니다. 수서사건, 청와대가 총괄 지휘했습니다.

3백억, 4백억 해 먹었습니다. 그런데 언론은 이를 다 감춰 놓고 고물 주어 먹은 국회의원들만 막 죽자고 때렸습니다.(웃음) 국민들한테 아무리 청와대가 주범이라고 떠들어도 국민들 분노가 없습니다. 이런 점에서는 지식인들도 양비론만 말하지 말고 누가 옳고 누가 그르냐, 심지어 누가 더 나쁘냐 덜 나쁘냐를 구분해 줘야 합니다.

장재식 소득세 경감과 세율 항목에 대해서 말씀드리겠습니다. 저희는 지난 선거 때 면세점보다는 현재 근로소득세가 5퍼센트에서 50퍼센트의 누진율인데 그것을 3퍼센트에서 30퍼센트의 누진율로 인하해야 한다고 주장했습니다. 그랬더니 민자당에서 당황해서 배우자 공제를 인상하겠다, 면세점을 인상하겠다 하다가 국민들에게 전달이 잘 안 되니까 우리도 세율을 낮추겠다며 따라 하고 있습니다. 그러나 몇 퍼센트로 낮추겠다는 식으로 구체적으로는 제시하지 못하고 있습니다.

한 가지 참고로 말씀드리면, 현재 국민들은 60퍼센트에 해당하는 근로자가 세금을 전혀 안 낸다고 생각하시는데 그것은 오해입니다. 우리가 사 쓰는 모든 물건에 10퍼센트의 부가가치세가 붙습니다. 현재 1992년 예산을 보면 부가가치세가 10조 원이고 특별소비세가 2조 8천억 원입니다. 그러므로 우리나라 근로자는 세금을 많이 내는 셈입니다. 그러나 결론은 이만우 교수의 말씀이 맞습니다. 덮어놓고 면세점만 높이면 불공평 과세가 생기고 국민 개세皆稅 사상에도 어긋납니다.

부동산 투기 근절을 위한 정책은 정강 정책에 다 밝혀져 있습니다. 다만 한 가지 문제는 과세 표준 현실화, 재산 가격에다 세율을 곱하면 세액이 나오는데 그 재산 가격의 과세 표준을 너무 급하게 올리면 조세 저항이 일어납니다. 상당히 빠른 속도로 올리되 이런 점을 고려해야 합니다. 또 조세는 국고 수입이 일차적인 목적이기 때문에 조세로서 어떤 정책을 실현하는 것은 한계가 있습니다.

역사와의 약속을 지킨다

김대중 아까 정치가 잘못된 데 대해 양 김 씨의 책임이 크다고 했는데 이제는 양 김 씨를 좀 떼서 말했으면 좋겠습니다.(웃음) 제가 잘못한 거면 잘못한 거고 김영삼 씨가 잘한 것이면 잘한 것이고, 일란성 쌍생아도 다르게 책임을 지는데 아직도 딱 붙여서 양 김 씨, 양 김 씨 하는데 그것도 과거에 같이 야당을 하던 때는 모르겠습니다. 지금은 여야로 갈라졌어요. 여야로 갈라졌는데 어떻게 양 김 씨가 똑같이 책임을 집니까? 3당 합당하겠다는 사람과 안 된다는 사람이 왜 같고, 금융실명제, 지자제를 하겠다는 사람과 안 하겠다는 사람이 왜 같으며, 국가보안법, 정치범 석방, 안기부법, 경찰중립법, 통합의료보험법, 농민에 대한 복지 정책, 이 모든 것에 대해 의견이 다른데 어떻게 책임이 똑같습니까? 성만 같은 김씨지, 정책이 다르니까 제발 앞으로 갈라서 불러 주십시오.

제가 40년 정치를 해 왔는데 정치인의 약속은 과거에 비추어서 평가를 해야 합니다. 대단히 외람된 말씀이지만 저는 한 번도 독재자에게 협력을 한 적이 없기 때문에 이만하면 민주주의 하겠다는 의도는 검증된 것이라고 생각합니다. 또 35년 전에 『동아일보』와 『사상계』에 노동 문제에 관한 글을 쓴 것을 보니 지금 제가 갖고 있는 노동 정책과 같습니다. 이렇게 35년 동안 일관된 정책을 해 왔습니다.

가까운 13대 때 저희들은 헌법재판소를 만들었고, 여소야대 때 전두환 씨의 국정자문위원회를 폐지했고 여성들을 위해서 가족법 개정과 남녀 고용평등법안을 만들었고 농민들을 위해서 아까 말했듯이 여러 가지를 했고 지방자치제를 여하튼 30년 만에 부활시켰습니다.

둘째로 제가 대통령을 한 번 하겠다고 생각한 것은 솔직한 심정이 40년 동안 저는 우리가 여당이 되면 어떻게 할 것인가, 이 대안만 생각했습니다. 여러분이 학자니까, 내일이라도 국회에 가서 제 국회 속기록을 잘 검토해 보시면 알겠지만 대안 없는 비판은 해 본 적이 없습니다. 그래서 제 나름대로는 우리가 만일 집권하면 정말로 좋은 정치를 해서 국민에게 진정한 민주정치, 국민에게 행복을 주는 정치, 소외된 계층에게 희망을 주는 정치는 이런 것이다, 이런 정치를 한번 해 보고 싶었고 제 평가를 역사에서 받으려고 했기 때문에 제가 정권을 잡으면 자신의 역사적 평가를 위해서도 바른길을 가려고 노력할 것입니다. 제게는 그런 확신이 있습니다.

셋째 아무리 과거 실적이 좋았고 제가 그렇게 해 왔다고 해도 권력을 잡으면 사람이 달라질 수 있습니다. 또 권력을 잡으면 장막에 싸이는 수가 있어 본의 아니게 제대로 못 하는 수가 있습니다. 사람이기 때문에 싫은 소리는 안 듣고 듣기 좋은 소리만 들으려고 합니다. 저는 정권을 잡으면 그때야말로 언론, 국민들 특히 경실련과 같은 단체들이 강력한 비판을 계속해야 한다고 생각합니다. 감사합니다.

윤원배 오랜 시간 감사합니다. 이것으로 민주당과의 정책 토론회를 마치겠습니다.

* 이 토론에는 민주당의 김대중(대표최고위원), 장재식(정책위의장), 유종근(홍보위원장), 박은태(의원), 경제정의실천시민연합의 최정표(건국대학교 교수), 이필상(고려대학교 교수), 이만우(고려대학교 교수), 김완배(중앙대학교 교수), 이영희(인하대학교 교수), 양건(한양대학교 교수), 윤원배(사회, 숙명여대 교수, 경실련정책연구위원장) 등이 참여하였다.

여성의 지위와 권익 향상을 위하여

대담 한국여성유권자연맹

일시 1992년 11월 16일

심영희(사회) 이제 대통령 선거가 한 달 앞으로 다가온 시점에서 여성 유권자 여러분을 모시고 토론의 자리를 마련하게 된 것을 매우 기쁘게 생각합니다. 그동안 대통령 후보를 모신 토론회 자리가 여러 번 있었지만 토론자들이 전부 여성으로만 구성된 경우는 이번이 처음이 아닌가 싶습니다. 그런 의미에서 매우 의미 있는 자리라 생각되고 특히 우리가 되돌아보면 여성들이 유권자의 절반 이상을 차지하고 있으면서도 실제로 별로 힘을 발휘하지 못한 것을 생각하면 이런 기회를 이용해서 여성 유권자들이 홀로서기를 하고 잠재력을 발휘할 때가 되지 않았나 하는 느낌도 듭니다. 그런 의미에서 이런 자리를 마련해 주신 한국여성유권자연맹에게 감사를 드리고 참석해 주신 여러분께도 감사를 드리는 바입니다.

토론회를 효율적으로 진행하기 위해서 몇 가지 규칙이 마련되어 있습니다. 우선 토론자들이 질문을 할 때는 질문에 대해서 1분 정도를 소비하고 후보께서는 거기에 대해서 3분 내에 답변을 해 주시는 것으로 하겠습니다. 그리고 방청석에 질문이 있으신 분은 나눠 드린 프로그램 뒷면에 보면 서면 질의라고 된 부분이 있습니다. 이 부분을 찢어서 여기에 질문을 써서 제출하여 주시면 나중에 참고를 하도록 하겠습니다. 그리고 토론이 모두 끝나고 나서 후보자께서 10분 정도 종합 정리를 하실 시간을 드리겠습니다. 그러면 지금부터 토론으로 들어가도록 하겠습니다.

첫 번째 질문을 해 주실 분은 정치 분야에 대해서 손봉숙 소장님께서 질문해 주시겠습니다.

정치 분야

손봉숙 요즈음 아침저녁으로 신문이나 텔레비전에서 매일 김대중 후보의 얼굴을 뵙기 때문에 매일 만나는 것과 같은 기분으로 아주 친근감을 느낍니다. 동에 번쩍 서에 번쩍하시는데 하루에 몇 시간이나 주무십니까?

김대중 대여섯 시간 잡니다.

손봉숙 특별한 건강 비결이라도 있으십니까?

김대중 마음을 평화롭게 먹으려고 애쓰고 있습니다. 그리고 하루에 차 안에서 10분이고 20분이고 토막잠을 자서 피로를 풀려고 그럽니다.

손봉숙 우리나라에 고관대작 엔도르핀이라는 게 있어 높은 지위에 계시는 분들은 그 지위가 신나고 좋아서 건강에 좋은 엔도르핀이 흐르기 때문에 건강 상태가 유지된다고 그럽니다. 3당 후보님들도 연세에 비해 굉장히 젊어 보이고 건강하신 것 같습니다.

제가 또 하나 느끼는 것은 김 대표님께서 너무 박식하다는 것입니다. 아랫사람의 자문도 받고 해야 하는데, 과연 대통령이 되셨을 때 아랫사람의 권유를 어떻게 받아들이실지, 그런 김 후보님의 리더십 스타일 내지 통치 스타일에 대해 말씀해 주십시오.

김대중 오늘 제가 이 자리에 와서 보니, 평소 텔레비전 등에서 보면 아주 매섭고 엄한 분들이 계셔서 사실 위축이 됩니다. 여러분께 성실히 답변해서 참고가 되도록 하겠습니다.

대통령은 국정 운영을 하는 데 제안된 여러 안을 보고 옳고 그름과 최선의 것을 선별해 낼 수 있는 판단 능력과 그것을 실천할 수 있는 구체적인 수단이 있어야 한다고 생각합니다. 또 국가의 기본 방향에 대한 철학과 실현 수단에 대한 책임을 가질 수 있는 정도의 식견을 갖추고 있어야 된다고 생각합니다. 이를 위해 계속 공부도 하고 노력합니다.

손봉숙 뉴디제이(New DJ) 플랜의 이미지 전략과 국민 대화합의 차원에서 모든 사람을 다 포용하고 다 받아들인다는 말씀을 하고 계시는데 자신의 정치적 소신 내지 신조와 어떤 상관 관계를 가집니까?

김대중 에, 세계사는 보수 혁신의 시대가 끝났습니다. 즉 이념적 대결의 시대가 끝났기 때문에 과거 대결 시대에 가졌던 정치인의 철학이라든지 이미지는 개선시킬 필요가 있습니다. 또 국민이 아주 성장했습니다. 이제는 국민의 힘에 의해서 정치가 한발 한발 착실히 민주화로 가고 있습니다. 지금은 민주냐 독재냐의 투쟁의 시대는 지나가고 여론과 투표로 결정되는 시대로 들어가고 있습니다. 또 하나의 현실적인 문제는 텔레비전 문화 시대가 되어 국민들은 이론보다는 감성적 이미지 중심으로 지도자를 판단하고 정치인을 판단하고 있습니다. 그래서 이런 시대적 조류에 적응하는 것으로 뉴디제이의 필요성이 생겨났다고 봅니다. 화합 문제는 그렇습니다. 군사통치는 국민을 분열시킴으로 통치의 효율을 도모하였고 그 결과 지금 우리 국민은 지역 간, 세대 간, 계층 간 분열과 갈등이 아주 심합니다. 현재의 크고 작은 위기 상황에서 하나가 된 힘이 필요하고 우리는 화합의 길로 가야 합니다. 그러나 무조건 화합은 아닙니다. 민주주의를 실천한다는 확고한 전제하에 독재나 반민주적인 제도나 법률은 과감히 폐지하면서 나가되 사람에 대해서는 서로 협조하고, 예부터 죄는 미워하되 사람은 미

위하지 않는다는 정신에 입각해서 화합을 하자는 것이 저희의 입장입니다.

손봉숙 나쁜 정책도 결국 사람에게서 나온 것인데 선거 때마다 모든 사람을 용서하게 된다면, 과연 정치인들이 신조를 지켜 갈 것이며 신조를 지킨 정치인들이 살아남을 것인지 의심이 됩니다.

김대중 화합하고 용서한다는 것은 정치적으로 용서한다는 것이지 실정법 위반을 처벌하지 않겠다고 하는 것은 아닙니다. 용서하는 것은 과거 나에게 박해를 가했던 것에 대한 용서입니다. 그리고 나쁜 제도를 없애 더 이상 나쁜 짓을 할 수 없는 정상적인 건전한 사회를 만들어 가겠습니다.

우리가 과거 5, 6공 때의 전부를 뒤집어서 사람을 처벌하자고 하면 상당히 큰 사회적 혼란이 생길 것이고, 대변혁기에 있어 과거의 잘못한 세력에 대한 용서는 역사에 얼마든지 있습니다.

우리는 보다 큰 국가적 이익과 목적을 위해서 정치적인 입장에서 결단을 내려야 합니다.

손봉숙 아마 관권선거의 피해를 누구보다도 많이 보신 분 중의 한 분이라고 생각되는데요. 사실 통반장은 일제시대에 우리를 통치하기 위한 수단으로, 주민 통제 수단으로 시작된 것이고, 지금 통반장 제도를 가지고 있는 나라가 없는 것으로 알고 있습니다.

관권선거와 관련해서 집권하시면 통반장 제도를 폐지할 용의가 있으십니까?

김대중 현행 선거법은 근본적으로 문제가 있는 법입니다. 선거 후보자가 돌아다니면서 사람 만나 악수도 못 하고 내가 대통령이 되면 어떻게 하겠다는 말도 못 합니다. 그러면 법에 걸립니다. 여기 여성유권자연맹도 유권자들로 하여금 이 나라 정치에 대해서 올바른 투표를 하게 한다는 것이 최대의 목적일 텐데 선거 때 이 후보는 나라를 위해 꼭 필요하다는 판단을 가지고 있더라도 지지의 의사 표시를 할 수 없습니다. 또 반대의 의사 표시도 할 수 없습니다. 그러면 법에 걸리죠. 선거가 축제인데, 유권자가 난 누구를 찍는다라는 말을 못 하는 선거가 어디에 있습니까? 군사정권이 나오기 전에는 이렇지 않았습니다. 그런데 이런 걸 지금 우리는 당연한 것으로 받아들이고 여기에 근본적인 문제가 있는 것입니다.

통반장 제도는 일제 말 통제 수단으로 쓰이던 조직으로 폐지하는 것이 옳다고 봅니다. 통반장에게 쓰여지는 예산으로 동회 직원을 증가하는 것이 오히려 합리적이라고 생각합니다.

손봉숙 국회 운영을 본회의 중심으로 운영하겠다고 공약하셨는데, 여기에 크로스보팅(cross voting)이나 콜보팅 시스템(call voting system)을 운영할 용의는 없으십니까?

김대중 예, 크로스보팅과 콜보팅은 받아들일 수 있다고 생각합니다. 과거 5·16쿠데타 전까지는 본회의 중심의 운영이었습니다. 그래서 법안이 오면 일차로 전원이 출석한 전원 회의에서 법안의 검토 여부를 결정하여, 다룰 필요가 있다고 결정되면 상임위원회에 넘겨져 거기에서 이 법안에 대해 구체적으로 본회의에서 한 조 한 조 심의를 합니다. 이 과정을 거친 후에 통과시킵니다. 지금은 상임위원회 중심으로 하니까 그 위원회에 속하지 않은 사람은 국회 전체가 어떻게 돌아가는지를 모릅니다. 저도 한 번 그런 경험이 있는데 사립학교법안이 대단히 나쁘게 개악되었는데 저희들은 모르고 넘어갔어요. 상임위원회에서 그대로 넘어갔는데 본회의에서 한꺼번에 모았다가 통과하니까 일일이 잘 모릅니다. 그런데 통과된 후에 보니까 사립학교 법안이 나쁘게 개악되었는데 모르고 넘어갔어요. 상임위원회 중심의 운영은 폐단이 많습니다. 그래서 연중 국회를 개회하고 본회의 중심의 운영이 되어야 합니다.

손봉숙 우리나라 같은 국회의원의 자질을 가지고 과연 본회의 중심으로 잘 운영될까 걱정입니다.

김대중 그렇게 해 놓으면 또 자질이 높아지겠죠.

손봉숙 민주당 공약에 따르면 현행 헌법 체제를 그대로 고수하시겠다고 말씀하셨는데 통일 후 권력 구조는 어떤 것이 바람직하다고 생각하십니까?

김대중 모든 문제가 국민이 어느 제도를 지지하냐가 중요합니다. 현재는 국민이 내각책임제보다는 대통령제를 훨씬 더 지지하는 것이 사실이고 현재의 대통령중심제는 유신 이래 15년 동안 싸워서 얻어 낸 것입니다. 그렇기 때문에 쉽게 이것을 바꿀 수는 없습니다. 그러나 모든 것이 국민이 결정할 권한을 가지고 있으므로 국민의 뜻에 의해서 결정될 문제라고 생각합니다.

통일 이후의 체제에 대해서는 예측하기가 어렵습니다. 저희 당의 통일 원칙에 의하면 제1단계는 남북이 1연합 2독립정부로 각 정권이 현재의 권한은 그대로 가진 채 양쪽 동수 대표의 협의체를 구성, 만장일치 합의제로 운영하는 공화국연합제입니다. 결론적으로 어느 체제로 하느냐는 그때 가서 결정할 문제입니다.

이승희 정치 지도자의 요건 중의 하나가 도덕성 즉 여성 관계, 정치자금 등에서 얼마나 깨끗한가인데 가령 미국의 경우 혼외정사가 드러났던 클린턴이 대통령에 당선이 되었습니다. 김 후보께서는 정치 지도자와 여성 관련 추문에 대해서 어떻게 생각하십니까?

김대중 정치 지도자에 상관없이 누구든지 사생활은 깨끗해야 하는 것이 당연하다고 생각합니다. 그런데 미국은 유난히 그 문제가 정치 생명과 연결되어 정치인의 생명을 끊는데 이것은 현명한 일이 아니라고 생각합니다. 왜냐하면 정치인은 정치를 잘해야 하는 것이 첫째 문제입니다. 정치를 잘해서 국가를 지도해 나갈 능력이 있는 사람이 개인적인 사생활의 결함 때문에 완전히 정치생명이 끊긴다는 것은 국가를 위해서나 정치 자체를 위해서나 바람직하지 않다고 생각합니다.

이승희 자신의 정치 노선을 중도 우파로 규정짓고 있는 것으로 알고 있는데 민자당과도 비슷하기도 한 듯 보입니다. 김영삼 후보와 자신의 차별성은 어디에 있다고 보십니까?

김대중 민자당은 군사정권의 문화와 체제를 그대로 유지해 오고 있습니다. 그러나 우리는 그것과 반대해서 싸워 온 사람들입니다. 구체적으로 국가보안법 폐지, 안기부의 정치 개입 반대, 경찰 중립화 방안, 노동조합 운동의 자유, 광역과 국회위원회에서의 일정 비율 여성할당제안, 금융실명제 실시 등의 우리 민주당 주장에 민자당은 반대의 의견을 갖고 있습니다. 특히 정치 문화에서 다릅니다. 군사정권은 정권을 전리품으로 생각하고 자기네들이 갖고 싶은 한 영구 집권하려 합니다. 또 상대방 야당을 라이벌이 아니라 적으로 봅니다. 라이벌로 보면 거기에 규칙도 있고 상대방의 존립 기반도 두어야 하는데 적으로 보기 때문에 맞서 싸우는 상대로 봅니다. 이런 입장에서 근본적으로 다르다는 것을 이해해 주시기 바랍니다.

이승희 우리나라 정치사를 보면 한 번도 혁명적 수단을 동원하지 않고 권력이 야당으로 이전된 적이 없었습니다. 그래서인데, 김 대표께서 권력 교체의 가능성이 있다고 보는 근거는 무엇이며, 왜 자신이 꼭 대통령이 되어야 한다고 생각하십니까?

김대중 권력 교체의 가능성은 국민이 그만큼 힘이 커져 가고 있고 대통령이 당적을 뜨고 중립을 선언한 이 상황도 중요한 상황입니다. 국민들이 이번엔 한번 바꿔 보자는 생각이 강합니다. 따라서 가능성이 커졌다고 생각합니다. 그리고 저는 대통령이 되는 게 첫째 목적이 아닙니다. 그냥 대통령이 한번 돼 가지고 좋은 정치를 한번 해서 참으로 민주정치하에서 행복을 누릴 수 있는 그런 시대를 만들고 싶습니다. 열심히 일한 사람이 그 대가를 받고 안전하게 살고 또 늙었거나 불행으로 일할 수 없을 때는 국가가 돌봐 주는 좋은 정치를 해 보고 싶습니다.

이승희 김 대표께서는 일단 대통령 후보로서 정책 구상 능력, 토론 능력에서 유능하다라는 평가를 받고 계시는데 자신이 판단하기에 대통령으로서 자신의 문제점은 무엇이고 어떻게 보충하실 생각이신지 말씀해 주십시오.

김대중 아주 정직하게 말해서 대통령 하는 데 문제점이 있다고 생각 못 합니다. 외람된 말이지만 정치를 하는 데 어느 정도 소질을 갖고 태어났다고 생각합니다. 그래서 대통령 한번 맡겨 주시면 정말 잘할 수 있다고 생각합니다. 그동안 모진 탄압에도 나라 정치만 바로 하자는 굳은 신념을 갖고 견디어 왔습니다. 여성에 대해서도 여성의 권리를 동등하게 하는 데 실제 행동으로 노력해 왔습니다. 여러분께서 우리 민주당과 제가 여성을 위해 제일 바르고 낫게 했다고 생각하시면 저를 한번 대통령 시켜 보세요.

또 저보다 더한 분이 있으면 그분 시키세요. 그래서 이번엔 여성이 좌우했다는 우먼 파워를 국민들에게 보여 줬으면 좋겠습니다.

이승희 독재자의 가장 큰 특징은 자신을 완전하다고 생각하는 것이거든요. 김 후보께서 만약 대통령이 되신다면 권위주의를 가장 잘, 또 가장 많이 청산한 대통령이 되시기를 바랍니다.

김대중 저는 이 자리에서 솔직히 말하려는 것입니다. 그래서 제가 현재 물론 인간적으로 결점은 많아요. 하지만 대통령 준비하는 데 있어 이건 문제다 하는 점이 떠오르지 않기 때문에 없다고 한 것입니다. 그리고 권위주의도 자기가 강요해서 하는 것이 아니라 아래로부터의 자발적인 지지에 의한 권위주의는 바람직하다고 생각합니다.

정치 분야 추가 서면 질의 및 답변

질문 만약 대통령이 된다면 한국 사회를 어떤 사회로 이끄시겠는지, 대통령으로서의 통치 비전을 제시해 주십시오.

김대중 민주주의와 자유시장경제를 실현해 국민들에게 미래에 대한 희망을 주겠습니다. 자유와 번영과 복지가 꽃피는 나라를 만들어 국민 모두가 다함께 잘살 수 있는 나라를 만들겠습니다. 저는 대통령 후보로서 이미 정치적으로는 대화합, 경제적으로는 8강 경제, 문화 복지국가의 건설, 마지막으로 평화와 통일의 기반 구축 등 4대 국정 지표를 제시한 바 있습니다. 이러한 기조하에 금세기 안에 통일을 이루고 동북아의 중심으로 더 나아가 세계사의 주역으로 우뚝 서게 하겠습니다.

질문 전국연합과의 개혁 정책 공동 추진에 대해 설명해 주십시오.

김대중 우리는 민주주의와 자유시장경제를 신봉하고 민주적 방법으로 우리 사회를 개혁하려는 사람들과만 협력해 나갈 것입니다. 전국연합도 마찬가지입니다. 온건 재야를 제도권으로 유입시킨다는 차원에서 전국연합과의 협의는 바람직한 것으로 봅니다. 그러나 이번 협의 과정에서 우리 당은 우리의 정책공약과 일치하는 전국연합 안을 부분적으로 받아들인 것입니다. 이를테면 주한미군 철수, 국가보안법 폐지, 안기부, 기무사 폐지 등 우리 당과 다른 전국연합의 정책안은 받아들이지 않았고 앞으로도 이 기조를 유지해 나갈 것입니다.

질문 임기 내 내각제 개헌에 대해 그 배경 설명과 구체적인 계획을 말씀해 주십시오.

김대중 대통령직선제는 유신 이후 지난 1987년까지 국민의 온갖 희생과 투쟁을 통해 얻은 소중한 대가였습니다. 그러므로 함부로 바꿀 수 없습니다. 오직 우리 국민만이 바꿀 수 있는 것입니다. 따라서 저는 1996년 상반기에 있을 국회의원 선거를 통해 내각책임제를 지지할 것인가, 국민이 순수한 대통령중심제를 지지할 것인가 한번 물어볼 필요가 있다고 생각합니다. 물론 저 자신은 대통령직선제의 입장에 설 것입니다. 만일 압도적인 다수의 국민이 내각책임제를 지지한다면 저는 그 국민의 뜻에 따라서 잔여의 임기를 포기하고 내각책임제를 받아들일 용의가 있습니다.

질문 대화합의 정치란 무엇입니까?

김대중 한마디로 민주주의를 지지하는 대전제 위에서 모두 손잡고 잘해보자는 겁니다. 지금 지역, 계층 세대 간 갈등과 불신이 심하고 그것이 우리의 발전을 가로막고 있습니다. 참된 민주주의 속에서 갈등과 불신을 해소해서 더불어 잘사는 사회를 만드는 것이 바로 대화합 정치의 목표입니다.

질문 거국내각 구성의 필요성과 구성 방안을 말씀해 주십시오.

김대중 거국내각은 대화합 정치를 실현하기 위한 정치적 구상이라고 할 수 있습니다. 앞서 지적했듯이 지역, 계층, 세대 간 갈등과 불신이 존재하고 그것이 우리의 앞길을 가로막고 있기 때문에 전 지역, 계층, 전 세대의 이익을 대변할 수 있는 거국내각이 필요합니다.

거국내각에는 모든 정당, 지역과 계층, 청년과 여성이 고루 참여하도록 해 전 국민적 지지를 받는 내각이 되도록 하겠습니다. 거국내각에는 적어도 우리 당 외부로부터 10명 내외의 각료를 영입할 계획입니다. 그리하여 우리는 거국내각 성립 후 2년 동안, 1993년 전반기까지 합치된 정책 협정의 원칙 위에 정치적 휴전을 하면서 정국 안정의 토대를 마련해 나가려고 합니다. 지역차별이라는 말이 다시는 이 땅에서 거론되지 않도록 하겠습니다. 그리하여 참된 화합과 안정 속에 우리의 민주정치를 힘차게 발전시켜 나가겠습니다.

질문 소선거구제의 고수를 주장하고 계시는데, 소선거구제하에서 다양한 사회 세력의 정치 참여는 더욱 어려운 것으로 알고 있습니다. 어떻게 보완해 가시겠습니까?

김대중 우리는 거국내각을 구성할 때, 우리 당 외부로부터 적어도 10명 내외의 각료를 영입하겠다고 밝혔습니다. 또 거국내각은 모든 정당, 지역, 계층과 청년, 여성 등이 함께 구성하는 내각이 될 것이기 때문에 거국내각을 통해 원내로 다양한 세력의 의견을 수렴하도록 하겠습니다.

질문 21세기 한국 외교의 좌표와 구상을 밝혀 주십시오.

김대중 냉전 시대의 외교가 군사 중심의 외교인 반면 탈냉전 시대의 외교는 경제가 중심이 되는 실리 위주의 외교가 되어야 합니다. 우리 당은 평화를 민족 생존과 번영 발전의 지상 목표로 삼아 아시아와 세계의 평화 체제 구축에 적극 기여하겠습니다. 한·미 간 전통적 협력 관계를 보다 공고히 해 나가는 가운데, 나아가 북한을 포함하여 미국, 일본, 러시아, 중국 등 한반도 주변 6대국의 집단 안보 협력 체제로 발전시켜 나갈 구상입니다. 또 우리 당은 발전 도상국과의 관계에서 평등한 협력과 따뜻한 지원을 통해서 도덕적 선진 국가를 실현하겠습니다. 5백만 해외동포를 위해 교민청을 설치하고 교민들의 권익을 보호하겠습니다.

질문 원론적으로 통일을 어떻게 정의하십니까?

김대중 통일은 타의에 의한 분단을 극복하고 민족의 하나 됨을 이루는 것입니다. 통일은 엄청난 변화의 시작입니다. 통일은 또한 배달민족사의 완성이며 주변 강국에 대한 한민족의 주체성 신인信認이 될 것입니다. 경제적으로는 단일민족 시장을 완성해 자유시장 경제체제의 한 단위로서 세계 경제의 주역으로 나서는 출발점이라고 할 수 있습니다.

질문 정부의 한민족공동체안과 3단계 통일론은 어떻게 다릅니까?

김대중 3단계 통일론은 평화 공존, 평화 교류, 평화 통일의 3원칙 위에 제1단계 1연합 2독립정부, 이것이 공화국연합제입니다. 2단계는 1연방 2자치정부, 제3단계는 1민족 1국가 1정부의 완전 통일을 이루는 통일 정책입니다. 한민족공동체 통일 방안이 통일에 이르는 과도기적 단계로 '남북연합'을 상정하고 있는데, 형식적으로는 저의 1단계 공화국 연합과 유사한 것입니다. 실지로 5공 정부가 한민족공동체 통일 방안을 만들 때 저의 3단계 통일안을 참고로 했다고 알고 있습니다. 그러나 한민족공동체 통일 방안과 저의 3단계 통일 방안은 근본적으로 다릅니다. (북한의 고려민주연방공화국 창립 방안이 기본적으로 남한을 적화하겠다는 것이 목적인 것처럼) 한민족공동체 통일 방안은 인구 비례에 의한 투표를 통해 남북을 통일하겠다는 '흡수 통일론'이라고 볼 수 있습니다. 저의 통일 방안은 앞서 지적했듯이 평화 공존, 평화 교류, 평화 통일의 정신에 입각한 것으로 한민족공동체 통일 방안과는 근본 취지가 완전히 다릅니다.

질문 공직 사회 전반에 나타나는 부정부패의 척결 없이는 국민의 권익과 자율을 최우선으로 하는 열린 정부가 이루어질 수 없다고 봅니다. 공무원 비리, 부정부패를 척결하기 위한 구체적인 방안을 제시해 주십시오.

김대중 청렴결백한 대통령이 되어 저부터 공직 사회의 모범이 되겠습니다. 사실은 공직 사회의 비리, 부정부패도 사회 분위기와 무관하지 않습니다. 열심히 일하는 사람이 대우받는 깨끗한 사회가 되면 공직 사회도 역시 청렴해질 수 있다고 봅니다.

아울러 공직 사회의 비리나 부정부패를 없애기 위해서는 강력한 제도적 규제가 필요합니다. 우리 당은 특별검사제를 도입해 권력형 비리 등에 대한 공정한 수사를 진행하고 입법, 행정, 사법부, 고위 공직자의 재산을 등록하고 공개하도록 하겠습니다.

이와 함께 공무원의 신분과 중립성을 완전하게 보장하고 인사의 공정성 확립을 위한 획기적인 조치를 단행하겠습니다. 또 공무원의 보수를 집권 후 2년 내에 국영기업체 수준으로 인상하겠습니다.

질문 빈부 격차, 사회 모순에 대해 국민들은 불안해하고 있습니다. 문제 해결 방안을 제시해 주십시오.

김대중 정부의 대기업 유착 경제 체제, 특정 세력에 대한 특혜, 복지 정책

부재 등이 현재의 빈부 격차를 낳았다고 봅니다. 그리고 빈부 격차가 모든 사회 모순의 근원이라고 봅니다.

빈부 격차를 해소하기 위해서는 우선 지금까지 해 왔던 유착 체제를 경쟁 체제로 바꾸어야 합니다. 특정 재벌이나 세력에 대한 특혜는 있을 수 없습니다. 부동산 투기도 빈부 격차를 유발시켜 온 큰 요인이므로 종합토지세, 양도소득세 등 세법을 고쳐 투기 이익금 환수를 통해 투기를 막겠습니다. 금융실명제도 반드시 실시하겠습니다.

그리고 소외 계층을 위해 과감한 복지 정책을 써야 합니다. 국고 부담에 의한 초등학교의 전면 급식과 중학교 의무교육, 장애인의 취업 확대와 생계 보호, 노인 대책, 토지 이익금 환수, 근로소득세 40퍼센트 감면을 골자로 하는 세제 개혁 등의 구체적인 대책도 준비되어 있습니다.

여성 분야

이춘호 우리나라 총예산 중 여성 정책에 소요되는 예산이 몇 퍼센트 정도 된다고 생각하십니까?

김대중 제 기억으로는 0.2-3퍼센트 정도밖에 안 되는 것으로 알고 있습니다.

이춘호 예, 잘 알고 계시는 것 같습니다. 현재 0.1퍼센트를 넘지 않고 있는 것으로 통계가 나오고 있습니다. 김 후보께서는 여성 문제의 핵심을 이루고 있는 근간이 무엇이라고 생각하시며 그 해결 방안으로 어떤 방법이 가장 먼저 채택되어야 한다고 생각하시는지요?

김대중 여성 문제의 핵심은 제 생각에는 인격적 입장에서 남녀는 완전히 동등한 것이다라고 하는 인권사상 또 철학이 필요하다고 생각합니다. 또한 이런 생각은 국가 발전에 여성의 기여도를 그만큼 높이는 것이기 때문에 국가의 이익을 위해서도 유익하다고 생각하고 있습니다. 그리고 이제는 여성들의 사회 진출이 커질 수밖에 없는 시대가 되었고 여성들이 할 수 있는 일들이 많이 늘어났기 때문에 여성 인력을 어떻게 활용하느냐에 따라 국가의 성패가 좌우된다 해도 과언이 아닐 것입니다. 여성의 능력 개발을 위한 교육과 훈련이 중요하다고 생각합니다.

이춘호 민주당에서 할당제를 공약으로 제시하고 있습니다. 그런데 구체적 제시 없이 공직 선거라고만 명시하고 있어 다소 의문이 갑니다. 공직 선거에서 여성의 할당제를 좀 더 자세히 풀어서 설명해 주시고 왜 여성에게 할당제를 주어야 한다고 생각하시는지 답변 부탁드립니다.

김대중 공직 선거란 우선 광역의원 선거와 국회의원 선거입니다. 거기에 비례대표제로 현재는 전국구 의원 제도인데 이를 폐지하고 비례대표제를 해가지고 3분의 1 또는 반, 아직 확정이 안 됐습니다.

최소한 3분의 1 이상을 비례대표제에 여성을 참여시키도록 하겠다는 것이고 또 그 외에 우리 당으로는 집권하게 되면 여성 각료를 적어도 수명 영입하겠다고 생각하고 있습니다.

왜 여성에게 특별한 제도가 필요하냐는 여성들이 5천 년 동안 짓눌려 왔기 때문에 쉽게 자력으로 일어나지 못하는 면이 있습니다. 선거를 해 보면 여성들이 도저히 자력으로 당선이 안 됩니다. 여성들은 자금 동원 능력이 떨어집니다. 따라서 여성들을 받쳐 주는 정치가 상당 기간 계속되면서 여성이 자력으로 해 나가도록 유도해야 되지 않나 이렇게 생각하고 있습니다. 그런 의미에서 여성 여러분들께서도 여성 후보자들이 나오면 적극 지원도 해서 정부나 남성들이 도와주는 힘 외에 여성 자체적인 힘으로서 자기의 권리, 진출을 찾는 그런 노력도 하면 어떻겠느냐, 이런 생각을 가지고 있습니다.

이춘호 여성에게 할당제를 주는 것이 평등 원칙 즉 민주주의에서의 평등 원칙에 맞는다라고 생각하시는 것이죠?

김대중 유럽 나라에서도 여성에게 특별한 페이버(favor)를 주고 할당제를 해서 도와주는 곳이 있습니다.

이춘호 네, 전국구 비례대표제 3분의 1을 주시겠다고 확실하게 답변을 주신 것 같습니다. 우리나라는 대통령 책임제로서 대통령의 공직 임면권이 여러 부분에서 부여되고 있습니다. 그래서 대통령 한 사람의 확고한 신념과 결단력을 가지고 있다면 여성을 많은 공직에 임명할 수 있는 어떤 영향력을 행사할 수 있을 것입니다. 김 후보께서는 만약 대통령이 되신다면 공직 임명의 몇 퍼센트에 어떤 여성을 어떤 방법으로 임명하시겠는가, 이것에 대해 말씀해 주시면 고맙겠습니다.

김대중 저는 1971년 대통령 후보로 나왔을 때부터 대통령 직속 여성지위향상위원회를 만들겠다고 공약을 했었습니다. 왜냐하면 국민의 반수가 되는 여성분들의 역량을 국정에 제대로 투입시키는 것은 국가 장래 발전을 위해서 우리의 운명을 좌우할 수도 있는 대단히 중요한 일입니다. 아무리 못하더라도 2-3명 이상의 여성 각료는 반드시 배출시키겠다, 이렇게 생각하고 있습니다.

이춘호 어떤 여성들을 대개 임명하시겠습니까?

김대중 반드시 당내만도 아니고 널리 여성계에서 영향 있는 분을 하려고 합니다. 그런데 여성들이 공직이나 당이나 이런 데 참여를 잘 안 합니다. 앞으로 여성들도 또 여성유권자연맹 같은 데서도 인물을 자꾸 배출하고 추천해서 정당에도 보내는 이런 것도 필요하지 않나 생각합니다.

이춘호 우리나라 여성들이 남편으로부터 구타당한 경험이 있는 여성이 많다고 통계가 나와 있습니다. 몇 퍼센트 정도 구타당하고 있는지 알고 계십니까?

김대중 그 수가 의외로 많데요. 반 정도가 되지 않나 그렇게 알고 있습니다.

이춘호 네, 정확히 알고 계시는 것 같습니다. 45.8퍼센트 내지 68.2퍼센트로 나와 있습니다. 10명 중의 5명 이상이 맞는 것으로 굉장히 심각한 사회 문제라고 생각합니다. 그러면 남편들은 왜 아내를 때린다고 생각하십니까?

김대중 몇 가지 이유가 있겠는데 전통적으로 남성들이 봉건 의식을 가지고 있어 여자에 대한 소유 의식, 태도 또는 여자의 인격을 인정하지 않는 잘못된 사고방식에 있습니다. 또 군사문화 체제하에서 인간의 존엄성 또는 남의 인격에 대한 외경심이 약해진 것, 물질 우선주의, 폭력 조장하는 문화, 이런 것들이 다 문제입니다. 전체적으로 우리 문화가 아직도 여성을 열등시하고 또는 인격을 남자와 같이 인정하지 않는 풍조가 상당히 영향을 준 것이 아닌가 생각합니다.

이춘호 개인적 질문을 하나 드리겠습니다. 김 후보께서는 부인 이희호 여사를 언제 어디서나 동지로 생각한다고 들었습니다. 그 삶의 밑바탕이 되었던 것은 무엇이며 그것을 계속 지속시키고 있는 것은 무엇인지 말씀해 주십시오.

김대중 저희들은 원래 동지로 만났어요. 완전히 민주주의를 지지하고 좋은 사회를 만들자는 동지로 만났었죠. 후에 저는 상처하였고 집사람은 미국 유학에서 돌아오고 다시 만나게 되었죠. 집사람은 두 가지 점에서 제가 잊을 수 없이 감사한 일을 해 주었어요.

하나는 지금까지 아이들 잘 키우고 가정을 화목하게 잘 이끌어 오고 있어 저에게 행복을 준 구심점이 아내이기 때문에 감사하고 존경하고 또 애정도 그만큼 커질 수밖에 없지요. 또 하나는 저희가 겪는 특수한 환경 속에서도 아내가 있기에 집안일을 걱정 없게 해 주었고 저로 하여금 그렇게 일할 수 있게 해 준 것에 감사하고 소중한 아내라고 생각하고 있습니다.

그런데 두 가지, 아내에게 무서운 것이 있어요. 한 가지 여성 문제에 있어 뭔가 소홀하면 절대 안 참아요. 또 국민을 위해 올바르게 하라는 감시관 노릇을 합니다. 오늘날까지 가정이 행복하고 제가 정치 활동도 무사히 할 수 있는 것은 아내의 덕이다, 이렇게 생각하고 있습니다.

여성 분야 추가 서면 질의 및 답변

질문 귀 당에서는 464개 공약 중 19개(5번 포함)의 대여성 공약을 발표했습니다. 이들 각각에 대해 다시 세부적인 공약안이 있는 것으로 알고 있는데요, 만약에 대통령이 되신다면 꼭 실현하겠다고 약속하실 수 있는 공약을 우선순위로 세 가지만 든다면 어떤 것이겠습니까?

김대중 대통령 직속으로 설치한 '여성지위향상특별위원회', 공직 선거 및 공공 기관에 여성의 참여 기회를 확대하는 여성할당제와 내각에 일정 비율의 여성 장관을 기용하겠다는 것, 이 세 가지입니다.

질문 먼저 입법부 내 여성 충원을 위해 지역구 공천 시 당선 가능한 지역을 포함해 여성에게 몇 퍼센트 공천하실 것인지 밝혀 주십시오. 또 광역, 기초의원, 단체장 선거에서 얼마나 여성을 공천하실 것인지를 구체적으로 밝혀 주십시오.

김대중 여성의 정치 참여를 확대하기 위해서 비례대표제를 적극 도입하고, 여기에 3분의 1 이상 여성을 참여시키도록 하겠습니다. 여성들이 지금 동원 능력, 사회적 편견 등으로 자력으로 당선되기 힘들기 때문에 여성을 받쳐 주는 정치를 하면서 여성이 자력으로 해 나갈 수 있도록 도와줘야 합니다.

그런데 여성 후보를 내세우면 여성들이 찍질 않아요. 또 찍을 만한 여성이 없다고도 합니다. 그런 생각을 버려야 해요. 설령 여성 후보가 좀 부족하더라도 여성들이 단결하여 지지해 주어야 합니다.

질문 당내 여성 정치인 육성과 관련해 당내 여성 정치 지도자 육성을 위한 기구를 마련할 의사는 없으신지요?

김대중 당 차원 정도가 아니라 국가 차원에서 대통령 직속으로 여성지위

향상특별위원회를 설치해 정무 제2장관실의 기능을 보강하는 한편, 여성 정책을 효율적으로 실현해 나가겠습니다. 우리 당에는 이미 여성특별위원회가 있고, 여기서 여성 정치인 육성과 지도자 양성을 위한 다양한 활동을 벌이고 있습니다.

질문 주요 당직에 여성을 일정하게 기용해 당내에서 여성의 정치력을 키우실 의사는 없으신지요?

김대중 현재 저희 당에서는 최고위원 한 명이 여성입니다. 앞으로 더 늘려 갈 생각이고요, 여성들이 국장, 부국장 등 주요 당직을 맡아 정치력을 키워 가고 있습니다. 앞으로 여성 당직자의 수도 점차 늘어 갈 것으로 봅니다.

질문 여성 정책을 개발, 집행하는 여성 정책 전담 기구를 마련해 일관되고 체계 있는 행정을 펴 나갈 의향은 없으신지요?

김대중 앞서 말씀드렸듯이 대통령 직속으로 '여성지위향상특별위원회'를 설치해 여성 정책을 일관되게 수행해 나가겠습니다.

질문 성폭력 예방 및 규제와 관련해 올바른 성 규범의 확립과 차세대를 위한 성교육 실시를 위한 계획이 있으십니까. 밝혀 주십시오.

김대중 이미 우리 당이 주장해 '성폭력특별법'이 제정되었지 않습니까. 제가 대통령이 되면 처벌 규정을 좀 더 강화하고 고소, 고발 활성화를 위한 법 규정을 재정비하겠습니다. 또 피해 여성을 보호하기 위해 사후 보장 차원에서 강간위기센터를 건립하고, 검, 경찰에 성폭력 담당 부서를 설치하겠습니다. 성교육을 확대 실시하고 각종 퇴폐 유흥업소 등 유해 환경을 지속적으로 감시, 규제해 건강한 성문화 정착을 위해 노력하겠습니다.

질문 주부의 가사 노동 가치를 합리적으로 산출해 공적 기준으로 반영한다고 하셨는데 그 한 예로 이혼 시 여성이 재산 분할 청구를 할 때 가사 노동의 가치를 몇 퍼센트 인정해야 한다고 생각하십니까?

김대중 여성 단체에서는 가사 노동 환산액을 월 80여만 원이라고도 하고 주부 자신은 월 70만 원 정도로 생각한다는 이야기를 들은 적이 있습니다. 이혼할 때 여성의 재산 분할 청구액은 적어도 50퍼센트 이상 인정받아야 한다고 봅니다.

질문 여성 인력 개발과 고용 촉진을 위한 장려책 도입과 관련해 대졸 여성 고용 촉진법을 제정할 생각은 없으십니까?

김대중 전반적인 교육 문제 해결책과도 관계가 있는데 실력 위주의 대학을 만들고 인문계와 이공계의 비율은 9:7 정도로 해 전원 취업할 수 있게 하겠습니다. 필요하다면 '여성지위향상특별위원회'가 주체가 되어 관계 기관, 여성 단체들과 협의해 '대졸 여성 고용 촉진법' 제정도 고려해 보겠습니다. 우리 당은 이미 남녀 고용 평등 감독 관계, 임시직, 시간제 여성 근로자에 대한 특별 보호 대책을 수립하고 있습니다.

질문 여성고용할당제를 실시할 의사가 있으신지요?

김대중 전체적인 산업구조, 인력 수급과 관련된 문제이므로 제가 대통령이 되면 대통령 직속으로 설치될 '여성지위향상특별위원회'가 주체가 되어 관계 기관, 여성 단체, 여론을 수렴해 검토해 보도록 하겠습니다.

소비자 분야

송보경 소비자 보호 정책에 대해 몇 가지 질문을 드리겠습니다. 우리나라 화학 물질, 의약품, 농약에 관한 안전성 보장은 거의 되고 있지 않습니다. 그 증거로 미국에서 사용이 금지된 농약이 현재 이 시간에도 한국에서 사용되고 있는 현실입니다. 우리나라 의약품, 농약 기타 화학 물질에 대한 안전성 보장은 어떤 대책을 세우고 계십니까?

김대중 의약품에 대해서는 인간 생명에 관한 문제이니까 철저한 검사 제도를 강화해야 하며 예방 의학의 입장에서 이를 해야 한다고 생각합니다. 그리고 의약품이 제일 큰 문제점의 하나는 과다 선전입니다. 또 의약품 문제에서 제1차 진료소가 약방으로 되어 있는데 부작용이 많습니다. 이런 문제들은 가능하면 관변 민간단체를 정부가 재정 지원하고 합법적인 활동 지원 등 민간단체의 역할을 늘려 가야 합니다. 특히 소비자 문제는 소비자 단체에 권리를 많이 주고 재정 지원을 주면 훨씬 도움이 될 것이라는 것이 저희의 기본적 입장입니다.

또 한 가지 미국이나 일본 등은 자국 내 농약에 대한 규제가 강합니다. 그렇기 때문에 이들 나라에 수출하는 국가들이 큰 손해를 봅니다. 그것에 비해 우리나라는 농산품에 대한 검사 규제가 훨씬 약합니다. 그래서 국민들의 위생을 지키고 농산물이 국민 보건을 해치는 것을 막으려면 우리부터 규제를 강화해야 합니다.

여기에 대해서 정부가 정말로 이것이 국민의 건강과 생명을 지키기 위해서 필요할 뿐 아니라 우리 국가 경제의 입장에서는 국민이 건강하게 경제에 참여하는 것은 물론이고 외국의 공해 문제를 유발하는 국민 경제를 해치는 물건을 제거하기 위해서도 국내에서도 엄격한 규제로 빨리 이행해 나가야 된다고 생각합니다.

송보경 식품의 안전성과 관련하여 검사뿐 아니라 식량의 의존도도 문제가 됩니다. 우리나라 같은 경우 농약에 오염된 밀인데 식량의 의존도가 너무 높기 때문에 선택의 여지가 없어졌습니다. 그렇다면 앞으로 식품의 안전성을 보장하기 위해서는 식량의 의존도 부분에 상당히 세밀한 정책을 세워야 된다고 보는데 거기에 대해선 어떻게 하시겠습니까?

김대중 지금 우리나라 식량 자급률이 40퍼센트 선입니다. 반 이상을 외국에 의존하고 있습니다. 작년 무역 적자 90억 달러 중 농수산물이 80억 달러로 그 비중이 엄청나게 큽니다. 시급한 문제는 첫째 식량을 외국에 의존하므로 경제적 지출이 막대하다는 것이고 둘째는 국가안보가 중요한 문제입니다. 식량이 태평양을 건너 한 달쯤 걸려 수송해 오고 있는데 남북 대치 상황과 사대 강국에 둘러싸여 있는 우리로서 식량의 수송로를 우리 힘으로 확보하지 못한다는 점과 전쟁 발발 시 식량의 안전 공급 문제가 제일 1차적인 취약점이 된다는 것입니다. 지금까지 비교우위론을 신봉하는 사람들이 정부 정책을 좌우했기 때문에 외국서 싼 것을 사다 먹으면 된다는 사고방식으로 이 문제를 대했다는 것을 얘기하고 싶습니다.

무엇보다도 우리는 식량의 자급도를 높이고 공해 없는 식량을 개발하는 데 지원도 하고 규제도 해야 합니다. 국가가 보증하는 제품이 수입이건 국산이건 식량에서 오는 국민 보건을 해치고 소비자들의 이익을 해치는 것을 막아야 한다고 생각합니다.

송보경 가격 문제와 관련해서 민주당 공약에 유통산업 현대화와 도농 간 직판제 관계를 구축하겠다고 하였는데 가격은 유통 구조 개선에서뿐만 아니라 독과점 가격 구조 때문에 보는 피해가 많습니다. 또 같은 품목을 취급하는 회사에서 수입도 하기 때문에 소비자들은 비싼 값으로 상품과 용역을 소비해야만 하는 그런 구조 속에 살고 있습니다. 이에 대한 대책이 마련되기를 기대합니다.

김대중 우리 당은 정경유착에 의한 관권정치를 타파해 철저하고 완벽한 시장경제 제도를 도입할 것을 주장하고 있습니다. 그래서 소비자에게 제일 좋고 제일 싼 물건을 준 사람만이 성공하도록 만들어야 합니다. 경제 정책의 기본은 지금까지와 같은 관치경제를 타파하여 권력과 결탁하면 그 비호 아래서 이권도 독점하고 또 소비자에게 나쁜 물건을 팔고도 얼마든지 견뎌 내는 것을 없애야 한다고 생각합니다. 하루속히 해야 할 일들이 기술 개발, 디자인 개발을 하면서 자유시장경제의 원리를 철저히 해서 제일 좋고 제일 싼 물건을 소비자에게 주는 이런 경제만을 국가가 보호하고 또 어떤 경우에든 지 자유경쟁을 막지 않겠습니다. 특히 대기업은 중화학 공업, 중소기업은 경공업을 전담하도록 역할 분담을 하면서 다품종 소량생산에 적응할 수 있는 중소기업을 육성하여 가장 좋은 물건을 싸게 만들고 가장 양질의 서비스를 제공한 기업만이 성공을 하게 되면 소비자의 권익은 저절로 보호되는 것이다, 이렇게 생각하고 있습니다.

송보경 보호 대상 소비자 중 어린이 소비자의 보호 문제가 심각합니다. 태어나서 먹는 음식, 유해한 장난감, 유해한 환경 등 어린이 소비자 보호가 시급한 문제입니다. 그중에서도 식품을 선택할 권리가 없는 어린이들에게 어른들이 식품을 선택하도록 도와준다는 의미에서 '모유 대체 식품 판매 규제법' 같은 것을 제정하실 생각이 있으십니까?

김대중 지금 듣고 보니까 어린이 소비자 보호에 대한 관심이 적었다는 생각이 들며 지금 지적하신 내용을 적극 수용해서 실천하도록 노력하겠습니다.

송보경 보도 자료에 의하면 지난 국정감사 때 민주당에서 한 질문을 분석해 보면 환자들의 권리를 찾기 위해서 노력하기보다는 보험료 수가酬價 인상 등 의사들의 권익, 이익을 챙기는 데 분주한 질문을 한 것으로 알고 있습니다. 어떻게 환자의 권리를 보호하시겠습니까?

김대중 환자의 권리를 지키는 것은 당연히 중요합니다. 그러나 의사들도 좋은 의사들을 양성해 내기 위해 도와주어야 합니다. 우리가 좋은 의사를 갖지 않으면 어떻게 환자의 권익을 보호하겠습니까? 지금 우리의 의료보험법을 통합 의료보험법으로 하면 보험 가입자들의 보험료도 30퍼센트 낮추고 동시에 의료 수가도 올려 주면서 오히려 의료보험 가입자들의 부담을 내릴 수 있습니다. 현재 2조가 넘는 돈이 의료보험에서 잉여로 남아 있어요. 통합 의료보험법을 안 하기 때문에 보험 조합이 세 가지로 나뉘어 고소득층에서는 잉여가 남고 저소득층에서는 부족한 현상입니다. 통합 의료보험법을 제정하여 환자 보호는 물론 의사들이 열심히 일할 수 있도록 정당한 권리를 보장해 주어야 한다고 생각하고 있습니다.

소비자 분야 추가 서면 질의 및 답변

질문 현재 쓰레기 분리수거를 주거 지역에서 하고 있는데 분리된 쓰레기의 재생 사업 등 후속 사업이 진행되고 있지 못한 형편입니다. 이에 관하여 국가가 일관된 정책 아래 시도 단위별로 시행할 수 있는 체계적이고 구체적인 정책이 마련되어 있습니까?

김대중 현재 소비자와 국가가 분담하고 있는 쓰레기 회수와 재활용의 주된 책임을 생산자인 기업이 지도록 하겠습니다. 또 쓰레기 재활용 정책이 실효를 거두기 위해서는 고장 난 제품의 수리와 수집, 유통, 재생 등을 담당하는 재활용 산업을 적극 육성하겠습니다. 세부적인 대책으로 고물상과 중고품 매매, 교환 센터, 재생 업체 등에 대한 세제, 금융 지원을 확대하겠습니다. 재활용 제품으로 대체 가능한 수입 원자재에 환경 관세를 부과하고 환경 마크 제도를 활성화해 재활용 제품의 우선 구매를 촉진시키겠습니다. 그 전에 쓰레기의 양을 줄이기 위해 일회용품의 생산, 소비 억제 정책도 함께 실시할 계획입니다.

질문 언제까지 어떻게 공급할 계획이십니까?

김대중 제가 대통령이 되면 1년 이내에 최소한 수돗물만큼은 안심하고 마실 수 있도록 만들겠습니다. 상수원 보호를 위해 상수원 상류 지역의 오염 물질 배출 업소에 대한 규제를 강화하고 하수 처리장과 축산 폐수 처리장 등 환경 기초 시설을 확충하겠습니다. 또 공단 폐수 공동 처리 시설을 증설하겠습니다. 또 하천과 호수의 자정 능력 회복을 위해 댐 및 수중보 운영을 재검토하고 수량과 수질을 통합 관리해 맑은 물을 보존하겠습니다.

경제 분야

김애실 이미 3당이 내놓은 경제 정책에 관해 많은 신문에서 돈을 쓰겠다는 약속만 잔뜩 해 놓고 어떻게 그것을 마련할 것인지 대책이 없다고 하니까 각 당에서는 나름대로 대책이 마련되어 있다고 했지만 국민들은 그 실현 가능성에 의구심을 갖고 있습니다.

어떤 일이 있어도 시장경제 체제를 확립하겠다고 말씀하셨는데 또 한편으로 농업 부문 관련 농어촌이 자율적인 경제 주체가 되지 못하는 이런 정책을 제시한 것 같습니다. 시장경제 체제에서 농업은 완전히 제외하겠다는 것인지 이것을 경제의 효율성과 공평성의 원칙에서 말씀해 주시기 바랍니다.

김대중 먼저 공약 실행 예산과 관련해서 말씀드리겠습니다. 저희 당이 이번에 공약한 것을 보면 새로이 5년 동안에 40조가 필요합니다. 일 년에 약 8조가 필요한데 명년 첫해에는 약 6조가 필요합니다. 학자들에 따르면 부동산 투기에서 생긴 불로소득을 세금으로 흡수하면 최하 5조가 나온다고 보지만 우리는 3조로 잡고 또 국가재정의 낭비(정권 유지비, 건설 하청, 정부 구매 물자 등)를 줄이면 엄청난 예산이 확보가 됩니다.

시장경제와 농민 문제는 아주 좋은 지적을 해 주셨는데 농업에는 시장경제 원리를 당장에 그리고 전면적으로 적용할 수 없습니다. 얼마 전 미국의 존 K. 갤브레이스라는 저명한 교수가 우리나라를 다녀갔습니다. 그는 농업은 전통산업이지 근대산업이 아니므로 농업에 대해서 자유경제 원리를 주장하는 것은 잘못된 일이다라고 하였는데 농업의 보호를 안 해 주면 망합니다. 우리나라가 대표적인 예이죠. 그리고 농촌의 피폐화에 따른 부담을 농촌만 지고 있는 것이 아닙니다. 서울로의 인구 집중으로 서울에는 교통, 환경, 오물 처리, 청소년 범죄, 주택 문제 등 여러 사회 문제들이 생겨났습니다. 그런데 이런 사회 경제적인 문제를 접어 두고라도 정신적으로 농촌이 우리의 뿌리입니다. 명절 때 2천만이 농촌을 찾아가는 것은 우리뿐일 것입니다. 우리가 어떤 희생을 치르더라도 농촌은 다시 살려야 합니다. 따라서 농촌은 자유경제의 원리에 의해 취급해서는 안 되고 보장해야 한다는 것입니다.

한 가지만 말하겠습니다. 지금 5명 가족 한 달 쌀값이 4만 원이면 됩니다. 도시의 노동자가 하루 어디 가서 일해도 그 돈 법니다. 도시 사람들은 하루 일해서 한 달 쌀값을 법니다. 그러나 농촌 사람들은 일 년에 열댓 마지기 농사 해 봤자 영농비 제하고 약 3백만 원밖에 안 되는데 한 달 평균 20만 원 정도입니다. 이렇게 농촌이 비참합니다. 농촌은 우리가 우리 경제를 살리기 위해서도 그렇고 우리 민족의 뿌리를 살리기 위해서도 그렇고 같은 국민으로서 애정을 가지고도 그렇고, 농촌은 도시가, 국가가 어느 정도 보장하면서 살려야 한다, 이렇게 생각합니다.

김애실 현재 매달 5, 6천 개의 기업들이 도산하고 있고 약 10만 명의 실업자가 발생하였고 지금 대졸 예정자들이 취업하기가 어려운 실정입니다. 더군다나 여성 대졸자들은 취업이 무척 어렵습니다. 민주당의 고용 대책을 말씀해 주십시오.

김대중 고용 문제는 지금 한쪽에선 남아돌고 한쪽에서는 부족한 기현상이 나타나고 있습니다. 근본적인 차질이 생긴 것은 기술 인력이 더 필요한데 없고 사무 인력 쪽은 남아돕니다. 이것은 인문계의 편중에서 비롯된 것으로 대학의 교과목과 학사 제도가 개편되어야 합니다.

생산직에 가 보면 노동자가 부족해서 주부 노동자를 고용합니다. 왜냐하면 노동자들이 이제는 힘든 노동, 공장 노동을 기피하고 서비스 분야로 빠져나가기 때문입니다.

이런 것에 대한 종합적인 고용 대책이 제대로 안 서 있기 때문입니다. 그래서 시급한 문제는 첫째, 일하려는 사람에게 취업 정보를 주어야 합니다. 둘째, 자꾸 새로운 인력 훈련을 해야 합니다. 특히 정보화 시대에서 그 산업에 종사할 인력을 빨리 길러야 합니다.

김애실 금융실명제, 금융 자율화, 한국은행 독립 등은 지난번 대선 때도 하셨던 공약이고 지금의 노 대통령도 공약으로 내세우셨지만 5년이 지나도록 이행이 안 되었습니다. 이에 대해 많은 사람들은 처음 과정에서 정치권에서 상당히 많은 반대를 했다라고 알고 있습니다. 만약 집권하신다면 보이지 않는 정치권에서의 금융 자율화에 대한 압력을 어떻게 해소할 수 있는지 1993년까지 하시겠다고 약속하셨는데 정말 하실 수 있다고 확답할 수 있는지 알고 싶습니다.

김대중 금융실명제 꼭 해야 됩니다. 금융실명제 하면 자기앞 수표도 없어져 현금을 갖고 다녀야 하니까 부정과 투기를 막을 수 있고 돈이 어디로 갔는지 전부 따라다니면 되니까 그 돈 가지고 생산 설비에 투자했는지, 투기에 투자를 했는지 불로소득을 했으면 전부 세금 거두면 되니까 돈이 자연히 은행에 입금되고 증권시장으로 몰려 시장이 활성화되고 은행의 대출 자금이 늘어나 그래서 산업이 통화 증발하지 않고도 산업계에 줄 돈이 나오니까 물가 안정에도 도움이 돼요. 그래서 금융실명제는 물가 안정, 산업 시설의 자금 공급, 증권시장의 활성화, 투기 억제를 위해 절대 필요한 것이기 때문에 저희 당은 집권하게 되면 반드시 실시할 것입니다.

김애실 많은 공약들을 전부 다 실현하려면 많은 어려움이 있을 것으로 압니다. 그러면 경제가 선택의 문제이고 우선순위의 문제이기 때문에 우리가 그 많은 공약 중에서 민주당이 집권을 한다면 어떤 정책을 반드시 실현하겠다고 약속하실 수 있는 세 가지만, 지금 제게 주어진 시간이 다 되었으니 후에 끝맺음 연설하실 때 답변 속에 넣어 주시기 바랍니다.

경제 분야 추가 서면 질의 및 답변

질문 국가 경제 운영의 기본적 입장을 말씀해 주십시오.

김대중 기본적으로 저는 완전한 자유시장 경제체제로 나가야 한다고 생각합니다. 교육, 환경, 불공정 거래 등 불요불급한 규제를 제외하고 완전 경쟁체제로 가야 한다고 봅니다.

저는 민주적인 경제 철학에 기초해 일관성 있게 경제를 관리해 나가겠습니다. 다음으로 물가를 잡는 데 총력을 기울이겠습니다. 세 번째로 국제경쟁력 강화를 위해 과감한 기술 투자를 하겠습니다. 기술 입국의 원칙 아래 기술 개발에 전력을 다해 나가겠습니다. 마지막으로 다품종 소량생산이라는 세계적 추세에 맞추어 중소기업과 대기업의 역할 분담을 통해 중소기업 중심으로 경제를 운용해 나가겠습니다.

질문 경제 문제 해결에 국가가 어느 정도 개입하는 것이 바람직하다고 생각하십니까. 또 국가 개입과 자유시장 경제 원리와는 서로 상충되는데 이 둘의 조화와 절충을 어떻게 이루어 갈 계획이십니까?

김대중 민주사회에서는 정치사회적인 분야뿐만 아니라 경제 활동에 있어서도 국가권력의 간섭을 최대한으로 배제하고 개인이나 기업의 자유로운 의사 결정을 보장하여야 합니다. 철저한 자유시장 경제체제 없이는 치열하게 전개되고 있는 경제 전쟁에서 승리할 수 없습니다.

자유경쟁적 시장 제도를 원칙으로 통화 가치의 안정을 위해 한국은행의 독립을 보장하는 가운데 정부의 시장 개입은 독과점 규제를 통한 공정 경쟁 질서의 확립, 소득 재분배, 그리고 시장 실패의 교정에 국한시켜야 합니다.

질문 남북 경제 협력 방안에 대해 말씀해 주십시오.

김대중 북한과의 경제 협력은 통일 문제의 진전과 보조를 같이해 나가야 합니다. 그런데 남북 모두 자원 빈국 아닙니까. 지금 우리 경제 단위가 너무 커져서 소규모 경제 단위 시절처럼 남과 북이 서로 유유상종하는 경제체제는 큰 의미가 없다고 봅니다. 저는 북한의 노동력을 아주 유용한 노동력이라고 생각합니다. 북한의 경우 11년간 의무교육을 받고 군대에 가서 또 6, 7년간 훈련을 받지 않습니까? 잘 훈련된 노동력이라고 보고, 아직 향락 문화에 젖어 있지 않기 때문에 열심히 일하려는 자세가 되어 있으리라 봅니다. 그러한 우수한 노동력이 남쪽의 자본과 기술, 경영 능력과 합쳐지면 양쪽 모두 득을 볼 수 있습니다. 그러다 보면 북한도 곧 기술, 경영 능력을 배우겠지요. 이렇게 되면 민족 경제가 전체적으로 발전하는 겁니다. 경제 발전이 통일을 촉진하고 흔들림 없는 남북 간의 평화를 보장하리라고 봅니다.

질문 정경유착의 해결 의지와 방법을 밝혀 주십시오.

김대중 정경유착 체제는 건전한 자유시장 체제의 형성을 위해 반드시 끊어야만 합니다. 철저한 선거공영제를 실시하여 정치자금을 경제인에게 의존하지 않도록 해야 정경유착을 끊을 수 있습니다. 민주정부의 시장경제 체제하에서는 일체의 특혜나 정실이 있을 수 없습니다. 오직 성실하고 유능한 기업인만이 성공할 수 있습니다.

질문 정치 논리와 경제 논리가 서로 상반되게 맞물리는 것 중의 하나가 이중곡가 제도인데, 우루과이라운드가 해결된 후에 이 문제는 어떻게 해결하시렵니까?

김대중 이중곡가제는 우루과이라운드와 관계없이 농업 보호의 측면에서 지속되어야 합니다. 존 K. 갤브레이스는 농업이 전근대적 산업이므로 근대적 공업의 관점에서 바라보면 안 된다고 했습니다. 미국 같은 나라도 지금 몇백 년 동안이나 농업을 보호해 오고 있지 않습니까? 우리나라의 농업은 보호밖에 있었습니다. 식량 자급과 식량 무기화에 대비해 국가안보 차원에서도 농업은 보호해야 합니다. 이와 함께 농업은 홍수 조절 기능 등 환경산업으로서의 기능도 가지고 있습니다. 농업은 우리의 뿌리입니다. 농촌은 우리 조상들의 숨결이 잠들어 있는 마음의 고향입니다. 추석을 비롯한 명절 때 천만 명이나 되는 사람이 농촌으로 이동하는 곳은 우리나라뿐일 겁니다.

질문 물가 안정에 대한 구체적인 대책이 있으십니까?

김대중 물가를 잡으려면 우선 정부 재정을 아껴야 합니다. 그리고 한국은행의 통화량을 억제하고 무엇보다 투기를 막아야 하지요. 3당 합당 이후 땅 투기가 더 심해져 6공화국 초 총평가액이 8백조이던 것이 지금 1천8백조라는 이야기를 들었습니다. 종합토지세, 양도소득세 등 세법을 고쳐 투기 이익금을 세금으로 환수해야 투기를 막을 수 있습니다. 금융실명제를 실시해 자금의 흐름을 잡는 것도 중요한 일이지요. 장바구니 물가를 잡기 위해서는 농, 축, 어협이 생산자와 소비자를 연결시켜 유통 과정에서의 폭등을 막아야 합니다.

사회 분야

이영자 여성 정책과 관련하여 민주당 내에서 남자 당원 내지는 남자 국회의원들 또는 이런 분들을 평소에 얼마큼 교육하고 계시는지 또 교육하실 의향이신지 이것이 궁금하고요. 또 여성들이 정당에서 굉장히 많은 활동을 하고 계시는데도 불구하고 실제로 결정권을 가질 수 있는 요직에는 별로 없는 것으로 제가 알고 있습니다.

앞으로 민주당 내에서 꾸준히 장기적으로 여성 정책을 하면서 어떻게 조직 자체를 여성 대표권을 보여 주는, 남성들의 여성 차별 의식을 없애는 이런 것을 하실 의향이 있으신지 여쭙고 싶습니다.

김대중 정치인들의 제일 큰 관심사는 어떤 문제든지 이것이 표로써 내게 이익이 되느냐입니다. 그래서 여러분들이 여성이 과반수니까 여성 문제를 소홀히 했다간 낙선된다는 이런 세상을 만드세요. 이런 분위기를 만들면 남자들이 남성이건 여성이건 정치하는 사람들이 앞장서서 협력한다고 할 거예요. 그렇지 않은 한, 몇 사람의 선각적 생각을 가진 사람들끼리 노력은 하지만 전체 정치를 여성 쪽으로 크게 움직이기는 어렵습니다. 우리 당은 이를 위해 청년과 여성들을 전당대회 대의원에서 20퍼센트 뽑으라는 당헌도 만들었습니다.

이영자 우리 사회에는 부정부패가 구조화되어 있습니다. 우리나라 지하경제의 규모가 굉장히 크고 뭐 말단 직원부터 고위직까지 음성 소득으로 사는 풍조가 만연된 것이 굉장히 오래되었습니다. 만약에 대통령의 실권을 가지실 경우에 이런 부정부패가 구조화되어 있는 사회를 근절하는 비전, 평소 생각하신 바가 있으시면 듣고 싶습니다.

김대중 부정부패를 없애는 근본 길은 정경유착을 끊는 것입니다. 정치와 경제의 유착을 끊어 버리고 그래서 돈 주고 이권을 얻는 일을 없애야 해요. 둘째, 돈이 필요 없는 선거를 해야 합니다. 선거공영제를 실시하여 돈 안 드는 선거를 하도록 만들어야 합니다. 셋째, 정당 운영 자금은 국고에서 주어야 합니다. 국민이 그것을 부담하며 여야 가리지 않고 공정하게 돈을 주어서 뒷구멍으로 정당 운영을 하기 위해 돈 받는 일이 없도록 만들어야 합니다. 넷째는 대통령이 모범을 보여야 합니다. 대통령이 자기의 전 재산을 공개하고 자식들 재산까지도 다 공개하고 매년 그걸 되풀이해야 돼요. 새는 돈을 가지고 공무원들 처우 개선을 해 주면 됩니다. 다시 정리하면 하나는 정치자금을 경제인에게 의지할 필요가 없는 제도 개발, 실천 그리고   또 하나는 대통령부터 부정부패에 대한 모범을 보이는 것, 이 두 가지를 하면 우리 국민들은 협력한다고 생각합니다.

이영자 지금 사회 관계가 불신이 만연해 있고 인간 관계를 완전히 불신하는 풍조가 결국 정치 불신에서부터 왔다고 저는 생각하고 거기에는 야당의 책임도 분명히 있다고 생각합니다. 야당이 정말 어떤 정치적 소신의 원칙, 정의, 또는 국민의 입장을 대변하기보다는 하나 양보하고 하나 양보받는 식의 당리당략의 거래가 분명히 적지 않았다고 저는 느꼈습니다. 이런 것이 누적되어 야당에 대한 불신으로 나타났다고 생각합니다.

이 점에 대해 과거 야당의 역할에 관해서 반성할 점이 있다고 생각을 하시는지 또 앞으로 어떻게 이것을 대처해 나갈 것인지 말씀을 듣고 싶습니다.

김대중 민주정치는 대화의 정치이고 또 서로 간의 협상과 양보의 정치입니다. 그렇기 때문에 민주정치는 차선을 택한 정치이고 많은 경우에 차악을 택하는 정치라고 합니다. 소수 야당이 일부러도 의견을 통과시키는 데 협상을 안 할 수 없고 때로는 양보를 안 할 수 없습니다. 그러나 저희는 원칙을 포기한 일은 없습니다. 저희들 나름대로 많은 노력을 해 왔습니다. 그러나 저희들이 노력한 만큼 성과를 올렸다든가 국민을 만족시키지 못했다는 것은 저희들도 인정합니다. 그래서 한편으로 소수이기 때문에 어쩔 수 없었다는 변명도 있지만 한편으로는 저희들이 좀 더 연구를 많이 하고 좋은 투쟁을 했더라면 그보다는 나았을 것이 아니냐, 또 국민이 더 잘 알아줬을 것이 아니냐는 점에서는 저 이하 우리 당 모든 사람들의 부덕의 소치라고 그렇게 생각하면서 앞으로 더 열심히 노력하겠습니다.

이영자 한국 사회의 미래는 젊은 세대를 어떻게 키워 내느냐 하는 것인데 지금까지 교육은 창의력을 없애고 사고력을 없애는 역기능적인 교육으로 이런 주입식의 표피적인 사고를 길러 내는 여러 가지 교육 체계를 과감하게 정리하고 새로운 교육 철학을 가지고 할 수 있는 방안을 말씀해 주십시오.

김대중 교육 정책에 있어서 저희들의 기본은 전인교육을 해야 한다는 것입니다. 또 격변하는 시대에 적응하기 위해서는 성인교육, 시민교육을 해야 합니다. 그리고 정보화 시대에 있어서는 무엇보다도 기술 교육입국에 치중을 해야 한다고 생각합니다. 또 유아교육—어린이 유치원교육, 탁아소—이런 문제는 정부가 종교단체라든가 공동단체, 기업체와 협력을 해서 실현시키려고 하고 있습니다. 그리고 초등학교는 전면 급식을 시키려 합니다. 또 과외가 필요 없는 제도를 만들어야 하는데 하나는 입시 제도를 내신 또는 학과목 전체에 대한 국가 학력 시험 등을 해서 대학의 문을 대폭 개방해서 공부하고 싶은 사람은 다 넣어 주어 들어가는 것은 쉽고 나오는 것은 어렵게 하려고 합니다. 또 우리나라는 연구 시설 등이 많이 부족해서 이것이 보완되어야 하고 기술계와 인문계의 비율을 7대 3으로 기술계를 대폭 늘려 실업률도 낮춰야 합니다. 여러 가지 교육 정책에 덧붙여야 할 것은 완전히 학력주의가 아니라 실력주의 사회로 만들어야 한다는 것입니다.

사회 분야 추가 서면 질의 및 답변

질문 교육 문제 해결을 위해 가장 시급하다고 생각되는 교육 정책은 무엇이라고 생각하십니까?

김대중 지금 많은 학부모들이 대학 입시를 앞두고 가슴 졸이고 있습니다. 저도 고등학교에 다니는 손녀가 있습니다. 입시 문제 때문에 제 집도 온 가족이 불안하고 초조한 심정입니다.

입시 문제는 단순히 정신적 고통뿐만 아니라 돈이 많이 드는 과외 때문에 가계에서 큰 부담이 되고 있습니다. 과외를 못 시키는 사람들의 위화감도 큽니다. 우리 당은 과외가 필요 없는 입시 제도, 예를 들면 내신 위주의 입시 제도를 개발하겠습니다. 대학의 문호를 대폭 개방해 대부분의 지원자를 수용할 수 있도록 하겠습니다. 이공계와 인문계를 7대 3의 비율로 바꿔 기술 교육에 힘쓰고 실업자 없는 전원 취업을 보장하겠습니다. 철저한 실력 관리로 입학은 쉽지만 졸업은 엄격하게 하겠습니다.

질문 폭력, 외설 문화에 대해 단속과 규제를 철저히 하기 위해서 대통령 산하 특별위원회를 구성하는 것과 같은 특별한 대책을 강구할 의향은 없으십니까?

김대중 필요하다면 구성하겠습니다. 그러나 보다 중요한 것은 우리의 전통문화를 현대적으로 재창조해 우리 문화 속에서 함께 어울리는 것이 아닌가 합니다. 우리 당에서는 직접적인 규제와 함께 적극적인 대안으로 건전한 놀이 문화를 만들도록 힘쓰겠습니다. 또 문화 학교를 확대해 감각, 소비 위주의 대중문화를 지양하고 저질 퇴폐 문화 추방을 위한 시민단체의 감시 기능을 지원하겠습니다.

질문 비디오, 잡지, 영화 등의 수입 규제 대책과 검열위 기준 강화를 위한 구체적 방안은 무엇입니까?

김대중 미국, 일본, 프랑스 등 영화 선진국에서는 모두 민간 자율로 구성된 심의 기구를 두어 표현의 자유를 침해하지 않는 입장에서 등급 판정을 하고 있습니다. 저도 문화 예술과 관계된 전 분야는 민간 차원의 자율적인 심의 기구를 구상해 모든 일을 결정하도록 하겠습니다. 그리고 이 기구로 하여금 비디오, 잡지, 영화 등의 수입 규제 대책과 검열을 책임지도록 하겠습니다. 부득이한 경우에 이 기구의 요청이 있을 때에만 정부가 개입하는 방향으로 나갈 생각입니다.

질문 여성 단체와 여성개발원에서 제안한 (1989년) '매매음 방지법'의 재검토 및 제정을 촉구할 의향은 없으십니까?

김대중 제가 대통령이 되면 당내외의 여성 인사들, 여성 단체들과 협의하에 여론을 수렴하고 재검토해 법 제정 여부를 결정하도록 하겠습니다.

심영희 감사합니다. 지금 예정 시간을 초과하고 있습니다. 김 후보님께 지금까지 못다 하신 말씀을 간단히 종합 정리하셔서 말씀하실 기회를 드리겠습니다.

김대중 시간 관계상 다른 것보다도 아까 집권하면 무엇부터 하겠는지 세 가지만 말하라는 김애실 교수의 질문에 저는 네 가지를 이야기하겠습니다. 물가를 안정시키는 것을 첫째로 하겠습니다. 둘째 중소기업을 대기업과 역할 분담하여 중소기업 육성을 최우선으로 하겠습니다. 이것은 사회적인 측면뿐 아니라 경제적인 측면에서도 이렇게 해야만 성공할 수 있습니다. 셋째 농촌을 살리는 정책을 펴 나갈 것입니다. 여러 가지 보조도 하고 특혜도 주어 가면서 농촌을 살릴 수밖에 없습니다. 넷째 투기 억제를 하겠습니다. 공돈을 못 벌게 해야 해요. 공돈을 버니까 낭비를 하고 낭비를 하니까 물가가 오르고 또 사회적 위화감이 생기고 모든 경제적 윤리를 망치고 있어요. 이 네 가지 원칙을 해 나가겠습니다. 마지막으로 오늘 이런 자리를 마련해 주신 여러분께 감사를 드리고 저희 당은 여러분이 절대로 믿어도 좋습니다. 우리는 여성의 지위 향상, 권익 향상, 진출을 지원하는 일을 우리 당의 기본 정책으로 정해 놨습니다. 또 저 개인의 기본 철학이고 신념이기 때문에 그 길을 가겠습니다. 여러분들도 이번에 한국여성유권자연맹이 중심이 되어 이 나라 정치를 움직이는 역할을 해 주시길 바라면서 오늘 저의 말을 마치겠습니다. 감사합니다.

* 이 토론의 참여자는 심영희(사회, 한양대학교 교수, 사회학), 김애실(한국외국어대학교 교수, 경제학), 손봉숙(한국여성정치연구소장, 정치학), 송보경(서울여자대학교 교수, 소비자 문제), 이승희(여성유권자연맹 교육부장, 정치학), 이영자(성심여자대학교 교수, 사회학), 이춘호(한국여성유권자연맹 부회장, 여성학) 등이다.

정의로운 시장경제의 발전을 위하여

대담 경제정의실천시민연합

일시 1992년 11월 17일

변형윤 아침 일찍 바쁜 시간 내서 참석해 주신 여러분께 감사드립니다. 경실련이 이 모임을 마련한 이유는 대통령 후보들의 경제 정책관을 일반 국민들이 분명하게 알 수 있도록 밝히는 기회를 갖고, 이를 바탕으로 일반 국민들이 투표하도록 유도하며, 당선된 후에는 감시하는 것을 게을리하지 않도록 하기 위해서입니다.

사실 이 모임은 원내 교섭단체를 가진 3당의 대통령 후보가 참가한 가운데 토론을 벌이려고 했으나 유감스럽게도 민자당의 김영삼 후보가 나오지 않았습니다. 바쁘신 가운데도 참석해 주신 민주당의 김대중 후보에게 다시 한번 감사드립니다.

사회 회의 진행 방법과 토론 방법을 말씀드리겠습니다. 먼저 후보의 기조 연설을 10분 동안 듣고, 각 부문 토론자별로 질문 3분, 답변 6분의 시간을 드립니다. 또 각 질의에 대하여 2분간의 보충 질문을 하고 4분간 답변을 합니다. 되도록 엄격히 시간을 지켜 주시기 바랍니다.

토론 순서는 한국 경제에 대한 현실 인식과 정책의 기본 방향, 금융실명제 실시 시기와 방법, 토지 세제의 개편 방향, 금융 제도의 개혁, 재벌의 경제력 집중 해소 방안, 농정 개혁, 노동 정책, 부정부패 척결 방안을 주로 다루게 됩니다. 여기에서 제대로 다루지 못한 부분은 공개질의서를 통해 듣도록 하겠습니다. 경실련은 오늘 토론과 공개 질의서의 구체적 답변을 3당 정책 평가의 기초 자료로 삼으려고 합니다. 애초에는 3인이 같이 할 수 있는 토론회를 마련하려고 노력했으나 여러 사정으로 시차제로 하게 되었습니다.

그러면 먼저 민주당 대통령 후보이신 김대중 대표의 기조연설을 듣기로 하겠습니다.

시장경제와 정치 민주주의 정착시킬 터

김대중 여러분 안녕하십니까? 저희 당의 경제 정책의 골격에 대해서 말씀 드리겠습니다. 저희는 3공화국 이래 우리나라 경제 정책의 가장 기본적인 잘못은 노동자, 농민, 중소기업의 희생을 바탕으로 일부 대재벌에게 부를 집중시키는 정책을 썼던 것이라고 생각합니다. 그 때문에 각 분야에 왜곡 현상이 생기고, 우리 경제가 어려워졌다고 생각합니다.

박 정권 이래, 역대 정권은 농민에게 저곡가를 강요하고, 그 희생 위에 노동자의 저임금을 유지하고, 저임금의 바탕 위에 소위 수출 드라이브 정책을 썼습니다. 농민과 노동자, 중소기업을 희생시킨 이 잘못된 정책 때문에 왜곡된 경제 현상이 생겼습니다. 현재 정치적, 사회적인 불안 요소가 되고 있는 도시와 농촌의 격차, 대기업과 중소기업의 격차, 지역과 지역의 격차, 빈부 간의 격차, 이 4대 격차가 바로 오늘 우리가 맞고 있는 불행한 현상입니다.

저임금 수출 드라이브 정책도 초기의 노동 집약적인 경제 관계에 있어서는 어느 정도 효과가 있었습니다. 하지만 우리 경제가 중진국에 접어들면서부터는 임금도 비싸지고, 또 세계시장에서 경쟁도 치열해져 우수한 제품을 만들어 내지 않으면 안 되기 때문에 이전 같은 수출 드라이브 정책을 마냥 밀고 나가는 것은 곤란해지고 있습니다.

이제까지 우리나라 경제를 지배해 온 관치경제, 정경유착 속에서 형성된 엄청난 부패, 이런 문제가 해결되지 않으면 우리 경제의 회생은 불가능하다고 봅니다. 또 최대한 관권의 개입을 자제하고, 시장의 기능에 의해서 자율적으로 움직이는 시장경제의 시대로 넘어가야 한다고 생각합니다. 물론 사회 간접자본 확충이라든가, 공정 거래 규칙의 확립이라든가, 공해 문제의 해결과 같은 문제에는 정부의 개입이 중요합니다.

그리고 지금 우리 경제는 정보화 시대에 직면해서 활로를 개척해야 하는 과제를 안고 있습니다. 컴퓨터, 반도체, 광통신, 케이블 텔레비전, 비디오텍스 등 여러 산업에서 정보화 시대를 이겨내지 못하면 우리 경제의 장래는 없습니다.

그러기 위해 무엇보다도 중요한 것이 정치적 민주주의입니다. 정치적 민주주의가 어느 정도 막힘없이 잘 돌아가야 정보가 물 흐르듯이 잘 흐르고, 활발히 생산되고, 이렇게 해서 정보화 시대의 경제 발전을 기대할 수 있습니다.

저희 당은 정치적 민주주의와 시장경제는 동전의 양면으로 절대 분리해서 생각할 수 없다고 생각합니다. 민주주의의 확립을 바탕으로 경제 침체를 벗어나고, 위기를 극복하고, 새로운 활로를 개척해야 합니다. 또 저희 당은 당면 경제 정책으로 세계시장 속에서 우리가 8강의 대열을 목표로 나아가려면 물가를 3퍼센트 정도로 잡아야 한다고 생각합니다.

둘째로는 일체의 투기를 없애서 경제인들의 수입이 경제적인 행위, 생산적인 행위 외에 불로소득의 여지를 없애야 한다고 생각합니다. 그래서 기업은 오직 기업의 건전한 활동을 통해서만 성공할 수 있는 제도를 만들어야 한다고 봅니다.

또 지금까지 대기업 위주, 재벌 위주의 경제 정책을 근본적으로 변화시켜 중소기업을 대등하게 또는 우선적으로 육성·지원해 나가야 한다고 생각합니다. 이것은 단순히 경제 정의, 사회 안정의 차원만이 아니라 오늘날 변화된 세계 경제 추세에 적응하기 위해서도 절대 필요하다고 생각합니다. 특히 경공업 분야에 있어서는 소품종 대량생산 체제에서 다품종 소량생산 체제로 바뀌어야 합니다. 엄청난 양을 생산해 창고에 가득 쌓아 놓고, 올해 안 팔리면 내년에 파는 식은 지났고, 이제는 2-3개월마다 유행이 바뀌는 만큼 (특히 의류, 전자 제품, 컴퓨터가 그렇습니다.) 다품종 소량생산 체제를 갖추어 이에 적절히 대처해야 합니다. 중소기업이 다품종 소량생산 체제에 잘 적응해 낼 수 있습니다. 중화학 공업이나 기술 집약적이고 자본 집약적인 분야는 대기업에 맡기고, 경공업 분야는 중소기업에 넘겨주는 적절한 역할 분담을 통해 쌍두마차가 뛰듯이 세계시장으로 진출해 나가야 한다고 생각합니다.

지금은 급속하게 과학이 발전되어 나가는 시대입니다. 과학과 기술의 발전을 따라가지 못하면 전혀 설 자리가 없습니다. 어떤 의미에서 정보화 시대는 교육이 최우선이지만, 그중에서도 과학을 발전시키느냐 못 시키느냐에 국운을 거는 각오로 대처해야 한다고 생각합니다.

마지막으로 경제도 사람이 하는 것인 만큼 노사 관계가 새로이 정립되어야 합니다. 노사가 대등한 입장에서, 기업가는 노동자의 생계를 보장하고, 노동자는 기업의 발전과 생산력 향상에 책임을 져야 합니다. 이렇게 노사가 협조해 세계시장에서 가장 좋고 싼 물건을 생산해 제공함으로써 우리 경제를 발전시켜 나가야 한다고 생각합니다.

이러한 방향으로 나아갈 때 우리 경제는 다시 활력을 되찾고 힘차게 발전할 것입니다. 우리 경제를 운영해 나가는 데 있어서는 성장도 중요하지만, 노동자와 소외 계층에 대한 분배도 매우 중요합니다. 단순히 사회적 측면에서만 그런 것이 아니라, 공정한 분배는 구매력을 향상시켜 경제 발전에도 도움이 됩니다.

민주정치 체제하에서 정의로운 시장경제의 발전이 우리가 지향해야 할 길이라고 생각합니다.

정권 유지비 없애고 과표 현실화 통해 재원 확보

사회 먼저 홍원탁 교수께서 총론과 기본 방향, 토지 문제에 관해서 질문해 주시겠습니다.

홍원탁 미국 민주당은 투자 공약마다 투자 재원을 분명하게 명시했습니다. 예를 들면 10만 명 규모의 연방정부 공무원의 인원 감축에서 1백53억 달러, 1997년까지 국방비 감축에서 3백75억 달러를 확보하고, 법인 세수 증대에서 5백80억 달러, 부유층의 세 부담 증가에서 9백20억 달러 등 이렇게 추가 세수를 확보해서 통신, 환경, 운송 부문에 투자하기 위한 8백억 달러 규모의 미국 재건 기금에 투입하겠다는 등 투자 공약마다 그 투자 재원을 명시했습니다.

전경련에 의하면 민자, 민주, 국민당이 제시한 핵심 공약 사업을 이행하려면 1백50조 원이 훨씬 넘게 소요될 것으로 추정하고, 현재의 정부 재정 능력으로는 이것이 불가능할 것이라고 지적했습니다. 3당 중에 어느 정당이라도 대통령 선거에서 승리한 다음 5년 임기 동안에 현재 발표한 공약 중 절반 정도는 부도를 내고, 절반만이라도 실현하려 해도 지금보다 훨씬 많은 재정 수입이 필요한 것 같습니다.

정부가 추가 재원을 마련하는 길은 조세 부담률의 증가, 혹은 단기적으로 적자 재정을 편성하는 길밖에 없을 것입니다. 그러나 3당은 모두 전반적인 조세 부담의 인하를 얘기할 뿐만 아니라 짧은 시일 내에 인플레를 3퍼센트 이하로 낮추겠다고 약속했습니다. 이래서 많은 사람들이 국민을 현혹시키면서 실현 불가능한 선심 공약을 무책임하게 남발하고 있는 게 아닌가, 책임감이 있다면 구체적으로 조세 부담을 어느 계층에 어떤 형태로, 얼마만큼 증대시켜서, 그 추가적인 조세 수입을 가지고 어떤 사업을 어떤 우선순위로 실현할 것인가 하는 의문을 갖고 있습니다.

어떤 형태로든지 희생을 전제로 하지 않고 모든 문제를 해결해 주겠다고 하는 것은 있을 수 없는 얘기가 아닌가 생각합니다. 최근 모 일간지에선 "3당의 선거공약은 동시에 성취될 수 없는 허구의 목표를 내놓고 있으며, 이것은 한국 정치의 후진성을 또 한 번 드러내 놓고 있는 것이다. 후보를 둘러싼 경제 브레인들의 능력과 양식도 의심을 받아야 한다"는 기사를 실었습니다. 이런 기사를 어떻게 생각하시는지요?

세 번째로는, 우리나라의 인적·물적 가용 투자 자원이 기술 개발 및 수출 제조업 부문으로 제대로 투자가 안 되고 있는 원인은 우리나라의 조세 제도가 정치 활동으로부터 기대되는 수익률, 땅 투기 수익률, 불로소득적인 성격이 강한 금융자산 수익률을 제도적으로 가장 우대해 주고 있기 때문이라는 사실을 알고 계시는지요? 만약 알고 계시다면 구체적으로 이 문제를 어떻게 해결할 생각인지 이상 세 가지를 여쭤보겠습니다.

김대중 먼저 공약에 대해서 얘기하면, 전경련에서 1백50조 원이 드는데 그런 엉터리 공약이 어디 있느냐 그런 말을 했어요. 저희들이 전경련에게 말했지요. 그렇게 생각하면 우리하고 토론을 합시다. 원래 전경련이 우리하고 경제 정책 토론을 하자고 해 놓고 이행을 안 하고 있어요. 저희 계산으론 공약을 이행하는 데 5년 동안 총 31조 3천3백억 원이 듭니다. 거기에다 근로소득세 감면액이 5년 동안 약 7조 원입니다. 그리고 농업 기자재 부가세 감면이 1조 5천억 원, 이렇게 해서 합계 39조 8천3백억의 추가 재원이 필요합니다. 여기에서 재원의 출처를 길게 설명할 수는 없습니다만, 저희들은 주로 세 가지 방향으로 재원을 확보하려 합니다.

첫째는 예산 절감입니다. 1년에 약 1조 원 정도로 추산되는 정권 유지비를 없애려고 합니다. 그리고 낭비성 예산 절감, 기금 운영 개선 등인데, 특히 정부 물자 구매 또는 정부의 토목 사업, 정부 발주의 공사, 이런 데서 엄청난 예산 낭비와 부정행위가 일어나고 있습니다. 얼마 전 정주영 대표가 자기가 집권하면 토목 공사에서 적어도 30퍼센트를 절약할 수 있다고 했는데, 저는 이 말을 듣고 역시 그런 일에 종사한 분은 더 잘 아는구나, 이런 생각도 했습니다. 이것은 과거의 현대를 포함해 모든 업체들이 정부와 결탁해 어떤 일을 했는지 반증하는 것이라고 생각합니다. 이런 것을 절감하면, 예산 절감으로 약 3조 원이 나온다고 계산하고 있습니다.

그리고 부동산에서 세법을 고쳐 세율과 과표를 조절하고 현실화하면 많은 돈이 나온다고 봅니다. 특히 종합토지세의 과표와 세율을 현실화하고, 양도소득세에 있어서 대재벌들이 치부 도구로 삼고 있는 업무용, 비업무용의 차별을 폐지하면, 최소 5조 원까지 증액 수입할 수 있다는 계산을 몇몇 학자들에게 용역을 주다시피 부탁해서 산출해 냈습니다. 그러나 갑자기 한꺼번에 충격을 줄 수 없기에 여기서 2-3조 원 정도로 내다보고 있습니다.

그리고 농업보장세를 신설할 생각을 갖고 있습니다. 농촌이 파멸됨으로써 도시까지 큰 피해를 보고 있습니다. 특히 주택, 교육, 환경, 교통, 오물 처리 등 온갖 문제가 산적되어 있는데, 이 문제를 반드시 해결하기 위해 약 1조 원 정도를 과세하면 합계 약 6, 7조 원 정도를 가지고 초년도에 필요한 재원을 마련할 수 있다고 봅니다.

그리고 토지공개념에 대해서는, 과거 국회에서 입법한 것도 중요하지만, 제일 중요한 것은 종합토지세와 양도소득세를 제대로 받는 것이라고 생각합니다. 그러면 토지 투기는 기본적으로 막을 수 있다고 봅니다. 그리고 지난 3당 합당 이후 여당이 날치기로 강행, 통과시킨 종합토지세의 세율을 현실화하고 과표를 현실화하면 문제를 해결할 수 있다고 봅니다.

불로소득을 우대하는 조세 제도, 이 문제의 대표적인 것이 토지세입니다.

그리고 지금까지 수출산업을 지나치게 우대해 왔는데, 이제는 그런 우대는 폐지하고 발가벗고 싸워서 이길 수 있는 국제경쟁력을 유지하는 방향으로 세제를 현실화해야 합니다. 요컨대 한마디로 말하면 경제도 세계시장 속에서 자기 힘으로 헤쳐 나가라, 이것이 앞으로 경제 정책의 기본 방향이 되어야 한다고 생각합니다. 국가가 할 일은 사회간접자본 확충이나 공정 거래 확립 등 제도적인 보장만으로도 충분합니다.

사회 보충 질문하실 것 있으면 해 주십시오.

홍원탁 우리나라 6공화국 정부가 토지공개념이란 이름 아래서 여러 가지 제도를 만들었지만, 이들 제도를 하나하나 따로 뜯어보거나 합쳐 보거나 실제로 땅 투기, 불로소득 문제를 해결할 만한 내용이 없다는 사실을 구체적으로 알고 계시는지를 질문한 것은, 현재 정부가 만들어 놓은 제도하에서 우리나라의 종합토지세를 위시한 토지 보유 과세가 시가 대비로 0.04-0.07퍼센트밖에 안 되는데, 이것은 미국의 보유 과세 1/20 내지 1/30밖에 안 되는 겁니다. 양도소득세에 공시지가를 적용한다고 말했지만, 너무 예외 규정이 많아 양도소득세로 받아들이는 세수입이 국민총생산(GNP) 대비로 0.5퍼센트밖에 안 됩니다. 대만도 그렇게 시원하게 하는 것은 아니지만, 대만 국민총생산(GNP) 대비로 양도소득세수가 일 년에 2.5퍼센트 내외가 됩니다. 이런 구체적인 사실을 파악하고 정책을 세워 주시기를 바랍니다.

김대중 종합토지세가 3당 합당 후 재계에서 강력히 로비를 해서 대폭 내려 갔습니다. 우리나라 토지 관계세에서 잘못된 것은 종합토지세에 있어서 과표가 너무 낮다는 것, 그리고 실효 세율이 미국과 같은 나라와 비교해서 20분의 1 정도로 낮다는 것, 이것이 금융실명제와 더불어 3당 합당의 원인도 되었습니다. 다시 말하면 재계가 여소야대 국회에서는 금융실명제를 안 할 수 없고, 종합토지세도 안 낼 수 없게 되자 땅을 가진 재벌들이 맹렬하게 로비를 해서 3당 합당이 이루어진 계기가 됐습니다.

이런 점에서 종합토지세의 세율을 대폭 변화시킨 과정은 우리 정치가 모처럼 개혁의 방향으로 나가다가 다시 후퇴한 대표적인 예입니다. 그리고 양도소득세에 있어서는 업무용, 비업무용으로 구분해서 세금을 면제하거나 감면하는 예는 외국에도 없는 걸로 알고 있습니다. 업무용이라는 보호벽 속으로 들어가서 합법적으로 탈세를 할 수 있고, 땅을 통해서 큰 수익을 얻기 때문에 날로 땅 투기가 성행하게 된 것입니다.

노태우 정권 집권 시 땅값의 총평가액이 8백조 원이었는데, 그 후 2천조 원에 가깝게 앙등한 걸로 알고 있습니다. 결국 이런 문제는 근본적으로 종합토지세의 과표와 세율을 현실화하고, 양도소득세에서는 업무용, 비업무용을 철폐하는 것이 토지 문제를 바르게 해결하는 길입니다. 이렇게 되면 땅값은 대폭 인하되고, 아파트건 주택이건 현재보다 염가로 지을 수 있을 것입니다.

금융실명제, 집권하면 바로 실시

사회 다음에는 금융 문제 전반에 관해서 숙명여대 윤원배 교수께서 질의해 주시겠습니다.

윤원배 금융 분야에 대한 민주당의 공약은 자유경쟁 시장 기능을 살려 금융 정상화와 자율화를 달성하겠다는 데에 중점을 두고 있는 것으로 판단되며, 공약대로만 실시된다면 경제 민주화가 크게 진전되리라고 생각합니다. 그러나 몇 군데 불분명한 곳이 있는 것 같아 몇 가지 질문을 드리고자 합니다.

민주당은 경제 성장률을 5-6퍼센트 수준으로 조정하고, 물가를 3-5퍼센트 수준으로 안정화시키며, 부당한 금융 관행을 시정하여 통화 유통 속도를 증가시켜 총통화 증가율을 15퍼센트 이내로 억제할 계획을 세우고 있습니다. 이러한 계획은 경제 안정을 강조한 나머지 성장 목표를 너무 낮게 잡고 있지 않은가 하는 생각이 듭니다. 아직도 후진국인 우리나라에서는 빠른 성장을 선호하는 국민이 많다고 생각되는데, 연간 5-6퍼센트의 성장률로 국민들의 성장에 대한 욕구를 충족시킬 수 있다고 생각하시는지, 만약 그렇게 생각지 않으신다면 어떻게 국민들의 성장 욕구를 낮추도록 유도하실 생각이신지 여쭤보고 싶습니다.

두 번째, 금융실명제 문제와 관련하여 1993년 말까지 100퍼센트 가까운 실명화율을 실현하겠다고 하셨는데, 민주당이 실시하고자 하는 금융실명제의 구체적인 내용, 예컨대 실명화하고자 하는 금융 거래의 종류와 금융 거래 종류별 실명화 실시 시점, 특히 부정 축재자에 대한 자금 출처 조사와 같은 것들을 어디까지 하실 생각이신지, 구체적인 내용을 말씀해 주셨으면 좋겠습니다.

세 번째, 중앙은행의 독립성에 관한 문제입니다. 정부의 경제 정책이 최대의 효과를 나타낼 수 있기 위해서는 각 부처가 마련한 각종의 정책이 상호 모순됨이 없이 조화를 이루어야 한다고 생각합니다. 중앙은행인 한국은행이 독립했을 때, 단기적으로나마 한국은행과 정부, 예컨대 재무부 간에 주도권 다툼이 예상되는데, 양 기관 간의 견해차가 반복해서 나타날 때 누가 어떻게 조정 역할을 할 수 있다고 생각하시는지 말씀해 주시기 바랍니다.

그다음으로 금리 자유화 조치를 취할 경우 금리가 상승할 가능성도 있으며, 이러한 이유 때문에 금리 자유화를 반대하는 사람들도 상당히 많다고 생각됩니다. 그렇지 않아도 국제경쟁력이 취약하여 수출에 어려움을 겪고 있는 기업들을 어떻게 설득하여 금리 자유화를 성공적으로 달성하려고 하시는지, 김 후보께서 구상하고 계시는 대책이 있으시면 밝혀 주십시오.

김대중 경제 성장률을 5-6퍼센트로 잡았다고 하는데, 저희 당은 실질 성장률을 7퍼센트로 잡고 있습니다. 그리고 금융실명제 실시에 있어서 금융실명제는 은행 예금, 주식 투자에 있어서의 실명제 등 여러 가지가 있는데, 결국 전체적으로 모든 것을 실명제 실시하게 되면 지하경제라든가 투기를 하기 어렵게 될 것입니다. 세무 당국이나 해당 기관에서 추적을 하기 때문에 투기는 불가능해질 것입니다.

금융실명제는 민주당에서 집권하면 바로 실시하겠습니다. 금융실명제를 처음에 정부와 재계에서 반대할 때, 금융실명제를 실시하면 재산의 해외 도피가 일어난다는 이유를 들고나왔습니다. 또 증권시장이 붕괴된다고도 했습니다. 그러나 금융실명제를 유보한 후에 증시는 오히려 나빠지고, 물가는 오히려 폭등하는 사태가 일어나고, 투기가 성행하게 돼 금융실명제 실시를 반대한 사람의 이론은 붕괴했습니다. 저희들은 금융실명제를 유보 없이 하겠습니다. 여기서는 부작용을 최소한도로 억제하는 방향으로 대책을 세우는데, 가령 은행 예금에 대한 실명제와 증시와는 기간 차이를 두어 부작용을 덜어 가는 방법이 필요하다고 봅니다.

다음 질문은 한국은행과 정부 간의 주도권 다툼으로 견해차가 반복될 때 누가 어떻게 조절하느냐의 문제인데, 통화의 관리 문제에 있어서는 한국은행이 주도권을 가져야 하고, 정부는 이것에 대해서 간섭하는 일이 있어서는 안 된다고 생각합니다. 다만 양자의 견해 차이는 대화를 통해서 적절한 방향을 찾아내야 될 것입니다.

다음으로 금리 자유화 조치를 하면 금리 상승을 우려하는데, 일시적으로 그런 현상이 있을 수 있습니다. 그러나 금리가 상승하면 예금이 늘어나기 때문에 후에 공급이 늘어남으로써 다시 하강 추세로 가는 것을 예견할 수 있고, 그렇게 기대하는 것이 정상입니다. 따라서 금리 자유화에서 입게 될 약간의 어려움에 대해서는 중소기업 등에서 보완 조치를 할 필요가 있으면 하더라도 기본적으로 금리 자유화를 해서 금리가 실세화되도록 하고, 그래서 예금의 증대를 통한 금리의 하강을 유도하고, 기업들이 주식을 발행하거나, 사채를 발행해서 증권시장에 조달하는 방법을 통해서 융자에 대한 의존도를 낮추는 것이 금리 자유화에 있어서 금리의 급격한 상승을 견제하는 길이 될 것입니다.

사회 보충 질문하실 내용 있으시면 해 주시지요?

윤원배 금융실명제의 구체적인 조치 중에서 자금 출처 조사가 상당히 많은 사람들의 관심사가 되고 있습니다. 부정한 자금을 어디까지 추적해서 찾아낼 것인가, 또 그에 대한 처벌을 어떻게 할 것인가, 만약에 처벌을 하시겠다면, 김 후보께서 제시하시는 대화합의 차원과 관련시켜서 어느 정도 수준에서 조화를 시켜야 할 것인가 하는 것이 중요한 문제가 될 것 같습니다.

김대중 질문의 요지를 잘 듣지 못했는데요.

윤원배 자금 출처 조사가 금융실명제의 실시와 밀접한 관계를 갖고 있습니다. 그래서 과거의 부정한 자금을 어디까지 추적하실 건지, 어느 정도의 수준에 끝내실 건지, 만약 끝까지 추적하신다면 김 후보께서 강조하신 '대화합'의 차원에 잘 맞지 않는 점이 나타나지 않는가 하는 우려가 있습니다. 이 점에 대해 말씀해 주시고 다음에 금리에 자유화를 포함한 전반적인 금융 자율화 조치가 취해질 경우 국내 금융기관만이 아니라 외국 금융기관까지를 포함한 각 금융기관 간의 경쟁이 치열해지리라고 예상됩니다. 따라서 금융 자율화 조치가 취해지면 부실채권이 많은 우리나라의 시중 은행들이 경쟁력을 잃게 될 뿐만 아니라 이에 대처할 수 있는 금융인들의 자질과 능력이 갖추어져 있지 않다는 점이 지적되고 있습니다. 또한 경쟁의 심화로 금융기관이 부실화되어 선의의 예금자들이 피해를 볼 가능성도 지적되고 있습니다. 이러한 우려와 지적 사항에 대해 어떻게 생각하시며, 그러한 문제점들을 어떻게 풀어 나가실 생각이십니까?

김대중 자금 추적을 함으로써 '대화합의 정책'에 모순이 되지 않는가 하는 것을 물으셨는데, 아무리 좋은 경제 정책도 일시에 할 수는 없을 것입니다. 안정 속에서 해 나가는 것을 원칙으로 삼아야 할 것입니다. 원칙은 또 집행되어야 합니다. 그리고 자금을 추적해서 투기 등 불로소득을 없애는 것이 진정한 의미에서 국민의 화합과 일치한다고 생각합니다. 이 문제는 중산층 이하의 사람들에 대해서 충격을 주지 않는 방향으로 하되, 근본적으로 자금을 바르게 추적해서 금융실명제의 실효를 거두어야 합니다.

그리고 금융 자율화의 부작용으로 우려되는 외국과의 경쟁력, 은행의 부실채권, 도산 등의 문제도 금융 자율화를 한꺼번에 하는 것이 아니고 우리 경제 현실이 감당할 상황으로 하되, 체질 개선으로 외국 은행과의 경쟁에서도 이길 수 있고 부실 상태에서 벗어날 수 있도록 하고, 그리고 은행의 대형화도 시켜야 합니다.

결국 금융 자율화를 하더라도 이것이 견뎌 낼 수 있는 체질을 갖추도록 해야 됩니다. 좋은 정책도 안정을 해치지 않는 한도에서 의미가 있습니다. 안정을 최대한 받쳐 주면서 부작용을 적게 하는 방향으로 하되, 금융을 자율화해서 우리나라 금융 질서를 정상화하고 금융의 대항력을 국제 수준으로 이끌어 나가야 합니다. 그러기 위해서는 은행에 대한 인사 문제, 대출의 문제 등에 정부가 일절 간섭을 하지 않아야 합니다.

재벌은 중화학 공업, 중소기업은 경공업으로 역할 분담해야

사회 감사합니다. 다음에는 재벌 문제, 경제력 집중 문제에 대해서 서울시립대학교 강철규 교수께서 질의해 주시겠습니다.

강철규 김 후보의 재벌관에 대해서 몇 말씀 여쭤보겠습니다. 오늘날 우리나라 재벌에 대해 "재벌은 악이다."라는 극단적 표현이 쓰일 만큼 국민들 사이에 반재벌적인 정서가 만연되어 있습니다. 경제정의실천시민연합 정책연구위원회가 실시한 서울 시민 1천 가구에 대한 여론조사에 의하면 재벌의 부축적이 부당하다는 대답이 94.6퍼센트였고, 재벌에 대한 정부 규제가 강화되어야 한다는 응답자도 전체 응답자의 78.6퍼센트였습니다. 그러나 재벌이 경제 성장에 기여했다고 보는 응답도 젊은 층을 중심으로 하여 만만치 않은

60.3퍼센트나 되었습니다. 이것은 재벌에 대한 국민 정서가 "재벌은 악이다."가 아니라 "재벌은 필요악이다."라고 생각하고 있다는 것을 의미합니다. 즉 재벌에 대한 이율배반적인 국민감정이 존재하고 있는 것 같습니다.

김대중 후보께서는 우리나라 재벌이 세운 공적이 있다면 그것이 무엇이라고 생각하시는지, 그리고 재벌 중심의 경제에 문제가 있다면 그것은 무엇이며, 지금과 같은 재벌 중심 체제로 21세기 한국 경제를 이끌어 갈 수 있겠는지, 만약 다음 정부가 재벌을 규제한다면 무엇을 규제해야 한다고 생각하시는지 말씀해 주십시오.

다음으로는 원내 교섭단체를 가지고 있는 3당 중에서 재벌에 가장 가까운 정당이 국민당이라고 생각되는데 국민당은 정책공약으로 재벌 해체론을 내세우고 있습니다. 그런데 민주당은 국민당보다도 오히려 약한 재벌 정책을 내놓고 있습니다. 혹시 민주당은 재벌에게서 정치자금을 받고 있는 것은 아닌지요? 민주당의 재벌 정책은 친재벌 정책입니까, 혹은 반재벌 정책입니까, 아니면 다른 어떤 것입니까? 여기서 그것을 분명하게 밝혀 주셨으면 좋겠습니다.

또 하나, 최근 전경련은 "새 정부에의 정책 제언"을 발표하고 이것을 각 당의 후보에게 전달했습니다. 그 내용에 대한 평가는 차치하고 일단 전경련이 자기들의 주장을 담은 정책 제언을 각 당에 제시한 것 자체가 전례가 없던 것으로 이는 기득권을 가진 재벌이 정치에 적극적으로 관여하기 시작한 것이라는 평가와 함께, 그 내용에 대해서도 이는 기득권을 가진 이익집단의 주장이라고 보는 견해가 있는데, 김 후보께서는 이를 어떻게 평가하고 계십니까?

김대중 성장 측면에서만 보면 재벌이 우리 경제 성장에 상당한 공헌을 한 것은 사실입니다. 그러나 건전한 국민 경제의 형성이라는 면에서 볼 때 우리나라 재벌은 긍정적인 공헌보다는 부정적인 피해를 많이 끼쳤습니다. 그 결과 빈부 격차, 도시와 농촌의 격차, 대기업과 중소기업 간의 격차, 지역과 지역 간의 격차를 심화시키는 데 재벌들이 좋지 않은 영향을 미쳤습니다. 무엇보다 정경유착으로 시장경제의 발전을 저해했고, 유능한 기업인보다는 권력과 결탁을 잘하고 뇌물을 잘 바친 재벌들이 성장해 온 것이 가장 큰 문제입니다. 따라서 오늘날 우리 경제가 이렇게 위기 국면을 맞게 된 데에는 재벌에게 큰 책임이 있다고 봅니다.

그러므로 민주당의 재벌 정책은 대화를 통해서 재벌을 유도, 재벌들을 기술 집약적, 자본 집약적인 중화학 공업에 종사하도록 하고 경공업은 중소기업이 할 수 있도록 역할 분담을 하게끔 하려는 것입니다. 경공업은 대기업보다 중소기업이 하는 것이 훨씬 더 경쟁력을 지닐 수 있습니다. 재벌 기업은 중화학 공업에 전념을 해서 제일 좋고 싼 물건을 생산해야 합니다. 우리나라 재벌들은 세계적인 부는 축적했지만 세계적인 제품을 생산해 내지 못하고 있다는 것을 인식해야 됩니다.

재벌의 이익을 대표하거나 권익을 옹호할 생각은 없으며, 재벌을 증오하거나 파괴할 생각도 없습니다. 다만 역할 분담을 통해 중소기업의 입지를 침해하지 않고, 대기업 나름대로 발전해 나가야 한다고 생각합니다.

민주당의 재벌 정책은 재벌에 대해 정경유착을 끊고 시장경제에 복종하고 중화학 공업에 치중하도록 하고 있습니다. 국민당의 재벌 해체는 재벌 내의 기업들의 분리 운영일 뿐입니다. 진정한 재벌 해체는 재벌의 주식이 대중화되어서 재벌 오너들이 주식을 지배하지 못하도록 하고 주주들이 뽑은 전문 경영인이 기업을 운영하도록 하는 것입니다. 그리고 이득은 다수 주주에게 배당되도록 하는 것이 재벌 해체입니다. 국민당이 말한 재벌 해체는 한 그룹에서 운영 편의상 독자 운영 방향으로 가면서 뒤에서 실질적인 오너가 전 기업을 조정하는 것인데, 이는 분리 운영에 불과할 뿐입니다.

원칙적으로 금융 자율화는 금융 운영의 자주성을 보장하는 것이기 때문에 여신 규제를 해서는 안 된다는 말도 있는데, 그러나 국가의 재정 정책, 경제 정책, 금융 정책 등은 구체적인 현실에 비추어 운용되어야 합니다. 현재 재벌 기업들은 금융을 독차지해서 비효율적으로 경영하고 있을 뿐만 아니라 결과적으로 중소기업에 갈 수 있는 돈까지 막고 있습니다. 그러므로 어느 정도 여신을 규제하여 자금을 증권시장에서 직접 조달하는 비율을 높이고 은행에 대한 의존도를 낮추는 것이 기업의 건전성, 체질 강화에도 도움이 되고, 금융 혜택이 약자에게도 고르게 돌아가기 때문에 어느 정도의 규제는 필요하다고 봅니다.

또 전경련이 정부에 대해서 여러 가지 얘기를 하고 있는데, 저는 전경련이 정부나 국회에 말할 권리는 있다고 생각합니다. 당연히 의견을 주장할 수 있고, 그 주장에 대해서는 정부나 국회에서 판단할 일입니다. 또 전경련은 여당 일변도의 자세에서 벗어나 이제는 여야 모든 정당과 대화를 하려는 자세를 가져야 합니다.

경제 윤리, 금융 질서 등에서 과거와 같이 부당하게 이득을 독점하는 재벌의 그런 행위는 이제 시정돼야 하고 엄격한 시장경제의 원리 속에서 경제가 운영되어야 합니다.

사회 보충 질문이 있겠습니다.

강철규 민주당은 앞으로 집권을 하더라도 재벌 해체와 같은 그런 정책을 펴지는 않으시겠다는 건지 그 점에 대해 좀 더 분명하게 말씀해 주셨으면 합니다. 그리고 재벌에 대한 여신 규제와 관련해서 국민당과 민자당은 여신 규제는 점차 폐지돼야 한다고 주장하고 있는 반면, 민주당은 여신 관리 제도를 아예 공정거래법에 포함시켜서 강화시켜야 한다는 주장을 펴고 있는데, 조금 전 김대중 후보께서 여신 규제는 점차 폐지하는 것이 옳다는 뜻으로 말씀하신 것 같은데, 혹시 발표하신 것과 지금 생각이 달라지신 것인지 말씀해 주시면 고맙겠습니다.

김대중 여신 관리 문제는 공정 거래 차원에서 다루어져야 한다고 봅니다. 은행 업무를 간섭하는 차원이 아니라 자유경제 체제의 혜택이 모든 사람에게 고르게 돌아가도록 규범을 정해 줘야 한다고 생각합니다. 2차대전 이후 독일에서도 완전한 시장경제를 도입했지만, 공정 거래 입장에서는 소비자의 이익을 보호하고 중소기업을 보호하는 범위 내에서는 정부가 간섭을 했습니다. 민주당은 원칙적으로 개입을 최소화하되 적어도 대기업과 중소기업 간의 배분, 금융의 소수 독점에 대한 경제는 공정 거래의 입장에서 개입을 해야 한다고 봅니다.

농가 소득의 직접 보상 제도, 적극 검토

사회 다음은 농업 경제에 대해 중앙대 김성훈 교수께서 질의해 주시겠습니다.

김성훈 농촌 사정을 너무나 잘 알고 계시겠지만, 날로 황폐되고 있어서 6공화국 들어서 전체 농가 인구의 9퍼센트, 다시 말해서 60만 명이 매년 농촌을 떠나고 있습니다. 그리고 농업이나 농촌 문제의 중요성에 대한 국민들의 인식도 낮아지고 농업을 경시하는 경향마저 팽배해져 가고 있습니다. 이렇게 농촌이 황폐해지고 농업이 경시되는 풍조의 근본 원인은 무엇이라고 생각하시는지, 그리고 이런 문제를 해결하기 위한 김 후보의 철학과 비전은 무엇인지 말씀해 주십시오.

두 번째로, 다른 당도 마찬가지입니다만 민주당은 특히 어떻게든지 쌀 수입만은 막겠다는 공약을 하셨는데, 만일 미국과 유럽공동체(EC) 등 강대국끼리 갑자기 타결을 할 경우 쌀 수입 개방을 어떤 방법으로 막겠다는 것인지 말씀해 주십시오.

또 정부 발표에 의하면 쌀 백만 섬을 1년간 보관하는 데 3백억 원이 든다고 합니다. 그런데 북한의 우리 동포들은 식량난에 허덕인다는 얘기가 많습니다. 남북 간의 쌀 교역은 인도주의적 차원에서나 또 보관미를 절약하기 위해서도 촉진돼야 하는데, 남북 간의 쌀 거래가 국가 간 무역이라고 하며 외부에서 압력을 가한다 해서 남북 간의 쌀 교역을 못 하고 있는데 이에 대해 민주당은 왜 아무 얘기도 하지 않는지 말씀해 주십시오.

하나만 더 얘기한다면 지금 선진 각국은 농업이 갖고 있는 상품 이외의 비교역적인 기능, 공익적 기능—환경 생태계에 기여하는 측면에서부터—이 있기 때문에 농민들에게 직접 보상하는 정책을 쓰고 있습니다. 가격 보조, 생산비 보조, 수출 보조 외에 직접 농가에 보상하는 것, 이것은 우루과이라운드(UR)가 타결되더라도 전혀 저촉되지 않는 방법입니다. 민주당을 포함해서 3당의 공약을 보면 이와 같은 직접 농가 소득 보상 제도에 대해서는 언급이 없습니다. 앞으로 수매 가격 제도를 우루과이라운드(UR) 때문에 실시할 수 없다고 할 때, 그 대안으로서 생각할 수 있는 것이 직접 소득 보상 제도입니다. 여기에 대해 공약 차원에서 검토하실 의향은 없으신지 답변해 주시기 바랍니다.

김대중 농업이 이토록 급속히 철저하게 파괴된 가장 큰 원인은 농업에 대한 철학의 부재 때문이었다고 생각합니다. 농업은 전통산업이지 근대산업이 아닙니다. 그런데 일부 학자들의 비교우위론에 입각한 안이한 사고방식이 우리나라 농업을 파멸로 이끈 정부 시책의 한 원인이 됐다고 생각합니다.

그리고 3공화국 이래 급격한 수출 증대 정책으로 필연적으로 노동 집약적인 정책이 실시됐고, 따라서 저임금 정책과 이를 뒷받침하기 위한 저곡가가 강요됐던 것입니다. 오늘날 농촌의 피해는 이런 농민의 희생 위에 공업화를 추진한 정책의 탓도 컸다고 봅니다. 그리고 정경유착 속에서 정치자금을 제공하는 등 기업가들은 권력에 대해 힘을 발휘할 수 있었지만 농민들은 힘을 갖지 못했습니다. 정경유착으로 인해 농민들은 언제나 불이익을 당해 왔습니다.

또 현재 농, 수, 축협 제도가 왜곡되어 있습니다. 농, 수, 축협은 하나는 생산의 증대, 둘째는 유통을 촉진시켜 소득을 증대시키는 것, 셋째는 금융 업무입니다. 그런데 농협은 금융 업무에만 치중을 하고 생산 증대라든가 유통의 원활화를 통한 농민 소득 증대에 대해서 너무 등한시하고 있습니다. 이런 것도 농업 몰락의 한 원인이었습니다. 농촌을 가 보면 이 문제점이 더욱 절실히 느껴지는데, 그래서 저는 노태우 대통령을 만나서도 농, 수, 축협 유통 업무를 좀 더 충실히 하도록 해서, 도시와 농촌의 직거래를 활성화시켜 농민 소득을 올리게 해야 한다고 말했지만 별로 성과가 없었습니다.

다음으로 쌀 시장 개방 문제는 참으로 큰 문제입니다. 우리는 쌀 시장 개방에 대해서는 결사반대입니다. 정부도 같은 태도를 취하고 있습니다. 무척 많은 노력을 하고 있지만, 우리의 힘으로는 역부족인 면이 있다는 것을 여러분도 잘 아실 겁니다. 그러면 쌀 시장이 개방됐을 때 어떻게 할 것이냐의 문제가 있습니다. 지금 우리는 단호히 거부하겠다는 입장을 갖고 있습니다.

농가 소득의 직접 보상 제도는 대단히 좋은 안으로 생각하고 저희 당에서도 연구해 보겠습니다.

김성훈 간단히 보충 질문 드리겠습니다. 18일에는 러시아의 옐친 대통령이 방한합니다. 이미 다 알려진 대로 나머지 15억 달러의 추가 경협을 받기 위해 방한합니다. 다시 말해 1조 2천억 원의 차관을 받기 위한 것이 가장 큰 목적입니다. 그런데 이 15억 달러를 가지면 어제 3당이 가까스로 합의한 추곡 수매 6퍼센트 인상, 9백50만 원 수매와 비교할 때 지금 당장 6백만 섬의 쌀을 수매해서 농민들에게 도움을 줄 수 있을 뿐만 아니라, 농가 직접 소득 보상 제도를 적용할 경우 농가당 1백만 원의 혜택을 줄 수 있는 금액입니다.

이와 관련해서 김 후보께서는 15억 달러에 대한 민주당의 입장이 무엇인지 답변해 주시기 바랍니다.

김대중 질문하신 문제에 대한 답변에 앞서 전번 질문에서 빠진 답변을 먼저 드리겠습니다.

저는 북한에 쌀 보내는 것에 대해 찬성합니다. 이런 일이 잘 안 되는 것은 북한의 책임도 없지 않지만, 저는 남북 간에 화해와 교류가 진행되는 것을 방해하는 세력이 우리 정부 내에 있기 때문이라고 생각합니다. 그 단적인 예가 지난번에 남북 상호 방문에 대한 합의가 거의 돼 가는 시점에서 평양에 있는 당시 정원식 총리에게 지령을 전달해 무산시킨 예입니다. 그래서 민주정부가 서서 정말로 남북 간에 화해를 하고 교류를 하며 통일의 문제를 풀어 나갈 생각을 하는 민주적 양심을 갖는 정부, 국민들의 자발적 지지를 받을 수 있는 민주정부, 이런 정부가 나오지 않고서는 안 된다고 봅니다. 물론 북한이 남북한을 모두 사회주의화 하겠다는 사회주의 규약을 갖고 있으면서 평화 공존을 하겠다는 것은 말이 안 되는 얘기입니다. 제가 재작년 12월에 연형묵 총리를 만났을 때도 분명하게 얘기했습니다. 이러한 북한의 문제가 있지만 우리가 부분적으로 교류할 수 있는 많은 부분들이 제대로 안 되는 것은 비단 북한의 책임만이 아닙니다. 남한 내에서도 통일을 원치 않는 세력들이 권력 내부에 존재하고 있습니다.

다음으로 러시아에 대한 15억 달러의 추가 차관 제공 문제에 대해 말씀드리겠습니다. 올 1월 국회에서 대표연설을 하면서 두 가지 얘기를 했습니다. 고르바초프를 대단히 높게 평가하지만 고르바초프 정권은 안정돼 있지 않다, 그러니까 정부가 거기에 대해 대비해야 한다고 말했습니다. 또 당시 소련은 외국 원조를 받을 만한 준비가 돼 있지 않다고 말했습니다.

그러니까 함부로 경제 원조를 해서는 안 된다고 주장했습니다. 꼭 경제 원조를 하려면 미국이나 일본같이 그쪽에 경험이 있는 나라들과 컨소시엄을 형성해서 조심스럽게 해야 한다고 말했습니다. 그런데 그 말을 듣지 않았습니다. 작년 9월에도 가고 올해도 러시아를 방문해 보니 그 10억 달러 현금 차관이 어디로 갔는지, 누가 중간에서 착복했는지 알 수가 없었습니다. 현지 대사관에서도 마찬가지로 말했습니다.

그래서 소련에 준 10억 달러는 지금 현재로서도 도저히 받을 수 없는 돈입니다. 아까도 말했듯이 농민들 쌀 1백만 섬 더 사 주는 데 2천2백억 원이면 됩니다. 1조 2천억 원이면 적어도 5백만 섬 이상 사 줄 수 있습니다. 그 돈은 없어지는 돈도 아닙니다. 다시 팔면 됩니다. 정부가 그것은 안 하면서 외국에 돈을 주려고 하는 것에 대해서 우리 당은 매우 불만스럽게 생각하고 있습니다. 더구나 정권 말기에 있는 정부가 이렇게 국가에 부담을 주는 일을 할 수 있는 것인지 대단히 불만스럽습니다.

대통령과 고위 공직자는 매년 재산 공개해야

사회 다음은 이현배 경실련 상임집행위원장께서 질문해 주시겠습니다.

이현배 우선 각종 부정부패, 정경유착 등의 원초적 원인은 정치자금의 불법적 흐름이나 음성화에 있다고 생각합니다. 따라서 이의 합법화, 투명화 없이는 사회 기강을 바로잡을 수 없습니다. 민주당에서는 정치자금의 합법화와 양성화를 위해 상당히 자세한 정책을 제시하고 있습니다.

정치자금은 대략 다음과 같이 나누어 볼 수 있습니다. 첫째, 국회의원의 활동비 및 지역구 유지비, 둘째, 중앙당의 통상적 경비(당 지도자 및 지도층의 활동비 포함), 셋째, 각종 선거 비용, 넷째, 집권자 또는 집권 고위층이 통치비라는 명목으로 모금하고 사용하는 비밀 정치자금 이런 것이 있습니다. 첫째, 둘째, 셋째의 경우 국고보조금과 무지정기탁금 및 후원금으로 충당하고 넷째의 경우는 근절하겠다고 공약하셨는데, 이 경우 예상되는 소요 금액과 이 금액의 전달 방법을 예상 수치로 답해 주십시오.

다음으로, 대통령 선거 전후 선거운동 예산서와 선거운동 결산서를 공표하고, 이 내용에 거짓이 있을 경우 언제라도 이에 대한 책임을 진다는 약속을 국민 앞에 하실 수 있는지요? 또 정치인 및 고위 공직자 재산을 정기적으로 조사 공개하겠다고 하셨는데, 이 경우 대통령도 포함되는지요? 그리고 허위 신고, 부정 축재 등이 발견됐을 경우 이에 대한 책임 추궁은 어떻게 하실 생각입니까?

다음은 노동 문제입니다. 민주당의 노동 관계(산업 평화 정착) 정책은 경실련의 정책 대안과 대부분 일치하기 때문에 반드시 실현되기를 바랄 뿐입니다. 다만 요즈음 급격히 심화되고 있는 업종 간, 기업 규모 간 임금 및 처우의 격차는 산업구조의 비정상화, 근로자 간의 위화감, 중소기업의 위축, 고급 노동력의 대기업 집중을 초래하고 있습니다. 이러한 현상은 장래의 경제, 사회의 발전에 커다란 장애로 등장할 것입니다. 이의 해소 방안을 구체적으로 말씀해 주십시오.

또 노사 공생 또는 노사 화합을 민주당이 얘기하고 있는데, 이를 저해하는 가장 큰 원인은 쌍방 간의 불신 및 운명 공동체 의식의 부재입니다. 불신과 공동체 의식의 부재 속에서는 어떠한 제도나 운영 방법의 개선도 소기의 성과를 거둘 수 없습니다. 노사 상호 간의 불신을 해소하고 운명 공동체 의식을 고양시켜 노·사·정 삼자가 자발적으로 서로를 아끼며 협력해 나갈 수 있는 방법에 대한 견해를 듣고 싶습니다.

김대중 정치자금 문제가 해결되지 않으면 아무리 좋은 정책이 마련돼도 소용이 없습니다. 우리나라가 선거에서 쓰는 돈은 미국보다 훨씬 많습니다. 일본보다도 많을 겁니다. 저는 최근 중앙선관위에서 선거자금 한도액을 3백60억 원으로 발표한 것을 보고 깜짝 놀랐습니다. 한 2백억 원 정도로 결정되지 않을까 생각했었는데, 선거를 한 번 하고 나면 여야가 쓴 돈이 2-3조 원인데 이렇게 돼서는 안 됩니다. 이래서는 경제도 건전해질 수 없고, 부패도 막을 수 없고, 선거도 공정하게 치를 수가 없습니다. 이 문제는 근본적으로 해결해야 합니다. 정경유착도 이 문제가 해결되지 않으면 끊을 수가 없습니다.

지난 3월 영국과 우리나라에서 같이 국회의원 선거가 있었습니다. 영국도 우리나라와 똑같이 소선거구제인데, 1개 선거구에서 우리나라 돈 8백만 원밖에 안 썼습니다. 중앙당이 쓴 것도 보수당이 98억 원, 노동당이 60억 원 정도밖에 안 됐습니다. 영국도 과거에는 부패해서 매관매직이 성했습니다.

저는 집권을 하면 완전히 선거공영제를 도입하고, 전 국민적 운동을 전개해서 돈을 못 쓰게 하고, 유권자들이 돈을 못 받게 하는 새로운 선거 문화를 정착시킬 계획입니다. 그래서 우리도 국회의원 선거를 1천만 원 정도면 할 수 있는 나라를 만들어야 한다고 생각합니다. 대통령 선거는 완전히 공영제로 해서 후보가 쓸 돈을 극히 적게 해야 한다고 생각합니다.

우리나라는 선거 인쇄물을 엄청나게 고급 종이에다 화려하게 제작하는데, 영국 같은 나라는 대단히 검소하게 만듭니다. 선거에 돈이 안 들어가게 해야 정치인들이 기업인들에게 손을 안 벌리게 되고, 손을 안 벌려야 바른 정치가 됩니다. 이것은 우리나라 흥망을 좌우하는 문제입니다.

그리고 정당에 대해서는 여야 구분 없이 국고 지원을 해야 합니다. 지금 정부도 국회가 결정하면 그대로 집행해야 하고, 국회도 정당이 결정한 대로 운영됩니다. 그런데도 정당은 국회의원에 비하면 극히 소액의 지원만을 받습니다. 정당이 당원 훈련도 하고, 정책도 개발하는데 기업가에게 가서 손을 벌리지 않을 정도의 돈을 국고에서 지원해야 합니다. 이는 민주주의를 하고 건전한 정치를 위해 국민들이 부담해야 할 최소한의 비용입니다.

이러한 정치적 개혁은 여당과 대통령이 결심을 하고 모범을 보여야 합니다. 정권을 내놓는 한이 있더라도, 국회에서 의석을 많이 못 얻는 한이 있더라도, 이를 실현하겠다는 의지와 공명선거를 위한 국민의 참가와 감시를 바탕으로 한 국민적 협력과 참여, 감시에 의해 공명선거는 이루어질 수 있습니다. 대통령과 고위 공직자들의 자금을 공개하는 것은 물론이고, 저도 이번 입후보하면서 예산을 공개하겠습니다. 또 대통령과 고위 공직자들은 매년 재산을 공개하고, 여기에 거짓이 있을 때는 민·형사상의 책임을 져야 한다고 생각합니다.

다음으로 노동 문제에 대해 말씀드리겠습니다. 임금 격차 문제, 아주 큰 문제입니다. 정부가 강제로 얼마를 주라고 할 수도 없는 문제이고, 이 문제는 직접적인 통제보다 중소기업 등 열악한 위치에 있는 기업들 중에서 희망이 없는 기업은 전업시키고 희망이 있는 기업은 지원을 해서 정상적인 임금을 주고도 기업을 유지할 수 있도록 해야 할 것입니다.

그러나 이 문제는 정부가 직접 개입할 경우 부작용이 큽니다. 노사 화합에 대해서 저희 당은 분명한 원칙을 가지고 있습니다. 정부는 양자 사이에서 엄격하게 중립을 지켜야 합니다. 양자를 서로 협조하게 하고 그리고 법을 어기는 쪽은 어느 쪽이든 견제를 해야 합니다. 노사 쌍방은 대등한 입장에서 서로 존중하고, 기업가는 노동자의 최저 생계를 보장하고 노동자는 기업의 발전을 위해서 생산성 향상에 협력을 하고, 또 노동자가 기업의 경영에 참가하도록 유도해야 합니다. 이런 협력을 바탕으로 더 많은 수입을 얻어 서로 이득을 보는 방향으로 유도해야 합니다.

우리 경제구조도 노임을 억제하는 방향이 아니라 고부가가치 제품을 만들어 더 많이 벌어서 같이 잘 살도록 하는 노력이 필요합니다. 그러기 위해서는 기업도 일절 투기를 못 하게 하고 노동자에게 정당한 처우를 하도록 해서 노동자가 신나게 일하도록 해야 합니다.

이탈리아의 경우 섬유업 노동자에게 우리나라 노동자 임금의 4배를 주고 있습니다. 그러면서도 지금 세계 의류 시장을 석권하고 있습니다. 일본에서 조사한 것을 보더라도 수출에 공헌한 것의 75퍼센트가 기술과 디자인 개발이고 20퍼센트가 시설의 현대화이고, 5퍼센트만이 저임금이 수출에 공헌하는 것으로 나타났습니다. 이제는 노임 경쟁력으로 수출하는 것에서 우리도 빨리 벗어나야 한다고 생각합니다. 정부의 할 일은 이런 방향으로 유도하는 것과 정부는 기업가의 편이라는 고정관념이 불식되도록 자세를 취해야 합니다.

사회 시간 관계상 많은 부분의 질문이 생략됐습니다. 대단히 감사합니다.

대화합과 변화의 시대를 함께 엽시다

대담 관훈클럽
일시 1992년 12월 2일

'특별 회견'으로 이름 붙인 이유

구월환 여러분, 안녕하십니까? 교통도 혼잡한데 여기까지 오시느라고 수고가 많으셨습니다. 식사에 들어가시기 전에 간단하게 안내 말씀을 드릴까 합니다. 오늘 저희 행사는 보시다시피 관훈클럽 특별 회견으로 되어 있습니다. 원래는 아시다시피 저희가 오랫동안 관훈클럽에서 주최하는 관훈토론회가 있습니다마는 이번에는 선거 기간 중이기 때문에 선거법상의 애로를 고려해서 이렇게 관훈클럽 특별 회견으로 이름을 붙였습니다. 이와 관련해서 좀 더 구체적으로 말씀을 드린다면 지난달 21일에 중앙선관위에서 유권해석이 있었습니다. 그 유권해석의 내용은 관훈클럽과 같은 언론 단체가 특별 기자회견을 주최하는 것은 무방하다, 또한 이에 관련된 보도도 무방하다, 이와 같은 유권해석이 내려졌습니다. 그래서 여기에 기초해서 오늘 이 자리가 마련됐다는 말씀을 먼저 올리겠습니다.

그러나 어제도 말씀드렸다시피 현행 대통령선거법이 여러 가지로 언론의 자유와 배치되는 그러한 조항들이 있다는 것을 저도 새삼 이번에 많이 느꼈

511

습니다. 앞으로 고려되어야 할 사항이 아닌가 생각이 됩니다. 저희 오늘 행사
는 7시 5분까지 식사를 하시고 그 후에 초청 인사의 기조연설, 그리고 질의
답변순으로 진행을 하겠습니다. 참고로 말씀드리면 어제 9시 45분까지 상당
히 활발한 질의 토론이 있었다는 것을 말씀드립니다.

그럼 시간 절약을 위해서 지금부터 특별 회견을 진행하겠습니다. 커피를
드시면서 제 말씀을 들어 주시면 감사하겠습니다. 우선 공사다망하신데도
불구하고 이렇게 특별히 시간을 할애해서 저희 관훈클럽 특별 회견에 많이
참석해 주신 여러분께 감사의 말씀을 드립니다. 특별히 그리고 지금 이 자리
에 나와 계시는 김대중 민주당 대통령 후보께 관훈클럽을 대표해서 감사의
말씀을 전합니다. 오는 18일이 대통령 선거 투표일이기 때문에 정확히 말해
서 앞으로 16일이 남았습니다. 그야말로 분초를 나누어서 써야 할 정도로 바
쁜 이 시기에 관훈클럽의 특별 회견 초청을 수락해 주셨습니다. 그리고 나중
에 소개를 올리겠습니다만 저쪽에 앉아 계시는 다섯 분의 대표 질문자 여러
분께도 감사의 말씀을 드립니다.

그리고 공지하시는 바와 같이 저희 관훈클럽은 어제 민자당 김영삼 후보
와 정확히 2시간 40분간 특별 회견을 가졌고 오늘은 김대중 민주당 후보와
특별 회견을 진행하게 되어 있습니다. 그리고 내일은 정주영 국민당 후보와
회견을 갖습니다. 이에 앞서서 지난달 11일에 3당의 후보 비서실장들이 관훈
클럽의 주선으로 한자리에 모여서 회견 순서를 추첨한 결과 이와 같이 순서
가 정해졌다는 말씀을 드립니다. 그리고 이 회견은 지금 기독교 방송을 통해
서 전국에 중계가 되고 있습니다. 내일도 오늘과 마찬가지로 저녁 7시 5분부
터 중계가 될 예정입니다.

저희 관훈클럽은 금년에 창립 35주년을 맞고 있습니다. 국내 언론계에서는
가장 오래된 단체입니다만 참고로 저희 활동을 간단히 소개해 올리겠습니다.

지난 1977년부터 시작이 된 관훈토론회, 이것은 금년으로 15년, 횟수로만 지금 50회가 넘어서고 있습니다. 그리고 저희 클럽에서는 『신문연구』라는 전문지를 내고 있고 그리고 기자들의 해외 연수, 그리고 언론인들의 저술 활동에 대한 재정 지원, 이런 사업을 벌이고 있습니다. 또한 금년에는 34년 전에 금문도에서 취재 중 불의의 사고, 상륙정上陸艇의 전복 사고로 순직을 하신 최병우 창립회원의 전기를 발간했고 기타 여러 가지 자료집도 펴냈습니다.

저희 관훈클럽을 이끌어 가고 있는 운영위원 네 분, 저를 포함해서 다섯 사람입니다. 저는 지금 총무를 맡고 있는 구월환입니다. 운영위원들을 소개를 하겠습니다. 지금 김 후보 오른쪽에 앉아 계시는 전육 위원『중앙일보』정치부장, 그리고 윤구 운영위원『경향신문』정치부장입니다. 그리고 제 옆에 황재홍 위원은『동아일보』정치부장 대우로 있고 그리고 김윤곤 위원은『조선일보』논설위원으로 재직 중에 있습니다. 이렇게 저를 포함해서 다섯 명이 만장일치제로 저희 운영을 맡고 있고 이에 겸해서『한국일보』의 장명수 편집국 차장, 송도균 에스비에스(SBS) 보도국장이 감사로서 저희 운영에 참가하고 있습니다.

초청 인사에 대한 소개가 있겠습니다만 김대중 후보께서는 워낙 유명하신 분이기 때문에 제가 여기서 일일이 소개의 말씀을 드리지 않겠습니다. 다만 어제 나오셨던 김영삼 후보와 함께 김 후보도 역시 저희 관훈클럽에, 특히 초청 토론회의 단골손님이고 가장 인기 있는 연사였던 점을 특별히 말씀을 드리고자 합니다. 그리고 오늘 회견 도중에 한 가지 유의하실 점은 저희가 좀 진지한 분위기를 유지하기 위해서 항상 그렇게 해 왔습니다만 초청 인사의 연설이 시작되고 또 끝이 날 때 그리고 토론이 종료되었을 때 그때 박수는 좋습니다만 나머지 시간에는 박수를 삼가 주시고 보시다시피 장내가 좀 혼잡합니다. 양해해 주시기 바랍니다. 그러면 지금부터 김대중 후보의 기조연설을 들으시겠습니다.

대화합과 변화의 참여 시대를 함께 엽시다

김대중 여러분 안녕하십니까? 이러한 자리를 마련해 주신 관훈클럽 구월환 총무와 언론인 여러분께 감사드립니다. 대통령 선거를 앞두고 마련된 이 자리가 이번 선거에서 국민 모두가 올바른 선택을 하는 데 도움이 되기를 바랍니다.

제가 대통령이 되면 화합의 정치를 실현하겠습니다. 지금 이 나라에는 지역과 지역 사이, 부자와 가난한 사람 사이, 대기업과 중소기업 사이, 도시와 농촌 사이의 커다란 위화감이 존재하고 있습니다. 심지어는 적대감마저 조성되고 있습니다. 이것은 국가 발전과 국가의 안전 보장에 참으로 심각하고 위험스러운 사태인 것입니다. 따라서 지금 우리는 국가적 통합이 제대로 돼 있지 않은 현실을 직시하고 이것을 시급히 시정하려는 노력을 해야겠습니다. 이것은 정권 차원을 넘어서 국가 운영에 관련된 문제라고 봐야 할 것입니다. 우리는 하나로 뭉쳐야 합니다. 개인의 정당한 권리와 자율성이 보장되는 가운데 하나가 돼야 합니다. 이를 위해서 첫째 차별을 없애야 합니다. 특권을 누리는 측과 차별받는 측이 어떻게 하나로 설 수 있겠습니까? 서로 대등한 권익을 보장해 주어야 합니다. 그래서 모든 국민이 대한민국의 테두리 안에 하나로 뭉쳐야 한다고 생각합니다. 이를 위해서 우리가 집권하면 누구든지 과거를 묻지 않고 오직 앞으로 민주주의를 지지하겠다는 확고한 태도를 취하면 모든 사람을 용서하고 화해하겠다는 것을 여기서 분명히 말씀드립니다. 불행한 과거를 청산하기 위해서는 우리에게 과거를 과감하게 용서하고 잊을 수 있는 용기의 자세가 필요합니다. 그래야만 진정한 화해와 국민적 단합이 이룩될 수 있습니다.

우리는 당면한 국가 최고의 과제인 경제 활성화와 발전을 이룩해야 됩니다. 그리하여 국민 생활을 향상시키고 세계 경제의 무대에서 우리의 활로를 열어 가야 합니다. 경제 문제가 지금과 같이 중요한 때가 없었습니다. 세계는 경제 전쟁의 시대로 접어들었습니다. 냉전은 끝났고 오직 각 민족, 각 블록 간의 경제적 이익만이 모든 문제를 결정하는 최우선적 가치가 되고 있습니다. 우리가 세계 경제 전쟁에서 승리하려면 여러 가지 조건이 있습니다. 물가 안정, 기술 개발, 시장 개척 등 많은 문제가 있습니다. 그러나 가장 근본적인 문제는 사람의 문제입니다. 노동자·사용자·기술자가 서로 신나는 협력 체제를 만들도록 하는 것입니다. 우리는 과거와 같이 노동 집약적인 시대가 아니기 때문에 억압적인 방식으로는 창의적이고 질 좋은 물건을 많이 만들어 낼 수가 없습니다. 그렇게 되면 실패합니다. 구소련과 동유럽이 자발적인 참여를 얻지 못해서 참담한 실패를 하지 않았습니까? 동시에 우리는 노동자와 사용자가 서로 대등한 입장에서 협력해 나가는 신나는 체제를 만들어야겠습니다. 기술인들이 의욕을 가지고 경제 발전에 참여하도록 해야 합니다. 사용자는 노동자의 생존권을 보장하고 그 정당한 권익을 보장해 주어야 합니다. 동시에 노동자는 기업의 발전, 즉 생산성의 향상과 우수한 제품을 만드는 데 책임을 지고 협력해야 합니다. 지금은 기술이 최우선하는 시대입니다. 기술인들의 사회적 지위와 처우를 개선해서 기술인으로 하여금 국가 경제의 역군으로서의 긍지를 가질 수 있도록 해야겠습니다. 노, 기, 사, 이 삼자 간의 대등한 협력 관계의 창출, 성공 여부가 앞으로 우리나라 경제 발전의 운명을 좌우한다는 것을 똑똑히 인식하고 이러한 방향으로 정부는 최대한 역량을 경주해 나가야 할 것입니다.

우리가 집권하면 거국내각을 만들겠습니다. 민주 발전, 시장경제, 적정한 복지 제도, 이 삼자의 원칙 위에 구체적인 정책 협정을 이루어 모든 정당과 각계의 우수한 지도자들이 거국내각에 참여하도록 하겠습니다. 적어도 거국내각에는 우리 당 외부로부터 10명 내외의 각료를 영입할 계획입니다. 거국내각 성립 후 2년 동안 1993년 전반기까지 합의된 정책 협정의 원칙 위에 정치적 휴전을 하면서 정국 안정, 경제 발전의 토대를 마련하는 중대한 과업을 성공시키고자 합니다. 우리는 그렇게 할 수 있다고 믿고 있습니다. 지금 일부에서 논의되고 있는 내각책임제 개헌 문제에 대해서 저는 이런 생각을 가지고 있습니다. 현재의 대통령직선제는 유신 이후 1987년까지 국민의 온갖 희생과 고통을 통해서 얻은 소중한 대가였습니다. 그런 것을 우리가 함부로 바꿀 수 없습니다. 오직 국민만이 바꿀 수 있습니다. 따라서 저는 1996년 상반기에 있을 국회의원 선거를 통해서 내각책임제를 지지할 것인가, 순수한 대통령제를 국민이 지지할 것인가 한번 물어볼 필요가 있다고 생각합니다. 만일 압도적인 다수의 국민이 내각책임제를 지지한다면 저는 그 국민의 뜻에 따라서 잔여 임기를 포기하고 내각책임제를 받아들일 용의가 있습니다. 변화의 정치란 억압통치에서 민주체제로 나가는 것을 말합니다. 공산당을 제외하고 각계각층 모두가 차별 없이 민주적 자유를 누려야 합니다. 이를 위한 개혁 입법들이 실천돼야 합니다.

둘째는 경제적으로 지금까지 해 왔던 유착 체제에서 경쟁 체제로 바뀌어야 합니다. 철저한 선거공영제를 실시하여 정치자금을 경제인한테 의존하지 않도록 해야 정경유착을 끊을 수 있습니다. 민주정부의 시장경제 체제하에서는 일체의 특혜나 정실이 있을 수 없습니다. 오직 성실하고 유능한 기업인만이 성공할 수 있습니다. 우리나라 기업의 현실로 보나 국제 경제의 다품종 소량생산 추세로 보나 중소기업의 역할이 어느 때보다도 중요합니다. 이제 중소기업을 최우선적으로 지원해야 할 때가 되었다고 봅니다. 우리 당은 중소기업부를 설립하고 중소기업협동조합에도 금융 업무를 분담케 하는 등 적극적인 중소기업 지원 정책을 추진하겠습니다. 영세 상공인들도 손쉽게 금융 혜택을 받도록 하겠습니다. 이렇게 하여 10만 개의 중소기업이 100만 달러씩 수출하면 1000억 달러를 수출할 수 있습니다. 참고로 작년 대기업 수출 총액은 719억 달러였습니다. 대만이나 이탈리아의 예를 볼 때 이러한 일은 결코 불가능한 일이 아닙니다. 사회적으로는 특권 체제로부터 복지 체제로 바꾸겠습니다. 그리하여 지금 소외받고 있는 여성들, 노인, 장애인, 고아, 과부, 이런 사람들에게 마치 햇살이 뒷골목 구석구석을 비추듯이 국가의 따뜻한 혜택이 찾아드는 세상을 만들겠습니다. 문화적으로는 군사 문화에서 시민 문화로 바꾸겠습니다. 정권을 전리품으로 여기고 야당을 적으로 간주하고 정적을 파괴하기 위해 수단 방법을 가리지 않는 군사 문화가 우리 문화를 얼마나 파탄시켰으며 국민 정서를 얼마나 왜곡시켰는가 하는 것을 우리는 잘 알고 있습니다. 우리는 이러한 군사 문화 체제로부터 모두가 자유로운 사회 여건 속에서 자발적으로 문화 발전에 기여해서 우리 문화가 다가오는 21세기 초에는 한국의 르네상스를 실현할 수 있도록 이끌어야 하겠습니다. 경제가 인간의 육체라면 문화는 인간의 정신입니다. 그동안 너무도 경제에만 치중하고 정신 면에는 등한히 해 왔습니다. 이렇게 해서 우리 사회는 삭막한 갈등 속에서 서로 대결하고 있고 어떠한 조화와 협력도 찾지 못하고 있습니다. 하루속히 민주적인 시민 문화로 사회를 바꿔야 합니다.

통일 문제에 있어서도 지금까지 역대 정권의 통일 기피 태도, 심지어 통일 문제를 정치에 악용하는 태도를 지양하고 적극적 통일 추진의 자세를 취해야 합니다. 세계 분단국가 중에서 우리만이 통일을 못 한 나라라는 부끄러운 처지에 있습니다. 그러나 통일은 또한 착실히 진행시켜야 합니다. 북한 공산 정권의 남한 적화의 야심이 포기돼야 합니다. 그 포기의 증거로서 북한은 남한 사회주의화를 규정한 노동당 규약의 관련 내용을 분명히 삭제해야 합니다. 저희 당이 집권하면 통일은 단계적으로 실시하겠습니다. 우리는 무엇보다도 남북 간의 전쟁의 위협을 없애고 서로 평화적으로 공존하는 체제를 하루빨리 이룩하겠습니다. 동시에 내년 중에는 반드시 이산가족이 상호 방문할 수 있도록 이 문제는 모든 문제에 앞서서 실현하겠습니다. 이산가족의 상호 방문이 실현되면 경제 협력이 곧 뒤따르도록 하겠습니다.

새 시대는 국민 모두가 자발적이고 자유롭게 국정에 참여하는 시대입니다. 주인인 국민에 의해서 모든 것이 이뤄져야 합니다. 국민의 참여가 중요합니다. 참다운 민주주의를 실현해야 합니다. 참여의 정치, 참여의 경제, 참여의 문화, 참여의 사회가 이루어져야 합니다. 국민의 자발적인 참여 속에 모든 국정이 국민의 뜻대로 이루어지는 참여의 새 시대를 엽시다. 이러한 사회에서는 오직 정직하고 부지런하며 유능한 사람만이 성공할 수 있습니다. 우리의 눈앞에서 선이 이기고 악이 패배하는 사회가 됩니다. 누구든지 열심히 일하면 잘 살 수 있고 일할 수 없는 경우에는 국가가 보호해 주는 사회를 우리는 만들어야 하겠습니다. 이것이 우리가 지향하는 화합과 변화의 새 시대입니다.

민자당 통치 33개월은 우리 국민에게 무엇을 가져왔습니까? 오직 정치·경제·사회·문화 모든 면에서 좌절과 후퇴 그리고 총체적 위기만을 가져오지 않았습니까? 민자당이 다시 집권하게 되면 지금의 현실이 계속될 뿐 아니라 국민의 고통과 나라의 위기는 더욱 극심해질 것입니다. 지금 국민 대다수의 바람은 이번에는 바꾸어 봐야 한다는 것입니다. 정권 교체는 오직 민주당을 통해서만 가능합니다. 민주당은 국민이 바라는 대로 야당 통합을 이루었습니다. 당내 민주주의를 모범적으로 발전시켰습니다. 그리고 일사불란하게 단결하고 있습니다. 우리 당은 이미 동서 화합이 성공적으로 이루어진 당입니다. 민주당은 어느 정당보다도 훌륭하게 정책을 개발해 왔습니다. 이제 민주당은 각계각층의 인재들이 집결하여 집권 태세를 더욱 확고히 했습니다.

이번에는 바뀌어야 합니다. 정권 교체만이 나라를 살리고 국민의 행복을 가져올 최선의 선택입니다. 바꾸지 않고는 아무것도 달라질 수 없습니다. 바꾸는 데는 용기가 필요합니다. 의지가 필요합니다. 이러한 용기는 곧 나라를 살리는 용기요, 자신과 가족을 위한 용기인 것입니다. 훌륭한 투표를 통해서 나라의 주인공으로서 우리 국민의 역량을 세계에 내보내야 합니다. 좋은 정부를 만들고 좋은 정치를 통해서 행복한 내일을 만듭시다. 우리는 할 수 있습니다. 존경하는 언론인 여러분, 이제 또 얼마나 어렵고 난처한 질문이 쏟아질지 두렵기도 합니다만 이런 기회가 마지막이라고 생각하고 제 진심과 진실을 있는 그대로 보여 드리겠다는 마음가짐으로 토론회에 임할까 합니다. 경청해 주셔서 감사합니다.

활발히 질문해 달라

구월환 그러면 질문 답변에 들어가기에 앞서서 잠깐 오늘 수고를 해 주실 대표 질문자들을 소개하겠습니다. 좌석 배치와 소개 순서는 소속사별 가나다순으로 되어 있습니다. 먼저 『경향신문』이광훈 논설위원을 소개하겠습니다. 논설위원 실장으로 현재 재직 중인데요. 『경향신문』의 문화부장, 출판국장을 지냈습니다. 다음으로는 『동아일보』의 정종문 수석 논설위원을 소개하겠습니다. 『동아일보』의 정치부 차장, 외신부장, 워싱턴 특파원을 지냈습니다. 다음에는 『조선일보』의 최청림 편집국장 대리를 소개하겠습니다. 『조선일보』의 경제부장, 출판국장을 지냈습니다. 다음은 『중앙일보』의 성병욱 논설주간을 소개하겠습니다. 『중앙일보』 정치부장과 편집국장을 지냈습니다. 『한국일보』의 이성춘 논설위원을 소개하겠습니다. 일찍이 한국기자협회 회장을 지냈고 『한국일보』의 정치부장과 출판국장을 역임했습니다. 여러분이 보시는 바와 마찬가지로 언론계 안팎에서 널리 명성이 퍼진 얼굴이고 장안의 논객이다라고 보고 있습니다.

원만한 회견의 진행을 위해서 몇 가지 정해진 규칙을 말씀드리겠습니다. 특히 질문자와 초청 후보께서 이런 점에 유의를 해 주십시오. 원칙적으로 질문은 1분, 답변은 3분 이내로 해 주시기 바랍니다. 질문자가 한 차례 보충 질문을 할 수 있고 다른 대표 질문자가 또 한 차례 보충 질문을 할 수 있습니다. 질문이나 답변이 이러한 원칙을 벗어나서 길어지게 되면 우리 운영위원이 종을 치게 되는데 한 번 치게 되면 서둘러서 말씀을 정리해 주시고 다시 두 번 종이 울릴 때는 서둘러서 끝내 주시도록 하는데 그러나 좀 더 내실 있는 특별 회견이 되도록 하기 위해서 융통성 있게 운영한다는 점도 첨가해서 말씀드립니다.

그리고 오늘 이 자리에 만장하신 언론계에서 오신 분들도 활발한 질문을 해 주시기 바랍니다. 다만 질문 답변이 진행이 되는 동안에 미리 나누어 드린 백지에 질문을 적으셔서 저희 관훈클럽 사무국의 김영성 국장과 이재우 부장이 지금 왔다 갔다 하고 있습니다만 적당한 기회에 주시면 저희들이 중복되지 않는 범위 내에서 대신 질문을 드리겠습니다. 그럼 지금부터 질문에 들어가겠습니다. 『경향신문』의 이광훈 실장부터 시작해 주십시오.

전국연합과의 관계는?

이광훈 시간 절약을 위해서 본격적인 질문을 하겠습니다. 김 후보께서는 1987년 대선 때에는 온건 개혁을 표방하셨고 이번 대선에서는 뉴디제이(New DJ) 플랜을 내세워 보수 중산층을 겨냥한 중도 우파라는 것을 내세우셨습니다. 또 얘기를 여러 번 하셨고요. 그런데 며칠 전에는 재야 세력의 결집체인 전국연합과 정책 연합을 한다는 발표가 있었습니다. 그리고 오늘 석간 일부 언론에는 오늘 다시 만나서 54개 항에 대해서 합의를 하고 앞으로 전국연합 측은 국정 운영을 협의함은 물론 장관을 임명할 때도 전국연합과 협의하기로 했다는 언론 보도가 있었습니다. 이와 관련해서 김 후보께서 이야기하시는 집권 후의 거국내각이 전국연합과의 연립정부를 이야기하시는 건지 또 지금까지 이야기하시는 중도 우파라는 노선은 어떻게 되는 건지 김 후보와 민주당의 확실한 정치 노선을 이 자리에서 밝혀 주셨으면 좋겠습니다.

김대중 답변하겠습니다. 전국연합과는 연립내각을 구성하지 않습니다. 저의 중도 우파의 입장도 변함이 없습니다. 전국연합과 합의한 50여 개의 정책은 서로 가지고 와서 합의한 것이 아니라 우리 당의 정책으로서 전당대회에서 발표한 그 정책을 전국연합이 가지고 있는 것과 일치하는 것만 우리가 합의한 것입니다. 따라서 우리가 그쪽에 대해서 어떤 수동적인 것은 없습니다. 우리의 정책을 그대로 우리는 합의한 것입니다. 우리 정책과 맞지 않는, 예를 들면 국가보안법의 무조건 철폐, 안기부의 무조건 폐지 혹은 미군의 철수, 기무사의 무조건 폐지 등 대여섯 가지가 있는데, 거기에 대해서는 합의를 하지 않았습니다. 따라서 분명히 말씀해서 우리와 전국연합과의 사이에는 우리 당의 정책에 있는 것을 같이 합의한 정책 협정입니다. 이런 일은 독일에서도 있었고 어느 나라에나 많이 있는 일입니다. 그리고 앞으로 정부 구성에 있어서는 어디까지나 독자적으로 우리가 집권했을 때 구성하는 것이고 거기에는 전국연합과의 어떠한 연립정부 구성의 계획도 없고 그런 일도 없을 것입니다. 따라서 저의 중도 우파라는 위치에는 추호도 변함이 없다는 것을 말씀드리겠습니다.

이성춘 김 후보께서 말씀하신 것 잘 들었습니다. 그럼에도 불구하고 일반적으로 의구심을 지울 수가 없는 것이 이런 이야기가 처음 나온 것이 제가 기억하기에는 지난달 25일 일부 신문에 크게 보도가 되었는데, 그것이 54개 항이 합의가 되고 5개 정도가 문제 되는 것이 아직 의견 일치를 보지 못했다는 내용이 자세하게 나오고, 그분들이 김 후보 측이 집권하실 경우 정부 구성 참여에 배제하지 않는다, 이런 것이 자세하게 보도되었음에도 불구하고 당시에는 아무런 당 측의 부인도 시인도 하지 않다가 오늘 또 이 문제가 합의되었다는 식으로 나오니까 거기에 대해서 지금 말씀을 하셨는데 기왕에 말씀하신 김에 왜 처음에 나왔을 때는 당에서 침묵을 지켰다가 이제 와서 김 후보께서 직접 그런 해명을 하시는지 그것도 간단히 말씀해 주셨으면 좋겠습니다.

김대중 수일 전에 그렇게 발표가 된 것을 보고 제가 전국연합 측과 연락 책임을 맡고 있는 김원기 최고위원을 만나서 경위 얘기를 들었습니다. 그랬더니 김원기 최고위원은 그것은 사실무근이다, 자기가 그것을 보도한 신문에 알아보고 조치를 하겠다, 그래서 위임하고 저는 지방 유세에 나갔습니다. 어제 김원기 최고위원이 기자회견에서 그 점을 분명히 밝힌 걸로 저는 그렇게 알고 있습니다.

정종문 보충 질문 드리겠습니다. 그럼 전국연합과 정책 연합을 일단 하기로 합의하셨다면 전국연합 측으로부터의 김 후보에 대한 선거 지원 활동 이런 것도 기대하십니까?

전국연합서 지지할 것으로 기대

김대중 예, 그분들이 저희 당의 정책이 자기들이 기대하는 데 일치한다면 저는 당연히 지지할 것으로 그렇게 기대하고 있습니다. 그러나 그 문제에 대해서 어떤 법적인 협정을 맺거나 한 일도 없고 또 그분들은 법적으로는 선거운동이 금지되어 있기 때문에 그런 문제에 대해서는 우리도 법적 조항을 분명히 얘기해서 그쪽에서 우리와 정책 협정한 것과 선거운동을 같이하는 것과는 다르다는 입장을 설명을 해서 우리가 법에 의해서 불가능한 일이기 때문에 그것은 서로 이해가 돼 있습니다.

이성춘 한 말씀만 더 보충 질문 드리겠습니다. 지금 물론 앞서 김 후보께서는 전국연합과의 합작 관계는 사실이 아니고 중도 우파라는 컬러도 불변이다, 그런 말씀을 하셨는데 일반적으로 국민들이 이 기사가 나오고 근 6-7일간 여러 가지 생각을 하게 되는 것은 물론 이분들의 생각에 대해서 대다수 국민 가운데서 지지하는 측도 있고 반대하는 측도 있습니다. 또 이분들이 상당한 고생을 한 것도 잘 알고 있습니다. 그런데 문제는 이것이 선거운동하고 이분들과의 협력 관계는 별개라고 말씀하셨는데 제가 기억하기로는 지난 1987년 대통령 선거 때 재야 세력이 김 후보를 지지할 것이냐, 김영삼 후보를 지지할 것이냐 하는 문제를 가지고 논란 끝에 양분이 되어 가지고 그것이 그분들 내부에서 상당히 문제가 생기고 스스로 해체하는 그런 식으로 된 것을 기억하고 있는데 그러면 이런 식의 대화는 결국 선거용이냐, 그분들 쪽의 지지 세력을 끌어들이기 위한 선거 때 일시적인 방편이냐, 아니면 앞으로도 또 언젠가는 이분들과 본격적인 논의는 계속할 수 있는 것인지 이 부분도 말씀해 주셨으면 감사하겠습니다.

김대중 아주 좋으신 질문입니다. 저희는 과거 13대 국회에서는 당시 평민연 분들을 대거 영입했습니다. 그때 일부에서 이것을 위험시한 분들이 있었습니다. 당내에도 있었고 당외에도 있었습니다. 그러나 여러분들이 본 대로 그분들이 원내에도 들어오고 당의 여러 가지 요직도 맡아서 일했지만 완전히 저희들과 일체가 되어서 아무런 차질 없이 지난 4년을 보냈습니다. 그리해서 우리는 제도권으로 그분들을 영입함으로써 우리나라 정치를 그만큼 안정시켰습니다. 그다음에 지난 14대 선거에서 요새 말하는 민련民聯 출신, 이분들을 대거 영입시켰습니다. 그분들 또한 많은 사람이 당선되었습니다. 우리 당 노선에 따라서 열심히 일하고 있습니다. 저는 이런 점에 있어서 저희 당은 양차의 선거에 걸쳐서 우리나라 정국 안정과 재야권의 제도권 진입을 도와서 우리나라 정치를 더욱 건전하게 하는 데, 정국 안정을 시키는 데 큰 기여를 했다고 자부하고 있습니다. 앞으로도 이분들이 다시 15대 국회 때 국회의원이 되겠다고 하면 당의 공천 심사를 거쳐서 또 이런 분들이 진출하면 우리 정치는 더 발전할 것으로 봅니다. 저희는 민주주의를 하면 과거 5공, 6공의 인사도 받아들이겠다는 입장에서 아까 지적하신 대로 어쨌거나 많은 희생을 하고 고생해 온 분들이 이제 제도권에서 건전한 민주화를 위해서 우리나라에 기여하겠다는 것을 우리가 받아들이는 것은 우리 정치에 도움이 된다고 생각합니다. 그런 방향으로 이해해 주시기 바랍니다.

정책공약에 구체성이 부족한데

최청림 정책공약에 대한 질의를 드리겠습니다. 김 후보께서는 만약 이번 대선에서 승리를 한다면 5년 내에 우리 경제를 세계 8강국으로 도약시키겠다고 공약으로 하고 있습니다. 그런데 그 공약 내용을 보면 구체적인 비전이랄까, 청사진이 없는 것 같습니다. 전문가들이 지적하기를 우리나라의 기술력이라든가 생산력, 여러 가지 국민의식으로 봐서 그것이 과연 가능할 것이냐 하는 의문을 많이 제기하고 있습니다. 만약 김 후보께서 그것이 가능하다고 생각한다면 그 기간 중에 수출은 어느 정도 늘려야 되겠느냐, 국민총생산(GNP) 성장률은 얼마쯤 끌어가겠느냐, 기술 개발은 어느 전략으로 가겠느냐, 그리고 제도와 관행을 어떻게 고치겠는지 거기에 대해서 좀 말씀해 주시고 참고로 말씀드리면 20세기에 선진국이 된 나라는 일본 하나뿐입니다. 이만큼 선진국이 된다는 것이 어려운 실정인데 우리도 과연 제2의 일본이 될 수 있는지 거기에 대해서도 말씀해 주십시오.

김대중 『세계 경제 8강으로 가는 길』이란 저서를 제가 최근에 냈습니다. 그 안에 아주 자세한 계획이 있습니다. 그런데 여기서 말씀을 드리면 저희는 이 일이 능히 가능하다고 보고 있습니다. 지금 세계 7강이 있는데 그 7강에 이어서 오늘날 8강으로 들어갈 경쟁 국가는 스페인, 호주, 혹은 덴마크 등입니다. 그런데 스페인 빼놓고는 대개 인구가 적어서 강국이 되기가 어렵습니다. 그리고 5년 동안 우리가 열심히 하면 현재의 국민총생산(GNP) 성장 추세로 볼 때, 금년은 지금 5.4퍼센트로 9월 말 현재까지 올라 있는데 여하튼 이것이 다시 상승해 가지고 다음 5년 동안의 평균 국민총생산(GNP)을 7-8퍼센트 유지할 것으로 봅니다. 그런데 유럽 나라들은 그렇게 성장을 못 합니다. 지금은 조금 뒤지지만 5년 지나면 우리의 국민총생산(GNP) 총계가 5천억 달러가 넘습니다. 이래 가지고 단연 스페인, 호주를 뛰어넘어 앞으로 나아갑니다. 지금 우리는 세계 무역 제11위의 국가입니다. 그러한 경제 성장에 힘입어서 정부의 5개년 계획은 1996년까지 1,450억 달러 수출을 내다보고 있지만 저희들은 아까 말한 대기업과 중소기업을 쌍두마차로 활용하겠습니다. 이제부터 세계에서 제일 좋고 제일 싼 물건 만들지 않는 대기업은 정부가 육성하지 않겠습니다. 언제까지나 국민의 부담에 의존해서는 안 됩니다. 그래서 대기업과 중소기업을 쌍두마차로 하면 적어도 제가 볼 때는 1천8백억 달러 무렵까지 만드는 것은 어렵지 않습니다. 이렇게 해서 무역 수출 면에 있어서도 세계 8강의 대열에 들어갈 수가 있습니다.

그리고 기술 면에 있어서 지금 정부도 1996년까지는 기술 8강으로 들어가겠다고 말하고 있습니다. 우리가 알다시피 우리나라의 기능 인력들은 국제 기능올림픽에 가서 근 10년, 10년이 더 되는지도 모르겠습니다. 여하튼 10년 정도 계속 1등을 하고 있습니다. 그래서 이것도 아주 불가능한 일은 아닙니다. 앞에 연설문에 있었지만 기업인과 노동자와 기술자가 삼위일체가 되어서 요새 서울대학 모 교수가 말한 소위 더블유(W) 이론, 신나는 협력 체제를 만들면 저희들의 집권 말기에 가면 세계 8강에 들어갈 수 있다, 이렇게 생각하고 있습니다.

최청림 보충 질문을 드리겠습니다. 기술이라든가 생산성이라든가 성장 잠재력이 하루아침에 생기는 것이 아닙니다. 뭐 잘 아시겠지만 우리나라의 지금 문제가 잠재력이 상당히 잠식되어 있다, 경쟁력이 취약하다는 이야기인데요. 예를 들면 기술은 일본의 20-30퍼센트 수준, 생산력은 40퍼센트, 은행의 생산성은 일본의 1/10, 이런 식으로 모든 분야가 총체적인 생산성 열위 상태에 있는데 무슨 수로 5년 만에 그것을 다 제거시켜 경쟁력을 높일 수 있느냐? 그런 의문을 상당히 많이 얘기하고 있고요. 그럼 기술 개발 전략을 어떻게 하시겠느냐? 어떤 부분에서 중점적으로 하시겠느냐? 요새 세계적인 추세가 기초과학기술과 생산응용기술을 구분하는 경향이 있습니다. 이번에 클린턴 정부도 정책 전환을 그렇게 하고 있습니다. 일본에 본받아서요. 그런 문제에 대한 질문을 드리겠습니다.

김대중 아까도 대체적으로 거시적 입장에서의 저희들의 근거를 제시했습니다. 또 이 문제는 우리 정책위원회에서 전문적으로 다뤄 가지고 이 문제에 대해서 자료도 준비되어 있습니다. 그래서 필요하면 자료를 드리겠습니다. 그렇게 안 된다고만 하시지 말고 한번 저희들한테 맡겨 보시죠. 그럼 우리가 해낼 테니까. 아무것도 모르는, 정치도 경제도 모르는 군인들에게도 30여 년을 맡겼으면 이제 우리가 정치 잘해 보겠다고 열심히 노력한 저희들에게 한번 맡겨 가지고 여러분이 비판하는 것도 좋지 않을까, 그래서 저희들에 대해서 걱정해 주시는 것은 감사하지만 저희들도 나름대로 국민 앞에 내놓을 때는 모든 전문가들의 검증을 받을 각오를 하고 내놓은 것이니까 그 점에 대해서는 저희들에게 맡겨 주시고 8강으로 어떻게 하겠느냐, 구체적인 것은 제 저서와 더불어 참고 자료를 보내 드리겠습니다.

사상 문제 누구보다 깨끗하다

성병욱 조선노동당 중부지역당 사건이나 김낙중 사건을 보면 북한은 남북대화를 하면서도 적화 통일을 위한 통일 전선 전략을 바꾸지 않는 것으로 대개 드러나고 있습니다. 당국의 수사 발표에 의하면 그러한 북한이 이번 대통령 선거에서 남한의 자기 조직원들에게 민주당을 지지하도록 그렇게 지령을 했다고도 하고 또 이번에 정책 연합을 하신 재야의 전국연합에 대해서「구국의 소리」에서 방송한 민전 성명을 가져다가 『노동신문』이 보도하는 그런 방식을 통해서 지지하고 있는 그런 양상을 보이고 있는데 그것이 무엇을 의미한다고 생각하십니까? 도움이 된다고 착각을 하고 그런 짓을 한다면 그 이유는 무엇이라고 보십니까? 또 남한노동당 중부지역당 사건 등으로 해서 유독 주요 정당 중에서는 민주당에서만 김 후보 비서실의 사무보조원하고 당의 부대변인이 구속되었는데 이것도 편파적인 수사 때문이라고 생각하십니까? 그런 점에 대해서 말씀해 주십시오.

김대중 제가 좀 그 문제를 설명하고 싶은 얘기인데 제가 모수자천毛遂自薦을 하면 뭔가 켕기니까 제가 얘기한다, 이럴 것 같은데 마침 질문을 해서 참 감사합니다. 김일성 주석이 우리를 지지하라고 했다, 그렇게 안기부에서 얘기하고 내외 통신이 얘기한다고 하니까, 그 말을 꼭 믿어야 할지 안 믿어야 할지 모르겠습니다. 그러나 만일 김일성 주석이 그렇게 방송으로 공개적으로 했다고 하면 여러분 대한민국 잘 알지 않습니까? 아마 김대중이를 지지하려고 했던 사람도 떠나 버릴 겁니다. 그러면 김일성 주석이 누구를 돕기 위해 했겠습니까? 한번 우리가 생각해 봅시다. 과거에도 유신체제에서 싸울 때 학생들이 데모하고 뭐 하면 꼭 이북에서 남한의 학생들과 연대한다고 떠들어대고 이러면 그 당시 중앙정보부에선 봐라, 이북에서 이렇게 지시하지 않냐? 그러니 학생들이 수상하다, 이래 가지고 탄압의 구실을 삼았습니다.

그럼 여러분이 이북하고 짜고 한다는 것이 너무하지 않냐? 이렇게 말씀할지 모르겠지만 짜고 한 일이 있지 않습니까? 1972년 유신 때, 남북이 짜고 해가지고 남쪽은 박정희 영구 집권 체제를 갖추고 북쪽은 김일성이 그때까지 수상 하다가 주석이 되지 않았습니까? 이렇게 해서 양쪽이 다 자기 정권 강화에 악용했어요. 그런 일이 아니라고 어떻게 보증합니까? 솔직한 얘기가 아까도 말씀했지만 아니 김일성 주석이 지지하라고 떠들면 그 사람은 아주 낙선 보증서 받는 거나 마찬가지인데 김일성 주석의 저 생각한 일이겠습니까? 그래서 여러분들 우리는요. 김일성 주석의 말 한마디에 놀아나는 이런 대한민국이 되어서는 안 된다고 생각합니다. 설사 김일성 주석이 자기 이익에 필요해서 지지를 한다고 해서 김대중이가 그 이익을 위해서 일합니까? 자기는 자기 속이고 나는 내속이지, 내가 왜 김일성 주석한테 일합니까? 대한민국에서 김대중이만큼 용공 문제를 가지고 철저히 검증당한 사람이 없습니다. 몇천 번, 몇만 번 안기부에서 검증했습니다. 빨간 먼지 하나 나오지 않았습니다. 어떻게 이 이상 의심하겠습니까? 저는 대한민국에서 반공을 공산당한테 이기는 반공, 저 서독같이 자유와 번영과 복지를 실현해 가지고 공산당 하라고 등을 밀어도 안 하는 그런 반공 하자는 사람입니다. 그래서 서독이 이기지 않았습니까? 세계 모든 민족이 이겼습니다. 남한의 군사정부 같은 반공 해 가지고는 같은 내전에서 모두가 졌습니다. 중국의 장개석, 베트남, 캄보디아, 라오스, 쿠바, 니카라과 다 졌습니다. 왜 내가 대한민국 망하는 반공을 합니까? 이기는 반공을 해야지, 그게 제 입장입니다.

그리고 지금까지 이 나라 수사기관이 특히 안기부가 얼마나 많이 반공을 악용했습니까? 그 사람들은 반공이 목적인지 정권 유지를 위해서 반대 세력을 음모에 걸어 계획적으로 꾸미는 것이 목적인지 우린 모르지 않습니까? 1980년에 저에 대해서 용공이라고 사형까지 선고했던 그 사람들 전 세계가 들고일어나고 미국 정부가 들고일어나 가지고 한국 군사재판은 전부 거짓말이라고 이렇게 발표하면서 저를 살렸는데 그때도 저를 그렇게 뒤집어씌운, 제가 바로 희생의 장본인 아닙니까? 그러면서 이북에서는 한편 매일같이 "김대중을 살리라"고 궐기대회 하니까 남한의 정부는 김대중이 살리라는 것 봐라, 이는 틀림없이 좌익이다, 이렇게 악용을 했습니다. 그 김일성 주석이 저

살리려는 것이 아니라 죽여라, 죽여라 하는 것이에요. 결과적으로 뻔히 알면서 그랬다 말이에요. 우리는 언제까지 이런 김일성 주석의 농락, 일부 악랄한 수사기관원들의 농락에 좌우돼야 하는가, 이것을 반성할 때가 왔다고 생각합니다.

그리고 저는 분명히 얘기해서 저의 사무보조원이었던 이근희는 간첩이 아닙니다. 간첩 연루도 아닙니다. 검찰의 기소장을 보면 이근희는 국방 예산 개요를 자기 친구에게 넘겨준 것으로 되어 있습니다. 그는 친구가 불순한 세력인지 모르고 준 것입니다. 저는 분명히 얘기해서 검찰의 기소장에도 간첩이라는 말도 간첩 동조라는 말도 없습니다. 그럼 이미 다 발표해서 신문에 다 나 버렸습니다. 국회의원들에게 전부 다 보내 주었어요. 그땐 비밀이 아닙니다. 그런 것 좀 넘겨준 것이 그렇게 죄가 되는가? 저는 모르면 몰라도 이것 재판하면 무죄가 될 것이라고 봅니다. 저는 분명히 말합니다. 우리 민주당 의원 중에 단 한 사람도 사상이 의심스러운 사람이 없다는 것을 제가 하나하나 체크했습니다. 우리 민주당은 이 문제에 있어서는 어느 정당 못지않게 깨끗합니다. 그러나 가령 김낙중 씨 같은 사람을 만났다든지 이선실 같은 사람 만난 것 그런 얘기하면 모르고 만난 사람도 있겠지요. 어떻게 얼굴에 간첩이라고 써 가지고 다닙니까? 그런 식으로 얘기하면 지금 여당이나 정부 고위층 주변에도 있다고 알고 있습니다. 그러나 우리는 그걸 가지고 지금 그 사람들이 좌익이다, 간첩하고 연루되어 있다고 말하지 않습니다. 왜 우리는 안 하는데 우리한테는 그렇게 하는가, 나는 이 점에 있어서는 여러분께서도 깊이 재고해 주실 것을 부탁드려 마지않습니다. 분명히 말합니다. 우리는 깨끗하고 우리는 추호도 이 문제에 있어서는 꺼릴 것이 없습니다.

이광훈 보충 질문을 그 관계로 하나 드리겠습니다. 이근희 사건이 터졌을 때 민주당에서는 즉각 대국민 사과 담화가 나온 것으로 알고 있습니다. 그런데 그 뒤에 우리는 그 간첩단 사건과 관련이 없다는 신문광고가 나오고 했는데 지금 얘기를 들어 보니까 그렇게 되면 그때 대국민 사과를 지금에 와서 취소를 하시는 게 옳지 않겠나 하는 그런 생각이 드는데요.

김대중 대국민 사과는 이근희가 간첩이기 때문에 사과한 게 아니라 부주의하게 그런 유인물을 줘 가지고 물의를 일으킨 데서 제가 사과한 것입니다.

'중도 우파' 보다는 '중도 좌파' 이미지가 강한데

정종문 김 후보께서는 중도 우파라고 강조하셨지만 싫든 좋든 김 후보가 가지고 있는 이미지가 중도 좌파적이다, 이런 것은 부인할 수가 없을 것 같습니다. 그럼 왜 이렇게 중도 좌파적인 이미지를 갖도록 돼 있는가 하는 설명과 더불어서 김 후보의 반공관, 지금 여러 가지로 설명을 하셨습니다만 정리된 그 반공관이 혹시 있다면 한번 설명해 주십시오.

김대중 첫째로요. 저는 이미 37년 전에 『동아일보』와 『사상계』에 글 쓸 때 공산주의는 필연적으로 멸망한다고 쓴 그 글을 지금도 가지고 있습니다. 예언한 바 있습니다. 공산주의는 우리가 적어도 정상적인 지적 능력을 가진 사람이 매혹될 만한 그런 주의가 못 됩니다. 그것은 여러분 이제 공산주의가 멸망한 것으로 보더라도 입증이 되었습니다. 그런데 공산주의는 독재가 성행하고 약자에 대한 억압과 착취가 심하고 사회적 부조리가 강화된 데는 공산주의가 좋아서가 아니라 그 사회에 대한 반항과 거부감 이런 것 때문에 가장 철저히 접근하고 선동하고 조직하고 이렇게 투쟁해 준 공산주의가 그들에게는 구세주처럼 보일 때가 있는 것입니다. 따라서 공산주의는 그렇게 될 수 있는 잘못된 사회, 독재 착취 그리고 부정부패 이러한 사회만 없애 버리면 공산주의는 있을 수가 없습니다. 그것은 마치 우리가 쓰레기통을 깨끗이 청소하면 거기서 구더기가 나오거나 파리가 끓을 수 없는 것과 마찬가지입니다. 문제는 썩은 쓰레기통에 있는 것이지 파리에게 있는 것이 아닙니다.

우리는 그렇기 때문에 이런 점에 있어서 서독이 우리에게 대해서 아주 좋은 모범이 된다고 생각합니다. 여러분이 아시는 대로 서독은 자유와 번영과 복지사회를 만들었습니다. 공산당 하고 싶은 사람 자유롭게 하라고 해서 서독에서 공산당 간판 걸어 놓고 아무리 해도 국회의원 하나 당선 안 됩니다. 동독에 맘대로 갔다 와서 공산당 좋다고 아무리 해도 공산당 되지를 않습니다. 서독에는 국가보안법도 안기부도 없습니다. 그래도 그렇지 않습니다.

아니 서독의 예를 들 것이 없습니다. 우리의 예를 들어야 합니다. 1950년부터 1953년까지 6·25전쟁이 있었습니다. 여기 젊은 분들은 잘 모르시지만 전압니다. 그때 저는 피란 수도에 있었습니다. 피란 수도에 그때 야당이 3분의 2 의석을 점했습니다. 국민방위군 사건, 거창 사건 등등 문제의 사건들이 터졌습니다. 매일같이 국회에서 정부를 규탄하고 그리고 불신임하고 했습니다. 일선에서는 전투에 밀리고 밀고 하는데 그랬습니다. 시민들은 다방에 앉아서 혹은 남포동 거리에 앉아서 자유롭게 누구 눈치도 안 보고 정부 비판했습니다. 그때 우리나라에는 안기부도 없었고 국가보안법도 없었고 어떤 향토예비군도 없었고 민방위대도 없었습니다. 오직 경찰 하나만 있었습니다. 그런데도 불구하고 끄떡없이 우리가 공산당한테 이겨냈습니다. 왜 이겨냈냐? 그때 국민들은 매일같이 타블로이드 신문에 주먹 같은 활자로 정부를 때리면서 야당이 얘기하는 것을 보고 공산당한테 어떤 긍지를 느꼈냐 하면, 봐라, 너희들은 이런 자유가 없지 않으냐, 우리는 전시에도 이런 자유가 있다, 그렇기 때문에 우리는 이것을 지키기 위해 싸운다, 국민이 이런 긍지를 가졌기 때문에 공산당이 어디 침투할 여지가 없었습니다. 나는 이것이 진정한 반공이라고 생각합니다. 그럼 전시에도 이렇게 자유를 주면서 훌륭하게 자신 있게 반공한 나라가 왜 이제는 그렇게 국가보안법 가지고 안기부 있고 향토예비군 있고 온갖 것을 가지고 있으면서 그렇게 무섭다 하는가, 그리고 왜 반공하면 반공했지 자기의 정적들에게 누명을 뒤집어씌워 가지고 용공으로 몰아 가지고 감옥 보내고 죽이려 하는가, 나는 이 문제를 반성해야 한다고 생각합니다.

정종문 이어서 다소 연관되는 질문을 하나 더 드리겠습니다. 북한의 김일성 주석을 어떻게 평가하십니까? 그리고 집권을 하신다면 남북정상회담을 하자고 제의하시거나 저쪽에서 하자고 제의가 온다면 거기에 응하실 그런 용의가 있으십니까?

필요할 때 남북정상회담 하겠다

김대중 김일성 주석에 대해서는 어쨌거나 일제와 싸운 그것은 여러 가지 과정도 있고 한 모양이지만 일단 싸운 것만은 틀림없으니까 그것은 우리가 평가해 주어야 한다고 생각합니다. 그러나 나머지는 평가할 여지가 없다고 생각합니다. 도대체 국민을 노예처럼 만들어 가지고 억압하고 자기 한 사람을 신같이 숭배하는 그런 사람이 무슨 논평의 가치가 있습니까? 더구나 그 국민들은 굶주림에 허덕이고 있습니다. 자기들은 호의호식하고 있습니다. 그렇기 때문에 김일성 주석에 대해서는 논평의 가치가 없다, 이렇게 생각합니다.

그리고 제가 대통령이 되었을 때 남북회담 하겠느냐? 저는 그렇게 서두르지 않겠습니다. 안 한다고는 안 하지만 서두르지 않겠습니다. 저는 분명히 남북 간에 사전에 따져서 이래 가지고 하겠습니다. 지금까지 대통령이 북방 외교라든가 남북 문제를 다루는 것은 보면 너무 자신이 먼저 앞으로 나가려고 하는 것은 잘못이라고 생각합니다. 대통령의 카드가 한 번 나와 버리면 다른 사람이 바꿀 수가 없습니다. 지금 소련에 대한 경협이 바로 그런 것이 아닙니까? 제가 작년 1월에 고르바초프 대통령은 절대로 인정하지 않는다, 그러니 조심해야 한다, 러시아는 도저히 돈 빌려줄 나라가 못 되니까 주어서는 안 된다, 그래서 국회에서 반대 표결까지 함에도 불구하고 줘 가지고 지금 이 꼴이 되었습니다. 이번에도 또 주지 말아야 한다는 거 또 줘 가지고 빈껍데기, 말하자면 블랙박스 갖고 농락당하지 않았습니까? 대통령이 실수해 버리고 나면 누가 고칠 수가 없습니다. 이렇게 대통령이 제일 먼저 앞질러 나가면서 외교하는 나라가 어디 있습니까? 이 밑에 차관, 장관, 대사가 신중에 신중을 기해 가지고 대통령은 마지막에 가서 의식에 참가하는 이런 자세가 나는 옳다고 생각합니다.

더구나 북한이 노동당 규약에 남한 전체를 사회주의화하는 것이 노동당의 목적으로 되어 있습니다. 저는 연형묵 총리가 재작년 12월에 왔을 때도 회식 석상에서 북한의 노동당 규약에 남북한 전체를 사회주의화하는 것을 목적으로 한다, 이것 놔두고 여러분이 남쪽과 평화 공존하자, 같이 협력하자, 이것은 거짓말이다, 솔직히 얘기했습니다. 연형묵 총리가 답변을 못 했습니다, 그걸 제가 지적하니까. 저는 집권하면 북한에 대해서 분명히 따질 것 따지고 짚을 것 짚고 그래 가지고 필요하다고 또 그래서 성공할 수 있다고 생각할 때 남북정상회담을 하겠습니다. 가장 전제 조건이 노동당 규약을 개정해서 그러한 자세를 우리가 분명히 믿을 수 있게 바꿔야 합니다. 여러분이 아시는 대로 노동당 규약은 북한에 있어서 헌법 이상이기 때문에 아주 중요한 것입니다.

선심 공약 남발 지적에 대해

최청림 다시 정책 질의를 하겠습니다. 민주당은 지난 여소야대 국회 때 농어촌 부채 경감법을 통과시켰습니다. 거기에 따른 재정 부담이 지금 연간 5천억, 6천억이 돼 가고 있습니다. 그것이 바로 재정학자들이 말하는 법에 의한 재정의 경직성 구조를 심화시켰다는 얘기가 있고…… 이번에 다시 정책공약으로서 농가 부채 탕감, 농민에 대한 저리 융자를 공약하고 있습니다. 거기에 따른 추가적인 재정 부담이 1조가 넘을 것이다, 이런 얘기가 있는데 농촌 문제를 농촌의 생산성 향상, 농업 구조 개선, 이런 문제를 어프로치 하지 않고 소득을 보장해 준다, 그런 인기 선심 정책으로 인하여 자립 자조 정신을 훼손시키고 있지 않느냐? 그리고 재정이 언제까지 그것을 감당할 수 있겠느냐, 뭐 그런 얘기가 있습니다. 그럼으로써 우루과이라운드(UR) 같은 파고를 농민 스스로가 극복하는 노력을 손상시킬 것이다, 이런 얘기들이 있고 지금 잘 아시겠지만 우리가 당면하고 있는 여러 가지 문제로 볼 때 경제의 생산성 조화라는 것은 그동안 국민·근로자·농민·군인·재벌 이런 사람의 집단 이기주의가 너무 컸기 때문에 그런데 지금은 오히려 그런 욕구를 자제시킬 필요가 있다, 그런 시기다, 그런데 자꾸 욕구를 부풀려 주는 선심 공약을 남발하고 있다, 그런 지적이 있습니다. 그 문제에 대한 답변을 해 주시기 바랍니다.

김대중 이 문제는 저희가 굉장히 고심을 한 문제입니다. 그리고 보기에 따라서는 얼마든지 비판할 수 있는 문제입니다. 재정 사이드 입장에서 보면 말도 안 된다고 말할 수도 있습니다. 그렇기 때문에 이 문제는 의견이 갈릴 수 있는 문제고 어려운 문제인 것이 사실입니다. 지금 최 위원께서 지적하신 대로 빚만 감해 주어 보았자 이 구조 개선이나 생산성 향상을 통해서 수입 없이 그렇게 하면 뭐 하냐, 이건 당연한 얘기입니다. 저희들이 농촌을 살려야 하는데는 세 가지 방향에서 접근해 가야 한다고 생각하고 있습니다. 하나는 생산성을 향상시키는 구조로 개선해 좋은 작물을 고르고 하면서 생산성을 향상시키는 이런 문제가 있습니다. 이 문제에 대해서는 저희들은 심지어 농업보장세까지 만들어 가지고 연간 1조 원의 돈을 도시분들한테 주로 갹출시켜 가지고 농촌을 살려야겠다, 이런 생각까지 가지고 있습니다.

그다음에는 금융 문제입니다. 저리 장기의 금융을 농민에게 주어 가지고 부담을 덜면서 농업을 경영해 나갈 수 있도록 도와주어야 합니다. 지금 김장철인데 금년엔 제가 정확히 가서 검토를 못 했습니다만 2-3년 전에 가락시장 가니까 배추 한 포기에 2천 원 하는데 농민들은 3, 4백 원도 못 받아 밭에다 내팽개치는 것을 보았습니다. 이런 일을 우리가 자주 봅니다. 만일 도시와 농촌 간의 직거래 제도를 농협 같은 데서 중심이 되어서 했다면 농민은 적어도 5, 6백 원 이상 받고 도시민은 천 원 내외면 살 수 있는, 양자가 득이 되는 이런 것이 되는 것입니다. 그런데 정부가 이것을 안 했습니다. 그래서 제가 청와대에 갔을 때 대통령께 건의했어요. 대통령이 농업협동조합 회장한테 연락을 했어요. 제가 농협을 또 찾아갔습니다. 그래서 회장한테 얘기를 했습니다. 회장도 좋은 생각이라고 해요. 그러나 그 후로 제대로 시행이 안 되고 있어요. 그래서 지금 사실상 이 나라가 포기 상태에 있습니다. 그런데 여러분 보십시오. 농촌에 가면 지금 집은 텅텅 비어 있습니다. 50세가 말하자면 청년입니다. 학교는 문 닫았습니다. 애들 울음소리가 없습니다. 총각이 장가를 못 갑니다. 그런데 농촌에 그나마 남아 있는 처녀들 얘기를 들어 보면 농사지어서 수지만 맞으면 도시 나간 총각들이 돌아오고 싶다는 거예요. 아니 도시에 가서 일부 돈 벌었다가 돌아오는 청년들도 와 가지고 도저히 농사지어 봤자 수지가 안 맞고 빚만 늘어나니까 다시 도시로 나간다는 거예요. 이런 극단적인 상황에 있습니다.

이제 농촌 인구가 6백만 남았는데 매년 50만씩 이농하고 있습니다. 12년 후면 농촌에는 한 사람도 남지 않는다는 계산이 나옵니다. 농촌은 우리의 뿌리입니다. 여러분이 아시다시피 2천만이 명절에 농촌 찾아가는 나라는 세계에서 우리나라뿐입니다. 이런데 농촌이 지금 다 망해 가고 있습니다. 그리고 우루과이라운드(UR)가 쳐들어오고 있습니다. 농민한테 빚 탕감 안 해 주면 어떻게 합니까? 전혀 갚을 길이 없는데, 매년 늘어나는데, 그리고 빚 갚으라고 하면 도망가는데, 방법이 없어요. 그런데 제가 좀 야속하게 생각하는 것은 왜 몇 년 전, 한 3, 4년 됐지요. 5공화국 말기인데 대재벌들은 5-6조 원, 그때 돈으로

5-6조라고 하면 지금 한 10조 됩니다. 5, 6조를 탕감해 주지 않았습니까? 그리고 그것도 부족해서 말하자면 시드머니까지 주어서 몇조를 주었는지 모를 돈을 10년 거치 30년 상환, 이렇게 해서 주었습니다. 왜 자기 잘못으로 부채를 지고 이리저리 빼돌린 대재벌 사람들은 그렇게 봐주고 정부의 시책 믿다 망해 가지고 빚진 농민들은 그렇게 우리가 봐주는 데 인색해하는가? 그리고 농촌 망해 보십시오. 지금 농촌이 망했으니까 맨날 서울로 들어오니까 그것이 전부 서울로 몰려와 가지고 콩나물시루 교실, 공해 문제 그리고 말하자면 교통 문제, 주택 문제 등 온갖 도시병이 농민들이 무작정 서울로 들어온 데 있습니다. 앞으로 6백만이 더 들어와 보십시오. 어떻게 되는가? 이 나라는 거덜이 납니다. 그래서 이런 점에 있어서 저희들은 이 문제에 대해서는 우리가 결심을 가지고 농촌을 살려야겠다 하는…… 그런 결심 하느냐, 하지 않느냐에 걸려 있습니다. 결심만 있으면, 어렵지만 돈은 나올 데가 있습니다. 종을 쳤기 때문에 중단해야겠는데 그런 점이 있다는 것을 이해해 주시기 바랍니다.

최청림 보충 질의를 드리겠습니다. 농촌 문제가 딱하다는 것은 저도 인정합니다. 딱한 입장에 있는 계층이 농촌만은 아닙니다. 도시 근로자도 빚이 많고 영세민들도 어렵습니다. 특히 도시 근로자들은 농촌의 가격 지지를 위해 연간 8조 원의 추가 부담을 물고 있습니다. 국제 시세 대비요. 농촌은 많이 도와주었습니다. 그렇다면 형평의 원칙에 의해서 도시 근로자나 영세민의 부채도 탕감해 줄 용의가 있는지 답변해 주시기 바랍니다.

하루 벌면 한 달 쌀값이 나온다

김대중 도시 근로자의 부채와 농민의 부채는 성격이 다릅니다. 도시 근로자의 부채는 생활비 때문에 부채를 진 것입니다. 도시민의 부채는 정부 시책에 따라서 정부가 하라는 대로 농사짓고 특용작물 하다가 부채 진 것이 아니기 때문에 성격이 다릅니다, 농촌하고 도시는. 생활비까지 갚아 주는 나라가 어디 있습니까? 그 점을 이해해 주시기 바라고요. 그리고 도시 사람들이 쌀값을 8조로 부담하니 이런 말씀하시고 그건 사실입니다. 그렇지만 제가 최근에도 대전에 가서 어느 봉급자의 부인, 네 가족이 사는 부인하고 우리가 어떤 모임을 가지고 농촌 문제를 이야기했습니다. 그 부인 얘기가 나도 도시 살지만 쌀값이 너무 헐하다 이거예요. 우리 가족이 한 달 먹고사는 데 쌀값이 4만 원이면 된다, 전혀 부담이 되지 않는다, 농민 더 줘야 한다, 이렇게 말하고 있습니다. 여러분 지금요, 네댓 식구가 한 달 먹는 데 쌀값이 4만 원밖에 안 듭니다. 그런데 막벌이 노동꾼도 하루 나가서 일하면 3, 4만 원 법니다. 우리 역사에 언제 식량값이 하루 벌어서 한 달 먹는 식량값을 벌은 일이 있습니까? 쌀값이 너무 헐합니다. 그래서 농민 살려야 합니다. 이런 점에 있어서 우리는 좀 더 농민 문제에 있어서 새로운 각도에서 봐야 합니다. 농민 문제를 근대 경제의 안목에서 봐서는 안 됩니다. 미국 하버드대학의 존 K. 갤브레이스 교수가 여기 와서 한번 이야기한 일이 있는데 농업 경제는 근대 경제가 아니다, 농업 경제는 전근대의 경제다, 따라서 농업 문제에 대해서 자유무역주의를 적용하는 것은 잘못이다, 이런 말을 한 적이 있습니다. 저는 전적으로 동의합니다.

그래서 농업은 근대산업의 압도적인 힘 앞에서 그리고 눈부신 변화 앞에서 어쩔 수 없이 덜덜 떨고 있는 농민들을 국가가 보호 안 해 주면 이건 완전히 망해 버리고 망해 버리면 어떤 사태가 나느냐, 지금 우리나라 쌀 자급률이 겨우 100퍼센트입니다. 전체 식량 자급률은 40퍼센트도 안 됩니다. 지금 세계에서 가장 안보가 위험한 나라 중에 하나가 우리나라입니다. 식량은 한 달도 더 걸려서 태평양에서 실어옵니다. 만일 전시는 물론 평시에도 식량을 끊겠다고 위협을 하면 우리는 손들 수밖에 없습니다. 다른 것은 육탄 가지고 되지마는 안 먹고는 육탄 가지고 안 됩니다. 이런 위험한 짓을 우리 정부가 하고 있다는 것을 우리는 알아야 합니다. 그래서 국가안보의 차원에서, 도시의 파멸을 막는 차원에서도 농민은 보호해야 한다, 이렇게 생각합니다.

최청림 쌀값이 싸다고 말씀하시고 더 올려야 된다는 말씀 하신 것 같은데 지금도 우리나라의 쌀값이 국제 시세의 다섯 배입니다. 미국의 여섯 배고 그것은 어떻게 생각하십니까? 그리고 식량 안보론을 말씀하시는데 식량 안보론은 식량의 한 50퍼센트를 자급하는 것으로 정설이 되어 있고요. 그런데 우리나라 쌀은 김 후보께서도 잘 아시겠지만 쌀이 남아돌아 가서 창고에서 썩고 관리비만 엄청나게 들어가고 있습니다. 그 문제에 대해서 답변해 주시기 바랍니다.

김대중 우리나라 쌀값이 국제가격보다 세 배라고도 하고 다섯 배라고도 하고 여섯 배라고도 하고 그렇습니다. 또 미국이 지금 한창 신나서 우루과이 라운드(UR) 개방해라, 쌀 개방해라, 미국 정부의 쌀 생산 농민은 한 2천 명밖에 안 됩니다. 이런데 지금 우리한테 몰아붙이는데 사실은 지금 어떤 사태가 있냐 하면 중국은 미국에 비해서 쌀 수출 여력이 열 배쯤 있습니다. 미국이 개방시켜 놓으면 한국과 일본은 중국 쌀이 막 들어올 것입니다. 미국 쌀보다 싸요. 그래서 미국이 지금 무슨 목적으로 하는지 모르겠어요. 여하간 우리 쌀값이 국제가보다 비싼 건 사실이지만 우리 노동자부터 도시 모든 사람들이 쌀값 때문에 생활상의 부담을 느끼지 않는다는 것입니다. 주부들이 장바구니 물가 얘기할 때 배추, 고추, 쇠고기, 돼지고기 이거 얘기하지 쌀 얘기하는 분은 없습니다. 그래서 우리들이 고통을 안 느끼면서 농민 도와줄 수 있다면 그거 얼마나 좋은 일입니까? 그래야 도시가 부담을 안 하게 됩니다. 안 그러면 도시로 몰려올 때 우리가 그 부담을 현재에도 하고 있고 앞으로도 해야 하는 것입니다.

그리고 쌀이 남는데 이것이 진짜로 남는 것이 아닙니다. 식량 자급도는 50

퍼센트 이내라고 했지만 전 40퍼센트 이내라고 보고 50퍼센트 이내면 50퍼센트가 모자라지 않습니까? 그런데 쌀 안 먹고 밀가루 먹어 가지고 이 꼴을 만듭니까? 그렇기 때문에 우리가 이게 잘못하고 있는 것입니다. 엄청난 외화를 외국에 주고 그리고 미국 밀가루 먹고 우리 농촌 쌀은 썩히고, 내 쌀은 썩히면서 남의 밀가루 먹어 주는 이런 백성들이 어디 있습니까, 세계에. 나는 이것 고쳐야 한다고 생각합니다. 그래서 저희가 집권을 하게 되면 어떤 일을 하냐면 초등학교 전면 급식해 가지고 애들을 전부 쌀밥하고 된장국 먹일 작정입니다. 이래서 우리 음식에 익숙하게 하고 밀가루 안 먹일 작정입니다. 이래 가지고 어렸을 때부터 쌀 먹는 방향으로, 군대에서 라면, 빵 같은 거 전부 쌀 제품으로 만들 작정입니다. 막걸리도 밀가루로 못 빚게 하고 쌀로 빚게 하겠습니다. 이래서 우리 쌀 소비시켜 주면 이렇게 남아돌아 갈 이유가 없는 거예요. 그래도 남으면 나중에 북한에 값을 헐하게 팔아 주면 되지 않아요. 그래서 이런 문제 때문에 농민들이 망해 가는 것을 우리가 그대로 볼 수 없지 않으냐 이렇게 생각합니다.

군 지도부 통제할 자신이 있는지

성병욱 분야를 좀 바꾸겠습니다. 10·26 직후 계엄사령관이던 정승화 육군 참모총장이 기자 간담회에서 그 당시 군 지도부는 김대중 씨를 군 통수권자로 모실 수가 없다, 그런 얘기를 했고 12·12사태 이후에도 전두환 보안사령관이 또 기자들과 만나는 자리에서 그런 발언에 대해서 진의를 물으니까 그것은 정승화 장군뿐만 아니라 군 지도부의 공통적인 생각이다, 그런 말을 한 일이 있습니다. 또 군부가 김 후보의 집권을 꺼린다는 문제가 지난 1987년 선거 때도 야당 후보 조정 과정에서 제기되었던 것으로 김 후보께서 직접 말씀하신 것으로 기억을 하고 있는데 지금 군 지도부의 김 후보에 대한 생각은 어떻다고 보시는지요. 또 혹시 전과 같은 비토 분위기가 조금이라도 남아 있는 것이 아닙니까? 집권하시면 군 통수권자로서 군을 효율적으로 통제할 자신이 있는지 말씀해 주시기 바랍니다.

김대중 자신 있습니다. 그런데 그 점에 대해서 제가 한 가지 얘기하는데 그때 정승화 장군이 그런 얘기를 했습니다. 그 사람은 그때 정권을 잡기 위해서, 잠재적 정적인 저를 매장하기 위해서 그런 짓을 했던 것입니다. 그러자 그 당시 미국 측에서 정승화 장군 측에 대해서 우리는 정승화 장군하고 의견이 다르다, 우리는 김대중 씨의 사상을 믿는다, 이런 말을 발표한 일이 있습니다. 한쪽 말만 우리가 믿어서는 안 되겠습니다. 오죽하면 1980년에 저에 대해서 용공으로 몰아서 사형 선고했을 때 미국 정부가 남의 나라 법정의 판결을 가리켜서 이것은 완전히 조작이다라고 발표했겠습니까? 그렇기 때문에 한쪽 말만 믿을 것은 아니라고 생각합니다. 그리고 저에 대해서 그렇게 말한 사람도 있지만 저기 와서 앉아 계시는 강창성 장군, 국군보안사령관을 하고 또 중앙정보부에서 차장보를 해서 사상 문제 이런 것을 아주 샅샅이 조사한 분, 박정희 대통령의 지시에 의해서 저에 대해서도 5개월 동안 조사해 가지고 아무것도 없다는 것을 입증한 장군도 있습니다. 사상 문제는 정승화 장군이 계급은 대장이지만 소장인 강 장군이 더 잘 압니다. 그래서 이런 점에 있어서는 그런 사람들 말은 잘못 보고받고 했거나 자신의 정치적 야심 때문에 정적을 몰아붙이는, 그렇게 말살하려는 군사 문화 특유의 방법으로 정승화 장군이나 전두환 장군이 그런 짓했다고 믿고 있습니다.

그리고 지금 군인들은 국방부장관 이하 모든 군 지휘관들이 공개적으로 말하고 있습니다. 지금 나온 분들 중에 누가 대통령이 되든지 우리는 충성을 바치겠다, 공식으로 국회에서 속기록에 남기면서 말하고 있습니다. 그리고 사석에서도 그러지 말라고 했습니다. 그리고 자기들은 전혀 김대중 의원에 대해서 종교와 사상에 대해서 의심하지 않는다, 아니 오히려 가장 국군을 이해하고 건전한 국방 정책을 제시하고 있어서 자기들은 참 감사하게 생각한다, 이렇게 말하고 있습니다. 그리고 옛날 군인이 아닙니다. 이제는 완전히 달라졌습니다. 누구도 그런 것 꿈꾼 사람도 없고 국민이 자유롭게 투표한 결정을 뒤집으려는 사람도 없습니다. 그리고 그런 일 하려고 하면 그 사람은 국민은커녕 군대 내에서도 지지를 못 받습니다. 그리고 우리 국민은 또 성장했기 때문에 이제 그런 것을 용납할 시대가 아닙니다. 그 문제에 대해서는 추호도 걱정하고 있지 않다, 이렇게 여러분께 말씀드리겠습니다.

3당 합당 안 했다면 '헌정 중단' 주장에 대해

정종문 군과의 관계를 말씀하실 때 보충 질문을 하나 드릴까 합니다. 남의 당의 이야기를 이 자리에서 이야기한다는 게 결례가 되는 줄 압니다만 참 불가피하게 여쭤보겠습니다. 3당 합당을 했을 때에 만일 3당 합당이 안 됐더라면 그 당시 무정부 상태 이런 것 때문에 헌정 중단 사태가 왔을 것이다 하는 설명이 있었습니다. 헌정 중단이라고 한다면 바로 쿠데타겠지요. 실제로 3당 합당 그 당시 여소야대 그리고 무정부 상태 이런 현상이 있었습니다만 그 당시 야당의 입장으로서는 과연 헌정 중단 상태—쿠데타—가 왔을 것이다라는 그런 판단에 동의하십니까?

김대중 미안하지만 전혀 동의하지 않습니다. 그것은 모순에 찬 이야기입니다. 지금 말씀한 그 분은 여소야대의 13대 국회가 나왔을 때 우리 국민의 위대한 결정이라고 그렇게 말했습니다. 또 그 분은 1989년 소위 중간 평가 문제가 일어났을 때, 우리 3당이 그 당시 야당입니다. 공화당, 통일민주당, 평화민주당 3당이 합의된 1989년 한 해를 보고, 민주화가 되었느냐, 안 되었느냐를 보고 중간 평가 문제를 결정하자, 지금은 정부가 민주화부터 해라, 이래 놓고 한 달을 못 가서 혼자 그냥 우리 합의를 이탈해서 노태우 대통령 이대로 둘 수 없다, 쫓아내야 한다, 중간평가 해야 한다, 이래 가지고 막 붙었습니다. 그 정권 가지고는 나라가 안 된다는 것입니다. 그런데 그렇게 했습니다. 3당 합당 선언이 1월에 있었는데 12월 호의 어떤 잡지를 보면 내가 민정당과 통합한다는데 이게 말이나 되는 소리냐, 나는 민주 정당이고 그건 군사 정당인데 어떻게 해서 내가 통합할 수 있겠는가, 이렇게 말하고 있습니다. 그러더니 1월에 가서는 통합이야말로 구국의 길이다, 안 그랬다면 큰일 날 뻔했다, 이러니 어떻게 해서 그 말을 믿을 수가 있습니까?

그리고 만약에 정말로 그것이 구국의 길이었다면 왜 자기 당내에서 협의하지 않았는가, 왜 같이 공조 체제였던 우리보고 김대중이보고도 이것이 구국의 길이니까 같이하자 좀 설명했어야 할 것 아닙니까? 저는 그런 설명 들은 일 없습니다. 저는 그 말에 동의하지 않을 구체적 자료가 있습니다. 3당이 야당으로서 여소야대의 1년 반 시절에 국회에서의 의사 진행에 과거 전 정권보다 훨씬 많은 의안을 처리했고 이 중 98퍼센트를 여야 합의로 통과해 완전히 안정되어 있었습니다. 그러나 3당 합당 후는 한 번도 빠지지 않고 국회에서 날치기만 했습니다. 어느 쪽이 안정입니까? 그래서 이런 것들로 봐서 3당 합당한 입장을 정당화하기 위해 말씀한 고충은 알지만 그것은 옳은 주장이라고는 도저히 생각할 수 없습니다.

이성춘 5년 전 얘기를 좀 해야겠습니다. 이것은 김 후보의 지금까지의 정치적 자세의 일관성 문제하고 유관되는 건데 지난번 13대 대통령 선거가 끝난 후에 선거 결과에 대해서 이것은 원천적으로 부정선거이다, 컴퓨터 부정이다, 이건 인정 못 한다, 재야 민주 세력하고 모두 연대하여 이것을 시정하는 데 끝까지 투쟁하겠다, 그렇게 말씀을 하셨습니다. 5년 전뿐만 아니라 김 후보께서 처음 나오셨던 1971년도 4월 27일 7대 대통령 선거가 끝난 후에도 이것은 관권이 총동원되고 그야말로 온갖 금력을 정부가 동원해 가지고 매표를 자행해서 내가 다 잡은 정권을 빼앗기다시피 했다, 이런 얘기를 하셔서 결국 두 번 나오신 선거 모두 인정 못 하겠다고 하셨는데 이번은 여하튼 상황이 바뀌어서 중립 정부가 선거를 관리하고 있는데 만에 하나 김 후보께서 혹시나 실패를 보실 경우에 이번에도 인정을 못 하시고 반대 투쟁 자세로 나가실 건지 우선 여기에 대해서 듣고 싶습니다.

김대중 1971년과 1987년이 부정선거라는 것은 야당 전체가 그렇게 규정했던 것입니다. 1987년 선거 끝나고 통일민주당 김영삼 총재는 이것은 완전히 부정선거이기 때문에 정권 타도로 나가겠다고 선언한 것을 여러분은 기억할 것입니다. 누구도 이것을 인정하지 않았습니다. 저만 인정하지 않은 것 아닙니다. 그리고 컴퓨터 부정 얘기를 마치 제가 허황된, 과장된 주장을 한 것같이 생각하실지 모르지만 그 점에 대해서는 최근에 미국에서 세계 여러 나라에서 컴퓨터 부정이 존재한다 하는 이런 책이 나왔습니다. 그런데 그 책 중에 여기에 주재해서 그 당시 밀착 취재했던 기자가—이름도 다 알고 있습니다만—한국의 컴퓨터 부정에 대해서 자세히 쓰고 있습니다. 그리고 그 기자는 이 컴퓨터 프로그램을 만들어 준 회사에 가서 취재까지 하고 있습니다. 그래서 이 문제에 대해서 제가 새삼스럽게 그것 따져 가지고 노태우 대통령 당선 무효다, 이것을 주장할 생각은 없지만 분명히 제가 허황된 주장을 한 것이 아니라는 것은 얘기할 수 있습니다. 우리가 잘 아는 앨빈 토플러라는 미래학자가 있는데 그분도 어떤 저서에다가 1987년 한국에서 컴퓨터 부정한 혐의가 있는데 컴퓨터 부정을 하려면 쉽게 되는 것이다, 이런 말을 쓰고 있습니다. 그래서 저희들이 엉터리없는 말을 하지는 않았습니다.

그리고 저는 아까 말씀했는데 일관성 없는 말은 적어도 국민 앞에서 큰 문제 갖고는 해 본 적이 없습니다. 저도 개인적으로 결점도 있고 단점도 있는 사람이지만 적어도 국민 앞에 거짓말은 안 했습니다. 이 많은 분들이 제가 직선제 하면 대통령 안 나온다 해 놓고 나왔지 않느냐 그러니 거짓말하지 않았느냐, 그런데 그건 전혀 사실이 다릅니다. 제가 직선제 하면 대통령 안 나온다고 한 것은 1986년, 6·29의 7개월 전에 전두환 씨가 건국대학 습격해 가지고 만 명의 경찰을 가지고 3,300명의 학생을 잡아넣으면서 전부 빨갱이다, 빨갱이라고 발표했습니다. 이래 가지고 말하자면 친위 쿠데타를 하려는 그 위기 속에 있을 때 제가 당신 이거 그만둬라, 당신이 국민 뜻대로 직선제를 받아들여라, 당신이 받아들이면, 그것이 나 때문에 문제라면 내가 안 나가도 좋다고 말했습니다. 그렇게 하자, 주고받자, 당신이 직선제 받으면 나는 안 나가겠다 약속하겠다, 그러니까 전두환 씨가 일고의 가치도 없다고 차 버렸습니다. 그래서 저는 7개월 싸워 가지고 노태우 씨, 전두환 씨 항복받아 가지고 우리가 차지한 것입니다. 말하자면 전투 개시 전에 서로 이렇게 하면 나는 너를 이렇게 받아 주고 너는 이렇게 받아 주겠다고 했다가 결렬되어서 싸워서 차지한 것인데 왜 이 약속이 여기하고 관계가 있습니까? 그것은 정말로 이치에 안 맞는 이야기라고 생각합니다. 저는 분명히 얘기해서 1987년 선거 부정은 극에 달했습니다. 여러분도 언론인도 여기 계시지만 그때 자유롭게 야당 이야기 보도한 신문사가 어디 있습니까? 야당을 제대로 봐주는 주간지 하나 없는 그런 정도로 여러분들 핍박을 받지 않았습니까? 그러니 공명선거가 아니지요. 전 공무원, 군이 총동원되고 통반장까지 동원되고 국영기업체가 동원된 것이 어찌 공명선거입니까? 그건 아니라고 생각합니다.

1971년 대통령 선거 때는 제가 46퍼센트를 얻었다고 발표되었는데 그건 저기 계시는 강 장군이 그 당시 그 선거에 직접 개입했는데 그 당시 그대로 했으면 박정희 씨가 졌다고 이렇게 얘기하고 있습니다. 그런 얘기하는 분이 이젠 많습니다. 그래서 문제는 국민의 생각이 중요합니다. 이렇게 노태우 대통령이 중립적인 입장을 지키고 이렇게 우리가 다 잘해 가는데 무슨 염치로 그것을 인정 안 할 수가 있습니까? 저는 분명히 얘기해서 여러분과 우리가 다 인정할 수 있는 공정선거를 했을 때 누구보다도 먼저 설사 패자가 되었더라도 그 결과를 지지할 용의가 있다, 이렇게 생각하고 있다는 것을 말씀드립니다.

이번에도 실패하면 물러날 것인지?

이성춘 관련해서 간단히 한 가지만 첨언하겠습니다. 김 후보께서는 꼭 1년 전인 작년 12월 6일 바로 이 자리 관훈토론회에서 말씀하시기를 오는 1992년 대통령 선거에서 성공하지 못할 경우에는 마땅히 정치의 책임 있는 자리에서 물러나 앞으로 새로운 분을 추대해서 대비하겠다, 나는 일개 병사로서 당 안이든지 밖에서든지 민주주의를 위해 열심히 헌신하겠다, 그런 말씀을 하셨고, 금년도 5월 22일 민주당 후보 지명 대회 앞서서 가진 기자회견에서 이번 대선 결과에 관계없이 당권에서 손 떼겠다, 그런 말씀을 하셨는데 이 부분도 확실히 변함이 없으신지 다시 한번 여쭙고 싶습니다.

김대중 전혀 변함이 없습니다.

이광훈 질문을 시작한 지 거의 1시간이 되었습니다. 너무 분위기가 딱딱한 것 같아서 부드러운 질문 한두어 가지 드리겠습니다. 요즘 시중에는 '알부남' 이라는 말이 유행을 하고 있습니다. 알고 보면 부드러운 남자다, 이것을 약해서 '알부남'이라는 말이 있습니다. 우리가 알고 있는 김대중 후보의 이미지라면 강하고 단호한 투사의 이미지였는데 이번 대선을 앞두고는 미소 짓는 부드러운, 어제 텔레비전 유세에서도 나왔습니다만 부드러운 남자의 이미지를 풍기고 있는데 이것이 시대 상황이 달라진 데서 오는 변화인지 그렇지 않으면 앞으로도 계속 이렇게 부드러운 모습을 유지하실는지 이것을 묻고 싶고 또 하나는 김 후보께서 평소 독서량이 많은 건 다 알고 있습니다만 그중에서도 애독하는 서적으로 『백범일지』하고 황석영 씨의 『장길산』, 박경리 씨의 『토지』를 들고 있습니다. 그중 『토지』는 아직 연재가 계속되고 있습니다만 『토지』에는 수백 명 인물이 등장합니다. 거기에는 1권이 최치수부터 시작해서 서희, 길상이, 구천이 등이 계속 나오는데 그 수백 명 인물 중에서 김 후보께서 가장 애착이 가는 인물, 그리고 애착이 가는 이유를 한번 얘기해 주셨으면 좋겠습니다.

김대중 정말 부드러운 질문인데요. 여러분도 경험해 보셨지만 강박한 상황 속에서 생명을 몇 번이나 뺏기려고 하고 감옥살이하고 뭐 주위의 동료들은 잡혀가고 이런 상황, 아마 한국 사람 누구도 겪지 못했던 세월을 저는 꼭 20년 이상 겪었습니다. 그런 생활을 해 왔기 때문에 제가 상당히 사생결단의 싸움을 안 할 수 없었습니다. 독재가 휘몰아칠 때 누가 싸웠습니까? 싸운 사람들이 없으면 어떻게 오늘날 여기까지 왔겠습니까? 저 혼자 힘으로 했다고는 하지 않지만 이렇게 오늘을 가져오는 데 저도 일비지력—臂之力을 한 것만큼은 틀림없습니다. 그런 과정에서 언제 부드러운 남자가 될 여유가 있습니까? 그리고 그때는 부드러우면 안 됩니다. 그런데 지금은 상황이 많이 바뀌었고 이렇게 되었습니다. 그래서 이제는 국민들도 자신이 생겼습니다. 다시는 군대가 정치 못 하게 막는 국민의 역량이 커졌습니다. 군대 내부도 이제는 큰 반성이 생겨 가지고 변화가 되었습니다. 저에 대해서 거부하던 군부나 재계도 이제는 태도가 달라졌습니다. 그렇게 하고 국민 중에서도 제가 텔레비전에 나오면 텔레비전 꺼 버리던 분들도 이제는 그래도 들여다보면서 김대중이도 괜찮은데 이런 사람도 생겨났어요. 그러니까 저도 그것에 맞춰 갈 수밖에 없지 않아요?

그리고 텔레비전 문제가 나왔는데 텔레비전이 제게는 문젭니다. 텔레비전은요. 텔레비전에 잘 나오는 사람은 얼굴이 주먹만 해야 합니다. 그런데 저같이 얼굴이 넓은 사람은 이게 잘 안 돼요. 가수나 탤런트 보세요. 예쁘게 나오는 사람은 다 얼굴이 작다고요. 제가 지난 27일 날 대구 팔공산에 가서 불교 신도 수십만이 왔다 갔다 하는 사이를 오고 가면서 악수하고 뭐 하고 했는데 거의 부인들이 빼놓지 않고 하는 소리가 텔레비전에서 본 것보다 훨씬 더 젊고 잘생겼다, 이렇게 말하더라고요. 그래서 기분도 좋았지만 텔레비전 때문에 나는 손해를 많이 보는구나, 이런 생각을 가졌어요. 그래서 손해 좀 덜 보려고 열심히 노력합니다. 억지로 웃는 연습도 하고 포켓치프도 끼워 봤다, 화장도 해 봤다, 이런 건데 시대가 바뀌었어요. 시대가 바뀌었습니다. 그래서 말하자면 민주주의라든가 정의라든가 소외 계층에 대한 애정이라든가 조국의 평화적 통일이라든가 공산주의에 대한 단호한 반대라든가 이 알맹이는 안 바뀌었지만 시대에 따라서 그 방법과 언동과 표정과 이런 것은 차이가 있습니다.

그리고 『토지』를 제가 많이 읽었습니다. 저는 문학 서적은 많이 읽었는데요. 『토지』는 참 경상도 하동군 평사리 거기의 모든 모습, 이런 것 화개장터 이런 모습 볼 때 저는 전라도에서 자랐지만 말만 경상도 사투리 안 쓰고 전라도 사투리 쓰면 꼭 전라도 같아요. 그렇게 박진감 있고 실감 있더라고요. 그리고 정말 자랑스러운 거작이고 명작이라고 생각합니다. 거기에는 애정이 가는 사람이 참 많아요. 무당의 딸 월선이도 있고 월선이하고 비련悲戀을 한 용이도 있고 주갑이라고, 떠돌이 육자배기 건드러지게 불면서 돌아다니는 주갑이도 있고, 이런 사람들 보면요. 정말 우리 한국인, 이것을 느끼게 돼요. 전 특히 세 사람에게서 한국인을 느꼈습니다. 월선이가 암에 걸려 가지고 용이하고 마지막 비련을, 용이는 한국의 전형적인 남자다운 남자입니다. 그런 남자로 묘사되어 있는데 용이 무릎 위에 누워서 마지막 숨을 거두면서 용이가 "너하고 나하고 산 인생 후회 없제." 하니 "네 후회 없습니더." 이러고 죽는 대목에서 전 얼마나 거기에서 운지 몰라요.

최청림 저도 개인적인 질문을 드리겠습니다. 얼마 전에 김 후보께서는 개인 재산 43억 원을 신고했습니다. 현금 5억, 집, 부동산 이런 것이 있습니다. 그런데 일반 국민들이 볼 때는 골동품이나 귀금속, 유가증권이나 서화나 이런 것을 왜 빼고 신고했느냐? 이렇게 얘기하는 사람들이 있습니다. 그걸 얼마큼 가지고 있는지 답변해 주시고요. 현금 5억 원에 대해서 여러 가지 화제가 되고 있습니다. 김 후보께서는 젊었을 때는 사업을 좀 하신 것으로 알고 있지만 그 후에는 줄곧 정치, 국회의원밖에 안 하셨는데 어떻게 현금 5억을 가지고 있을 수 있느냐? 큰돈입니다, 서민의 입장에서 볼 때는. 혹시 정치헌금을 받았다면 그것은 정치자금으로 쓸 문제지 김 후보의 개인 재산이 될 수 없다고 생각하는 국민도 있습니다. 그 문제에 대해서 답변해 주시기 바랍니다.

골동품 서화 등은 좋아하지 않는다

김대중 이런 토론이 좋은 것은 저런 질문 나와서 서로 하고 싶은 말 하니 내 자신에게도 참 유익합니다. 사실 저는 좀 어수룩해서 이것을 고시가격으로 하지 않고 시가로 했어요. 그래서 가격이 많아져 버렸어요. 안 그랬으면 반으로 주는 건데, 그리고 현금도 있는 대로 얘기했단 말이에요. 사실 이것은 개인으로 보면 현금 5억 원이면 큰돈입니다. 그러나 정당의 대표, 대통령 후보로서의 가지고 있는 이 돈은 요새 물가가 얼마나 비쌉니까? 그래서 이외에 당에서 지금 적어도 200억 이상은 써야 선거를 치를 수 있는 거 아닙니까? 이런 상황에 제가 특수하게 처해 있다는 것을 여러분이 이해해 주시기 바랍니다. 저도 선거가 끝나면 여러분과 똑같이 검소한 그리고 절약하는 생활로 돌아갈 것입니다.

그리고 골동품과 서화는 전 없습니다. 그런 걸 좋아하지 않습니다. 그리고 저희 자식들에게 가훈으로 얘기하고 있습니다. 그런 것 좋아하지 마라, 공인이 되려고 하는 사람이 그런 것 좋아하면 절대로 깨끗한 정치 생활을 하기가 어렵다, 유혹을 받는다. 골동품이라는 것은 굉장한 유혹이 있는 것입니다. 거기에 취미를 붙이지 말라고 합니다. 그래서 골동품이 생기면 모두 두었다가 당에서 무슨 큰 선거나 있으면 전시회를 해 가지고 팝니다. 지난번 광역 선거 때도 중소기업중앙회 자리에서 전시를 했는데 반 이상이 제 것이었습니다. 그래 가지고 그것 팔아서 아마 몇십억 했어요. 그런데 누가 준 것만도 아닙니다. 누가 어디서 전람회 한다고 저더러 나와서 사라고 하니, 안 사 줄 수가 없지 않습니까? 그러다 보면 수가 쌓입니다. 그러면 간혹 그렇게 해서 처리합니다. 저는 골동품이나 그런 문제에 대해서 관심도 없고 욕심도 없습니다.

제 재산이 43억이라는데 개중에는 큰자식이 살고 있는 집값이, 둘째, 셋째 자식이 살고 있는 전세금이 있습니다. 아직 두 자식은 집이 없습니다. 그리고 영등포 땅이 25억이라 해서 그렇게 큰돈으로 신고됐습니다. 그런데 그것은 지금부터 근 30년 전에 아주 헐값으로 샀던 것입니다. 사고 싶어 산 것이 아니라 우리 집사람이 저축해서 모아 논 것으로 그걸 샀어요. 별 돈이 아니었습니다. 그런데 그 이후 일대가 롯데 민자역이 개발이 되고 신세계백화점이 들어서고 경방이 큰 백화점을 지으려 하고, 들으니까 두산오비(OB)도 저쪽에다 지으려고 한다 해요. 그래서 값이 올라갔습니다. 여러분도 다 아시다시피 서울이란 곳은 장소에 따라서는 가격이 폭등하는 것 아닙니까? 그래서 그 전엔 아무것도 아니었던 것이 지금은 25억짜리가 되었어요. 그런데 사실은 그걸 지금까지 왜 쥐고 있었냐 그랬더니 그동안 돈이 아쉬워서 몇 번 팔려고 내놨어요. 근데 사려고 하다가도 제 것이라니까 아무도 안 사요. 아주 송충이같이 무서워하고 도망가요. 그래서 이것도 사실은 선거에 들어가면서 또 팔아서 선거비용에 보태 써 볼까, 남보고 달라고 하면서 내 것 안 내놓는다는 게 말이 아니다, 이래 가지고 내놓았어요. 또 저기 주말농장 몇백 평이 평당 백몇십 원 주고 산 것도 지금 몇천만 원 되겠지요. 그것도 다 내놨어요. 그런데 하나도 안 팔려요. 그래서 이번에 이것은 하늘의 뜻이었구나, 이래서 이것을 저도 장애인이고 해서 장애인 단체에 완전히 내놓기로 해서 법적 수속을 하고 있습니다. 그래서 제가 이것을 가지게 되었다는 것, 이해해 주시기 바랍니다.

이성춘 저희가 관심을 갖는 것은 김 후보 개인 재산에 대해 유달리 따져 보자는 것이 아니라 역시 대통령 선거에 나서신 분이기 때문에 모든 국민이 정확히 알 필요가 있지 않으냐? 두 가지 의문점이 생깁니다. 첫째는 지금 말씀하신 대로 지난번 발표하신 43억 원이 자녀분들 것이 포함되었다, 그래서 자세히 발표하셨는데 내외분 것은 제가 이렇게 합산을 해 보니까 34억 8백80만 원으로 나옵니다. 지난번 1988년도 13대 국회가 구성되어 동원하시면서 모든 국회의원이 국회사무처에 이른바 재산 등록을 하고 나서 두 달 후에 공개를 하셨을 때는 3억 4천만 원으로 나왔습니다. 근 4년 반 정도에 굉장한 차이가 나지 않느냐 하는 점 하나하고 현금 5억 부분 같은 거 야당 당수, 지금은 야당이 아닙니다만 일개 큰 정당의 당수를 지내신다면 이런 여러 가지 돈도 가질 수 있지 않으냐, 선거 끝나면 검소하게 지낼 수 있다, 그러시는데 딱 한 가지만 인용하겠습니다. 지난번 부산 지역 언론인들 모임인 가야클럽에서 말씀하실 때 돈은, 단순히 정치자금이란 것은 단지 정거장 역할만 해야 된다는데 김 후보께서는 개인 재산하고 정치자금하고 어떻게 구분하시는지 그 두 가지를 말씀해 주시기 바랍니다.

김대중 1988년 그때에 3억 4천으로 등록했던 건데, 그건요. 아마 이런 데서 온 일 같습니다. 그때는 땅에 대해서 평가하지 않고 영등포 어디 소재 대지 몇 평, 경기도 화성군 어디 소재 임야 몇 평, 이런 식으로 등록을 했기 때문에 저희 집만 평가해서 그때는 그렇게 된 것이 아닌가 생각됩니다. 하나도 한 평도 감춘 것은 없습니다. 땅은 평가를 안 했다고 들었습니다. 그래서 그런 오해가 생긴 것 같고요. 정치자금과 개인 재산 이건데, 제 일생의 신조는 자식들에게 아주 문장으로 써 주었는데 부자도 되지 말고 가난한 사람도 되지 마라, 부자도 돈의 노예가 되고 가난한 사람도 돈의 노예가 된다, 이렇게 써 주고 있습니다. 솔직한 얘기가 저는 대통령이 되어서 좋은 정치를 하고 싶은 욕심은 있지만 부자가 될 욕심은 전연 없다, 그 점은 여러분께 분명히 말씀드리고요. 그리고 저는 돈이 생기면 생기는 대로 당과 정치를 위해 썼기 때문에 저 개인 재산이란 것은 현금으로는 사실 없습니다. 생기면 다 쓰고 아까적은 5억도 다 당으로 쓰는 것이고 저희 집 살림으로 쓴 것은 극히 일부밖에 안 됩니다. 그렇게, 알아 주시기 바랍니다.

성병욱 1996년 15대 총선 때 국민에게 물어서 압도적으로 내각제를 지지하면 잔여 임기를 내놓고라도 내각제를 하실 생각이 있다고 하셨는데 만일 1996년 시점에 김 후보는 개인적으로 의원내각제와 대통령제 중 어느 쪽을 선호하시겠다, 그런 생각이 혹시 있으신지요? 그리고 그때 가서 잔여 임기를 포기하고 의원내각제를 하겠다고 하면 내각제를 통해서 집권 연장을 꾀하는 게 아니냐, 그런 오해를 받기가 십상인데 내각제 개헌을 하게 되면 결코 재집권을 시도하지 않겠다, 그런 다짐을 하실 수가 있겠습니까? 또 이 내각제 실시 용의 발언이 대선 후 민자당 내 민정계 등 내각제 선호 세력을 끌어들여 제2의 3당 통합 같은 정계 개편을 염두에 두신 것은 혹시 아닌지 그런 것에 대해서 말씀해 주십시오.

'의원내각제—대통령제' 어느 쪽 선호하나?

김대중 저는요, 이 문제에 대해서 저의 입장은 분명합니다. 저 개인으로서는 대통령중심제를 지지합니다. 저는 내각제를 지지하지 않습니다. 그 이유까지는 여기서 발표하지 않겠습니다. 발표할 필요가 없으니까요. 그러나 그런 동시에 저는 현재의 우리들은 누구도 현 14대 국회에서 내각책임제 한다고 주장할 권리가 없다고 생각합니다. 이런 정부 체제를 근본적으로 바꾸는 일은 국민의 동의 없이 할 수 없습니다. 더구나 현재의 대통령직선제는 여러분이 아시는 대로 1972년 유신 이래 1987년까지 국민이 15년 동안 싸워서 얻은 것입니다. 국민의 피와 땀과 눈물이 여기에 배어 있습니다. 얼마나 많은 사람이 죽고 감옥 가고 했습니까? 그들이 그렇게 해서 얻어 놓은 것을 우리가 무슨 권리가 있길래 맘대로 바꿉니까? 이것을 바꾸려면 국민의 동의 없이는 못 바꿉니다. 그런데 이번 14대 국회에서 어느 정당도 내각책임제를 가지고 나온 일이 없습니다. 선거 전에는 바라지 않고 선거 끝나면 내각책임제, 이게 말이 됩니까? 그래서 이런 것은 말이 안 된다 이겁니다. 그런데 그러한 원리와 더불어 현실적으로는 내각책임제 문제가 상당수 사람들에 의해서 관심을 갖게 되고 논의되고 있는 것도 사실입니다. 그러면 정치하는 사람으로서 상당수 사람의 관심이 증가되고 있을 때는 그것을 우리는 국민의 생각이니까 겸허히 경청해야 한다고 생각합니다. 그런 데다가 우리 헌법은 이것이 특히 부산정치파동 이래 그저 뭐만 잘못되면 헌법 탓으로 이리 발기고 저리 발기고 이래 가지고 헌법 대단히 참 안된 말이지만 누더기같이 되어 버렸습니다. 그래서 대통령직선제도 아니고 내각책임제도 아니고 이런 헌법이 되어 버렸습니다. 그래서 저는 이 헌법에 대해서는 국민적 심판에 의해서 정리할 때가 왔다, 순수한 내각책임제를 할 것인가 영국이나 일본같이, 아니면 순수한 대통령중심제, 삼권분립 이렇게 해서 대통령, 부통령, 국회의원이 국무위원 겸직 안 하고, 무엇보다도 국민의 결선투표가 있어야 합니다. 노태우 대통령같이 36퍼센트 가지고 어떻게 이 막강한 권한을 행사하는 대통령 할 수 있습니까? 만일 그때 36퍼센트밖에 못 얻었는데 그때 결선투표 했으면 분명히 야당은 하나가 되었을 것이고 노태우 후보는 당선이 못 되었을 것입니다. 이런 걸로 보더라도 이것을 안 한 것이 얼마나 잘못이었던가를 알 수 있습니다. 그래서 이러한 두 가지 중에 하나를 분명한 헌법으로 방향을 바꾸는 이러한 작업이 우리에게 필요하지 않은가 이렇게 생각해서 저는 헌법을 국민의 심판에 부칠 필요가 있다, 그래서 14대 국회 말기에 가서 이런 것을 공론을 일으켜서 15대 국회의원 선거에서 이런 것을 부칠 필요가 있지 않은가 이렇게 생각합니다. 그리고 저는 원래 자유당 치하에서는 열렬한 내각책임제 지지자였습니다. 민주당 정권 때 저는 내각책임제의 총리를 대변하는 여당의 대변인이었습니다. 다만 내각책임제 안 되겠다고 생각한 것은 5·16군사쿠데타 때 윤보선 대통령이 한 것 보고 이래서는 안 되겠다, 국군통수권이 둘로 갈라지는 일은 안 되겠다, 그런 데서 저도 그렇게 생각했고 국민도 그렇게 생각해서 국민은 계속 대통령직선제의 독재를 받으면서도 대통령직선제를 지지해 온 것을 우리는 잘 알고 있습니다. 여러분이 잘 아시다시피 12대 국회 같은 것은 야당은 아무 정책도 없고 오직 대통령직선제 하나 가지고 정강 정책이 전부 그것이었습니다. 그 외에 없었어요. 이러한 정도로 국민의 지지를 받았는데 이제는 상황이 많이 달라졌지 않느냐? 그래서 한번 국민의 여론에 부치는 것이 우리나라 정치 현실로 봐서 필요한 때가 왔다, 이렇게 생각합니다. 만일 국민들이 압도적으로 지지하면 내각책임제를 해야 하는데 그때 제가 어떻게 할 거냐, 저는 그때는 내각책임제를 받아들이면 마땅히 대통령 자리를 내놓는 것이 옳다고 생각합니다. 저는 노태우 대통령에 대해서 말한 일이 있습니다. 노태우 대통령이 내각책임제 얘기를 할 때, 지금부터 2, 3년 전입니다. 대통령이 무슨 자격으로 지금 내각책임제 얘기합니까, 대통령은 분명히 대통령직선제에 대해서 국민 앞에 항복했다고 해 놓고 대통령이 어찌 이렇게 할 수가 있습니까? 그러나 그보다 더 모순인 것은 대통령 태도입니다. 그 좋지 않은 제도라도 하면서 그것을 내 임기 동안 1993년 2월까지는 대통령중심제하겠다, 그리고 그다음에 내각책임제를 하자, 그러면 어찌 좋지 않은 제도를 늦게 하고 좋은 제도 그렇게 빨리 안 합니까? 대통령이 정말로 내각책임제에 대한 소신이 있다면 대통령은 내가 해 보니까 국민한테 약속했지만 도저히 안 될 제도다, 그러니 바꿔야 좋겠다, 그러면 내가 대통령을 내놓을 테니까, 내각책임제 하자, 이렇게 말하면 대통령 말이 설득력이 있습니다. 그러지 않는 이상은 설득력이 없습니다. 제가 그렇게 대통령에게 말한 일이 있습니다. 그래서 저는 그런 제 말한 것으로 보더라도 만일 그렇게 받아들이면 그것은 대통령 임기를 포기하면서 하는 것이 옳다, 이렇게 생각하고 있습니다.

성병욱 보충 질문하겠습니다. 제가 질문한 것 중에 대답을 안 하신 것이 있는데요. 이제 만일 국민들이 원해 내각책임제를 하게 된다면 그것이 아무래도 1996년 선거 끝난 다음에 개헌하는 과정이 시간이 좀 걸릴 테고 하면 대통령이 되시고 난 다음에 4년 정도 임기가 흐르고 난 다음일 겁니다. 그때 그만두시면 1년이 남는 것이 아닙니까? 그런데 그만두시고 난 다음에 앞으로 집권을 안 하겠다 하면 모르지만 또다시 대통령은 물러났지만 의원내각제로써 내가 총리를 하겠다든가 대통령을 하겠다 그런다면 집권 연장을 하기 위해서 이거 하는 거 아니냐, 이런 우려를 낳을 염려가 있는데 그 문제에 대해서 내각책임제를 하면 내가 물러나는 것은 물론 물러난다고 하셨으니까 앞으로도 총리고 대통령이고 더 할 생각이 없다든가, 그때 가 봐야 알겠다든가 분명하게 말씀해 주십시오.

집권 연장 꿈에도 생각 없어

김대중 걱정을 너무 많이 하시는데 그런 걱정 안 하셔도 됩니다. 저는 대통령중심제 지지자입니다. 그때에도 대통령중심제를 국민이 지지하기를 바라는 사람입니다. 그렇기 때문에 내각책임제에서 내가 어떻게 할 거냐 하는 생각은 지금 현재 하지 않습니다. 그리고 무슨 자리에 연연해 가지고 집권 연장이란 것은 꿈에도 생각하지 않습니다. 그런 문제에 대해서는 아무 걱정할 필요가 없습니다.

이성춘 아까 김 후보께서 제가 일관성 문제를 말씀드리니까 한 번도 어긴 적이 없다고 얘길 하셨는데 그 부분에 대해서는 동의하는 분들도 많이 계시겠지만 조금 생각을 달리하는 입장도 있다고 봅니다. 두 가지 경우를 들고 싶은데요. 첫째는 지난 1989년 6월에 그 당시에 벌써 봄부터 이른바 밀입북 사건으로 공안정국이 형성이 되어 경직된 분위기를 이뤄 가지고 정치 자체가 빡빡하기 짝이 없었는데 그때 광주를 방문, "광주사건과 5공 비리가 완전히 규명, 해결되지 않으면 노 대통령의 신임을 연계하는 국민투표를 통해서 이른바 정권 종식 투쟁을 하겠다"고 선언을 하시고 중요한 것은 6개월 이내에 관련자 핵심 인물 6명을 처리하지 않을 경우는 묵과하지 못하겠다, 그리고 8월에는 보라매공원 강연에서 5공 비리와 광주사태가 완전히 규명, 해결되지 않을 경우는 연말까지 중간 평가를 하고 그것이 안 될 경우는 노 대통령 종식 투쟁을 하겠다고 시일을 설정을 하셨는데, 이게 어느 면에서 보면 정치 지도자로서 최후통첩 비슷한 아주 마지노선을 그어 놓고 선언을 하셨는데 이것이 그 당시 일부 측에서 생각하기는 공안정국을 피해가기 위해서 여러 가지 검찰 출두 문제도 있고 해서 이런 것이 단순한 방편인지요? 이것이 당론 부분하고는 조금 느닷없이 나왔기 때문에 여러 가지 논란이 많았습니다. 또 하나는 중간 평가 부분에 가서 13대 총선 때 33.9퍼센트를 민정당이 받았기 때문에 이제 반드시 재신임받아야 된다고 했는데 그 뒤에 중간평가 문제가 흐지부지되어 안 하는 것도 인정하는 그런 식으로 되었는데 이런 부분도 차제에 해명을 하셔야 될 것 아닌가 합니다.

김대중 5·18민주화운동에 대해서는 제가 아까 말씀한 그런 회견한 이후로 국회에서 광주학살을 해명하기 위해서 전두환 씨도 출석시켰고 정호용 씨 의원직 사퇴도 시켰습니다. 여러 가지 진전이 있었습니다. 무엇보다도 미국 정부가 5·18민주화운동에 대해서 정부로서 공식 문서를 보내왔습니다. 그래 가지고 광주에서의 학살, 그러한 불행한 사건은 12·12를 일으킨 신군부 세력들이 말은 그대로 기억을 못 합니다만 의미는 그런 의미입니다. 정권욕에 의해서 국민을 공격하고 이런 사건이었다, 다시 말하면 그 당시 신군부들이 말하던 용공 그런 것은 아니었다, 이것을 분명히 정식 문서로 5·17반란사태, 5·18민주화운동에 대한 특별위원장 문동환 위원 앞으로 보내온 일이 있습니다. 우리들이 상당히 이 문제에 대해서 밝혔습니다. 광주에 대해서 저희들이 목표한 것은 진상 규명, 명예 회복, 정당한 배상, 기념사업 이 네 가지를 걸었는데 결국 진상은 누가 발포 명령했나 그것만 몰랐지 나머지 진상은 거의 다 밝혀서 광주의거는 광주 시민들의 폭동이 아니라 광주 시민들의 민주화를 위한 운동이었고 이것을 군부가 진압하는 과정에서 저항하지 않은 국민을 살해한 것이다, 이것은 공식 문서로 다 입증이 되었습니다. 저희들이 가장 중요한 문제는 했다고 볼 수 있습니다. 그렇게 했는데 그다음에 더 이 문제를 가지고 하려고 했는데 정호용 씨가 책임지고 물러나는 선에서 어느 정도 타협을 하고 나머지는 재판해서 명예 회복, 배상 보상 문제, 기념사업 이런 것이 되는데 기념사업은 상당히 노 대통령과 저 사이에 합의가 되었습니다. 이렇게 되어 갔는데 결국은 1990년 1월에 3당 합당 사태가 생겨 버렸습니다. 그렇게 되니까, 아무것도 안 되게 되어 버렸습니다. 그래서 노태우 대통령이 못 하겠다고 우겨 도저히 같이 싸우던 야당 다 그쪽으로 가 버렸고 저희 힘만 가지고 역부족이어서 나머지 일을 못 한 것입니다. 그러나 지금도 누구를 처벌하는 것은 바라지는 않지만 광주학살의 진상만은 분명히 밝혀야 한다, 그리고 명예 회복시켜야 한다, 또 5·18민주화운동에 대한 기념사업은 반드시 진행되어야 한다, 이것은 따라서 정치 상황의 변동으로 인해서 부득이 지금 유보한 것이지 결코 포기한 것은 아닙니다. 그건 최근에도 제가 광주 가서 광주 시민하고 다시 한번 다짐한 것을 보더라도 제가 포기한 것이 아니고 말을 바꾼 것이 아니라고 생각하실 수 있을 것입니다. 그리고 중간 평가도 아시다시피 결국 우리가 마지막에 노태우 대통령과 협상을 해서 전두환 씨가 나와서 증언하고 정호용 씨 사퇴하고 지방자치제 하기로 합의함으로써 노태우 씨의 민주화에 대한 의지를 우리가 그 정도면 인정한다, 이런 입장에서 그 외에 노태우 씨가 저희들이 요구한 가족법 개정이라든가 이런 것도 응하고 그때는 많은 협력이 되었습니다. 여소야대 때는 상당한 민주화가 되었습니다. 여러분도 아시다시피 청문회 제도 창설되고 국정감사도 부활되고 전두환 씨의 국정자문회의 의장 자리도 박탈해 버렸고 전두환 씨 일족도 그때 감옥에 많이 가지 않았습니까? 5공 청문회, 광주민주화운동 청문회 해서 수십 명 수백 명들이 청문회에 나와서 조사도 받고 과거에는 일찍이 없던 일들이 상당히 있었던 것은 사실입니다. 그리고 농민, 어민을 위해서는 여러 가지 혜택, 조합의 직선제라든가 그런 것이 있었습니다. 이렇게 3당 합당 전에는 그래도 비교적 민주화가 진행되고 마지막으로 국가보안법의 개폐, 안기부법 문제, 경찰 정비 문제 등이 논의되고 추진되었습니다. 이것이 다 추진되면 민주화가 어느 정도 되었다, 이렇게 인정할 수도 있다, 그래서 그런 과정에 3당 합당 되어 좌절되었고 그때부터는 아무것도 안 되고 국회에 나가면 격돌, 날치기만 있고 그런 상황이기 때문에 더 이상 어떻게 할 수 없었다는 것을 여러분이 그 당시의 경위를 보면 알 수 있을 것입니다. 상황이 그랬다는 것을 이해해 주기 바랍니다.

정주영 후보와 후보 단일화 생각은?

이성훈 짤막한 질문 하나 드리겠습니다. 아시다시피 1987년에 정권 교체가 실패한 것은 야당 단일 후보가 이루어지지 않았던 것을 우리가 다 아는 일입니다. 당시에 야당 단일 후보만 이루어졌더라도 그때 당시 두 분 야당 후보의 득표가 노태우 당시 민정당 후보의 득표보다 많았던 것은 우리가 다 아는 일입니다. 지금 이번 우리 대선은 아까 김 후보께서 말씀하셨지만 중립내각이라든가 여러 가지 여건으로 봐서 정권 교체의 호기라고 생각을 하고 있습니다. 이것과 관련해서 조금 짓궂은 질문을 하나 드리겠습니다. 지금 시간이 촉박하기는 합니다만 야권 단일 후보라고 하면 좀 어폐가 있고 반민자反民自 단일 후보를 위해서 국민당 정주영 후보와 후보 단일화를 위해 협상하실 생각은 없으신지 여쭤보고 싶습니다.

김대중 과거 1987년 얘기가 나왔으니까 얘기하겠는데요. 저는 그때 저라도 양보를 안 한 것이 지금도 굉장히 후회스럽다 하는 얘기를 여러분 국민 앞에 미안한 말을 했습니다. 그것은 여러분이 다 알고 계시는 일입니다. 다만 그때 저는 김영삼 통일민주당 총재가 독일 본에서 말하기를 그게 1986년 말입니다. 김대중 씨가 사면 복권이 되면 자기는 출마하지 않겠다, 김대중 씨에게 양보하겠다, 돌아와서도 그 약속은 지키겠다고 또한 되풀이했었습니다. 그래서 제가 사면 복권되었을 때 당내에서 들어오라고 해서 저는 당연히 들어갔습니다. 또 그것을 지키겠다고 해서 들어갔습니다. 그러나 들어간 후로 그것이 지켜지지가 않았습니다. 거기에 대해서는 서로 여러 가지가 변명이 있겠지만 어쨌든 지켜지지가 않았습니다. 그래서 저는 고민을 많이 했습니다. 이제는 할 수 없다, 나라도 양보해야 하지 않냐, 이런 것을 많이 고민을 했는데 시간이 지나가면 다 알겠지만 그때 제 주변 환경은 굉장한 압력을 받고 또 그러한 약속 위반에 대해 분노하는 분위기가 컸습니다. 그리고 솔직한 얘기가 저는 김영삼 총재의 그러한 태도에 실망을 했습니다. 그건 마치 3당 합당 후에 한 실망과 거의 비슷했습니다. 그래서 결국 제가 출마를 하게 되었는데 지금 말씀과 같이 나라도 안 했어야 한다, 이것은 대단히 후회스럽다 생각하고 있습니다. 물론 그때 그랬더라도 반드시 부정선거를 안 해 가지고 쉽게 정권을 내주었으리라고는 전혀 생각 안 됩니다. 지금 생각해 보십시오. 그때 군부들이 그렇게 내줄 상황이 아니었습니다. 그렇지만 그때 하나만 되었던들 국민의 분노가 그리 집중되지 않았겠느냐 할 때 그것은 분명히 제가 책임질 만한 과오였다고 생각하고 미안하게 생각합니다. 그리고 지금 민자당에 대해서 반민자 단일 후보를 할 생각은 없냐 그러셨는데 이 점은 두 가지 점에 있어서 저희 당에서 아직 논의는 안 해 봤지만 저는 그런 생각이 별로 필요가 없지 않나 생각됩니다. 노태우 정권이 이제 중립내각을 만들었고 중립을 본질적으로 훼손하고 있다고 볼 수 없습니다. 그러면 노 정권을, 중립을 그대로 유지시킬 때 민자당을 꼭 여당이라고 볼 수 없습니다. 과거 정책에서 책임은 있지만, 그 점이 있기 때문에 반민자 단일 전선이 필요하냐 하는 생각이 있고요. 또 하나는 저는 정주영 대표의 국민당은 본질적으로 민자당과 차이가 없는, 같은 뿌리에서 나온 두 개의 정당이다, 이렇게 보고 있습니다. 그동안에 정주영 씨가 현대 재벌을 키워 온 과정에서 역대 군사정권과 아주 밀착되었던 상황으로 보거나 또 정주영 씨가 전경련 회장으로서 오늘날까지 우리나라 경제구조를 이렇게 왜곡시켜 빈부 양극화, 중소기업과 대기업과의 격차, 지방과 지방의 격차, 도시와 농촌의 격차 이런 것을 만든 경제구조를 만드는 데 적어도 대통령 다음으로는 그런 방향에 영향이 있었다, 이렇게 생각하기 때문에 저희는 본질적으로 이 두 분이 그렇게 차이가 없는 것이다, 그래서 우리가 꼭 통합할 필요가 있겠냐 하고 말하고 싶습니다. 여기에서 이것하고는 관계없지만 한마디 말을 하고 싶은 것은 정주영 대표가 요사이 저희들을 막 싸잡아서 비난하고 다니면서 경부고속도로 만든다고 할 때 반대한 무식한 자들이라고 이런 말을 하고 다니시는데 그 점은 그분이 잘못 이해하고 있는 것입니다. 저희들은 경부고속도로 건설을 반대한 것이 아니라 경부 고속도로 건설 문제에 있어서의 도로 건설의 우선순위를 그렇게 해서는 안 된다고 말한 것입니다. 이 점은 청와대에 갔을 때 노태우 대통령도 그 말씀을 했는데 정주영 대표와 똑같은 얘기를 해서 제가 노태우 대통령한테 설명을 했는데 우리는 경부고속도로를 반대한 것이 아니라 먼저 전국의 국도를 고르게 다 포장해야 합니다. 이것은 제가 고속도로 때 심술부리는 것이 아니라 1971년 대통령 선거공약에 전국의 국도 포장에 대한 계획이 있습니다. 그래서 전국의 국도를 다 포장해서 자동차가 사통오달로 잘 다니게 만들어야 합니다. 그래서 높은 데서 내려 봐 가지고 어디에 하중이 너무 가는가 봐 가지고 그때 그쪽에다 고속도로를 만들게 합니다. 순서가 이것이 먼저입니다. 그런데 고속도로는 전국의 국도는 40퍼센트 포장도 안 됐는데 가장 포장률이 높은 경부 쪽에다가 또 고속도로를 만듭니다. 그러면 모든 물동과 건설이 이쪽으로 몰려들어 갑니다. 이래야 경제적이니까. 그러면 거기는 더욱 모든 것이 집중됩니다. 그렇게 되면 다른 곳과 격차가 더욱 생깁니다. 이래선 안 됩니다. 그쪽을 위한 길도 아니라고 했습니다. 여러분 보십시오. 그런 결과 지역과 지역의 격차만 난 것이 아니라 지금 부산이나 울산이나 이런 데가 지금 공해니 교통 혼잡이니 등등 해서 교육, 주택, 모든 것에서 사람 살 수가 없는 지역이 되고 말지 않았습니까? 그렇기 때문에 우선순위가 잘못된 건설 결과는 오늘날 경상도 지역도 큰 피해 지역으로 만들게 되었다, 이런 점에 있어서 저는 지금도 그때 고속도로 우선순위를 바꿔 가지고 국도 포장보다도 먼저 한 것은 잘못이었다라는 생각에 변함이 없습니다.

정종문 거국내각에 대해 말씀을 하셨는데 2년간을 정치 휴전을 하시겠다 했는데 가급적이면 5년간을 정치 휴전을 하시지 왜 하필……. 그 근거가 있으면 말씀을 좀 해 주시고 4·19 이후 민주당의 연립내각인지 거국내각인지 그 성격의 차이는 잘 모르겠습니다만 시험을 해 본 결과 실패하고 5·16군사쿠데타를 자초했습니다. 과연 거국내각이라는 것이 정치적인 안정을 가져올 수 있는 좋은 방법일까, 이렇게 생각이 되고요. 세 번째는 대통령중심제하에서 거국내각이라는 것이 정치적으로 어떻게 설명해야 할지 잘 모르겠습니다.

거국내각 구성하면 정치 안정

김대중 2년간 휴전이라는 것은 몇 가지 이유가 있습니다. 우리가 가장 중요한 것은 정국 안정 속에서 경제 발전의 기틀을 만들어야 하는데 경제 발전의 기틀은 잘 아시는 대로 물가 안정이 최우선적으로 기초가 돼야 합니다. 그런데 3퍼센트까지 물가 안정을 시키려면 제가 볼 때는 2년이 걸린다고 생각됩니다. 그것이 하나의 이유고요. 그리고 또 우리의 정치가 32년에 걸친 군사통치하에서 많은 악법들이 생겼습니다. 여러분 얼른 생각하더라도 국회에서 날치기 되었건 어쨌건 간에 국회에서 통과된 것 외에 유신 때라든가, 5·16쿠데타에서 국가재건최고회의에서 만든 법률들 그것은 전혀 국민하고 관계없이 만들었지요. 유신 때 무더기로 만들었지요. 전두환 씨가 국보위에서 만들었지요. 이렇게 해서 2, 3천 개의 법률이 국민의 동의 없이 멋대로 만들어졌습니다. 이런 문제를 우리가 처리하는 데 굉장한 시간을 필요로 합니다. 그래야 민주제도가 제대로 됩니다. 또 경제가 제대로 잘되려면 노사가 안정이 되어야 하는데 노사 간에 서로 대등한 입장에서 상호 이해하면서 협력 체제를 갖추는 데도 2년은 걸릴 것 아니냐, 이런저런 경제 안정, 노사 간의 안정, 이런 중요한 문제들을 안정시키는 데는 한 2년이 걸립니다. 왜 그러냐 하면 요번에 미국에서 국회의원이 왔었고 미국 민주당 캠프의 중요한 분이 와서 이야기를 들어 봤는데 그분들도 얘기가 클린턴이 정권 잡았지만 클린턴이 정권을 파악하는 데 적어도 반년 이상 걸린다고 말합니다. 미국같이 완전히 안정된 체제하에서 그저 인계 서류만 받으면 그대로 나갈 수 있는 나라도, 법고칠 필요 없고 뭐 특별히 할 필요 없는 나라도 반년이 걸린다고 합니다. 물론 그쪽은 기구가 큰 면도 있지만 저희들같이 상당 부분을 민주화 쪽으로 바꿔 가고 시장경제 쪽으로 바꿔 가는 지금 이게 시장경제 아닙니다. 사이비 시장경제고 본질적으로 정경유착에 의한 관치경제고, 특권경제입니다. 이런 것을 바꿔 가는 이런 문제, 이것이 말이 쉽지 경제에 충격을 안 주면서 점진적으로 개혁하고 국민의 동의를 얻어 가고 기업인들을 설득시키고 그들이 의욕이 나게 만들고 노동자도 설득해서 갈 수 있는 것, 솔직한 얘기가 앞으로 노사 협력이 절대적으로 필요하고 기술자의 협력이 필요한데 적어도 노동자의 협력을 얻어 내는 데는 저희가 가장 적임자가 아닌가 생각됩니다. 그래서 이런 모든 것을 해내려면 2년 정도의 세월이 필요하지 않은가 생각합니다. 2년이라고 한 이유는 1993년부터 2년이면 1995년 6월인데 그다음에 1996년 중반에는 국회의원 선거가 있습니다. 그렇기 때문에 각 정당도 1년은 선거에 들어가야지 거국내각만 할 수 없는 것이고 저희들도 2년이면 안정과 발전의 기틀을 잡을 수 있다고 생각합니다. 2년에 못 하면 못 하는 거고요. 그래서 그런 건 없다, 더 이상은 꼭 안 해도 된다, 물론 필요하면 각 당이 합의하면 못 할 것도 없다, 최소한도 2년간은 협력을 받아야겠다, 이런 입장입니다. 그래서 그런 것을 말씀을 드렸고요. 대통령중심제하에서 거국내각이 있을 수 있냐, 정말 적절한 말씀인데 우리 제도가 반드시 대통령제가 아니고 헌법만 가지고 보면 오히려 내각책임제 요소가 강합니다. 첫째 대통령은 국무총리를 지명해 가지고 국회에서 인준을 안 하면 임명을 못 받지 않습니까? 국무총리가 없습니다. 국무총리가 없으면 내각 구성을 못 합니다. 국무총리 인준받아도 국무총리가 국무위원 제청을 안 하면 임명을 못 합니다. 법대로만 하면 대통령이 달싹 못 하게 되어 있어요. 국회가 필요하면 언제든지 불신임할 수 있습니다. 불신임하면 그만두게 만들어야 합니다. 그러면 극도로 얘기하면 국회가 매일 불신임하면 국무위원이 한 사람도 없는 그런 상태가 됩니다. 그런데 반면에 대통령은 국회 해산권이 없습니다. 법대로만 보면 오히려 국회 독재가 가능한 나라입니다. 이렇게 철저히 되어 있는데 실제론 정반대로 이행이 안 되고 있을 뿐입니다. 그래서 이런 면이 있다는 것을 볼 때 아시다시피 국무회의가 부서를 안 하면 국가 업무가 발효 못 하게 되어 있습니다. 이런 것으로 해서 내각책임제적 요소가 너무 강하기 때문에 우리가 한다면 거국내각을 이 법체계 가지고도 훌륭히 할 수 있다고 이렇게 생각합니다.

구월환 진행자로서 한 말씀 드려야겠는데요. 우선 이쪽에 참석자 질문도 많이 들어와 있고 지금 남은 시간은 45분까지라고 하지만 참석자 질문을 감안할 때 9시 30분까지는 대표 질문자 질문을 끝내 주셔야 하는데 시간대로 하면 한두 분 질문밖에 되지 않는다, 그럼 어떻게 짤막짤막하게…… 우리 최 국장 하시고 나머지 두 분 하시고 이렇게 되어 있습니다.

최청림 이 정부가 주택 200만 호 건설을 강행, 인력난, 자재난, 물가고 등 여러 가지 부작용을 빚어냈습니다. 그럼에도 불구하고 구태여 민주당이 3백만 호 건설을 내세우는 까닭은 어디에 있는지 답변해 주시기 바랍니다.

김대중 주택 3백만 호는 문제는 3백만 호냐 2백만 호냐가 중요한 게 아니라 주택 크기가 얼마나 큰 것을 3백만 호라 하냐, 이것이 중요하고 그것을 몇 년 사이에 짓는다는 것이냐가 중요합니다. 지난번에 2백만 호는 여러분이 잘 아시는 대로 주택 건설의 32평 기준입니다. 적정 규모가 최대로 50만 호 정도인데 그냥 2년 동안 마구 몰아붙여서 70만 호, 80만 호 이런 식으로 짓기 때문에 한꺼번에 충격을 주어서 노임이 폭등하고 건축 자재가가 폭등하는 그런 졸렬한 짓을 가져온 것입니다. 모든 경제 정책은…… 아무리 좋은 경제 정책도 충격을 주고 졸속하게 집행하면, 오히려 나쁜 정책의 안정적 집행보다

못하다는 말을 여러분은 잘 알고 계십니다. 그래서 그 점에 있어서 문제가 있다 하는 것이고, 저희는 이 주택 문제에 있어서 3백만 호 발표를 했는데 이것은 5년에 짓는 것이고, 우리 정부의 방침도 보면 32평형 중심으로 해서 앞으로 55만 호를 짓는다고 했습니다. 우리 경제 발전의 규모로 봐서 매년 5만 호씩 늘여 갈 수가 있습니다. 국민총생산(GNP)이 성장하고 있기 때문에, 그래서 우리는 22평 중심의 서민 주택 위주로 60만 호를 짓겠다고 하니까 32평형 중심으로 한 55만 호보다는 오히려 자재도 남고 돈도 남습니다. 크기가 훨씬 작으니까요. 정부가 잘못한 것은 큰 집만 중심으로 해서 중산층과 상류층만 위하고 오히려 그렇게 주택이 남아도는데 서민 주택은 10여만 호나 목표에 미달했습니다. 이런 것이 안 된다는 것을 말씀드리고 따라서 22평형 중심으로 하면 32평형 55만 호 1년에 지을 수 있는 것에 비해 60만 호 짓는 건은 어렵지 않다, 그래서 5년 안에 지으면 그동안의 국민총생산(GNP) 성장률에 의해서 더 지을 수 있는 증가율을 빼더라도 3백만 호는 충격을 안 주고 해 나갈 수 있다고 생각합니다. 저희들은 국민당에서 말한 아파트값 반으로 준다는 것은 그것에 대해서 의문이 있습니다만 그러나 그것은 설사 그대로 된다고 하더라도 32평 이상 사람들의 중산층을 위한 것이지 서민을 위한 것이 아닙니다. 그래서 저희들은 서민을 위해서 근로자는 7년 근무하면 무조건 80퍼센트까지 장기 저리로 융자해 주겠다, 그리고 또 서민들의 주택 문제 22평 혹은 17평 이런 식으로 하면 이것이야말로 저희가 반으로 지어 줄 준비를 하고 있습니다. 그러기 위해서는 첫째 토지개발공사와 각 자치단체가 토지 개발에 의한 이윤을 축소시켜서 토지 분양가를 하락시키고 국민 주택 규모 25.7평과 그 이상의 차등 가격 이것을 풀로 하면 큰 집 좀 비싸게 하고 상가도 비싸게 하고 국민 주택 대지 값이 내려갑니다. 부동산 투기 억제를 위해서 여러 가지 세제 방침을 취할 수 있습니다. 예를 들면 종합토지세를 과세 표준이라든가 세율을 현실화한다든지 아니면 양도소득세를 업무용, 비업무용을 폐지한다든지 이렇게 하면…… 전문가에게 자문을 구하면 최하 1년에 5조가 들어온다……, 이런 세금이 들어오면 서민들에게 보조하면서 땅값을 내릴 수 있을 것입니다. 그리고 건축 분야에서는 건축 자재를 규격화하면 가격이 훨씬 내려갑니다. 이렇게 하고 건축의 기계화, 자동화를 하면 현재의 인력보다 1/3이 줄어든다는 계산이 나오고 있습니다. 금리 전체는 앞으로 인하되어 가는 추세인데 거기다 국민주택기금을 연 3퍼센트짜리 국민 주택 쪽으로 준다면 이자에서도 훨씬 내려갑니다. 이런 것들을 종합해서 하면 서민 주택을 현재보다는 반 정도로 줄 수 있는 계산이 나옵니다. 양쪽 다 반 이야기지만 국민당은 32평 이상의 중산층 사람들의 주택을 반으로 주는 것이고 저희들은 국민 주택, 서민 주택을 반으로 주는 것이므로 그쪽하고 우리는 전혀 다르다, 이렇게 말을 할 수 있습니다.

주택 60만 호 건설 무리 아닌가

최청림 지금 방금 김 대표께서 2백만 호를 2년 만에 밀어붙였다고 말씀하셨는데 3년 10개월 걸렸습니다. 평균 52만 호를 건설했습니다. 물론 대형이 좀 많지만요. 그런데 민주당에서 60만 호를 건설하겠다는 것이 무리고 과거 우리 주택 투자의 추세를 보면 한 국민총생산(GNP)의 5퍼센트가 정상인데 10퍼센트까지 끌어올려서 문제가 생긴 것 아닙니까? 이것도 제가 계산해 보니까 10퍼센트가 넘습니다. 그것도 무리다, 이렇게 질문드리는 것입니다.

김대중 저희는 그런 계산을 했는데 오해하지 마십시오. 제가 경제에 대한 글 쓰는 분 중에 가장 존중하는 분 중의 한 분이 우리 최 국장인데 끝나고 한 번 공부하겠습니다. 그때 가르쳐 주십시오.

구월환 그 문제는 그것만 가지고 세미나를 열어도 될 정도로 복잡한 문제고요. 지금 시간이 9시 30분인데 꼭 물어야 되겠습니까?

성병욱 이번 대통령 도전이 삼수시고 마지막이라 당락에 상관없이 당권에 참여하지 않겠다고 하셨는데 김 후보는 물론 당권에 참여하시지 않을 생각이라고 믿겠습니다만 상당한 국민 지지가 있고 특히 호남인들의 절대적인 지지가 있기 때문에 당에서 다시 지도자로 추대할 공산이 상당히 있다고 생각하는데 이렇게 전 당원의 뜻이라고 해서 다시 추대를 해도 끝까지 단호하게 당권에 참여하지 않을 생각이신지요? 그리고 이제 벌써 세월이 흘러서 김 후보께서도 이제 우리 나이로 하면 70이시고 대통령이 되신다면 임기가 76까지 하는데 건강은 어떠신지요? 그리고 머리가 그렇게 까만 비결이 있으신지요?

김대중 당권에는 여러분이 보시면 물론 알지만 분명히 참여 안 합니다. 당락 간에요. 제가 항상 마음으로 유의하고 주의한 것은 늙어서 물러설 때 물러서지 않으면 굉장히 추합니다. 국민에게 부담이 되고 싶지는 않습니다. 물론 여러분이 도시다시피 저는 나이에 비해서 훨씬 젊어 보이고 건강도 아주 좋습니다. 좋지만 힘 있으면 딴 일 해야지요. 그래서 나이나 건강보다도 제가 쌓아온, 걸어온 세월이 너무도 깁니다. 제가 1971년부터니까 이번까지 하면 22년이 됩니다. 이것은 어느 나라에서도 깁니다. 다만 그동안에 15년 동안을 감옥살이하고 연금당하고 했기 때문에 실제로 보면 5, 6년밖에 안 됩니다. 안 되지만 어쨌거나 문제의 정치인으로서 한국을 대표하는 정치인으로서 국내외에 부각된 것은 오래되었습니다. 저는 당락 간에 분명히 말씀해서 누가 무슨 소릴 하건 어떤 압력을 가하건 더 이상 안 합니다. 이건 분명하고요. 건강은 자동차에 치여서 좀 보행이 불편하고 책상다리하고 마루에 앉지 못합니다. 1971년에 대통령 선거가 끝나고 국회의원 선거에 유세 다니는데 당시 중앙정보부에서 저를 죽이려고 교통사고를 위장해 가지고 14톤 트럭이 제 차를 들이받았습니다. 그런데 운전기사가 기지를 발휘해 가지고 속력을 아주 빨리 내서 뒤에 트렁크만 쳤는데 워낙 큰 차가 들이받으니까 저희 승용차가 공 뜨듯이 떠 버렸습니다. 그랬어도 또 누가 받쳐 주었는지 오른쪽 논에 사뿐 내렸어요. 나중에 그 차 타고 서울에 올라왔으니까요. 그렇게 했지만 그때의 충격으로 제가 좀 고생을 합니다. 제 바로 뒤차에서는 세 사람이 즉사했습니다, 부딪쳐 가지고. 그 차는 그때 공화당 전국구 8번을 받은 사람의 차입니다. 그래서 이렇게 되었는데 그것 빼놓고는 건강은 아주 이상이 없습니다. 제가 미국 가서 돌아다니는데 한 100여 군데 연설하고 다녔습니다. 거기서 다니면 거의 빠지지 않고 묻는 말이 당신은 나이도 먹고 고생도 그렇게 했다던데 왜 그렇게 젊으냐? 그러던데 당신들은 밖에서 정상적으로 살았으니까 정상적으로 늙을 책임이 있지만 나는 안에서 인생이 중단되었으니 늙는 것도 중단되어야 할 거 아니냐, 그렇게 말했는데 그렇게 답변할 수밖에 없습니다.

정치자금 들어오면 어떻게 관리하나?

이성춘 구 총무께서 갈 길이 멀다고 그래 가지고…… 40개 준비했는데 5개도 못 했습니다. 마지막으로 세 가지만 짤막하게 여쭤보겠습니다. 시간이 없으니까 가부간에 답변만 해 주시기 바랍니다. 첫째는 거두절미해서 6공화국 들어서서 평민당, 민주당까지 재벌 기업들한테 어느 정도 정치자금을 도움 받았다고 생각하시는지요? 그중에 현대그룹한테도 받은 적이 있는지 없는지 얘기해 주시기 바랍니다. 두 번째 현재 김 후보께서 들어온 정치자금을 당에서 제도적으로 관리하느냐, 가족이 관리하느냐? 세 번째는 우리나라 대통령 친인척 문제는 여러 가지 국민들의 관심이 많고 때로는 걱정거리가 되고 있는데 앞으로 당선되신 후에 어떤 식으로 관리하실 생각이신지?

김대중 재벌 기업으로부터 돈을 조금씩 얻어 씁니다. 얻어 쓰지만 큰 액수는 아닙니다. 다만 인격을 걸고 말할 수 있는 것은 단돈 얼마도 어떤 조건이 있는 돈은 받지를 않습니다. 이번 선거 때도 온 일이 있지만 안 받았습니다. 이 점은 참 유의해서 하고 있다는 거, 그렇기 때문에 제가 앞으로 정권 잡아서 어느 재벌한테든지 묶여 가지고 할 일을 못 하는 일은 없습니다라는 것으로 이해해 주시기 바랍니다. 우리 당에 전부 들어온 정치자금이 중상선관위에서 한 5, 60억, 그런데 선관위에서 정해 준 사용 한도액은 367억입니다. 우리는 도저히 그런 돈은 쓸 수가 없고요. 선거가 끝나면 공개하겠습니다. 왜 지금 못 하냐면 선거 전략에 관계가 있기 때문에 상대방이 전투하는데 상대방 부대가 탄약이 얼마 있고 무기가 얼마 있는지 알면 전쟁 지지 않습니까? 그러니까 지금은 좀 어렵고요. 끝나면 지난번 광역 선거 때같이 공정하니 선관위에 보고하고 여러분께도 다 공개하겠습니다. 며칠만 참아 주세요. 당으로 들어온 것은 당에서 쓰고 제게 들어온 것은 제가 당으로 이관합니다. 여기에 당에서 받아 가는 우리 총무위원장 이경재 위원이 저기 앉아 있으니까 제가 거짓말할 수도 없습니다. 당으로 넘겨주고 이렇게 해서 관리하고 있다는 것을 말씀드립니다. 그리고 친인척인데 사실 좀 유명한 사람의 친인척은 참 불쌍합니다. 뭐 하려고 하면 못 하게 되고 그리고 구설수에는 오르고 오죽 당했으면 우리가 중국성(중국 식당)에 가서 회의까지 하겠습니까? 그날 중국성 주인이 나보고 저도 피해잔데 저보고 이거 좀 해 달라고 5년 동안에 얼마를 손해 봤다고 얘기하는 것까지 들었는데 그런 점에 있어서 그런데 공인으로서 받아야 하는 제약이라고 생각하고 저희는 이번에도 저희 자식들 재산까지 다 공개했는데 앞으로 대통령이 되면 자식뿐 아니라 형제의 재산까지도 그들한테는 미안하지만 공개를 하고 이렇게 해서 정말 무소유가 되겠습니다. 이번에 영등포의 땅과 경기도 수원의 땅은 장애인을 위해 내놓았고요. 저희 집 현재 살고 있는 것도 가족회의에서 이미 결정이 났습니다. 저희가 살다가 안 살게 될 때는 이것은 어떠한 것에 주겠다, 그런데 저희가 지금 생각하고 있는 것은 문화인들을 위해서 주었으면 좋겠다, 맨손으로 왔으니까 맨손으로 가겠습니다. 최근에 어떤 노래, 「사랑이 뭐길래」에서 김혜자 씨가 좋아하는 노래 "네가 나를 모르는데 내가 난들 알겠느냐" 하는 그 노래를 보면 알몸으로 왔다가 옷 한 벌 입고 가니까 그만큼 이익 아니냐는 의미의 말이 있던데 정말 기가 막힌 말이라고 생각했습니다. 그래서 저도 그런 무소유를 하겠고, 대통령 하고 나왔는데 나라에서 밥 안 먹여 주겠습니까? 무슨 걱정입니까? 그래서 절대로 여러분들한테 제가 대통령이 돼서 좋은 정치할지 못 할지 그것은 제 능력이 미지수고 여러분은 봐야 알지만 부정한 일만은 절대로 하지 않겠다, 그리고 성심성의를 다해서 이 나라의 나아갈 길, 즉 민주주의, 시장경제, 정의사회, 평화적이고 민주적이고 점진적인 조국통일, 이런 큰 목표를 향해서 후일에 여러분들에게 조금이라도 만족과 자랑을 주는 그런 대통령이 되겠고 만일 못 되었을 때에는 일개 정치인으로서 이제는 전력을 다해서 후진을 양성하고 그분이 좋은 인재로 커 나가는 데 도움을 주겠다……, 그 일차의 대표가 이기택 대표 최고위원입니다. 그래서 저하고 이기택 대표하고는 완전히 혼연일체가 되어서 선거전을 하고 있고 우리 당은 이상할 정도로, 이렇게 될 수 있나 할 정도로, 기적일 정도로 융합이 잘되어 있습니다. 저를 도와준 김정길 최고위원, 노무현 최고위원은 저 때문에 낙선한 분들 아닙니까? 그런데도 불구하고 15대 떨어져도 좋으니까 정권 교체하겠다고 방방곡곡을 돌아다니는 이런 분들의 하늘보다 높고 태산보다 높은 은혜를 갚는데 최선을 다하겠습니다. 당락 간에 당권에는 절대 손 안 대고 당에서 후진양성에 최선을 다하겠다는 것을 말씀드리고 오늘 여기서 여러분께서 이런 좋은 자리를 마련해 주셔서 제가 질문을 통해서 많은 것을 배우고 또 의견 말씀을 드려서 여러분의 검증을 받게 해 주신 데 대해서 다시 한번 구월환 총무와 모든 여러분께 감사들 드립니다. 대단히 감사합니다.

북한과의 연방제 가능한지?

구월환 참석자 질문이 몇 가지 남아 있습니다. 질문자와 질의응답으로 시간이 다 갔는데요. 참석자 질문은 시간이 좀 걸리는 질문이 좀 들어와 있습니다. 예를 들어서 소개를 드린다면 "김일성이가 사망을 하거나 북한에서 쿠데타가 일어날 경우 민중 봉기가 일어날 경우 한국은 어떤 태도를 취해야 한다고 생각하십니까?" 이런 질문이 있고요. 통일 문제와 관련된 질문인데요. "공화국연방제를 주장하시다가 최근에는 슬그머니 공화국연합으로 변했습니다. 그런데 왜 그렇게 됐습니까? 또 김일성 집단과의 연방제가 가능하다고 보시는지요?" 또 이런 질문도 들어와 있습니다.

김대중 그럼, 통일 문제는 중요한 문제고 하니까 제가 답변을 하겠습니다. 지금 저희는 원칙적으로 단계적 통일을 바라고 있습니다. 여러분도 아시는 대로 독일도 단계적 통일이 목표였습니다. 아니 독일은 단계적 통일조차도 요원하다고 생각했습니다. 주변 4대국의 견제가 있고 그랬습니다. 어느 날 갑자기 브란덴부르크에 수십만 노동자들이 모여 가지고 통일하겠냐 안 하겠냐, 안 하면 지금 이대로 서독으로 밀고 들어가겠다, 왜 2차대전은 다 같이 일으켜 놓고 우리만 이렇게 벌을 받아야 하냐, 이렇게 나왔습니다. 제가 빌리 브란트 총리한테도 듣고 대통령한테도 들었는데 할 수 없이 통일했다고 했습니다. 그래서 우리는 이래선 안 되겠다, 단계적으로 해야 한다, 그분들이 내가 1970년대에 말한 3단계 통일 방안을 굉장히 격려하면서 꼭 그대로 하라고 말했습니다. 그런데 문제는 질문한 것과 같이 우리는 단계적 통일을 바라지만 북한이 어떤 비상사태가 생길 수가 있습니다. 우리는 여기에 대비해야 합니다. 대비를 어떻게 해야 하느냐, 우리는 흡수 통일론 같은 거 하면 안 됩니다. 그것은 북한을 자극해 가지고 남북 관계를 험악하게 만들고 북한 내의 군사 모험 세력들에게 구실을 줍니다. 절대로 해서는 안 됩니다. 그럴 필요가 없습니다. 우리들은 단계적 통일을 착실히 생각하면서 북한의 만일의 사태가 났을 때 대비해야 하는데 그것을 대비하기 위해 서독과 같이 튼튼한 민주 기지를 만들어야 합니다. 그러면 이 문제를 극복할 수 있습니다. 그렇게 서독과 같이 민주 기지를 만들려면 철저히 민주주의를 해 가지고 자유 번영 복지가 넘치는 나라를 만들어서 먼저 4300만 우리 국민을 튼튼히 단결시켜야 합니다. 단결시킨 힘 가지고 북한 문제를 다뤄야 합니다. 지금 우리나라 상태 같으면 풀어놨을 때 그런 사태가 생겼을 때 저쪽 혼란이 문제가 아니라 이쪽 혼란이 문제일지도 모릅니다. 빨리 민주정부를 세워 가지고 국민적 단합을 만들어 내야 합니다. 그리고 우리가 말하자면 하나로 민주주의하면 부산에서의 피란 생황을 아까도 말했지만 국가보안법도 없고 안기부도 없지만 국민이 단합해서 그렇게 민주주의 했지 않습니까? 빨리 민주주의를 하고 자유 경제를 하고 복지사회를 해서 국민이 공산당 하라고 해도 안 하는 그런 사회를 빨리 만들어야 합니다. 그러면서 사태에 대비해야 합니다. 그러면 힘은 들지만 극복해 나갈 수 있다, 그렇게 우리 내부의 대화합을 이루어 가지 못하면 저쪽이 문제가 아니라 무리가 문제가 됩니다. 일대 혼란으로 들어갈 염려가 있기 때문에 이번 선거가 그렇게 우리 장래를 위해서도 중요한 일이 아니냐, 그렇게 생각합니다. 연방제통일안, 이거는요. 슬그머니 들어간 것이 아니고요. 설명하면서 들어갔습니다. 전문가, 여기 조순승 의원이 계셔서 자문도 받고 했는데요. 연방제라고 표시를 해 놓은 것이 우리가 말하는 공화국이 현재의 권한 그대로 가지면서 동수의 대표 내 가지고 평화 공존, 평화 교류, 평화 통일, 이런 문제만 취급하는 것으로는 연방이 좀 과하지 않냐 이런 얘기가 있었습니다. 그런데 연방도 여러 가지입니다. 미국도 연방이고 또한 영국 같은 영연방이란 것은 연합도 못 되는 것인데 연방이란 말을 쓰고 있습니다. 일정한 언어가 딱 규정되어 있는 것은 아니지만 우리가 알기에는 연방이라면 상당히 미국연방을 생각하니까 그것은 아닌데 그것은 안 썼으면 좋겠다, 그리고 솔직한 얘기가 오해도 겹쳤어요. 북한이 연방 쓰니까 동조한다, 굳이 오해 받을 이름을 필요도 없는데 쓸 필요가 없지 않냐 그래서 연합으로 바꾸면서 그 이유를 설명을 했습니다. 그것은 알기 쉽게 말하면 일종의 국가연합인데 같은 민족이니까 국가라고 할 수 없고 대신 공화국 연합, 독립정부 연합입니다. 이다음 2단계에 가면 연방이란 말을 쓰겠습니다. 1연방 2지방자치 정부, 그럼 현재 미국같이 되는 것이지요. 그리고 북한의 연방제도 그때 가서 논의할 성격이 됩니다. 그런데 그때는 저희가 대통령이 되더라도 있지 않은 것이니까 여러분들의 말은 그 시대의 문제다, 이렇게 말씀을 드리고 참고로 말하면 마지막 단계는 1민족 1국가 1정부 이런 방향으로 나가겠습니다.

구월환 그 정도면 답변이 되었다고 생각이 됩니다. 결국 예정된 시간이 5분 정도 초과가 되었습니다. 우리 대표 질문자께서도 많은 질문을 준비해 오셨는데 그중에 반의반도 질문을 다 드리지 못한 것 같고 그래서 여러 가지 사항들이 빠져 있지만 시간 제약상 불가피했다고 생각하고요. 평소에 김대중 후보한테 물어보고 싶었던 이야기들, 궁금하게 생각했던 얘기들은 대충 그래도 나오지 않았나 생각합니다. 시종 진지한 자세로 질문에 답변해 주신 김대중 후보께 다시 한번 감사의 말씀을 드립니다. 그리고 끝까지 진실의 발견에 충실하려고 노력하신 우리 대표 질문자들께 감사를 드리고요. 참석자 여러분께도 심심한 감사를 드립니다. 오늘 나와 주신 김대중 후보께 저희 관훈클럽에서 감사의 표시로 기념패를 마련했습니다. 이것을 드리겠습니다.(박수) 여러분 대단히 감사합니다. 안녕히 돌아가십시오.

세계사의 흐름과 철학의 위치

대담 김광수
일시 1993년

현실과 철학의 만남

김광수 선생님 안녕하십니까? 저는 『철학과 현실』이라는 계간지를 대표해서 선생님을 뵈러 왔습니다. 『철학과 현실』지는 수년 전 김태길 선생님께서 은퇴하시면서 내놓으신 기금으로 발간되고 있는 계간지입니다. 선생님께서는 우리 사회가 안고 있는 문제를 철학의 빈곤에 인한 것으로 보았습니다. 철학의 빈곤 문제는 두 측면에서 생각해 볼 수 있습니다. 한편으로는 사회 구성원들이 받아들일 수 없는 세계관을 가지고 살고 있다는 것이며, 다른 한편으로는 사회 구성원들의 바람직한 세계관의 정립을 위해 역할을 해야 할 철학자들이 생경한 외래 철학을 논하는 강단 철학에만 머물러 있었다는 것입니다. 그래서 김태길 선생님께서는 '철학을 현실화'하고 '현실을 철학화' 하는 일종의 철학운동을 하도록 사재를 내놓으셨으며, 그 첫 사업으로 나온 것이 『철학과 현실』입니다. 일반 대중을 상대로 한 계간지로 쉽고 재미있고 깊이 있는 잡지로 만들려고 애를 쓰지만 한계가 있습니다. 철학적 문제들의 성격상 그런 것 같습니다. 그래서 독자가 많지는 않지만, 그래도 우리 잡지의 독자들에 관한 한 자부심을 가지고 있습니다. 소수의 '깨어 있는 정신들'이 우리 잡지를 애독하고 있기 때문입니다.

선생님께서는 지금 평범한 시민으로 돌아오셨다지만 정치가로서 일생을 보내셨고, 저는 또 우여곡절은 좀 있습니다만 철학도로서 일생을 보내왔기 때문에, 이 만남은 각별한 뜻을 가지고 있는 것 같습니다. 가장 현실적이라고 할 수 있는 정치인과 가장 비현실적이라고 할 수 있는 철학도가 만나고 있기 때문입니다. '현실과 철학의 만남'이라고 할까요. 저희 잡지의 이름과 같습니다.

김대중 원래 철학은 우리 생활과 밀접한 관계를 가지고 출발했던 겁니다. 예를 들어 유교는, 이것은 동양의 대표적인 철학인데, 잘 아시다시피 어떻게 하면 국민들에게 좋은 정치를 베풀 수 있게 이 세상의 제왕들이 바른 왕도 정치를 하도록 만드느냐 하는 것을 가르쳤습니다. 또 서양 사회에서는 플라톤이나 소크라테스 등 여러 철학자들도 현실 문제를 이야기하고, 각 지방을 다니면서 국왕들에게 권유도 하고 직접 정치에 참여도 했지요. 플라톤은 시실리섬에서 만난 참주를 위해서 정치에 약간 개입하지 않았습니까?

위대한 과학자, 위대한 정치가, 위대한 문학자들은 모두 철학자들이었습니다. 그리고 나는 보통 사람들도 나름대로 철학을 하고 싶어 하고, 또 해야 된다고 봅니다. 그런 입장에서 볼 때 귀지貴誌가 철학과 현실의 만남이랄까, 일체화의 뜻을 가지고 『철학과 현실』을 내는 것은 대단히 의미가 깊다고 생각합니다. 철학자인 김 교수와 정치인이었던 내가 어떻게 보면 아주 극과 극 같지만 어떻게 보면 또 가장 가까워야 되는 그런 입장에 있지 않은가 하고 생각합니다. 철학이 있는 정치, 현실에 바탕을 둔 철학, 이러한 상황이 하루속히 이루어져야 한다고 믿습니다.

김광수 역사의 방향이 조금만 달랐더라면 선생님께서는 진작 대통령이 되셨을 텐데, 오늘 이러한 자리를 가질 수 있게 되어서 우리 『철학과 현실』지로

서는 정말 영광스럽습니다. 그러나 저는 '철학함의 정신'에 따라 이 대담을
토론식으로 진행했으면 합니다. 대단히 외람됩니다만, 선생님 말씀 중에 제
가 동의할 수 없는 부분이 있으면 반론을 제기하도록 하겠습니다.

김대중 물론 그러셔야지요.

김광수 선생님께서는 어느 글에서 "논리의 검증을 거치지 않은 경험은 잡
담이며 경험의 검증을 거치지 않은 논리는 공론이다."라고 말씀하셨습니다.
제가 『논리의 비판적 사고』라는 책을 썼기 때문만은 아니라고 생각되는데,
저는 그 말씀을 대하고 정말 기뻤습니다. 선생님께서 평소 말씀하시는 것이
논리적이라는 말은 많이 들었지만, 논리에 대한 관심과 이해가 그 정도라는
것은 몰랐기 때문입니다. 선생님께서는 철학이나 논리를 각별히 공부하신
적이 있으십니까?

김대중 크게 공부한 적은 없습니다. 옥중에 있을 때 논리학 서적도 좀 읽어
봤고 철학 서적도 읽어 봤지만, 뭐 공부를 제대로 했다고 할 정도는 아니지
요. 그러나 철학이야말로 과학 중의 과학이며, 특히 논리학의 발전은 우리의
과학과 정치와 경제의 발전과도 관계가 크다고 생각하기 때문에, 늘 관심을
가지고 있습니다.

김광수 최근에 유럽을 다녀오셨고, 얼마 전에는 납치 20주년 기념식을 가
지신 것으로 알고 있습니다. 납치사건은 국내뿐만 아니라 국제적으로도 아
주 대단한 사건이었지요. 선생님께서는 그동안 수없이 죽을 고비도 많이 넘
기시고 감옥에도 많이 가시고 연금도 당하시는 등 숱한 고난을 겪으셨는데,
그렇게 힘든 길을 선생님께서는 어떻게 일관되게 걸으셨습니까?

김대중 뭐 내가 그렇게 일관되게 자신 있게 걸었다고 할 수는 없지만 여하
간 좌절이나 포기를 하지 않고 한길을 40년 걸어온 것은 사실입니다. 그렇게
살게 된 가장 큰 힘은 역시 철학적인 생각에서 나왔습니다. 그것은 내가 많이

는 안 읽었지만, 동서양의 철학사와 고전들을 읽고 저 나름대로 생각을 정리하고 있었기 때문입니다.

결국 철학이라는 것은 인간이 근본적으로 이 세상을 어떻게 보고 어떻게 살아야 할 것이냐 하는 그런 근원적인 것을 과학적이고 논리적으로 구명하는 것이 아니겠습니까? 나는 가장 현실적인 정치인이면서 가장 비현실적인 원칙을 가지고 있습니다. 그것은 원칙과 현실을 합쳐서 현실적으로 성공하는 것을 최선으로 생각하고, 둘 중의 하나를 버릴 때는 현실을 버리고 원칙을 지킨다는 것입니다. 결코 현실에 타협해서 원칙을 포기하지 않는다는 것입니다. 무엇이 되는 것보다는 어떻게 사는 것이 중요한 일이지요. 이렇게 원칙에 충실해서 살려면 때로는 목숨도 내놔야 한다는 것이 역사의 가르침이지만, 나는 고집스럽게도 원칙에 입각해서 떳떳하게 살도록 노력해 왔습니다.

김광수 철학자의 경우 그 말씀은 평범한 이야기입니다. 그러나 정치가인 선생님이 그러한 말씀을 하시니까 조금은 의아하게 생각하는 사람들이 있을 것 같습니다. 정치가는, 적어도 한국의 정치가들은 정치적 목적을 이루기 위해서 사는 사람들이라는 인식이 팽배하기 때문입니다. 더구나 선생님을 "무엇이 되는 것"을 가장 중요하게 여기는 사람으로 보는 시각도 있었습니다.

김대중 내가 대통령이 되기 위해서 노력한 것은 사실입니다. 그러나 그것을 내가 대통령이 되는 것을 가장 중요하게 여겼기 때문이라고 해석하는 것은 잘못입니다. 대통령이 되고자 하는 것도 우리 민족과 나라를 위해서 "어떻게 사느냐"의 일환으로서 그런 것이지, 대통령이 되는 것 자체가 제 인생의 목표는 아니었습니다.

행동하는 양심

김광수 그렇다면 선생님께서 당하신 그 많은 박해와 고난도 이른바 말하는 '대통령병' 때문이 아니라 "어떻게 사느냐"를 중요하게 여기신 선생님의 신념 때문이었습니까?

김대중 그렇게 볼 수 있습니다. 그러나 김 교수의 '신념 때문'이라는 표현은 오해의 여지가 있습니다. 신념보다는 신념에 따른 행동 때문에 고생을 한 것이지요. 인간은 누구나 양심을 가지고 있는데 행동하는 양심이 중요하다, 양심 없는 사람은 한 사람도 없지만 문제는 행동을 하느냐 않느냐에 달려 있다, 악한 양심의 사람들보다는 행동하지 않는 선한 양심의 다수 방관자들 때문에 이 사회가 이렇게 잘못되고 있다고 나는 생각하였습니다. 그래서 나는 행동하는 양심이 되어야겠다, 또 행동하는 양심이 되려면 악은 악이고 선은 선이라고 비판해야 되고, 또 비판하면 선의 실현과 악의 패배를 위해 싸워야 되고, 그렇게 되면 박해가 따라오고 고통이 따라오는 것은 불가피한 일이었습니다. 그렇지만 나는 인생을 정말 충실하게 사는 것, 저의 신념과 일치시켜서 행동하며 사는 것이 중요하다, 현실적으로 수난을 받고 손해를 보더라도 옳다고 생각하는 원칙을 지키고 사는 것이 마땅하다, 무엇이 되는 것보다 어떻게 사느냐가 중요하다, 바르게 살기 위해서는 자기를 내놔야 한다는 생각을 하며 살아왔습니다.

김광수 선생님께서 '행동하는 양심'의 중요성을 강조하시던 때가 생각이 납니다. 대부분의 사람들이, 즉 "양심을 가진 대부분의 사람들"이, 선생님의 말씀을 뼈저리게 받아들였다고 확신합니다. 그러나 보통 사람들은 행동하는 양심이 당하는 고통이 두려워 신념을 행동으로 나타내지 못하였다고 생각합니다. 선생님께서는 고통이 두렵지 않으셨습니까?

김대중 누구나 고통은 두렵겠지요. 그러나 나는 어떻게 보면 비현실적인 것 같지만 어떻게 보면 대단히 현실적입니다. 무엇이 되느냐보다는 어떻게 사느냐 하는 생각을 가지고 바르게 사는 사람만이 자기 당대에는 자기 양심

속에서 성공을 하고 또 후세에는 역사 속에서 올바르게 평가를 받는다고 생각하기 때문에, 악과 타협하지 않고 수난을 무릅쓰고 선을 위해 선의 실현을 위해서 싸우는 것이 근본적인 계산을 하면 자기에게도 이익이 된다는 생각을 가졌던 것입니다.

나는 인생을 단거리로 보지 않습니다. 내 생애 전체를 통해서 어떻게 살았느냐 하는 장기적 결산이 무엇이냐, 그것이 후세의 역사와 국민들 마음속에 어떻게 투영될 것인가, 이렇게 생각해 왔기 때문에, 나는 양심에 따라 행동하는 데 따르는 고통을 남이 생각하는 정도로 그렇게 억울하게 여기지 않았습니다. 물론 저도 인간이기 때문에 고통스러울 때도 있었고 슬플 때도 있었고 피하고 싶은 때도 있었지만, 그러나 적어도 진리와 역사와 국민을 배신해 가면서까지는 살지 않으려고 노력해 왔고, 또 어느 정도는 그렇게 했다라고 생각하고 있습니다. 그런데 아까 김 교수가 말씀하시기를 보통 사람은 행동하는 양심이 되고 싶어도 거기서 당하는 고통이 두려워서 못 한다고 하셨는데, 그것은 사실이기도 하지만 변명이기도 합니다. 누구나 다 감옥에 갈 필요는 없습니다. 누구나 모두 박해를 무릅쓸 필요는 없습니다. 하고 싶은 생각만 있다면 선거 때 바르게 투표하면 됩니다. 신문사나 당국에 익명으로라도 충고하고 전화 거는 일 등 하고자 하는 마음만 있다면 할 일은 얼마든지 있습니다.

김광수 이미 선생님에 대한 평가는 달라지고 있고, 앞으로 더욱 달라지리라고 생각합니다. 그것은 행동하지 못했던 양심도 실질적으로 선생님이 당하신 고통의 편에 있었다는 것을 뜻할 것입니다. 군사정권의 정당성을 주장하던 사람들조차도 이제는 새로운 각도에서 과거를 평가하는 것을 볼 수 있습니다. 물론 이 점을 과대평가할 필요는 없을 것입니다. 보통 사람들은 보통 사람들일 뿐이니까요. 그들은 양심에 따라 산다면서도 개인의 이익을, 그것도 선생님처럼 멀리 내다보는 것이 아니라 코앞의 이익을 중요시하는 '개인적인 삶을 살아갑니다. 반면에 선생님께서는 개인적인 삶은 희생하시면서, 이건 제가 만들어 본 표현입니다만, 어떤 '보편적인 삶' 같은 것을 살았다고 생각합니다. 보편적인 삶을 사는 분들은, 사상가들과 철학자들, 종교 지도자들과 위대한 정치 지도자들이 그랬던 것처럼, '좋은 사회'에 대한 꿈을 가지고 있습니다. 선생님께서도 좋은 사회, 즉 이상 사회에 대한 꿈을 가지면서, 나아가 그것을 실현하고자 노력하시는 분이라고 생각합니다. 선생님께서 그리시는 이상 사회는 어떤 사회입니까?

구성원 모두가 주인 되는 사회가 곧 이상 사회

김대중 이상 사회는 한마디로 말하자면 그 구성원들이 모두가 주인의 입장에서 참여하고 내일의 좋은 사회와 자기의 정당한 몫을 기대하면서 최선을 다해서 신바람 속에 노력하는 그런 사회라고 생각합니다. 이상 사회의 첫째 조건이 꼭 풍요는 아닙니다. 모든 사람이 원하는 것을 다 충족하는 것도 이상 사회의 조건은 아닙니다. 이상 사회는 그 구성원들이 모두 내가 주인이다 하는 주인 의식을 가지고, 자기가 왜 이 일을 해야 하느냐, 이 일을 하는 것이 내게 어떻게 유익하냐 하는 데 대한 확신을 가지고 신바람 나게 참여하는 사회입니다. 그런 이상 사회에서는 자기가 자기 운명의 주인이기 때문에 권세나 권력이 지배하거나 국민이 하는 일에 대해서 간섭하는 것은 최대한으로 줄여져야 합니다.

동양 사회에서의 이상 사회는 요순시대였습니다. 요임금이 어느 날 지방을 순시하던 중 어떤 노인이 길에 앉아 노래를 부르는 것을 들었습니다.

"해가 뜨면 농사를 짓고 해가 지면 쉰다. 샘을 파서 물을 마시고 밭을 갈아서 밥을 먹는다. 제왕의 덕이 내게 무슨 소용이 있으랴."

오늘의 사회가 그때와 똑같은 구조는 아니지만 이상 사회의 근본정신에 있어서는 같습니다. 이 노래는 모든 참여자가 내가 주인이다, 그리고 나는 내 할 일을 하고 그것을 통해서 내 자아 발전을 시키고 있고 사회에 공헌하고 있다, 정치는 그러한 우리의 권리를 보장해 주고 제발 간섭하지 말라 하는 것입니다. 얼마나 훌륭한 동양의 이상 국가상입니까!

그것에 비하면 플라톤이 말한 이상 사회는 엄청나게 차이가 있습니다. 지금은 서구 사회가 민주주의를 하고 있지만, 이상 사회의 정신에 관한 한 동양 사회가 월등 앞서고 있지 않나 하는 생각이 듭니다. 플라톤은 이상 국가의 모델을 제시할 때 완전히 스파르타식을 도입했지요. 스파르타에게 아테네가 패배한 충격에서였다고 봅니다. 사람이 나면 금과 은과 동으로 가른다, 동은 생산에 종사하는 평민 계급이다, 평민들이 노예와 같이 일해서 나머지를 먹여 살려야 한다, 플라톤은 경제에 있어서 일종의 공산주의를 주장했는데 가족제도까지 그랬습니다. 일정 수의 남녀가 한집에 살면서 공동의 아내와 공동의 남편이 공동의 자식을 낳아 누가 부모인지 모르게 만든다, 병약자는 없애 버리고 20세 이전이나 40세 이후에 난 자식은 낙태시키거나 출산 후 죽여 버린다, 그래서 완전히 스파르타식으로 교육을 한다, 교육도 통제하고 결혼도 사생활도 모두 통제해야 한다는 것이었습니다. 이와 같이 인간의 본성에 완전히 배치되는 주장을 하지 않았습니까? 이런 것을 놓고 볼 때 근원적으로 올라가면 이상 사회의 정신이 서구 사회보다는 오히려 동양 사회가 앞섰지 않았느냐 이런 생각이 듭니다.

아리스토텔레스도 역시 놀라운 이야기를 많이 하고 있습니다. 상인과 공인은 대우받을 자격이 없다, 농민은 노예가 되어야 한다, 노예는 열등한 자가 되는 법인데 그 우열은 전쟁으로 결정한다, 열등한 자는 통치자 밑에서 노예로 사는 것이 행복하다, 사람은 나면서부터 통치자나 노예의 운명을 타고났다, 여자의 지위는 열등한 것으로서 노예의 지위처럼 아주 자연스러운 것이라고 했습니다. 이러한 것들을 어떻게 이상 사회의 모습이라 할 수 있겠습니까?

앞에서도 이상 사회로서 신바람 나는 사회를 말했습니다만, 이상 사회는 결코 먼 훗날의 이야기가 아니고 우리 눈앞에서의 이야기여야 합니다. 무엇보다도 바르게 산 자가 우리 눈앞에서 성공하고 올바르지 못한 자가 우리 눈앞에서 실패하는 그런 사회가 되어야 합니다. 물론 후일의 역사에서 비판받는 것도 중요하고 또 그것이 없으면 사람들이 현실에서 희생을 하며 사는 의미가 없지요. 그러나 이것은 이상 사회가 아닙니다. 이상 사회는 오늘의 현실 속에서 선이 이기고 악이 패배하는 사회입니다. 우리는 이상 사회를 완성할 수는 없다고 생각합니다. 그러나 완성을 지향하고 완성의 확신을 가지고 나가야 합니다. 오늘을 보람 있게 살고 내일의 희망을 갖고 살아야 합니다.

이상 사회에서는 새로운 인도주의가 실현되어야 한다고 생각합니다. 새로운 인도주의, '신인도주의'라고 내가 이름을 붙여 보았는데, 그것은 첫째, 한 국가 내에서 국민의 자유와 번영과 복지의 권리가 고르게 보장되어야 합니다. 특히 소외 계층에 대해서 그 권리가 보장이 되어야 합니다. 둘째, 이 세계에서 지금까지 수탈당하고 버림받아 온 제3세계 사람들이 선진 국가와 대등하게 자유·번영·복지를 누릴 수 있는 보장이 되어야 합니다. 셋째, 지금 우리들이 살아오면서 인간만을 생각해 왔는데 그래선 안 됩니다. 이 지구상에 있는 모든 존재들, 즉 동식물, 하늘·땅·바다·물·공기의 건강한 생존권이 보장되어야 합니다. 인간 때문에 얼마나 많은 초목과 동물·날짐승·물고기 등이 고통을 받고 있는가, 그리고 얼마나 땅과 하늘이 오염되고 있는가, 이런 데까지 우리의 생각이 미쳐야만 진정한 인도주의자가 되는 것입니다. 이런 새로운 인도주의가 실현되는 사회를 지향하는 것이 이상 사회로 가는 길이라고 생각합니다.

김광수 선생님의 이상 사회에 대한 견해에서 특이한 점이 몇 가지 발견되는 것 같습니다. 첫째, 꼭 풍요로운 사회가 이상 사회는 아니라는 것입니다.

이는 상당히 중요한 점이라 생각합니다. 인류 역사상 그 어느 때보다도 풍요를 누리고 있는 이 시대에도 굶어 죽어 가는 사람들이 수없이 많으며, 우리나라가 보릿고개의 쓰라린 가난을 벗어난 것도 엊그제인 것 같습니다만, 가난은 인류가 풀어야 할 숙제 중 가장 큰 항목에 속해 있었습니다. 그래서 가난한 민중들은 하나같이 잘 먹고살 수 있는 세계를 꿈꾸어 왔습니다. 이상 사회의 모습을 그린 외국의 동화나 그림 같은 것을 보면 구워 놓은 비둘기가 통째로 입 안으로 들어가고, 포도나무에는 소시지가 주렁주렁 매달려 있으며, 시냇물은 곧 포도주요, 산은 온통 치즈로 만들어져 있습니다. 성서의 만나와 같은 것들이지요. 일을 하지 않고도 먹고살 수 있을 만큼 풍요로운 세상을 이상 사회로 그리고 있습니다. 그런데 선생님께서는 풍요로운 사회가 반드시 이상 사회인 것은 아니라고 말씀하신 것입니다.

김대중 풍요로운 사회가 반드시 이상 사회라면, 깨끗하게 잘 가꾸어진 동산에서 일하지 않고 배불리 실컷 먹고 잠자는 살찐 돼지가 가장 행복하게요? 한 사회가 이상 사회가 되자면 그 구성원들이 굶주림으로부터 해방되는 것이 필요하겠지만, 무엇보다도 자유로운 참여 속에 자아가 실현되어야 한다고 생각합니다.

김광수 19세기 영국의 철학자로서 그는 경제학자이면서 정치 이론가이기도 했지만, 존 스튜어트 밀의 말이 생각납니다. "배부른 돼지보다 배고픈 소크라테스가 되는 것이 낫다"고 했지요.

김대중 그랬지요.

김광수 그런데 우리는 지금도 "경제를 살려야 한다"는 말을 귀에 따갑게 듣고 있습니다. 중국집에서도 자장면 배달만 해도 한 달에 백만 원을 벌 수 있는 세상이 되었는데도 "기아선상에서 헤매는 민생고를 시급히 해결하고"라는 박정희 장군의 혁명 공약이 아직도 이루어지지 않았나 착각할 정도로 경제적 풍요를 강조하고 있습니다. "경제를 살려야 한다. 그러나 잘 먹고 잘 사는 것보다 더 중요한 것은 사람답게 사는 것이다."라는 말은 들리지 않습니다. 그런데 바로 이러한 말을 정치인으로부터는 선생님에게서 처음으로 듣는 것 같습니다. 선생님께서 이상 사회의 핵심적인 요건으로 사회 구성원들이 모두 주인으로서 신바람 나게 참여하여 자아를 실현하는 것을 말씀하셨기 때문입니다.

김대중 경제가 중요하지요. 그러나 우리가 명심해야 할 것은 경제적 풍요가 우리의 궁극적인 목적은 아니며, 경제적 풍요가 인간다운 삶을 보장해 주는 것도 아니라는 사실입니다. 요순시대가 태평성대였다는 것은 그때 굶주린 사람들이 없었다는 것이 아닙니다. 생산력이 극히 제한된 시대에 모두가 잘살 수는 도저히 없었겠지요. 그러나 그때 사람들은 모두 "임금이 무슨 소용이냐. 내가 노력해서 내가 먹고산다. 내가 주인이다."라는 생각을 가지고 무슨 일이든지 자율적으로 신나게 하며 살았던 것입니다. 그래서 그 시대를 '요순시대'라고 하는 것이 아니겠는가 생각합니다.

김광수 '역사의 방향'에 대해서는 잠시 후에 생각해 보겠습니다만, 선생님이 하신 말씀으로부터 인류 역사의 방향을 가늠해 볼 수 있을 것 같습니다. 즉 인류 역사는 인간의 자유가 확장되어 가는 역사였다는 것입니다. 노예의 상태에서 주인의 상태로, 속박의 상태에서 해방의 상태로, 소외의 상태에서 참여의 상태로 인류의 역사가 발전해 온 것이 아닌가 생각됩니다. 그리고 선생님께서 이상 사회의 요체로 제시한 "모든 사회 구성원의 주인화"는 바로 역사 발전의 궁극적 목표인 것 같습니다.

선생님께서 제시한 이상 사회의 요건으로 또 중요한 것은 '신인도주의'입니다. '인도주의'(humanitarianism)는 보통 인간주의(humanism) 또는 인간중심주의(anthropocentricism)와 대동소이한 의미로서, 중세의 신중심주의에서 벗어나 인간을 세계의 주인으로 부각시키고 있습니다. 그런데 선생님의 이상 사회 모델은 인간만이 아니라 지구상에 존재하는 모든 존재를 세계의 주인으로 여기고 대접하는 방향으로 발상의 전환을 요구하고 있습니다.

김대중 오늘의 산업사회가 자연에 대해서 잘못을 범한 것은 성서에 대한 편협한 해석 때문이었습니다. 하느님이 세상을 창조하시고 세상을 "다스려라"라고 말씀하신 것을 인간이 자연을 마음대로 짓밟고 착취해도 된다고 해석하여 자연을 훼손하고 파괴하게 된 것이지요. 그러나 하느님께서 자연을 "다스려라"라고 말씀하신 것은 "자연을 잘 가꾸고 보살피면서 같이 잘 사는 방향으로 활용하라"는 것으로 해석해야 할 것입니다. 그래야 하느님이 창조하신 만물이 제대로 본질을 발휘할 수 있을 것이며, 하느님의 사랑이 보편적으로 실현될 수 있을 것입니다. 나무는 나무대로, 새는 새대로 본성을 잘 발휘할 수 있게 해야지요. 그런 의미에서 불교에서 말하고 있는 만유불성萬有佛性의 사상은 참으로 배울 점이 많이 있습니다.

인간은 물질뿐만 아니라 정신도 충족해야

김광수 이상 사회의 모델은 많이 있습니다. 선생님께서 언급하신 플라톤의 철인왕국哲人王國, 디오게네스의 통, 토머스 모어의 『유토피아』, 캄파넬라의 『태양의 왕국』, 푸리에의 이상주의, 베이컨의 『신대륙』, 어거스틴의 『신의 국가』, 그리고 미하일 바쿠닌의 무정부주의에 이르기까지 수없이 많이 있습니다. 그중에서도 현대사를 진동시킨 이상 사회의 모델은 역시 공산주의라고 할 수 있습니다. 선생님께서는 수차례에 걸쳐 용공으로 몰리셨고, 그래서 정치적으로 많은 손해를 보셨습니다. 거듭 해명하시기에도 곤혹스러울 만큼 선거 때마다 용공 시비는 단골 메뉴였습니다. 선생님께서는 스스로 용공이 아니라는 점을 분명히 하셨고, 또 현 문민정부도 선생님께서 용공이 아나라는 것을 공식적으로 밝혔지만, 용공 시비로 인해 선생님이 당하신 고통과 손실은 보상받을 길이 없을 것이라는 생각이 듭니다. 또 선생님의 고통과 손실은 우리나라의 고통과 손실과 무관할 수가 없다고 봅니다.

공산주의 사상과 관련된 것으로 또 한 가지 꼭 짚고 넘어가야 할 것은 젊은이들의 이념적 방황입니다. 독재정권에 대항하여 투쟁하는 가운데 많은 젊은이들은 공산주의 또는 사회주의에 심취했습니다. 그러나 기성세대는 그들에게 "공산주의는 나쁘다"는 말 외에 아무 말도 못 했으며, 정부도 감옥 외에 대책이 없었습니다. 독재정권의 체제가 공산주의 체제보다 우월하다는 것을 젊은이들에게 설득시킬 수 있는 이론이나 물증이 없었기 때문이었습니다. 그러다가 동구권이 몰락했습니다. 젊은이들이 하루아침에 이념적 '고향'을 잃어버린 셈이지요. 그들은 공산주의가 잘못된 사상이라는 것을 이성적으로 받아들인 것이 아니라 현실적으로 강요당했던 것입니다. 그래서 공산주의의 정당성에 관한 한 일부 학생들은 아직도 정리가 안 되어 있다고 생각합니다.

이러한 맥락에서 선생님의 견해를 듣고 싶습니다. 선생님께서는 자신이 용공이 아니라고 수차례 밝히셨지만, 선생님의 말씀을 믿지 않거나 정치적으로 해석하는 사람들도 있었던 것 같습니다. 이렇게 질문드리는 것을 용서하시기 바랍니다. 선생님께서는 정말 용공이 아니십니까?

김대중 아직도 이런 질문을 받는군요.

김광수 다음 질문을 위한 질문으로 여겨 주십시오.

김대중 나는 용공이 아닙니다. 아니 이 표현은 적절하지 않습니다. 오히려 나는 1950년대부터 『동아일보』와 『사상계』의 기고를 통해서 공산주의의 근원적인 오류와 그 파멸의 미래를 예언했습니다. 지금도 그 글은 엄연히 남아 있습니다. 역대 군사독재자들과 언론이 합세해서 30년 동안에 나를 그렇게 만들어 버린 것뿐입니다.

김광수 그렇다면, 이 질문을 드리기 위해서 드린 질문이었습니다만, 공산주의의 어떤 점이 잘못되었습니까? 왜 선생님은 공산주의를 용납할 수 없는 것입니까?

김대중 공산주의의 가장 잘못된 점은 첫째로 무엇보다 다수를 위해서 소수가 희생되어도 좋다는 그들의 철학입니다. 이상 사회는 모든 사람이 주인으로서 존중받고 자아를 실현할 수 있는 사회라고 했습니다. 그런데 공산주의는 노동을 위해서 나머지 사람들은 희생해도 좋다는 것입니다. 그 희생 중에는 생명의 희생까지 포함됩니다. 여기서부터 잘못되었지요. 철학적 집단주의의 논리입니다.

둘째로 공산주의는 비판을 허용하지 않습니다. 불완전한 인간이 하는 일을 완전한 인간이 한 일로 전제하고 비판을 못 하게 합니다. 그래서 모든 인간의 자아가 원칙적으로 상실되고 말지요. 비판이 봉쇄되고 독재자가 찬양만 받으면 의식적이건 무의식적이건 잘못된 판단이 나옵니다. 그리고 오판이 나오면, 무고한 사람들이나 선한 사람들이 자꾸 희생됩니다. 독재는, 그것이 좌익 독재건 우익 독재건, 악입니다. 그것은 신이 아닌 인간을 신으로 만들고, 인간의 인간으로서의 최고 가치인 자아를 질식시켜 버리기 때문입니다. 비판을 허용하지 않는 제도는 어떤 말로도 정당화될 수 없는 반인간적인 것입니다. 이북을 보아도 알 수 있고 스탈린 치하의 러시아를 보아도 알 수 있습니다. 인권이라는 것은 하늘이 준 것으로 누구도 빼앗을 수 없는 것인데, 공산주의는 이것을 쉽게 빼앗아 버립니다.

셋째로 공산주의가 빵을 위해 자유를 희생시키는 것도 문제입니다. 인간은 누구를 막론하고, 낫 놓고 기역 자도 모르는 사람도, 내가 행복하려면 자유도 있고 빵도 있어야 된다고 생각합니다. 그것이 인간의 본성입니다. 그러면 물질과 정신을 대등한 입장에서 존중해야지, 어느 하나만 존중한다는 것은 잘못입니다. 잘 아시다시피 공산주의가 나오는 과정에서 사회주의적인 이상 사회를 꿈꾸던 사상가들로서 생 시몽이라든가, 로버트 오언이라든가, 푸리에 같은 사람들이 있는데, 그들의 주장은 비현실적이고 공상적이었습니다. 그러나 거기에는 인간에의 사랑과 낭만이 있었습니다. 그러나 칼 맑스의 공산주의에는 오직 냉혹한 물질의 논리뿐이었습니다. 유물사관·유물론·유물철학 등을 보면 알 수 있듯이 오직 물질이 모든 것을 결정합니다. 물질적 평등을 위해서는 인간성의 유린도 독재도 서슴지 않습니다. 인간이라는 것은 물질적 풍요뿐만 아니라 정신적 충족도 꼭 있어야 한다는 것을 칼 맑스나 레닌 자신의 삶의 체험을 통해서도 알 수 있었을 것입니다. 그들은 자기들의 현실적 체험조차 무시한 것입니다. 이와 같이 공산주의는 철학적 기본 바탕부터 잘못이며 인간의 본성에 반하는 것입니다.

유물변증법의 철학이라든지, 유물사관의 역사관이라든지, 자본주의의 모순을 정확하게 지적한 점이라든지, 공산주의의 학문적 기여를 우리는 인정해야 합니다. 그러나 그것은 어디까지나 자본주의의 단점을 보완하는 점에 있어서입니다. 그래서 재미있는 것은, 자본주의는 이러한 공산주의의 도전을 받아들여서 자체 모순을 제거하기 위해서 자꾸 자기 변역을 해냈다는 것입니다. 수정자본주의의 방향으로 말입니다. 결국 오늘날의 자본주의는 원래 애덤 스미스를 비롯한 자본주의 이론의 창시자들이 말한 것과는 전혀 다른 것이 되어 있습니다.

공산주의는 자기 변혁을 하지 않았습니다. 여기에 문제가 있는데, 왜 그렇게 되었느냐 하면, 한쪽은 정치적 민주주의를 수용했고, 한쪽은 이를 수용하지 않았기 때문입니다. 정치적 민주주의를 수용하면, 체제는 여론의 비판을 받게 됩니다. 대중으로부터 피드백을 받는 것이지요. 대중의 피드백을 받으면, 잘못된 점을 고쳐야 하지요. 고치지 않으면, 다음 선거에서 떨어져요. 이와 같이 체제가 시대에 따라 국민의 뜻에 따라 자꾸 변해가서, 자본주의는 사회보장제도를 실시한다든가 자본 소유를 대중화한다든가 경영을 전문 경영인에게 맡긴다든가 하여 사회주의적 요소까지 다 수용하게 되어, 과거의 초기 자본주의는 거의 사라졌습니다. 그런데 공산주의는 그걸 안 하다가 망한 것이지요. 여론의 비판을 용인하지 않으니까 피드백이 안 되고, 중앙집권적 관료 독재가 형성되어 다수의 이름을 사칭하면서 소수의 당료가 다수를 지배하고 통제하고 탄압하게 된 것이지요. 이러한 비인간적이고 부패한 체제 속에서 노동자의 협력을 얻지 못한 공산주의 경제는 붕괴할 수밖에 없었습니다. 빵을 내건 공산주의 사회는 자유는 물론 빵까지 빼앗겨 버린 것이지요. 이런 면에 있어서 공산주의의 몰락은 필연적이었습니다.

칼 맑스가 「공산당 선언」을 발표한 것은 1848년이었습니다. 그 이후 150년 동안 공산주의 또는 사회주의와 자본주의가 대결을 했습니다. 그런데 자본주의 중에서도 민주주의를 허용하지 않은 히틀러의 독점자본주의와 일본의 군국주의적 독점자본주의는 모두 패배했습니다. 그리고 사회주의 중에서도 민주주의를 허용한 스칸디나비아 사회주의라든가, 영국 노동당, 프랑스의 사회당, 독일의 사회민주당, 심지어 오스트레일리아와 뉴질랜드의 사회당 등은 다 성공했습니다. 따라서 우리가 알 수 있는 것은 민주주의를 받아들인 자본주의와 사회주의는 성공했고, 민주주의를 받아들이지 않은 자본주의와 사회주의는 실패했다는 것입니다. 단순히 사회주의가 자본주의에 진 것이 아닙니다. 사회 구성원 하나하나의 자아와 자율을 존중하느냐 안 하느냐에 따라 그 사회의 운명이 결정되었던 것입니다.

김광수 선생님께서 이상 사회의 요건으로 사회 구성원 모두가 주인으로 존중받아야 한다는 점을 강조하신 이유가 분명해지는 것 같습니다. 북한의 국호가 '조선민주주의인민공화국'이지요? '민주주의'란 표현도 들어 있고

'인민'이라는 표현도 들어 있는데……

김대중 좋은 말은 다 들어 있지요.

김광수 북한이 민주주의를 하고 있지도 않고 인민이 주인 노릇을 하는 것도 아니라는 것은 잘 알려진 사실입니다. 따라서 공산주의에 대해서 선생님이 지적하신 것이 옳다면, 북한의 체제도 언젠가는 무너질 수밖에 없을 것이라는 생각이 듭니다. 북한도 문제이지만, 사실 우리나라를 비롯한 많은 나라가, 또는 지상의 대부분의 나라들이 선생님이 말씀하신 이상 사회를 이루고 살려면 아직 멀었다고 생각합니다. 선생님의 이상 사회, 즉 사회 구성원 모두가 다 같이 주인이 되어 잘 사는 사회가 과연 올 수 있을까요? 다시 말해서 선생님께서는 우리의 역사가 어디로 흘러가고 있다고 보십니까?

역사는 어디로 흘러가고 있는가?

김대중 역사는 크게 보면, 내가 앞에서 말한 바와 같이, 사회 구성원들이 다 같이 주인으로 참여해서 자아를 실현할 수 있는 그런 방향으로 발전해 나가고 있다고 봅니다. 즉 인간으로서 발명한 최선의 제도인 민주주의 제도가 실현되어 가는 방향입니다. 20세기를 봅시다. 20세기는 민주주의가 계속 승리해 온 역사입니다. 민주주의만이 인간의 자아를 구현시킬 수 있는 제도인데, 20세기에서 처음으로 민주주의가 전 세계적인 보편적 이념으로 등장했습니다.

제1차 세계대전은 아시다시피 크게 보면 제국주의 대 제국주의의 전쟁이었습니다. 그 과정에서 국민국가 내부에서 민주주의를 하는 미국·영국·프랑스와 전제 왕권이 통치하는 독일·러시아 이런 나라들과의 싸움이었고, 여기에서 민주주의 쪽이 이겼습니다. 그래서 민주주의는 한 발짝 더, 적어도 유럽 사회에서는 발전되어 갔습니다.

그다음 제2차대전이 일어났는데, 그것은 나치즘과 일본 군국주의의 전체주의적 국가들 대 민주 서방국가들과 민주주의를 표방한 공산주의 국가와의 연합국의 싸움이었는데, 결국은 민주주의를 표방하는 쪽이 이겼습니다. 그런데 그다음에 2차대전이 끝나고 나니까 바로 냉전으로 들어가서 결국 서구 사회의 민주주의 국가와 공산 전체주의 국가와의 싸움이 돼 가지고, 그 투쟁 과정에서 약 50년 동안 싸움이 붙었다가, 결국 공산주의의 패배로 끝났습니다. 아까도 말했다시피 공산사회주의가 자본주의에 진 것이 아니라 민주주의를 안 한 공산사회주의가 민주주의를 한 서구 사회에 진 겁니다. 서구 사회는 이번에는 자본주의만이 아니라 민주주의적 사회주의 국가들도 참가했고 각 국가 안에는 사회주의 정당들이 전부 주체로서 참가했습니다. 영국의 노동당, 스웨덴 등의 사회민주당들이 참가해서 결국 민주주의가 승리했다고 볼 수 있습니다.

여기서 다 끝났느냐, 그건 아닙니다. 지금까지는 국민국가 안에서 민주주의를 해 왔는데, 그렇게 되니까 자연히 자기 국민국가의 이익만을 생각하게 되고, 남의 나라에 대해서 배타적이 되고, 이기적이 되고, 우리가 보다시피 제3세계에 대한 수탈이 자행됩니다. 오늘날 남북 간의 현격한 차이가 일어난 것도 이러한 맥락에서 볼 수 있습니다. 그런데 이러한 국가 이기주의는 세계 전체적으로 볼 때 반민주적인 것입니다. 따라서 이러한 경향도 민주적인 것으로 바뀌어 갈 것입니다. 즉 현재의 국민국가 내에서의 민주주의, 연방 같은 체제 속에서의 민주주의, 그리고 유엔 속에서의 세계적 민주주의, 이런 식으로 삼원적三元的인 민주주의의 시대가 올 수도 있다고 봅니다. 지금 서구 사회는 유럽공동체(EC)의 기반 위에 유럽 연방으로 나가고 있지요. 크게 보면 역사는 그런 방향으로 나가고 있습니다. 북미자유무역협정(NAFTA)도 아시아태평양경제협력체(APEC)도 전부 그러한 전조라고 보아도 아마 큰 잘못은 아닐 것입니다.

나의 이러한 주장은 오늘의 경제 발전 방향이 뒷받침해 주고 있습니다. 지금 각국의 경제가 한 국민국가의 틀을 벗어나서 유럽공동체(EC)같이 자국 주변의 대지역으로 나갈 뿐 아니라, 다국적 기업·범국적 기업같이 모든 것을 세계 규모에서 계획하고 집행하고 있습니다. 일반 중소기업조차 세계를 무대로 뛰고 있는 실정입니다.

거기다 교통과 통신이 순식간에 전 세계에 연결이 되어 있습니다. 공해가 서로 공동 대처를 안 하면 안 되게 되고, 지구의 문제를 공동 대처 안 하면 인류 전체가 파멸합니다. 그리고 소외된 사람들, 소외된 민족, 소외된 지역의 문제를 해결하지 않으면 원리주의가 대두되어서, 종교적 원리주의, 민족적 원리주의 등이 이 세계를 혼란과 분규로 몰고 갑니다.

이렇게 볼 때 이제는 민주주의가 자국 안에서만 배타적으로 존재할 수 없게 된 것입니다. 앞서 말한 대로 하나는 국민국가 안에서의 민주주의는 그대로 가고, 그다음에는 지역 연방주의 입장에서의 민주적인 재편성과 협조 관계 그리고 셋째 단계는 국제 연합을 기본으로 한 세계 연합적인 그런 민주주의 조직체가 형성이 되어 갈 것입니다. 대개 민주주의 세계는 지금 이런 방향으로 진전을 하고 있는 것이 아니냐, 그래서 이런 가운데서 나중에 얘기가 나오겠지만, 아시아 특히 동아시아가 중요한 위상을 갖고 등장하고 있지 않나 그렇게 생각합니다.

'글로벌 데모크라시'와 신인도주의

김광수 역사의 방향은 민주주의가 신장되어 갈 뿐만 아니라, 그 민주주의를 실현하는 단위 자체가 국가를 뛰어넘어 범세계적으로 되어 가는 것이라는 견해이신 것 같습니다.

김대중 네, 제 생각은요, 아까 말한 바같이 자기 국민국가 안에서의 자유와 정의의 실현뿐이 아니라, 지역 연방 안에서의 자유와 정의도 실현되고, 세계적으로 실현되어야 합니다. 그리고 그것은 인간만을 위해서만 아니라 이 지상에 있는 모든 존재, 꼭 동식물만이 아니라 땅과 물과 공기까지도 다 인도주의적 입장에서 생각하고 존중하는 새로운 인도주의의 실현이 될 것입니다. 나는 영국 케임브리지에서 당대의 석학인 앤서니 기든스와 이야기하면서 이러한 나의 견해를 '지구적 민주주의'(global democracy)라는 표현을 써서 설명한 적이 있습니다. 그분의 생각도 기본적으로는 나와 같았는데, 그분은 '세계적 민주주의'(cosmopolitan democracy)를 생각해 보고 있었다는 말을 했습니다. '코즈모폴리턴'이라고 하면 조금 인간만 생각하는 감이 있습니다. 나는 '지구'라는 말을 강조할 때가 왔다고 봅니다. 지금 지구가 존재하느냐 못 하느냐의 문제가 되고 있거든요. 우리는 지구와 운명을 같이하게 되어 버렸단 말이에요. 그래서 그런 말을 써 보았지만, 나는 학자가 아니니까 떠오르는 생각만 내놓은 것이고, 체계는 학자들이 세울 문제입니다.

이제는 철학도 거기까지 나가야 하지 않나, 이것이 정말 철학의 과제이고 김 교수 같은 분들이 개척해야 할 과제라고 생각합니다. 이제는 내 국민만 잘사는 시대도 지났고, 이 세계의 이웃과 더불어 잘 살아야 되고, 또 지구상에 존재하는 모든 것과 같이 잘 살아야 하는 시대가 왔는데, 무엇보다도 중요한 것은 우리 인간이 그렇게 깨달아야 합니다. 그러니까 철학도 이제는 이런 지구 전체의 존재하는 모든 것을 중심으로, 나아가 우주까지도 생각하는 철학이 나와야 되지 않는가, 그렇게 생각합니다.

김광수 환경오염 문제가 심각해지면서, 많은 사람들이 선생님의 생각과 유사한 생각을 하고 있는 것 같습니다. 그러나 환경론자들의 견해는 "지구환경을 보존해야 한다"로 요약될 수 있는 반면, 선생님의 견해는 "지구상의 모든 존재가 그 본질을 최대한 발휘하면서 살 수 있도록 해야 한다"는 것입니다. 환경론자들의 관심은 지구의 '육체' 부분에 있고, 선생님의 관심은 지구의 '육체' 부분뿐만 아니라 '정신'의 부분에도 있는 것 같습니다. 이러한 선생님의 견해는 '보편적 행복'을 이루기 위해 '보편적 삶'을 추구한 이상주의자들의 꿈을 인간의 삶에 국한시키지 않고 지구상에 존재하는 모든 존재에까지 확대해 놓고 있습니다.

그러나 선생님의 견해는 이상적인 만큼 과거의 이상주의적 사상들이 안고 있었던 문제점들을 그래도 이어받는 것 같습니다. 무엇부터 논의해야 할지 모르겠는데, 먼저 제가 드린 질문을 확인하는 것부터 시작하겠습니다. 제가 드린 질문은 "역사는 어떤 방향으로 흘러갈 것인가?"였습니다. 그런데 선생님의 말씀은 다분히 "역사는 어떤 방향으로 흘러가야 하는가?"라는 질문에 답한 감이 없지 않아 있습니다. 그래서 다시 확인하는 것을 용서하시기 바랍니다. 선생님께서는 모두에게 제시하신 이상 사회의 모델을 지구촌 전체로 확대하셨고, 역사는 그러한 '지구적 이상 사회'를 이루는 방향으로 나아갈 것이고 또 그래야 한다고 말씀하셨는데, 선생님께서는 정말로 인류의 역사가 그러한 지구적 이상 사회를 이루는 방향으로 나아갈 것으로 보십니까?

김대중 그렇게 봅니다.

김광수 선생님께서는 많은 고초를 겪으셨는데도 불구하고, 역사 발전에 관한 한 낙관론자이신 것 같습니다. 그 많은 역경 속에서도 굴하지 않고 일관되게 민주화투쟁을 할 수 있었던 것도 선생님의 이상 사회에 대한 확신과 그 이상 사회가 이루어질 것이라는 낙관적 자세 때문이 아니었나 생각됩니다.

그러나 선생님의 낙관론에 대한 적어도 세 방향에서의 도전을 생각해 볼 수 있습니다. 첫째로 신인도주의도 인도주의의 약점을 가지고 있다는 것입니다. 둘째로 포스트모더니즘을 비롯한 상대주의적 경향의 사상들의 도전이 있습니다. 셋째로 인간성의 한계입니다. 이러한 도전들을 하나하나 짚어 보았으면 합니다.

인도주의는 인간을 '세계'라는 무대의 주인공으로 부각시키는 데 큰 역할을 한 사상이라 할 수 있습니다. 신이나 운명이나 또는 어떤 초인간적인 존재가 우리의 운명을 지배한다고 하는 생각으로부터 인간이 인간의 운명에 대한 주체라는 생각에로의 전환은 참으로 대단한 세계관의 변화였습니다. 그러나 선생님께서 지적하셨다시피, 인도주의는 인간을 오만하고 무자비한 지구촌의 파괴자로 만드는 데 기여하는 결과를 빚었습니다. 그리고 선생님의 신인도주의는 이러한 인도주의의 문제점을 보완하여 인간만이 아니라 지구에 존재하는 모든 존재를 지구의 주인으로 대접해야 한다는 것입니다. 그러나 문제는 인간이 인간 중심적인 사고를 벗어날 수 없다는 것입니다. 동식물을 보호하고 산과 강을 가꾸는 것도 결국 인간의 입장에서 인간의 이익을 위해 하는 일들이 아닐까요?

김대중 그런 점이 없지 않아 있습니다. 강이 오염되는 것을 막자는 것도 강을 위해서가 아니라 오염된 물을 마시면 사람에게 해로우니까 그런 것으로 볼 수 있습니다. 또한 사람이 먹고살자면 동식물을 잡아먹어야 하고, 집을 짓자면 나무를 베어야 합니다. 그래서 과연 인간이 참으로 인간 아닌 다른 존재를 절대적인 의미에서 위할 수 있느냐 하는 근본적인 문제가 있습니다.

나는 이러한 문제가 신인도주의의 정신을 공허한 것으로 만들지는 않는다고 생각합니다. 자연도 생물체들을 죽입니다. 지진도 나고 폭풍이 일기도 합니다. 동물들도 서로 잡아먹고 풀도 뜯어 먹습니다. 자연도 어떤 의미에서는 자연을 파괴하는 것이지요. 그렇다고 해서 우리는 정말로 자연의 공존 체계가 깨어진다고는 보지 않습니다. 오히려 자연은 자연 자체의 건강을 유지하기 위해서 자정 작업을 하고 있다고 볼 수 있습니다. 하느님이 주신 자연의 모습은 넘치는 생명력입니다. 자연은 이 생명력을 균형 있게 유지시키는 방향으로 늘 움직이고 있는 것입니다. 그런데 인간은 자기들만의 이기적인 목적으로 이 공존 체계의 균형을 파괴하면서 다른 생명체들의 존재를 파괴합니다.

개발을 하지 않을 수 없고 경제 성장을 하지 않을 수 없습니다. 그러나 인간은 그것도 자연의 생명력을 손상시키지 않는 방식으로 해야 합니다. 맑은 물속에는 수많은 생명체들이 건강하게 살아갑니다. 그러므로 공장폐수와 생활하수를 정화해서 이를 오염시키지 않도록 해야 합니다. 이것은 인간이 절대로 피할 수 없는 이웃이자 어버이인 자연에 대한 의무인 것입니다. 이것은 동시에 인류의 종말을 피하는 노력이기도 합니다.

인간은 영악한 동물이어서 꾸준히 계몽을 하면 결국에 가서는 이 점을 깨닫게 되고 자연의 생명력을 균형 있게 보존하는 방식으로 행동하게 될 것이라는 것이 제 생각입니다. 이미 그런 예는 얼마든지 있습니다. 발가벗었던 우리 한국의 산들이 온통 푸른 나무로 덮였습니다. 템스강·나일강 등 많은 강들이 다시 맑아지고 물고기들의 낙원을 이루고 있습니다.

김광수 '자연의 생명력'에 대한 선생님의 말씀을 듣고 보니까, 인도주의나 신인도주의가 안고 있는 문제점, 즉 인간이 하는 모든 결단은 결국 인간 자신을 위한 것이라는 인간중심주의의 문제점이 어느 정도 해소되는 것 같습니다. 인간이 자연의 생명력을 보존시키는 방식으로 행동하는 것이 인간 자신을 위한 것이기도 하지만, 어떤 의미에서는 자연이 '바라는 것'일 수 있기 때문입니다.

두 번째 문제점으로 넘어가겠습니다. 신인도주의와 지구적 민주주의가 신장되어 가는 방향으로 역사가 발전되어 갈 것이라는 선생님의 낙관론적 견해는, 철학사적으로 보면, 절대주의의 편에 있습니다. 역사의 발전 방향에는 어떤 옳은 방향이 있고, 실제로 역사가 그 방향으로 나아가고 있다는 견해는, 상대주의나 회의주의의 입장은 결코 아니며, 굳이 말하자면 절대주의의 입장이라 할 수 있습니다. 그런데 현대는 상대주의의 시대입니다. 특히 요즈음은 포스트모더니즘이 세계적 관심을 끌고 있습니다. 포스트모더니즘은 인간의 문제를 인간의 이성에 의해서 해결할 수 있다는 이성주의적 근세 정신의 허구성을 폭로하고, 우리가 떠받들던 모든 종류의 절대주의적인 신념·권위·진리·정의·덕목·상식·관행 등이 단지 강자의 생존 양식일 뿐이라고 선언합니다. 이러한 경향에 의하면 선생님의 신인도주의와 지구적 민주주의에 대한 낙관론은 고전적인 만큼 나이브한 감상주의라고 여겨질 수 있습니다. 이러한 도전을 단지 '철학적 경향'일 뿐이라고 제쳐 둘 수는 없을 것 같습니다. 철학적 사상은 언제나 앞으로 올 시대의 나팔수 역할을 한 경우가 많이 있었기 때문입니다. 포스트모더니즘적 경향은 선생님의 예측을 빗나가게 하지 않을까요?

포스트모더니즘의 도전

김대중 나는 그렇게 생각하지 않습니다. 나는 현재의 제도와 이념이 가지고 있는 한계, 인간의 역사가 가지고 있는 제한성을 잘 압니다. 그러나 우리가 우리 인간의 역사와 현실을 자세히 살펴볼 때, 인간은 기본적으로 자기가 가지고 있는 문제점을 해결해 왔고 역사를 전진시켜 왔습니다. 인간은 인간의 의식주 문제를 크게 개선시켰습니다. 1980년대의 중반을 계기로 인간은 역사상 처음으로 자기들의 생존을 해결할 수 있는 생산능력의 개발에 도달했습니다. 인간은 또한 인간을 질병과 단명으로부터 크게 해방시켜서 많은 전염병과 난치병이 치료되고 평균수명은 20세기에 들어와서 배나 늘어났습니다. 인간은 문맹으로부터 해방되고 문화적 생활을 향유하며 세계를 하나의 생활권으로 만들고 하나의 가족으로 만들어 가고 있습니다. 당장 우리 눈앞에서 노예적인 독재체제였던 공산주의가 무너지고 민주주의가 보편적 이념이자 실제적 제도가 되고 있습니다. 여성 해방·노예 해방·노동자의 권리·사회보장 등을 놓고 볼 때, 인간 사회는 많은 모순과 범죄와 부패에도 불구하고 전진하고 있다는 것을 알 수 있습니다.

우리는 관념의 유희에 빠져서는 안 됩니다. 노예제도가 그대로 존속해서, 내가 노예의 신분으로서 모든 자유가 박탈되고, 굶주림과 혹사에 시달리며, 내 자식이 내 것이 아니라 주인의 소유로서 주인 마음대로 처분되는 등의 경우를 상상해 봅시다. 그런 끔찍한 상황과 오늘 우리의 상황을 비교해 보면, 그래도 우리의 역사가 전진했다는 주장을 거부할 수는 없을 것입니다. 분명히 역사는 전진하고 진리와 정의도 신장되어 왔습니다. 노예제도, 봉건제도, 근대 자본주의 제도 그리고 민주주의 제도로 나아가는 과정에서 독재적 자본주의와 독재적 사회주의의 패배가 분명해졌습니다. 나는 역사 속의 사실들과 오늘의 현대에 비추어 볼 때, 모든 부조리에도 불구하고 우리의 역사는 전진해 왔고 앞으로도 전진한다고 믿습니다.

포스트모더니즘은 과거의 독일통일 전에 있었던 독일 낭만주의와 상통하는 사상이라 봅니다. 인간이 사상적으로나 정신적으로 어떤 벽에 부딪혔을 때 그것을 뛰어넘기 위한 도피주의적인 경향이 나타납니다. 독일도 1872년에 통일하기 전까지는 통일의 길이 암담하고, 다른 나라들은 다 국민국가로서 전진해 나가는데 아무리 노력해도 되지 않고 수십 개의 지방 국가로 분단된 채 있을 때, 그런 현실에 절망한 나머지 지식인들 사이에서 독일 낭만주의가 나왔습니다. 이런 낭만주의는 바이런의 낭만주의와 니체의 초인의 철학에도 관계가 있다고 읽은 일이 있습니다.

현대도 유사한 상황에 놓여 있습니다. 현대는 모든 사람들이 굉장히 적응하기 힘든 시대입니다. 모든 것이 너무나 급격하게 변하고 있으며, 이 변화가 어디로 어디까지 갈지, 어떻게 변할지 알 수 없기 때문입니다. 어제까지 내가 가지고 있던 지식과 사상과 이념이 오늘에도 스크랩돼야 할 처지에 들어간 것도 참 많습니다. 또한 아까 말한 대로 국민국가 내부에서나 지역적으로나 또는 제

3세계에서 이성이 실현되는 일을 제대로 하지 못했습니다. 결국 국민국가 내에서는 소수가 다수를 수탈하고 그 권리를 빼앗는 일이 행해졌고, 세계적으로는 제3세계의 희망 밑에 선진 국가들이 이익을 챙기고 향락을 누려 왔으며, 또 우리들에게 아름다운 세상과 자원을 공급해 주는 이 지구를 파괴시키는 등, 과학의 힘을 빌린 근대화 과정 속에서 저질러진 비이성적인 일이 너무도 많았기 때문에 이성이 상당히 회의의 대상이 될 수밖에 없었다고 생각이 됩니다.

그러나 앞서 말한 대로 역사는 지구적 민주주의와 신인도주의가 발전되는 방향으로 나아가고 있습니다. 이성 만능주의도 있을 수 없지만 이성은 인간에게 있어서 가장 중요한 무기이기 때문에, 이성의 힘에 의해 오늘날 우리가 겪고 있는 혼란과 난관과 철학적 방황을 극복할 수 있다고 봅니다. 포스트모더니즘은 20세기의 격변 시대에 나타난 파상적인 현상에 그치고 말 것이라 봅니다.

보편적 인간은 어떻게 가능한가

김광수 이성의 문제는 선생님의 낙관론에 대한 세 번째 도전과 깊은 관계를 가지고 있습니다. 이상 사회의 건설에 관한 인간의 문제는 이런 것 같습니다. 이상 사회는, 선생님의 모델도 그렇지만, 대부분 그 구성원 전체의 행복을 추구하는 사회주의적 정신을 바탕으로 하고 있습니다. 그러나 사람들은 모두 자기 자신의 행복을 추구하며 살아갑니다. 따라서 문제는 어떻게 하면 두꺼운 이기적 자아의 껍질에 갇혀 사는 개체가 그 껍질을 깨고 나와 개체 자신만을 위하는 삶이 아니라 전체를 위하는 삶을 살 수 있을까, 어떻게 하면 개인적 자아가 사회적 자아로 성숙할 수 있을까가 됩니다. 그래서 이상 사회를 실현시키려는 구체적인 프로그램은 바로 이 역설적 물음에 대한 답에 해당하는 정책들을 포함하고 있게 마련입니다. "사람은 자발적으로는 보편적 삶을 살 수 있는 능력이 없다"고 생각하는 통치자는 독재를 합니다. 인간성에 대한 신뢰를 버릴 수 없는 도덕가는 인간의 심성을 교화시켜서 보편적 인간을 만들고자 합니다. 맑스주의자는 인간성이 자본주의의 모순에 의해 왜곡된 것으로 보고, 이 모순을 제거함으로써 사회적 인간을 '회복'하고자 합니다. 그런데 선생님의 이상 사회에서는 자유가 유보될 수 없는 항목입니다. 따라서 독재는 안 됩니다. 또한 선생님은 공산주의가 실패할 수밖에 없는 이념이라고 말씀하셨습니다. 그리고 선생님은 인간의 문제를 인간의 도덕감에 호소해서 해결할 수 있다고 보시진 않을 것입니다. 그렇다면 선생님께서는 어떻게 해야 이기적 삶을 사는 사람들이 일종의 '보편적 삶'을 사는 사람들로 변할 수 있다고 생각하십니까?

김대중 저는 이 문제가 인간의 본성 또는 가능성에 입각해서 해결돼야 한다고 봅니다. 인간은 본성적으로 선과 악의 양면성을 가지고 있습니다. 이성과 감성의 양면을 또한 가지고 있습니다. 그러므로 인간은 배타적 이기주의자도 되고 사회적 공동선에의 참여자도 됩니다. 그래서 문제는 어떻게 해야만 부정적 측면을 줄이고 긍정적 측면을 확대시키느냐 하는 것입니다.

인간의 부정적 측면을 억제하고 긍정적 측면을 확대하기 위해서는 정치가 잘되어서 사람을 긍정적이고 전진적인 방향으로 유도해 가야 합니다. 그리하여 공동체의 발전 속에서 각자 개인의 이익이 보장되도록 하여 사회 구성원이 자발적으로 공동선을 위해 협력하도록 해야 합니다. 이러한 과정에서 바른 자는 보상받고 그른 자는 중벌을 받아야 합니다. 이것을 해낼 수 있는 것이 정치이며 그 정치의 가장 바람직한 제도가 민주주의입니다.

그러기 위해서는 물론 선각자적인 지도자가 필요합니다. 그러나 그보다 더 중요한 것은 국민이 민주주의를 할 수 있을 만큼 성숙해야 한다는 것입니다. 이것을 어떻게 하는가? 국민의 자발적인 각성이 중요합니다. 민주주의는 그 국민의 수준 이상은 못 합니다. 예를 들어 선거를 하는데 어느 후보가 제일 훌륭한 후보냐, 어느 후보가 지금까지 우리를 위해서 바르게 싸워 왔느냐, 어느 정당의 정책이 제일 좋으냐, 이런 것을 가지고 투표하는 것이 아니라 지역감정이나 정치적 모략에 현혹되어 투표하는 데는 바른 민주주의가 될 수가 없지요. 선거 후에 거짓이나 음모가 밝혀져도 따지지도 않으니 더욱 민주주의는 어려워집니다.

좋은 정치에 왕도는 없습니다. 선진 민주국가가 모두 그렇듯이 결국 국민이 똑똑하고 성숙해야 합니다. 이와 병행해서 혹은 이를 위해서, 정치 지도자·지식인·언론 등의 역할이 매우 중요한 것입니다. 이러한 과정에 우리는 전진해서 사회적 보편선을 실현하게 됩니다. 시간이 걸릴 것입니다. 그러나 지금까지의 역사에 비추어서 인간의 역사는 이상 사회를 향한 전진을 멈추지 않을 것입니다. 이것은 인간의 본성이요, 역사의 본질이기 때문입니다. 그리고 이러한 인간 사회의 발전을 위해서도 비판 정신의 고양이 절대 필요합니다.

국민이 비판 정신을 갖추게 되면, 불의한 세력이 발붙일 틈이 없게 됩니다. 민주주의에서는 조금 잘못된 정부라든가, 무능한 정부, 부패한 정부가 나오는 것이 크게 문제 될 것이 없습니다. 지금 민주주의를 비교적 잘해 온 미국과 영국, 기타 북유럽 여러 나라 등을 보더라도 나쁜 정부나 부패된 정부가 얼마든지 있었습니다. 그러나 그것은 큰 문제가 되지 않았습니다. 나쁜 정부나 무능한 정부는 국민이 비판해서 시정시키고 아니면 선거해서 바꿨습니다. 우리가 역사를 살펴볼 때, 그들은 정말 어린 소년들이 눈을 비비고 새벽에 일어나 아침부터 저녁까지 일해야 하는, 교육이고 사회복지고 아무것도 없는 초기의 미숙한 자본주의 사회에서, 오늘날은 노동자들이 상상도 못 할 만큼 대접을 받게 되고 그 권리가 보장되는 사회로 변하게 만들었습니다. 어떻게 그렇게 만들었느냐? 국민들이 비판 정신을 가지고 정치의 시정을 요구하고 여론과 투표를 통해서 자꾸 정부를 편달하고 바꾸고 했기 때문입니다.

비판 정신의 고양 절대 필요

김광수 그렇다면 어떻게 해야 국민들이 그 비판 정신을 가지게 될 수 있을까요?

김대중 비판 정신이란 옳은 것을 옳은 것으로, 그른 것을 그른 것으로 판단하고, 옳지 않은 것을 옳지 않다고 지적하며 시정을 요구할 수 있는 정신을 말합니다. 따라서 사람들이 비판 정신을 갖기는 대단히 어려워요. 옳고 그른 것을 판단하기도 어렵지만, 그른 것을 그르다고 말하고 시정을 요구하기는 더욱 어렵습니다. 그러기 위해서는 용기가 필요하기 때문입니다. 손해도 보고 박해도 각오해야 하기 때문이지요. 그리고 무엇보다도 많은 사람들이 무관심하고, 귀찮은 일에 말려들지 않으려 합니다. 그래서 국민 대다수가 비판 정신을 가질 것을 바라는 것은 요원한 일이라고 비판에 빠질 수 있습니다. 그러나 그렇게 되어서는 안 됩니다. 국민적 비판 정신은 반드시 실현되어야 합니다. 그러기 위해서는 몇 가지 노력이 필요합니다.

첫째는 무엇보다 교육을 통해서 국민의 비판 정신을 길러야 합니다. 교육 이상의 힘은 없습니다. 둘째는 뜻있는 사람들이 각계에서 자기희생을 무릅쓰고 일어나야 합니다. 우리는 4·19혁명과 6·29를 통해서 훌륭한 역사적 선례를 가지고 있습니다. 셋째는 뜻있는 사람들은 또한 국민을 조직화해서 집단적인 힘으로 비판적 여론을 일으키고 잘못을 시정하도록 해야 합니다. 넷째는 매일같이 국민에게 정보와 판단의 자료를 주는 언론이 앞장서야 하고 책임을 통감해야 합니다. 다섯째는 비판은 단순히 잘못만 지적할 것이 아니라 국민에게 바른 사람, 바른 정책들을 지지하는 일도 함께 해야 합니다. 여섯째로 비판은 끝장을 볼 때까지 꾸준히 해야 합니다. 우리 국민같이 한두 달간 불같이 비판하다가도 이내 망각해 버리는 것은 잘못을 시정하는 것을 목적으로 하는 비판의 본질에 어긋나는 것입니다. 일곱째로 우리 국민은 교육 수준이 높습니다. 뜻있는 사람들이 앞장서서 노력한다면 다른 어느 국민보다도 건전한 비판 정신을 갖고 이 나라의 정치와 사회를 바르게 이끌게 될 것으로 믿습니다.

김광수 우리 국민이 비판 정신을 갖춘 민주 시민으로 생활할 수 있을 만큼 성숙되게 하기 위해서 해야 할 일이 참 많을 것 같습니다. 돌이켜 보면 우리 국민은 민주적 생활에 관한 한 멸시를 받았습니다. "한국에서 민주주의가 실현되기를 바라는 것은 쓰레기통에서 장미꽃이 피는 것을 바라는 것과 같다"고 말한 어떤 영국 기자가 있었는가 하면, "엽전은 안 돼. 그저 군홧발로 짓밟아야 돼." 하는 끔찍한 말을 서슴지 않고 주고받던 때도 있었습니다. 민주주의를 전혀 경험해 보지 않은 사람들이 민주적으로 생활할 줄 모른다고 국민을 야만인 취급했던 것이지요. 그런데 이러한 논조를 따르자면, 지금도 마찬가지일 것입니다. 많이 달라졌다고 하지만, 아직도 우리 의식의 시계는 전근대에 머물러 있다고 할 수 있기 때문입니다. 이러한 현상은 일종의 악순환으로 어디선가 맥을 끊어야 할 것 같습니다.

김대중 맞아요. 그 악순환을 끊는 것이 중요합니다. 나는 그것이 누구보다도 정부나 기업이나 사회 각계각층의 지도적 위치에 있는 사람들의 몫이라고 생각합니다. 즉 지도층에 있는 사람들은 국민을 깔보고 열등시하는 자세를 버려야 합니다. 많이 알지 못한다고 해서, 무엇이 옳고 무엇이 그른지 잘 판단할 줄 모른다고 해서, 민주적 사고와 생활을 할 줄 모른다고 해서, 그들을 군화로 짓밟는 식으로 대해서는 안 됩니다. 아무리 그래도 그들은 모두 엄연한 인격체이고 주체입니다. 그들의 말에 귀를 기울이고, 그들의 견해를 존중해 주고, 그들이 자율적으로 민주주의 정신에 따라 생활하도록 유도해야 합니다. 그것이 신인도주의 정신이며, 그 길이 민주화를 앞당기는 길이고, 그래야 김 교수가 말한 악순환의 고리가 끊어지게 됩니다.

그런데 하나 명심할 것은 국민은 개개인으로서는 부족한 점이 많지만 하나의 집단 의사, 즉 민심으로 응집될 때는 어떠한 현인보다도 더 현명하고 어떠한 장사보다도 힘이 셉니다. 그래서 예로부터 "민심에 따른 자는 흥하고 민심에 역행하는 자는 망한다"(順天者興逆天者亡)고 하지 않았습니까? 어쨌거나 우리나라도 과거에 비하면 자꾸 발전해 나가고 있습니다. 지금 벌써 30년 동안의 군인정치가 끝났다는 것도 하나의 발전 아닙니까?

문민 시대와 국민적 다이내믹스

김광수 지금까지는 선생님이 그리시는 이상 사회의 이론적인 측면에 초점을 맞추어 선생님의 견해를 들어 보았습니다. 이제는 이러한 선생님의 견해에 비추어서 우리나라 상황을 한번 진단해 보면 좋겠습니다. 우리나라는 현재 진행되고 있는 문민정부의 개혁 작업에도 불구하고 많은 문제점이 있다는 것이 지적되고 있습니다. 선생님께서는 지금 상황에서 지적할 수 있는 문제점으로 어떤 것을 들어 주시겠습니까?

김대중 우리의 지금 현실에서, 특히 문민 시대에서 중요한 것은 아까도 말했다시피 모든 사람들을 신명 나게 참여시키는 것이라고 생각합니다. 그런데 아직 거기까지는 이르지 못하고 있습니다. 군정 30년을 겪는 동안에 우리 사회는 정신적 활기와 미래에의 희망을 잃은 채 보기에 따라서는 이미 일종의 조로 현상에 들어가 의욕을 잃고 체념해 버리는 경향이 있습니다. 국민 사이에 무력감이 팽배해 있는 것이 사실이라고 봅니다. 우리가 지금 이 아시아·태평양 시대의 대변화의 시점에 있어서 그 주역이 되어야 할 우리 국민의 다이내믹스를 끌어내는 태세가 제대로 확립이 안 되었다고 생각합니다.

경제 발전을 시켜서 잘살아 보겠다고 하는 것은 1960-70년대에 끌어냈던 다이내믹스였습니다. 그러나 그 다이내믹스는 좌절된 것이었습니다. 경제 건설의 결과는 소수에게 부가 집중되고, 빈부 격차, 도시와 농촌의 격차, 대기업과 중소기업의 격차, 지역과 지역의 격차가 커지게 되어 국민을 실망시켰습니다. 지금은 경제만 가지고는 국민을 신명 나게 할 수 없고 다이내믹스를 줄 수 없습니다. 지금은 냉전이 끝났고 우리를 50년이나 묶어 놨던 분단의 족쇄도 풀렸습니다. 거기다 새로이 시작되는 경제 전쟁, 아시아·태평양 시대에서 경쟁국과의 경제 전쟁에서 이겨내려면 통일의 길로 나가야 합니다. 점진적인 통일을 추진해서 남북 대결에서 오는 소모적 지출을 대폭 줄여야 합니다. 그리고 남북이 합쳐야만 새로운 경제 도약을 할 수 있습니다. 이 문제를 진지하게 다뤄야 합니다. 국민들이 지금 이 문제 때문에 굉장히 갈피를 못 잡고 있는 면이 있습니다. 세계에서 통일 못 된 나라가 유일하게 우리나라뿐 아닙니까?

그런 데다가 과거에 통일은 당위성의 문제였지 가능성의 문제가 아니었습니다. 우리나라는 단일민족이고 타의에 의해서 분단되었기 때문에 마땅히 통일할 권리가 있습니다. 냉전 시대에는 "통일해야 한다"라는 당위성만 있었습니다. 미·소 냉전 구조의 현상 고착 체제 속에서 전혀 통일의 가능성이 없었습니다.

이제는 냉전 구도가 다 끝났고 우리를 묶고 있던 족쇄는 풀렸습니다. 이제는 통일의 가능성이 생겼고 통일을 해야만 우리는 살 수 있게 되었습니다. 왜냐하면 통일을 안 하고 여전히 남북 대결로 막대한 국방비를 써 가지고는, 군비를 줄이고 경제 경쟁에 전력을 다하고 있는 경쟁국들한테 지금도 밀리고 있는데 앞으로는 더 밀리게 되고, 우리는 결국 삼류 국가로 떨어져 나갈 것이기 때문입니다.

뿐만 아니라 우리가 통일을 하게 되면 남북 경제 협력을 통해서 큰 이득을 볼 수가 있습니다. 신발·의류·완구 등 남한의 사양산업이 북쪽에 올라가면 당장에 국제경쟁력이 생기고 북한의 지하자원과 관광자원을 개발하면 상호 이익을 증진시킬 수 있습니다. 자금 백수십 개의 기업들이 이북에 가겠다고 신청하고 있는 것도 바로 그 때문입니다. 그리고 북한과 손잡아 통일의 길로 나아갈 때 우리는 만주·시베리아·몽골·중앙아시아 등 세계에서 마지막 남은 자원 보고를 개척하게 되고, 그래서 우리가 세계 선진 국가의 대열에 들어갈 수 있다는 것을 최근 영국의 『이코노미스트』에서 출판된 한국 통일에 관한 보고서에서도 지적을 하고 있습니다.

그런데 우리나라는 아직도 과거 냉전 체제에 매달려 있는 것 같습니다. 아직도 어떻게 통일을 하면 독일과 같은 부작용이 없이 성공적으로 해 나갈 수 있느냐, 어떻게 통일을 하면 남북이 서로 화해 속에서 평화 공존하면서 교류하고 민족 동질성을 완성하며 같이 번영해 나갈 수 있느냐 하는 점에서 분명한 방향감각이 우리에게는 지금 없습니다. 그래서 국민들이 초조해하고 좌절감을 갖게 되고 해서 신바람이 나지 않는 것입니다.

신명이 안 나는 이유로 또 하나는 국민들이 정말로 자기들이 주인으로서 참여하고 있는가 하는 데 아직 확신을 가질 수 없다는 점입니다. 국민의 참여에 대한 욕구를 충족시키는 면이 더욱 강화되어야 합니다.

맺힌 한은 어떻게 풀 것인가

김광수 '국민적 다이내믹스' 라는 선생님의 표현은 인상적입니다. 그 표현은 대단히 풍부한 생명력을 담고 있는 것 같습니다. 사실 과거 정권은 '경제 성장' 이라는 이념으로 국민적 다이내믹스를 결집시켰습니다. 경제 성장은 우리 모두의 꿈이었고, 모든 악을 정당화시켜 주는 마술 방망이였습니다. 그런데 선생님께서는 이제 경제 성장만으로는 국민의 다이내믹스를 끌어내지 못한다고 지적하셨습니다. 그리고 국민적 다이내믹스를 끌어낼 수 있는 새로운 이념으로 '통일'을 제시하였습니다. 통일은 우리 민족의 염원이자 권리일 뿐만 아니라, 경제 성장을 위해서라도 추구해야 한다는 것이었습니다.

이건 좀 예민한 문제입니다만, 국민의 힘이 결집이 안 되고 신명이 안 나는 이유로서 저 나름대로 생각해 본 것이 있습니다. 그동안 30년간의 군사정권 하에서 상처받은 사람들이 굉장히 많이 있고 그들의 상처가 치유되지 않은 채로 있다는 것입니다. 정말로 가슴에 한을 품은 사람들이 많이 있습니다. 이제 그들을 박해하던 군사정권은 가고, 그들이 꿈꾸던 문민정부가 들어섰습니다. 그러나 현실은 어떻습니까? 문민정부의 기반은 상당 부분 그때 한을 안겨 준 사람들로 구성되어 있습니다. 그래서 사람들은 지금 대통령을 중심으로 해서 이루어지는 개혁이 뭔가 좀 걸맞지 않다는 느낌을 갖게 되고, 그래서 어느 정도 혼란에 빠져 있다고 할 수 있습니다. 이런 것도 '개혁'인가 하고 말입니다. 사실 개혁을 주도하고 있는 일부 세력과 한을 안은 사람들은 과거에는 '동지'의 관계 속에 있었던 적도 있습니다. 그런데 개혁은 한을 안은 대부분의 사람들이 소외된 상태에서 이루어지고 있고, 오히려 개혁의 대상이 개혁의 주체 노릇을 하려는 모습까지 볼 수 있습니다. 그래서 또 한이 맺히지요. 한을 달래고 상처를 싸매는 문제는 그냥 "이제부터 잘해 보자"고 함으로써 풀어질 수 있는 성질의 것이 아닌 정말 우리 사회의 심각한 문제라고 생각합니다. 선생님께서도 한을 가지고 계시지 않습니까?

김대중 그러니까 순서가 먼저 한풀이가 돼야 되고, 다음으로 신명이 이루어져야 합니다. 한풀이라는 것은 보복이 아닙니다. 한이란 것은 내가 볼 때 민중들이 좌절된 소망을 안고 이것을 기어이 이루려고 몸부림치는 것이 한입니다. 우리 민족의 한이 잘 나타나 있는 것이 이른바 판소리인데…….

김광수 선생님께서 영화 「서편제」를 보시고 하신 말씀이 신문에 보도된 것을 저도 읽은 적이 있습니다. 저도 한과 원한을 구분 못 했었는데 선생님의 말씀을 듣고 구분하게 되었습니다.

김대중 판소리 다섯 마당을 보더라도 춘향이의 한은 이도령과 다시 재결

합하는 것입니다. 좌절된 사랑을 다시 회복하는 것이지요. 춘향이는 온갖 몸부림을 칩니다. 곤장을 맞으면서도 굴복하지 않고 나도 내 사랑을 지킬 권리가 있다고 주장하고, 방자를 서울로 올려보내기도 하고, 장님을 데려다가 점도 쳐 보며 몸부림칩니다. 흥부의 한은 배불리 먹는 것이기 때문에 매품도 팔아 보고 형수 찾아가 주걱으로 뺨을 두들겨 맞으면서도 밥을 구걸하고 그럽니다. 토끼의 한은 용궁에서 무사히 살아오는 것이기 때문에 거기서 온갖 지혜를 다 발휘해서 살려고 몸부림칩니다. 간을 육지 소나무 위에 놔두고 왔기 때문에 내 배를 갈라 봤자 간이 없다는 것을 용왕으로 하여금 납득하도록 하는 데 혼신의 지혜와 연기를 합니다. 그 토끼가 민중을 상징한 거죠. 심청이의 한은 아버지의 눈을 뜨게 하는 거니까 황후가 되어도 그 한이 안 풀려서 맹인 잔치까지 합니다.

한은 목적 달성으로 끝나는 것이지 보복이 아닙니다. 춘향이는 자기를 그렇게 가혹하게 고문을 한 사또에게 보복을 안 했고, 흥부는 자기 형에게 보복은커녕 오히려 재산을 나누어 주었고, 토끼는 육지에 올라온 뒤에 자라에게 보복을 안 했습니다. 그리고 심청이는 아버지를 만나고 나서야 비로소 행복하게 되었습니다. 황후가 되었다고 해서 행복했던 게 아니고 말입니다.

나는 아시다시피 정치를 떠났습니다. 물론 나도 국민이니까 말할 수는 있습니다. 그러나 나는 현실 정치에 대해서는 관여하지 않는다는 원칙을 가지고 있기 때문에 별로 말을 하고 싶지 않습니다. 다만 내가 대통령 후보로 나왔을 때 '국민적 대화합'을 주장했다는 것을 지적하고 싶습니다. 그 화합은 과거에 한이 맺힌 사람들은 그 한을 풀어 주고, 잘못한 사람들은 국민 앞에서 회개함으로써 대화합한다는 것이었습니다. 무원칙한 '잊어버리자' 주의는 아니었습니다.

광주 문제도 한이 맺힌 사람들에 대해서 진상 규명이라든가 명예 회복을 통해서 한을 풀어 주고, 그 대신 악을 행한 사람들에 대해서는 국민이 사과를 받아야 합니다. 그리고 처벌은 안 한다, 이렇게 해서 대화합을 한다, 이런 생각을 가졌습니다. 나는 이것을 1987년 대선 이래 일관되게 주장해 왔습니다. 이래야만 과오를 범한 사람들에게는 그 과오를 청산하여 새 출발을 할 수 있는 기회를 주게 됩니다. 그리고 한에 맺힌 사람들에게는 그 한을 풀면서 용서의 아량을 베풀 수 있게 해야 한다는 것입니다. 이것이 진정한 한풀이요, 화해이며, 국민적 단결과 새 출발의 길입니다.

그런데 최근에 칠레에서 제 생각과 비슷한 일들을 대통령이 하고 있어요. 칠레가 최근에 중남미 중에서 여러 가지 면에서 비교적 잘되어 가고 있는 나라인데 거기서도 과거 사람들에 대해 처벌은 안 하지만 진실은 밝히고 있습니다. 과거에 수난당한 사람들을 위해 국민이 영원히 기억할 수 있는 기념사업을 한다든지 기념탑을 세운다든지 해서 결코 그 사람들이 잊혀지지 않고 국민 속에 남는다는 것을 분명히 해 주고 있습니다. 잘못을 저지른 사람들과 억울한 사람들에 대해서는 그 진상을 분명히 밝히고 있습니다. 물론 칠레는 아직도 과거 독재하던 피노체트가 군의 최고사령관을 하고 있는 등 문제점이 있습니다. 그러나 이렇게 시비와 책임과 공과를 분명히 가림으로써 지금 칠레 사회는 다시는 군인이 정치에 개입할 수 없게 안정을 찾아가고 있습니다. 경제도 50퍼센트까지 갔던 인플레이션이 지금 10퍼센트로 내려가고, 수출도 소련, 동유럽까지 하여 이제 우리의 경쟁 상대로 부상하는 데까지 발전하고 있습니다.

나는 지금 김영삼 대통령이 가령 군 내에서 과거 사조직을 만들어 군권을 독점하고 쿠데타까지 일으키던 그런 세력에 대해 단호한 조치를 취한 것이라든가, 최근의 부정 척결 문제 그리고 금융실명제라든가 하는 것들이 잘한 일이라고 생각합니다. 그렇기 때문에 나는 개혁이 잘되기를 바라고 있습니다. 그런데 요새는 상당수의 과거 수구적 인사들이 다시 또 등장하고 있으며,

한을 품었던 사람들의 기대가 흔들린다는 말을 간혹 들을 때가 있습니다. 나는 그런 사람들에게는 "이런 문제는 조금 시간 여유를 줘야 되지 않느냐?" 하고 말합니다. 언론이나 지식인들은 자기 본연의 사명대로 비판적 입장에서 정부가 잘할 수 있도록 편달할 필요는 있다고 생각합니다.

김광수 사실 규명을 하고 사과는 받되 처벌은 하지 않는 방식으로 과거의 잘못을 청산한다는 선생님의 대화합 정신은 높이 살 만합니다. 그러나 이러한 해결 방식은, 비록 정치적으로는 묘수일지 몰라도, 당한 사람들의 입장에서는 좀 억울하고 불공평하게 생각될 것 같습니다. 법의 정신은 잘못을 범한 사람들이 그에 상응하는 벌을 받아야 한다는 것이 아닙니까?

김대중 법의 집행에 있어서도 잘못한 사람이 있더라도 기소유예·집행유예·형 집행정지·사면 등 정상참작의 여러 방법이 있습니다. 그러한 관대한 조치는 법을 어긴 사람의 정상을 참작해서 하는 수도 있고, 국가나 사회의 더 큰 이익, 예를 들면 사회적 안정이라든가 국민적 화해를 위해서 취해지는 것입니다. 그러나 무조건이 아닙니다. 진실을 밝혀 당한 사람의 억울함을 해소시키고 명예를 회복시켜 주어야 합니다. 가해자가 진심으로 사과해야 합니다.

김광수 선생님께서 지적하신 바와 같이 분단된 조국의 통일은 우리 민족의 지상 과제입니다. 그래서 선생님께서도 정계 은퇴 후에 하실 의미 있는 일로서 바로 이 문제를 택하셨다고 생각됩니다.

통일은 남북 동질성 회복부터

김대중 우리가 살길은 세계에서 마지막 남은 자원의 보고인 시베리아·몽골·중앙아시아 등을 개척하는 것입니다. 그리고 이들 지역에 진출하자면 북한을 통해야 합니다. 북한을 통해서 고속도로도 열고, 파이프라인도 설치하고, 남북이 힘을 합쳐 경제를 이룩해야 합니다. 그렇지 않으면 우리는 세계

무대에서 선진국이 될 수가 없습니다.

다만 우리가 명심해야 할 것은 독일식의 흡수 통합을 꿈꾸어서는 안 된다는 것입니다. 흡수 통합을 하게 되면 경제적 부담과 오랫동안 갈라져 있던 정신적 갈등을 막을 길이 없습니다. 그러므로 우리는 평화 공존·평화 교류·평화 통일의 3원칙 아래 3단계 방식에 의한 통일을 추진해서 아주 확실하고 안전하게 통일을 추진해 나가야 합니다. 한마디로 말하면 "통일은 빨리 시작하되 진행은 단계적으로 하자"는 것입니다. 이렇게 해 나가면 공화국 연합의 단계에서는, 첫째로 남북이 국가 연합을 하여 서로 평화적으로 안심하고 살면서 군비 축소를 하여 그 돈을 경제 발전과 사회 발전에 투자할 수 있고, 둘째로 서로 협력함으로써 다 같이 경제적으로 큰 득을 볼 수 있으며, 셋째로는 점진적으로 접촉하는 가운데 민족 동질성을 회복할 수 있을 것입니다. 따라서 독일처럼 무리한 흡수 통일을 하지 않고 공화국 연합부터 시작하면 큰 성과를 거둘 수 있을 것입니다. 양쪽에서 뜻만 있으면 충분히 할 수 있습니다. 지금 세계적 관심을 끌고 있는 핵 문제는 1994년 초까지는 해결될 것으로 보는데, 그러면 국가 연합에 착수할 수 있습니다. 그러기 위해서 큰 준비가 필요 없습니다. "대한민국은 한반도와 그 부속 도서로 한다"와 같이 양쪽 헌법에 걸림돌이 되는 조항 등을 빼 버리면 됩니다.

우리가 타성적으로 통일을 그렇게 빨리해서 되겠느냐, 천천히 해도 되지 않겠느냐고 할 수 있습니다. 그러나 그렇게 해서는 안 되는 것이, 남북이 빨리 협력 체제로 들어가지 않으면 경제가 국제 경쟁에서 뒤질 수밖에 없고, 또 주변 정세도 변할 수 있기 때문입니다. 지금은 미국·러시아·중국·일본 등이 동아시아의 체제 구축에 대해서 공통된 합의가 이루어지지 않은 상태입니다. 이 사이에 우리가 빨리 통일해야지, 그렇지 않으면 어려워질 수 있습니다. 주변 국가들이 통일을 도와주지는 못해도 방해할 수는 있습니다. 통일은 어디까지나 우리가 자주적 힘으로 해야 한다는 것이 절대적인 명제이며, 절대로 우리의 운명을 제3자에게 넘겨주어서는 안 됩니다. 그러자면 주변 4대국이 어떠한 간섭 방안이나 자기네 형편대로의 동북아시아 체제에 합의하기 전에 통일에 착수하도록 해야 할 것입니다.

김광수 민족 동질성의 회복이 전제되지 않은 통일은 실질적인 통일이라 할 수 없기 때문에 민족 동질성을 먼저 회복하는 교류를 선행해야 한다는 것이 선생님의 통일론이 가진 특징인 것 같습니다.

요즈음은 텔레비전에서도 북한의 모습을 조금씩 보여 주고 있기 때문에 북한 사람들이 어떻게 살고 있다는 것을 단편적이나마 짐작할 수 있게 되었는데, 「통일전망대」 같은 프로를 보다가 가끔 저는 통일이 아득하다는 느낌을 갖게 됩니다. 어린아이들은 기계처럼 말하고 행동합니다. 어른들도 모든 것이 연극인 것처럼 말과 동작을 하고, 너 나 할 것 없이 '수령님'을 외칩니다. 그러한 모습을 보면 과연 어떻게 우리가 함께 살 수 있게 될까 하고 답답한 생각이 듭니다. 우리와 너무 다르기 때문입니다. 어떻게 이러한 이질성이 극복될 수 있을까요? 어느 편이 변해 주어야 할까요? 북한 사람들이 우리 남한 사람들이 사는 방식대로 연습을 해 줄 것으로 보십니까?

김대중 그것은 불가능할 것 같지만 전혀 불가능하지는 않습니다. 그들은 자기 신념에 의해서가 아니라 주입된 사상에 의해서 기계적으로 움직이는 것이니까 전환도 기계적으로 됩니다. 유엔 동시 가입, 남북 교차승인, 한국의 법적 실체 인정에 대한 반대를 수십 년 하다가 위에서 일단 결정하니까, 이제는 이 새로운 변화를 열렬히 지지하지 않습니까? 소련이나 동유럽이 쉽게 바뀐 것 보십시오. 불가능한 일은 아닙니다.

국가연합 체제하에서는 배우고 싶으면 배우고, 배우고 싶지 않으면 안 배울 수 있는 것입니다. 그러나 교류를 많이 하다 보면 자연히 남북이 서로 상대방의 장점을 배우게 될 것입니다. 특히 북한은 남한과 외국의 투자를 받아들이려면 시장경제의 원리를 받아들여야 합니다. 그러다 보면 정치적 자유도 차츰 허용하게 됩니다. 정보화 시대인 오늘날 정보의 자유로운 흐름을 허용하지 않고서는 경제 발전도 기술 개발도 일어나지 않습니다.

북한이 장점이 하나도 없는 것은 아니에요. 북한도 장점이 있어요. 어떻게 보면 우리 민족의 여러 전통과 순수성을 보존하고 있는 것도 있고, 해방 후에 친일파를 과감하게 숙청했으며, 민족적 자주성이랄까 정통성이 상당히 확립되어 있는 면도 있습니다. 또 북한 사회에서는 정의로운 사회를 만들어야 된다는 생각도 상당히 있는 것이 사실입니다. 그러니까 이런 면에 있어서 우리가 그것을 타산지석으로 교훈을 삼아야 할 것이라고 생각됩니다.

북한은 우리가 하고 있는 민주제도에 대해서 배워야 할 것이고 경제가 발전되려면 시장경제로 나가야 될 것입니다. 근본적으로는 앞으로 연방제 통합이 되려면 민주주의와 시장경제로 나가야지요. 그렇게 됩니다. 그것을 강요해서는 안 되고, 국가연합 체제하에서 교류와 협력을 하다 보면 결국은 좋은 쪽으로 끌려 가기 마련입니다. 그것이 잘 안 되면 다시 10년을 연장해도 관계없고요. 일단 우리가 통일의 길로 가고 있으면 몇 년 안에 꼭 해야만 한다는 건 아닙니다. 왜냐하면 남북이 일단 협력 체제가 되면 세계시장에 같이 돈벌이 나가고, 같이 서로 투자하게 되고, 기타 여러 분야에서 협력을 하게 되기 때문에, 그때는 서로 다시 떨어질까 봐 겁을 낼 것입니다. 절대 전쟁을 안 한다, 어느 쪽도 절대 핵무기를 가져서는 안 된다, 어느 쪽도 상대방을 공격하는 태세를 갖춰서는 안 된다, 즉 절대 평화와 최대의 교류를 확대시켜 나가자, 이 두 가지만 가지고 서로 접촉해 나가면 나머지 문제는 해결될 것입니다.

우리가 미리 이건 되고 저건 안 된다고 할 필요는 없어요. 우리가 73년밖에 통일한 역사가 없는 독일에 비해서 하나 자신을 가지는 것은, 우리는 1300년 동안 통일의 민족이라는 점입니다. 세계에서 이렇게 1300년 동안 통일을 유지해 온 민족이 별로 없습니다. 더구나 독일과 같이 지방분권적인 통일이 아닙니다. 우리는 중앙집권제에 의해 단일국가로서 통일되어 있었기 때문에 독일보다 훨씬 동질성이 강합니다. 이것이 우리의 아주 큰 강점입니다. 최근에 남북 언어학자들이 언어 문제를 가지고 회담을 했는데, 그 결과를 보면 80퍼센트 이상이 공통되고 나머지도 본질적인 차이가 아니라는 것입니다. 1300년의 뿌리가 50년 때문에 흔들릴 것이라고 보지는 않습니다.

북한 사회를 보고 온 사람들의 이야기지만, 북한에서 우리 고유의 도덕률 같은 것은 어떻게 보면 남한보다 더 잘 보존되었다고 말들을 하고 있어요. 우리 민족의 장구한 통일의 역사로 보나 우리 국민의 뛰어난 자기 본질 수호의 역량으로 보나 이질성은 극복할 수 있습니다.

김광수 통일 문제에 있어서도 선생님의 신인도주의적 견해가 드러나는 것 같습니다. 남북의 극단적 이질성을 어느 한쪽을 패퇴시키는 방법이 아니라 서로의 체제를 인정하고 존중하는 상태에서 극복해야 한다고 하기 때문입니다.

김대중 그런데 실질적으로 북한이 우리를 많이 따라오게 될 것입니다. 왜냐하면 우리는 세계의 조류와 일치하는 체제를 가지고 있다는 점에서 우위에 있기 때문입니다. 따라서 자연히 그쪽에서 따라오게 되지만 그것은 누가 이기고 누가 지는 방식으로 따라오게 되는 것이 아니라, 필요에 의해서 좋은 것을 선택한다는 방식으로 따라오게 될 것입니다.

김광수 통일 문제에 대한 논의에 앞서 선생님께서 제기하셨던 문제가 되겠는데요. 사실 박정희 정권 시대에 "잘살아 보세"라는 구호를 듣기 시작한 이래 5, 6공을 지나면서 경제 성장 위주의 정책을 정부에서 꾸준히 펴 왔습니다. 그래서 '경제 성장 이념'이라고 말할 수 있을 정도로 그 구호는 우리의 뇌리에 박혀 있습니다. 지금 현 문민정부에서도 "경제를 살려야 한다."라는 말을 많이 하고 있고, 언론에서도 개혁보다는 경제를 더 중요시하는 논평을 많이 내고 있습니다.

저는 솔직히 그런 얘기를 들을 때 좀 씁쓸한 느낌을 갖습니다. 물론 돈이 중요하지요. 그렇지만 돈은 보다 더 중요한 어떤 것의 수단에 불과한 것입니다. 그런데 마치 돈이 다인 양, 돈벌이가 목적인 양 얘기하고, 우리나라 최대의 문제가 경제 문제인 것처럼 떠들고 있는 것입니다. 문민정부가 들어섰다고 하지만 뚜렷한 개혁 철학을 제시하지 않은 상태에서 구 정권의 경제 성장 이념을 그대로 이어받고 있다는 느낌이 듭니다. 만일 선생님께서 저의 말에 동의하신다면, 우리가 경제 성장을 도모하면서도 경제 성장보다 더 소중한 것으로 이룩해야 할 가치 있는 일은 어떤 것이라고 생각하십니까?

돈보다 더 중요한 가치

김대중 나는 현실 정치에는 개입하지 않는 입장이기 때문에 여기서는 특정 정권의 정치에 대한 비판이나 평가가 아니라 원론적인 입장에서 말해 보겠습니다.

지금까지 군사정권 30년을 지내는 동안에 우리나라는 소외의 보편화 시대를 만들어 왔습니다. 무엇보다도 중요한 것은 군사정권하에서 저질러진 소외를 극복하는 것입니다. 농민도 소외되고, 노동자도 소외되고, 지식인도 소외되고, 학생도 서민 대중도 소외됐습니다. 한 줌도 못 되는 수의 사람들이 모든 것을 독점했고, 우리는 어떤 결정권도 갖지 못했습니다. 선거는 하나의 요식행위에 불과했습니다. 지방자치를 하지 않음으로써 부정선거를 마음대로 할 수 있었고, 권력을 통해 조성한 막대한 선거자금으로 유권자를 마음대로 매수해서 선거를 조작했습니다. 결국 유권자들은 그들이 정권을 잡는 데 동원된 하나의 도구요, 부역군에 불과한 상태로 소외되고 전락했습니다. 그래서 가장 중요한 것은 우리가 주인 의식을 되돌려 받을 수 있는 참여의 보장 이라고 생각합니다.

이렇게 되기 위해서는 경제가 과거와 같은 대기업 중심이 아니라 중소기 업이 중심이 되거나 대기업과 대등한 입장이 될 수 있는 체제로 가야 합니다. 이미 세계 경제는 소품종 다량생산의 중소기업 체제로 체질 자체가 바뀌어 가고 있습니다. 이건 경제의 올바른 발전을 위해서도 중요합니다. 그리고 노 동자를 억압만 해서 통하던 노동 집약적인 생산의 시대는 갔습니다. 이제는 정보 지식산업 시대입니다. 그래서 이 시대에는 정보가 물 흐르듯 자유롭게 흐르고, 개인의 창의성이 보장되는 민주주의가 철저히 실현되어야 하고, 노 동자들이 자유롭게 자기의 권리를 주장하면서도 적극적으로 참여하고 협력 할 수 있는 그런 체제가 필요합니다. 그러한 참여의 체제를 빨리 만들어야 합 니다. 중소기업에 대해서도, 노동자·농민에 대해서도 그렇습니다.

기본적인 문제는 자아의 발견, 자아의 확립, 자아의 실현입니다. 이것이 실 현되어야 합니다. 그래야 경제 발전의 의미가 있습니다. 김 교수의 말씀같이 경제 발전만 앞세운다면 과거 박 정권이나 기타 군사정권과 다를 것이 없게 됩니다. 그러려면 대기업의 지배력을 제한하고 중소기업을 강화시키고, 노 동자와 기업가가 대등한 입장에서 서로 대화를 통해 문제를 풀어 가면서 신 나게 협력할 수 있는 체제를 만들어 가야 합니다. 농민에 대해서도 마땅히 정 당한 권리를 보장해서, 5·16쿠데타 이후부터 지금까지 30년 이상 농민의 희 생 밑에서 경제 발전을 해 온 관행을 이제 청산해야 합니다. 그리고 농민의 오랜 희생에 대해서 보답을 해야 합니다.

전체적으로 봐서 경제 발전이 중요한 것이지만, 이런 국민적 참여, 빠짐없 는 참여가, 그리고 참여한 사람들이 자기에게 돌아오는 몫에 대한 확실한 기 대와 보장을 갖는 그런 체제로 빨리 나가야 된다고 생각합니다. 그러려면 누구도 특권을 받을 수 없는 그런 체제를 취해야 하는데, 그런 의미에서 이번의 금융실명제는 원칙적으로 참 잘한 일입니다. 이제 빨리 한국은행을 독립시켜야 하고, 또 금리 자유화를 실현시켜야 하고, 약자에게 더 정의가 실현되는 방향으로 세금 제도도 바꿔 나가야 한다고 생각합니다. 아무튼 국민 모두가 신이 나야 합니다. 나는 우리에게 필요하고 우리 민족성에 알맞은 민주주의는 '신나는 민주주의'라고 생각합니다. '신명'은 '한'과 '멋' 등과 더불어 우리 민족만이 가지고 있는 독특한 정서를 나타내는 말이기 때문입니다.

지역감정과 지역차별

김광수 한은 풀되 보복은 하지 않는 방식으로 국민 대화합을 이루고, 민족적 동질성을 회복하여 통일을 하고, 국민 모두가 소외되지 않고 신명 나게 참여하여 일을 할 수 있게 된다면 우리나라는 참으로 살 만한 나라가 될 것 같습니다. 그러나 저는 자꾸만 비관적인 생각이 듭니다. 전라도 사람들의 한 때문입니다. 전라도 사람들의 한은 개인적인 한이 아니라 전라도민 전체의 한입니다. '전라도 사람'이라고 하면 누구를 불문하고 즉각적으로 불리한 입장에서 설 수밖에 없는 취급을 당합니다. 다시 말해서 지금 우리는 남한 내부적으로도 통일이 안 된 상태인 것입니다. 이러한 지역감정의 문제를 풀지 않고서는 다른 문제들도 풀 수 없지 않을까요?

김대중 지역차별이죠.

김광수 네, '지역차별'이라고 하는 것이 더 정확한 표현이 되겠습니다.

김대중 그래요. '지역감정'이라는 말은 정확하지 않습니다. '지역감정'이라는 것은 양쪽이 동등한 입장에서 서로에게 나쁜 감정을 갖는 것입니다. 미국에서도 '흑백차별'이라고 하고, 과거 일제가 한 것도 '민족차별'이라고 하지 '민족감정'이라고 하지 않습니다. '지역감정'이라는 말은 지역차별주의를 호도하기 위한 마술적 언어라고밖에 볼 수 없습니다. 현재 하고 있는 것은 분명히 호남에 대한 지역차별입니다.

호남 차별은 20세기를 사는 민족으로서 가장 수치스러운 일이고, 우리 민족의 큰 재앙입니다. 남한 내부적으로도 서로 대립, 분열된 상황에 있으면서 "이래 가지고는 통일은 무슨 놈의 통일이야?" 하는 한탄이 나올 정도의 상태인 것은 틀림없습니다.

내가 이탈리아를 가 봤는데 거기도 지역 문제가 있습니다. 이탈리아 남부와 북부의 문제인데, 남부가 낙후되어 있어요. 그러나 거기는 남부의 낙후에 대한 문제로서 제기되고 있지, 북부 출신이 남부 출신을 차별하는 일은 없습니다. 그리고 같이 남부의 발전에 대해서 염려를 하고 있습니다. 이탈리아는 원래 남부는 아프리카 쪽의 영향도 상당히 받았고 민족적으로도 그쪽 사람들이 많이 와서 섞였습니다. 또 중부 지대는 오랫동안 교황령이었고, 북부 지대는 라틴 계통이고 해서, 세 군데가 역사적으로 문화적으로 아주 달라요. 그렇기 때문에 문화적 문제로 지역성을 내세우고는 있지만 정치적으로 지역 문제는 없습니다. 이탈리아 의원들이 농담하고 이야기하는 걸 내가 보아도 문화적인 것을 가지고 하지 정치적인 것을 가지고 하지는 않아요. 이탈리아가 저런 혼란 속에서도 어떻게 그렇게 잘되어 가고 있느냐, 어떻게 지세븐(G7) 국가 중 4위를 유지하고 있는가? 두 가지 이유에서입니다. 하나는 중소기업을 육성하고 있다는 것, 또 하나는 지역 문화의 차이가 정치적인 갈등으로 발전하지 않는다는 것입니다. 이 점은 과거에 여기 이탈리아 대사로 있던 심볼로티라는 여자 대사가 나에게 이야기해 준 것인데, 실제로 가 봐도 그랬습니다.

오늘날 우리나라의 지역차별 문제는 우리의 응어리가 되고 우리들이 풀어야 할 멍에가 되고 있는데, 사실 과거에도 지역적인 문제는 조금 있었습니다. 가령 고려 왕건이 죽으면서 남긴 『훈요십조訓要十條』를 보면, 거기에 차령산

맥 이남 사람을 쓰지 말라는 말이 있습니다.

이것은 왕건의 언동 중 가장 수치스러운 것이었습니다. 그러나 그건 뭐 큰 문제가 아니고, 호남 지역에 대해 본격적으로 차별 정책이 생긴 것은 선조 때 일어난 정여립의 난입니다. 사실 정여립은 역사적으로 하나의 민중적 개혁 정치를 지향하던 사람으로 높이 평가되어야 할 사람입니다. 그때는 역적이 되어 전주가 격하되고 또 호남 사람의 등용이 거의 끊기게 되는 사태가 되어 그때부터 본격적인 지역차별이 일어나기 시작했습니다.

그러나 그때도 지금과 같이 극한점까지 가지는 않았습니다. 박정희 씨가 집권한 이후부터 이런 상태가 되었는데, 아이로니컬하게도 호남 사람들이 박정희 씨를 당선시켜 놓고 호남 사람들이 당한 거예요.

김광수 네, 그랬었지요.

김대중 1963년 대통령 선거에서 박정희 씨가 15만 표 차이로 이겼는데, 호남에서만 35만 표를 이겼습니다. 박정희 씨는 그때 호남과 영남에서만 이기고 나머지는 다 졌어요. 호남에서 35만 표 이겼으니까, 산술적으로 해도 만일 호남에서 졌다면 15만 표 빼고도 20만 표 차로 선거에서 패배하는 셈이 됩니다. 그런데 박정희 씨는 이러한 막중한 은혜를 입은 호남에 대해서 대통령이 당선되자마자 차별하기 시작했습니다. 나는 지금도 왜 박정희 씨가 그렇게 은혜를 원수로 갚을 짓을 했는지 알 수 없습니다. 다만 두 가지 이유를 상상할 수 있는데, 하나는 호남 사람들이 과거 자유당 독재에 철저히 싸우는 것을 보고 독재를 할 수밖에 없는 그로서는 호남을 처음부터 배제시켜야겠다는 생각이었을 것이고, 또 하나는 영호남 대립을 조장해서 인구 구조상 양대 세력을 이룬 이 두 지역을 이간시키고 대립시켜서 그 지역 싸움 때문에 정부에 대한 저항력을 약화시키려는 의도에서 했지 않았나 하는 생각이 듭니다. 어쨌거나 영호남 대립 구조 속에서 이루어진 호남 차별은 전두환 씨 때까지 계속되었는데 이것은 노태우 씨의 시대에 이르러 절정에 달했습니다.

　노태우 씨는 인재 등용이나 지방 사업에 있어서 박정희·전두환 두 전임자보다 훨씬 더 심했습니다. 나는 그의 5년 임기 중에 두 번 그의 지나친 호남 차별을 지적하고 시정을 요구했으나, 그에게서는 똑같은 대답이 두 번 모두 되풀이되었습니다. "호남 사람은 반성해야 한다. 호남 사람은 누구를 쓰려고 하면 서로 모략한다"는 것이었습니다. 나는 그에게 "인사 문제를 두고 다른 지역 사람은 모략하는 경우가 없느냐? 대통령이 자기가 쓰고 싶으면 쓰고 안 쓰고 싶으면 안 쓰는 것이지 남의 말에 의해서 좌우되느냐?"라고 반박한 일도 있습니다.

　노태우 씨는 한발 더 나아가서 영호남 대립을 호남 대 비호남으로 확대시켰는데 그는 이 목적을 위해서 3당 합당을 하였고, 그 후에도 당 최고위원회에 영남과 충청도 사람만 등용하고 호남 사람에 대해서는 그럴 계획이 있는 양 말만 퍼뜨리다가 끝내 하지 않았습니다. 이렇게 해서 절정에 이른 호남에 대한 차별은 그 위력이 얼마나 큰 것인지 부산 횟집 사건으로 극명하게 드러났습니다. 부산 횟집 사건이 나자 야당은 물론 여당까지도 크게 당황을 했는데, 그것이 영남은 물론 중부권에서까지 여당 후보의 표를 대폭 증가시켜 당선에 결정적 기여를 할 줄은 아무도 몰랐던 것입니다. 권력자들이 30년 동안 자행한 악랄한 반민족적인 마술에 국민이 속아 넘어가서 이것이 결국 제2의 천성이 되다시피 된 것입니다. 자유당과 민주당 때까지는 그러지 않았습니다. 자유당 때는 저희 목포나 전주에서도 영남 출신이 국회의원이 되었고, 부산·대구·상주에서는 호남 사람이 되었습니다. 목포에서는 바로 제 옆집에 사는 사람의 동생 되는 사람이었는데, 그는 경상도 진주 출신이었습니다. 나는 그의 선거운동을 열심히 했었습니다. 그런데 그때는 전혀 '경상도', '호남' 소리 들어 본 일이 없었습니다. 이런 점은 영남에서도 마찬가지였습니다. 그것이 여기까지 악화가 된 상태가 된 것입니다.

김광수 이런 지역차별의 문제를 어떻게 해야 해결할 수 있을까요?

김대중 이 문제 해결은 딴 길이 없습니다. 첫째, 국민이 반성을 해야 합니다. 이런 말도 안 되는 것을, 그리고 나라와 민족을 망치고 자기 자신의 인간성까지 망치는 이런 일은 그만둬야 합니다. 뿐만 아니라 지역감정은 인간성에 있어 가장 저열한 감정으로서 나와 나의 가족과 나의 이웃을 오염시킵니다. 국민이 반성하지 않는 한 절대로 이 문제는 해결이 안 됩니다. 두 번째는 집권자가 심각한 반성을 해야 합니다. 집권자가 인재 등용이라든가 지방 발전에 있어서 차별을 하지 않아야 합니다.

이렇게 국민과 집권자 양쪽이 자세를 바꾸고, 정치권이나 지식인이나 문화인들이 모두 일어서서 지역차별 타파 그리고 영호남 화목 운동의 전개 등에 나서야 합니다. 여기에 참여해서 고쳐야 합니다. 이것을 안 고치고 어떻게 남북통일을 이루는 데 있어서 공산당에 대하여 성공적인 대처를 할 수가 있겠습니까? 이런 문제는 문민정부 시대가 왔으니까 반드시 해결해야 된다고 생각합니다.

아까 김 교수 말씀 중에 내가 호남에서 태어나지 않았다면 진작 대통령이 되었을 거라는 얘기가 있었는데 그런 말을 간혹 듣습니다. 하다못해 인구가 적은 강원도에 태어났어도 전라도만 아니면 대통령이 되었을 거라고 말합니다. 하지만 나는 절대로 동의하지 않습니다. 호남에 대한 부당한 차별에 편승해 가면서까지 대통령이 될 생각은 없습니다. 나는 호남 사람으로 태어난 것을 자랑으로 생각합니다. 그리고 "고통받는 사람들, 부당하게 차별받는 사람들의 편에 섰다는 것이 내게 얼마나 떳떳하고 보람 있는 일이냐!"라고 생각합니다. 다른 도 사람들도 훌륭하지만 호남 사람들도 훌륭합니다. 호남 사람들도 결점이 있지만 다른 도 사람들도 결점이 있습니다.

누구나 모두 아는 일이지만 이순신 장군은 호남이 없으면 나라가 없다고 했습니다. 실제로 그랬습니다. 임진왜란 때 함경도까지 쳐들어갔지만 호남은 범하지 못했습니다. 여기서 나라를 지탱했습니다. 그리고 정유재란 때에는 결정적인 역할을 호남에서 했습니다. 일본군이 원균의 해군을 전멸시키고 나서 무인지경을 가듯이 영남 쪽에서 서해안을 거쳐 인천에 상륙해서 서울로 진격하려고 했습니다. 조선 측에는 해군이 없으니까 이를 막을 길이 없지 않습니까? 만일 그때 이순신 장군이 해남 진도의 울돌목, 즉 명량鳴梁에서 호남의 민중들과 같이 이걸 막아 내지 못했던들 서울까지 다 함락되고 말았을 것은 불을 보듯 뻔했습니다. 배 열두 척을 가지고 일본 군함 수백 척을 저지하여 세계 전사에 예가 없는 대승리를 거두어서 일본으로 하여금 더 이상의 전쟁을 단념케 하고 회군을 결정토록 하게 했던 것입니다. 그것을 호남 땅에서 호남 장정들과 같이했던 것입니다. 권율 장군이 행주산성에서 대첩을 했는데 권율 장군은 전라도 순천 지방에 주둔하고 있다가 호남 장정들과 호남서 만든 최신의 무기를 가지고 올라와 그런 빛나는 승리를 했던 것입니다.

광주학생독립운동만 하더라도 그렇지요. 그것이 일제하에서 3·1운동의 다음가는 우리 민족의 자랑스러운 투쟁이란 것은 누구도 부인할 수가 없습니다. 그리고 해방 후 지금까지 한 번도 변함없이 독재와 싸운 곳이 바로 호남입니다. 뿐만 아니라 5·18민주화운동 때 광주와 목포, 기타 호남인들의 태도는 얼마나 훌륭했습니까? 이 광주민주화운동은 세계에 자랑할 만한 일입니다. 신군부의 그 무서운 위세 앞에 결연히 일어나서 싸운 것도 호남인뿐이었다는 점에서 자랑스러운 것입니다.

그러나 광주민주화운동의 위대한 점은 거기에만 그친 것이 아닙니다. 그들은 폭력에 의해서 수백 명이 학살당하고 수천 명이 체포되면서도 끝까지 비폭력으로 대하였습니다. 그들은 육친의 시체를 눈앞에 놔두고서도 여러

날 동안이나 점령하고 있는 기간에 단 한 사람에게도 보복하지 않았습니다. 그들은 시민군이 점령하고 있는 10일간 도시를 철저히 지켜서 은행과 가게가 안심하고 문을 열고, 도둑질한 자도 약탈한 자도 없게 했습니다. 그들은 대화를 통해서 해결하기 위해 거듭 협상을 요구하고 미국의 중재를 요청했던 것입니다. 이런 그들의 자세는 전 세계를 감동시키고 찬양과 동경을 집중시켰던 것입니다. 내가 1983년에 하버드에 있었을 때 하버드 사람들이 가장 높이 평가하면서 그들의 관심과 경탄을 자아낸 것도 이러한 광주민주화운동의 위대한 특성이었습니다. 앞에서 말한 이런 위대한 특성들을 호남 사람들은 보여 줬습니다. 나는 그런 사람들하고 있으면서 억울하고 차별받는 그들의 편에 서는 것을 가장 큰 자랑으로 생각합니다.

제3공화국 이래 텔레비전 드라마건, 라디오 드라마건 "못나고 더러운 건 전부 호남 사람들!" 이렇게 몰아서 호남 사람들에 대한 혐오감을 조성해 왔습니다. 나는 분명히 말합니다. 내게는 추호도 지역차별의 감정이 없습니다. 모든 지방 사람들은 다 나름대로의 장점이 있고, 호남 지방 못지않은 훌륭한 역사가 있는 것을 나는 잘 알고 있습니다. 누구도 내 지방만 훌륭하고 다른 지방은 그렇지 않다고 말할 근거는 없습니다.

나는 박정희 씨가 18년 집권 중에 한 가장 큰 죄악으로서 민족의 역사에서 영원히 비판받을 일이 이 호남 차별 정책이었다고 생각합니다. 그의 그러한 정책은 세월이 갈수록 더욱 우리 사회의 단결과 다이내믹스를 파괴하고 국가의 건전한 발전과 민족 통일의 역량을 저해시키고 있습니다. 김영삼 문민정부는 군사정권이 남긴 이 악의 유산을 반드시 해결해야 할 것입니다.

김광수 사실 선생님께서 그렇게 말씀해 주셔서 지금 알았습니다만, 그처럼 총알이 빗발치는 반전시 상황에서도 약탈이 없었고 질서를 지켰다는 것은 참 중요한 의미를 갖는 것 같습니다. 미국에서 로드니 킹 사건이 났을 때

흑인들과 멕시코계들뿐 아니고 백인들까지 합세하여 한국 상점들을 상대로 닥치는 대로 약탈을 했다는 것과 비교해 볼 때, 광주 시민들은 참으로 성숙한 자세를 보여 주었다고 생각이 듭니다.

김대중 1990년대 영광·함평 보선이 있었는데, 내가 엉뚱한 짓을 했어요. 경상도 대구분인 이수인 씨에게 당의 공천을 주었던 것입니다. 그분은 거기에 한 번도 가 본 일이 없었습니다. 그곳 사람들도 이수인 씨를 전혀 몰랐습니다. 그야말로 '성부지명부지' 姓不知名不知의 사람이었습니다. 그래서 내가 공천을 했을 때 처음엔 반발이 컸지요. 당에서는 걱정이 많았습니다. 그러나 나는 호남인의 양식을 믿는 데가 있었습니다. 그래서 나는 그들에게 말했습니다. 이번 선거에서 이 의석 하나가 여당에 가나 야당에 가나 천하대세에는 상관없다, "설사 이수인이 경상도 사람이라도 민주주의를 하기 때문에 지지한다"면서 여러분이 이수인 씨를 당선시켜 준다면 온 국민이 감동할 것이고, 특히 영남 쪽에서는 "당하고 있는 호남도 저렇게 하는데, 우리가 이래서 되겠느냐?"는 각성이 일어날 것이다, 이번 선거야말로 호남인의 민주적 정서와 지역차별 타파에 대한 열망을 표시할 수 있는 가장 좋은 기회다, 영광 함평의 여러분은 적게는 전라도민을 위해서, 크게는 이 나라를 위해서 결단을 내려 달라고 호소를 했습니다. 그렇게 설득을 한 후, 나중에 하고 나서 보니까 이수인 씨가 그 지방 출신의 국회의원보다 더 많은 표를 얻었습니다. 그러나 놀랍고 실망스러운 것은 이런 일이 영남인들의 마음을 돌리는 데 거의 도움이 되지 않았다는 사실입니다. 오히려 이런 노력을 이상하게 해석하는 경향이 있다는 것을 알고 나는 얼마나 실망했는지 모릅니다.

아시다시피 나는 40년 동안 다섯 번 죽을 고비를 넘겼고 6년 감옥살이도 했고 10년 동안 연금과 망명 생활을 하면서 가족도 다 버리고 했는데, 그때 내 머리 어느 한구석에 경상도가 있고 전라도가 있었겠어요? 전 국민과 민족을 위해 희생하면서 내 생각에 내가 이렇게 싸우면, 이 독재정권한테 한때는 이런 핍박을 받지만 국민은 나를 알아줄 것이다, 지역이 다르다고 해서 날 차별하지는 않을 것이다, 그런데 내가 독재하고 싸운 것이 김대중이는 과격하다는 고정적인 이미지를 굳히게 했고, 또 통일을 주장한 것이 용공같이 되었고, 지역차별은 여전하고, 이런 상황에서 피눈물 나는 심정을 내가 한두 번 느낀 것이 아닙니다. 대통령 선거를 세 번 했지만, 지역감정도 용공 조작도 관권의 개입도 그리고 금력의 매수도 없는 선거는 한 번도 해 보지 못하고 억울한 낙선만 거듭하다가 정치를 그만두게 된 나는 어떻게 보면 지독히도 팔자가 기박한 사람이라고 생각됩니다. 앞으로는 이런 일이 없었으면 좋겠습니다.

학생운동도 변화해야

김광수 대학에 몸담고 있는 사람으로서, 그리고 특히 보직을 맡고 있는 사람으로서, 선생님이 지적하신 민족성에 관하여 학생들의 경우를 짚어 보았으면 합니다. 학생들은 분명 그동안 한국의 민주화 과정 속에서 중요한 역할을 했습니다. 그러나 지금의 일부 학생 운동권의 모습은 안타깝기만 합니다. 국민들의 눈살을 찌푸리게 하는 구태의연한 투쟁 방법을 쓰고 있기 때문입니다. 그들은 변화를 주장하면서도 자기들은 변화하지 않습니다. 민주를 외치면서도 자신들은 전혀 민주적이지 못합니다. 그들도 어쩔 수 없이 변화를 싫어하는 한민족의 후손이라고 치부해 버리기에는 너무 안타까운 현실입니다.

김대중 나도 우리 학생들을 생각할 때 그들이 매우 중요한 기여를 했다고 생각합니다. 누구도 부정할 수 없는 것은 4·19혁명 때 학생들이 이룩한 것, 그 기여는 역사에 길이 남을 것입니다. 이렇게 4·19혁명을 전체 학생들이 잘 했는데, 일부 소수의 학생들이 국민의 뜻에 맞지 않는 과격한 짓을 해서 위대한 혁명을 군사정권으로 하여금 뒤집을 수 있는 구실을 주었습니다. 판문점으로 가자고 해서 그렇게 된 것 아닙니까? 우리 학생들이 지난 1987년 6·10 항쟁 때 굉장히 큰 기여를 했습니다. 그런데 그때 학생들은 어떠한 폭력도 쓰지 않았고 용공으로 오해받을 짓도 하지 않았습니다. 그래서 중산층도 그들을 지지했고 나중에 같이 참여까지 했습니다. 그걸 보고 외국 사람들, 특히 미국 사람들은 전두환 씨가 양보를 해야 한다고 했습니다. 그때까지 전두환 씨를 지지하던 태도를 바꿨습니다. 위대한 광주민주화운동에서도 학생들이 앞장서서 그런 자랑스러운 일을 했습니다.

그런데 해 놓고 나서 전체가 잘한 일을 일부가 망쳐서 일부의 과오 때문에 전체가 훼손된 일들이 있었습니다. 학생들이, 통일을 주장하는 것은 좋지만, 남한에서 통일 논의를 자유롭게 할 것을 요구한다든가, 정부가 반통일적인 정책을 펼 경우 그것을 비판한다든가, 북한이 뭐가 옳고 뭐가 그르냐 등을 바르게 평가한다든가 하는 일을 해야 하는데, 그들은 무조건 북한을 좋다고 하고, 심지어는 주체사상을 공공연히 지지하고, 폭력을 마구 휘둘러 가며 미국을 원수로 삼는 행동을 하는 등 국민이 겁을 먹고 외면할 수 있는 행동을 많이 했던 것입니다. 북한을 바로 안다고 하면서도 북한의 잘못된 점은 덮어 두고 좋다는 점만 자꾸 얘기하는 등의 경향이 있었습니다. 이리하여 국민으로부터 학생운동권 전체가 외면당하고, 이렇게 되니까 학생운동이 성공할 수 없지요.

나는 학생 대표들을 여러 번 만나서 얘기를 했었습니다. 운동이라는 것, 그것이 정치운동이건, 학생운동이건, 노동운동이건, 문화운동이건, 운동이라는 것은 국민 대중의 지지를 받아야 한다, 대중의 지지를 받지 못하면 운동이 아니다, 물론 진리를 탐구하는 사람은 남들의 지지를 받지 않아도 자기주장대로 한다, 예수님이나 소크라테스 등은 삶을 십자가 위에서 혹은 독배로서 마셔도 자기가 진리라고 생각하는 것을 굽히지 않았다, 또 이것이 진리라고 생각하면 학자들은 책이 한 권 안 팔려도 출판을 한다, 이것은 운동이 아니고 진리 탐구이기 때문이다, 그러나 운동하는 사람은 대중의 지지를 얻어야 한다, 대중이 못 따라오면 서서 기다려야 하고 설득해야 하고 왜 안 따라오는지 배워야 한다, 네가 안 따라오는 것이 네 잘못이라고 생각하면서 혼자 앞으로 가면, 대중으로부터 유리되고, 그렇게 되면 통일이나 민주주의를 원치 않는 사람들한테 악용만 당하게 된다, 자기는 국민을 위하는데 국민은 자기를 외면하고, 심지어 자기를 혐오하고 반감을 갖게 된다, 이렇게 얘기를 했습니다.

나는 내가 주장한 삼비주의三非主義(비폭력·비용공·비반미)를, 특히 그중에서도 비반미를 주장하면서 학생들을 만났습니다. 그들은 우리나라가 경제적으로 미국과 일본의 식민지요, 군사적으로 미국의 식민지라는 것이었습니다. 나는 그들에게 말하였습니다. 그렇다면 이렇게 말해 보자, 해방 후 유럽 강국은 마셜플랜에 의해서 그리고 일본이나 대만이나 모두 다 미국으로부터 경제원조를 받았는데, 지금 그런 나라들이 오히려 미국을 위협할 만큼 경제적 독립국가가 되었다, 그런데 왜 우리만 식민지가 되었는가? 이 점을 생각해 본 일이 있는가? 설마 미국이 우리만 그렇게 만들려는 정책을 가지고 있지는 않았을 것 아닌가? 그 이유는 미국이나 일본보다는 우리의 경제인과 우리의 정부가 정경유착의 부패 구조 속에서 일본이나 미국의 대기업들과 결탁해서 부정을 저지른 데 그 원인이 있는 것이다, 다른 나라보다 더 비싸면서도 더 나쁜 시설을 도입해 오는 등 우리 측의 행동 때문에 우리가 식민지가 되었다면 그 이유는 우리에게 있는 것이다, 미국이나 일본만 원망하고 있을 일이 아니다, 또 우리나라에 미국 군대가 있으니까 우리나라가 미국의 군사적 식민지라고 하는데, 유럽 각국이나 일본에도 미국 군대가 있으니까 그럼 일본도 미국의 군사적 식민지인가? 군사적 식민지라는 것은 그 나라 자체가 필요해서 와 달라고 해서 왔느냐, 또는 필요 없다는데도 억지로 왔느냐에 따라서 결정이 되는 것이지, 외국 군대가 있다는 것만으로 그런 것은 아니지 않으냐? 우리 현실에서 미군이 와 있는 것은 6·25전쟁 때부터 북한이 남침해서 왔다는 것은 다 아는 사실이고, 평화 체제가 확립되지 않은 준전시 상태이기 때문에 있는 것이다, 지금 당장 미국이 나가면 우리는 막대한 국방비를 증액시켜야 하는데 이는 우리의 교육과 경제 발전을 결정적으로 저지시킬 것이다, 또 미국이 나가면 한반도에 생긴 이 군사적 진공상태에 일본이 들어올 가능성이 있다, 여러분은 설마 미군을 몰아내고 일본의 군사적 영향 아래로 들어가자고 하는 것은 아니겠지요? 오죽하면 북한이 미국에 대해서 남한에 상당 기간 주둔해도 좋다고 통보했겠습니까? 이렇게 말하면 그들은 알아들었습니다.

지난번 영국에 있을 때 신문을 보고 깜짝 놀란 것은, 학생들이 "노태우·전두환을 체포"하려고 연희동으로 몰려갔다는 것이었습니다. 이런 일이 어떻게 국민의 지지를 받을 수 있겠습니까? 학생들이 무슨 수사권이 있기에 그런 일을 할 수 있겠습니까? 이런 일은 학생들이 제일 싫어하는 수구 세력이나 반통일 세력에게 민주주의와 통일을 사보타주할 수 있는 절호의 구실을 줄 뿐입니다. 실제로 정부 안에서 이런 사건을 계기로 해서 수구 세력이 크게 득세를 하고 있다고 알고 있습니다. 학생운동도 시대에 맞게 변화해야 합니다. 과거에 군사독재와 싸우던 방식만을 고집하면 국민으로부터 외면당하고, 따라서 영향력을 행사하지도 못합니다.

김광수 선생님께서 정치를 떠나셨다고 하셨을 때 많은 국민들이 감격한 반면, 일각에서는 선생님이 정치를 떠나셨다지만 선생님의 일거수일투족이 모두 정치적으로 해석될 수 있다고 했습니다. 그런데 오늘 학생들의 잘못을 거침없이 지적하시는 것을 보고, 전혀 정치적인 발언이 아니라는 생각이 들었습니다.

김대중 내가 학생들을 사랑하기 때문에 이런 말을 하는 것이지요. 사실 이제는 학생들도 많이 변한 것 같아요. 쓰라린 경험을 통해서 많이 배워 가고 있는 것 같습니다. 참 좋은 현상이라고 생각합니다. 언제나 명심할 것은 국민과 함께 가야 합니다. 국민의 이해와 지지를 받아야 합니다. 그런 학생운동만 이 성공할 수 있습니다. 이 점을 학생운동 하는 사람들은 정말 금과옥조로 삼 아 명심해야 합니다.

김광수 정치가는 국민에 의해 선출되기 때문에 정치가만의 잘못이라고 할 수는 없겠지만, 많은 한국의 정치가들이 수준 이하라는 평가를 받고 있습니 다. 과연 그들이 개인적인 삶이 아닌 보편적인 삶을 주재할 만한 능력이 있는 가? 도대체 그들이 정치가로서 무슨 철학을 가지고 있는가? 도대체 그들은 무엇을 하는 사람들인가? 이러한 물음들을 묻지 않을 수 없는 모습들이 흔히 눈에 띕니다. 우리 사회에 민주화가 이루어지기 위해서는 누구보다도 먼저 정치가가 바로 서야 할 텐데, 정치인들의 리더 역할을 하시던 분으로서 한 말 씀 해 주십시오.

정치가의 수준은 국민이 결정

김대중 오늘날 다른 선진 국가에서도 정치가에 대해서 가혹한 평가를 내 리지요. 그래서 정치가는 이류 아니면 삼류 인간으로 보기도 합니다. 얼마 전 에 미국에서도 국민의 70퍼센트 이상의 현역 정치인에 대해서 불신하고 바 꾸기를 바란다는 보도가 난 일이 있습니다.

그러나 미국이나 선진 국가에서는 이런 일이 근본적인 문제가 될 수는 없 습니다. 그것은 국민이 언제나 감시자 또는 선택자로서의 의식을 가지고 정 치를 감시하고 정권을 바꾸기 때문에 그렇습니다. 거의 만년 정권이라 하던 자민당 정권을 일본인들은 투표를 통해서 바꿨습니다. 문제는 우리 사회에 좋은 정치가가 부분적으로 있지만 그들이 뜻을 펼 수가 없다는 것입니다. 사 회에 문제가 있기 때문입니다.

첫째로 군사독재가 좋은 정치가가 나오려야 나올 수 없는 여건을 만들었습니다. 부정선거로 좋은 정치가를 도태시켰고, 부정부패로 돈을 만들지 못하는 정치가는 성공하지 못하게 했습니다. 군사정권이 국회 경시, 정치 경시 풍조를 조장해서 정치나 국회에 대한 국민의 혐오감을 강화시켰습니다. 그래서 정치인들의 질이 저하될 수밖에 없었으며, 권력에 순종하는 사람들과 돈 많이 만들어서 매수 잘하는 사람들과 책략에 능한 사람들만을 양산해 냈습니다.

둘째는 지식인들의 침묵이었습니다. 행동하지 않는 지식인들 때문에 그래요. 지식인들의 침묵, 비판 의식의 결여, 이런 것이 나쁜 정치를 횡행하게 하고, 뜻있는 정치가가 도태되게 한 것입니다. 지식인·언론인이 정치를 올바르게 비판해서 잘한 사람은 크게 내세우고 못한 사람은 견제해야 하는데 우리나라에서는 이러한 경향이 지극히 부족합니다.

그런데 지금부터 2천수백 년 전의 춘추전국시대에 공자나 맹자나 제자백가들은 천하를 돌아다니면서 제왕들을 비판하고 국정을 개혁하라고 했습니다. 희랍의 철학자들도 그리스와 지중해를 돌아다니면서, 정치를 이렇게 해라, 나에게 맡기면 이렇게 하겠다고 주장하고 다녔습니다. 우리나라에서도 조선왕조를 통해서 선비들은 목숨을 내놓고 정치를 비판했습니다. 그러던 것에 비해서 군사통치하에서의 지식인들은 너무도 위축되었고, 방관적이고, 보신주의적이 아니었나 하는 생각이 듭니다.

내가 미국 하버드대학에 1983년부터 1984년까지 있었는데, 그때 총장이었던 데릭 복이라는 분은 그때 미국에서 최고의 권위를 가진 사람 중의 하나였습니다. 이분이 하루는 국제문제연구소에 특강을 왔어요. 이분이 얘기가 끝나고 질문을 하라고 해서 내가 질문을 했습니다. 하버드는 누구나 인정하는 세계 제일의 대학이다, 우리나라에는 이러한 하버드나 예일대학 출신이 많다, 국민들이 볼 때, 이 사람들이 돌아오면 민주주의의 본고장인 미국에서 배워서 우리나라를 좋은 민주주의 나라로 만들 것이다, 우리를 위해 좋은 일을 할 것이라고 생각했는데, 이 사람들이 돌아와서 거의 예외 없이 독재자 또는 재벌 쪽에 붙어서 독재를 합리화하고 수탈을 정당화한다, 이 책임은 어디에 있다고 보느냐? 하버드나 예일 같은 대학들의 교육이 잘못된 것이냐, 그 사람 개인의 책임이냐고 물었습니다. 상당히 도전적인 질문이었습니다.

총장은 말하기를 그것은 교육의 잘못도 아니고 개인의 책임도 아니고, 인간의 본성이 권력 앞에 약하고 유혹에 약한 데 책임이 있다고 본다는 것이었습니다. 나는 납득이 안 갔지만 그때는 시간도 없고 해서 반박하는 것을 그만두고, 총장에게 편지를 썼습니다. 나는 당신의 말이 납득이 안 간다, 만일 당신 말대로라면, 한국의 대학생들이 지금 민주주의를 위해 싸우고 줄을 지어 감옥에 가고 있는데, 이것은 어떻게 설명할 것인가? 세계 최고의 대학을 나온 사람들은 독재정권에 협력하고, 그보다 못한 대학을 다니는 한국의 학생들은 민주화투쟁을 하고 있다, 이것을 어떻게 설명할 수 있겠는가? 이 편지를 보낸 후에 총장이 만나자고 해서 우리는 여러 가지 대화를 나눴고, 그 후 좋은 친구가 되어서 내가 귀국할 때 총장은 나의 안전한 귀국을 정부에 촉구하는 글을 『뉴욕타임스』지에 기고하기도 했습니다. 나는 우리나라같이 선비가 존경받고 지식의 영향이 큰 나라에서는 지식인이 더 큰 책임과 역할을 감당해야 한다고 생각합니다.

민주주의를 위해 투쟁하고 감옥에 간 사람은 낙선시키고, 군사정권에 협력해서 돈벌이한 사람을 당선시켜서는 안 됩니다. 누가 우리를 위해 바르게 싸웠고 좋은 정책을 갖고 있느냐의 문제가 아닌, 물질의 유혹, 지역감정 혹은 모함 등에 따라 대통령의 선거가 좌우되어서도 안 됩니다. 투표하는 것이 정말 문제가 아닌가 생각이 듭니다. 그런 가운데서 좋은 정치인과 좋은 정치가 나올 수 없습니다. 앞에서도 말했지만, 민주주의는 국민의 수준만큼 할 수 있습니다. 국민의 수준은 그 나라의 교육의 수준, 지식인들의 비판의 수준에 따라서 크게 영향을 받습니다.

김광수 우리나라 정치인들의 수준에 대한 비판을 기대하고 드린 질문인데, 오히려 정치가를 옹호하시는 듯한 느낌을 받을 정도로, 그러한 정치인들을 만든 사회 구성원들에 대한 비판을 토로하셨습니다. 듣고 보니 정말 그렇다는 생각이 듭니다. 생명을 내걸고 군사쿠데타를 일으킨 장본인들이 민주주의적 게임을 하리라 기대할 수는 없었고, 폭력에 약하고 코앞의 이익에 눈이 어두운 보통 사람들의 경우도 어쩔 수 없는 것이었다고 할 때, 우리나라 정치의 낙후성에 대한 지식인들의 책임과 과오가 더욱 크게 부각되는 것 같습니다. 저도 지식인의 한 사람으로서 반성하는 바가 많이 있습니다.

결국 사회 구성원들이 모두 주인 의식을 가지고 자신의 정당한 권리를 행사하고 사회 전체를 위한 자신의 역할을 기꺼이 수행할 때 민주주의가 우리에게 성큼 다가올 것이라 생각됩니다. 그런데 구성원으로 말할 것 같으면 여성이 반을 차지하고 있습니다. 저는 미국서 공부하는 동안에 미국의 여성들이 남성과 똑같이 일을 하고 활동을 하는 데 큰 감명을 받았습니다. 여성이라고 해서 집 안에서 아이나 보고 늘어진 모습으로 동구 밖을 배회하는 것을 볼 수 없었습니다. 그들은 남성과 꼭 같이 출근하고 퇴근하였습니다. 그러한 모습을 보면서 우리나라도 여성이 저렇게 활동해 주면 그만큼 국력이 커지지 않을까 생각해 보았습니다. 우리나라 여성들에게 이러한 활동을 바라는 것은 지나친 것일까요?

여성의 권리는 스스로 찾아야

김대중 지나치지 않습니다. 앞으로 우리나라의 장래는 인구 반이 넘는 여성들이 사회를 위해 얼마나 기여하는가에 따라 좌우된다고 해도 과언이 아닙니다. 사실 여성에 관한 한 우리나라는 유리한 입장에 있습니다. 우리 어머니들의 교육열이나 윤리관은 대단히 높이 평가될 수 있기 때문입니다. 요즈음 보면 사회 활동에도 상당히 많이 참여하는 것 같아요.

하지만 이것이 결코 우리가 기대하고 만족할 만한 수준은 아닙니다. 참 기이한 것은 세계에서도 그렇지만 아시아에서 우리 여성들만큼 교육 수준이 높은 나라는 아마 일본 빼고는 없을 겁니다. 그런데 정치 분야에서는 우리나라처럼 여성의 진출이 없는 나라가 없어요. 여성이 집권자가 되었거나 집권자가 되기 위한 선거에서 승리한 곳은 아시아에서만 해도 인도·스리랑카·파키스탄·방글라데시·미얀마·필리핀 등 대단히 많이 있는데, 우리나라에서는 여성 집권자는커녕 229명 뽑는 국회의원의 지역구 선거에서 한 명도 당선된 사람이 없습니다.

김광수 여성 의원들이 있지 않습니까?

김대중 그들은 모두 전국구 의원들입니다. 여성들이 여성한테 표를 안 줍니다. 조금 부족하더라도 찍어 줘야 하는데, 우리가 보기에 이만하면 됐다 하는 사람도 안 돼요.

거기다가 여성에겐 압도적으로 불리한 조건이 많이 있습니다. 여성은 경제적으로 약합니다. 여성은 일반적인 여성 경시 풍조의 피해자입니다. 여성은 가정에 매달려야 합니다. 그리고 여성은 사회에서 여러 가지 제약을 받고 있습니다. 그런데 그걸 여성 자신들이 알아주지 않는다는 겁니다. 그래서 당선이 안 됩니다. 이런 점에서 여성들이 전체적으로 각성을 해야 할 겁니다.

이런 기가 막힌 얘기가 있습니다. 1991년 광역 선거 때 과천에 살면서 공명선거 운동하던 친구가 있었습니다. 이 사람이 하루는 집에 들어갔더니 대학을 졸업한 부인이 10만 원권 수표를 내놓으면서 말하더라는 것이었습니다. 여권 후보 측에서 몇 번 오라고 해서 갔답니다. 음식을 먹을 때까지만 해도 별 부담을 못 느꼈는데 건네주는 10만 원을 받으니까 찍어 줘야 할 부담을 느꼈다고 말이에요. 서울에서도 상당히 잘사는 층이 사는 아파트 지대에서 있었던 일인데, 여당의 선거 운동조를 만들어서 하루씩 그 운동조를 교대하는 거예요. 운동원을 매일 1백 명까지 낼 수 있는데, 매일 교대하면 20일이면 2천 명까지 낼 수 있잖아요. 운동원으로서 합법적으로 돈을 매일 10만 원씩, 20만 원씩 받지요. 이 일을 생활이 안정된 대학까지 졸업한 여성들이 하고 있다는 겁니다. 나는 선거운동을 하면서 정말 내팽개치고 싶은 절망감을 느꼈습니다. 인텔리 여성들이 모두 이런 것은 아니겠지만 분명히 상당수가 그런 것은 사실입니다. 나는 여성을 위해서 이 말을 하는 것입니다.

우리 집은 30년 전부터 아내하고 저하고 둘의 문패가 함께 붙어 있어요. 나는 한 번도 의식적으로 아내의 인격을 모독하거나 한 적이 없어요. 나는 국회에서나 당에서나 여성의 지위 향상에 정말로 노력했습니다.

국회에서 여성들이 근 40년 동안 부산서부터 하려고 한 가족법 개정을 적극 추진한 일이 있었습니다. 1989년, 즉 1990년 2월에 3당 합당을 하기 전, 여소야대 시대에 내가 제1당 당수를 할 땐데, 청와대에서 대통령과 박준규 당시 민정당 대표위원, 김영삼 통일민주당 총재, 김종필 공화당 총재하고 저하고 회의를 했어요. 내가 제안을 해서 가족법을 고치자고 했습니다. 아내가 차별당하고, 딸이 차별당하고, 어머니가 차별당하는 이런 법은 안 된다고 했는데, 별로 신통한 반응을 얻지 못했습니다. 그때 그래도 박준규 의장이 호응을 했는데, 다른 당은 별로 찬성하지 않았습니다. 알고 보니까 우리 당 안에서도 남자 의원들 대부분이 찬성하지 않더라고요. 그런 것을 내가 밀어붙여서 마지막에는 하기로 합의가 되었는데, 12월 국회 마감 전날까지 여야 의원들의 사보타주로 안 되는 것입니다. 그래서 내가 대통령한테 직접 전화를 걸어서 이걸 실현시켰습니다. 국회 마감 날에야 겨우 통과됐어요. 만약 그날 안 되었다면 그 후 3당 합당이 되었으니 아마 지금까지도 그대로였을 겁니다.

그 안이 통과되던 날 난 너무도 감격을 했어요. 그래서 우리 의원들 보고 역사적인 일이니까 한번 박수 치자고 했지요. 그런데 총무가 돌아다니다 오더니 하는 말이, 모두 총재가 하라고 하니까 할 수 없이 하지, 남자의 권리 빼앗기는 데 뭐가 좋아서 하겠느냐고 한다며 웃더군요. 실상 의원들의 본심으로는 절대다수가 반대를 한 거죠. 그때 의원들이 대의를 위해서 참아 준 것을 진심으로 감사하는 심정이었습니다.

그 이후로 우리 당은 그것 때문에 거의 덕 본 일이 없어요. 어디서도 그걸 통과시켜 줘서 고맙단 말을 들어 본 적이 없어요. 여성들은 그러한 단군 이래의 대혁명이며, 여성의 권익 신장에 결정적인 결과를 가져와서, 가족 내의 자기 신분이나 재산상속에 있어서 남성과 같은 권리를 보장해 주는 법이 통과되었는데도 관심도 없고, 누가 힘써서 이렇게 되었는지 알려고도 안 해요. 그래서 여성을 위해 좋은 일을 해 봤자 표가 안 된다, 굳이 애쓸 필요가 없다, 이런 생각이 정치권에 상식화되어 있습니다. 도대체 정치가들이 여성을 두려워하질 않아요. 여성이 힘을 쓰지 않으니까 그렇습니다. 여권이 여기까지 온 것은 여성운동의 힘도 있지만 계몽적인 남성들이 여성을 지원해서 여기까지 온 거라고 생각해요. 여성이 자기 힘으로 쟁취할 수 있는 강력한 무기인 투표권이 있는데 그걸 활용하려 하지 않는 거예요.

가족법이 1993년부터 시행 중인데 이제 아내의 권리가 남편의 권리와 같고, 딸의 권리가 아들의 권리와 같고, 어머니의 권리가 아버지의 권리와 같아진 것입니다. 그래서 이제부터라도 여성 자신이 각성하고 내 권리는 내가 찾는 그런 노력이 필요하다고 생각합니다. 투표권이라는 무기가 있지 않아요? 외국에서 국회의원이 얼마나 유권자를 두려워합니까. 이제부터는 여성의 권리를 남자가 주는 것이 아니라 여성인 자신이 자신의 힘으로 찾는 그런 시대가 빨리 와야 할 것입니다.

김광수 저는 교육자로서 "인간은 인간으로 태어나지 않고 인간으로 만들어진다"는 말을 즐겨 사용합니다. 이러한 생각을 가지고 있지 않으면 교육에 종사할 뜻이 없겠지만 말입니다. 지금 논의되고 있는 것과 관계시켜서 말하자면, 인간은 태어날 때부터 민주 시민이 되어 있는 것이 아니라, 경험과 교육을 통해서 민주 시민으로 만들어진다는 것이 되겠습니다. 그래서 여성이 민주 시민으로서 주체적 역할을 하지 못하는 것이나, 일반적으로 대다수의 우리 국민이 민주주의적 사고와 생활을 하지 못하는 것은, 다른 원인도 있겠지만, 무엇보다도 우리의 교육이 잘못되었기 때문이라는 지적이 있습니다. 교육열에 관한 한 우리나라는 세계 제1위겠지만, 교육의 내용과 질은 그 교육열을 따라가지 못했기 때문에, 오늘날 우리 사회의 여러 문제점들이 노정될 수밖에 없다는 것입니다. 그래서 교육개혁을 해야 한다는 목소리가 높고, 정부에서도 그럴 계획을 가지고 있는 것으로 알고 있습니다. 선생님께서는 우리나라 교육의 어떤 점이 잘못되었다고 보시고 또 어떤 방향으로 개혁되어야 한다고 보십니까?

교육은 완전한 새 출발을 해야

김대중 우리 부모들은 6·25 전시하에서도 소 팔고 논 팔아 자식을 교육시킬 정도로 교육열이 높았습니다. 그러나 국민교육에 대한 이렇다 할 철학이 없이 교육열에 편승하여 고학력 인물을 양산하는 데 그쳤습니다. 이렇게 우리의 교육에 근본적인 문제가 있지만, 기본적으로 나는 그거나마 가르친 것이 안 가르친 것보다는 훨씬 낫다고 생각합니다. 전에는 사회가 아직도 이만큼 변화되어 있지 않았고 경제도 질적으로 큰 변화가 없었기 때문에, 단순한 양산 위주의 교육도 괜찮았다고 할 수 있습니다. 어떤 의미에서는 그러한 교육이 대량생산 체제와 맞는 교육 방식이었습니다. 그렇지만 이젠 사회도 이

렇게 변화했고, 복잡해졌고, 경제도 정보화·첨단산업화되어서 교육의 질도
바뀌어야 합니다.

오늘날 우리 사회는 너무도 복잡다단하고 변화무쌍합니다. 그래서 나이
먹은 사람도 변화에 적응하면 청년이고, 나이 적은 사람도 변화에 적응 못 하
면 노인입니다. 따라서 교육은 국민들에게 올바른 방향을 제시해 주고 판단
력을 키워 주고 적응할 수 있도록 도와주어야 합니다.

또한 오늘날 우리 사회는 가치관과 윤리가 크게 흔들리고 있습니다. 과거
봉건적인 도덕 윤리로 지탱하던 사회가 급속도로 무너지고, 서구의 윤리와
생활 규범이 급격히 보편화되고 있기 때문입니다. 그래서 우리나라에 알맞
은 가치관과 윤리가 무엇이냐를 취사선택하지 않으면 부작용이 올 것이라는
것은 우리가 눈으로 보고 있는 실정입니다. 특히 생명 경시, 물질 만능주의,
출세를 위해서는 수단·방법 가리지 않는 것, 범죄를 부끄럽게 생각하지 않는
것 등 많은 문제점이 대두되고 있습니다. 교육의 힘이 여기에 크게 작용해야
하는데, 그러기 위해서는 교육의 질을 높여 가야 할 것입니다.

또 교육이 과거에는 19세기 말부터 시작되는 대량생산 체제, 즉 대공장에
서 획일적인 단순노동을 요구하는 생산 체제 때문에 오늘날 초등학교·중학
교 체제는 군대에서와 같이 규율을 지키면서 획일적인 사람, 획일적인 작업
의 반복을 감내하는 사람을 양성하는 것이 되었고, 고등학교에서 대학까지
의 교육은 사무실에서 획일적인 업무에 종사하는 사람을 기르기 위한 것으
로 되었습니다.

이제는 산업구조가 달라졌습니다. 소품종 대량생산의 다양화 시대로 변했
고, 첨단산업 시대의 진입으로 창조성이 요구되고 있으며, 고도의 기술이 요
구되는 시대가 되었습니다. 따라서 양산 체제의 교육도 이제는 개성 있는 사
람들을 양성하는 방향으로 교육이 본질적인 변화를 해야 합니다.

그런 점에서 교육이 질적 교육, 소수 정예 교육의 방향으로 나아가야 합니다. 그러면 비용이 많이 드는데, 그것은 감내해야 합니다. 그 대신 과거에 노동력과 에너지 그리고 원자재를 많이 쓰던 시대에서 고도 기술 산업으로 들어가면 생산 비용이 월등히 절감되기 때문에, 그런 비용을 전부 교육에 투자하여 개성 있는 지식인들을 양성하는 데 집중하는 교육 체제가 되어야 합니다. 이러한 질 중심의 교육은 산업에 있어서 높은 부가가치의 제품과 연결되기 때문에 경제적으로 이득이 큽니다.

　새로운 질 위주의 교육을 위해서는 무엇보다도 교수의 질을 높여야 합니다. 교수가 모르면 어떻게 가르치겠어요. 교수 스스로도 공부 안 하고는 가르칠 수 없게 하는 교수평가제도가 도입되어야 합니다. 우수한 실적을 내는 교수들에게는 사회적·국가적으로 물심양면의 좋은 대우를 해 주어야 합니다. 교수들도 10년 전에 만든 노트를 써먹는 것은 통하지 않게 하는 교육 환경을 만들어야 합니다.

　그리고 성인교육이 중요합니다. 40대 이상의 사람들은 지금 가지고 있는 지식의 반 이상을 스크랩해야 할 정도로 사회구조·생활양식·경제구조가 변하고 있습니다. 우리가 이렇게 격변하는 시대에 적응하려면 성인교육에 힘을 써야 합니다. 지금 우리나라는 이 성인교육이 거의 방치된 상태입니다. 텔레비전 같은 것을 통해서 토요일과 일요일에 몇 시간씩은 성인교육을 해야 합니다. 그래서 사람들이 전자 시대에서는 무엇을 알아야 하고, 생명공학·유전공학에서는 어떤 연구가 진행되고 있으며, 어떻게 해야 시대에 걸맞은 대처를 할 수 있는가 등을 배울 수 있게 해야 합니다. 그래서 국민들이 자신을 갖고 이 격변 시대를 살 수 있게 해야 합니다. 이런 교육이 없어서 국민들은 불안합니다. 내 생각은 시대에 뒤떨어진 낡은 생각이라고 부끄러워서 말도 못 합니다. 시대에 뒤떨어지고 적응하지 못한다는 생각이 심해지면 사람들은 그것을 잊기 위해, 옛다 모르겠다, 술이나 마시고, 지금의 쇼 코미디를 보거나, 마약을 하거나, 교회나 사찰에 가서 내세만 찾습니다. 그 예로서 휴거사건이나 미국의 웨이코 사건 같은 것을 들 수 있습니다. 지금 우리 사회가 전체적으로 위기에 처해 있지만 교육이 가장 큰 위기에 처해 있으며 가장 큰 개혁이 필요합니다. 교육은 완전한 새 출발이 필요합니다.

김광수 변화하는 시대, 복잡한 경제·사회적 상황, 개성과 창조성을 요구하는 산업구조, 그리고 그러한 세계 속에서 살아야 하는 사람들의 삶 등을 중요한 변수로 고려하는 선생님의 교육관은 우리 사회가 급변하는 세계 속에서 살아남기 위한 전략을 포함하고 있으며, 개체를 존중하는 선생님의 사상이 반영되어 있는 것 같습니다. 획일적인 일반화 교육보다는 능력과 개성에 따른 특성화 교육이 중요하고, 국민교육의 개념을 학생들에게만 적용시킬 것이 아니라 성인들에게까지 확장하여 전인교육·평생교육을 시켜야 한다는 지적은 교육개혁이 어느 방향으로 가야 할 것인가에 대한 중요한 지침이 될 것 같습니다.

대학에 몸담고 있는 사람으로서, 나아가 교무처장이라는 보직을 맡고 있는 사람으로서, 곤혹스러운 것은 대학교육의 파행성입니다. 학생들이 공부하지 않는다든가…….

김대중 우리나라가 교육열은 강한데, 참 기형적입니다. 대학 들어갈 때는 밤잠 안 자고 공부하고, 대학 다닐 때는 공부를 별로 하지 않습니다. 먼저 잘못된 것은 대학정원제입니다. 공부할 사람에게는 모두 기회를 주되, 공부 안 하는 사람은 절대로 점수를 안 주고 진급이나 졸업을 안 시켜야 한다고 생각해요. 민주주의 국가에서는 공부하겠다는 사람을 공부 안 시키면 안 됩니다. 그 대신 공부 안 하는 사람을 공부시킬 의무는 없는 거예요. 공부하고 싶은 사람들을 위해서 2부제라도 해서 거기서 수입이 증대되는 것은 교수 연구비,

연구 시설과 장학금의 확대로 쓰도록 해야 합니다.

대학교육이 잘될 수가 없는 이유 중 하나가 교육 요원의 반 정도가 시간강사라는 것입니다. 우리 사회에서 가장 불합리한 처우와 가장 가혹한 착취가 어떤 노동자보다도 이 시간강사들에게 자행되고 있습니다. 시간강사가 되려면 적어도 박사학위를 갖고 있거나 석사 이상인데, 상당한 세월을 보내며 배운 사람들입니다. 이런 사람들의 수입이 파출부들의 수입보다도 못하고 맥줏집에서 맥주 나르는 사람들의 수입보다 못한 실정입니다. 이 학교 저 학교 뛰어 봤자 불과 한 5, 60만 원밖에 못 받고, 그것도 방학이면 없어요. 어떠한 사회보장의 혜택도 없습니다. 그러니 그들이 질 좋은 교육을 제공해 줄 것을 기대할 수가 없습니다.

이런 불합리한 점을 방치하며 교육의 질적 향상을 꾀한다는 것은 말도 안 되는 소리입니다. 이것은 교육 문제 이전에 인간에 대한 모욕이고 용서할 수 없는 학대입니다. 내가 국회에서 야당 총재를 할 적에 이 점에 대하여 매우 분노하였습니다. 그런데 한번은 시간강사 대표들 몇이 왔더라고요. 참 잘 왔다고 하면서 실상을 잘 써서 청원서를 제출해 주면 우리가 그 문제를 해결하도록 앞장서겠다 그랬지만, 그들은 다시 나타나지 않았습니다. 아마 그런 청원 냈다가 당할 불이익을 생각하여 적극적이지 못했던 것 같습니다. 나는 그 후 바빠서 그것을 잊었고, 생각나면 또 화냈다가 했는데, 이런 문제도 해결하지 않으면서 교육개혁은 이룰 수 없다고 생각합니다.

김광수 그 문제는 돈 문제와 뗄 수 없는 관계를 가지고 있습니다. 국공립대학에서는 교수 확보율이 150퍼센트를 넘는 경우도 있지만, 사립대학은 60퍼센트를 확보하기도 힘겹습니다. 사학의 재정 형편이 말이 아니기 때문입니다. 최근에 안 사실인데, 너무 어처구니가 없어서 말을 할 수 없을 정도인 것이 있습니다. 교육법 중에 기부금 제도가 있다는데, 사람들이 원천적으로 사립학교에 기부금을 낼 수 없도록 되어 있다는 것입니다. 사람들이 국공립학교에 기부를 하면 세제 혜택을 받는 반면, 사립학교에 기부를 하면 세제 혜택을 못 받게 되어 있다는데, 도대체 이런 법이 어떻게 있을 수 있습니까?

기여입학제를 도입해야

김대중 독일 같은 곳은 정부가 다 무료 교육을 해 주고, 네덜란드에서는 연구비까지 주면서 교육을 시킵니다. 미국에서도 사립학교에 엄청난 보조금을 주더라고요. 우리나라가 공립이나 사립이 똑같이 국민교육에 기여를 하고 있는데, 지원 정책에 있어서 너무도 큰 면에서 차별을 하고 있는 것은 하루속히 시정되어야 합니다. 정부가 사학에 지원을 못 하는 이유는 돈이 없어서라는 것뿐이에요. 그러면 세금을 똑같이 나누어 주든지, 그렇지 않으면 사립학교의 정원을 풀어 주든지, 2부제를 자율적으로 하게 하든지, 기여입학제를 허용하든지 해야 할 텐데 아무것도 안 하고 있어요.

기여입학제를 마치 죄악처럼 받아들이는 측이 있는데, 내 의견은 좀 달라요. 야당 총재를 하면서도 일부 비판을 무릅쓰고 기여입학제를 찬성했습니다. 돈 있는 사람이 내 자식 공부시키고 싶다, 그 대신 학교에 돈을 내서 돈 없는 학생들에게 장학금도 주고 교수 연구비도 주고 싶다, 있는 사람이 없는 사람에 대해서 여유 있는 돈을 쓰겠다는데 못 받아들일 이유가 없지 않으냐 하는 생각이 듭니다. 그 대신 뽑는 데 있어서 돈만 많이 내면 누구나 다 뽑는 게 아니라, 가령 점수순에 의해서 뽑는다든지, 정원 외에 몇 명에 한해서 뽑는다든지, 또 일정 금액을 정해서 기부금 경쟁이 너무 지나치지 않게 하든지 제한을 해야 합니다. 그리고 입학 허용이 곧 졸업 허용이 아니다, 그렇게 들어와서 열심히 공부 잘하면 졸업하고 못하면 안 된다, 이렇게 하면 입학 허용이 별 특혜가 아닙니다. 앞으로는 졸업 자격을 엄격하게 심사해서 졸업증을 가지면 정말 실력을 입증하는 증명서가 되도록 하는 방식으로 제도를 바꾸면서 정원제도 풀고, 기여입학제도 필요하면 허용하는 등 각 대학이 이 사회에 유용하다고 생각하는 방식으로 특색 있는 교육을 하도록 풀어 줘야 해요. 우리나라처럼 정부가 대학에 대해서 돈은 전혀 주지 않으면서 간섭하는 경우는 세계에 없어요. 이것은 교육 발전과 관련해서 근본적으로 중요한 문제점이라고 생각합니다.

김광수 가장 감명 깊게 읽으신 책은 어떤 것입니까?

토인비의 『역사의 연구』

김대중 언제나 말하지만 내가 읽고 가장 큰 영향을 받은 것은 토인비의 『역사의 연구』입니다. 이 책은 우리말 번역으로 12권이나 돼요. 그것은 역사 철학 책으로서 굉장히 난해한 점도 있습니다. 그것을 다 독파했지만 잘 이해 못 한 부분도 있었습니다. 또 토인비의 다른 책들을 거의 다 읽었지요. 그래서 거기서 많은 것을 배웠습니다. 인생을 바로 보고 역사를 바로 보는 그런 것을 배웠습니다. 내게 참 큰 영향을 주었어요. 그리고 버트런드 러셀, 맹자 이런 분들이 영향을 많이 주었습니다. 종교 분야에서는 테이야르 드 샤르댕·라인홀드 니버 이런 분들입니다. 나는 책을 읽더라도 저자의 의견을 무조건 받아들이진 않습니다. 내가 주체적으로 판단해서 해석하고 이해하고 받아들입니다. 그러므로 누구의 의견을 받아들이건 그것을 내 것으로서 받아들이려고 노력합니다.

테이야르 드 샤르댕 신부의 진화론적 사상의 영향을 많이 받았습니다. 그는 이 세상을 하느님이 창조하신 것으로 보지만 하느님은 완전한 것으로 창조하신 것이 아니라 진화 과정에 있는 것으로 보았으며, 특히 인간의 동참에 의해 자꾸 진화하는 것으로 보았습니다. 즉 예수님은 이 세상 한복판에 서서 인간을 영적으로는 하느님에게 올리고, 현실적으로는 예수님의 이 세상의 완성 사업에 동참시켜서 예수님 내림의 날이 속히 도래할 수 있도록 협력시킨다는 것입니다. 이 세상은 하느님의 미완성 작품이기 때문에 많은 모순과 갈등이 있는 것입니다. 그러나 아무리 자연적 재난이 닥쳐오고 인위적 악이 발생할지라도 결국은 세계가 이러한 것들을 극복하고 완성의 방향으로 진화되어 가는 것입니다. 이와 같은 샤르댕 신부의 견해는 나에게 신앙적으로나 사상적으로 큰 도움이 되었습니다.

라인홀드 니버의 『도덕적인 사람과 비도덕적인 사회』에서는 사회가 개인 선과 사회 선 두 개가 합치되어야 발전할 수 있다는 것을 배웠습니다. 경제학적인 면에서는 피터 드러커, 앨빈 토플러, 레스터 서로, 군나르 뮈르달 같은 사람들의 책들이 유익했습니다.

문학작품에서는 명작 소설이라고 하는 것들과 많은 국내 소설들을 읽었는데, 이러한 독서가 매우 중요하다고 생각합니다. 왜냐하면 소설을 읽음으로써 정신에 윤활유를 친 것처럼 우리 생각이 유연해지기 때문입니다. 특히 명작 소설이나 좋은 예술작품이나 좋은 음악 같은 것은 우리들의 영혼에 감동과 활력을 주는 것이기 때문에, 우리들의 삶에 있어서 필요 불가결한 것이라 생각합니다. 과학기술의 발전도 문화 예술이 발전되어야 창의가 솟아오릅니다.

김광수 음악도 좋아하십니까?

김대중 음악은 좋아해요. 그전에는 고전음악을 별로 안 좋아했는데 요새는 좋아지기 시작했어요.

김광수 미술관에도 가끔 가십니까?

김대중 미술을 보러 가기도 합니다. 연극을 제일 많이 보고 좋아하는 편입니다. 우리나라 음악, 국악을 좋아합니다. 그런데 연극이나 그런 것을 보러 가는 데 있어서 제 기준이 있어요. 미술이나 고전음악 같은 것은 보통 어려워하지 않습니까? 그래서 경원하지만 그럴 필요 없다고 봅니다. 전문가의 평가와 내가 느낀 것이 다르더라도 상관없습니다. 내가 느낀 대로 감상하면 된다고 생각합니다. 제일 나쁜 것은 남의 흉내를 내서 평을 하는 것입니다.

「서편제」 영화를 보면 마지막 장면에 눈보라 치는 가운데 송화가 어린애에게, 지팡이에 끌려가지 않아요? 감독에게 내가 말했지요. 내가 볼 때 마지막 장면이 압권이다, 왜 그러냐 하면, 이 영화는 한에 대한 영화인데, 한은 이루어질 때까지 계속해서 추구해 가는 것이다, 송화가 다시 득음의 경지에 대한 한을 찾아서 나가는 장면인데, 거기에는 내가 이루지 못하면 어린애가 이룰 것이라는 결코 포기할 수 없는 한의 굽힐 수 없는 의지가 있다, 그리고 촬영 기법을 보니까 어린애가 둥둥 떠가는 것처럼 보였는데, 이것은 미래에 대해서 전진해 가는 것을 보이는 것이 아니냐……, 「미션」이라는 영화를 보면 인디언들이 백인에게 항거하다가 몰살당하지 않습니까? 그런데 마지막 장면에 개울물에서 꼬마들이, 남자, 여자가 생식기를 보이면서 물장난을 하면서 서 있단 말입니다. 그것은 생식기를 가진 꼬마들이 살아 있는 한은 아무리 죽여도 새로운 생산이 있다, 끊기지 않는 생명의 맥이 살아남을 수 있다는 것을 표시한 것으로 보았거든요. 이것도 비슷한 것이다, 그랬더니, 감독이 말하는데, 지금까지 그렇게 말해 준 사람이 없대요. 다 영화가 끝이 비참하다는 등, 아이가 송화의 친딸이냐는 등을 물었지 그런 소리 한 사람은 없었다고 해요. 내가 잘 봤다 못 봤다가 아니라 나는 그런 식으로 내 판단대로 봐요. 그게 진정한 문학예술을 감상하는 방법이 아닌가 생각합니다.

김광수 선생님께서 자꾸 밝은 쪽을 보려고 하시기 때문이 아닐까요? 선생님의 사상은 전체적으로 매우 낙관적이라는 인상을 받고 있습니다.

나는 낙관주의자

김대중 그래요. 나는 낙관주의자입니다. 하나 강조할 점은, 난 인생에서 많은 고통과 박해와 좌절과 실패를 겪었는데, 밝은 쪽을 본다는 것은 나 자신도 때론 스스로 이상하다고 생각합니다. 그건 내 신앙과 철학관에 있어요. 역사를 보더라도 분명히 발전해 왔어요. 세상은 완성의 방향으로 나아가고 있어요. 전쟁·빈곤·폭력이 있고, 매춘이니 마약이니 폭력이니 하는 것이 전 세계적으로 있습니다. 세상에는 어려운 문제와 어두운 면이 있지요. 그러나 그러한 것들이 제거되는 방향으로 역사는 발전되어 왔습니다. 이 점은 이미 언급한 바 있습니다.

1993년 9월 2일 신문을 보고 놀랐어요. 아프리카 나라들이 모두 민주주의의 방향으로 가는 꿈틀거림이 있다는 기사가 있었습니다. 1950년대까지 아시아 나라들이 독립하고, 1960년대에 아프리카 나라들이 독립을 했습니다. 민주주의도 역시 아프리카보다는 아시아에서 더 앞서 진행하고 있습니다. 아시아는 민주주의에 대한 각성이 아주 커졌습니다. 그리고 이제는 민주주의를 안 하면 경제도 안 되는 정보지식 산업사회로 나가고 있습니다. 경제를 위해서도 민주주의로 나갈 수밖에 없어요. 내가 보기에 중국도 결국 경제 때문에 민주주의로 나가게 될 것이라고 봅니다. 시장경제와 민주주의는 동전의 앞과 뒤거든요. 그런데 우리가 그것을 본격적으로 시행하기도 전에 아프리카에서 민주주의가 꿈틀거리고 있다는 것이었습니다.

이번에 이스라엘하고 팔레스타인해방기구(PLO) 간의 타협이 되어 가고 있는데, 나는 팔레스타인해방기구(PLO)의 아라파트란 분을 굉장히 높게 평가합니다. 지금 이슬람 원리주의가 팽배한 가운데, 그래서 이스라엘을 원수로 내모는 가운데서, 현실적인 판단을 하여 목숨을 내걸고 타협을 하려는 용단을 내렸어요. 자치에서 독립으로 가는 점진적 전진은 자기 진영의 거센 반발과 맞서야 합니다. 이러한 모험은 보통 용기로 되는 것이 아닙니다. 용기라는 것은 반대편하고 생사를 걸고 싸우는 것도 용기이지만, 더 어려운 용기는 같은 편으로부터 배신자라는 오해를 받으면서 결단하고 행동하는 것입니다. 그런 걸 보면 인생에 긍지와 의미를 느끼게 됩니다. 이렇게 모든 위험을 무릅쓰고 냉정한 이성으로 판단해서, 이 선이 바로 타협할 선이다, 그래서 모든 위험을 무릅쓰고 결단을 내리는 이런 사회 지도자들이 나와서 역사를 이끄는 것을 보면 인생 살맛이 납니다. 이스라엘 라빈 총리도 마찬가지예요. 이스라엘도 반대파가 만만치 않아요. 도대체 이스라엘과 팔레스타인이 악수할 수 있다고 누가 생각했겠습니까?

이와 같이 세계가 진전하고 있기 때문에 낙관하는 것입니다. 1993년 7월 초 이스라엘에 갔다 왔었지요. 히브리대학에서 강연도 하고 그랬는데, 그때 이미 이 문제가 상당히 좋은 방향으로 가고 있다는 것은 알았지만 이렇게 빨리 되리라고는 몰랐습니다. 인간이 하는 일에 완전은 없어요. 그러나 결국 긴 눈으로 보면 인류는 완전을 향해 한발 한발 나아가고 있는 것은 틀림없어요. 지금까지 수천 년 동안 툭하면 지금이 말세라고 한 사람이 얼마나 많았습니까? 하지만 한 번도 말세가 된 일이 없어요.

김광수 선생님처럼 수난을 많이 당하신 분이 역사를 희망적으로 보신다는 것은 참으로 놀랍습니다. 제가 판단해 보건대, 선생님께서 그처럼 낙관적인 견해를 가지시게 된 것은 선생님의 경륜과 사상 때문이라고도 할 수 있지만, 선생님의 신앙 때문인 것으로도 볼 수 있을 것 같습니다. 선생님께서는 어떻게 신앙을 가지게 되었습니까?

어떻게 신앙을 갖게 되었는가

김대중 나는 6·25전쟁 때 공산당한테 잡혀서 목표교도소에 들어갔는데,

약 220명 중에서 140명이 학살당하고 한 80명이 탈옥할 때 나왔어요. 그때를 계기로 해서 신앙에 대한 욕구가 생겼습니다. 그러다가 1957년에 당시 장면 부통령이 권해서 영세를 받았습니다. 영세를 받았다 해도 충분한 신앙심을 가졌던 것은 아니고, 그 후 계속적으로 신앙에 대해서 생각을 하고 또 여러 고난을 겪는 과정에서 하느님을 체험하기도 하고 하느님의 실존을 믿게도 되었지요. 특히 일본에서 납치되어 올 때 바닷가에서 예수님을 만나는 체험을 한 후로 저의 신앙은 굳어졌습니다.

김광수 그때 이야기를 좀 해 주시지요.

김대중 간단히 얘기하면, 1973년 8월 8월 도쿄 그랜드팰리스호텔에서 양일동 씨를 만나고 나오는데 복도에서 네댓 명이 저를 덮쳤어요. 그런데 처음에는 그 사람들이 저를 목욕탕에서 살해하기 위해서 침대에다 내동댕이치고 저한테 마취를 걸었어요. 잠시 의식을 잃었어요. 그러나 내가 방으로 끌려들어 가면서 나와 같이 가던 김경인 의원이 소리를 쳤기 때문에 호텔에서 죽이는 것을 그들은 포기했습니다. 그들은 나를 지하실로 끌고 가서 큰 배로 옮겼습니다. 그 배가 '용금호'라는 그들의 공작선이었던 것입니다. 거기서 전신을 완전 결박하고 입도 막고 눈도 가리고 양 손목 양 발목 다 묶고 등에다가 판자를 붙여서 몸을 던지려는 순간이었습니다. 나는 그때 하느님께 기도할 생각은 않고 딴생각하고 있었어요. 한 5분 물속에서 허덕이면 죽겠지, 그래도 좋다, 이렇게 생각했습니다. 그러다 몸의 하반신은 상어한테 물려도 좋으니까 윗부분만이라도 살았으면 좋겠다. 이런 생각을 하고 있었는데, 갑자기 예수님이 옆에 서시더라고요. 그래서 예수님의 옷소매를 붙잡고 살려 달라고 하면서 "난 아직도 국민을 위해서 할 일이 많습니다. 살려 주세요." 하고 매달렸어요. 그 순간 눈을 가렸는데도 붉은빛이 번쩍 들어오더라고요. 그리고 펑 소리가 나더니, 그 안에 있던 한 대여섯 명의 선원들이 뛰쳐나가면서

"비행기다!" 하고 소리치더군요. 그러자 배가 미친 듯이 속력을 내서 달려요. 펑펑 소리도 계속 나고, 한 30분 동안을 가만히 있으니까 배가 정상 속도로 갔는데, 어떤 젊은 사람 하나가 뛰어들면서 김대중 선생님 아니냐고 해요. 그렇다고 고개를 끄덕이니까, "저는 부산서 재작년 대선 때 선생님한테 투표했는데요." 하면서, 귀에다 대고 "이젠 산 것 같습니다."라고 하더군요. 그러한 체험을 한 후로 하느님의 존재를 확신하게 되었습니다.

김광수 신비로운 신앙의 체험을 통해서 신앙을 갖게 된 사람들이 많이 있습니다. 그러나 지성인은 신비 체험을 받아들이기에는 너무나 이성적입니다. 선생님께서도 신비 체험만으로 신앙에 대한 확신을 가지실 수는 없었을 것 같은데요?

김대중 그렇습니다. 그때 그건 순간적인 체험이었어요. 1980년에 잡혀가서 사형 선고를 받았을 때였습니다. 이젠 죽었구나 했습니다. 신군부 사람들이 자기들한테 협력하면 살려 주고 대통령 빼놓고 뭐든지 시켜 준다고 했어요. 응낙을 안 하니까 그러면 죽어야 한다, 재판은 아무것도 아니라고 했습니다. 그리고 실제 재판에서 사형 선고가 났어요. 1심, 2심, 3심까지 사형 선고를 받았는데, 그때 신앙이 본격적으로 문제가 되데요. 이제 죽는데 저승에 가서 하느님이 없으면 어떻게 하나? 하느님이 정말 계시는가? 하느님이 계시다면 어떻게 이런 나쁜 자들이 성공하고 광주서 사람들이 무고하게 학살당해야 하느냐? 하느님이 어떻게 이럴 수가 있느냐? 이런 문제를 갖고 본격적으로 신앙에 대해 고민했어요.

그것을 풀기 위해 이 책 저 책을 많이 읽었는데, 납득을 못 했어요. 결국은 오랜 사색 끝에 나름대로 납득의 경지에 갔습니다. 예수님이 하느님의 아들이라면 하느님은 계신다, 예수님이 부활한 것이 사실이라면 예수님은 하느님의 아들이다, 예수님의 부활은 생전에 그를 버렸던 제자들의 회심과 순교,

예수교를 적대하던 사도 바울의 목숨을 마친 포교 활동에서 증거될 수 있다, 그러나 하느님의 존재 문제는 결국 자신의 신앙의 결단이다, 이런 맥락에서 하느님의 존재를 믿게 되었습니다. 그리고 악의 존재는 이 세상이 지금 진화의 과정에 있기 때문에 이러한 마찰 현상이 있는데, 이 세상은 앞서 말한 대로 전진을 해 가고 있다는 점에서 이해가 되었습니다.

김광수 이성적인 사람일수록 신앙을 갖기 어렵다고 하는데, 선생님께서는 신비 체험을 하셨을 뿐만 아니라 지극히 이성적인 판단을 통해 신앙을 가지시게 된 것 같습니다. 철학적으로는 선생님의 판단에 대해서 문제 삼을 것이 있지만, 여기서 그것을 더 깊이 논하지는 않겠습니다. 신앙을 갖기 위한 판단과 결단은 이성적인 방법만으로는 규명할 수 없는 면이 있기 때문입니다.

선생님의 판단과 결단 중 어떤 부분에 대해서는 다른 사람들의 관심사가 되는 것이 있습니다. 선생님께서는 많은 사람들의 지지를 받는 공인이었기 때문입니다. 선생님께서는 지금 정치를 떠나셨지만, 선생님을 지지했고 아끼는 사람들이 선생님에 관여된 일로써 여태껏 가슴 아프게 생각하는 부분이 있는데, 그것은 1987년 대선 때 야권 통합이 이루어지지 못한 것입니다. 지금 이 시점에서 그 문제에 관한 선생님의 심정을 듣고 싶습니다.

크게 후회되는 일은 1987년 대선 때 못 이룬 '야권 통합'

김대중 내 일생 동안의 정치 생활에 크게 후회되는 일이 없는데, 그 일 하나가 나로서는 유일하게 굉장히 후회되는 일이에요. 이미 국민 앞에서 여러 번 그때 내가 한 일에 대해서 사과를 한 바이지만, 나라도 양보했어야 했는데 못 한 것이 잘못이었습니다.

이제 정계도 은퇴했으니까 하는 얘기지만, 사실 나는 김영삼 씨를 두 번 도와드렸어요. 1979년 10·26 직전 당 총재 될 때와, 1986년 이민우 씨하고 작별하고 당 총재가 될 때, 그렇게 두 번을 도와드렸어요. 그분도 그 점을 고맙게 생각했어요. 그런데 1986년 12월에 그분이 유럽 갔을 때 본에서 김대중 씨가 복권되어서 풀리면 이번에 대통령은 양보하겠다고 밝혔습니다. 신문에 보도도 됐었어요. 귀국해서도 본인이 다시 그걸 확인했어요. 그러자 내가 풀렸어요. 그래서 당으로 들어오라고 적극 요청해서 입당했었습니다. 약속을 지킬 것으로 믿었지만, 들어갔는데 그렇게 안 되었어요. 그리고 많은 갈등도 생기고 해서 탈당해서 신당을 만들었던 것입니다.

지금 지나고 나니까 책임은 나 혼자 지게 되었는데, 그때 나보고 출마하라고 얼마나 압력이 심했는지 몰라요. 그건 지역적으로 호남뿐만 아니라 서울에서도, 가령 고려대학교에서도 10만 명 이상이 집회할 때 김영삼 씨에게는 "양보하라"면서 저를 열렬하게 미는 상황이었어요. 그래서 결국 출마를 결단하였습니다. 이미 말한 대로 그때 내가 지고 나오지 않았어야 했다고 생각합니다. 그러나 강조할 것은 어느 나라건 선거에 있어서 야당 후보가 둘 나오는 것은 얼마든지 있는 일이라는 것입니다. 그리고 당선된 일도 얼마든지 있어요. 그때 그 선거는 부정 때문에 그런 결과가 나온 것이지 공명선거에서 노태우 씨가 이긴 것은 아닙니다.

그러나 이러한 말들은 전부 구차한 설명이에요. 내가 보기에 국민의 소박한 감정은 야당은 하나로 뭉쳐서 나와야 한다, 누가 나쁘고 누가 좋은 것이 아니라 누가 되었든지 둘 중에 하나가 양보해야 한다는 것이었습니다. 그런 국민의 소박한 바람을 내가 따르지 못했으니, 그 책임을 내가 져야 한다고 생각하고 있습니다. 김영삼 씨가 양보 안 하면 내가 양보를 해야 했는데, 그러지 못해서 결과적으로 국민에게 큰 실망을 안겨 드린 것을 생각하면 후회스럽기 그지없습니다.

김광수 많은 사람들이 선생님의 은퇴 선언에 대하여 미묘한 느낌을 가지

고 있습니다. 한편으로는 환영하고, 한편으로는 아쉬워하면서, 정치의 속성
상 상황이 달라지면 또 나서지 않을까 하고 생각하는 것 같습니다. 어떻든 국
민은 선생님의 일거수일투족에 관심을 가지고 있으며, 많은 사람들은 선생
님께서 어떤 형식으로든 계속해서 국가를 위한 어떤 역할을 해 주실 것을 기
대하고 있습니다.

통일 문제 연구에 전력할 뿐

김대중 이 점은 확실해요. 나는 다시 정치를 하지 않을 것입니다. 나는 사
실 낙선 후로 굉장히 충격을 받았습니다. 그것은 내가 대통령이 못 돼서라기
보다도, 내가 40년 동안 가꾸어 온 뜻이 이루어지지 못했기 때문이었습니다.
나는 40년 동안 대통령 되면 한번 잘해 보겠다는 생각으로, 감옥에 가나, 집
에 있으나, 망명하나, 쉬지 않고 내가 정권을 맡으면 어떻게 할 것인가를 골
몰히 생각하면서 살았습니다. 민주당의 정책은, 이번 경실련에서도 높이 평
가를 받았지만, 하나하나 제 정성과 노력이 깃들어 있습니다. 그런데 결국 그
런 기회를 한 번도 못 갖고 이대로 정계를 물러선다고 생각할 때, 차마 발이
안 돌아가는 미련이 남는 것은 사실이었습니다. 그러나 과거에 선배들을 보
면 물러설 때 못 물러서고 추한 모습을 보였는데, 끝을 선언한 건 내가 잘한
거라고 생각하고 있습니다.

40년 동안 하던 일을 버리고 뭘 할까 생각하니 막막했어요. 그래서 좀 나가
서 조용히 생각하자 해서 영국을 간 겁니다. 영국은 아무래도 사람이 좀 덜
올 것 같아서 갔지요. 케임브리지에서 5개월 동안을 유익하고 행복하게 생활
했습니다. 거기서 유럽과 독일을 세 번 다녀 보았는데, 농촌을 보고, 공장을
보고 곳곳을 보면서, "야, 이거 통일을 막연히 생각해서는 큰일 나겠다. 정말
독일의 교훈을 올바르게 살려야겠다"는 생각을 했어요.

그렇게 되니까 내가 이렇게 낙선한 것은 하느님의 뜻이 내가 대통령이 되는 것보다 더 중요한 통일 문제에 있어서 올바른 방향을 모색하도록 하는 책임을 나에게 주신 데에 있는 것이 아닌가 생각했습니다. 20년 이상 온갖 박해를 받고, 용공으로 몰리고 하면서도 일관되게 통일 정책을 생각한 것이 사실인데, 그 일에 봉사하도록 하기 위해서 내가 낙선한 것이 아닌가 생각했습니다.

그래서 나는 앞으로 통일 문제에 대해서 전력을 다하고, 아시아에서 새로이 대두되고 있고 실현될 수밖에 없는 민주주의에 대해서 각국 지도자들하고 협력해 나가려고 합니다. 지금 영국·독일·미국·캐나다·호주의 중요한 연구 단체들이 저와 협력하겠다고 연락이 오고 있고, 국제적으로도 활동 범위가 상당히 넓어질 것으로 생각이 듭니다.

나는 국민을 위해서 마지막으로 또 민족의 한 사람으로서 모든 것을 바쳐서 조국이 평화적으로 그리고 가장 바람직한 방향으로 통일되도록 봉사하고 싶습니다. 최소한도로 작용을 덜고 성과를 올리는 통일의 길을 계속 탐구해서 사회에 알리고 정부에 알리고 그런 일을 하도록 하겠습니다. 나는 결코 정부가 하는 통일의 진행에 대해서 관여하지 않습니다. 다시 말하면 내가 통일을 하는 것이 아니고 국민이 하는 것이고, 국민의 뜻을 받들어서 정부가 집행하는 것입니다. 나는 다만 국민 앞에 이렇게 하는 것이 바람직한 통일 방안이라는 것을 제시해서 국민이 안심하고 통일에 나설 수 있도록 할 것입니다. 결국 정부를 도와주는 것이지요.

실제로 내가 말하는 공화국연합제는 김영삼 대통령이 말한 국가연합제하고 거의 일치합니다. 그리고 북한에서는 벌써 5-6년 전부터 여러 차례 공식 또는 비공식으로 제가 말하는 국가연합 방안에 대해서 긍정적으로 검토할 용의가 있다고 말하고 있습니다. 그러니까 핵 문제가 끝나면 남북 양 정부가 하려고만 하면 언제라도 국가연합 방식에 의해 통일을 할 수 있는 여건이 되어 있습니다. 북한도 지금 당장에 군대와 외교를 하나로 하는 연방제가 무리라는 것을 인식하고 있습니다.

김광수 정말 필생을 바쳐서 국민을 위해 애써 주신 선생님께서 통일 한 문제에 초점을 맞춰 전력을 해 주시면 통일이 우리 앞에 성큼 다가오지 않을까하는 생각이 듭니다. 통일 문제에 영호남 문제와 같은 마가 끼어들지 않았으면 하는 바람입니다.

김대중 중요한 것은요. 내가 욕심을 버리는 것입니다. 내가 정치에 나가서 대통령이 될 욕심, 통일 대통령 된다는 소리도 들리던데, 그런 욕심도 버려야 합니다. 오직 통일 하나에 국민의 한 사람으로서 겸손하게 협력해 나간다, 일찍이 남보다 앞서서 이 문제에 관심을 갖고 이 문제를 해 온 사람으로서 마지막 내 인생의 마무리를 여기서 지음으로써 국민에게 봉사하고 우리 후손들에 대해서 분단 없는 나라를 남겨 주고 싶다, 거기서 나는 만족합니다.

김광수 사실 우리의 현대사를 보면 대통령으로 남는 것보다는 민족의 지도자로 남는 것이 훨씬 뜻있는 일이 아닐까 싶습니다. 부디 건강하실 것을, 기원하겠습니다.

---

* 이 글은 『철학과 현실』 1993년 겨울 호에 실린 김광수 한신대학교 철학과 교수와의 대담이다.

북한과 북한의 핵을 어떻게 볼 것인가

대담 로버트 스칼라피노
일시 1993년 10월 10일

남북한의 일괄 타결 협상안

김대중 현재 가장 시급한 것은 핵 문제를 해결하는 것이며, 이 문제를 해결하기 위해서는 일괄 타결 협상이 필요하다고 생각한다. 북한은 지금 상당히 절박한 상황에 놓여 있고 우리에 대해서 일종의 배신감을 느끼고 있다. 많은 사람들이 김일성 주석이 살아 있는 동안에는 아무것도 변할 수 없다고 했으나 내 생각은 다를 뿐만 아니라 실제로 이미 김일성 주석은 아주 중요한 양보를 몇 가지 했다고 본다. 즉 40년 동안 절대 불가하다고 했던 유엔 동시 가입을 수용했다. 우리 쪽에서 지난 20년 동안 요구했던 교차승인은 이제 남한에게는 적용되었으나 북한에게는 해당이 안 되고 있다. 그러므로 북한이 실망하고 더 나아가서 배신감을 느끼는 것은 당연한 것일는지도 모른다. 이외에도 김일성 주석은 남한의 법적 실체를 인정한다는 또 하나의 획기적인 양보를 했다. 그러나 그들이 기대했던 대對서방 외교나 경제 협력을 얻어 내는 데 실패했다. 이를 계기로 북한의 강경파들이 온건파를 공격하게 되었다.

남한의 기업가들이 북한 김달현 부총리와 만났을 때 김달현은 그 자리에서 강경파들로 인해 입장이 매우 어려워졌다면서 남한 기업인들의 도움을 호소하였다고 한다. 나는 일종의 당근과 채찍이라고 볼 수 있는 일괄 타결 협상안을 주장하고 있다. 우리는 북한에게 다음의 세 가지를 요구해야 한다. 첫째 핵 개발 완전 포기, 북한 핵 문제는 일본의 핵 무장과 연계되어 있기 때문에 이에 대해서는 1퍼센트도 양보해서는 안 된다. 둘째 북한은 국제원자력기구(IAEA) 사찰을 지속적으로 받고 남북이 합의한 대로 상호 사찰도 수용해야 한다. 셋째 북한은 언제든지 남한에 대한 기습 공격을 감행할 수 있도록 되어 있는 휴전선의 군사 배치를 바꾸어야 한다.

이상의 조건들을 받아들이면 우리는 북한에게 다음과 같이 세 가지를 해줄 수 있다. 첫째 외교 관계 수립, 둘째 정당한 경제 협력, 셋째 팀스피릿 훈련 포기이다. 내 생각으로는 북한이 이를 받아들일 것으로 본다. 그러나 북한이 이를 받아들이는 것을 꺼리더라도 중국이 북한을 설득하게끔 하는 데 좋은 명분을 주게 된다. 만약 유엔이 북한에 대해서 경제 제재 조치를 취한다고 하더라도 서방이 북한에 대해서 경제적 지원을 한 것이 거의 없기 때문에 경제 제재의 효과는 별로 없을 것이다. 그러나 경제 지원을 지속적으로 제공하고 있는 중국이 유엔의 제재를 지지하는 경우에는 북한에 대해서 상당한 압력이 될 것이다.

스칼라피노 아주 합리적인 얘기라고 생각한다. 아시다시피 클린턴 미 행정부 출범 이래 대화를 위한 문호를 어느 정도 개방했으나 내 생각으로는 현재 이 핵 문제가 가장 복잡한 것으로 보이는데, 어떤 이유에서인지는 모르겠으나 북한은 아주 제한된 사찰만 있어야 한다는 입장을 취하고 있다. 일설에 의하면 북한이 진실을 밝히지 않고 거짓말하고 있다는 것을 국제원자력기구(IAEA) 실험과 인공위성에서 찍은 사진들을 통해서 북한이 핵확산금지조약(NPT) 탈퇴 의사를 밝히기 3주 전에 알려 주니까 상당히 당혹하게 생각하고 있으며 어떻게 해결해야 할지 몰라서 전전긍긍하고 있다. 물론 북한은 국제원자력기구(IAEA)는 객관적이지 못하고 미국이 지배하고 있다고 주장한다. 그렇지만 제시된 증거들에 대한 검증은 있어야 한다. 내 생각으로는 아마도 이 문제를 계기로 강경파가 당분간은 득세할 것으로 본다.

그런데 철저한 사찰, 특히 남북한 군사 사찰을 얘기할 때 또 다른 요인을 나는 생각해 본다. 즉 북한이 자기의 약점들이 노출되는 것을 꺼리는 것이 아닌가 하는 것이다. 1992년 10월에 북한을 방문할 당시, 물론 많은 것을 볼 수는 없었지만 청진까지 비행기로 가서 거기서 나진 등을 갔다. 우리는 러시아제 헬리콥터를 탔는데 급유하는 과정을 보니까 상당히 원시적이었다. 우리는 평양 상공에서 천둥과 번개를 만나서 함흥에 비상 착륙했는데 그곳에 있는 군용기들을 봤다. 내 일행 중 한 사람인 전직 태평양함대 사령관 로널드 헤이스 제독은 해군 조종사 출신이었는데 그는 그곳 비행장에 있던 비행기들을 보고 아주 실망했다. 물론 그것들은 일부에 해당되는 것이겠지만 현재 휘발유 부족과 정상적인 비행 훈련을 할 수 없는 점 등을 볼 때 내 생각에는 북한군 내에는 아주 많은 취약점들과 문제점들이 있으며 이것들이 노출되는 것을 꺼리는 것이 또 다른 이유가 아닌가 한다.

그렇지만 선생과 전적으로 동감하는데, 이 핵 문제는 아주 심각하기 때문에 무작정 두고만 볼 수는 없다. 아시다시피 미국은 남북 대화의 진전을 강력하게 요구했으며, 남한을 빼놓은 상황에서 북한과 접촉하는 것은 바람직하지 않다고 본다. 그런데 어떻게 보면 북한은 미국하고 직접 대화하기를 원하지, 남한과는 대화하길 원하지 않고 있는 것 같다.

태양정책과 강풍정책

김대중 2차대전 이후 우리가 공산 정권들을 대할 때 다음 두 가지 방법을 택했다. 하나는 『이솝이야기』에 나오는 나그네의 외투 벗기기와 같은 비유로 일종의 태양정책이다. 우리는 소련과 동유럽 국가들에 대해서 외교 관계·경제 협력·문화 교류 및 관광 등을 통해서 이 나라들이 스스로 개방 정책을 취하도록 유도하여 결국에 공산주의의 붕괴를 가져오게 됐다. 반대로 강풍 태도를 취했던 베트남에서는 패배를 했다. 아울러 쿠바와 북한을 변화시키는 데에도 성공하지 못했다. 이제 공산주의가 거의 소멸된 시점에 우리는 더욱 유연하고 보다 더 인내를 해야 한다. 북한은 아주 약해졌고 주민들은 굶주리고 있다. 사람은 누구나 배가 고프면 화를 내고 배가 부르면 웃는다. 중국이 그 좋은 예이다. 문화혁명 당시에는 많은 중국인들이 강경했는 데 반해 지금은 아주 온건해졌지 않은가. 이제 그들은 돈을 버는 데 적극적이지 이념에 대해서나 공산주의에 대해서는 관심이 없다. 물론 북한이 핵무기에 대한 야심이나 남한을 공산화하려는 야욕은 절대로 용납할 수는 없다.

그렇지만 내 생각에는 미국이 잘못한 것이 있다고 생각한다. 미국은 북한에게 남북한 교차승인을 요구했으면서도 북한을 승인하지 않았다. 북한을 유엔의 정식 회원으로 받아들였으면서 왜 외교 관계 수립을 하지 않는지 모르겠다. 외교 관계 수립을 한다는 것이 꼭 동맹을 맺거나 우방이 된다는 의미는 아니다. 외교 파트너로서 북한을 받아들인다는 것은 북한만을 위하는 것이 아니라 우리를 위한 것이기도 하다. 평양에 수십 개의 서방국 대사관들이 깃발을 날릴 때 얼마나 큰 영향력이 있겠는가. 또한 수백 명의 서방 측 외교관들이 모든 분야에 걸쳐서 북한의 지도층과─특히 군 지도자들을 포함해서─만나서 얘기함으로써 상호 이해 또는 협상을 위한 좋은 결과를 가져올 것이며 북한에서 일어나는 상황에 대해서도 잘 알 수 있을 것이다. 가장 위험스러운 것은 만약 내일 김일성 주석이 죽는다 해도 우리는 북한으로부터 아무런 정보를 얻을 수 없는 입장인 것이다. 우리는 북한이 남한에 대한 군사 도발을 할 가능성의 여부를 모른다. 그러나 만약에 외교 채널이 그곳에 있으면 즉각적으로 북한 지도부와 군 지도자들을 만나서 남한에 대한 도발을 않도록 종용하면서, 남한서도 그런 도발은 없을 것이라고 보장하고 평화를 유지할 것을 설득할 수 있을 것이다.

모든 것은 평화적으로 처리되어야 한다. 우리는 남북한 간의 전쟁을 피할 수 있는 접촉을 가져야 하며, 외교 관계 수립이 되면 자연히 기업인들이 북한에 진출할 것이다. 지금 현재 남한의 150-200여 명의 기업인들이 북한에 갈 수 있는 허가를 정부에 요청하고 있다. 기업인들은 북한에 좋은 기회가 많다고 보고 있다. 그리고 수천, 수만 명의 관광객들이 북한에 가게 되면 북한 주민들에게는 상당한 영향을 줄 것이라고 본다. 그들은 자신들이 얼마나 속았는가를 알게 될 것이며, 북한 체제를 위협하는 상황으로까지 갈 수도 있을 것이다.

그럼에도 불구하고 김일성 주석은 교류를 할 수밖에 없을 뿐 아니라, 하기를 원하고 있다. 그 이유는 다음 세 가지로 볼 수 있다. 첫째 북한의 경제 상황은 극도로 나쁘다. 둘째 김일성 주석은 김정일 비서에게 자기 자리를 안전하게 물려주기 위해서 자기 생전에 서방 및 남한과의 문제를 해결하기 원한다. 셋째 김일성 주석은 이제 북한을 개방하는 데 있어서 어느 정도 자신감이 생긴 것 같다. 중국의 발전을 보면서 그는 사회주의를 다치지 않고 경제 발전이 가능할 수 있다는 자신감을 얻은 것 같다. "북한 체제를 해치지 않고도 서방국가들과 경제 관계를 발전시킬 수 있는 방법이 있구나."라고 생각하는 것 같다. 최근에 김일성 주석은 중국 경제 개발에 대해서 처음으로 강력한 지지 발언을 했다. 그렇기 때문에 내 생각에는 미국이 좀 더 일찍 북한과 경제 관계를 수립했더라면 좋았을 텐데, 그러지 않았다. 어쨌든 간에 지금이라도 미국이 합리적인 태도를 취하면 세계 여론은 미국을 지지할 것이고 북한은 세계 여론으로부터 더욱 고립될 것이다. 그러나 이제껏 미국 정책이 유연해지는 징조는 있지만 아직은 주머니 속에 있으며 꺼내 보이지 않고 있다. 김일성 주석은 과거 경험 때문에 의심이 많다.

미국은 동양 사람들의 사고방식으로 이해하려 해야 하며, 특히 북한 사람들의 사고방식을 이해해야 한다. 북한은 김일성 주석의 체면을 살리기 위해서 일괄 타결 방안으로 문제 해결을 원한다. 그리고 협상 과정에서 양보를 하더라도 김일성 주석은 북한 주민들로부터 비난받지 않는다. 예를 들어서, 유엔 동시 가입에 대한 북한 입장은 미 제국주의자들이 한반도를 영원히 분단하려는 음모라고 북한 주민들에게 인지시켜 왔음에도 불구하고 유엔에 가입했다. 그리고 나서 김일성 주석은 국민들에게 북한을 세계로부터 고립시키려는 미 제국주의자들의 음모가 있어 왔다, 그래서 이 음모를 분쇄하기 위해서 이번 결정을 내렸다고 설명했다. 그러자 북한 주민들은 위대한 지도자가 아주 잘했다고 박수를 보낸다. 오직 김일성 주석만이 이와 같은 영향력과 위엄을 가졌다.

스칼라피노 그 문제와 관련해서는 중국이 상당히 중요한 역할을 했다고 생각한다. 중국이 북한에게 남한의 유엔 가입 신청을 비토할 수 없다고 하니까, 북한은 새로운 고민이 생겼다. 만약에 북한이 유엔에 가입하지 않는다면 남한만 유엔에 들어가게 되는데 그것은 용납할 수 없으므로 북한도 어쩔 수 없이 가입하게 되었다. 우리는 1991년 6월에 (아시아소사이어티·Asia Society) 대표단 자격으로 북한에 갔었다. 중국의 행동이 어떠하리라는 것을 알면서도 그때까지도 그들은 영구 분단을 의미하는 두 개의 한국이 유엔에 가입하는 것을 용납할 수 없다는 노선을 계속 설교하고 있었다.

최근 몇 년간의 러시아와 중국의 행동들로 인해서 상당한 영향이 있었다고 생각한다. 교차승인 문제는 러시아에 의해서 해결되었다고 할 수 있다. 내가 국제회의 참석차 블라디보스토크에 갔을 때 셰바르드나제 외무장관을 만나서 잠시 얘기를 했는데 그가 북한에서, 러시아는 남한을 승인할 것이며 북한과는 새로운 경제 협정이 이루어져야 한다고 얘기했을 때 그곳 사람들로부터 맹렬한 공격을 받아서 상당히 당혹했다고 한다. 내 생각에는 북한이 러시아로부터 배신당했다고 느끼는 것 같고, 비록 중국이 이 상황에 대한 대처에 있어서 러시아보다 훨씬 능란했지만 북한은 중국에 대해서는 편치 않고 확실히 믿지 못한다고 느끼는 것 같다. 아시다시피 우리 입장은 핵 사찰과 남북 대화 진전이란 두 가지 조건만 해결된다면 상황이 향상될 수 있다는 입장을 견지하고 있다. 이 시점에서 당신은 미국이 이와 같은 두 가지 전제 조건을 보류하고 북한이 포괄적인 핵 사찰 수용도 받아들이지 않고 남북 대화 진전을 위한 노력을 않더라도 일방적으로 북한에 대해서 어떤 제스처를 취해야 한다고 생각하는가?

김대중 내 제안은 남한 정부와 긴밀한 협의를 거쳐서 일괄 타결 방안을 발표하고, 물론 이때 중국과도 논의하는 것이 좋을 것이며, 그런 연후에 북한의 태도 변화를 기다리는 것이다. 중국에게는 이와 같은 획기적인 방안을 제시하려고 하는데 북한이 이를 받아들이면 제일 좋겠지만, 만약 그렇지 않을 경우에는 중국이 영향력을 행사해야 한다. 중국이 북한에게 만약에 이 방안을 수용하지 않으면 유엔 경제 제재 조치를 지지할 수밖에 없으며, 원조도 삭감할 것이라고 한다면 우리는 이와 같은 방안들을 발표할 것이다. 그러므로 내 생각에는 미국·남한 그리고 중국 간의 삼각 협상이 이루어진 후에 방안을 제의하면 틀림없이 세계 여론도 이 방안을 지지할 것이다.

스칼라피노 우리는 남한과 일본과는 긴밀하게 협의를 하고 있으며 부수적으로 중국과도 얘기하고 있다. 핵 문제가 해결되었을 경우 경제적·기술적 측면에서 가능하다고 생각되면 우리는 북한의 원자력 에너지 프로그램을 경수로 반응기로 전환하는 것을 돕겠다고 했는데 이것은 상당히 중요한 양보, 또는 최소한 제안은 된다. 내 생각으로는 우리가 계속해서 문을 열어 놓고 있을 것으로 보이며, 현재 뉴욕에서 비밀 회담이 진행되고 있다. 내가 알기로 심각한 문제 중의 하나는 영변에 장치되어 있는 국제원자력기구(IAEA) 카메라에 필름이 떨어져서 그곳 상황을 모니터링할 수 있는 방법이 없어지게 되었으므로 만약 다음 달 정도까지 아무런 진전이 없을 경우에 국제원자력기구(IAEA)가 직접 유엔에 이 문제를 상정하게 될 것이라는 얘기를 들었다.

김대중 이와 같은 국제원자력기구(IAEA)의 태도를 북한에게 압력을 가하는 수단으로 사용하는 것이 어떻겠는가? 즉 국제원자력기구(IAEA)가 결의안을 채택해서 유엔에 상정하게 될 경우, 북한에 대한 경제 제재 조치 결의안이 유엔에서 채택되기 직전에 미국은 북한에 대해 유엔에서 이 같은 상황이 전개되고 있는데 우리는 대화를 통한 평화적인 방법으로 문제를 해결하고 싶기 때문에 미국은 마지막 기회로써 일괄타결안을 제시할 용의가 있다라고 하는 것이다.

북한의 최고 권한은 누구에게 있는가

스칼라피노 이치에 닿는 얘기라고 생각한다. 이미 말한 바와 같이 최근에 북한은 몇 사람을 뉴욕에 보냈다. 그리고 그곳에서 상당히 비밀스러운 얘기들이 진행되고 있는 것으로 알고 있다. 그런데 솔직히 말해서 좀 꺼림칙한 것은 북한에는 두 가지 정책 간에 충돌이 있는 듯하다. 이른바 경제 전문가들, 이들은 특별 경제구역을 만들기 원하며 합작 투자와 외국 자본을 원한다. 그리고 한편으로는 내가 극단적 소극주의자라 일컫는 부류가 있다. 이들은 여하한 이유에도 움직이려고 하지를 않으며 대부분은 군인들로 구성되어 있다. 우리는 뉴욕에서의 갈루치·강석주 회담을 통해서 새로운 계기를 마련할 수 있다고 생각했었다. 그들이 움직이면 우리도 움직일 것이라고 신호도 보냈다. 그러나 아직도 이에 대한 결정은 평양에 있는 극단적 소극주의자들이 하는 것처럼 보인다.

아주 커다란 미스터리는 북한의 정책은 과연 누가 진짜로 만드는가이다. 최고의 권한은 누구에게 있는가? 김일성인가 아니면 이제는 김정일인가? 몇 명의 외교관들은 김정일과 그의 지지자들이 상당한 권한을 장악했다고 말했으며 그중 한 사람은 어떻게 알았는지, 또 이것이 사실인지는 잘 모르겠지만, 말하기를 김정일이 그의 부하들에게 "모든 중요한 정보는 내게 가져와라. 그러면 내가 아버지한테 전달할 것을 결정하겠다"고 말했다고 한다. 만약 이것이 사실이라면 김일성은 일어나는 상황에 대해서 완전한 정보를 못 갖고 있을 수도 있다는 것이다. 반면에 김정일에 대한 다른 견해가 너무나 많다. 그의 능력 그리고 그의 관계들, 이 최고 권한에 대한 문제는 어떻게 생각하는가?

김대중 물론 북한 상황을 잘 모르지만 내가 전적으로 믿는 바로는 김일성 주석이 아직도 절대적인 권한을 갖고 있다고 보며 동시에 김정일 비서도 권한을 많이 부여받아서 점점 더 강해지고 있다는 것도 사실이라고 생각한다. 그래서 많은 부분이 김일성 주석까지 안 가고 김정일 비서 선에서 처리될 것이다. 그렇지만 어떤 일이라도 김일성 주석이 일단 결정하면 아무리 김정일 비서 마음에 안 들더라도 아무 말도 못 할 것이다. 그러므로 우리는 일괄 타결 방안을 공개 발표해서 김일성 주석에게 전달될 수 있도록 해서 김일성 주석으로 하여금 결정을 내리도록 하고 이때 김일성 주석이 양보를 하게 된다면 김정일 비서도 따를 수밖에 없을 것이다. 이런 연유에서 나는 김일성 주석 생전에 남북 문제를 해결할 것을 종용하는 것이다. 내가 전 주한 미국대사인 도널드 그레그를 뉴욕과 워싱턴에서 만났을 때 그는 이런 내 의견에 대해 동의했으며 또한 일괄 타결 협상에도 공감을 표했다. 나는 다시 한번 강력히 제안하지만 미국이 이 기회를 놓치지 않기 위해서 일괄타결안을 공개적으로 발표하기 바란다. 미 하원의원 애클맨이 북한에 가기 전에 그를 만났다. 그리고 카터 대통령께 내 생각을 얘기하니까 아주 강력히 지지해 주면서 내 의견을 미 국무장관과 대통령 안보 담당 보좌관에게 전달해 주겠다고 했다. 내 생각에는 이와 같은 일괄 타결 방안을 가지고 김일성 주석을 설득시키는 것이 관건이라고 생각한다.

스칼라피노 앞으로의 몇 달간이 의심의 여지없이 절박한 시기임이 틀림없다.

김대중 그러나 김일성 주석은 정보가 부족하고 아들의 측근들에 둘러싸여 있으며, 물론 김일성 주석에게 충성하는 측근들도 있기는 하지만, 더욱이 김정일 비서의 권한이 강화되면서 상황을 더욱 복잡하게 만들 소지가 있다.

스칼라피노 북한의 결정 과정에는 우리가 모르는 너무나 많은 미스터리들이 있다. 그러나 내 느낌에 하나의 열쇠는 경제 분야에 관심을 갖고 있는 테크노크라트(경제 관료)들이 보다 큰 목소리를 가질 수 있을 것인가, 그리고 김정일과 김일성이 과연 이들을 지지할 것인가 아니면 대개 강경파인 오진우와 같은 보수 군부 세력을 지지할 것이냐에 달려 있다고 본다.

나는 북한에서 변화를 가져올 수 있는 잠재적인 계층이 세 부류가 있다고 본다. 첫째 동유럽과 러시아에서 돌아온 수천 명의 유학생, 이들은 바깥 세계를 부분적으로나마 봤으며 비록 공산 치하에 있을 때였지만 어쨌건 국제적인 사건들을 접할 수 있는 창구가 있었고 그리고 대부분은 과학기술 분야의 교육을 받았기 때문에 색다른 접근 방법에 대한 감각도 어느 정도 갖고 있다. 둘째 현재 북한에는 한때 일본에서 살았던 사람이 10만 명이 넘으며 이들도 무언가 다른 체제에 대해서 알고 있다. 이들은 아직도 바깥 세계에 연고가 있으며 송금을 받고 어떤 경우에는 경제 활동에도 참여한다. 셋째 외교관과 군에 있는 사람들 중에 지금 뉴욕에 와 있는 사람들처럼 해외에 근무한 적이 있는 사람들과 나는 때때로 만나 본 적이 있다. 그들은 국제 환경을 알고 있으며 또한 비록 이야기는 안 하지만, 북한이 상당히 뒤처져 있다는 사실을 알고 있다. 나는 그들이 어느 정도의 목소리를 가지고 있는지 모르며, 어느 위치까지 그들의 메시지가 들리는지 모른다. 예를 들면, 김일성이 그들의 목소리를 들을 수 있는지조차도 모른다. 그렇지만 내 생각에는 이들이 변화를 가져올 수 있는 잠재적 요소라고 생각되며 앞으로 이들이 변화를 유발시킬 수 있는 잠재적인 역량을 가질 수 있도록 여건 조성을 해 줄 수 있게 되기를 바란다.

김대중 김일성 주석을 만나 본 사람들로부터 듣는 이야기는 김일성 주석은 완전하지는 않으나 상당한 정보를 가졌고, 건강해 보였으며, 아직도 정신력은 건재하다고 전언한다. 내 생각에는 미국이 고위층 인사를 김일성 주석과 만나도록 해서 몇 가지 언약을 해 주는 것이 바람직하다고 본다. 즉 우리는 북한을 전복할 의사가 전혀 없으며, 만약에 북한이 핵 개발을 포기하고 공명한 태도로 시장을 개방할 준비가 되어 있다면 우리는 외교 관계를 수립할 적절한 준비도 되어 있다. 북한의 모든 문제는 북한 스스로 결정할 수 있다. 그러니까 서로 줄 것은 주고 받을 것은 받는 일괄 타결의 방향으로 나아가자. 이와 같은 것이 김일성 주석이 듣고자 하는 것인데, 이런 확실한 메시지가 김일성 주석에게 전달되어야 한다.

스칼라피노 물론 1차, 2차에 걸친 갈루치와 강석주 회담 중 1차 회담이 공동성명에서는 미국은 무력 사용을 안 하겠다는 언약을 했으며, 북한 언론은 이 약속과 경수로에 관한 문제를 크게 부각시켰다. 선생 생각에는 평양에 보내는 사절로 어느 정도 위치에 있는 사람을 보내야 한다고 생각하는가?

김대중 아주 썩 좋은 생각은 없지만 은퇴한 고위 인사는 어떻겠는가. 카터와 같은 사람이 가장 적합하다고 생각한다.

스칼라피노 카터는 이 문제에 관여하기를 원하고 있다. 1992년 12월에 그는 나와 아시아재단(Asia Foundation) 총재인 윌리엄 풀러를 초청해서 이 문제에 관여할 수 있는 가능성에 관한 의견을 교환했다. 그렇지만 아마도 클린턴 행정부는 핵 문제에 어떠한 돌파구가 생길 수 있다는 가능성이 보이기 전에는 카터와 같은 주요 인사를 보내는 것을 꺼릴 것으로 생각된다.

김일성 생전에 해결해야

김대중 내 생각으로는 닭이 먼저냐, 계란이 먼저냐와 같이 누가 먼저 소강 상태를 푸느냐가 관건이다. 기다려 보자는 태도보다는 능동적으로 대처하기를 바란다. 내 생각으로는 미국은 북한보다는 제시할 것이 훨씬 더 많다고 생각된다. 통일 문제와 관련해서 이야기를 하자면 북한은 독일식의 통일이 이루어질 것에 대한 의심을 갖고 있다. 그러므로 우리는 북한에게 그런 일이 없을 것이라는 보장을 해 줌으로써 안심시켜야 할 것이다. 흡수 통일의 가능성이 있다 할지라도 남한을 위해서 바람직하지 않다.

나는 지난 20년 동안 3단계 통일론을 주창해 왔다. 이제 남한 정부에서도 첫 단계인 국가연합에 참여하겠다는 입장을 표명했다. 재미있는 사실은 북한도 이 제안에 대해 관심을 보여 왔다는 것이다. 셀리그 해리슨이 북한에 가서 김영남과 북한 지도층을 만났을 때 북한의 고려연방제가 현실적이지 못하다고 지적하면서 김대중의 공화국연합제, 즉 국가연합제를 수용하라고 권하니까 그들은 김대중의 연합제 방안에 대해서 의논할 준비가 되어 있다고 말했다. 몇 년 전 북한 학자들이 워싱턴 세미나에 참석했을 때 통일 방안에 대해서 질문을 받자 그들은 김대중 방안을 긍정적으로 검토할 생각이라고 말했다. 그리고 5년 전에 국제의원연맹(IPU) 총회가 있었을 때 우리 당 대표들에게 김대중 통일 방안을 가지고 통일을 이야기하자고 했다. 그러므로 핵 문제만 해결이 된다면 이와 같이 남북이 다 같이 긍정적인 관심을 갖는 연합제 형태의 통일이 활발하게 진행될 가능성이 크다. 북한은 흡수 통일을 상당히 두려워하고 있기 때문에 연방제 방안을 통해서 시간을 벌기를 원한다. 남한의 입장에서 보더라도 흡수 통일을 추구해서는 안 된다고 생각한다.

스칼라피노 내 느낌에도 한국의 현 정부는 흡수 통일을 원하는 것 같지는 않다.

김대중 만일 우리가 원한다고 해도 흡수 통일의 가능성은 아주 희박하다. 우리와 독일은 상황이 아주 다르다. 북한 주민들은 거의 50년 동안 김일성 주석 우상화 교육에 세뇌되어 있으며, 남한 정부에 대하여 미 제국주의의 앞잡이라고 세뇌시켜 왔고, 소수의 기업인들을 제외하고는 남한 주민 모두는 비렁뱅이들이다, 남한에는 범죄·부패·매춘 등이 난무하고 있다는 아주 부정적인 시각을 갖고 있다. 북한 주민들은 남한에 대해서 부정적인 세뇌만 당해 왔고 긍정적으로 생각하는 아무런 정보가 없기 때문에 동독 사람들과 같은 태도를 가질 하등의 이유를 가지고 있지 않다. 북한에는 백만 명이 넘는 강한 군대를 갖고 있으며 만일 김일성 주석 체제가 붕괴한다면 군부가 세력을 장악해서 남한에 대하여 더욱 적대감을 갖는 조치를 취할 가능성이 있다. 또 다른 하나의 이유로는 1950년도에 유엔군이 압록강까지 진출하자 중국이 공산 정권을 수립한 지 1년밖에 안 되었는데도 수백만 명의 희생자를 내면서 한국전쟁에 직접 개입하였다. 그러므로 지금도 중국은 북한이 남한에 흡수되는 것이 자국의 안보와 이해에 굉장한 위협이라고 생각하고 있다.

스칼라피노 동감이다. 북한에서 대변동이 발발한다면 이러한 현상은 최상부의 권력층과 지식층으로부터 일어나지, 일반 대중들로부터는 발생되지 않을 것이다. 그리고 이러한 상황이 되면 어느 누구도 예측 불허하는 일이 발생할 것이다. 왜냐하면 북한의 어느 집단이 중국으로 쫓겨나서 중국에게 지원을 요청하고 다른 이익 집단은 남한이나 다른 곳에 지원 요청을 한다면 상당히 위험한 상황이 전개될 것이다. 그러므로 북한에서의 무정부 상태는 심각하게 우려할 만한 상황이다. 지금 덩샤오핑은 89세임에도 아직도 강력한 힘을 가지고 있는 것처럼, 김일성도 향후 10년간 더 살 수 있을는지는 모르나 사람이 80세가 되면 언제 어떻게 될지는 아무도 말할 수 없을 것이다. 미국이 전제하는 두 가지 조건은 핵 사찰에 있어서의 진전과 남북 관계의 진전이 있는 것이다. 미국 정책을 결정하는 그룹 내에서의 토론이 있었다. 이 토론에서 융통성 있는 정책을 지지하지 않는 사람들이 있었는데 이들은 더욱 강경책을 추구하자고 했고, 반면에 나를 포함한 융통성 있는 정책을 주창하는 사람들도 있었다. 그들은 대부분 선생이 지금 말했던 것 같은 얘기들을 했다. 그 논쟁에서는 우리가 승리했지만, 우리의 승리는 일시적이다. 무슨 말인고 하니 북한이 융통성을 보이지 않는다면 미국과 남한에서와 마찬가지로 강경파들이 득세할 것이라고 보며 이런 사실을 북한 쪽에도 알려 줘야 한다고 생각한다. 상황은 아직 상당히 유동적이다.

김대중 강경 자세와 융통성 있는 태도를 동시에 취해야 한다. 강경 자세로써 우리는 북한이 핵무기를 보유하는 것을 절대 용납할 수 없다. 그러나 그들이 핵을 포기한다면 우리는 그에 상응하는 많은 이익을 제공할 것이다.

스칼라피노 이른바 당근과 채찍 같은 회유와 강경책의 균형을 한 시점에서 어디에 두는가 하는 것이 문제이다. 그러므로 우리는 발생하는 상황에 따라서 대처해야 할 것이다. 그리고 바로 이러한 점을 지금 미국에서 토의하고 있는 것이다. 나는 지금 샌디에이고 회의에 참석하고 오는 길이다. 남한과 4강대국이 북한과 함께 참석하기로 되었는데 북한은 불참했다. 물론 전반적인 문제점들이 토의되었고, 나도 중국이 아주 중요한 요소라는 점에 동의한다. 중국은 북한의 핵무기 보유를 원치 않으며, 지속적인 대화를 원하고 있다. 우리가 중국에게 제기한 문제는, 과연 대화에 진전이 없을 경우, 어떤 시점에서 제재 조치로 전환할 것인가이다. 이에 대해서 중국은 생각해 보지 않은 것 같고 토의하고 싶어 하지도 않는 인상이다. 그러나 중국은 이러한 문제점들에 대한 중대한 요소라고 생각하며 우리는 수시로 그들과 접촉하고 있고, 한국도 역시 마찬가지라고 생각한다.

김대중 나는 한국과 중국 사이에서 활발한 대화와 협력이 있는 것으로 알고 있다.

스칼라피노 나도 동감이다.

김대중 내가 다시 한번 제안하고 싶은 것은 누군가 영향력 있는 지도자가 직접 김일성 주석에게 이 문제를 가져가면, 김일성 주석은 큰 판단을 내리는 것을 좋아한다. 또한 김일성 주석은 죽기 전에 한국 및 서방과의 문제를 푸는 데 매우 열심이다. 물론 실무적 차원의 토의나 고위 관리 차원의 대화를 반대하지는 않지만 이와 같은 획기적인 접촉도 가져야 한다. 김일성 주석이 법적 실체로서 한국 정부를 인정하고 교차승인, 유엔 동시 가입과 같은 결정을 내린 것을 보면 강경파들의 반대를 묵살하고 또다시 커다란 결단을 내릴 수 있는 가능성도 아주 크다고 할 수 있다. 그는 절대적 권한이 있기 때문에 그가 결단을 내리면 군부·강경파·김정일·측근 등 그 누구도 불평할 수 없다.

스칼라피노 선생은 현 한국 정부가 이러한 전략을 받아들일 것이라고 생각하는가?

김대중 모른다. 그러나 핵 문제가 민감한 문제로 대두되었을 때 남한 정부는 매우 융통성 있는 자세를 보여 줬다. 그러나 내 생각에는 그와 같은 유연한 입장은 미국과의 협의에 의해서 많은 영향을 받았다고 생각된다.

스칼라피노 그러나 나는 양쪽에 서로 긴밀한 얘기가 오갔었다고 생각한다. 물론 클린턴 미 행정부는 또 다른 지역에서의 위기 상황을 원치 않으며,

평화적으로 해결되기를 희망한다.

향후 아시아에서 미국의 역할

김대중 본인은 동아시아에서의 미국인들의 일반적인 느낌에 관해서 질문하고자 한다. 조금 더 자세히 설명하겠다. 지금 동아시아는 전 세계 인구의 30퍼센트를 차지하고 있는 매우 중요한 지역이다. 매년 이 지역은 평균적으로 7퍼센트 이상의 경제 성장을 이룩하고 있으며, 이 지역의 사람들은 교육 수준이 높고 근면하며 무언가를 성취하기 위한 의욕이 대단히 높다. 최근에 본인이 독일 순방을 했을 때 헬무트 콜 총리가 아시아 여행에서 돌아와서 그곳 신문들에 의하면, 다음과 같이 말했다 한다. 아시아 없이는 독일도 존재할 수 없다, 그리고 아시아 국가들과의 관계를 증진하고 촉진시키기 위해서 내각에서 6개 항의 주요 정책을 채택했다고 한다. 또한 내가 알기로는 미 대통령 클린턴도 미국은 아시아 국가라고 선언했다고 한다. 이런 것을 볼 때 이 지역에서 미국의 계속적인 주둔에 대해서 미국 국민들의 일반적인 생각은 어떤지 알고 싶다.

군사적인 측면에서 얘기하자면, 일본과 러시아 간 북방 섬 4개로 인한 긴장 고조, 러시아와 중국 그리고 일본과 중국 간의 군비 경쟁 가능성이 높아지고 있는데 오로지 미국만이 중재와 조정의 역할이 이 지역에서 가능하다고 보며, 이 지역에 다자간 안보 체제를 만들 수가 있다. 아시아는 미국의 투자와 기술·경영을 필요로 하고 있으며, 우리는 솔직히 말해서 한 나라에 의해 아시아 경제가 지배당하는 것을 원하지 않는다. 그러므로 그렇게 되지 않도록 하기 위하여 미국이 필요한 것이다. 또한 지금 많은 아시아 국가들은 민주 발전을 원하고 있다. 그러므로 미국의 존재는 이와 같은 민주화에 도움을 줄 수 있다. 우리는 최근 미 대통령 클린턴의 아시아의 인권과 민주주의에 관한 견해에 대해서 환영한다. 본인은 미국이 현재 이러한 세 가지 이유에서 아시아 국가들에게 도움이 될 것이라고 생각되며 동시에 미국의 이익을 위해서도 이 지역이 중요하다고 생각한다. 다만 한국을 포함한 많은 아시아인들은 미국이 때때로 보여 준 이기적이고 고답적인 태도를 경계하고 있는 것도 사실이다. 그러나 이런 방향으로 정책이 펼쳐지려면 미국민의 지지가 필수적이다. 당신은 이 점에 대하여 어떻게 평가하는가?

스칼라피노 솔직히 말해서 이 상황은 대단히 복잡한 문제이다. 클린턴 행정부는 아시아에서 전략적인 주둔을 지속하고 강력한 정치적·경제적인 역할을 하기를 원하는 데 의심의 여지가 없다고 생각한다. 군사전략 면에서 주둔 기지 개념에서 점차적으로 투입 능력, 이동방어 개념 등에 대한 강조가 증가될 것으로 본다. 그렇지만 한국이나 일본에 현재 주둔하고 있는 소수 인원을 철수시키려는 의도는 전혀 없다. 아마 약간의 재조정은 있을 수 있으나 현재 상황하에서 철수는 없을 것이다.

복잡한 문제의 야기는 우선 국내 상황의 긴급한 문제들로부터 출발된다. 선생이 아는 바와 같이 미국은 일본·서유럽과 함께 아직도 불황 국면에 있다. 우리 국민은 경제 상황, 도시 생활 문제, 범죄, 환경오염 등 국내 문제에 관해 염려하고 있다. 그래서 그들은 장기간 동안 일종의 갈등 상황에 깊이 관여하지 않으려고 노력할 것이며, 당신이 인지하는 것처럼 소말리아 사태는 국민 여론 및 태도에 관련해서 많은 문제점들을 만들고 있다.

이제 나는 무엇보다도 쌍무적인 협의를 지속하는 것이 아주 중요하다고 생각한다. 우리는 거의 모든 주요 파트너들과 안건이 있다. 일본의 경우에는 대부분의 이슈들이 경제적인 것들이며, 경제 안건을 토의하기 위한 쌍무적인 협의를 위한 새로운 기준을 만들려고 하고 있다. 중국의 경우 관련된 안건들이 보다 복잡하며, 경제적인 문제도 있지만 인권 문제, 전략무기 판매에 관한 문제, 무기 개발에 대한 기술 이전 등, 솔직히 말해서 오늘날 중국과의 관계는 그다지 좋지 않다. 그러므로 한반도 문제에 있어서 조금 걱정할 필요는 있다. 관계가 좋지 않기 때문에 한반도에서 중국이 할 수 있는 역할에 대해서 다소 걱정도 된다. 중국의 지도층은 현재 미국에 대해 올림픽 유치 등 많은 문제들에 대하여 상당히 노여워하고 있다. 어떻게 우리가 쌍무 관계에 대해 적절히 조절하느냐에 따라서 미국이 아시아에 보다 지속적이고 강화된 참여를 하도록 여론을 이끌도록 하는 것이 매우 중요하다.

일반적으로 우리가 계속적으로 참여할 것에 대해서는 의심할 여지가 없지만 앞으로는 보다 많은 공동 참여를 요구할 것이고 이것이 바람직하다. 우리는 안건들에 대해서 다자간 합의가 이루어지도록 노력할 것이다. 사실 개방된 정치 분위기와 심도 깊은 협의 등으로 인하여 우리와 한국과의 관계는 어느 때보다도 좋다. 그러나 우리 국민들이 국내 문제들에 대해서 너무 걱정하지 않고 보다 더 지역적이고 세계적인 역할에 신경을 쓸 수 있게끔 국내 문제들을 해결하는 것이 중요하다. 이것은 물론 클린턴 행정부의 중요한 약속이다.

김대중 미국의 1992년 아시아 국가들과의 교역이 4300억 달러인 반면에 유럽은 2500억 달러였다. 40퍼센트나 더 큰 규모이다.

스칼라피노 그렇지만 아시아와의 교역에서 커다란 폭의 무역 적자가 있었다. 한국과는 없지만 일본과는 500억 달러 가까이 무역 역조 현상을 보이고 있다.

김대중 마지막으로 나는 최근에 중국의 핵실험에 대한 당신의 의견을 듣고 싶다. 나는 이 문제에 대하여 상당히 우려하고 있다.

스칼라피노 중국은 자국 핵무기의 안전도를 점검해야 할 필요가 있으며, 그들의 주장은 과거에 당신들도 그랬고, 핵무기를 보유한 다른 국가들도 모두 핵실험을 했는데 왜 우리 실험만 문제 삼고 있는가를 제기하고 있다. 그러나 이것은 핵실험 문제를 재개시키는 결과를 야기시킬 수 있으므로 매우 걱정스러운 것이다. 만일 중국이 계속 핵실험을 한다면 우리를 포함한 프랑스 외의 핵 보유 국가들도 좌시하지는 않을 것이다. 나는 핵실험 금지의 합의가 이루어지기를 바라며, 또한 일본·한반도·러시아와 중국의 일부분을 포함한 동북아시아에 비핵 지대를 만들기 위한 대화가 시작되기를 바란다. 내 생각에는 상당히 건설적인 움직임이 될 것이다.

김대중 내 의견으로는 미국과 다른 서방국가들이 중국의 핵실험과 관련하여 비난성명을 내야 한다. 우리는 중국뿐만 아니라 어떠한 국가라도 저지해야 한다. 필요하다면 유엔에서 결의문을 채택해야 하며 이것은 틀림없이 세계 여론의 지지를 받을 것이다. 그리고 미국이 이 문제를 해결하는 데 있어서 인내심을 가져야 한다고 생각하며, 즉각적인 반응은 삼가는 것이 좋겠다.

스칼라피노 내 생각에는 미국이 그렇게까지는 하지 않을 것으로 본다.

---

* 이 글은 로스앤젤레스의 힐튼호텔에서 미국의 저명한 국제정치학자 로버트 스칼라피노 (Robert A. Scalapino) 교수와 대담한 것이다.

김대중 대화록 ❷
1988—1993

초판 1쇄 발행 2018년 8월 29일
지은이 김대중
엮은이 정진백
발행인 정진백 **편집** 김효은
발행처 도서출판 행동하는양심 **등록번호** 제2015-000001호
주소 광주광역시 동구 백서로137번길 29, 1층 | 전라남도 화순군 도곡면 온천2길 44 김대중기념센터
전화 061-371-9975 **팩스** 061-371-9976 **이메일** asia9977@daum.net

인쇄·제책 (주)신광씨링/출판사업부 (062-232-2478)

ISBN 979-11-964442-3-5 (04300) | ISBN 979-11-964442-0-4 (04300) 세트

ⓒ 이희호 · 2018